2025

써니 행정법총론

박준철 편저

2

도서출판 지금

싣는 순서

제3편 행정절차, 행정공개

제4편 행정의 실효성 확보수단

제5편 행정구제 1(행정상 손해전보)

실는 순서

제6편 행정구제 2 (행정쟁송)

제33강 행정심판의 개관 등

제34강 행정심판절차 등

제35강 행정소송 개관, 당사자소송 및 객관적 소송

제36강 항고소송 1 (취소소송의 의의 등)

제37강 항고소송 2 (처분 등)

제38강 항고소송 3 (그 밖의 소송요건 및 소변경 등)

제39강 항고소송 4 (취소소송의 심리 등)

제40강 항고소송 5 (무효등확인소송, 부작위위법확인소송)

2025
써니 행정법총론

3회 온라인 모의고사

PART

3

행정절차, 행정공개

제 20 강 행정절차법(총칙 등)

행정절차법

행정절차의 법적 근거

헌법적 근거	제12조 적법절차의 원칙 : 적법절차원리는 형사절차뿐만 아니라 입법 · 행정 등 국가의 모든 공권력작용에 적용됨. – 개별 세법에 납세고지에 관한 별도의 규정이 없더라도 하나의 납세고지서에 의하여 복수의 과세처분을 함께하는 경우에는 과세처분별로 그 세액과 산출근거 등을 구분하여 기재함으로써 납세의무자가 각 과세처분의 내용을 알 수 있도록 해야 함.
법률적 근거	행정절차법 : 행정절차에 관한 일반법

행정절차법의 특색

• 공법상 행정절차에 관한 일반법, 사법절차와는 무관

• 주로 절차적 규정이나 실체적 규정도 있음.

• **행정절차법상 규정내용**

규 정	처분, 신고, 확약, 위반사실 등의 공표, 행정계획, 행정상 입법예고, 행정예고 및 행정지도 등
미규정	공법상 계약, 행정조사절차, 행정행위의 하자치유와 절차하자의 효과 등

통칙적 규정

용어의 정의

행정청	행정에 관한 의사를 결정하여 표시하는 기관(국가기관, 지방자치단체의 기관, 행정권한이 부여된 공공단체, 공무수탁사인)
당사자 등	• 당사자 : 처분의 직접 그 상대가 되는 당사자 • 이해관계인 : 행정청이 직권 또는 신청에 의하여 행정절차에 참여하게 한 이해관계인(법률상 이익을 갖는 모든 자가 이해관계인이 되는 것은 아님)
처 분	행정청이 행하는 구체적 사실에 관한 법집행으로서 공권력의 행사 또는 그 거부와 기타 이에 준하는 행정작용 – 행정기본법, 행정심판법 및 행정소송법의 처분 개념과 동일 ⇨ 행정계획 및 행정조사 등의 경우에도 처분에 해당하는 것이라면 행정절차법상의 처분절차가 적용됨.

적용범위

• **일반법으로서 행정절차법** : 처분, 신고, 확약, 위반사실 등의 공표, 행정계획, 행정상 입법예고, 행정예고, 행정지도에 적용됨.

• **적용제외**(행정절차법 제3조 제2항)

– 국회 또는 지방의회의 의결을 거치거나 동의 또는 승인을 얻어 행하는 사항 등

– 법원 또는 군사법원의 재판에 의하거나 그 집행으로 행하는 사항

– 헌법재판소의 심판을 거쳐 행하는 사항

– 각급 선거관리위원회의 의결을 거쳐 행하는 사항

– 감사원이 감사위원회의의 결정을 거쳐 행하는 사항

– 형사 · 행형 및 보안처분 관계법령에 의하여 행하는 사항

– 국가안전보장 · 국방 · 외교 또는 통일에 관한 사항 중 행정절차를 거칠 경우 국가의 중대한 이익을 현저히 해칠 우려가 있는 사항

– 심사청구 · 해양안전심판 · 조세심판 · 특허심판 · 행정심판, 기타 불복절차에 의한 사항 등

– 병역법에 따른 징집 · 소집, 외국인의 출입국 · 난민인정 · 귀화, 공무원의 인사관계 법령에 따른 징계 등 해당 행정작용의 성질상 행정절차를 거치기 곤란하거나 거칠 필요가 없다고 인정되는 사항과 행정절차에 준하는 절차를 거친 사항으로서 대통령령으로 정하는 사항

행정절차의 일반원칙

• 신의성실 및 신뢰보호

• 투명성 : 법령 등의 내용이 명확하지 않은 경우, 행정청에 해석 요청 가능

행정절차의 관할

• 행정청이 그 관할에 속하지 아니하는 사안을 접수하였거나 이송받은 경우에는 지체 없이 이를 관할행정청에 이송해야 하고, 그 사실을 신청인에게 통지하여야 함.

• 행정청의 관할이 분명하지 않은 경우(권한의 충돌)에는 해당 행정청을 공통으로 감독하는 상급 행정청이 그 관할을 결정하며, 공통으로 감독하는 상급 행정청이 없는 경우에는 각 상급 행정청이 협의하여 그 관할을 결정함.

행정청 간의 협조 등(행정응원)

• 행정청은 행정절차법상 소정의 경우에 다른 행정청에 행정응원을 요청할 수 있으며, 행정응원에 드는 비용은 응원을 요청한 행정청이 부담함.

당사자 등

당사자 등의 자격	행정절차에 있어 당사자 등이 될 수 있는 자는 자연인, 법인, 법인이 아닌 사단 또는 재단, 그 밖에 법령 등에 따라 권리 · 의무의 주체가 될 수 있는 자
당사자 등의 지위승계	• 당사자 등이 사망하였을 때의 상속인과 다른 법령 등에 따라 당사자 등의 권리 또는 이익을 승계한 자는 당사자 등의 지위를 승계함. • 처분에 관한 권리 또는 이익을 사실상 양수한 자는 행정청의 승인을 받아 당사자 등의 지위를 승계할 수 있음.
대표자	당사자 등이 대표자를 선정하지 않거나 대표자가 지나치게 많아 행정절차가 지연될 우려가 있는 경우에는 행정청은 그 이유를 들어 상당한 기간 내에 3인 이내의 대표자를 선정할 것을 요청할 수 있으며, 당사자 등이 그 요청에 따르지 아니했을 때에는 행정청이 직접 대표자를 선정할 수 있음. – 대표자는 각자 그를 대표자로 선정한 당사자 등을 위하여 행정절차에 관한 모든 행위를 할 수 있음. ▸ 단, 행정절차를 끝맺는 행위에 대하여는 당사자 등의 동의를 받아야 함. ▸ 다수의 대표자가 있는 경우 그중 1인에 대한 행정청의 행위는 모든 당사자에게 효력이 있으나, 행정청의 통지는 대표자 모두에게 하여야 그 효력이 있음.
대리인	당사자 등은 배우자, 직계존속 · 비속 또는 형제자매, 변호사 등을 대리인으로 선임할 수 있음. – 징계심의대상자가 대리인으로 선임한 변호사가 징계위원회 심의에 출석하여 진술하는 것은 행정절차법에 의해 보호되는 절차적 권리이므로, 이를 막은 것은 원칙적으로 징계처분을 취소해야 할 절차적 하자에 해당함. – 다만 이 경우에도 징계심의대상자의 대리인이 관련된 행정절차나 소송절차에서 이미 실질적인 증거조사를 하고 의견진술절차를 거쳐 방어권행사에 지장이 초래되었다고 볼 수 없는 경우 징계처분을 취소할 것은 아님(판례).

송달 및 기간 · 기한의 특례

- **송달** : 도달주의
- **기간 및 기한의 특례** : 천재지변 또는 그 밖에 당사자 등에게 책임이 없는 사유로 기간 및 기한을 지킬 수 없는 경우 그 사유가 끝나는 날까지 기간의 진행이 정지됨(외국에 거주 또는 체류하는 자에 대한 기간 및 기한은 행정청이 그 우편이나 통신에 소요되는 일수를 감안하여 정하여야 함).

비용부담 : 행정절차에 드는 비용은 행정청이 부담함(원칙).

신 고

자기완결적 신고(행정청에 대해 일정사항을 통지함으로써 의무가 끝나는 신고)에 관하여 규정

행정상 입법예고, 행정예고

행정상 입법예고

- **원칙** : 법령 등을 제정 · 개정 또는 폐지하고자 할 때에는 당해 입법안을 마련한 행정청은 이를 예고하여야 함.
- **입법예고를 하지 않아도 되는 경우**
  - 입법내용이 국민의 권리 · 의무 또는 일상생활과 관련이 없는 경우
  - 입법이 긴급을 요하는 경우
  - 상위법령 등의 단순한 집행을 위한 경우
  - 예고함이 공익에 현저히 불리한 영향을 미치는 경우
  - 입법내용의 성질, 그 밖의 사유로 예고가 필요 없거나 곤란하다고 판단되는 경우
- **예고방법**
  - 입법안의 취지, 주요 내용 또는 전문(全文)을 ① 관보 및 법제처장이 구축 · 제공하는 정보시스템(법령의 입법안), ② 공보(자치법규의 입법안)를 통하여 공고하여야 하며, 추가로 인터넷, 신문 또는 방송 등을 통하여 공고할 수 있음.
  - 대통령령을 입법예고하는 경우 국회 소관 상임위원회에 이를 제출하여야 함.
  - 예고된 입법안에 대하여 온라인공청회 등을 통하여 널리 의견수렴 가능
  - 입법안의 전문에 대한 열람 · 복사 요청을 받았을 경우 특별한 사유가 없는 한 응하여야 하고 복사비용은 요청자에게 부담시킬 수 있음.
- **예고기간** : 특별한 사정이 없는 한 40일(자치법규는 20일) 이상
- **의견제출 및 처리**
  - 누구든지 예고된 입법안에 대하여 의견을 제출할 수 있음.
  - 행정청은 의견을 제출한 자에게 그 제출된 의견의 처리결과를 통지하여야 함.
- **공청회** : 행정청은 입법안에 관하여 공청회를 개최할 수 있음.
- **재입법예고** : 행정청은 입법예고 후 국민생활과 직접 관련된 내용이 추가되는 등 중요한 변경이 발생하는 경우 해당 부분에 대한 입법예고를 다시 하여야 함.

행정예고

- **원칙** : 정책 등을 수립 · 시행하거나 변경하려는 경우에는 이를 예고하여야 함.
- **행정예고를 하지 않아도 되는 경우**
  - 긴급한 사유로 예고가 현저히 곤란한 경우
  - 법령 등의 단순한 집행을 위한 경우
  - 국민의 권리 · 의무 또는 일상생활과 관련이 없는 경우
  - 공공의 안전 또는 복리를 현저히 해칠 우려가 상당한 경우
- **입법예고와의 관계** : 법령 등의 입법을 포함하는 행정예고는 입법예고로 갈음 가능
- **예고기간**
  - 20일 이상으로 함.
  - 행정목적을 달성하기 위하여 긴급한 필요가 있는 경우 : 예고기간 단축 가능, 10일 이상으로 함.

제 1 절 행정절차법(총칙 등)

초대 Topic 24 핵심집약 Topic 41

01 | 행정절차의 의의

1. 행정절차란 행정청이 행정작용을 할 때 대외적으로 거쳐야 하는 사전절차를 말한다. 통상 행정절차라 함은 이러한 협의의 행정절차를 말하는 것으로서 여기에는 처분절차, 행정입법절차 등이 포함된다.

2. 행정절차는 행정작용 전, 미리 상대방 등 이해관계인의 의견을 수렴하여 행정작용을 함으로써 분쟁을 회피할 수 있고, 이에 따라 법원의 부담을 완화하는 기능을 한다. 따라서 행정절차는 사전적 행정구제의 기능을 수행한다.01

02 | 행정절차의 법적 근거

❶ 행정절차의 헌법적 근거

헌법은 제12조에서 적법절차의 원칙을 규정하고 있는바, 이에 대해 통설은 이러한 헌법규정의 취지는 형사사법절차뿐만 아니라 행정절차에도 적용될 수 있다고 한다.02 헌법재판소 역시 동일한 취지에서 행정절차의 헌법적 근거를 헌법 제12조의 '적법절차원리'에서 찾고 있다.03 ❶

관련판례

1. 헌법 제12조의 적법절차원리는 형사절차뿐만 아니라 입법 · 행정 등 국가의 모든 공권력작용에 적용된다.★★★
   헌법 제12조 제3항 본문은 동조 제1항과 함께 적법절차원리의 일반조항에 해당하는 것으로서, 형사절차상의 영역에 한정되지 않고 입법 · 행정 등 국가의 모든 공권력의 작용에는 절차상의 적법성뿐만 아니라 법률의 실체적 내용도 합리성과 정당성을 갖춘 실체적인 적법성이 있어야 한다는 적법절차의 원칙을 헌법의 기본원리로 명시한 것이다(헌재 1992. 12. 24, 92헌마78).04

2-1. 개별 세법에서 납세고지에 관한 별도의 규정을 두지 않은 경우라 하더라도 해당 본세의 납세고지서에 국세징수법 제9조(현 제6조) 제1항이 규정한 것과 같은 세액의 산출근거 등이 기재되어 있지 않다면 그 과세처분은 적법하지 않다.★★

2-2. 하나의 납세고지서에 의하여 본세와 가산세를 함께 부과할 때에는 납세고지서에 본세와 가산세 각각의 세액과 산출근거 등을 구분하여 기재해야 한다.05 ★★

2-3. 여러 종류의 가산세를 함께 부과하는 경우에는 그 가산세 상호 간에도 종류별로 세액과 산출근거 등을 구분하여 기재함으로써 납세의무자가 납세고지서 자체로 각 과세처분의 내용을 알 수 있도록 하는 것이 당연한 원칙이다.★★

2-4. 가산세 부과처분이라고 하여 그 종류와 세액의 산출근거 등을 전혀 밝히지 않고 가산세의 합계액만을 기재한 경우에는 그 부과처분은 위법함을 면할 수 없다.06 ★★

기출 체크

□□□□□ 01 행정절차는 행정의 민주화, 행정의 능률화, 사후적 행정구제 등의 기능을 수행한다. (○, ×) ★★ 2013 서울시 7급

□□□□□ 02 헌법 제12조 제1항과 제3항은 형사사건의 적법절차에 관한 규정이므로 행정절차에는 적용되지 아니한다. (○, ×) ★★★ 2014 사회복지직 9급

□□□□□ 03 헌법재판소는 행정절차의 헌법적 근거를 민주국가원리라는 헌법원리에서 찾고 있다. (○, ×) ★★★ 2015 사회복지직 9급

□□□□□ 04 행정에서 적법절차원리의 헌법적 근거는 형사절차에서의 적법절차를 규정한 헌법 제12조 제3항에 있다. (○, ×) ★★★ 2020 국회직 8급

□□□□□ 05 하나의 납세고지서에 의하여 본세와 가산세를 함께 부과할 때 납세고지서에 본세와 가산세 각각의 세액과 산출근거 등을 구분하여 기재하여야 한다. (○, ×) ★★ 2020 국가직 7급

□□□□□ 06 하나의 납세고지서로 본세와 여러 종류의 가산세를 함께 부과하는 경우에 납세고지서에 가산세의 종류와 세액의 산출근거 등을 따로 구별하지 않고 가산세의 합계액만을 기재하였다면 그 부과처분은 위법하다. (○, ×) ★★ 2018 국가직 7급

❶ 헌법 제12조 ① 모든 국민은 신체의 자유를 가진다. 누구든지 법률에 의하지 아니하고는 체포 · 구속 · 압수 · 수색 또는 심문을 받지 아니하며, 법률과 적법한 절차에 의하지 아니하고는 처벌 · 보안처분 또는 강제노역을 받지 아니한다.
③ 체포 · 구속 · 압수 또는 수색을 할 때에는 적법한 절차에 따라 검사의 신청에 의하여 법관이 발부한 영장을 제시하여야 한다. 다만, 현행범인인 경우와 장기 3년 이상의 형에 해당하는 죄를 범하고 도피 또는 증거인멸의 염려가 있을 때에는 사후에 영장을 청구할 수 있다.

정답 01 × 02 × 03 × 04 ○ 05 ○ 06 ○

2-5. 개별 세법에 납세고지에 관한 별도의 규정이 없더라도 국세징수법이 정한 것과 같은 납세고지의 요건을 갖추지 않으면 안 된다는 것이고, 이는 적법절차의 원칙이 과세처분에도 적용됨에 따른 당연한 귀결이다.01 ★★

가산세 부과처분에 관해서는 국세기본법이나 개별 세법 어디에도 그 납세고지의 방식 등에 관하여 따로 정한 규정이 없다. 그러나 가산세는 …… 일종의 행정상 제재라는 점에서 적법절차의 원칙은 더 강하게 관철되어야 한다. 여러 종류의 가산세를 함께 부과하면서, 납세고지서에 산출근거는 물론 종류조차도 따로 밝히지 않고 단지 가산세의 합계액만을 기재하고는, 납세의무자가 스스로 세법 규정을 잘 살펴보면 무슨 가산세가 부과된 것이고 산출근거가 어떻게 되는지를 알아낼 수 있다고 하는 것으로 그 기재의 흠결을 정당화할 수는 없다(대판 2012. 10. 18, 2010두12347 전합).

기출 체크

□□□□□ 01 개별 세법에 납세고지에 관한 별도의 규정이 없더라도 국세징수법이 정한 것과 같은 납세고지의 요건을 갖추어야 한다는 것은 적법절차의 원칙이 과세처분에도 적용됨에 따른 당연한 귀결이다. (○, ×) ★★ 2013 국회직 8급

□□□□□ 02 행정절차법은 공법관계는 물론 사법관계에 대해서도 적용된다. (○, ×) 2020 지방직 · 서울시 9급

□□□□□ 03 행정절차법은 절차적 규정뿐만 아니라 신뢰보호원칙과 같이 실체적 규정을 포함하고 있다. (○, ×) ★★★ 2018 경행경채

□□□□□ 04 행정절차법은 절차법이지만, 실체적 규정도 포함하고 있다. (○, ×) ★★★ 2012 사회복지직 9급

□□□□□ 05 행정절차법은 행정조사절차에 관한 명문의 규정을 일부 두고 있다. (○, ×) ★★★ 2021 소방직 9급

□□□□□ 06 행정절차법은 행정예고와 공법상 계약에 관하여 규정하고 있다. (○, ×) ★★★ 2017 교육행정직 9급

❷ 행정절차의 법률적 근거

1. 행정절차의 중요한 내용인 청문 등을 규정한 개별법들이 있어 오다가 1996년 **행정절차법**이 제정되어 **행정절차에 관한 일반법으로 기능**하고 있다. 또한 민원에 관한 일반법으로 「민원처리에 관한 법률」이 있다.

2. 따라서 민원에 관한 것은 '개별법률 ⇨ 「민원처리에 관한 법률」 ⇨ 행정절차법'의 순서로 적용되고, 그 밖의 것에 관해서는 '개별법률 ⇨ 행정절차법'의 순서로 적용된다.

03 | 행정절차법의 특색

현행 행정절차법의 특색을 살펴보면 다음과 같다.

① 행정절차법은 **공법(公法)상 행정절차에 관한 일반법**이며, **사법(私法)작용과는 무관**하다.02
② 행정절차법은 **주로 절차적 규정**으로 구성되나 **신뢰보호의 원칙, 신의성실의 원칙** 등 일부 **실체적 규**정도 갖고 있다.03 04
③ **처분절차**만 규정하고 있는 것이 아니라 **신고, 확약, 위반사실 등의 공표, 행정계획, 행정상 입법예고, 행정예고 및 행정지도** 등에 관한 것도 **규정**하고 있으나, **공법상 계약, 행정조사절차** 등에 대해서는 규정하지 않고 있으며,05 06 **행정행위의 하자치유와 절차하자의 효과** 등에 대해서도 **규정하지 않고 있다.**

04 | 통칙적 규정

❶ 입법목적

행정절차법은 국민의 행정참여를 도모함으로써, 행정의 공정성 · 투명성 · 신뢰성을 확보하고 국민의 권익을 보호하기 위해서 제정되었다(동법 제1조).

정답 01 ○ 02 × 03 ○ 04 ○ 05 × 06 ×

기출 체크

□□□□□ 01 행정절차법상 '당사자등'이란 행정청의 처분에 대하여 직접 그 상대가 되는 당사자 및 행정청이 직권으로 또는 신청에 따라 행정절차에 참여하게 한 이해관계인을 의미한다. (○, ×) ★★

2024 국회직 8급

□□□□□ 02 행정절차법은 행정조사에 관한 명문의 규정을 두고 있지 않으므로 행정조사가 처분에 해당하는 경우에도 행정절차법상의 처분절차에 관한 규정이 적용되지 않는다. (○, ×) ★★★

2016 사회복지직 9급

□□□□□ 03 행정지도는 의무를 부과하거나 권익을 제한하는 것이 아니므로 행정절차법의 적용을 받지 않는다. (○, ×)

2023 국회직 8급

□□□□□ 04 적법절차의 원칙은 헌법의 기본원리이고 행정절차법은 행정절차에 관한 일반법적 성격을 가지기는 하지만 행정절차법이 모든 행정작용에 적용되는 것은 아니다. (○, ×) ★★★

2013 국회직 8급

□□□□□ 05 행정절차에 관한 사항이라도 국회 또는 지방의회의 의결을 거치거나 동의 또는 승인을 받아 행하는 사항의 경우에는 행정절차법의 적용이 배제된다. (○, ×) ★★★ 2024 국회직 8급

□□□□□ 06 처분, 신고, 확약, 위반사실 등의 공표, 행정계획, 행정상 입법예고, 행정예고 및 행정지도의 절차에 관한 사항이라도 행정절차법의 적용이 배제되는 경우에 해당하지 않는 것은? ★★★

2011 국가직 9급 변형

① 감사원이 감사위원회의의 결정을 거쳐 행하는 사항
② 각급 선거관리위원회의 의결을 거쳐 행하는 사항
③ 대통령이 직접 행하는 처분사항
④ 심사청구 · 해양안전심판 · 조세심판 · 특허심판 · 행정심판 기타 불복절차에 의한 사항

정답 01 ○ 02 × 03 × 04 ○ 05 ○ 06 ③

❷ 용어의 정의

1. 행정절차의 관련자

행정청	행정에 관한 의사를 결정하여 표시하는 기관
	• 국가기관(대통령, 국무총리, 장관, 청장 등) • 지방자치단체의 기관(특별 · 광역시장, 시장, 구청장 등) • 행정권한이 부여된 공공단체, 공무수탁사인(한국도로공사, 별정우체국장 등)
당사자 등	당사자와 이해관계인
	• 당사자 : 처분의 **직접 그 상대가 되는 당사자** • 이해관계인 : 행정청이 **직권 또는 신청에 의하여 행정절차에 참여하게 한 이해관계인**(행정절차법상의 이해관계인은 직권 또는 본인의 신청에 의하여 행정청이 행정절차에 참여시킨 자만을 의미하며, **법률상 이익을 갖는 모든 자가 이해관계인이 되는 것은 아님**)**01**

2. 처 분

(1) '처분'이라 함은 행정청이 행하는 구체적 사실에 관한 법집행으로서 공권력의 행사 또는 그 거부와 기타 이에 준하는 행정작용을 말한다.

(2) **이러한 처분 개념은 행정기본법, 행정심판법 및 행정소송법의 처분 개념과 동일한** 것이다. 따라서 **행정계획 및 행정조사 등의 경우에도 처분에 해당하는 것이라면**(예 도시관리계획결정 등) **행정절차법상의 처분절차가 적용된다.02**

❸ 적용범위

1. 일반법으로서 행정절차법

처분, 신고, 확약, 위반사실 등의 공표, 행정계획, 행정상 입법예고, 행정예고 및 행정지도**03의 절차**(이하 '행정절차'라 한다)에 관하여 **다른 법률에 특별한 규정이 있는 경우를 제외하고는 행정절차법이 정하는 바에 따른다**(동법 제3조 제1항).**04**

2. 적용제외

(1) 행정절차법은 행정절차에 관한 일반법적 성격을 가지지만, 행정작용이라 하더라도 다음과 같은 사항에 대하여는 행정절차법을 적용하지 아니한다(동법 제3조 제2항).

① **국회 또는 지방의회의 의결을 거치거나 동의 또는 승인을 받아 행하는 사항05**
② 법원 또는 군사법원의 재판에 의하거나 그 집행으로 행하는 사항
③ 헌법재판소의 심판을 거쳐 행하는 사항
④ **각급 선거관리위원회의** 의결을 거쳐 행하는 사항
⑤ **감사원이** 감사위원회의의 결정을 거쳐 행하는 사항
⑥ **형사(刑事) · 행형(行刑)** 및 보안처분 관계법령에 따라 행하는 사항
⑦ **국가안전보장 · 국방 · 외교 또는 통일에** 관한 사항 중 행정절차를 거칠 경우 국가의 중대한 이익을 현저히 해칠 우려가 있는 사항
⑧ **심사청구, 해양안전심판, 조세심판, 특허심판, 행정심판,** 그 밖의 불복절차에 따른 사항**06**
⑨ **병역법에 따른 징집 · 소집, 외국인의 출입국 · 난민인정 · 귀화, 공무원 인사관계법령에 따른 징계,** 그 밖의 처분, 이해조정을 목적으로 하는 법령에 따른 알선 · 조정 · 중재(仲裁) · 재정(裁定) 또

는 그 밖의 처분 등 해당 행정작용의 성질상 행정절차를 거치기 곤란하거나 거칠 필요가 없다고 인정되는 사항과 행정절차에 준하는 절차를 거친 사항으로서 대통령령으로 정하는 사항

㉠ 병역법, 예비군법, 민방위기본법, 「비상대비자원 관리법」, 「대체역의 편입 및 복무 등에 관한 법률」에 따른 징집 · 소집 · 동원 · 훈련에 관한 사항
㉡ 외국인의 출입국 · 난민인정 · 귀화 · 국적회복에 관한 사항
㉢ 공무원 인사관계법령에 의한 징계 및 기타 처분에 관한 사항
㉣ 이해조정을 목적으로 법령에 의한 알선 · 조정 · 중재 · 재정 및 기타 처분에 관한 사항
㉤ 조세관계법령에 의한 조세의 부과 · 징수에 관한 사항
㉥ 「독점규제 및 공정거래에 관한 법률」, 「하도급거래 공정화에 관한 법률」, 「약관의 규제에 관한 법률」에 따라 공정거래위원회의 의결 · 결정을 거쳐 행하는 사항
㉦ 학교 · 연수원 등에서 교육 · 훈련의 목적을 달성하기 위하여 학생 · 연수생 등을 대상으로 행하는 사항 등

(2) 한편, (1)의 ⑨와 관련하여서는 조문해석상 대통령령으로 정하는 사항 전부에 대해 행정절차법의 적용이 배제되는 것이 아니라 성질상 행정절차를 거치기 곤란하거나 불필요 또는 행정절차에 준하는 절차를 거치는 사항의 경우에만 행정절차법의 적용이 배제된다는 것이 판례의 입장이다.

관련판례

1. (인사법령에 의하여 진급예정자명단에 포함된 자에 대하여 의견제출의 기회를 부여하지 아니한 채 진급선발을 취소하는 처분을 한 것이 절차상 하자가 있어 위법하다고 판시하면서) **01 공무원 인사관계 법령에 의한 처분에 관한 사항 중 성질상 행정절차를 거치기 곤란하거나 불필요하다고 인정되는 처분이나 행정절차에 준하는 절차를 거치도록 하고 있는 처분의 경우에만 행정절차법의 적용이 배제된다**(대판 2007. 9. 21, 2006두20631). **02 03** ★★★

2. **산업기능요원 편입취소처분은 행정절차법의 적용이 배제되는 사항인 행정절차법 제3조 제2항 제9호, 같은 법 시행령 제2조 제1호에서 규정하는 '병역법에 의한 소집에 관한 사항'에 해당하지 않는다(즉, 행정절차법이 적용된다)**(대판 2002. 9. 6, 2002두554). **04** ★

3. (행정안전부장관이 「대통령기록물 관리에 관한 법률」에서 5년 임기의 별정직 공무원으로 규정한 대통령기록관장으로 임용된 원고를 직권면직한 사건에서) **사전통지를 하지 않고 의견제출의 기회를 주지 아니한 별정직 공무원에 대한 직권면직처분은 행정절차법 제21조 제1항, 제22조 제3항을 위반한 절차상 하자가 있어 위법하다.**
공무원 인사관계법령에 의한 처분에 관한 사항이라 하더라도 전부에 대하여 행정절차법의 적용이 배제되는 것이 아니라, 성질상 행정절차를 거치기 곤란하거나 불필요하다고 인정되는 처분이나 행정절차에 준하는 절차를 거치도록 하고 있는 처분의 경우에만 행정절차법의 적용이 배제되는 것으로 보아야 하고, 이러한 법리는 '공무원 인사관계법령에 의한 처분'에 해당하는 별정직 공무원에 대한 직권면직처분의 경우에도 마찬가지로 적용된다(대판 2013. 1. 16, 2011두30687). **05**
✚ 별정직 공무원에 대한 직권면직의 경우에는 징계처분과 달리 징계절차에 관한 구 공무원징계령의 규정도 적용되지 않는 등 행정절차에 준하는 절차를 거치도록 하는 규정이 없다.

4. **국가공무원법상 직위해제처분에는 처분의 사전통지 및 의견청취 등에 관한 행정절차법 규정이 적용되지 않는다.** ★★★
국가공무원법상 직위해제처분은 구 행정절차법 제3조 제2항 제9호, 구 행정절차법 시행령 제2조 제3호에 의하여 당해 행정작용의 성질상 행정절차를 거치기 곤란하거나 불필요하다고 인정되는 사항 또는 행정절차에 준하는 절차를 거친 사항에 해당하므로, 처분의 사전통지 및 의견청취 등에 관한 행정절차법의 규정이 별도로 적용되지 않는다(대판 2014. 5. 16, 2012두26180). **06**

기출 체크

□□□□□ **01** 군인사법령에 의하여 진급예정자명단에 포함된 자에 대하여 행정절차법상 의견제출의 기회를 부여하지 아니한 채 진급선발을 취소한 처분은 위법하다. (○, ×) ★★★ 2024 지방직 · 서울시 9급

□□□□□ **02** 공무원 인사관계법령에 의한 처분에 관한 사항 전부에 대하여 행정절차법의 적용이 배제되는 것이 아니라 성질상 행정절차를 거치기 곤란하거나 불필요하다고 인정되는 처분이나 행정절차에 준하는 절차를 거치도록 하고 있는 처분의 경우에만 행정절차법의 적용이 배제된다. (○, ×) ★★★ 2024 지방직 · 서울시 9급

□□□□□ **03** 행정절차법의 적용이 제외되는 공무원 인사관계법령에 의한 처분에 관한 사항이란 성질상 행정절차를 거치기 곤란하거나 불필요하다고 인정되는 처분이나 행정절차에 준하는 절차를 거치도록 하고 있는 처분에 관한 사항만을 말하는 것으로 보아야 한다. (○, ×) ★★★ 2019 사회복지직 9급

□□□□□ **04** 병역법에 따라 지방병무청장이 산업기능요원에 대하여 산업기능요원 편입취소처분을 할 때에는 행정절차법에 따라 처분의 사전통지를 하고 의견제출의 기회를 부여하여야 한다. (○, ×) ★ 2020 국가직 7급

□□□□□ **05** 별정직 공무원인 대통령기록관장에 대한 직권면직처분에는 처분의 사전통지 및 의견청취 등에 관한 행정절차법 규정이 적용되지 않는다. (○, ×) 2022 국가직 9급

□□□□□ **06** 국가공무원법상 직위해제처분은 당해 행정작용의 성질상 행정절차를 거치기 곤란하거나 불필요하다고 인정되는 사항 또는 행정절차에 준하는 절차를 거친 사항에 해당하지 않으므로, 처분의 사전통지 및 의견청취 등에 관한 행정절차법의 규정이 적용되어야 한다. (○, ×) ★★★ 2023 군무원 9급

정답 01 ○ 02 ○ 03 ○ 04 ○ 05 × 06 ×

기출 체크

□□□□□ **01** 군인사법에 따라 당해 직무를 수행할 능력이 없다고 인정하여 장교를 보직해임하는 경우, 처분의 근거와 이유제시 등에 관하여 행정절차법의 규정이 적용된다. (○, ×) ★ 2021 국가직 7급

□□□□□ **02** 공정거래위원회의 시정조치 및 과징금납부명령에 행정절차법 소정의 의견청취절차 생략사유가 존재하면 공정거래위원회는 행정절차법을 적용하여 의견청취절차를 생략할 수 있다. (○, ×) ★★ 2019 지방직 · 교육행정직 9급

□□□□□ **03** 대법원에 따르면 행정절차법 적용이 제외되는 의결 · 결정에 대해서는 행정절차법을 적용하여 의견청취절차를 생략할 수는 없다. (○, ×) ★★ 2017 서울시 9급

□□□□□ **04** 행정절차법의 적용이 배제되는 경우가 아닌 것은? (다툼이 있는 경우 판례에 의함) ★★★ 2019 소방직 9급

① 헌법재판소의 심판을 거쳐 행하는 사항
② 지방의회의 의결을 거치거나 동의 또는 승인을 받아 행하는 사항
③ 감사원이 감사위원회의의 결정을 거쳐 행하는 사항
④ 육군3사관학교의 사관생도에 대한 퇴학처분

□□□□□ **05** 행정절차법 시행령 제2조 제8호는 '학교 · 연수원 등에서 교육 · 훈련의 목적을 달성하기 위하여 학생 · 연수생들을 대상으로 하는 사항'을 행정절차법이 적용되지 않는 경우로 규정하고 있으나 생도의 퇴학처분과 같이 신분을 박탈하는 징계처분은 여기에 해당한다고 할 수 없다. (○, ×) ★★★ 2020 국회직 8급

□□□□□ **06** 외국인의 출입국에 관한 사항은 행정절차법이 적용되지 않으므로, 미국 국적을 가진 교민에 대한 사증거부처분에 대해서도 처분의 방식에 관한 행정절차법 제24조는 적용되지 않는다. (○, ×) ★★ 2020 국회직 8급

정답 01 × 02 × 03 ○ 04 ④ 05 ○ 06 ×

5. 구 군인사법상 보직해임처분은 구 행정절차법 제3조 제2항 제9호, 구 행정절차법 시행령 제2조 제3호에 따라 처분의 근거와 이유제시 등에 관한 구 행정절차법의 규정이 적용되지 아니한다.01 ★

구 군인사법상 보직해임처분은 구 행정절차법 제3조 제2항 제9호, 같은 법 시행령 제2조 제3호에 의하여 당해 행정작용의 성질상 행정절차를 거치기 곤란하거나 불필요하다고 인정되는 사항 또는 행정절차에 준하는 절차를 거친 사항에 해당하므로, 처분의 근거와 이유제시 등에 관한 구 행정절차법의 규정이 별도로 적용되지 아니한다고 봄이 상당하다(대판 2014. 10. 15, 2012두5756).

6. 대통령의 한국방송공사 사장의 해임절차에 관하여 방송법이나 관련법령에도 별도의 규정을 두지 않고 있고, 행정절차법의 입법목적과 행정절차법 제3조 제2항 제9호와 관련 시행령의 규정내용 등에 비추어 보면, 이 사건 해임처분이 행정절차법과 그 시행령에서 열거적으로 규정한 예외사유에 해당한다고 볼 수 없으므로 이 사건 해임처분에도 행정절차법이 적용된다고 할 것이다(대판 2012. 2. 23, 2011두5001).★★★

7. 공정거래위원회의 시정조치 및 과징금납부명령에 행정절차법 소정의 의견청취절차 생략사유가 존재하는 경우, 공정거래위원회가 행정절차법을 적용하여 의견청취절차를 생략할 수는 없다.02 03 ★★

행정절차법 제3조 제2항, 같은 법 시행령 제2조 제6호에 의하면 공정거래위원회의 의결 · 결정을 거쳐 행하는 사항에는 행정절차법의 적용이 제외되게 되어 있으므로, 설사 공정거래위원회의 시정조치 및 과징금납부명령에 행정절차법 소정의 의견청취절차 생략사유가 존재한다고 하더라도, 공정거래위원회는 행정절차법을 적용하여 의견청취절차를 생략할 수는 없다(대판 2001. 5. 8, 2000두10212).

8. 육군3사관학교의 사관생도에 대한 퇴학처분에 행정절차법의 적용이 배제되는 것은 아니다.04 ★★★

행정절차법 제3조 제2항, 행정절차법 시행령 제2조 등 행정절차법령 관련규정들의 내용을 행정의 공정성, 투명성 및 신뢰성을 확보하고 국민의 권익보호를 목적으로 하는 행정절차법의 입법목적에 비추어 보면, 행정절차법의 적용이 제외되는 공무원 인사관계법령에 의한 처분에 관한 사항이란 성질상 행정절차를 거치기 곤란하거나 불필요하다고 인정되는 처분이나 행정절차에 준하는 절차를 거치도록 하고 있는 처분에 관한 사항만을 말하는 것으로 보아야 한다(대판 2013. 1. 16, 2011두30687 참조). 이러한 법리는 '공무원 인사관계법령에 의한 처분'에 해당하는 육군3사관학교 생도에 대한 퇴학처분에도 마찬가지로 적용된다. 그리고 행정절차법 시행령 제2조 제8호는 '학교 · 연수원 등에서 교육 · 훈련의 목적을 달성하기 위하여 학생 · 연수생들을 대상으로 하는 사항'을 행정절차법의 적용이 제외되는 경우로 규정하고 있으나, 이는 교육과정과 내용의 구체적 결정, 과제의 부과, 성적의 평가, 공식적 징계에 이르지 아니한 질책 · 훈계 등과 같이 교육 · 훈련의 목적을 직접 달성하기 위하여 행하는 사항을 말하는 것으로 보아야 하고, 생도에 대한 퇴학처분과 같이 신분을 박탈하는 징계처분은 여기에 해당한다고 볼 수 없다(대판 2018. 3. 13, 2016두33339).05

9. 구 국적법 제5조 각 호와 같이 귀화는 요건이 항목별로 구분되어 구체적으로 규정되어 있다. 그리고 성질상 행정절차를 거치기 곤란하거나 거칠 필요가 없다고 인정되어 처분의 이유제시 등을 규정한 행정절차법이 적용되지 않는다(행정절차법 제3조 제2항 제9호)(대판 2018. 12. 13, 2016두31616).

10. 외국인의 사증발급 신청에 대한 거부처분이 행정절차법 제24조에서 정한 '처분서 작성 · 교부'를 할 필요가 없거나 곤란하다고 인정되는 사항이 아니다.06 ★★

행정절차법의 적용이 제외되는 '외국인의 출입국에 관한 사항'이란 해당 행정작용의 성질상 행정절차를 거치기 곤란하거나 거칠 필요가 없다고 인정되는 사항이나 행정절차에 준하는 절차를 거친 사항으로서 행정절차법 시행령으로 정하는 사항만을 가리킨다고 보아야 한다(대판 2018. 3. 13, 2016두33339 등 참조). '외국인의 출입국에 관한 사항'이라고 하여 행정절차를 거칠 필요가 당연히 부정되는 것은 아니다. 외국인의 사증발급 신청에 대한 거부처분은 당사자에게 의무를 부과하거나 적극적으로 권익을 제한하는 처분이 아니므로, 행정절차법 제21조 제1항에서 정한 '처분의 사전통지'와 제22조 제3항에서 정한 '의견제출 기회 부여'의 대상은 아니다(대판 2003. 11. 28, 2003두674 참조). 그러나 사증발급 신청에 대한 거부처분이 그 성질상 행정절차법 제24조에서 정한 '처분서 작성 · 교부'를 할 필요가 없거나

곤란하다고 일률적으로 단정하기 어렵다. 실제로 사증발급 실무를 보면, 일부 재외공관장은 피고와 달리 사증발급 거부처분서를 작성하여 교부하거나 신청인으로 하여금 인터넷 홈페이지에 접속하여 처분결과와 처분이유를 확인할 수 있도록 하고 있다. 또한 출입국관리법령에 사증발급 거부처분서 작성에 관한 규정을 따로 두고 있지 않으므로, 외국인의 사증발급 신청에 대한 거부처분을 하면서 행정절차법 제24조에 정한 절차를 따르지 않고 '행정절차에 준하는 절차'로 대체할 수도 없다(대판 2019. 7. 11, 2017두38874).

11. **국가에 대한 행정처분을 함에 있어서도 사전통지, 의견청취, 이유제시와 관련한 행정절차법이 그대로 적용된다고 보아야 한다.★★★**
행정절차법 제2조 제4호에 의하면, '당사자 등'이란 행정청의 처분에 대하여 직접 그 상대가 되는 당사자와 행정청이 직권 또는 신청에 의하여 행정절차에 참여하게 한 이해관계인을 의미하는데, 같은 법 제9조에서는 자연인, 법인, 법인 아닌 사단 또는 재단 외에 '다른 법령 등에 따라 권리 · 의무의 주체가 될 수 있는 자' 역시 '당사자 등'이 될 수 있다고 규정하고 있을 뿐, 국가를 '당사자 등'에서 제외하지 않고 있다. 또한 행정절차법 제3조 제2항에서 행정절차법이 적용되지 않는 사항을 열거하고 있는데, '국가를 상대로 하는 행정행위'는 그 예외사유에 해당하지 않는다. 위와 같은 행정절차법의 규정과 행정의 공정성 · 투명성 및 신뢰성 확보라는 행정절차법의 입법취지 등을 고려해보면, 행정기관의 처분에 의하여 불이익을 입게 되는 국가를 일반국민과 달리 취급할 이유가 없다. 따라서 국가에 대한 행정처분을 함에 있어서도 앞서 본 사전통지, 의견청취, 이유제시와 관련한 행정절차법이 그대로 적용된다고 보아야 한다(대판 2023. 9. 21, 2023두39724).

❹ 행정절차의 일반원칙

1. 신의성실 및 신뢰보호

행정청은 직무를 수행할 때 신의(信義)에 따라 성실히 하여야 한다〔신의성실의 원칙(동법 제4조 제1항)〕. 행정청은 법령 등의 해석 또는 행정청의 관행이 일반적으로 국민들에게 받아들여졌을 때에는 공익 또는 제3자의 정당한 이익을 현저히 해칠 우려가 있는 경우를 제외하고는 새로운 해석 또는 관행에 따라 소급하여 불리하게 처리하여서는 아니 된다〔신뢰보호의 원칙(동법 제4조 제2항)〕.01

2. 투명성 원칙과 법령해석요청권

(1) 행정청이 행하는 행정작용은 그 내용이 구체적이고 명확하여야 한다(동법 제5조 제1항).02

(2) 행정작용의 근거가 되는 법령 등의 내용이 명확하지 아니한 경우 상대방은 해당 행정청에 그 해석을 요청할 수 있으며,03 해당 행정청은 특별한 사유가 없으면 그 요청에 따라야 한다(동법 제5조 제2항).

❺ 관 할

1. 관할의 이송

행정청이 그 관할에 속하지 아니하는 사안을 접수하였거나 이송받은 경우에는 지체 없이 이를 관할 행정청에 이송하여야 하고,04 그 사실을 신청인에게 통지하여야 한다. 행정청이 접수하거나 이송받은 후 관할이 변경된 경우에도 또한 같다(동법 제6조 제1항).

기출 체크

□□□□□ **01** 행정절차법 제4조에 의하면 행정청은 법령 등의 해석 또는 행정청의 관행이 일반적으로 국민들에게 받아들여졌을 때에는 공익 또는 제3자의 정당한 이익을 현저히 해칠 우려가 있는 경우를 제외하고는 새로운 해석 또는 관행에 따라 소급하여 불리하게 처리하여서는 아니된다. (○, ×) ★★★ 2017 경행경채

□□□□□ **02** 행정청이 행하는 행정작용은 그 내용이 구체적이고 명확하여야 한다. (○, ×) 2020 경행경채

□□□□□ **03** 행정작용의 근거가 되는 법령 등의 내용이 명확하지 아니한 경우 상대방은 당해 행정청에 대하여 그 해석을 요청할 수 있다. (○, ×) ★ 2010 국가직 7급

□□□□□ **04** 행정청이 그 관할에 속하지 아니하는 사안을 접수한 경우에는 지체 없이 이를 관할행정청에 이송하여야 한다. (○, ×) ★ 2009 관세사

정답 01 ○ 02 ○ 03 ○ 04 ○

기출 체크

□□□□□ **01** (행정절차법상) 행정청의 관할이 분명하지 아니한 경우에는 해당 행정청을 공통으로 감독하는 상급행정청이 그 관할을 결정하며, 공통으로 감독하는 상급행정청이 없는 경우에는 각 상급행정청이 협의하여 그 관할을 결정한다. (○, ×) ★ 2022 서울시 지적 7급

□□□□□ **02** 행정응원을 위하여 파견된 직원은 당해 직원의 복무에 관하여 다른 법령 등에 특별한 규정이 없는 한, 응원을 요청한 행정청의 지휘 · 감독을 받는다. (○, ×) 2021 소방직 9급

□□□□□ **03** 행정청이 다른 행정청에 행정응원을 요청하는 경우 행정응원에 소요되는 비용은 응원을 요청한 행정청이 부담한다. (○, ×) ★ 2011 국회(속기 · 경위직) 9급

□□□□□ **04** 행정응원에 드는 비용은 응원을 요청한 행정청이 부담하며, 그 부담금액 및 부담방법은 응원을 하는 행정청이 결정한다. (○, ×) 2022 서울시 지적 7급

□□□□□ **05** (행정절차법상) 법인이 아닌 재단은 당사자 등이 될 수 없다. (○, ×) ★★ 2018 서울시 2회 7급

□□□□□ **06** 처분에 관한 권리 또는 이익을 사실상 양수한 자는 행정청의 승인을 받아 당사자 등의 지위를 승계할 수 있다. (○, ×) ★★ 2022 국회직 8급

정답 01 ○ 02 ○ 03 ○ 04 × 05 × 06 ○

2. 관할의 결정

행정청의 관할이 분명하지 아니한 경우(권한의 충돌)에는 **해당 행정청을 공통으로 감독하는 상급 행정청이 그 관할을 결정하며, 공통으로 감독하는 상급 행정청이 없는 경우에는 각 상급 행정청이 협의하여 그 관할을 결정한다**(동법 제6조 제2항).**01**

❻ 행정응원

1. 행정응원의 요청

행정청은 법령 등의 이유로 독자적인 직무수행이 어려운 경우 등에는 다른 행정청에 행정응원(行政應援)을 요청할 수 있다(동법 제8조 제1항). 행정응원은 해당 직무를 직접 응원할 수 있는 행정청에 요청하여야 한다(동법 제8조 제3항).

2. 행정응원의 거부

행정응원을 요청받은 행정청은 ① 다른 행정청이 보다 능률적이거나 경제적으로 응원할 수 있는 명백한 사유가 있는 경우, ② 행정응원으로 인하여 고유의 직무수행이 현저히 지장받을 것으로 인정되는 명백한 이유가 있는 경우에는 이를 거부할 수 있다(동법 제8조 제2항). 행정응원을 요청받은 행정청은 응원을 거부하는 경우 그 사유를 응원을 요청한 행정청에 통지하여야 한다(동법 제8조 제4항).

3. 응원직원의 감독 · 비용

행정응원을 위하여 파견된 직원은 응원을 요청한 행정청의 지휘 · 감독을 받는다(동법 제8조 제5항 본문).**02** 다만, 해당 직원의 복무에 관하여 다른 법령 등에 특별한 규정이 있는 경우에는 그에 따른다(동법 제8조 제5항 단서). **행정응원에 드는 비용은 응원을 요청한 행정청이 부담하며,03 그 부담금액 및 부담방법은 응원을 요청한 행정청과 응원을 하는 행정청이 협의하여 결정한다**(동법 제8조 제6항).**04**

❼ 당사자 등의 자격

행정절차에 있어 당사자 등이 될 수 있는 자는 **자연인, 법인, 법인이 아닌 사단 또는 재단, 그 밖에 법령 등에 따라 권리 · 의무의 주체가 될 수 있는 자**이다(동법 제9조).**05**

❽ 당사자 등의 지위승계

1. 당사자 등이 사망하였을 때의 상속인과 다른 법령 등에 따라 당사자 등의 권리 또는 이익을 승계한 자는 당사자 등의 지위를 승계한다(동법 제10조 제1항).
2. 당사자 등인 법인 등이 합병하였을 때에는 합병 후 존속하는 법인 등이나 합병 후 새로 설립된 법인 등이 당사자 등의 지위를 승계한다(동법 제10조 제2항).
3. **처분에 관한 권리 또는 이익을 사실상 양수한 자는 행정청의 승인을 받아 당사자 등의 지위를 승계할 수 있다**(동법 제10조 제4항).**06**

⑨ 대표자

1. 대표자의 선정 · 변경 등

(1) 다수의 당사자 등이 공동으로 행정절차에 관한 행위를 할 때에는 대표자를 선정할 수 있다(동법 제11조 제1항).

(2) 당사자 등이 대표자를 선정하지 아니하거나 대표자가 지나치게 많아 행정절차가 지연될 우려가 있는 경우에는 **행정청은 그 이유를 들어 상당한 기간 내에 3인 이내의 대표자를 선정할 것을 요청**할 수 있다(동법 제11조 제2항 제1문). 이 경우 **당사자 등이 그 요청에 따르지 아니하였을 때에는 행정청이 직접 대표자를 선정**할 수 있다(동법 제11조 제2항 제2문).

(3) **당사자 등은 대표자를 변경하거나 해임할 수 있다**(동법 제11조 제3항).

2. 대표자의 권한 등

(1) 대표자는 각자 그를 대표자로 선정한 당사자 등을 위하여 **행정절차에 관한 모든 행위를 할 수 있다. 다만, 행정절차를 끝맺는 행위에 대하여는 당사자 등의 동의를 받아야 한다**(동법 제11조 제4항).

(2) **대표자가 있는 경우에는 당사자 등은 그 대표자를 통하여서만 행정절차에 관한 행위를 할 수 있다**(동법 제11조 제5항).

(3) **다수의 대표자가 있는 경우 그중 1인에 대한 행정청의 행위는 모든 당사자에게 효력이 있다. 다만, 행정청의 통지는 대표자 모두에게 하여야 그 효력이 있다**(동법 제11조 제6항).**01 02**

⑩ 대리인의 선임 · 변경 등

당사자 등은 ① **당사자 등의 배우자, 직계 존속 · 비속 또는 형제자매,03** ② 당사자 등이 법인 등인 경우 그 임원 또는 직원, ③**변호사**, ④ 행정청 또는 청문 주재자(청문의 경우에 해당)의 허가를 받은 자, ⑤ 법령 등에 따라 해당 사안에 대리인이 될 수 있는 자 중에서 대리인으로 선임할 수 있다(동법 제12조 제1항). 한편 당사자 등은 대리인을 변경 또는 해임할 수 있다(동법 제12조 제2항, 제11조 제3항).

관련판례

1. **징계심의대상자가 선임한 변호사가 징계위원회에 출석하여 징계심의대상자를 위하여 필요한 의견을 진술하는 것은 행정절차법에 의해 보호되는 절차적 권리이다.★★**
2. **육군3사관학교 사관생도에 대한 징계절차에서 징계심의대상자가 대리인으로 선임한 변호사가 징계위원회 심의에 출석하여 진술하는 것을 징계권자가 막은 것은 원칙적으로 징계처분을 취소하여야 할 절차적 하자에 해당한다.★★**

   행정절차법 제12조 제1항 제3호, 제2항, 제11조 제4항 본문에 따르면, 당사자 등은 변호사를 대리인으로 선임할 수 있고, 대리인으로 선임된 변호사는 당사자 등을 위하여 행정절차에 관한 모든 행위를 할 수 있다고 규정되어 있다. 위와 같은 행정절차법령의 규정과 취지, 헌법상 법치국가원리와 적법절차원칙에 비추어 징계와 같은 불이익처분절차에서 징계심의대상자에게 변호사를 통한 방어권의 행사를 보장하는 것이 필요하고, 징계심의대상자가 선임한 변호사가 징계위원회에 출석하여 징계심의대상자를 위하여 필요한 의견을 진술하는 것은 방어권 행사의 본질적 내용에 해당하므로, 행정청은 특별한 사정이 없는 한 이를 거부할 수 없다.**04**

   육군3사관학교의 사관생도에 대한 징계절차에서 징계심의대상자가 대리인으로 선임한 변호사가 징계위원회 심의에 출석하여 진술하려고 하였음에도, 징계권자나 그 소속 직원이 변호사가 징계위원회의 심의에 출석하는 것을 막았다면 징계위원회 심의 · 의결의 절차적 정당성이 상실되어 그 징계의결에 따른 징계처분은 위법하여 원칙적으로 취소되어야 한다.**05** 다만 징계심의대상자의 대리인이 관련

기출 체크

□□□□□ **01** 다수의 당사자 등이 공동으로 행정절차에 관한 행위를 할 때에는 대표자를 선정할 수 있고, 다수의 대표자가 있는 경우 그중 1인에 대한 행정청의 행위는 모든 당사자 등에게 효력이 있지만, 행정청의 통지는 대표자 모두에게 하여야 그 효력이 있다. (○, ×) 2023 국가직 7급

□□□□□ **02** 다수의 당사자 등이 공동으로 행정절차에 관한 행위를 할 때에 정하는 대표자에 관한 행정절차법의 규정내용으로 옳지 않은 것은? 2020 군무원 9급

① 당사자 등은 대표자를 변경하거나 해임할 수 있다.
② 대표자는 각자 그를 대표자로 선정한 당사자 등을 위하여 행정절차에 관한 모든 행위를 할 수 있다. 다만, 행정절차를 끝맺는 행위에 대하여는 당사자 등의 동의를 받아야 한다.
③ 대표자가 있는 경우에는 당사자 등은 그 대표자를 통하여서만 행정절차에 관한 행위를 할 수 있다.
④ 다수의 대표자가 있는 경우 그중 1인에 대한 행정청의 행위는 모든 당사자 등에게 효력이 있다. 다만, 행정청의 통지는 대표자 1인에게 하여도 그 효력이 있다.

□□□□□ **03** (행정절차법상) 당사자 등은 당사자 등의 형제자매를 대리인으로 선임할 수 있다. (○, ×) 2018 서울시 2회 7급

□□□□□ **04** 징계심의대상자가 선임한 변호사가 징계위원회에 출석하여 징계심의대상자를 위하여 필요한 의견을 진술하는 것은 방어권 행사의 본질적 내용에 해당하므로, 행정청은 특별한 사정이 없는 한 이를 거부할 수 없다. (○, ×) ★★ 2019 사회복지직 9급

□□□□□ **05** 육군3사관학교의 사관생도에 대한 징계절차에서 징계심의대상자가 대리인으로 선임한 변호사가 징계위원회 심의에 출석하여 진술하려고 하였음에도, 징계권자나 그 소속 직원이 변호사가 징계위원회의 심의에 출석하는 것을 막은 후 내린 징계위원회의 징계의결에 따른 징계처분은 특별한 사정이 없는 한 위법하여 원칙적으로 취소되어야 한다. (○, ×) ★★ 2024 지방직 · 서울시 9급

정답 01 ○ 02 ④ 03 ○ 04 ○ 05 ○

기출 체크

□□□□□ 01 행정절차에 소요되는 비용은 원칙적으로 행정청이 부담하도록 규정되어 있다. (○, ×) 2020 소방직 9급

ⓐ 한편 처분절차와 행정지도에 대해서도 행정절차법에는 규정이 있는바, 이 중 처분의 절차에 대해서는 제21강에서 살펴보며, 행정지도에 대해서는 앞서 살펴본 바 있다(p.410 참조).

된 행정절차나 소송절차에서 이미 실질적인 증거조사를 하고 의견을 진술하는 절차를 거쳐서 징계심의대상자의 방어권행사에 실질적으로 지장이 초래되었다고 볼 수 없는 특별한 사정이 있는 경우에는, 징계권자가 징계심의대상자의 대리인에게 징계위원회에 출석하여 의견을 진술할 기회를 주지 아니하였더라도 그로 인하여 징계위원회 심의에 절차적 정당성이 상실되었다고 볼 수 없으므로 징계처분을 취소할 것은 아니다(대판 2018. 3. 13, 2016두33339).

⑪ 송달 및 기간 · 기한의 특례

1. 송달

행정절차법은 송달의 방법(동법 제14조), 송달의 효력발생(동법 제15조)에 관하여 특별히 규정하고 있는데, 이에 관해서는 행정행위의 효력발생요건에서 이미 살펴보았다(제15강 참조).

2. 기간 및 기한의 특례

천재지변 또는 그 밖에 당사자 등에게 책임이 없는 사유로 기간 및 기한을 지킬 수 없는 경우에는 그 사유가 끝나는 날까지 기간의 진행이 정지된다. 외국에 거주 또는 체류하는 자에 대한 기간 및 기한은 행정청이 그 우편이나 통신에 소요되는 일수를 감안하여 정하여야 한다(동법 제16조).

⑫ 비용의 부담

행정절차에 드는 비용은 행정청이 부담한다.01 다만, 당사자 등이 자기를 위하여 스스로 지출한 비용은 그러하지 아니하다(동법 제54조).

05 | 신 고

본래 의미의 신고는 자기완결적 행위이므로 신고가 법정요건을 갖춘 이상 행정청은 이를 접수하여야 한다. 그러나 실제로는 적법한 신고가 있음에도 불구하고 신고자의 의사에 반하여 접수를 거부함으로써 신고를 인 · 허가 등의 신청과 동일하게 다루는 일이 많이 발생하였다. 행정절차법은 이러한 문제를 시정하기 위하여 신고에 관한 규정을 두고 있다.ⓐ

정답 01 ○

06 | 행정상 입법예고, 행정예고

❶ 행정상 입법예고

1. 의 의

행정입법예고는 국민의 일상생활과 밀접하게 관련되는 법령안의 내용을 미리 국민에게 알림으로써 국민들의 참여기회를 보장하고 법령의 실효성을 높이기 위한 절차이다.

2. 입법예고의 원칙(동법 제41조)

(1) 원 칙

법령 등을 제정 · 개정 또는 폐지(이하 '입법'이라 한다)하려는 경우에는 해당 입법안을 마련한 행정청은 이를 예고하여야 한다. **법제처장은 입법예고를 하지 아니한 법령안의 심사요청을 받은 경우에 입법예고를 하는 것이 적당하다고 판단할 때에는 해당 행정청에 입법예고를 권고하거나 직접 예고할 수 있다.** 01

(2) 적용제외

다음과 같은 경우에는 입법예고를 아니할 수 있다. 02

① 신속한 국민의 권리 보호 또는 예측 곤란한 특별한 사정의 발생 등으로 입법이 긴급을 요하는 경우
② 상위법령 등의 단순한 집행을 위한 경우 03
③ 입법내용이 국민의 권리 · 의무 또는 일상생활과 관련이 없는 경우
④ 단순한 표현 · 자구를 변경하는 경우 등 입법내용의 성질상 예고의 필요가 없거나 곤란하다고 판단되는 경우
⑤ 예고함이 공공의 안전 또는 복리를 현저히 해칠 우려가 있는 경우

3. 예고방법(동법 제42조)

(1) 행정청은 입법안의 취지, 주요 내용 또는 전문(全文)을 다음의 구분에 따른 방법으로 공고하여야 하며, 추가로 인터넷, 신문 또는 방송 등을 통하여 공고할 수 있다.

① 법령의 입법안을 입법예고하는 경우 : 관보 및 법제처장이 구축 · 제공하는 정보시스템을 통한 공고
② 자치법규의 입법안을 입법예고하는 경우 : 공보를 통한 공고

(2) **행정청은 대통령령을 입법예고하는 경우 국회 소관 상임위원회에 이를 제출하여야 한다.** 04

(3) 행정청은 입법예고를 할 때에 입법안과 관련이 있다고 인정되는 중앙행정기관, 지방자치단체, 그 밖의 단체 등이 예고사항을 알 수 있도록 예고사항을 통지하거나 그 밖의 방법으로 알려야 한다.

(4) 행정청은 **예고된 입법안에 대하여 온라인공청회 등을 통하여 널리 의견을 수렴할 수 있다.** 이 경우 온라인공청회에 관한 규정(동법 제38조의2 제3 · 4 · 5항)을 준용한다.

(5) 행정청은 **예고된 입법안의 전문에 대한 열람 또는 복사를 요청받았을 때에는 특별한 사유가 없으면 그 요청에 따라야 한다. 행정청은 복사에 따른 비용을 요청한 자에게 부담시킬 수 있다.**

4. 예고기간

입법예고기간은 예고할 때 정하되, **특별한 사정이 없으면 40일(자치법규는 20일)** 이상으로 한다(동법 제43조). 05

기출 체크

□□□□□ **01** 법제처장은 입법예고를 하지 아니한 법령안의 심사요청을 받은 경우에 입법예고를 하는 것이 적당하다고 판단하는 때에는 해당 행정청에 입법예고를 권고하거나 직접 예고할 수 있다. (○, ×) ★★
2015 국회직 8급

□□□□□ **02** 행정절차법상 행정상 입법예고를 하지 않아도 되는 사유에 해당하지 않는 것은? ★★ 2018 소방직 9급
① 법령 등을 제정 · 개정 또는 폐지하려는 경우
② 상위법령 등의 단순한 집행을 위한 경우
③ 입법내용이 국민의 권리 · 의무 또는 일상생활과 관련이 없는 경우
④ 신속한 국민의 권리 보호 또는 예측 곤란한 특별한 사정의 발생 등으로 입법이 긴급을 요하는 경우

□□□□□ **03** 상위법령 등의 단순한 집행을 위한 법령을 제정하려는 경우에는 입법예고를 하지 않을 수 있다. (○, ×) ★★
2024 소방간부

□□□□□ **04** 행정청은 대통령령을 입법예고할 경우에는 국회 소관 상임위원회에 이를 제출하여야 한다. (○, ×) ★★
2019 서울시 2회 7급

□□□□□ **05** (행정절차법상) 입법예고기간은 예고할 때 정하되, 특별한 사정이 없으면 (㉠)일(자치법규는 (㉡)일) 이상으로 한다. ★★★ 2017 지방직(하) 9급

정답 01 ○ 02 ① 03 ○ 04 ○ 05 ㉠ 40, ㉡ 20

기출 체크

□□□□□ 01 행정절차법에 따르면, 예고된 법령 등의 제정 · 개정 또는 폐지의 안에 대하여 누구든지 의견을 제출할 수 있다. (○, ×) ★★ 2018 지방직 7급

□□□□□ 02 행정청은 입법안에 대한 의견을 제출한 자에 대해서도 제출된 의견의 처리결과를 통지할 의무는 없다. (○, ×) 2007 인천교행

□□□□□ 03 행정청은 입법안에 관하여 공청회를 개최할 수 있다. (○, ×) 2004 행정고시

□□□□□ 04 행정절차법은 행정계획을 수립 · 시행하거나 변경하고자 하는 때에는 원칙적으로 이를 예고하도록 규정하고 있다. (○, ×) ★★★ 2013 지방직 9급 변형

□□□□□ 05 행정예고를 입법예고로 갈음할 수는 없다. (○, ×) ★★ 2007 관세사

□□□□□ 06 행정예고기간은 예고내용의 성격 등을 고려하여 정하되, 40일 이상으로 한다. (○, ×) ★★ 2021 지방직 · 서울시 7급 변형

□□□□□ 07 행정예고기간은 예고내용의 성격 등을 고려하여 정하되, ( )일 이상으로 한다. ★★ 2017 지방직(하) 9급 변형

정답 01 ○ 02 × 03 ○ 04 ○ 05 × 06 × 07 20

5. 의견제출 및 처리

누구든지 예고된 입법안에 대하여 의견을 제출할 수 있다.**01** 행정청은 해당 입법안에 대한 의견이 제출된 경우 특별한 사유가 없으면 이를 존중하여 처리하여야 한다. 행정청은 의견을 제출한 자에게 그 제출된 의견의 처리결과를 통지하여야 한다(동법 제44조).**02**

6. 공청회

행정청은 입법안에 관하여 공청회를 개최할 수 있다(동법 제45조 제1항).**03** 공청회에 관하여는 제38조(공청회 개최의 알림), 제38조의2(온라인공청회), 제38조의3(공청회의 주재자 및 발표자의 선정), 제39조(공청회의 진행) 및 제39조의2(공청회 및 온라인공청회 결과의 반영)를 준용한다(동법 제45조 제2항).

7. 재입법예고

입법안을 마련한 행정청은 입법예고 후 예고내용에 국민생활과 직접 관련된 내용이 추가되는 등 대통령령으로 정하는 중요한 변경이 발생하는 경우에는 해당 부분에 대한 입법예고를 다시 하여야 한다. 다만, 일정한 경우에는 예고를 하지 아니할 수 있다(동법 제41조 제4항).

② 행정예고

1. 의 의

행정예고란 많은 국민의 권익과 관계된 사항을 국민에게 미리 알림으로써 행정에 대한 예측가능성을 보장해 주고, 행정시책에 대한 참여를 증진시키기 위한 절차이다.

2. 행정예고의 원칙

(1) 원 칙

행정청은 정책, 제도 및 계획(이하 '정책 등'이라 함)을 수립 · 시행하거나 변경하려는 경우에는 이를 예고하여야 한다(동법 제46조 제1항 본문).**04** 2019년 개정 행정절차법에 따라, 개정 전에는 일정한 경우에만 행정예고를 하였던 것을, 정책 등의 내용이 국민의 권리 · 의무 또는 일상생활과 관련이 없는 경우 등을 제외하고는 원칙적으로 모두 행정예고를 하여야 하는 것으로 전환하였다.

(2) 적용제외

다음과 같은 경우에는 행정예고를 하지 아니할 수 있다(동법 제46조 제1항 단서).

① 신속하게 국민의 권리를 보호하여야 하거나 예측이 어려운 특별한 사정이 발생하는 등 긴급한 사유로 예고가 현저히 곤란한 경우
② 법령 등의 단순한 집행을 위한 경우
③ 정책 등의 내용이 국민의 권리 · 의무 또는 일상생활과 관련이 없는 경우
④ 정책 등의 예고가 공공의 안전 또는 복리를 현저히 해칠 우려가 상당한 경우

3. 입법예고와 행정예고의 관계

법령 등의 입법을 포함하는 행정예고는 입법예고로 이를 갈음할 수 있다(동법 제46조 제2항).**05**

4. 예고기간

(1) 행정예고기간은 예고내용의 성격 등을 고려하여 정하되, 20일 이상으로 한다(동법 제46조 제3항).**06 07**

(2) 위 (1)에도 불구하고 행정목적을 달성하기 위하여 긴급한 필요가 있는 경우에는 행정예고기간을 단축할 수 있다. 이 경우 단축된 행정예고기간은 10일 이상으로 한다(동법 제46조 제4항).

5. 예고방법

행정청은 정책등안(案)의 취지, 주요 내용 등을 관보 · 공보나 인터넷 · 신문 · 방송 등을 통하여 공고하여야 한다(동법 제47조 제1항).

6. 국민참여의 확대

(1) 국민제안의 처리

행정청(국회사무총장 · 법원행정처장 · 헌법재판소 사무처장 및 중앙선거관리위원회 사무총장은 제외한다)은 정부시책이나 행정제도 및 그 운영의 개선에 관한 국민의 창의적인 의견이나 고안(이하 '국민제안'이라 한다)을 접수 · 처리하여야 한다(동법 제52조의2 제1항).**01**

(2) 온라인 정책토론

① 행정청은 국민에게 영향을 미치는 주요 정책 등에 대하여 국민의 다양하고 창의적인 의견을 널리 수렴하기 위하여 정보통신망을 이용한 정책토론(이하 '온라인 정책토론'이라 한다)을 실시할 수 있다(동법 제53조 제1항).

② 행정청은 효율적인 온라인 정책토론을 위하여 과제별로 한시적인 토론 패널을 구성하여 해당 토론에 참여시킬 수 있다. 이 경우 패널의 구성에 있어서는 공정성 및 객관성이 확보될 수 있도록 노력하여야 한다(동법 제53조 제2항).

기출 체크

□□□□□ **01** 국회사무총장 · 법원행정처장 · 헌법재판소사무처장 및 중앙선거관리위원회사무총장을 제외한 행정청은 정부시책이나 행정제도 및 그 운영의 개선에 관한 국민의 창의적인 의견이나 고안을 접수 · 처리하여야 한다. (○, ×)

2024 국회직 8급

[유튜브] 20강 필수 개념 TEST
- QR코드를 스캔해 주세요.
- 필수 개념과 출제 포인트를 풀어 보세요.
- 틀린 문제는 기본서로 확인해 주세요.

정답 01 ○

제 21 강 행정절차법(처분 등)

처분절차

수익적 처분절차와 침해적 처분절차의 공통사항

처분기준의 설정 · 공표

- 행정청은 필요한 처분기준을 해당 처분의 성질에 비추어 되도록 구체적으로 정하여 공표하여야 함.
- 다만, 처분기준을 공표하는 것이 해당 처분의 성질상 현저히 곤란하거나, 공공의 안전 또는 복리를 현저히 해치는 것으로 인정될 만한 상당한 이유가 있는 경우에는 처분기준을 공표하지 아니할 수 있음.
- 당사자 등은 공표된 처분기준이 명확하지 아니한 경우 해당 행정청에 대하여 그 해석 또는 설명을 요청할 수 있고 행정청은 특별한 사정이 없으면 그 요청에 따라야 함.
- **설정 · 공표의무 위반의 효과**
  - 판례에 따르면 행정청이 행정절차법상 처분기준 사전공표의무를 위반하여 미리 공표하지 아니한 기준을 적용하여 처분을 하였다고 하더라도, 그러한 사정만으로 곧바로 해당 처분에 취소사유에 이를 정도의 흠이 존재한다고 볼 수 없음.

처분의 이유제시

- **(적용예외) 이유제시의무가 면제되는 경우** : ① 신청내용을 모두 그대로 인정하는 처분인 경우, ② 단순 · 반복적인 처분 또는 경미한 처분으로서 당사자가 그 이유를 명백히 알 수 있는 경우, ③ 긴급히 처분을 할 필요가 있는 경우
  - 다만, 위 ②와 ③은 이유제시 없이 처분을 한 후라도 당사자가 요청하는 경우에는 그 근거와 이유를 제시하여야 함(①은 아님).
- 행정절차법이 제정되기 이전에도 판례는 개별법상 명문의 규정이 없더라도 이유제시를 하여야 하고 그렇지 않은 경우에는 위법한 처분이라고 판시한 바 있음.
- **이유제시 정도** : 당사자가 그 처분사유를 이해할 수 있을 정도로 구체적이어야 하며, 처분의 주된 법적 근거 및 사실상의 사유 등이 제시되어야 함(판례).
  - 처분 당시 당사자가 어떠한 근거와 이유로 처분이 이루어진 것인지를 충분히 알 수 있어서 그에 불복하여 행정구제절차로 나아가는 데 별다른 지장이 없었다면 처분서에 이유가 구체적으로 명시되지 않아도 위법하지 않음(판례).
- 거부처분의 경우에도 원칙적으로 이유제시는 하여야 함(사전통지와 구분할 것).
- **이유제시의 하자**
  - 처분의 내용상 하자가 없더라도 이유제시하지 않은 경우, 처분이 위법하게 됨.
  - 이유제시가 누락된 처분 : 취소 대상(판례)
  - 처분의 상대방이 처분 당시 그 취지를 알고 있었다거나 그 후 알게 되었다 하여도 그것만으로 이유제시의 하자는 치유될 수 없음(판례).
  - 과세처분시 납세고지서에 과세표준, 세율, 세액의 계산명세서 등의 기재가 누락되면 과세처분 자체가 위법하여 취소대상이 됨(판례).

처분의 방식

- 문서주의. ㉠ 당사자 등의 동의가 있는 경우 또는 ㉡ 당사자가 전자문서로 처분을 신청한 경우에는 전자문서로 할 수 있음.
- 공공의 안전 또는 복리를 위하여 긴급히 처분을 할 필요가 있거나 사안이 경미한 경우에는 말, 전화, 휴대전화를 이용한 문자전송, 팩스 또는 전자우편 등 문서가 아닌 방법으로 처분을 할 수 있음. 이 경우 당사자가 요청하면 지체 없이 처분에 관한 문서를 교부해야 함.
- 처분행정청 및 담당자의 소속 · 성명과 연락처를 기재(처분실명제)

처분의 정정

처분에 오기 · 오산, 기타 이에 준하는 명백한 잘못이 있는 때에는 직권 또는 신청에 의하여 지체 없이 정정하고 이를 당사자에게 통지하여야 함.

처분의 고지

처분에 관하여 행정심판 및 행정소송을 제기할 수 있는지의 여부, 그 밖에 불복을 할 수 있는지의 여부, 청구절차 및 청구기간, 그 밖에 필요한 사항을 알려야 함(고지를 하지 않은 경우의 제재에 대해서는 아무런 규정이 없음).

신청에 의한 처분(수익적 처분)의 절차

처분의 신청

- **원칙적 문서** : 문서. 다만, 다른 법령 등에 필요한 규정이 있는 경우와 행정청이 미리 다른 방법을 정하여 공시한 경우 그러하지 아니함.
  - 전자문서로 하는 경우 행정청의 컴퓨터 등에 입력된 때 신청한 것으로 봄.
- **신청 접수**
  - 신청을 받은 경우 접수를 보류 또는 거부하거나 부당하게 되돌려 보내서는 안 됨.
  - 신청을 접수한 경우에는 신청인에게 접수증을 주어야 함. 다만, 대통령령으로 정하는 경우에는 접수증을 주지 아니할 수 있음.
  - 구비서류의 미비 등 흠이 있는 경우 보완에 필요한 상당한 기간을 정하여 지체 없이 보완을 요구하여야 함.
  - 신청인은 처분이 있기 전 그 신청의 내용을 보완 · 변경하거나 취하할 수 있음.
  - 행정청은 신청에 필요한 구비서류, 접수기관, 처리기간, 그 밖에 필요한 사항을 게시하거나 이에 대한 편람을 갖추어 두고 누구나 열람할 수 있도록 하여야 함.
  - 행정청은 신청인의 편의를 위하여 다른 행정청에 신청을 접수하게 할 수 있음.

처리기간의 설정 · 공표

- 행정청은 신청인의 편의를 위하여 처분의 처리기간을 종류별로 미리 정하여 공표해야 함.
- **처리기간에 관한 규정** : 훈시규정(강행규정 ×)
  - 행정청이 처리기간이 지나 처분을 하였더라도 처분을 취소할 절차상 하자로 볼 수 없음(판례).
- **처리기간의 연장** : 부득이한 사유로 처리기간 내에 처리하기 곤란한 경우 해당 처분의 처리기간의 범위 안에서 한 번만 그 기간을 연장할 수 있음.
- 행정청이 정당한 처리기간 내에 처리하지 않은 경우 신청인은 해당 행정청 또는 그 감독 행정청에 신속한 처리를 요청할 수 있음.

침해적 처분의 절차

처분의 사전통지

의 의	당사자에게 의무를 과하거나 권익을 제한하는 처분을 하는 경우에는 미리 처분의 제목, 당사자의 성명 또는 명칭과 주소 등을 당사자 등(처분의 당사자와 행정청이 직권 또는 신청에 의하여 행정절차에 참여하게 한 이해관계인)에게 통지하여야 함. - 대형마트 영업시간 제한 등 처분시 임차인을 상대로 사전통지 등 절차를 거칠 필요 없음(판례).
사전통지의 생략	• 공공의 안전 또는 복리를 위하여 긴급히 처분을 할 필요가 있는 경우 • 법령 등에서 요구된 자격이 없거나 없어지게 되면 반드시 일정한 처분을 하여야 하는 경우에 그 자격이 없거나 없어지게 된 사실이 법원의 재판 등에 의하여 객관적으로 증명된 경우 • 해당 처분의 성질상 의견청취가 현저히 곤란하거나 명백히 불필요하다고 인정될 만한 상당한 이유가 있는 경우 등 ※사전통지의무가 면제되는 경우는 의견청취의무도 면제된다고 볼 수 있음.
거부처분	사전통지대상이 아님(판례).
수리를 요하는 신고의 경우	영업자지위승계신고를 수리하는 처분은 종전 영업자에게 사전통지해야 함(판례).
'고시' 방법에 의한 처분 등	• '고시'의 방법으로 불특정 다수인을 상대로 의무를 부과하거나 권익을 제한하는 처분은 행정절차법 제22조 제3항에 의하여 그 상대방에게 의견제출의 기회를 주어야 하는 것은 아님. • 도로구역변경결정은 사전통지나 의견청취의 대상이 아님.
사전통지를 하지 않은 경우	예외사유에 해당하지 않는 한 위법한 처분 - 행정지도 방식에 의한 사전고지 또는 당사자의 자진 폐공의 약속 등의 사유만으로는 사전통지의 예외사유가 아니므로 이를 생략한 처분은 위법한 처분으로 취소사유

의견청취절차 : 청문, 공청회, 의견제출

- 적용제외
  - 공공의 안전 또는 복리를 위하여 긴급히 처분을 할 필요가 있는 경우
  - 법령 등에서 요구된 자격이 없거나 없어지게 되면 반드시 일정한 처분을 하여야 하는 경우에 그 자격이 없거나 없어지게 된 사실이 법원의 재판 등에 의하여 객관적으로 증명된 경우
  - 해당 처분의 성질상 의견청취가 현저히 곤란하거나 명백히 불필요하다고 인정될 만한 상당한 이유가 있는 경우
  - 당사자가 의견진술의 기회를 포기한다는 뜻을 명백히 표시한 경우
    - ▸ 의견청취를 거치지 않아도 되는 예외사유 × : 청문통지서의 반송, 처분 상대방의 청문일시에 불출석, 위반사실의 시인, 행정청과 당사자의 사이에 청문을 실시하지 않기로 한 협약체결 등
    - ▸ 의견청취를 거치지 않아도 되는 예외사유 O : 법령상 확정된 의무부과의 경우(퇴직연금의 환수결정은 관련법령에 따라 당연히 환수금액이 정하여지는 것이므로, 당사자에게 의견진술의 기회를 주지 아니하여도 무방함)

청 문

의 의	행정청이 처분을 하기 전에 당사자 등의 의견을 직접 듣고 증거를 조사하는 절차 –청문절차를 결한 처분은 위법하나 당연무효는 아님.
청문의 실시	• 다른 법령 등에서 청문을 실시하도록 규정한 경우 • 행정청이 필요하다고 인정하는 경우 • 인 · 허가 등의 취소, 신분 · 자격의 박탈, 법인이나 조합 등의 설립허가의 취소의 처분을 하는 경우
청문의 통지	청문이 시작되는 날부터 10일 전까지
청문의 주재자	• 소속 직원 또는 대통령령상의 자격을 가진 자 중 행정청이 선정 • 일정한 경우 2명 이상의 청문 주재자 선정 가능 • 청문 주재자의 제척 · 기피 · 회피 가능
청문의 공개	당사자의 신청 또는 청문 주재자가 필요하다고 인정하는 경우 공개할 수 있음. 다만, 공익 또는 제3자의 정당한 이익을 현저히 해칠 우려가 있는 경우 비공개
청문의 진행	청문 시작할 때 예정된 처분의 내용, 그 원인 사실 및 법적 근거 등을 설명하여야 함.
청문의 병합 · 분리	행정청은 직권으로 또는 당사자의 신청에 따라 여러 개의 사안을 병합하거나 분리하여 청문을 할 수 있음.
증거조사	신청 또는 직권에 의하여 필요한 조사를 할 수 있으며, 당사자 등이 주장하지 아니한 사실에 대하여도 조사할 수 있음.
청문의 종결	• 불출석의 정당한 사유 × : 다시 의견진술 및 증거제출기회를 주지 않고 청문을 마칠 수 있음. • 불출석의 정당한 사유 O : 10일 이상의 기간을 정하여 의견진술 및 증거제출을 요구하여야 함.
청문의 재개	새로운 사정으로 청문 재개가 인정될 때 그 재개를 명할 수 있음.
청문결과의 반영	상당한 이유가 있다고 인정하는 경우 반영하여야 함. 청문절차에서 나타난 사인의 의견에 구속되는 것은 아님.
문서의 열람	의견제출의 경우에는 처분의 사전통지가 있는 날부터 의견제출기한까지, 청문의 경우에는 청문의 통지가 있는 날부터 청문이 끝날 때까지 문서의 열람 또는 복사를 요청할 수 있음.
비밀누설금지 및 목적 외 사용금지	누구든지 의견제출 또는 청문을 통하여 알게 된 사생활이나 경영상 또는 거래상의 비밀을 정당한 이유 없이 누설하거나 다른 목적으로 사용하여서는 안 됨.

공청회

개 최	• 다른 법령 등에서 공청회를 개최하도록 규정하고 있는 경우 • 해당 처분의 영향이 광범위하여 널리 의견을 수렴할 필요가 있다고 행정청이 인정하는 경우 • 국민생활에 큰 영향을 미치는 처분으로서 대통령령으로 정하는 처분에 대하여 대통령령으로 정하는 수(30명) 이상의 당사자 등이 공청회 개최를 요구하는 경우
공 고	공청회 개최 14일 전까지 제목, 일시 · 장소, 주요 내용 등을 당사자 등에게 통지하고, 관보 · 공보 · 인터넷 또는 일간신문 등에 공고하는 등의 방법으로 널리 알려야 함. 다만, 공청회 개최를 알린 후 예정대로 개최하지 못하여 새로 일시 및 장소 등을 정한 경우에는 공청회 개최 7일 전까지 알려야 함.
온라인공청회	• 원칙적으로 공청회와 병행하여서만 정보통신망을 이용한 공청회를 실시할 수 있음. • 무산된 횟수가 3회인 경우 온라인공청회를 단독으로 개최할 수 있음. • 온라인공청회의 경우, 누구든지 정보통신망을 이용하여 의견을 제출하거나 제출된 의견 등에 대한 토론에 참여할 수 있음.
공청회의 주재자	해당 공청회의 사안과 관련된 분야에 전문적 지식이 있거나 그 분야에 종사한 경험이 있는 사람으로서 대통령령으로 정하는 자격을 가진 사람 중에서 행정청이 선정한 자
공청회의 발표자	원칙적으로 발표를 신청한 자 중에서 행정청이 선정. 다만, 발표를 신청한 사람이 없거나 공청회의 공정성을 확보하기 위하여 필요하다고 인정하는 경우 일정한 자격이 있는 자 중에서 지명 또는 위촉할 수 있음.
공청회 및 온라인공청회 결과의 반영	상당한 이유가 있다고 인정하는 경우 반영하여야 함.
공청회의 재개최	공청회를 마친 후 처분을 할 때까지 새로운 사정이 발견되어 공청회를 다시 개최할 필요가 있다고 인정할 때 재개최 가능

의견제출(약식청문)

의 의	침익적 처분에 있어 의견청취의 일반절차
의견제출기회 제공	의무를 과하거나 권익을 제한하는 처분을 하는 경우, 청문을 실시하거나 공청회를 개최하는 경우 외에는 당사자 등에게 의견제출기회를 주어야 함.
의견제출기한	의견제출에 필요한 기간을 10일 이상으로 고려하여 정하여야 함.
의견제출 방법	• 서면 · 말 또는 정보통신망을 이용하여 의견제출 • 행정청은 당사자 등이 말로 의견제출을 하였을 때에는 서면으로 그 진술의 요지와 진술자를 기록하여야 함. • 당사자 등이 정당한 이유 없이 의견제출기한까지 의견제출을 하지 않은 경우에는 의견이 없는 것으로 봄.
의견제출 효과	• 당사자 등이 제출한 의견이 상당한 이유가 있다고 인정하는 경우 반영하여야 함. • 당사자 등이 제출한 의견을 반영하지 아니하고 처분을 한 경우 당사자 등이 처분이 있음을 안 날부터 90일 이내에 그 이유의 설명을 요청하면 서면으로 그 이유를 알려야 함. 다만, 당사자 등이 동의하면 말, 정보통신망 또는 그 밖의 방법으로 알릴 수 있음.
문서의 열람	처분의 사전통지가 있는 날부터 의견제출기한까지 문서의 열람 또는 복사를 요청할 수 있음.

행정절차의 하자

절차상 하자의 독자적 위법사유성

- 재량행위뿐만 아니라 조세부과처분과 같은 기속행위의 경우에도 절차하자를 독자적 위법사유로 인정함(판례).

절차하자의 치유 및 시기

- **하자치유의 인정 여부** : 원칙적으로 부정, 예외적으로 국민의 권리와 이익을 침해하지 않는 범위 내에서 치유를 인정함(판례).
- **이유제시 하자의 치유시기** : 쟁송제기 전까지(통설 및 판례)

절차상 하자와 국가배상

교도소장이 아닌 일반교도관 등에 의하여 징벌내용이 고지됨으로써 절차상의 하자가 있는 징벌처분에 대해 국가배상책임을 부정함(판례).

제 1 절 처분절차[a]

초대 Topic 24 핵심집약 Topic 42

기출 체크

□□□□□ 01 처분기준의 설정·공표의 규정은 침익적 처분뿐만 아니라 수익적 처분의 경우에도 적용된다. (○, ×) ★★
2023 국가직 9급

□□□□□ 02 (행정절차법상) 행정청은 필요한 처분기준을 해당 처분의 성질에 비추어 되도록 구체적으로 정하여 공표하여야 한다. 그러나 처분기준을 변경하는 경우에는 그러하지 아니하다. (○, ×) ★★★
2024 소방직 9급

□□□□□ 03 행정규칙의 공표는 행정규칙의 성립요건이나 효력요건은 아니나, 행정절차법에서는 행정청은 필요한 처분기준을 당해 처분의 성질에 비추어 될 수 있는 한 구체적으로 공표하도록 하고 있다. (○, ×) ★★★ 2018 국가직 9급

□□□□□ 04 처분기준을 공표하는 것이 해당 처분의 성질상 현저히 곤란하거나 공공의 안전 또는 복리를 현저히 해치는 것으로 인정될 만한 상당한 이유가 있는 경우에는 처분기준을 공표하지 아니할 수 있다. (○, ×) ★★★
2023 지방직·서울시 9급

□□□□□ 05 당사자 등은 공표된 처분기준이 명확하지 아니한 경우 해당 행정청에 그 해석 또는 설명을 요청할 수 있으며, 이 경우 해당 행정청은 특별한 사정이 없으면 그 요청에 따라야 한다. (○, ×) ★★
2015 서울시 9급

01 | 수익적 처분절차와 침해적 처분절차의 공통사항

❶ 처분기준의 설정·공표

1. 의 의

행정청은 필요한 처분기준을 해당 처분의 성질에 비추어 되도록 구체적으로 정하여 공표하여야 한다. 처분기준을 변경하는 경우에도 또한 같다❶〔행정절차법(이하 '동법') 제20조 제1항〕.02 03 이는 행정청의 자의적인 권한행사를 방지하고 행정의 통일성을 기하며 처분의 공정성과 합리성을 보장하고 상대방에게 예측가능성을 부여하기 위하여 요청된다(대판 2019. 12. 13, 2018두41907). 처분기준의 설정의무는 모든 행정권행사에 인정되며 재량행위뿐만 아니라 기속행위에도 인정된다.

2. 적용예외

다만, ① 처분기준을 공표하는 것이 해당 처분의 성질상 현저히 곤란하거나, ② 공공의 안전 또는 복리를 현저히 해치는 것으로 인정될 만한 상당한 이유가 있는 경우에는 처분기준을 공표하지 아니할 수 있다(동법 제20조 제3항).04

관련판례

행정청으로 하여금 처분기준을 구체적으로 정하여 공표하도록 한 것은 해당 처분이 가급적 미리 공표된 기준에 따라 이루어질 수 있도록 함으로써 해당 처분의 상대방으로 하여금 결과에 대한 예측가능성을 높이고 이를 통하여 행정의 공정성, 투명성, 신뢰성을 확보하며 행정청의 자의적인 권한행사를 방지하기 위한 것이다. 그러나 처분의 성질상 처분기준을 미리 공표하는 경우 행정목적을 달성할 수 없게 되거나 행정청에 일정한 범위 내에서 재량권을 부여함으로써 구체적인 사안에서 개별적인 사정을 고려하여 탄력적으로 처분이 이루어지도록 하는 것이 오히려 공공의 안전 또는 복리에 더 적합한 경우도 있다. 그러한 경우에는 행정절차법 제20조 제2항(현 제3항)에 따라 처분기준을 따로 공표하지 않거나 개략적으로만 공표할 수도 있다(대판 2019. 12. 13, 2018두41907).★

3. 당사자의 해석·설명요청권

당사자 등은 공표된 처분기준이 명확하지 아니한 경우 해당 행정청에 대하여 그 해석 또는 설명을 요청할 수 있다. 이 경우 해당 행정청은 특별한 사정이 없으면 그 요청에 따라야 한다(동법 제20조 제4항).05

4. 성 질

우리나라의 행정절차법은 일본 행정절차법과 달리, '~하여야 한다'라고 규정하고 있고 처분기준 설정의무의 예외를 규정하고 있으므로 동법 제20조 제1항은 의무규정으로 보아야 한다. 따라서 처분기준 불비의 하자는 절차의 하자가 되며 독립된 취소사유가 된다고 보아야 한다.

❶ 행정절차법 제20조【처분기준의 설정·공표】② 행정기본법 제24조에 따른 인·허가 의제의 경우 관련 인·허가 행정청은 관련 인·허가의 처분기준을 주된 인·허가 행정청에 제출하여야 하고, 주된 인·허가 행정청은 제출받은 관련 인·허가의 처분기준을 통합하여 공표하여야 한다. 처분기준을 변경하는 경우에도 또한 같다.

ⓐ 처분절차에 관한 행정절차법의 규정에는 한편으로 침해적 처분과 수익적 처분에 공통적으로 적용되는 규정이 있고, 다른 한편으로는 침해적 처분 또는 신청에 의한 처분에만 적용되는 규정이 있다. 처분기준의 설정·공표, 이유제시, 처분의 방식 등은 공통절차이고,01 신청절차는 신청에 의한 처분절차를 규율하는 절차이며 의견진술절차는 원칙상 침해적 처분절차를 규율하는 절차이다.

정답 01 ○ 02 × 03 ○ 04 ○ 05 ○

5. 설정 · 공표의무 위반의 효과

판례에 따르면 행정청이 행정절차법 제20조 제1항의 처분기준 사전공표의무를 위반하여 미리 공표하지 아니한 기준을 적용하여 처분을 하였다고 하더라도, 그러한 사정만으로 곧바로 해당 처분에 취소사유에 이를 정도의 흠이 존재한다고 볼 수 없다고 한다.

관련판례

1. 행정청은 당초에 공표된 처분기준을 변경하는 경우에도 위 제2항이 정한 예외에 해당하지 않는 한 변경된 처분기준을 다시 공표하여야 한다.
2. 행정청이 행정절차법 제20조 제1항의 처분기준 사전공표의무를 위반하여 미리 공표하지 아니한 기준을 적용하여 처분을 하였다고 하더라도, 그러한 사정만으로 곧바로 해당 처분에 취소사유에 이를 정도의 흠이 존재한다고 볼 수는 없다.**01 02** 다만 해당 처분에 적용한 기준이 상위법령의 규정이나 신뢰보호의 원칙 등과 같은 법의 일반원칙을 위반하였거나 객관적으로 합리성이 없다고 볼 수 있는 구체적인 사정이 있다면 해당 처분은 위법하다고 평가할 수 있다.
3. 사전에 공표한 심사기준 중 경미한 사항을 변경하거나 다소 불명확하고 추상적이었던 부분을 명확하게 하거나 구체화하는 정도를 뛰어넘어, 심사대상기간이 이미 경과하였거나 상당 부분 경과한 시점에서 처분상대방의 갱신 여부를 좌우할 정도로 중대하게 변경하는 것은 갱신제의 본질과 사전에 공표된 심사기준에 따라 공정한 심사가 이루어져야 한다는 요청에 정면으로 위배되는 것이므로, 갱신제 자체를 폐지하거나 갱신상대방의 수를 종전보다 대폭 감축할 수밖에 없도록 만드는 중대한 공익상 필요가 인정되거나 관계법령이 제 · 개정되었다는 등의 특별한 사정이 없는 한, 허용되지 않는다(대판 2020. 12. 24, 2018두45633).

관련문제

다음 사례에 관한 설명으로 옳은 것을 모두 고른 것은? (다툼이 있는 경우 판례에 의함) 2023 변호사

> 문화체육관광부장관 甲은 A국과의 관광 협상 결과에 따른 세부사항을 시행하기 위하여 「전담여행사 업무시행지침」(이하 '이 사건 지침'이라 함)을 제정하였다. 甲은 이 사건 지침에 근거하여 2013. 5.경 재심사를 통해 전담여행사 지위를 갱신하는 갱신기준('종전 처분기준')을 정하여 이를 공표하였다. 甲은 2016. 3. 23. 무자격 가이드 고용으로 감점을 받은 경우 전담여행사 지위를 갱신하지 않기로 하는 내용의 '변경된 처분기준'을 마련하였으나 이를 공표하지 않았다. 한편, 전담여행사 지정을 받은 乙은 2015. 1.경 무자격 가이드를 고용하였고 이를 이유로 2016. 4. 2. '변경된 처분기준'에 따라 재지정 탈락기준을 상회하는 감점을 받았다. 이를 근거로 甲은 2016. 11. 4. 乙에 대한 전담여행사 지정을 취소하였다(이하 '이 사건 처분'이라 함).

> ㉠ 이미 공표된 '종전 처분기준'을 다시 변경하는 경우에도 공공의 안전 또는 복리를 현저히 해치는 등 예외적인 사유에 해당하지 않는 한, '변경된 처분기준'을 다시 공표하여야 한다.
> ㉡ '변경된 처분기준'은 근거법령에서 구체적 위임을 받아 제정 · 공포되었다는 특별한 사정이 없는 한, 원칙적으로 대외적 구속력이 없는 행정규칙에 해당한다.
> ㉢ 甲이 '변경된 처분기준'을 미리 공표하지 않은 채 갱신심사에 적용하였다면 그 자체로 '이 사건 처분'에 취소사유에 해당하는 흠이 있다고 볼 수 있다.
> ㉣ 사전에 공표한 갱신기준을 심사대상기간이 이미 경과하였거나 상당 부분 경과한 시점에서 처분상대방의 갱신 여부를 좌우할 정도로 중대하게 변경하는 것은 특별한 사정이 없는 한 허용되지 않는다.

① ㉠　② ㉠, ㉡　③ ㉡, ㉣
④ ㉢, ㉣　⑤ ㉠, ㉡, ㉣

정답 ⑤

❷ 처분의 이유제시

1. 의 의

행정청이 처분을 하는 때에는 당사자에게 그 근거와 이유를 제시하여야 한다(동법 제23조 제1항). 처분의 신중성, 공정성을 보장할 수 있다는 점에서 이유제시는 행정절차의 중요한 요소를 구성한다.

기출 체크

□□□□□ **01** 행정청이 행정절차법 제20조 제1항의 처분기준 사전공표의무를 위반하여 미리 공표하지 아니한 기준을 적용하여 처분을 하였다면, 그러한 사정만으로 곧바로 해당 처분에 취소사유가 존재한다. (○, ×) 2024 변호사

□□□□□ **02** 행정청이 처분기준 사전공표의무를 위반하여 미리 공표하지 아니한 기준을 적용하여 처분을 하였다고 하더라도, 그러한 사정만으로 곧바로 해당 처분에 취소사유에 이를 정도의 흠이 존재한다고 볼 수는 없다. (○, ×) 2023 국가직 7급

정답 01 × 02 ○

2. 기능

(1) 행정이 더욱 신중하고 공정하게 행해질 수 있도록 하는 기능

① 행정청의 자기통제를 가능하게 하고, ② 정당하고 합리적 결론을 도출해 낼 수 있도록 하며, ③ 처분의 결정과정을 투명하게 하는 기능을 한다.**01**

(2) 상대방의 쟁송제기에 편의를 제공하는 기능

① 쟁송제기 여부의 판단을 용이하게 하며, ② 소송절차에서 그 논거를 구체적으로 제시할 수 있도록 하는 기능을 한다.

3. 적용예외

예외적으로 처분의 이유제시의무가 면제되는 경우는 다음과 같다. 한편, 이유제시의무가 면제가 되는 경우가 아니라면 이유제시를 하여야 하므로 수익적 행정행위의 거부에도 이유제시를 하여야 한다.**02 03**

(1) 이유제시의무가 면제되는 경우

① 신청내용을 모두 그대로 인정하는 처분인 경우(따라서 신청내용을 그대로 인정하는 처분이 아니라면 수익적 처분에도 이유제시를 하여야 함 - 수정허가 등)
② 단순·반복적인 처분 또는 경미한 처분으로서 당사자가 그 이유를 명백히 알 수 있는 경우
③ 긴급히 처분을 할 필요가 있는 경우

(2) 처분 후 당사자가 요청하는 경우

다만, 위 (1)의 ②와 ③은 이유제시 없이 처분을 한 후라도 당사자가 요청하는 경우에는 그 근거와 이유를 제시하여야 한다[(1)의 ①의 경우는 제외](동법 제23조 제2항).**04 05 06 07**

4. 기타 이유제시에 관해 규정하고 있는 법률

(1) 행정절차법 외에 민원처리와 관련하여서는 「민원처리에 관한 법률」 제27조 제3항이 있으며, 그 밖에 국가공무원법 등 개별법률에서도 이유제시에 관한 규정을 두고 있는 경우가 있다.

(2) 한편, 행정절차법이 제정되기 이전에도 판례는 개별법상 명문의 규정이 없더라도 이유제시를 하여야 하고 그렇지 않은 경우에는 위법한 처분이라고 판시한 바 있다.

관련판례

면허를 취소처분하는 경우 처분의 근거와 위반사실을 적시해야 하며, 이를 빠뜨린 경우 위법하다(행정절차법이 제정되기 이전의 판례).

면허의 취소처분에는 그 근거가 되는 법령이나 취소권 유보의 부관 등을 명시하여야 함은 물론 처분을 받은 자가 어떠한 위반사실에 대하여 당해 처분이 있었는지를 알 수 있을 정도로 사실을 적시할 것을 요하며, 이와 같은 취소처분의 근거와 위반사실의 적시를 빠뜨린 하자는 피처분자가 처분 당시 그 취지를 알고 있었다거나 그 후 알게 되었다 하여도 치유될 수 없다고 할 것인바 ...... (대판 1990. 9. 11, 90누1786)**08** ★★★

5. 이유제시의 정도와 방식 및 시기

(1) 이유제시의 정도

① 이유제시는 당사자가 그 처분사유를 이해할 수 있을 정도로 구체적이어야 하며, 처분의 주된 법적 근거 및 사실상의 사유 등이 제시되어야 한다(위의 판례 90누1786 참조).
② 한편, 당사자가 근거규정을 명시하여 신청하는 인·허가 등을 거부하는 처분을 함에 있어 당사자가

기출 체크

□□□□□ **01** 이유제시는 처분의 결정과정을 보다 투명하게 하는 데 기여한다. (○, ×) ★★ 2015 국가직 7급

□□□□□ **02** 행정절차법은 당사자에게 의무를 부과하거나 당사자의 권익을 제한하는 처분을 하는 경우에 대해서만 그 근거와 이유를 제시하도록 규정하고 있다. (○, ×) ★★★ 2018 지방직 7급

□□□□□ **03** 행정절차법은 행정청이 처분을 하는 때에는 당사자에게 그 근거와 이유를 제시하도록 이유제시원칙을 규정하고 있는바, 이러한 이유제시의 원칙은 상대방에게 부담을 주는 행정처분의 경우뿐만 아니라 수익적 행정행위의 거부에도 적용된다. (○, ×) ★★ 2012 지방직 9급

□□□□□ **04** 행정절차법상 행정청은 처분을 할 때에 단순·반복적인 처분 또는 경미한 처분으로서 당사자가 그 이유를 명백히 알 수 있는 경우에는 처분 후 당사자가 요청하더라도 당사자에게 그 근거와 이유를 제시하지 않아도 된다. (○, ×) 2024 지방직·서울시 9급

□□□□□ **05** 행정청은 긴급히 처분을 할 필요가 있는 경우 당사자에게 처분의 근거와 이유를 제시하지 않아도 되지만, 처분 후 당사자가 요청하는 경우에는 그 근거와 이유를 제시하여야 한다. (○, ×) ★★★ 2022 국회직 8급

□□□□□ **06** 단순·반복적인 처분 또는 경미한 처분으로서 당사자가 그 이유를 명백히 알 수 있는 경우라 하더라도 처분 후 당사자가 요청하는 경우에는 행정청은 그 근거와 이유를 제시하여야 한다. (○, ×) ★★★ 2018 국가직 9급

□□□□□ **07** 신청내용을 모두 그대로 인정하는 처분인 경우 이유제시의무가 면제되지만, 처분 후 당사자가 요청하는 경우에는 그 근거와 이유를 제시하여야 한다. (○, ×) ★★★ 2012 국가직 9급

□□□□□ **08** 면허의 취소처분에는 그 근거가 되는 법령이나 취소권유보의 부관 등을 명시하여야 함은 물론 처분을 받은 자가 어떠한 위반사실에 대하여 당해 처분이 있었는지를 알 수 있을 정도로 사실을 적시할 것을 요하지만, 이와 같은 취소처분의 근거와 위반사실의 적시를 빠뜨린 하자는 피처분자가 처분 당시 그 취지를 알고 있었거나 그 후 알게 되었다면 그 하자는 치유될 수 있다. (○, ×) ★★★ 2020 지방직·서울시 7급

정답 01 ○ 02 ×(사전통지사유와 구별할 것) 03 ○ 04 × 05 ○ 06 ○ 07 × 08 ×

그 근거를 알 수 있을 정도로 상당한 이유를 제시한 경우에는 위법하지 않다는 것이 판례의 입장이다.

③ 또한 판례는 처분 당시 당사자가 어떠한 근거와 이유로 처분이 이루어진 것인지를 충분히 알 수 있어서 그에 불복하여 행정구제절차로 나아가는 데에 별다른 지장이 없었던 것으로 인정되는 경우에는 처분서에 이유가 구체적으로 명시되어 있지 않았다고 하더라도 위법하지 않다고 판시한 바 있다.

관련판례

1. 세무서장이 주류도매업자에게 주류도매업면허취소통지를 하면서 그 위반사실을 구체적으로 특정하지 아니한 것은 위법하다(대판 1990. 9. 11, 90누1786).★★

2-1. 일반적으로 당사자가 근거규정 등을 명시하여 신청하는 인·허가 등을 거부하는 처분을 함에 있어 당사자가 그 근거를 알 수 있을 정도로 상당한 이유를 제시한 경우에는 당해 처분의 근거 및 이유를 구체적으로 명시하지 않았더라도 처분이 위법하다고 할 수 없다.01 ★★★

2-2. 행정청이 토지형질변경허가신청을 불허하는 근거규정으로 '도시계획법 시행령 제20조'를 명시하지 아니하고 '도시계획법'이라고만 기재하였으나, 신청인이 자신의 신청이 개발제한구역의 지정목적에 현저히 지장을 초래하는 것이라는 이유로 구 도시계획법 시행령 제20조 제1항 제2호에 따라 불허된 것임을 알 수 있었던 경우, 그 불허처분이 위법하지 아니하다(대판 2002. 5. 17, 2000두8912).02 ★★★

3. 처분서에 기재된 내용, 관계법령과 해당 처분에 이르기까지 전체적인 과정 등을 종합적으로 고려하여, 처분 당시 당사자가 어떠한 근거와 이유로 처분이 이루어진 것인지를 충분히 알 수 있어서 그에 불복하여 행정구제절차로 나아가는 데 별다른 지장이 없었던 것으로 인정되는 경우에는 처분서에 처분의 근거와 이유가 구체적으로 명시되어 있지 않았더라도 이를 처분을 취소하여야 할 절차상 하자로 볼 수 없다(대판 2019. 12. 13, 2018두41907).03 ★★★

4. 교육부장관이 어떤 후보자를 총장 임용에 부적격하다고 판단하여 배제하고 다른 후보자를 임용제청하는 경우라면 배제한 후보자에게 연구윤리 위반, 선거부정, 그 밖의 비위행위 등과 같은 부적격사유가 있다는 점을 구체적으로 제시할 의무가 있다. 그러나 부적격사유가 없는 후보자들 사이에서 어떤 후보자를 상대적으로 더욱 적합하다고 판단하여 임용제청하는 경우라면, 이는 후보자의 경력, 인격, 능력, 대학운영계획 등 여러 요소를 종합적으로 고려하여 총장 임용의 적격성을 정성적으로 평가하는 것으로 그 판단 결과를 수치화하거나 이유제시를 하기 어려울 수 있다. 이 경우에는 교육부장관이 어떤 후보자를 총장으로 임용제청하는 행위 자체에 그가 총장으로 더욱 적합하다는 정성적 평가 결과가 당연히 포함되어 있는 것으로, 이로써 행정절차법상 이유제시의무를 다한 것이라고 보아야 한다.04 여기에서 나아가 교육부장관에게 개별 심사항목이나 고려요소에 대한 평가 결과를 더 자세히 밝힐 의무까지는 없다(대판 2018. 6. 15, 2016두57564).

(2) 이유제시의 시기

이유제시는 원칙적으로 처분시에 이루어져야 하며,05 처분시에 이유제시가 없거나 미비하다면 그러한 처분은 하자가 있는 것으로 위법하게 된다.

6. 이유제시의 하자

처분의 내용에는 하자가 없더라도 처분시 이유를 제시하지 않은 경우 그것만으로도 처분이 위법하게 되는바, 위법 정도에 대해서 판례는 이유제시가 누락된 처분도 일반적으로 취소대상으로 보고 있다. 한편 처분의 상대방이 처분 당시 그 취지를 알고 있었다거나 그 후 알게 되었다 하여도 그것만으로 이유제시의 하자는 치유될 수 없다는 것이 판례의 입장이다(p.346 참조).

관련판례

1. 세액산출근거가 기재되지 아니한 납세고지서에 의한 부과처분은 강행법규에 위반하여 취소대상이 된다(대판 1985. 4. 9, 84누431).06 ★★★

기출 체크

□□□□□ **01** 일반적으로 당사자가 근거규정 등을 명시하여 신청하는 인·허가 등을 거부하는 처분을 함에 있어 당사자가 그 근거를 알 수 있을 정도로 상당한 이유를 제시한 경우에는 당해 처분의 근거 및 이유를 구체적 조항 및 내용까지 명시하지 않았더라도 그로 말미암아 그 처분이 위법한 것이 된다고 할 수 없다. (○, ×) ★★★ 2024 국가직 9급

□□□□□ **02** 행정청이 토지형질변경허가신청을 불허하는 근거규정으로 '도시계획법 시행령 제20조'를 명시하지 아니하고 '도시계획법'이라고만 기재하였으나, 신청인이 자신의 신청이 개발제한구역의 지정목적에 현저히 지장을 초래하는 것이라는 이유로 구 도시계획법 시행령 제20조 제1항 제2호에 따라 불허된 것임을 알 수 있었던 경우에는 그 불허처분이 위법하지 않다. (○, ×) ★★★ 2017 지방직 7급

□□□□□ **03** 처분서에 기재된 내용과 관계법령 및 당해 처분에 이르기까지 전체적인 과정 등을 종합적으로 고려하여, 처분 당시 당사자가 어떠한 근거와 이유로 처분이 이루어진 것인지를 충분히 알 수 있어서 행정구제절차로 나아가는 데에 별다른 지장이 없는 경우라면 처분서에 처분의 근거와 이유가 구체적으로 명시되어 있지 않았더라도 절차상 위법하지 않다. (○, ×) ★★★ 2024 소방간부

□□□□□ **04** 교육부장관이 부적격사유가 없는 후보자들 사이에서 어떤 후보자를 상대적으로 더욱 적합하다고 판단하여 국립대학교의 총장으로 임용제청을 하였다면, 그러한 임용제청행위 자체로서 이유제시의무를 다한 것이다. (○, ×) 2022 지방직·서울시 9급

□□□□□ **05** 처분의 이유의 제시는 처분과 동시에 하며, 당사자가 그 근거를 알 수 있을 정도로 상당한 이유이어야 하고, 충분히 납득할 수 있도록 구체적이고 명확하여야 한다. (○, ×) ★★★ 2013 서울시 7급

□□□□□ **06** 세액산출의 근거가 기재되지 않은 납세고지서에 의한 부과처분은 강행법규에 위반하여 당연무효라고 보는 것이 판례의 태도이다. (○, ×) ★★★ 2013 국가직 7급

정답 01 ○ 02 ○ 03 ○ 04 ○ 05 ○ 06 ×

기출 체크

□□□□□ **01** 과세처분시 납세고지서에 법으로 규정한 과세표준 등의 기재가 누락되면 그 과세처분 자체가 위법한 처분이 되어 취소의 대상이 된다. (○, ×)
2022 지방직 · 서울시 9급

□□□□□ **02** 행정절차법은 국민의 권익을 보호하기 위하여 모든 행정처분을 문서로 하도록 규정하고 있다. (○, ×) ★★
2014 국가직 9급

□□□□□ **03** 면허관청이 운전면허정지처분을 하면서 통지서에 의하여 면허정지사실을 통지하지 아니하거나 처분집행예정일 7일 전까지 이를 발송하지 아니한 경우에는 절차와 형식을 갖추지 아니한 조치로서 효력이 없으나, 면허관청이 임의로 출석한 상대방의 편의를 위하여 구두로 면허정지사실을 알렸다면 운전면허정지처분의 효력이 인정된다. (○, ×) ★★★
2013 지방직 9급

□□□□□ **04** 처분을 하는 문서에는 그 처분행정청 및 담당자의 소속 · 성명과 연락처를 기재하여야 한다. (○, ×) ★★
2009 지방직 9급

□□□□□ **05** (행정절차법상) 행정청은 처분에 오기, 오산 또는 그 밖에 이에 준하는 명백한 잘못이 있을 때에는 직권으로 또는 신청에 따라 지체 없이 정정하고 그 사실을 당사자에게 통지하여야 한다.
(○, ×) ★★ 2017 경행경채

□□□□□ **06** 행정청이 처분을 할 때에는 당사자에게 그 처분에 관하여 행정심판 및 행정소송을 제기할 수 있는지 여부, 그 밖에 불복을 할 수 있는지 여부, 청구절차 및 청구기간, 그 밖에 필요한 사항을 알려야 한다. (○, ×) ★★ 2014 경행특채 2차

정답 01 ○ 02 × 03 × 04 ○ 05 ○ 06 ○

2. 과세처분시 납세고지서에 과세표준, 세율, 세액의 계산명세서 등을 첨부하여 고지하도록 한 것은 조세법률주의의 원칙에 따라 처분청으로 하여금 자의를 배제하고 신중하고도 합리적인 처분을 행하게 함으로써 조세행정의 공정성을 기함과 동시에 납세의무자에게 부과처분의 내용을 상세히 알려서 불복 여부의 결정 및 그 불복신청에 편의를 주려는 취지에서 나온 것이므로 이러한 규정은 강행규정으로서 납세고지서에 위와 같은 기재가 누락되면 과세처분 자체가 위법하여 취소대상이 된다(대판 1983. 7. 26. 82누420). **01**

③ 처분의 방식

1. 원칙적 문서주의

(1) 행정청이 처분을 할 때에는 **다른 법령 등에 특별한 규정이 있는 경우를 제외하고는** 문서로 하여야 하며, ① 당사자 등의 동의가 있는 경우 또는 ② 당사자가 전자문서로 처분을 신청한 경우에는 전자문서로 할 수 있다(동법 제24조 제1항).

(2) 위 (1)에도 불구하고 공공의 안전 또는 복리를 위하여 긴급히 처분을 할 필요가 있거나 사안이 경미한 경우에는 말, 전화, 휴대전화를 이용한 문자전송, 팩스 또는 전자우편 등 문서가 아닌 방법으로 처분을 할 수 있다. **02** 이 경우 **당사자가 요청하면 지체 없이 처분에 관한 문서를 주어야** 한다(동법 제24조 제2항).

관련판례

1. **면허관청이 임의로 출석한 상대방의 편의를 위하여 구두로 면허정지사실을 알린 경우 면허정지처분으로서의 효력은 없다**(p.340 참조). ★★★
면허관청이 운전면허정지처분을 하면서 별지 제52호 서식의 통지서에 의하여 면허정지사실을 통지하지 아니하거나 처분집행예정일 7일 전까지 이를 발송하지 아니한 경우에는 특별한 사정이 없는 한 위 관계법령이 요구하는 절차 · 형식을 갖추지 아니한 조치로서 그 효력이 없고, 이와 같은 법리는 면허관청이 임의로 출석한 상대방의 편의를 위하여 구두로 면허정지사실을 알렸다고 하더라도 마찬가지이다(대판 1996. 6. 14, 95누17823). **03**

2. **명예전역 선발을 취소하는 처분은 행정절차법 제24조 제1항에 따라 문서로 해야 한다**(대판 2019. 5. 30, 2016두49808).

2. 처분실명제

처분을 하는 문서에는 **그 처분 행정청과 담당자의 소속 · 성명 및 연락처**(전화번호, 팩스번호, 전자우편주소 등을 말한다)를 적어야 한다(동법 제24조 제3항). **04**

④ 처분의 정정

행정청은 처분에 오기(誤記) · 오산(誤算) 또는 그 밖에 이에 준하는 명백한 잘못이 있을 때에는 직권으로 또는 신청에 따라 지체 없이 정정하고 그 사실을 당사자에게 통지하여야 한다(동법 제25조). **05**

⑤ 처분의 고지

행정청이 처분을 할 때에는 당사자에게 그 처분에 관하여 행정심판 및 행정소송을 제기할 수 있는지의 여부, 그 밖에 불복을 할 수 있는지의 여부, 청구절차 및 청구기간, 그 밖에 필요한 사항을 알려야 한다(동법 제26조). **06**

02 | 신청에 의한 처분(수익적 처분)의 절차

행정처분절차 1 : 신청에 의한 처분절차

처분의 신청

- 처분을 구하는 신청은 원칙적으로 문서로 하여야 함(동법 제17조 제1항).
- 전자문서로 하는 경우에는 행정청의 컴퓨터 등에 입력된 때 신청한 것으로 봄(동법 제17조 제2항).

처분의 접수

- 행정청은 신청에 필요한 구비서류, 접수기관, 처리기간, 그 밖에 필요한 사항을 게시(인터넷 등을 통한 게시 포함)하거나 이에 대한 편람을 갖추어 두고 누구나 열람할 수 있도록 하여야 함(동법 제17조 제3항).
- 신청이 있는 때 : 신청인에게 접수증을 주어야 함. 다만, 대통령령이 정하는 경우 접수증을 주지 아니할 수 있음(동법 제17조 제4항).
- 구비서류 미비 등 흠이 있는 경우 : 보완에 필요한 상당한 기간을 정하여 지체 없이 신청인에게 보완요구(신청인이 보완기간 내에 보완을 하지 아니한 때 : 이유를 명시하여 접수된 신청을 되돌려 보낼 수 있음)(동법 제17조 제5항)

접수된 처분의 처리

- 행정청은 처분의 처리기간을 종류별로 미리 정하여 공표하여야 함(동법 제19조 제1항).
- 행정청은 부득이한 경우 처리기간을 한 번만 연장할 수 있음(동법 제19조 제2항).
- 행정청은 사전에 처분기준을 구체적으로 공표하여야 함(동법 제20조 제1항).
- 처분기준이 명확하지 않은 경우 처분기준의 해석 · 설명을 요청할 수 있음(동법 제20조 제4항).

처 분

- 처분의 방식 : 원칙적으로 문서로 하여야 함(동법 제24조 제1항).
- 제출한 의견이 상당한 이유가 있다고 인정하는 경우에는 이를 반영하여야 함(동법 제27조의2 제1항).
- 제출한 의견을 반영하지 아니하고 처분을 한 경우 당사자 등이 그 이유의 설명을 요청하면 그 이유를 알려야 함(동법 제27조의2 제2항).

처분의 이유제시

- 원칙 : 당사자에게 근거와 이유제시를 하여야 함(동법 제23조 제1항).
- 예외적으로 이유제시를 하지 않아도 되는 경우
  ① 신청내용을 모두 그대로 인정하는 처분인 경우 **01**
  ② 단순 · 반복적인 처분 또는 경미한 처분으로서 당사자가 그 이유를 명백히 알 수 있는 경우
  ③ 긴급히 처분을 할 필요가 있는 경우
- 이유제시가 생략되는 ②, ③의 경우에도 처분 후 당사자가 요청시 그 근거와 이유를 제시하여야 함(동법 제23조 제2항).

기출 체크

□□□□□ **01** 행정청은 신청내용을 모두 그대로 인정하는 처분인 경우 당사자에게 처분의 근거와 이유를 제시하지 아니하여도 된다. (○, ×) ★★★ 2015 국회직 8급

□□□□□ **02** 행정청에 처분을 구하는 신청은 문서로 하여야 한다. 다만, 다른 법령 등에 특별한 규정이 있는 경우와 행정청이 미리 다른 방법을 정하여 공시한 경우에는 그러하지 아니하다. (○, ×) ★★ 2020 군무원 9급

□□□□□ **03** 행정청에 대하여 처분을 구하는 신청은 문서에 의해서만 할 수 있다. (○, ×) ★★ 2009 지방직 7급

□□□□□ **04** 행정청에 처분을 구하는 신청을 전자문서로 하는 경우에는 행정청의 컴퓨터 등에 입력된 때에 신청한 것으로 본다. (○, ×) ★★ 2018 서울시 9급

❶ 처분의 신청

1. 원칙적 문서

(1) 행정청에 처분을 구하는 신청은 문서로 하여야 한다. 다만, 다른 법령 등에 필요한 규정이 있는 경우와 행정청이 미리 다른 방법을 정하여 공시한 경우에는 그러하지 아니하다(동법 제17조 제1항). **02 03**

(2) 처분을 신청할 때 전자문서로 하는 경우에는 행정청의 컴퓨터 등에 입력된 때에 신청한 것으로 본다(동법 제17조 제2항). **04**

2. 신청 접수

(1) 접 수

행정청은 신청을 받았을 때에는 다른 법령 등에 특별한 규정이 있는 경우를 제외하고는 그 접수를 보

정답 01 ○ 02 ○ 03 × 04 ○

류 또는 거부하거나 부당하게 되돌려 보내서는 아니 되며, 신청을 접수한 경우에는 신청인에게 접수증을 주어야 한다. 다만, 대통령령으로 정하는 경우(예 처리기간이 '즉시'로 되어 있는 신청 등)에는 접수증을 주지 아니할 수 있다(동법 제17조 제4항).01

(2) 신청의 보완요구

① 행정청은 신청에 구비서류의 미비 등 흠이 있는 경우에는 보완에 필요한 상당한 기간을 정하여 지체 없이 신청인에게 보완을 요구하여야 한다(동법 제17조 제5항).02 03

② 행정청은 신청인이 상당한 기간 내에 보완을 하지 아니하였을 때에는 그 이유를 구체적으로 밝혀 접수된 신청을 되돌려 보낼 수 있다(동법 제17조 제6항). 한편, 여기서 말하는 신청은 명시적이고 확정적인 의사표시를 의미한다는 것이 판례의 입장이다.

관련판례

행정청에 대한 신청의 의사표시의 방법에서, 신청인이 신청에 앞서 행정청의 허가업무 담당자에게 신청서의 내용에 대한 검토를 요청한 것만으로는 다른 특별한 사정이 없는 한 명시적이고 확정적인 신청의 의사표시가 있었다고 하기 어렵다(대판 2004. 9. 24, 2003두13236).04 ★

(3) 신청의 변경 및 취하

신청인은 처분이 있기 전에는 그 신청의 내용을 보완 · 변경하거나 취하(取下)할 수 있다. 다만, 다른 법령 등에 특별한 규정이 있거나 그 신청의 성질상 보완 · 변경하거나 취하할 수 없는 경우에는 그러하지 아니하다(동법 제17조 제8항).05

(4) 신청인의 편의 도모

① 행정청은 신청에 필요한 구비서류, 접수기관, 처리기간, 그 밖에 필요한 사항을 게시(인터넷 등을 통한 게시를 포함한다)하거나 이에 대한 편람을 갖추어 두고 누구나 열람할 수 있도록 하여야 한다(동법 제17조 제3항).06

② 행정청은 신청인의 편의를 위하여 다른 행정청에 신청을 접수하게 할 수 있다.07 이 경우 행정청은 접수할 수 있는 신청의 종류를 미리 정하여 공시하여야 한다(동법 제17조 제7항).

2 처리기간의 설정 · 공표

1. 의 의

행정청은 신청인의 편의를 위하여 처분의 처리기간을 종류별로 미리 정하여 공표하여야 한다(동법 제19조 제1항).08

관련판례

행정절차법이나 「민원처리에 관한 법률」상 처분 · 민원의 처리기간에 관한 규정은 강행규정이 아니며, 행정청이 처리기간을 지나 처분을 한 경우 및 「민원처리에 관한 법률 시행령」 제23조에 따른 민원처리진행상황 통지를 하지 않은 경우, 처분을 취소할 절차상 하자로 볼 수 없다.09 10 ★

처분이나 민원의 처리기간을 정하는 것은 신청에 따른 사무를 가능한 한 조속히 처리하도록 하기 위한 것이다. 처리기간에 관한 규정은 훈시규정에 불과할 뿐 강행규정이라고 볼 수 없다. 행정청이 처리기간이 지나 처분을 하였더라도 이를 처분을 취소할 절차상 하자로 볼 수 없다. 민원처리법 시행령 제23조에 따른 민원처리진행상황 통지도 민원인의 편의를 위한 부가적인 제도일 뿐, 그 통지를 하지 않았더라도 이를 처분을 취소할 절차상 하자로 볼 수 없다(대판 2019. 12. 13, 2018두41907).

기출 체크

□□□□□ 01 (행정절차법상) 행정청은 처분의 신청을 받았을 때에는 항상 그 접수를 처리하여야 하며, 신청을 접수한 경우에는 신청인에게 접수증을 주어야 한다. (○, ×) 2024 소방직 9급

□□□□□ 02 신청에 대해 서류 등이 미비할 경우, 바로 접수를 거부할 수 있다. (○, ×) ★★★ 2018 소방직 9급

□□□□□ 03 행정청은 신청에 구비서류의 미비 등 흠이 있는 경우에는 보완에 필요한 상당한 기간을 정하여 지체 없이 신청인에게 보완을 요구하여야 한다. (○, ×) ★★★ 2015 서울시 9급

□□□□□ 04 신청인이 신청에 앞서 행정청의 허가업무 담당자에게 신청서의 내용에 대한 검토를 요청한 것만으로는 다른 특별한 사정이 없는 한 명시적이고 확정적인 신청의 의사표시가 있었다고 하기 어렵다. (○, ×) ★ 2021 지방직 · 서울시 7급

□□□□□ 05 (행정절차법상) 처분의 신청인은 처분이 있기 전에는 그 신청의 내용을 보완 · 변경하거나 취하할 수 있다. 다만, 다른 법령 등에 특별한 규정이 있거나 그 신청의 성질상 보완 · 변경하거나 취하할 수 없는 경우에는 그러하지 아니하다. (○, ×) ★ 2024 소방직 9급

□□□□□ 06 행정청은 신청에 필요한 구비서류, 접수기관, 처리기간, 그 밖에 필요한 사항을 게시(인터넷 등을 통한 게시를 포함)하거나 이에 대한 편람을 갖추어 두고 누구나 열람할 수 있도록 하여야 한다. (○, ×) ★ 2020 군무원 9급

□□□□□ 07 행정청은 신청인의 편의를 위하여 다른 행정청에 신청을 접수하게 할 수 있다. (○, ×) ★★★ 2023 국가직 9급

□□□□□ 08 행정청은 신청인의 편의를 위하여 처분의 처리기간을 종류별로 미리 정하여 공표하여야 한다. (○, ×) ★ 2014 경행특채 2차

□□□□□ 09 처분의 처리기간에 관한 규정은 강행규정이므로 행정청이 처리기간이 지나 처분을 하였다면 이는 처분을 취소할 절차상 하자로 볼 수 있다. (○, ×) ★ 2023 국가직 7급

□□□□□ 10 행정청이 미리 공표한 처분의 처리기간을 지나 처분을 하였더라도 이를 처분을 취소할 절차상 하자로 볼 수 없다. (○, ×) ★ 2023 지방직 · 서울시 7급

정답 01 × 02 × 03 ○ 04 ○ 05 ○ 06 ○ 07 ○ 08 ○ 09 × 10 ○

2. 처리기간의 연장

(1) 1회 연장

행정청은 부득이한 사유로 처리기간 내에 처분을 처리하기 곤란한 경우에는 해당 처분의 처리기간의 범위에서 한 번만 그 기간을 연장할 수 있다(동법 제19조 제2항).01

(2) 연장사유 등 통지

행정청은 처리기간을 연장할 때에는 처리기간의 연장사유와 처리예정기한을 지체 없이 신청인에게 통지하여야 한다(동법 제19조 제3항).02

3. 신속처리요청권

행정청이 정당한 처리기간 내에 처리하지 아니하였을 때에는 신청인은 해당 행정청 또는 그 감독 행정청에 신속한 처리를 요청할 수 있다(동법 제19조 제4항).03

❸ 다수의 행정청이 관여하는 처분

행정청은 다수의 행정청이 관여하는 처분을 구하는 신청을 접수한 경우에는 관계 행정청과 신속한 협조를 통하여 그 처분이 지연되지 아니하도록 하여야 한다(동법 제18조).04

03 | 침해적 처분의 절차

❶ 처분의 사전통지

1. 의 의

(1) 행정청은 당사자에게 의무를 부과하거나 권익을 제한하는 처분을 하는 경우에는 미리 처분의 제목, 당사자의 성명 또는 명칭과 주소 등을 당사자 등에게 통지하여야 한다(동법 제21조 제1항).05 06 ⓐ이 경우 상대방의 귀책사유 유무는 불문한다.

관련판례

대형마트 영업시간 제한 등 처분시 그 처분의 상대방은 대규모 점포개설자이므로 사전통지 · 의견청취절차는 대규모점포 등의 유지 · 관리책임을 지는 개설자를 상대로 거치면 충분하고, 그 밖에 임차인들을 상대로 별도의 사전통지 등 절차를 거칠 필요는 없다.★★★

영업시간 제한 등 처분의 대상인 대규모점포 중 개설자의 직영매장 이외에 개설자로부터 임차하여 운영하는 임대매장이 병존하는 경우에도, 전체 매장에 대하여 법령상 대규모점포 등의 유지 · 관리책임을 지는 개설자만이 처분상대방이 되고, 임대매장의 임차인이 이와 별도로 처분상대방이 되는 것은 아니라고 할 것이다. 따라서 사전통지 · 의견청취절차는 원고들(편저자 주 : 전체 매장에 대하여 법령상 대규모점포 등의 유지 · 관리책임을 지는 개설자)을 상대로 거치면 충분하고, 그 밖에 임차인들을 상대로 별도의 사전통지 등 절차를 거칠 필요가 없다(대판 2015. 11. 19, 2015두295 전합).

(2) 한편 앞서 본 바와 같이 당사자 등이란 처분의 직접 그 상대가 되는 당사자와 행정청이 직권 또는 신청에 의하여 행정절차에 참여하게 한 이해관계인을 말하므로(p.426 참조) 불이익처분의 직접 상대방인 당사자 또는 행정청이 참여하게 한 이해관계인이 아닌 제3자에 대하여는 사전통지 및 의견제출에 관한 행정절차법 규정이 적용되지 않는다.07

기출 체크

□□□□□ 01 행정청은 부득이한 사유로 공표한 처리기간 내에 처분을 처리하기 곤란한 경우에는 해당 처분의 처리기간의 범위에서 한 번만 그 기간을 연장할 수 있다. (○, ×)★ 2016 지방직 9급

□□□□□ 02 (행정절차법상) 행정청은 처분의 처리기간을 연장할 수 있는데, 이때 처분의 신청인에게 반드시 연장사유와 처리예정기한을 통지할 필요는 없다. (○, ×) 2024 소방직 9급

□□□□□ 03 행정청이 정당한 처리기간 내에 처분을 처리하지 아니하였을 때에는 신청인은 해당 행정청 또는 그 감독 행정청에 신속한 처리를 요청할 수 있다. (○, ×)★ 2017 국가직(하) 9급

□□□□□ 04 행정청은 다수의 행정청이 관여하는 처분을 구하는 신청을 접수한 경우에는 관계행정청과의 신속한 협조를 통하여 그 처분이 지연되지 아니하도록 하여야 한다. (○, ×) 2023 국가직 9급

□□□□□ 05 행정청은 당사자 등에게 의무를 면제하거나 권익을 부여하는 처분을 하는 경우에도 사전통지의무를 진다. (○, ×)★★★ 2010 지방직 7급

□□□□□ 06 처분의 사전통지는 의무를 부과하거나 권익을 침해하는 처분에 한정된다. (○, ×)★★★ 2008 지방직 7급

□□□□□ 07 행정절차법상 사전통지 및 의견제출에 대한 권리를 부여하고 있는 '당사자 등'에는 불이익처분의 직접 상대방인 당사자와 행정청이 직권으로 또는 신청에 따라 행정절차에 참여하게 한 이해관계인, 그 밖에 제3자가 포함된다. (○, ×) 2023 지방직 · 서울시 9급

ⓐ 당사자라 함은 처분의 상대방을 의미한다. 따라서 처분의 상대방에게는 이익이 되는 행정행위라면 그 행위가 제3자의 권익을 침해하는 이중효과적 행정행위라도 행정절차법상 사전통지 · 의견제출의 대상이 되는 것은 아니다.

정답 01 ○ 02 × 03 ○ 04 ○ 05 × 06 ○ 07 ×

(3) 사전통지사항은 다음과 같다(동법 제21조 제1항).01

① 처분의 제목 ② 당사자의 성명 또는 명칭과 주소 ③ 처분하려는 원인이 되는 사실과 처분의 내용 및 법적 근거 ④ 위 ③에 대하여 의견을 제출할 수 있다는 뜻과 의견을 제출하지 아니하는 경우의 처리방법 ⑤ 의견제출기관의 명칭과 주소 ⑥ 의견제출기한 ⑦ 그 밖에 필요한 사항

(4) 위 (3)의 ⑥에 따른 기한은 의견제출에 필요한 기간을 10일 이상으로 고려하여 정하여야 한다(동법 제21조 제3항).02

2. 청문실시를 위한 사전통지

행정청이 청문을 실시하려면 청문이 시작되는 날부터 10일 전까지 처분의 제목, 당사자의 성명 또는 명칭과 주소 등 통지사항을 당사자 등에게 통지하여야 한다(동법 제21조 제2항).03

3. 사전통지의 생략 등

(1) 다음과 같은 경우에는 처분의 사전통지를 아니할 수 있다(동법 제21조 제4항).04

① 공공의 안전 또는 복리를 위하여 긴급히 처분을 할 필요가 있는 경우05 ② 법령 등에서 요구된 자격이 없거나 없어지게 되면 반드시 일정한 처분을 하여야 하는 경우에 그 자격이 없거나 없어지게 된 사실이 법원의 재판 등에 의하여 객관적으로 증명된 경우06 ③ 해당 처분의 성질상 의견청취가 현저히 곤란하거나 명백히 불필요하다고 인정될 만한 상당한 이유가 있는 경우07

(2) 한편, 사전통지는 의견청취의 전치절차로서 사전통지의무가 면제되는 경우에는 의견청취의무도 면제된다고 볼 수 있다(동법 제22조 제4항).08

4. 사전통지대상이 되는지가 문제되는 행위

(1) 거부처분의 경우

① 문제의 소재

수익적 행정처분의 신청을 행정청이 거부하는 경우, 즉 거부처분의 경우에도 행정절차법 제21조상의 사전통지를 해야 하는 것인지가 문제된다.

② 판례의 태도

이에 대해 판례는 수익적 처분이 행해지기 전에는 아직 당사자에게 권익이 부여되지 않았으므로 거부처분은 당사자의 권익을 침해하는 처분이 아니라고 보아 사전통지의 대상이 아니라고 한다.[a]

관련판례

특별한 사정이 없는 한 거부처분은 직접 당사자의 권익을 제한하는 것은 아니어서 신청에 대한 거부처분은 처분의 사전통지대상이 된다고 할 수 없다.★★★

행정절차법 제21조 제1항은 행정청은 당사자에게 의무를 과하거나 권익을 제한하는 처분을 하는 경우에는 미리 처분의 제목, 당사자의 성명 또는 명칭과 주소, 처분하고자 하는 원인이 되는 사실과 처분의 내용 및

기출 체크

□□□□□ 01 사전통지의 내용은 처분의 제목, 당사자의 성명 또는 명칭과 주소, 처분하고자 하는 원인이 되는 사실과 처분의 내용 및 법적 근거, 의견제출기관의 명칭과 주소, 의견제출기한 등이다. (○, ×) ★ 2011 국회직 8급

□□□□□ 02 행정청은 당사자에게 사전통지를 하면서 의견제출에 필요한 기간을 10일 이상으로 고려하여 정하여 통지하여야 한다. (○, ×) 2022 군무원 7급

□□□□□ 03 행정청은 청문을 하려면 청문이 시작되는 날부터 7일 전까지 행정절차법 제21조 제1항 각 호의 사항을 당사자 등에게 통지하여야 한다. (○, ×) ★★ 2020 경행경채

□□□□□ 04 행정청이 침해적 행정처분을 할 경우에는 사전통지를 반드시 하여야 한다. (○, ×) ★★★ 2015 국가직 7급

□□□□□ 05 행정청은 공공의 안전 또는 복리를 위하여 긴급히 처분을 할 필요가 있는 경우, 당사자에게 의무를 부과하거나 권익을 제한하는 처분의 사전통지를 하지 아니할 수 있다. (○, ×) ★★ 2016 경행경채

□□□□□ 06 법령 등에서 요구된 자격이 없거나 없어지게 되면 반드시 일정한 처분을 하여야 하는 경우에 그 자격이 없거나 없어지게 된 사실이 법원의 재판에 의하여 객관적으로 증명된 경우에는 사전통지를 생략할 수 있다. (○, ×) ★★ 2022 국가직 9급

□□□□□ 07 행정청은 해당 처분의 성질상 의견청취가 현저히 곤란하더라도 사전통지를 해야 한다. (○, ×) 2022 군무원 7급

□□□□□ 08 사전통지의무가 면제되는 경우에도 의견청취의무가 면제되는 것은 아니다. (○, ×) ★★★ 2010 지방직 7급

[a] 거부처분의 경우 사전통지대상이 아니다. 그러나 거부처분의 경우 이유제시는 원칙적으로 하여야 한다는 점에서 주의하기를 바란다.

정답 01 ○ 02 ○ 03 × 04 × 05 ○ 06 ○ 07 × 08 ×

법적 근거, 그에 대하여 의견을 제출할 수 있다는 뜻과 의견을 제출하지 아니하는 경우의 처리방법, 의견제출기관의 명칭과 주소, 의견제출기한 등을 당사자 등에게 통지하도록 하고 있는바, 신청에 따른 처분이 이루어지지 아니한 경우에는 아직 당사자에게 권익이 부과되지 아니하였으므로 특별한 사정이 없는 한 신청에 대한 거부처분이라고 하더라도 직접 당사자의 권익을 제한하는 것은 아니어서 신청에 대한 거부처분을 여기에서 말하는 '당사자의 권익을 제한하는 처분'에 해당한다고 할 수 없는 것이어서 처분의 사전통지대상이 된다고 할 수 없다(대판 2003. 11. 28, 2003두674). **01**

(2) 수리를 요하는 신고(지위승계신고)의 수리의 경우

판례는 영업자지위승계신고의 수리와 관련하여 이러한 수리처분은 종전 영업자의 권익을 제한하는 처분이므로 종전 영업자(양도인)에게 사전통지 등의 절차를 거쳐야 한다고 본다.

관련판례

1. **영업자지위승계신고를 수리하는 처분은 종전 영업자의 권익을 제한하는 처분으로서 종전 영업자에 대해 행정절차법 제21조(처분의 사전통지), 제22조(의견청취) 규정의 행정절차를 실시하고 처분을 하여야 한다.** **02 03 04** ★★★
   그 영업자의 지위를 승계한 자가 관계 행정청에 이를 신고하여 행정청이 이를 수리하는 경우에는 종전의 영업자에 대한 영업허가 등은 그 효력을 잃는다 할 것인데, 위 규정들을 종합하면 위 행정청이 구 식품위생법 규정에 의하여 영업자지위승계신고를 수리하는 처분은 종전의 영업자의 권익을 제한하는 처분이라 할 것이고 따라서 종전의 영업자는 그 처분에 대하여 직접 그 상대가 되는 자에 해당한다고 봄이 상당하므로, 행정청으로서는 위 신고를 수리하는 처분을 함에 있어서 행정절차법 규정 소정의 당사자에 해당하는 **종전의 영업자에 대하여** 위 규정 소정의 행정절차를 실시하고 처분을 하여야 한다(대판 2003. 2. 14, 2001두7015).

2. 유원시설업자 또는 체육시설업자 지위승계신고를 수리하는 처분을 하는 경우, 종전 유원시설업자 또는 체육시설업자에 대하여 행정절차법 제21조 제1항 등에서 정한 처분의 사전통지 등 절차를 거쳐야 한다(대판 2012. 12. 13, 2011두29144). ★★★

(3) 고시에 의한 처분의 경우

'고시'의 방법으로 불특정 다수인을 상대로 의무를 부과하거나 권익을 제한하는 처분은 성질상 의견제출의 기회를 주어야 하는 상대방을 특정할 수 없으므로, 행정절차법 제22조 제3항에 의하여 그 상대방에게 의견제출의 기회를 주어야 하는 것은 아니라고 봄이 판례의 입장이다.

관련판례

1. (구 국민건강보험법령상 요양급여의 상대가치점수를 보건복지부장관이 변경하는 경우) **'고시'의 방법으로 불특정 다수인을 상대로 의무를 부과하거나 권익을 제한하는 처분은 성질상 의견제출의 기회를 주어야 하는 상대방을 특정할 수 없으므로, 이와 같은 처분에 있어서까지 구 행정절차법 제22조 제3항에 의하여 그 상대방에게 의견제출의 기회를 주어야 한다고 해석할 것은 아니다**(대판 2014. 10. 27, 2012두7745). **05 06** ★★★

2. **도로구역을 결정하거나 변경할 경우 이를 고시에 의하도록 하면서, 그 도면을 일반인이 열람할 수 있도록 한 점 등을 종합하여 보면, 도로구역을 변경한 처분은 행정절차법 제21조 제1항의 사전통지나 제22조 제3항의 의견청취의 대상이 되는 처분은 아니라고 할 것이다**(대판 2008. 6. 12, 2007두1767). **07** ★★★

기출 체크

□□□□□ **01** 신청에 따른 처분이 이루어지지 아니한 경우에는 아직 당사자에게 권익이 부과되지 아니하였으므로 특별한 사정이 없는 한 처분의 사전통지대상이 된다고 할 수 없다. (○, ×) ★★★ 2024 소방간부

□□□□□ **02** 행정청은 영업자지위승계의 신고의 수리를 하기 전에 양수인에게 사전통지를 해야 한다. (○, ×) ★★★ 2023 군무원 7급

□□□□□ **03** 식품위생법상의 영업자지위승계신고를 수리하는 경우, 영업시설을 인수하여 영업자의 지위를 승계한 자에 대하여 사전통지를 하고, 그에게 의견제출의 기회를 주어야 한다. (○, ×) ★★★ 2021 국가직 7급

□□□□□ **04** 행정청이 근거법률에 의하여 영업자지위승계신고를 수리하는 처분은 종전의 영업자의 권익을 제한하는 처분이라 할 것이고 행정청은 종전의 영업자에 대하여 근거법률 소정의 행정절차를 실시하고 처분을 하여야 한다. (○, ×) ★★★ 2023 소방간부

□□□□□ **05** 보건복지부장관의 국민건강보험법령상 요양급여의 상대가치점수 변경 고시처분의 경우 상대방을 특정할 수 없으므로 그 상대방에게 의견제출의 기회를 주어야 하는 것은 아니다. (○, ×) ★★★ 2024 소방간부

□□□□□ **06** 고시의 방법으로 불특정 다수인을 상대로 의무를 부과하거나 권익을 제한하는 처분에 있어서까지 그 상대방에게 의견제출의 기회를 주어야 한다고 해석할 것은 아니다. (○, ×) ★★★ 2023 서울시 지적 7급

□□□□□ **07** 도로법상 도로구역을 변경할 경우, 이를 고시하고 그 도면을 일반인이 열람할 수 있도록 하고 있는바, 도로구역을 변경한 처분은 행정절차법상 사전통지나 의견청취의 대상이 되는 처분이 아니다. (○, ×) ★★★ 2021 국가직 7급

정답 01 ○ 02 × 03 × 04 ○ 05 ○ 06 ○ 07 ○

기출 체크

□□□□□ **01** 행정청이 침익적 처분을 함에 있어 행정절차법상 예외에 속하는 경우가 아닌 한 당사자에게 사전통지를 하지 않고 의견제출절차를 거치지 않았다면 독립적 취소사유가 된다. (○, ×) ★★★ 2023 소방간부

□□□□□ **02** 행정청이 침해적 행정처분을 하면서 당사자에게 행정절차법상의 사전통지를 하지 않거나 의견제출의 기회를 주지 아니한 경우, 그 처분은 당연무효이다. (○, ×) ★★★ 2016 사회복지직 9급

□□□□□ **03** 건축법의 공사중지명령에 대한 사전통지를 하고 의견제출의 기회를 준다면 많은 액수의 손실보상금을 기대하여 공사를 강행할 우려가 있다는 사정은 사전통지 및 의견제출절차의 예외사유에 해당하지 아니한다. (○, ×) ★★ 2010 지방직 7급

□□□□□ **04** 현장조사에서 처분상대방이 위반사실을 시인하였다면 행정청은 처분의 사전통지절차를 하지 않아도 된다. (○, ×) 2022 군무원 7급

□□□□□ **05** 행정청이 온천지구임을 간과하여 지하수 개발 · 이용신고를 수리하였다가 의견제출기회를 주지 아니한 채 그 신고수리처분을 취소하고 원상복구명령의 처분을 한 경우, 행정지도방식에 의한 사전고지나 그에 따른 당사자의 자진폐공의 약속 등 사유가 있으면 의견청취절차에 해당하여 위법하지 않다. (○, ×) ★★ 2022 소방간부

□□□□□ **06** 공무원의 정규임용처분을 취소하는 처분은 사전통지를 하지 않아도 되는 예외적인 경우에 해당하지 않는다. (○, ×) ★★★ 2022 군무원 9급

□□□□□ **07** 공기업 사장에 대한 해임처분 과정에서 처분내용을 사전에 통지받지 못했고 해임처분시 법적 근거 및 구체적 해임사유를 제시받지 못하였다면, 그 해임처분은 위법하지만 당연무효는 아니다. (○, ×) ★★ 2017 국가직 7급

ⓐ 시보공무원이란 정규공무원으로 임용되기 이전에, 공무원으로서의 적격성 판정을 위해 일정 기간 동안 임용되는 공무원을 말한다.

ⓑ 무효인 처분에 대해 형식적으로 그 처분을 취소하는 경우가 있다. 취소는 일단 그 효력이 발생한 처분에 대해 성립상의 하자를 이유로 그 효력을 소멸시키는 행위이다. 그런데 무효인 처분은 처음부터 아무런 효력이 발생하지 않으므로 이 경우 취소라는 형식을 취하더라도 이는 학문상의 취소가 아니라 무효임을 확인 또는 선언하는 행위에 불과하다.

정답 01 ○ 02 × 03 ○ 04 × 05 × 06 ○ 07 ○

5. 사전통지를 하지 않은 경우

침익적 처분을 하면서 사전통지 등의 절차를 하지 않은 경우에는 사전통지 등의 예외사유에 해당하지 않는 한 위법한 처분이 되어 취소할 수 있다는 것이 판례의 입장이다. 한편, 판례는 행정지도방식에 의한 사전고지 또는 당사자의 자진 폐공의 약속 등의 사유만으로는 사전통지 등을 하지 않아도 되는 예외사유가 아니므로 사전통지를 생략하고 처분을 행했다면 그러한 처분은 위법한 것으로 취소사유가 있다고 판시하고 있다.

관련판례

1-1. 행정청이 침해적 행정처분을 함에 있어서 당사자에게 위와 같은 사전통지를 하거나 의견제출의 기회를 주지 아니하였다면 사전통지를 하지 않거나 의견제출의 기회를 주지 아니하여도 되는 예외적인 경우에 해당하지 아니하는 한 그 처분은 위법하여 취소를 면할 수 없다. **01 02** ★★★

1-2. 건축법상의 공사중지명령에 대한 사전통지를 하고 의견제출의 기회를 준다면 많은 액수의 손실보상금을 기대하여 공사를 강행할 우려가 있다는 사정은 사전통지를 하지 않아도 되는 예외사유에 해당하지 않는다(대판 2004. 5. 28, 2004두1254). **03** ★★

2-1. 행정청이 침해적 행정처분을 하면서 당사자에게 사전통지를 하거나 의견제출의 기회를 주지 아니하였다면, 사전통지나 의견제출의 예외적인 경우에 해당하지 아니하는 한, 처분은 위법하여 취소를 면할 수 없다.

2-2. 무단으로 용도변경된 건물에 대해 건물주에게 시정명령이 있을 것과 불이행시 이행강제금이 부과될 것이라는 점을 설명한 후, 다음 날 시정명령을 한 경우 비록 현장조사에서 원고가 위반사실을 시인하였다거나 위반경위를 진술하였더라도 그것만으로는 행정절차법 제21조 제4항 제3호가 정한 '의견청취가 현저히 곤란하거나 명백히 불필요하다고 인정될 만한 상당한 이유가 있는 경우'로서 처분의 사전통지를 하지 아니하여도 되는 경우에 해당한다고 볼 수도 없다(대판 2016. 10. 27, 2016두41811). **04**

3. (행정청이 온천지구임을 간과하여 지하수개발 · 이용신고를 수리하였다가 행정절차법상의 사전통지를 하거나 의견제출의 기회를 주지 아니한 채 그 신고수리처분을 취소하고 원상복구명령의 처분을 하는 것은 위법하다고 판시하면서) **행정지도방식에 의한 사전고지나 그에 따른 당사자의 자진 폐공(편저자주 : 원상복구)의 약속 등의 사유만으로는 사전통지 등을 하지 않아도 되는 행정절차법 소정의 예외의 경우에 해당한다고 볼 수 없다**(대판 2000. 11. 14, 99두5870). **05** ★★

4-1. 시보임용처분ⓐ과 정규공무원임용처분은 별개의 처분이다.★★

4-2. 시보임용 당시 결격사유가 있다면 시보임용처분은 당연무효이다.ⓑ★★

4-3. 정규공무원임용처분은 위법하나 정규공무원임용 당시에는 결격사유가 없다면 정규공무원임용처분은 당연무효는 아니다.★★

4-4. 정규임용처분을 취소하는 처분은 성질상 행정절차를 거치는 것이 불필요하여 행정절차법의 적용이 배제되는 경우에 해당하지 않으므로, 그 처분을 하면서 행정절차법상 사전통지를 하거나 의견제출의 기회를 부여하지 않은 것은 위법하다(대판 2009. 1. 30, 2008두16155). **06** ★★★

5. (감사원이 한국방송공사에 대한 감사를 실시한 결과, 사장 甲에게 부실 경영 등 문책사유가 있다는 이유로 한국방송공사 이사회에 甲에 대한 해임제청을 요구하였고, 이사회가 임시이사회를 개최하여 감사원 해임제청요구에 따른 문책사유와 방송의 공정성 훼손 등의 사유를 들어 甲에 대한 해임제청을 결의하고 대통령에게 甲의 사장직 해임을 제청함에 따라 대통령이 甲을 한국방송공사 사장직에서 해임한 사안에서) 해임처분 과정에서 상대방인 甲이 처분 내용을 사전에 통지받거나 그에 대한 의견제출기회 등을 받지 못했고 해임처분시 법적 근거 및 구체적 해임사유를 제시받지 못하였으므로 해임처분이 행정절차법에 위배되어 위법하지만, 절차나 처분형식의 하자가 중대하고 명백하다고 볼 수 없어 역시 당연무효가 아닌 취소사유에 해당한다(대판 2012. 2. 23, 2011두5001). **07** ★★

6. 보조금 반환명령 당시 사전통지 및 의견제출의 기회가 부여되었다 하더라도 그 사정만으로 이 사건 평가인증취소처분이 구 행정절차법 제21조 제4항 제3호에서 정하고 있는 사전통지 등을 하지 아니하여도 되는 예외사유에 해당한다고도 볼 수 없다.
평가인증취소처분은 이로 인하여 원고에 대한 인건비 등 보조금 지급이 중단되는 등 원고의 권익을 제한하는 처분에 해당하며, 보조금 반환명령과는 전혀 별개의 절차이다(대판 2016. 11. 9, 2014두1260).

❷ 의견청취절차

1. 의 의

행정청이 침익적 처분을 함에 있어서 상대방에게 의견을 진술할 기회를 주고, 이를 당해 처분에 반영하는 절차를 말한다. 침해적 처분의 상대방에게 방어의 기회를 주는 것은 자연적 정의의 원칙으로부터 요청되는 것으로 이러한 의견청취절차에는 ① 청문, ② 공청회, ③ 의견제출 등이 규정되어 있다.01

2. 적용제외

(1) 일반론

다음의 경우에는 청문, 공청회, 의견제출 등의 의견청취를 아니할 수 있다(동법 제22조 제4항).

① 공공의 안전 또는 복리를 위하여 긴급히 처분을 할 필요가 있는 경우02
② 법령 등에서 요구된 자격이 없거나 없어지게 되면 반드시 일정한 처분을 하여야 하는 경우에 그 자격이 없거나 없어지게 된 사실이 법원의 재판 등에 의하여 객관적으로 증명된 경우
③ 해당 처분의 성질상 의견청취가 현저히 곤란하거나 명백히 불필요하다고 인정될 만한 상당한 이유가 있는 경우
④ 당사자가 의견진술의 기회를 포기한다는 뜻을 명백히 표시한 경우03

(2) 문제되는 경우

① 청문통지서의 반송

위 적용제외의 ③과 관련해 청문통지서가 반송된 경우가 이에 해당하는지가 문제되나, 청문통지서의 반송 또는 처분상대방의 청문일시에 불출석 등은 청문을 실시하지 않아도 되는 예외적 사유가 아니라는 것이 판례의 입장이다.

관련판례

'의견청취가 현저히 곤란하거나 명백히 불필요하다고 인정될 만한 상당한 이유가 있는지'는 당해 처분의 성질에 비추어 판단하여야 하는 것이지 청문통지서의 반송, 청문일의 불출석 등에 의해 판단할 것은 아니다.04 ★★★
행정처분의 상대방이 통지된 청문일시에 불출석하였다는 이유만으로 행정청이 관계법령상 그 실시가 요구되는 청문을 실시하지 아니한 채 침해적 행정처분을 할 수는 없을 것이므로, 행정처분의 상대방에 대한 청문통지서가 반송되었다거나, 행정처분의 상대방이 청문일시에 불출석하였다는 이유로 청문을 실시하지 아니하고 한 침해적 행정처분은 위법하다(대판 2001. 4. 13, 2000두3337). 05 06

② 위반사실의 시인 등

관련판례

1. 행정절차법 제22조 제4항, 제21조 제4항 제3호에 의하면, "해당 처분의 성질상 의견청취가 현저히 곤란하거나 명백히 불필요하다고 인정될 만한 상당한 이유가 있는 경우"나 "당사자가 의견진술의 기회를

기출 체크

□□□□□ 01 행정절차법상의 의견청취는 이유제시, 청문, 의견제출로 구분된다. (○, ×) ★★ 2008 지방직 7급

□□□□□ 02 행정청이 공공의 안전 또는 복리를 위하여 긴급히 처분을 할 필요가 있는 경우에는 의견청취를 하지 아니할 수 있다. (○, ×) ★★★ 2018 서울시 9급

□□□□□ 03 행정청의 처분으로 의무가 부과되거나 권익이 제한되는 경우라도 당사자가 의견진술의 기회를 포기한다는 뜻을 명백히 표시한 경우에는 의견청취를 생략할 수 있다. (○, ×) ★★★ 2022 국가직 9급

□□□□□ 04 행정절차법의 청문배제 사유인 '당해 처분의 성질상 의견청취가 현저히 곤란하거나 명백히 불필요하다고 인정될 만한 상당한 이유가 있는 경우'는 당해 행정처분의 성질에 의하여 판단하여야 하는 것이지, 청문통지서의 반송 여부, 청문통지의 방법 등에 의하여 판단할 것은 아니다. (○, ×) ★★★ 2019 서울시 1회 7급

□□□□□ 05 행정처분의 상대방에 대한 청문통지서가 반송되었거나 행정처분의 상대방이 청문일시에 불출석하였다는 이유만으로 행정청이 관계법령상 그 실시가 요구되는 청문을 실시하지 아니하고 한 침해적 행정처분은 위법하다. (○, ×) ★★★ 2023 지방직 · 서울시 9급

□□□□□ 06 구 공중위생법상 유기장업허가취소처분을 함에 있어서 두 차례에 걸쳐 발송한 청문통지서가 모두 반송되어 온 경우, 처분의 상대방이 청문일시에 불출석하였다는 이유로 청문을 거치지 않고 한 침해적 행정처분은 적법하다. (○, ×) ★★★ 2019 지방직 · 교육행정직 9급

정답 01 × 02 ○ 03 ○ 04 ○ 05 ○ 06 ×

포기한다는 뜻을 명백히 표시한 경우"에는 청문 등 의견청취를 하지 아니할 수 있는데, 여기에서 '의견청취가 현저히 곤란하거나 명백히 불필요하다고 인정될 만한 상당한 이유가 있는 경우'에 해당하는지는 해당 행정처분의 성질에 비추어 판단하여야 하며, 처분상대방이 이미 행정청에 위반사실을 시인하였다거나 처분의 사전통지 이전에 의견을 진술할 기회가 있었다는 사정을 고려하여 판단할 것은 아니다(대판 2017. 4. 7, 2016두63224).**01** ★★★

2-1. 현장조사에 앞서 원고에게 전화로 통지한 것은 행정조사의 통지이지 이 사건 처분에 대한 사전통지로 볼 수 없다. 그리고 위 소외인이 현장조사 당시 위반경위에 관하여 원고에게 의견진술기회를 부여하였다 하더라도, 이 사건 처분이 현장조사 바로 다음 날 이루어진 사정에 비추어 보면, 의견제출에 필요한 상당한 기간을 고려하여 의견제출기한이 부여되었다고 보기도 어렵다.

2-2. 그리고 현장조사에서 원고가 위반사실을 시인하였다거나 위반경위를 진술하였다는 사정만으로는 행정절차법 제21조 제4항 제3호가 정한 '의견청취가 현저히 곤란하거나 명백히 불필요하다고 인정될 만한 상당한 이유가 있는 경우'로서 처분의 사전통지를 하지 아니하여도 되는 경우에 해당한다고 볼 수도 없다(대판 2016. 10. 27, 2016두41811).

③ 당사자의 협약

행정청과 당사자의 사이에 청문을 실시하지 않기로 하는 협약을 체결한 경우 이의 효력이 문제된다. 판례는 이에 대해 이러한 협약으로 **청문실시에 관한 규정의 적용을 배제할 수 없다고** 판시한 바 있다.ⓐ

관련판례

행정청이 당사자와 사이에 도시계획사업의 시행과 관련한 협약을 체결하면서 관계법령 및 행정절차법에 규정된 청문의 실시 등 의견청취절차를 배제하는 조항을 둔 경우, 청문의 실시에 관한 규정의 적용이 배제되거나 청문을 실시하지 않아도 되는 예외적인 경우에 해당한다고 할 수 없다(대판 2004. 7. 8, 2002두8350).**02** ★★★

④ 법령상 확정된 의무부과의 경우

이러한 경우는 의견진술의 기회를 주지 아니하여도 행정절차법 위반이 아니라는 것이 판례의 입장이다.**03**

관련판례

퇴직연금의 환수결정은 관련법령에 따라 당연히 환수금액이 정하여지는 것이므로, 당사자에게 의견진술의 기회를 주지 아니하여도 무방하다(대판 2000. 11. 28, 99두5443).**04 05** ★★★

⑤ 기 타

관련판례

1-1. 행정청이 침해적 행정처분을 하면서 당사자에게 행정절차법상의 사전통지를 하거나 의견제출의 기회를 주지 않았다면, 사전통지를 하지 않거나 의견제출의 기회를 주지 않아도 되는 예외적인 경우에 해당하지 않는 한, 그 처분은 위법하여 취소를 면할 수 없다.**06**

1-2. 행정절차법 시행령 제13조 제2호에서 정한 "법원의 재판 또는 준사법적 절차를 거치는 행정기관의 결정 등에 따라 처분의 전제가 되는 사실이 객관적으로 증명되어 처분에 따른 의견청취가 불필요하다고 인정되는 경우"란 법원의 재판 등에 따라 처분의 전제가 되는 사실이 객관적으로 증명되면 행정청이 반드시 일정한 처분을 해야 하는 경우 등 의견청취가 행정청의 처분 여부나 그 수위 결정에 영향을 미치지 못하는 경우를 의미한다.

1-3. 처분의 전제가 되는 '일부' 사실만 증명된 경우이거나 의견청취에 따라 행정청의 처분 여부나 처분 수위가 달라질 수 있는 경우, 위 예외사유에 해당하지 않는다.

기출 체크

□□□□□ **01** 행정절차법 제21조 제4항에서 규정한 '의견청취가 현저히 곤란하거나 명백히 불필요하다고 인정될 만한 상당한 이유가 있는 경우'에 해당하는지는 해당 행정처분의 성질에 비추어 판단하여야 하며, 처분상대방이 이미 행정청에 위반사실을 시인하였다거나 처분의 사전통지 이전에 의견을 진술할 기회가 있었다는 사정을 고려하여 판단할 것은 아니다. (○, ×) ★★★ 2024 소방간부

□□□□□ **02** 행정청이 당사자와 도시계획사업의 시행과 관련한 협약을 체결하면서 관계법령 및 행정절차법에 규정된 청문의 실시 등 의견청취절차를 배제하는 조항을 두었다면, 이는 청문을 실시하지 않아도 되는 예외적인 경우에 해당한다. (○, ×) ★★★ 2022 지방직 · 서울시 7급

□□□□□ **03** 판례는 법령상 확정된 의무부과의 경우에도 의견제출의 기회를 주어야 한다고 본다. (○, ×) ★★★ 2007 국회직 8급

□□□□□ **04** 공무원연금법상 퇴직연금의 환수결정은 당사자에게 의무를 과하는 처분이기는 하지만 퇴직연금의 환수결정에 앞서 당사자에게 의견진술의 기회를 주지 아니하여도 행정절차법에 어긋나지 아니한다. (○, ×) ★★★ 2023 지방직 · 서울시 7급

□□□□□ **05** 관련법령에 따라 당연히 환수금액이 정하여지는 퇴직연금의 환수결정에 앞서 의견진술의 기회를 주지 아니하였다면 그 처분은 의견제출의 기회를 주지 않은 것으로서 위법하여 무효이다. (○, ×) ★★★ 2023 서울시 지적 7급

□□□□□ **06** 행정청이 침해적 행정처분을 하면서 당사자에게 행정절차법상의 사전통지를 하거나 의견제출의 기회를 주지 않았다면, 사전통지를 하지 않거나 의견제출의 기회를 주지 않아도 되는 예외적인 경우에 해당하지 않는 한, 그 처분은 위법하여 취소를 면할 수 없다. (○, ×) 2023 군무원 9급

ⓐ 행정처분을 하면서 계약을 체결하여 행정절차법상의 청문 등을 배제할 수 있도록 한다면 행정청은 자신이 우월한 지위를 이용하여 상대방의 의사에 반하여 여러 절차를 배제하는 내용의 계약을 강제함으로써 행정절차법의 취지를 잠탈할 우려가 있는바, 협약으로 청문을 배제할 수는 없다고 보아야 한다.

정답 01 ○ 02 × 03 × 04 ○ 05 × 06 ○

1-4. 관할 시장이 甲에게 구 폐기물관리법 제48조 제1호에 따라 토지에 장기보관 중인 폐기물을 처리할 것을 명령하는 1차, 2차 조치명령을 각각 하였고, 甲이 위 각 조치명령을 불이행하였다고 하여 구 폐기물관리법 위반죄로 유죄판결이 각각 선고 · 확정되었는데, 이후 관할 시장이 폐기물 방치 실태를 확인하고 별도의 사전통지와 의견청취절차를 밟지 않은 채 甲에게 폐기물 처리에 관한 3차 조치명령을 한 사안에서, 3차 조치명령은 재량행위로서 행정절차법 시행령 제13조 제2호에서 정한 사전통지, 의견청취의 예외사유에 해당하지 않는다(대판 2020. 7. 23, 2017두66602).

2. 행정처분의 사유에 대하여 당사자에게 변명과 유리한 자료를 제출할 기회를 부여함으로써 위법사유의 시정가능성을 고려하고, 처분의 신중과 적정을 기하려는 청문제도의 취지에 비추어 볼 때, 원고가 이 사건 처분 전에 피고의 사무실에 방문하여 피고 소속 공무원에게 '처분을 좀 연기해 달라'는 내용의 서류를 제출한 것을 들어, 「여객자동차 운수사업법」과 행정절차법이 필요적으로 실시하도록 규정하고 있는 청문을 실시한 것으로 볼 수는 없다. 나아가 관련법령이 정한 청문 등 의견청취를 하지 아니할 수 있는 예외에 해당하는지는 해당 행정처분의 성질에 비추어 판단하여야 하며, 처분상대방이 이미 행정청에게 위반사실을 시인하였다거나 처분의 사전통지 이전에 의견을 진술할 기회가 있었다는 사정을 고려하여 판단할 것은 아니므로, 앞서 본 대로 원고의 방문 당시 담당공무원이 원고에게 관련법규와 행정처분 절차에 대하여 설명을 하였다거나 그 자리에서 청문절차를 진행하고자 하였음에도 원고가 이에 응하지 않았다는 사정만으로 '처분의 성질상 의견청취가 현저히 곤란하거나 명백히 불필요하다고 인정될 만한 상당한 이유가 있는 경우'나 또는 '당사자가 의견진술의 기회를 포기한다는 뜻을 명백히 표시한 경우'에 해당한다고 볼 수도 없다(대판 2017. 4. 7, 2016두63224).

3. 사회복지시설에 대하여 특별감사를 실시한 후 행한 감사결과 지적사항에 대한 시정지시는 보건복지부, 서울특별시, 피고가 합동으로 원고 등에 대하여 특별감사를 실시한 후 이루어진 것으로 감사결과의 통보 및 감사기관의 의견표명의 성질도 지니고 있는데, 특별감사를 받은 원고 등은 감사과정을 거치면서 감사결과 및 그에 따른 감사기관의 의견표명이 있으리라는 점을 충분히 예상할 수 있어 별도로 사전에 통지를 한다거나 의견진술의 기회를 부여할 필요가 있다고 보기 어려운 점에 비추어 보면, 이 사건 시정지시에 대하여는 그 성질상 당사자의 사전 의견청취가 불필요하다고 볼 상당한 이유가 있는 것으로 명백히 인정되는 경우에 해당한다고 할 것이다(대판 2009. 2. 12, 2008두14999).**01**

❸ 청 문

1. 청문의 의의

(1) 개 념

청문이란 행정청이 어떠한 처분을 하기 전에 당사자 등의 의견을 직접 듣고 증거를 조사하는 절차를 말한다(동법 제2조 제5호).**02**

(2) 기 능

이러한 청문권의 보장은 행정청이 예상 외의 결정을 내리는 것을 방지하고 당사자에게 절차의 종결 전에 중요한 사실관계 등을 제출할 수 있는 기회를 확보해 준다.

관련판례

행정절차법 제22조 제1항 제1호에 정한 청문제도의 취지상 행정처분의 근거법령 등에서 청문의 실시를 규정하고 있는 경우 청문절차를 결여한 처분은 위법하나 당연무효인 것은 아니다.

청문제도는 행정처분의 사유에 대하여 당사자에게 변명과 유리한 자료를 제출할 기회를 부여함으로써 위법사유의 시정가능성을 고려하고 처분의 신중과 적정을 기하려는 데 그 취지가 있으므로, 행정청이 특히 침해적 행정처분을 할 때 그 처분의 근거법령 등에서 청문을 실시하도록 규정하고 있다면, 행정절차법 등 관련법령상 청문을 실시하지 않아도 되는 예외적인 경우에 해당하지 않는 한 반드시 청문을 실시하여야 하며, 그러한 절차를 결여한 처분은 위법한 처분으로서 취소사유에 해당한다(대판 2007. 11. 16, 2005두15700).**03** ★★★

기출 체크

□□□□□ **01** 사회복지시설에 대하여 특별감사를 실시한 후 행한 감사결과 지적사항에 대한 시정지시는 그 성질상 당사자의 사전 의견청취가 불필요하다고 볼 상당한 이유가 인정되는 경우에 해당한다. (○, ×) 2022 소방간부

□□□□□ **02** 청문은 행정청이 어떠한 처분을 하기 전에 당사자 등의 의견을 직접 듣는 절차일 뿐, 증거를 조사하는 절차는 아니다. (○, ×) ★★★ 2018 지방직 7급

□□□□□ **03** 행정청이 침익적 처분을 하면서 청문을 하지 않았다면 행정절차법상 예외적인 경우에 해당하지 않는 한 그 처분은 원칙적으로 무효에 해당한다. (○, ×) ★★★ 2023 군무원 7급

정답 01 ○ 02 × 03 ×

2. 청문의 실시

행정청이 처분을 함에 있어서 ① 다른 법령 등에서 청문을 실시하도록 규정하고 있는 경우, ② 행정청이 필요하다고 인정하는 경우에는 청문을 실시한다. 또한, ③ ㉠ 인 · 허가 등의 취소,01 ㉡ 신분 · 자격의 박탈, ㉢ 법인이나 조합 등의 설립허가의 취소의 처분을 하는 경우에는 청문을 실시한다(동법 제22조 제1항).

3. 청문의 통지

행정청은 청문을 실시하려면 청문이 시작되는 날부터 10일 전까지 처분하고자 하는 원인이 되는 사실과 처분의 내용 및 법적 근거 등에 대해 당사자 등에게 통지해야 한다(동법 제21조 제2항).02

4. 청문의 주재자와 참가자

(1) 청문의 주재자

① 행정청은 소속 직원 또는 대통령령으로 정하는 자격을 가진 사람 중에서 청문 주재자를 공정하게 선정하여야 한다(동법 제28조 제1항).03 04

② 행정청은 ㉠ 다수 국민의 이해가 상충되는 처분, ㉡ 다수 국민에게 불편이나 부담을 주는 처분, ㉢ 그 밖에 전문적이고 공정한 청문을 위하여 행정청이 청문 주재자를 2명 이상으로 선정할 필요가 있다고 인정하는 처분을 하려는 경우에는 청문 주재자를 2명 이상으로 선정할 수 있다.05 이 경우 선정된 청문 주재자 중 1명이 청문 주재자를 대표한다(동법 제28조 제2항).

③ 행정청은 청문이 시작되는 날부터 7일 전까지 청문 주재자에게 청문과 관련한 필요한 자료를 미리 통지하여야 한다(동법 제28조 제3항).

④ 청문 주재자는 독립하여 공정하게 직무를 수행하며, 그 직무수행을 이유로 본인의 의사에 반하여 신분상 어떠한 불이익도 받지 아니한다(동법 제28조 제4항).

⑤ 위 ① 또는 ②에 따라 선정된 청문 주재자는 형법이나 그 밖의 다른 법률에 따른 벌칙을 적용할 때에는 공무원으로 본다(동법 제28조 제5항).

(2) 청문 주재자의 제척 · 기피 · 회피

청문 주재자에게는 제척 · 기피 · 회피의 사유가 없어야 한다(동법 제29조). 제척사유가 있는 자는 법 규정에 의해 당연히 청문 주재자에서 배제되어야 한다. 만약 제척사유 있는 자가 청문 주재자가 되어 청문을 진행하여 처분을 한 경우 이러한 처분은 절차상의 하자가 있는 것으로 위법한 처분이 된다. 기피의 경우 기피신청이 있더라도 행정청이 반드시 기피결정을 하여야 하는 것은 아니다. 회피 역시 청문 주재자의 의사표시로 당연히 청문주재에서 벗어나는 것이 아니라 행정청의 승인이 있어야 청문의 주재에서 벗어나게 된다.❶ⓐ

(3) 청문의 참가자

청문에 주체적으로 참가하는 자는 '당사자 등'으로서 '① 행정청의 처분에 대하여 직접 그 상대가 되는 당사자와 ② 행정청의 직권으로 또는 신청에 따라 행정절차에 참여하게 된 이해관계인'을 뜻한다(동법 제2조 제4호).

기출 체크

□□□□□ 01 행정청은 인 · 허가 등을 취소하는 처분을 할 때는 원칙적으로 청문을 하여야 한다. (○, ×)
2023 소방직 9급

□□□□□ 02 행정청은 청문을 실시하고자 하는 경우에 청문이 시작되는 날부터 14일 전까지 당사자 등에게 통지를 하여야 한다. (○, ×) ★★★ 2011 지방직 7급

□□□□□ 03 청문 주재자는 당사자의 신청을 받아 행정청이 선정한다. (○, ×) ★ 2016 교육행정직 9급

□□□□□ 04 청문의 주재자는 대통령령으로 정하는 자격을 가지는 사람 중에서 선정하되, 행정청의 소속 직원은 주재자가 될 수 없다. (○, ×) ★★
2014 경행특채 1차

□□□□□ 05 (행정절차법상) 행정청은 다수 국민의 이해가 상충되는 처분이나 다수 국민에게 불편이나 부담을 주는 처분을 하려는 경우에는 청문 주재자를 2명 이상으로 선정할 수 있다. (○, ×)
2023 군무원 7급

□□□□□ 06 행정절차법은 청문 주재자의 제척 · 기피 · 회피에 관하여 규정하고 있다. (○, ×) ★★
2016 교육행정직 9급

❶ 행정절차법 제29조【청문 주재자의 제척 · 기피 · 회피】06 ① 청문 주재자가 다음 각 호의 어느 하나에 해당하는 경우에는 청문을 주재할 수 없다.
1. 자신이 당사자 등이거나 당사자 등과 민법 제777조 각 호의 어느 하나에 해당하는 친족관계에 있거나 있었던 경우
2. 자신이 해당 처분과 관련하여 증언이나 감정(鑑定)을 한 경우
3. 자신이 해당 처분의 당사자 등의 대리인으로 관여하거나 관여하였던 경우
4. 자신이 해당 처분업무를 직접 처리하거나 처리하였던 경우
5. 자신이 해당 처분업무를 처리하는 부서에 근무하는 경우. 이 경우 부서의 구체적인 범위는 대통령령으로 정한다.

② 청문 주재자에게 공정한 청문 진행을 할 수 없는 사정이 있는 경우 당사자 등은 행정청에 기피신청을 할 수 있다. 이 경우 행정청은 청문을 정지하고 그 신청이 이유가 있다고 인정할 때에는 해당 청문 주재자를 지체 없이 교체하여야 한다.

ⓐ 제척 · 기피 · 회피는 모두 행정절차의 공정성을 위해 일정한 사람을 청문 주재자에서 배제시키는 제도인데 제척은 그 효과가 법률의 규정에 의하여 당연히 발생하는 것이며, 기피는 당사자의 신청에 의해 배제되며, 회피는 스스로 그 지위에서 배제되는 것이라는 점에서 차이가 있다.

정답 01 ○ 02 × 03 × 04 × 05 ○ 06 ○

행정처분절차 2 : 청문절차

청문 주재자의 선정

- 행정청이 소속 직원 또는 대통령령으로 정하는 자격을 가진 사람 중에서 청문 주재자를 공정하게 선정하여야 함(동법 제28조 제1항).
- 행정청은 다수 국민의 이해가 상충되는 처분 등을 하려는 경우에는 청문 주재자를 2명 이상으로 선정할 수 있음(동법 제28조 제2항).
- 행정청은 청문이 시작되는 날부터 7일 전까지 청문 주재자에게 청문과 관련한 필요한 자료를 미리 통지하여야 함(동법 제28조 제3항).

↓

청문의 통지

- 청문이 시작되는 날부터 10일 전까지 처분의 사전통지사항을 당사자 등에게 통지
- 통지사항 : ① 처분의 제목, ② 당사자의 성명·명칭·주소, ③ 처분의 원인이 되는 사실, 처분내용, 법적 근거, ④ 청문 주재자의 소속·직위·성명, ⑤ 청문 일시 및 장소, ⑥ 청문에 응하지 아니하는 경우의 처리방법, ⑦ 그 밖에 필요한 사항(동법 제21조 제1·2항)

↓

청문의 공개 및 진행

- 비공개진행이 원칙(당사자가 공개를 신청하거나 청문 주재자가 필요하다고 인정하는 경우 공개할 수 있음)(동법 제30조)
- 소송절차에서와 같은 변론절차를 취함이 원칙
- 청문의 시작 : 청문 주재자가 예정된 처분내용, 원인사실, 법적 근거 등 설명(동법 제31조 제1항)
- 당사자 등 : 의견을 진술하고 증거를 제출할 수 있으며 참고인이나 감정인 등에 대해 질문할 수 있음.**01** 단, 의견서를 제출한 경우 출석하여 내용을 진술한 것으로 간주(동법 제31조 제2·3항)**02**
- 청문 주재자는 직권으로 또는 당사자의 신청에 따라 필요한 조사를 할 수 있으며, 당사자 등이 주장하지 아니한 사실에 대하여도 조사할 수 있음(동법 제33조 제1항).

↓

청문조서의 작성·열람·확인

- 청문 주재자는 청문조서를 작성해야 함(동법 제34조 제1항).
- 작성된 청문조서는 당사자 등이 열람·확인할 수 있고 이의가 있으면 정정요구 가능(동법 제34조 제2항)**03**

↓

청문의 종결

- 청문 주재자가 해당 사안에 대하여 당사자 등의 의견진술, 증거조사가 충분히 이루어졌다고 인정하는 경우(동법 제35조 제1항)
- 당사자 등의 전부 또는 일부가 정당한 사유 없이 청문기일에 출석하지 아니하거나 의견서를 제출하지 아니한 경우(정당한 사유로 인한 경우에는 다시 기회를 주어야 함)(동법 제35조 제2·3항)
- 청문 주재자는 청문을 종결하고 청문조서 등을 행정청에 제출함(동법 제35조 제4항).

↓

청문의 재개

- 재개를 명하는 사유 : 청문을 마친 후 처분을 하기까지 새로운 사정이 발견되어 청문을 재개할 필요가 있다고 인정하는 때
- 행정청은 청문 주재자에게 제출받은 청문조서 등을 되돌려 보내고 청문재개를 명할 수 있음(동법 제36조).

↓

처 분

- 행정청이 최종적으로 결정하여 처분함.
- 청문 주재자로부터 제출받은 청문조서, 청문 주재자의 의견서, 그 밖의 관계 서류 등을 충분히 검토하고 상당한 이유가 있다고 인정하는 경우에는 청문결과를 반영하여야 함(동법 제35조의2).

기출 체크

□□□□□ **01** 청문절차의 당사자 등은 참고인이나 감정인 등에게 질문할 수 있다. (○, ×) 2015 국회직 8급

□□□□□ **02** 청문에서 당사자 등이 의견서를 제출한 경우에는 그 내용을 출석하여 진술한 것으로 본다. (○, ×) 2022 국회직 8급

□□□□□ **03** 당사자 등은 청문조서의 내용을 열람·확인할 수 있을 뿐, 그 청문조서에 이의가 있더라도 정정을 요구할 수는 없다. (○, ×) 2021 지방직·서울시 9급

정답 01 ○ 02 ○ 03 ×

5. 청문의 진행 및 내용

(1) 청문의 공개

① 청문은 당사자가 공개를 신청하거나 청문 주재자가 필요하다고 인정하는 경우 공개할 수 있다. 다만, 공익 또는 제3자의 정당한 이익을 현저히 해칠 우려가 있는 경우에는 공개하여서는 아니 된다(동법 제30조).01

② 따라서 청문이 실시되는 경우에도 언제나 공개되는 것은 아니며(비공개가 원칙), 또한 청문의 실시사유와 청문의 공개사유는 이와 같이 구별된다.

(2) 청문의 병합 · 분리

행정청은 직권으로 또는 당사자의 신청에 따라 여러 개의 사안을 병합하거나 분리하여 청문을 할 수 있다(동법 제32조).

(3) 청문의 진행

청문 주재자가 청문을 시작할 때에는 먼저 예정된 처분의 내용, 그 원인이 되는 사실 및 법적 근거 등을 설명하여야 한다(동법 제31조).02

(4) 증거조사

청문 주재자는 직권으로 또는 당사자의 신청에 따라 필요한 조사를 할 수 있으며, 당사자 등이 주장하지 아니한 사실에 대하여도 조사할 수 있다(동법 제33조).03

(5) 청문의 종결

① 청문 주재자는 해당 사안에 대하여 당사자 등의 의견진술, 증거조사가 충분히 이루어졌다고 인정하는 경우에는 청문을 마칠 수 있다(동법 제35조 제1항).

② 청문 주재자는 당사자 등의 전부 또는 일부가 정당한 사유 없이 청문기일에 출석하지 아니하거나 의견서를 제출하지 아니한 경우에는 이들에게 다시 의견진술 및 증거제출의 기회를 주지 아니하고 청문을 마칠 수 있다(동법 제35조 제2항).04

③ 청문 주재자는 당사자 등의 전부 또는 일부가 정당한 사유로 청문기일에 출석하지 못하거나 의견서를 제출하지 못한 경우에는 10일 이상의 기간을 정하여 이들에게 의견진술 및 증거제출을 요구하여야 하며, 해당 기간이 지났을 때에 청문을 마칠 수 있다(동법 제35조 제3항).

④ 청문 주재자는 청문을 마쳤을 때에는 청문조서, 청문 주재자의 의견서, 그 밖의 관계서류 등을 행정청에 지체 없이 제출하여야 한다(동법 제35조 제4항).

(6) 청문의 재개

행정청은 청문을 마친 후 처분을 할 때까지 새로운 사정이 발견되어 청문을 재개할 필요가 있다고 인정할 때에는 청문조서 등을 되돌려보내고 청문의 재개(再開)를 명할 수 있다(동법 제36조).05

(7) 청문결과의 반영

행정청은 처분을 할 때에 청문 주재자로부터 제출받은 청문조서, 청문 주재자의 의견서, 그 밖의 관계서류 등을 충분히 검토하고 상당한 이유가 있다고 인정하는 경우에는 청문결과를 반영하여야 한다(동법 제35조의2).06 청문결과를 반영하는 것은 필요하지만 청문절차에서 나타난 사인의 의견에 구속되는 것은 아니다.07 왜냐하면 만약 관계행정청이 사인의 의견에 구속된다면 행정처분의 최종결정을 사인이 하는 것과 같은 결과가 되기 때문이다.

관련판례

광업용 토지수용을 위한 사업인정 여부를 결정함에 있어 처분청이 그 의견에 기속되는 것은 아니다.★★★

광업법 제88조 제2항에서 처분청이 같은 법조 제1항의 규정에 의하여 광업용 토지수용을 위한 사업인정

기출 체크

□□□□□ 01 청문은 당사자가 공개를 신청하거나 청문 주재자가 필요하다고 인정하는 경우 공개할 수 있다. 다만, 공익 또는 제3자의 정당한 이익을 현저히 해칠 우려가 있는 경우에는 공개하여서는 아니 된다. (○, ×) ★★★ 2024 국가직 9급

□□□□□ 02 청문 주재자가 청문을 시작할 때에는 먼저 예정된 처분의 내용, 그 원인이 되는 사실 및 법적 근거 등을 설명하여야 한다. (○, ×) 2021 군무원 9급

□□□□□ 03 청문 주재자는 직권으로 또는 당사자의 신청에 따라 필요한 조사를 할 수 있으며, 당사자 등이 주장하지 아니한 사실에 대하여는 조사할 수 없다. (○, ×) ★★★ 2021 군무원 9급

□□□□□ 04 청문 주재자는 당사자 등의 전부 또는 일부가 정당한 사유 없이 청문기일에 출석하지 아니하거나 의견서를 제출하지 아니한 경우에는 이들에게 다시 의견진술 및 증거제출의 기회를 주지 아니하고 청문을 마칠 수 있다. (○, ×) ★★★ 2022 국회직 8급

□□□□□ 05 행정청은 청문을 마친 후 처분을 할 때까지 새로운 사정이 발견되어 청문을 재개(再開)할 필요가 있다고 인정할 때에는 청문조서 등을 되돌려 보내고 청문의 재개를 명할 수 있다. (○, ×) 2021 군무원 9급

□□□□□ 06 행정청은 처분을 함에 있어서 청문조서, 청문 주재자의 의견서, 그 밖의 관계서류 등을 충분히 검토하고 상당한 이유가 있다고 인정하는 경우에는 청문결과를 반영하여야 한다. (○, ×) ★★★ 2011 사회복지직 9급

□□□□□ 07 행정청은 청문절차에서 개진된 의견에 기속되지 않는다. (○, ×) ★★★ 2007 국가직 7급

정답 01 ○ 02 ○ 03 × 04 ○ 05 ○ 06 ○ 07 ○

을 하고자 할 때에 토지소유자와 토지에 관한 권리를 가진 자의 의견을 들어야 한다고 한 것은 그 사업인정 여부를 결정함에 있어서 소유자나 기타 권리자가 의견을 반영할 기회를 주어 이를 참작하도록 하고자 하는 데 있을 뿐, 처분청이 그 의견에 기속되는 것은 아니다(대판 1995. 12. 22, 95누30).01

(8) 문서의 열람

당사자 등은 의견제출의 경우에는 처분의 사전통지가 있는 날부터 의견제출기한까지, 청문의 경우에는 청문의 통지가 있는 날부터 청문이 끝날 때까지 행정청에 해당 사안의 조사결과에 관한 문서와 그 밖에 해당 처분과 관련되는 문서의 열람 또는 복사를 요청할 수 있다. 이 경우 행정청은 다른 법령에 따라 공개가 제한되는 경우를 제외하고는 그 요청을 거부할 수 없다(동법 제37조 제1항). 행정청은 열람 또는 복사의 요청을 거부하는 경우에는 그 이유를 소명(疎明)하여야 한다.

(9) 비밀누설금지, 목적 외 사용금지

누구든지 의견제출 또는 청문을 통하여 알게 된 사생활이나 경영상 또는 거래상의 비밀을 정당한 이유 없이 누설하거나 다른 목적으로 사용하여서는 아니 된다(동법 제37조 제6항).02

④ 공청회

1. 공청회의 의의

공청회란 행정청이 공개적인 토론을 통하여 어떠한 행정작용에 대하여 당사자 등, 전문지식과 경험을 가진 사람, 그 밖의 일반인으로부터 의견을 널리 수렴하는 절차를 말한다(동법 제2조 제6호).

2. 공청회의 개최

(1) 공청회 개최

행정청은 ① 다른 법령 등에서 공청회를 개최하도록 규정하고 있는 경우, ② 해당 처분의 영향이 광범위하여 널리 의견을 수렴할 필요가 있다고 행정청이 인정하는 경우, 또는 ③ 국민생활에 큰 영향을 미치는 처분으로서 대통령령으로 정하는 처분❶에 대하여 대통령령으로 정하는 수 이상의 당사자 등이 공청회 개최를 요구하는 경우에 공청회를 개최한다(동법 제22조 제2항, 동법 시행령 제13조의3).03 공청회도 청문과 동일하게 일정한 사유가 있는 경우 실시되지 않을 수 있다. 한편, 행정청이 개최한 공청회가 아닌 경우에는 행정절차법의 공청회에 관한 규정이 적용되는 것은 아니다.

관련판례

묘지공원과 화장장의 후보지를 선정하는 과정에서 추모공원건립추진협의회가 후보지 주민들의 의견을 청취하기 위하여 그 명의로 개최한 공청회는 행정절차법에서 정한 절차를 준수하여야 하는 것은 아니다.★★

묘지공원과 화장장의 후보지를 선정하는 과정에서 서울특별시, 비영리법인, 일반 기업 등이 공동발족한 협의체인 추모공원건립추진협의회가 후보지 주민들의 의견을 청취하기 위하여 그 명의로 개최한 공청회는 행정청이 도시계획시설결정을 하면서 개최한 공청회가 아니므로, 위 공청회의 개최에 관하여 행정절차법에서 정한 절차를 준수하여야 하는 것은 아니다(대판 2007. 4. 12, 2005두1893).04

(2) 공고 등

행정청이 공청회를 개최하고자 하는 경우에는 공청회 개최 14일 전까지 제목, 일시 · 장소, 주요 내용 등을 당사자 등에게 통지하고 관보, 공보, 인터넷 또는 일간신문 등에 공고하는 등의 방법으로 널리 알려야 한다(동법 제38조 본문).05 다만, 공청회 개최를 알린 후 예정대로 개최하지 못하여 새로 일시 및 장소 등을 정한 경우에는 공청회 개최 7일 전까지 알려야 한다(동법 제38조 단서).

기출 체크

□□□□□ **01** 구 광업법에 근거하여 처분청이 광업용 토지수용을 위한 사업인정을 하면서 토지소유자와 토지에 관한 권리를 가진 자의 의견을 들은 경우 처분청은 그 의견에 기속된다. (○, ×) ★★★
2019 지방직 · 교육행정직 9급

□□□□□ **02** 행정절차법도 비밀누설금지 · 목적 외 사용금지 등 개인의 정보보호에 관한 규정을 두고 있다. (○, ×) ★★
2014 국가직 9급

□□□□□ **03** 청문은 다른 법령 등에서 규정하고 있는 경우 이외에 행정청이 필요하다고 인정하는 경우에도 실시할 수 있으나, 공청회는 다른 법령 등에서 규정하고 있는 경우에만 개최할 수 있다. (○, ×)
2020 지방직 · 서울시 9급

□□□□□ **04** 도시계획시설인 추모공원 건립을 위해 지방자치단체, 비영리법인, 일반 기업 등이 공동발족한 추모공원건립추진협의회에서 후보지 주민들의 의견을 청취하기 위하여 추진협의회 명의로 개최한 공청회의 경우 행정절차법에서 정한 절차를 준수하여야 한다. (○, ×) ★★
2024 소방간부

□□□□□ **05** 행정청은 공청회를 개최하려는 경우에는 공청회 개최 (   )일 전까지 제목, 일시 및 장소 등을 당사자 등에게 통지하고 관보, 공보, 인터넷 홈페이지 또는 일간신문 등에 공고하는 등의 방법으로 널리 알려야 한다. ★★★
2017 지방직(하) 9급

❶ 행정절차법 시행령 제13조의3【공청회의 개최 요건 등】① 법 제22조 제2항 제3호에서 '대통령령으로 정하는 처분'이란 다음 각 호의 어느 하나에 해당하는 처분을 말한다. 다만, 행정청이 해당 처분과 관련하여 이미 공청회를 개최한 경우는 제외한다.
1. 국민 다수의 생명, 안전 및 건강에 큰 영향을 미치는 처분
2. 소음 및 악취 등 국민의 일상생활과 관계되는 환경에 큰 영향을 미치는 처분

정답 01 × 02 ○ 03 × 04 × 05 14

기출 체크

□□□□□ **01** 공청회가 개최는 되었으나 정상적으로 진행되지 못하고 무산된 횟수가 2회인 경우 온라인공청회를 단독으로 개최할 수 있다. (○, ×)
2023 국가직 9급

□□□□□ **02** 행정청이 온라인공청회를 실시하는 경우에는 누구든지 정보통신망을 이용하여 의견을 제출할 수 있다. (○, ×) ★★★ 2015 교육행정직 9급 변형

(3) 온라인공청회

① 행정청은 행정절차법 제38조에 따른 공청회와 병행하여서만 정보통신망을 이용한 공청회(이하 '온라인공청회')를 실시할 수 있다(동법 제38조의2 제1항).

② 위 ①에도 불구하고 다음의 경우에는 온라인공청회를 단독으로 개최할 수 있다(동법 제38조의2 제2항).

> ㉠ 국민의 생명 · 신체 · 재산의 보호 등 국민의 안전 또는 권익보호 등의 이유로 행정절차법 제38조에 따른 공청회를 개최하기 어려운 경우
> ㉡ 행정절차법 제38조에 따른 공청회가 행정청이 책임질 수 없는 사유로 개최되지 못하거나 개최는 되었으나 정상적으로 진행되지 못하고 무산된 횟수가 3회 이상인 경우**01**
> ㉢ 행정청이 널리 의견을 수렴하기 위하여 온라인공청회를 단독으로 개최할 필요가 있다고 인정하는 경우. 다만, 행정절차법 제22조 제2항 제1호(다른 법령 등에서 공청회를 개최하도록 규정하고 있는 경우) 또는 제3호(국민생활에 큰 영향을 미치는 처분으로서 대통령령으로 정하는 처분에 대하여 대통령령으로 정하는 수 이상의 당사자 등이 공청회 개최를 요구하는 경우)에 따라 공청회를 실시하는 경우는 제외한다.

③ 행정청은 온라인공청회를 실시하는 경우 의견제출 및 토론참여가 가능하도록 적절한 전자적 처리능력을 갖춘 정보통신망을 구축 · 운영하여야 한다(동법 제38조의2 제3항).

④ 온라인공청회를 실시하는 경우에는 누구든지 정보통신망을 이용하여 의견을 제출하거나**02** 제출된 의견 등에 대한 토론에 참여할 수 있다(동법 제38조의2 제4항).

행정처분절차 3 : 공청회절차

공청회 개최 통지

- 공청회 개최 14일 전까지 당사자 등에게 통지함.
- 관보, 공보, 인터넷 또는 일간신문 등 공고(동법 제38조)
- 예정대로 개최하지 못하여 새로 정한 경우 개최 7일 전까지 통지함.

⬇

공청회 주재자의 선정

해당 공청회의 사안과 관련된 분야에 전문적 지식이 있거나 그 분야에 종사한 경험이 있는 사람으로서 대통령령으로 정하는 자격을 가진 사람(동법 제38조의3 제1항)

⬇

공청회의 진행

발표자의 발표, 발표자 상호 간의 질의 및 답변, 방청인의 의견제시 기회 제공 등의 순서로 진행(동법 제39조 제3항)

⬇

공청회 결과의 정리 · 제출

공청회의 주재자가 공청회 결과를 정리하여 행정청에 제출함.

⬇

공청회의 재개최

공청회 후 처분시까지 새로운 사정이 발견되어 다시 개최할 필요가 있다고 인정할 때 재개최 가능(동법 제39조의3)

⬇

처 분

- 행정청이 결정함.
- 공청회에서 제시된 사실 및 의견이 상당한 이유가 있다고 인정하는 경우 그 결과를 반영하여야 함(동법 제39조의2).

정답 01 × 02 ○

3. 공청회의 주재자 및 발표자

(1) 주재자

행정청은 해당 공청회의 사안과 관련된 분야에 전문적 지식이 있거나 그 분야에 종사한 경험이 있는 사람으로서 대통령령으로 정하는 자격을 가진 사람 중에서 공청회의 주재자를 선정한다(동법 제38조의3 제1항).

(2) 발표자

공청회의 발표자는 발표를 신청한 사람 중에서 행정청이 선정한다. 다만, 발표를 신청한 사람이 없거나 공청회의 공정성을 확보하기 위하여 필요하다고 인정하는 경우에는 일정한 자격이 있는 사람 중에서 지명하거나 위촉할 수 있다(동법 제38조의3 제2항).**01**

(3) 공정성 확보

행정청은 공청회의 주재자 및 발표자를 지명 또는 위촉하거나 선정할 때 공정성이 확보될 수 있도록 하여야 한다(동법 제38조의3 제3항).

4. 공청회의 진행과 결과반영

(1) 공청회의 진행

① 공청회의 주재자는 공청회를 공정하게 진행하여야 하며 공청회의 원활한 진행을 위하여 발표 내용을 제한할 수 있고,**02** 질서유지를 위하여 발언 중지 및 퇴장 명령 등 행정안전부장관이 정하는 필요한 조치를 할 수 있다(동법 제39조 제1항).

② 공청회의 주재자는 발표자의 발표가 끝난 후에는 발표자 상호 간에 질의 및 답변을 할 수 있도록 하여야 하며, 방청인에게도 의견을 제시할 기회를 주어야 한다(동법 제39조 제3항).

(2) 공청회 및 온라인공청회 결과의 반영

행정청은 처분을 할 때에 공청회, 온라인공청회 및 정보통신망 등을 통하여 제시된 사실 및 의견이 상당한 이유가 있다고 인정하는 경우에는 이를 반영하여야 한다(동법 제39조의2).**03**

5. 공청회의 재개최

행정청은 공청회를 마친 후 처분을 할 때까지 새로운 사정이 발견되어 공청회를 다시 개최할 필요가 있다고 인정할 때에는 공청회를 다시 개최할 수 있다(동법 제39조의3).**04**

5 의견제출(약식청문)

1. 의견제출의 의의

(1) 개 념

의견제출이란 행정청이 어떠한 행정작용을 하기 전에 당사자 등이 의견을 제시하는 절차로서 청문이나 공청회에 해당하지 아니하는 절차를 말한다(동법 제2조 제7호).**05**

(2) 일반절차의 성격

의견제출제도는 침익적 처분의 경우 청문 또는 공청회를 거쳐야 한다는 명시적 규정이 없는 경우에도 의견제출절차를 거쳐야 하므로 침익적 처분에 있어 의견청취의 일반절차로서 그 성격을 지닌다.

기출 체크

□□□□□ **01** 행정청은 공청회의 발표자를 관련전문가 중에서 우선적으로 지명 또는 위촉하여야 하며, 적절한 발표자를 선정하지 못하거나 필요한 경우에만 발표를 신청한 자 중에서 지명할 수 있다. (○, ×) ★★ 2010 지방직 9급

□□□□□ **02** 공청회의 주재자는 공청회를 공정하게 진행하여야 하며, 공청회의 원활한 진행을 위하여 발표 내용을 제한할 수 있다. (○, ×) ★★ 2007 국가직 7급

□□□□□ **03** (행정절차법상) 행정청은 처분을 할 때에 당사자 등이 제출한 의견이 상당한 이유가 있다고 인정하는 경우에는 이를 반영할 수 있다. (○, ×) ★★ 2017 경행경채

□□□□□ **04** 행정청은 공청회를 마친 후 처분을 할 때까지 새로운 사정이 발견되어 공청회를 다시 개최할 필요가 있다고 인정할 때에는 공청회를 다시 개최할 수 있다. (○, ×) 2021 국회직 8급

□□□□□ **05** 행정절차법상 '의견제출'이란 행정청이 어떠한 행정작용을 하기 전에 당사자 등이 의견을 제시하는 절차로서 청문이나 공청회에 해당하는 절차를 말한다. (○, ×) 2024 국회직 8급

정답 01 × 02 ○ 03 × 04 ○ 05 ×

기출 체크

□□□□□ 01 (행정절차법 규정에 따르면) 당사자 등은 공청회의 통지가 있는 날부터 공청회가 끝날 때까지 행정청에 대하여 당해 사안의 조사결과에 관한 문서, 기타 공청회와 관련되는 문서의 열람 또는 복사를 요청할 수 있다. (○, ×) ★★★

2007 국가직 7급

□□□□□ 02 (행정절차법상) 행정청이 당사자에게 의무를 부과하거나 권익을 제한하는 처분을 함에 있어 청문이나 공청회를 거치지 않은 경우에는 당사자에게 의견제출의 기회를 주어야 한다. (○, ×) ★★★

2020 소방직 9급

행정처분절차 4 : 직권에 의한 불이익 처분절차

처분의 사전통지

- 행정청이 당사자에게 의무를 과하거나 권익을 제한하는 처분을 하는 경우에는 미리 당사자 등에게 통지하여야 함.
- 통지사항 : 처분의 제목, 당사자의 성명 또는 명칭과 주소(동법 제21조 제1항)
- 사전통지대상 : 당사자 등(행정청이 신청 또는 직권에 의해 참여하게 한 이해관계인 아닌 제3자는 당사자 등에 포함되지 않음)
- 사전통지의무가 면제되는 경우에는 의견청취의무도 면제됨.

⇩

의견청취

- 불이익처분에 대하여 국민에게 참여의 기회를 제공함.
- 의견청취절차는 의견제출, 청문, 공청회의 세 가지 종류가 설정되어 있음.
- 비교

구 분	청 문	공청회	의견제출
개 념	행정청이 처분을 하기 전에 당사자 등의 의견을 직접 듣고 증거를 조사하는 절차(동법 제2조)	행정청이 공개적인 토론을 통하여 당사자 등, 전문지식과 경험을 가진 사람, 그 밖의 일반인으로부터 의견을 널리 수렴하는 절차(동법 제2조)	행정청이 어떠한 행정작용을 하기 전에 당사자 등이 의견을 제시하는 절차로서 청문이나 공청회에 해당하지 아니하는 절차(동법 제2조)
통 지	10일 전 통지 (동법 제21조 제2항)	14일 전까지 통지 (동법 제38조)	
실시요건	• 법령 등에서 청문을 규정하고 있는 경우 • 행정청이 필요하다고 인정하는 경우 • 인·허가 등의 취소, 신분·자격의 박탈, 법인이나 조합 등의 설립허가의 취소의 처분을 하는 경우(동법 제22조 제1항)	• 법령 등에서 공청회를 개최하도록 특별히 규정하고 있는 경우 • 해당 처분의 영향이 광범위하여 널리 의견을 수렴할 필요가 있다고 행정청이 인정하는 경우 • 국민생활에 큰 영향을 미치는 처분으로서 대통령령으로 정하는 처분에 대하여 대통령령으로 정하는 수(30명) 이상의 당사자 등이 공청회 개최를 요구하는 경우 (동법 제22조 제2항)	원칙적으로 청문 및 공청회를 개최한 경우 외에는 실시해야 함(동법 제22조 제3항).
의견제출 방식	서면(문서제출)이나 말 (동법 제27조 제1항)	구술(발표 및 질의·답변) (동법 제39조 제3항)	서면이나 말 또는 정보통신망(동법 제27조 제1항)
주재자	청문 주재자(행정청의 소속 직원 또는 대통령령으로 정하는 자격을 가진 자 중에서 행정청이 선정한 자)(동법 제28조 제1항)	공청회 주재자(대통령령으로 정하는 자격을 가진 자 중에서 행정청이 선정한 자)(동법 제38조의3 제1항)	
문서열람01 인정 여부	○		○

⇩

**처분/
처분의 이유제시**

2. 의견제출의 기회제공과 방법 등

(1) 의견제출의 기회제공

행정청이 당사자에게 의무를 부과하거나 권익을 제한하는 처분을 할 때, 청문을 실시하거나 공청회를 개최하는 경우 외에는 당사자 등에게 의견제출의 기회를 주어야 한다(동법 제22조 제3항).02 한편 제22조 제3항의 해석에 따르면 청문이나 공청회를 개최한 경우에는 권익을 제한하거나 의무를 부과하는 처분을 함에 있어서 의견제출의 기회를 주지 않아도 된다.

정답 01 × 02 ○

(2) 의견제출의 방법

① 당사자 등(㉠ 처분의 직접 그 상대가 되는 당사자와 ㉡ 행정청이 직권 또는 신청에 의하여 행정절차에 참여하게 한 이해관계인)은 처분 전에 그 처분의 관할행정청에 서면이나 말 또는 정보통신망을 이용하여 의견제출을 할 수 있다.01

② 행정청은 당사자 등이 말로 의견제출을 하였을 때에는 서면으로 그 진술의 요지와 진술자를 기록하여야 한다.02

③ 당사자 등이 정당한 이유 없이 의견제출기한까지 의견제출을 하지 아니한 경우에는 의견이 없는 것으로 본다(동법 제27조).03

(3) 의견제출의 효과

① 행정청은 처분을 할 때에 당사자 등이 제출한 의견이 상당한 이유가 있다고 인정하는 경우에는 이를 반영하여야 한다(동법 제27조의2 제1항).04

② 행정청은 당사자 등이 제출한 의견을 반영하지 아니하고 처분을 한 경우 당사자 등이 처분이 있음을 안 날부터 90일 이내에 그 이유의 설명을 요청하면 서면으로 그 이유를 알려야 한다. 다만, 당사자 등이 동의하면 말, 정보통신망 또는 그 밖의 방법으로 알릴 수 있다(동법 제27조의2 제2항).

(4) 문서의 열람

당사자 등은 의견제출의 경우에는 처분의 사전통지가 있는 날부터 의견제출기한까지 행정청에 해당 사안의 조사결과에 관한 문서와 그 밖에 해당 처분과 관련되는 문서의 열람 또는 복사를 요청할 수 있다. 이 경우 행정청은 다른 법령에 따라 공개가 제한되는 경우를 제외하고는 그 요청을 거부할 수 없다(동법 제37조 제1항).

(5) 비밀누설금지, 목적 외 사용금지

누구든지 의견제출을 통하여 알게 된 사생활이나 경영상 또는 거래상의 비밀을 정당한 이유 없이 누설하거나 다른 목적으로 사용하여서는 아니 된다(동법 제37조 제6항).

6 공통규정

행정청은 청문 · 공청회 또는 의견제출을 거쳤을 때에는 신속히 처분하여 해당 처분이 지연되지 아니하도록 하여야 한다(동법 제22조 제5항). 행정청은 처분 후 1년 이내에 당사자 등이 요청하는 경우에는 청문 · 공청회 또는 의견제출을 위하여 제출받은 서류나 그 밖의 물건을 반환하여야 한다(동법 제22조 제6항).05

관련문제

다음 중 행정절차법상 사전통지 및 의견제출기회 제공의 대상이 되는 것을 모두 고른 것은? (다툼이 있는 경우 판례에 의함) 2012 국가직 7급

㉠ 교원임용신청에 대한 거부처분
㉡ 업자로부터의 금품수수를 이유로 한 징계에 기한 진급예정자의 진급선발 취소
㉢ 행정지도의 방식에 의한 사전고지가 이루어진 지하수개발 · 이용신고수리 취소
㉣ 관련법령에 따라 금액이 정해져 있는 퇴직연금 환수결정

① ㉠, ㉡ ② ㉠, ㉣
③ ㉡, ㉢ ④ ㉢, ㉣

정답 ③

기출 체크

□□□□□ **01** 이해관계가 있는 제3자는 자신의 신청 또는 행정청의 직권에 의하여 행정절차에 참여하여 처분 전에 그 처분의 관할행정청에 서면이나 말로 또는 정보통신망을 이용하여 의견제출을 할 수 있다. (○, ×) ★★ 2018 지방직 9급

□□□□□ **02** 행정청은 당사자 등이 말로 의견제출을 하였을 때에는 서면으로 그 진술의 요지와 진술자를 기록하여야 한다. (○, ×) 2013 지방직(하) 7급

□□□□□ **03** 당사자 등이 정당한 이유 없이 의견제출기한까지 의견제출을 하지 아니한 경우에는 의견이 없는 것으로 본다. (○, ×) ★★ 2015 지방직 7급

□□□□□ **04** 행정청은 처분을 할 때에 당사자 등이 제출한 의견이 상당한 이유가 있다고 인정하는 경우에는 이를 반영하여야 한다. (○, ×) ★★★ 2015 경행특채 2차

□□□□□ **05** 행정청은 처분 후 2년 이내에 당사자 등이 요청하는 경우에는 청문 · 공청회 또는 의견제출을 위하여 제출받은 서류나 그 밖의 물건을 반환하여야 한다. (○, ×) 2022 국회직 8급

정답 01 ○ 02 ○ 03 ○ 04 ○ 05 ×

제 2 절

행정절차의 하자

핵심집약 Topic 42

기출 체크

□□□□□ 01 기속행위의 경우에도 행정처분의 절차상 하자만으로 독자적인 취소사유가 된다. (○, ×) ★★★
2017 국회직 8급

□□□□□ 02 처분에 행정절차상 하자가 있을 경우 기속행위인지 재량행위인지를 불문하고 독자적 위법사유성이 인정되어 법원에 의한 취소의 대상이 된다. (○, ×) ★★★ 2008 지방직 7급

□□□□□ 03 공무원 인사관계법령에 따른 처분에 관하여는 행정절차법 적용을 배제하고 있으므로, 군인사법령에 의하여 진급예정자명단에 포함된 자에 대하여 의견제출의 기회를 부여하지 아니하고 진급선발취소처분을 한 것이 절차상 하자가 있어 위법하다고 할 수 없다. (○, ×) ★★
2024 국가직 9급

01 | 절차상 하자의 독자적 위법사유성

❶ 절차상 하자의 독자적 위법사유성 여부

청문 등 절차상 요건을 갖추지 못한 행정행위의 효력에 관해 명문의 규정이 있는 경우는 그 규정에 따르면 된다. 예컨대, 소청사건을 심사할 때 소청인 등에게 진술의 기회를 부여하지 아니하고 한 결정은 무효로 한다는 국가공무원법 제13조의 규정이 그것이다(징계의 경우에도 징계대상자에게 진술의 기회를 주지 않으면 무효가 됨). 그런데 행정절차법에는 절차상 하자가 있는 행정행위의 효력에 관한 명문의 규정을 두고 있지 않다. 따라서 행정절차법상 절차상의 하자가 있는 경우 이러한 하자가 행정행위의 독자적인 위법사유가 되는지가 문제된다.ⓐ

ⓐ 예컨대, 행정청이 상대방에 대하여 단란주점영업허가를 취소하려는 경우에 그 취소사유를 규정한 법규(미성년자에게 주류판매금지 등)는 실체법이고, 이를 위반하면(미성년자가 아닌 성년자에게 술을 판 경우에 허가를 취소) 실체상의 하자가 있는 것이다.
이에 대해 그러한 취소사유가 발생한 경우 취소를 하기 위하여 거쳐야 할 절차(예 청문절차)에 관하여 정한 법이 절차법이고, 이를 위반하면(청문절차를 거치지 않고 허가취소를 하는 경우 등) 절차상 하자가 있는 것이다. 따라서 지금 논의하는 내용은 미성년자에게 술을 판 사실은 인정되어 실체상의 하자는 없으나 청문절차를 거치지 않고 한 영업허가취소처분이 위법한지, 아니면 비록 청문절차는 거치지 않았다고 하더라도 미성년자에게 술을 판 사실은 인정되므로 적법한 것인지의 문제이다.

❷ 판례의 태도

재량행위뿐만 아니라 조세부과처분과 같은 기속행위의 경우에도 절차하자를 독자적 위법사유로 인정한 바 있다.01 02

관련판례

1. (기속행위인 과세처분 관련) **납세고지서에 필요한 사항의 기재가 누락된 경우 과세처분은 위법한 처분이다.**
   과세표준과 세율, 세액, 세액산출근거 등의 필요한 사항을 납세자에게 서면으로 통지하도록 한 세법상의 제 규정들은 …… 강행규정으로서 납세고지서에 그 기재가 누락되면 그 과세처분 자체가 위법한 처분이 되어 취소의 대상이 된다(대판 1984. 5. 9, 84누116).

2. (재량행위인 영업정지처분과 관련하여) **청문절차에 하자가 있는 경우 처분은 위법하다.**★★★
   식품위생법 제64조, 같은 법 시행령 제37조 제1항 소정의 청문절차를 전혀 거치지 아니하거나 거쳤다 하더라도 그 절차적 요건을 제대로 준수하지 아니한 경우에는 가사 영업정지사유가 인정된다 할지라도 그 처분은 위법하여 취소를 면할 수 없다(대판 1991. 7. 9, 91누971).

3-1. **원고가 수사과정 및 징계과정에서 자신의 비위행위에 대한 해명기회를 가졌다는 사정만으로는 사전통지나 의견제출의 예외사유에 해당하지 않는다.**

3-2. **군인사법령에 의하여 진급예정자명단에 포함된 자에 대하여 행정절차법상의 의견제출의 기회를 부여하지 아니한 채 진급선발을 취소하는 처분을 한 것은 절차상 하자가 있어 위법하다**(대판 2007. 9. 21, 2006두20631).03 ★★

02 | 절차하자의 치유 및 시기

❶ 하자치유의 인정 여부

판례는 원칙적으로 하자의 치유를 부정하되, 예외적으로 국민의 권리와 이익을 침해하지 않는 범위 내

정답 01 ○ 02 ○ 03 ×

에서 치유를 인정하는 경향을 보인다(p.344 참조).

② 치유의 시기(특히 이유제시와 관련하여)

행정소송이 종결되기 전까지는 하자의 치유가 가능하다고 보는 견해도 있으나, 통설 및 판례는 쟁송제기 전까지 가능하다고 본다.01

기출 체크

□□□□□ 01 판례는 절차하자의 치유는 행정쟁송제기 이후에도 가능하다고 본다. (○, ×) ★★★ 2011 국가직 7급

03 | 절차의 하자와 국가배상

행정청의 행위에 절차상의 하자가 있는 경우 그 행위의 상대방이 행정상 손해배상, 즉 국가배상을 청구할 수 있는지가 문제된다. 국가배상이 인정되기 위하여는 손해가 발생하여야 하는바, 따라서 절차상의 하자로 손해가 발생한 경우 국가배상이 인정되지만, 절차상의 하자가 있으나 실체상으로 적법하여 손해가 발생하였다고 볼 수 없는 경우, 예컨대 절차상 위법하나 실체상 적법한 행정처분의 경우에는 국가배상책임이 인정되지 않는다. 이와 관련하여 **판례는 교도소장이 아닌 일반교도관 등에 의하여 징벌내용이 고지됨으로써 절차상의 하자가 있는 징벌처분에 대해 국가배상책임을 부정**하면서 징벌처분이 위법하다는 이유로 국가배상책임을 인정하기 위하여는 징벌절차의 진행경과, 징벌의 내용 및 그 집행경과 등 제반 사정을 종합적으로 고려하여 징벌처분이 객관적 정당성을 상실하고 이로 인하여 손해의 전보책임을 국가에게 부담시켜야 할 실질적인 이유가 있다고 인정되어야 한다고 판시한 바 있다.㉠

판례 | ㉠ 1. 교도소장이 아닌 일반교도관 또는 중간관리자에 의하여 징벌내용이 고지되었다는 사유에 의하여 당해 징벌처분이 위법하다는 이유로 공무원의 고의·과실로 인한 국가배상책임을 인정하기 위하여는 징벌처분이 있게 된 규율위반행위의 내용, 징벌혐의내용의 조사·징벌혐의자의 의견진술 및 징벌위원회의 의결 등 징벌절차의 진행경과, 징벌의 내용 및 그 집행경과 등 제반 사정을 종합적으로 고려하여 징벌처분의 객관적 정당성을 상실하고 이로 인하여 손해의 전보책임을 국가에게 부담시켜야 할 실질적인 이유가 있다고 인정되어야 한다.

2. 행형법 시행령 제144조의 규정에 반하여 교도소장이 아닌 관구교감에 의해 징벌처분이 고지되었다는 사유만으로는 위 징벌처분이 손해의 전보책임을 국가에게 부담시켜야 할 만큼 객관적 정당성을 상실한 정도라고 볼 수 없다(대판 2004. 12. 9, 2003다50184).

[유튜브] 21강 필수 개념 TEST
- QR코드를 스캔해 주세요.
- 필수 개념과 출제 포인트를 풀어 보세요.
- 틀린 문제는 기본서로 확인해 주세요.

정답 01 ×

제 22 강 정보공개법

행정정보공개

법적 근거

- **법률상 근거** : 「공공기관의 정보공개에 관한 법률」(행정정보공개에 대한 일반법)
- **헌법재판소** : 정보공개청구권은 알권리의 한 요소이며, 알권리는 헌법에 직접 명문화되어 있지는 않으나 헌법 제21조상의 표현의 자유에서 도출된다고 봄.
- **조례** : 지방자치단체는 그 소관 사무에 관하여 법령의 범위에서 정보공개에 관한 조례를 제정할 수 있음(정보공개법상 규정).
  - 청주시의회에서 의결한 '청주시 행정정보공개조례안'은 그 제정에 있어 반드시 법률의 개별적 위임이 따로 필요한 것은 아님(판례).

정보공개법의 주요 내용

용어의 정의

구분	내용
정 보	공공기관이 직무상 작성 또는 취득하여 관리하고 있는 문서(전자문서 포함) 및 전자매체를 비롯한 모든 형태의 매체 등에 기록된 사항
공 개	공공기관이 정보공개법에 따라 정보를 열람하게 하거나 그 사본 · 복제물을 제공하는 것 또는 정보통신망을 통하여 정보를 제공하는 것 등
공공기관	국가기관, 지방자치단체, 「공공기관의 운영에 관한 법률」 제2조에 따른 공공기관, 지방공기업법에 따른 지방공사 및 지방공단, 그 밖에 대통령령으로 정하는 기관(유아교육법, 초 · 중등교육법, 고등교육법에 따른 각급 학교, 특별법에 따라 설립된 특수법인, 국가나 지방자치단체로부터 보조금을 받는 사회복지법인과 사회복지사업을 하는 비영리법인 등)

정보공개청구권자와 공공기관의 의무

구분	내용
정보공개 청구권자	• 모든 국민(자연인뿐만 아니라 법인, 법인격 없는 사단 · 재단도 포함) – 이해관계 유무를 불문하므로 시민단체 등에 의한 행정감시목적의 정보공개청구도 가능 – 지방자치단체는 정보공개의무자에 해당할 뿐 정보공개청구권자인 국민에 해당하지 않음. • **외국인의 경우** : 국내에 일정한 주소를 두고 거주하거나 학술 · 연구목적으로 일시 체류하는 자 등
공공기관의 정보공개 의무	• **정보공개의 원칙–청구가 필요함** : 정보공개의무는 특별한 사정이 없는 한 특정의 정보에 대한 공개청구가 있는 경우에야 비로소 존재함. – 공공기관 중 중앙행정기관 및 대통령령으로 정하는 기관은 전자적 형태로 보유 · 관리하는 정보 중 공개대상정보를 국민의 정보공개청구가 없더라도 정보통신망을 활용한 정보공개시스템 등을 통하여 공개하여야 함. • **정보공개장소 확보** : 정보공개장소를 확보하고 공개에 필요한 시설을 갖추어야 함.

공개대상정보 및 비공개대상정보

구분	내용
공개대상 정보	공공기관이 보유 · 관리하는 정보에 한정(공공기관이 정보를 보유 · 관리하고 있을 상당한 개연성에 대해서는 정보공개청구권자에게 입증책임 있음)
비공개 대상정보	이에 해당하는지 여부는 당해 공공기관에게 입증책임 있음(개괄적 사유만을 들어 공개를 거부할 수 없음). – 법률 또는 법률에서 위임한 명령에 따라 비밀이나 비공개사항으로 규정된 정보 – 국가안전보장 · 국방 · 통일 · 외교관계 등에 관한 사항으로서 공개될 경우 국가의 중대한 이익을 현저히 해칠 우려가 있다고 인정되는 정보 – 진행 중인 재판에 관련된 정보와 형의 집행, 교정(矯正), 보안처분에 관한 사항으로서 공개될 경우 그 직무수행을 현저히 곤란하게 하거나 형사피고인의 공정한 재판을 받을 권리를 침해한다고 인정할 만한 상당한 이유가 있는 정보 ‣ '진행 중인 재판에 관련된 정보'란 재판에 관련된 일체의 정보가 아니고 심리 또는 재판결과에 구체적으로 영향을 미칠 위험이 있는 정보에 한정되며, 진행 중인 재판의 소송기록 자체에 포함된 내용일 필요는 없음. – 의사결정 과정 또는 내부검토 과정에 있는 사항 등으로서 공개될 경우 업무의 공정한 수행이나 연구 · 개발에 현저한 지장을 초래한다고 인정할 만한 상당한 이유가 있는 정보 ‣ 이때 상당한 이유란 공개될 경우 업무의 공정한 수행이 객관적으로 현저하게 지장을 받을 것이라는 고도의 개연성이 존재하는 경우를 의미 – 사생활의 비밀 또는 자유를 침해할 우려가 있다고 인정되는 정보 – 경영상 · 영업상 비밀에 관한 사항으로서 공개될 경우 법인 등의 정당한 이익을 현저히 해칠 우려가 있다고 인정되는 정보 – 공개될 경우 부동산 투기, 매점매석 등으로 특정인에게 이익 또는 불이익을 줄 우려가 있다고 인정되는 정보

- **사본도 가능** : 공개청구의 대상이 되는 정보에 해당하는 문서가 반드시 원본일 필요는 없음.
- **권리남용 여부** : 오로지 상대방을 괴롭힐 목적으로, 사회통념상 용인될 수 없는 부당한 이득을 얻으려 하는 경우 정보공개를 구하고 있다는 등의 특별한 사정이 없는 한, 정보공개의 청구는 권리남용이 아님(단, 정보공개청구가 권리의 남용에 해당하는 것이 명백한 경우, 정보공개청구권의 행사를 허용해야 하는 것은 아님).
- **널리 알려진 정보 등** : 이미 다른 사람에게 공개되어 널리 알려져 있다는 등의 사유만으로는 비공개결정이 정당화될 수 없음.

정보공개절차

- **정보공개청구방법** : 문서 또는 말. 청구대상정보는 사회일반인의 관점에서 내용 · 범위를 확정할 수 있을 정도로 특정함을 요함.
- **정보공개 여부의 결정** : 결정기간 – 10일 이내 / 결정기간의 연장 – 10일 이내
- 공개청구된 공개대상정보가 제3자와 관련 있는 경우 지체 없이 통지해야 하며, 필요한 경우 제3자의 의견청취를 할 수 있음.
- **사본 · 복제물의 교부 등**
  - 청구인이 사본 또는 복제물의 교부를 원하는 경우 이를 교부하여야 함.
  - 공개대상정보의 양이 너무 많아 업무수행에 현저한 지장을 초래할 우려가 있는 경우 해당 정보를 일정 기간별로 나누어 제공하거나 사본 · 복제물의 교부 또는 열람과 병행하여 제공할 수 있음.
  - 공개하는 정보의 원본이 더럽혀지거나 파손될 우려가 있거나 그 밖에 상당한 이유가 있다고 인정할 때에는 그 정보의 사본 · 복제물을 공개할 수 있음.
  - 청구인이 공개방법을 선택하여 정보공개를 청구하면, 공공기관은 그 공개방법을 선택할 재량권이 없음.
- **부분공개** : 비공개대상정보와 공개가능한 정보가 혼합된 경우, 분리할 수 있으면 공개가능 부분에 대해 공개해야 함(물리적 분리뿐만 아니라 비공개대상에 관한 부분을 삭제하고 나머지 부분만 공개 가능한 경우까지 포함).
- **정보의 전자적 공개** : 전자적 형태로 보유 · 관리하는 정보에 대해 전자적 형태의 공개를 요청하는 경우 요청에 응해야 함(전자적 형태로 보유 · 관리하지 않는 정보는 전자적 형태로 변환하여 공개할 수 있음).
- **비용부담** : 실비의 범위 안에서 청구인이 부담(공개를 청구하는 정보의 사용목적이 공공복리의 유지 · 증진을 위하여 필요하다고 인정되는 경우에는 비용 감면 가능)

불복구제절차

- **비공개결정에 대한 청구인의 불복절차**

이의신청	• 비공개결정 또는 부분공개결정에 대하여 불복이 있거나 정보공개청구 후 20일이 경과하도록 정보공개결정이 없는 때에는, 정보공개 여부의 결정통지를 받은 날 또는 정보공개청구 후 20일이 경과한 날부터 30일 이내에 문서로 이의신청(임의적 절차) • 공공기관은 이의신청을 받은 날부터 7일 이내에, 그 이의신청에 대하여 결정하고 그 결과를 청구인에게 지체 없이 문서로 통지하여야 함.
행정심판	임의적 절차
행정소송	• 정보공개를 청구하였다가 거부처분을 받은 것 자체가 법률상 이익의 침해에 해당함. • 공공기관이 그 정보를 보유 · 관리하고 있지 아니한 경우, 특별한 사정이 없는 한 정보공개거부처분의 취소를 구할 법률상의 이익은 없음. • 재판장은 필요하다고 인정되는 때에는 당사자를 참여시키지 아니하고 제출된 공개청구정보를 비공개로 열람 · 심사할 수 있음. • 공개대상정보를 공공기관이 한때 보유 · 관리하였으나, 그 정보를 더 이상 보유 · 관리하고 있지 아니하다는 점에 대한 입증책임은 공공기관에 있음.

- **공개결정에 대한 제3자의 불복절차**
  - 제3자의 비공개 요청 : 공개대상정보가 제3자와 관련이 있다고 인정할 때에는 제3자에게 지체 없이 통지해야 하며, 제3자는 통지받은 날부터 3일 이내에 정보의 비공개 요청을 할 수 있음.
  - 제3자의 이의신청 및 쟁송제기 : 제3자 비공개 요청에도 불구하고 공공기관이 공개결정을 할 때에는 지체 없이 문서로 통지하여야 하며, 제3자는 해당 공공기관에 문서로 이의신청을 하거나 행정심판 또는 행정소송을 제기할 수 있음.

정보공개심의회, 정보공개위원회의 비교

- **정보공개심의회** : 정보공개 여부 등을 심의하기 위하여 국가기관 등에 설치 · 운영
- **정보공개위원회** : 정보공개에 관한 정책수립 · 제도개선 · 정보공개에 관한 기준수립 등의 사항을 심의 · 조정하기 위하여 행정안전부장관 소속으로 정보공개위원회를 둠.

제 1 절 행정정보공개의 개설

기출 체크

□□□□□ 01 대법원은 정보공개청구권의 헌법적 근거를 헌법 제21조 표현의 자유에서 도출하고 있다. (○, ×) ★★★ 2024 소방직 9급

□□□□□ 02 행정정보공개의 출발점은 국민의 알권리인데, 알권리 자체는 헌법상으로 명문화되어 있지 않음에도 불구하고, 우리 헌법재판소는 초기부터 국민의 알권리를 헌법상의 기본권으로 인정하여 왔다. (○, ×) ★★★ 2017 서울시 9급

□□□□□ 03 판례는 「공공기관의 정보공개에 관한 법률」과 같은 실정법의 근거가 없는 경우에는 정보공개청구권이 인정되기 어렵다고 보고 있다. (○, ×) ★★★ 2010 지방직 9급

□□□□□ 04 국민의 알권리의 내용에는 일반국민 누구나 국가에 대하여 보유·관리하고 있는 정보의 공개를 청구할 수 있는 이른바 일반적인 정보공개청구권이 포함된다. (○, ×) ★★★ 2021 국가직 9급

□□□□□ 05 정보공개청구권은 헌법 제21조에 의하여 보장되는 알권리에 근거하여 인정되고, 알권리는 자유권적 성질과 청구권적 성질을 함께 가진다. (○, ×) ★★★ 2022 소방간부

정답 01 ○ 02 ○ 03 × 04 ○ 05 ○

01 | 정보공개의 법적 근거

❶ 헌법적 근거

1. 학 설

정보공개청구권은 헌법상 알권리에서 찾는 것이 일반적 견해이다. 한편 이러한 '알권리'의 근거를 어디에서 찾을 것인가에 대해서 헌법상 표현의 자유로부터 찾는 견해, 인간의 존엄성과 행복추구권에서 찾는 견해, 어느 하나만이 아닌 표현의 자유·행복추구권 및 인간다운 생활을 할 권리 등에서 찾는 견해 등이 대립한다.

2. 판 례

헌법재판소는 정보공개청구권은 알권리의 한 요소를 이루며, 이러한 알권리는 헌법에 직접 명문화되어 있지는 않으나 헌법 제21조상의 표현의 자유에서 도출된다고 보고 있다.01 02 따라서 정보공개청구권은 이를 인정하는 법률규정이 존재하지 않는 경우에도 알권리에 근거하여 인정된다.03 한편 대법원도 알권리를 자유권적 성질과 청구권적 성질을 공유하는 것으로 보고 있으며, 알권리를 헌법 제21조에 의하여 직접 보장되는 권리로 보고 있다.

관련판례

1. **알권리는 헌법상의 표현의 자유에서 도출할 수 있다.★★★**
   헌법 제21조는 언론·출판의 자유, 즉 표현의 자유를 규정하고 있는데 이 자유는 전통적으로 사상 또는 의견의 자유로운 표명(발표의 자유)과 그것을 전파할 자유(전달의 자유)를 의미하는 것으로서 사상 또는 의견의 자유로운 표명은 자유로운 의사의 형성을 전제로 한다. 자유로운 의사의 형성은 정보에 대한 접근이 충분히 보장됨으로써 비로소 가능한 것이며, 그러한 의미에서 정보에 대한 접근·수집·처리의 자유, 즉 '알권리'는 표현의 자유와 표리일체의 관계에 있으며 …… 헌법상 입법의 공개(제50조 제1항), 재판의 공개(제109조)와는 달리 행정의 공개에 대하여서는 명문규정을 두고 있지 않지만 '알권리'의 생성기반을 살펴볼 때 이 권리의 핵심은 정부가 보유하고 있는 정보에 대한 국민의 '알권리', 즉 국민의 정부에 대한 일반적 정보공개를 구할 권리(청구권적 기본권)라고 할 것이며,04 이러한 '알권리'의 실현은 법률의 제정이 뒤따라 이를 구체화시키는 것이 충실하고도 바람직하지만, 그러한 법률이 제정되어 있지 않다고 하더라도 불가능한 것은 아니고 헌법 제21조에 의해 직접 보장될 수 있다(헌재 1991. 5. 13, 90헌마133).

2. **국민의 '알권리', 즉 정보에의 접근·수집·처리의 자유는 자유권적 성질과 청구권적 성질을 공유하는 것으로서 헌법 제21조에 의하여 직접 보장되는 권리이다**(대판 2009. 12. 10, 2009두12785).05 ★★★

❷ 법률적 근거

「공공기관의 정보공개에 관한 법률」(이하 '정보공개법')은 행정정보공개에 대한 일반법으로서 헌법상 알권리를 구체화한 법률이라고 볼 수 있다. 정보공개법은 "정보의 공개에 관하여는 다른 법률에 특별한

규정이 있는 경우를 제외하고는 이 법이 정하는 바에 따른다(동법 제4조 제1항).”라고 규정함으로써 정보공개법이 정보공개에 관한 일반법임을 나타내고 있다. 한편 정보공개청구권과 관련된 규정을 갖는 개별법률도 존재한다.

③ 조 례

1. 법규정

정보공개법은 “지방자치단체는 그 소관 사무에 관하여 법령의 범위에서 정보공개에 관한 조례를 정할 수 있다(동법 제4조 제2항).”라고 규정하고 있는바,01 이에 따라 대부분의 지방자치단체가 정보공개조례를 제정 · 시행하고 있다.

2. 판 례

대법원은 정보공개법이 제정되기 전에도 정보공개를 규정하고 있는 조례에 대해 합법성을 인정한 바 있다.

관련판례

청주시의회에서 의결한 청주시 행정정보공개조례안은 주민의 권리를 제한하거나 의무를 부과하는 조례라고는 단정할 수 없어 그 제정에 있어서 반드시 법률의 개별적 위임이 따로 필요한 것은 아니다.02 ★★

지방자치단체는 그 내용이 주민의 권리의 제한 또는 의무의 부과에 관한 사항이거나 벌칙에 관한 사항이 아닌 한 법률의 위임이 없더라도 조례를 제정할 수 있다 할 것인데 청주시의회에서 의결한 청주시 행정정보공개조례안은 행정에 대한 주민의 알권리의 실현을 그 근본 내용으로 하면서도 이로 인한 개인의 권익침해 가능성을 배제하고 있으므로, 이를 들어 주민의 권리를 제한하거나 의무를 부과하는 조례라고는 단정할 수 없고 따라서 그 제정에 있어서 반드시 법률의 개별적 위임이 따로 필요한 것은 아니다(대판 1992. 6. 23, 92추17).

읽기자료 | 조례제정시 법률위임의 범위

지방자치법 제28조에는 주민의 권리제한, 의무부과, 벌칙과 관련 있는 조례의 경우 법률의 위임이 있어야 한다고 규정하고 있다. 이 조문을 반대로 해석하면 주민의 권리를 제한하거나 의무를 부과하는 사항과 관련 없는 조례는 법률의 위임이 없더라도 제정이 가능하다. 따라서 정보공개조례는 권리제한 등과 관련이 없으므로 위임이 없더라도 제정이 가능하다.

지방자치법 제28조【조례】 ① 지방자치단체는 법령의 범위에서 그 사무에 관하여 조례를 제정할 수 있다. 다만, 주민의 권리제한 또는 의무부과에 관한 사항이나 벌칙을 정할 때에는 법률의 위임이 있어야 한다.03 04

기출 체크

□□□□□ 01 「공공기관의 정보공개에 관한 법률」에 따르면 지방자치단체는 그 소관 사무에 관하여 법령에 위배되지 않는 범위에서 정보공개에 관한 조례를 제정할 수 있다. (○, ×) ★ 2024 소방직 9급

□□□□□ 02 청주시의회에서 의결한 청주시 행정정보공개조례안은 행정에 대한 주민의 알권리의 실현을 그 근본 내용으로 하면서도 이로 인한 개인의 권익침해 가능성을 배제하고 있으므로, 이를 들어 주민의 권리를 제한하거나 의무를 부과하는 조례라고는 단정할 수 없고 따라서 그 제정에 있어서 반드시 법률의 개별적 위임이 따로 필요한 것은 아니다. (○, ×) ★★ 2013 국가직 9급

□□□□□ 03 지방자치단체는 법령에 위반되지 않는 범위 내에서 자치사무에 관하여 주민의 권리를 제한하거나 의무를 부과하는 사항이 아닌 한 법률의 위임 없이 조례를 제정할 수 있다. (○, ×) ★★ 2020 지방직 · 서울시 9급

□□□□□ 04 지방자치단체는 법령의 범위 안에서 그 사무에 관하여 조례를 제정할 수 있으나, 주민의 권리제한 또는 의무부과에 관한 사항이나 벌칙을 정할 때에는 법률의 위임이 있어야 한다. (○, ×) ★★ 2019 경행경채 2차

정답 01 ○ 02 ○ 03 ○ 04 ○

제 2 절 정보공개법

초대 Topic 25 핵심집약 Topic 43

기출 체크

□□□□□ 01 정보공개법령상 공개의 대상이 되는 정보는 공공기관이 직무상 작성 또는 취득하여 관리하고 있는 문서(전자문서 포함) 및 전자매체를 비롯한 모든 형태의 매체 등에 기록된 사항을 말한다. (○, ×) 2024 소방간부

□□□□□ 02 (정보공개법에 따르면) 정보공개의무를 지는 공공기관에는 국가기관과 지방자치단체만이 해당한다. (○, ×) ★★★ 2014 서울시 9급

정답 01 ○ 02 ×

01 | 총 칙

❶ 입법목적

정보공개법은 공공기관이 보유 · 관리하는 정보에 대한 국민의 공개청구 및 공공기관의 공개 의무에 관하여 필요한 사항을 정함으로써 국민의 알권리를 보장하고 국정(國政)에 대한 국민의 참여와 국정 운영의 투명성을 확보함을 목적으로 한다(동법 제1조).

❷ 용어의 정의

1. 정 보

'정보'란 공공기관이 직무상 작성 또는 취득하여 관리하고 있는 문서(전자문서 포함) 및 전자매체를 비롯한 모든 형태의 매체 등에 기록된 사항을 말한다(동법 제2조 제1호).01

관련판례

「공공기관의 정보공개에 관한 법률」에서 말하는 공개대상정보는 정보 그 자체가 아닌 정보공개법 제2조 제1호에서 예시하고 있는 매체 등에 기록된 사항을 의미한다(대판 2013. 1. 24, 2010두18918).

2. 공 개

'공개'란 공공기관이 정보공개법에 따라 정보를 열람하게 하거나 그 사본 · 복제물을 제공하는 것 또는 정보통신망을 통하여 정보를 제공하는 것 등을 말한다(동법 제2조 제2호).

정보공개법상의 정보공개청구권과 행정절차법상의 문서열람청구권의 비교

구 분	정보공개법상 정보공개청구권	행정절차법상 문서열람청구권
헌법적 근거	표현의 자유(헌법 제21조)	적법절차의 원칙(헌법 제12조)
공개대상정보	공공기관이 직무상 작성 또는 취득하여 관리하고 있는 문서(전자문서 포함) 및 전자매체를 비롯한 모든 형태의 매체 등에 기록된 사항	당해 처분과 관련되는 문서의 열람 · 복사
청구권자	모든 국민	① 행정청의 처분에 대해 직접 그 상대가 되는 **당사자**와 ② 행정청이 직권 또는 신청에 의해 행정절차에 참여하게 한 **이해관계인**
시 기	처분이 행해지기 전후를 불문	• 처분이 행해지기 전의 행정정보 • 의견제출의 경우 처분의 사전통지일부터 의견제출 기한까지, 청문의 경우 청문의 통지일부터 청문종료일까지만 당사자 등의 행정청에 대한 문서열람 · 복사청구권 인정

3. 공공기관

(1) 개 념

'공공기관'이란 다음에 해당하는 기관을 말한다(동법 제2조 제3호).02

① 국가기관
　㉠ 국회, 법원, 헌법재판소, 중앙선거관리위원회
　㉡ 중앙행정기관(대통령 소속 기관과 국무총리 소속 기관을 포함한다) 및 그 소속 기관
　㉢ 「행정기관 소속 위원회의 설치 · 운영에 관한 법률」에 따른 위원회
② 지방자치단체
③ 「공공기관의 운영에 관한 법률」 제2조에 따른 공공기관
④ 지방공기업법에 따른 지방공사 및 지방공단
⑤ 그 밖에 대통령령으로 정하는 기관

(2) 대통령령으로 정하는 기관

'그 밖에 대통령령으로 정하는 기관'이란 다음에 해당하는 기관을 말한다(동법 시행령 제2조).

① 유아교육법(공 · 사립유치원 등), 초 · 중등교육법, 고등교육법에 따른 각급 학교 또는 그 밖의 다른 법률에 따라 설치된 학교01 02
② 「지방자치단체 출자 · 출연 기관의 운영에 관한 법률」 제2조 제1항에 따른 출자기관 및 출연기관
③ 특별법에 따라 설립된 특수법인
④ 사회복지사업법 제42조 제1항에 따라 국가나 지방자치단체로부터 보조금을 받는 사회복지법인과 사회복지사업을 하는 비영리법인03
⑤ 위 ④ 외에 「보조금 관리에 관한 법률」 제9조 또는 지방재정법 제17조 제1항 각 호 외의 부분 단서에 따라 국가나 지방자치단체로부터 연간 5천만원 이상의 보조금을 받는 기관 또는 단체. 다만, 정보공개 대상 정보는 해당 연도에 보조를 받은 사업으로 한정한다.

관련판례

1-1. 사립대학교에 대한 국비 지원이 한정적 · 일시적 · 국부적이라는 점을 고려하더라도, 구 「공공기관의 정보공개에 관한 법률 시행령」 제2조 제1호가 정보공개의무를 지는 공공기관의 하나로 사립대학교를 들고 있는 것이 모법의 위임범위를 벗어났다거나 사립대학교가 국비의 지원을 받는 범위 내에서만 공공기관의 성격을 가진다고 볼 수 없다(사립대학교는 정보공개법상의 공공기관이다).04 05 ★★★

1-2. 사립대학교에 정보공개를 청구하였다가 거부되면 사립대학교 총장을 피고로 하여 취소소송을 제기할 수 있다(대판 2006. 8. 24, 2004두2783).06 ★★★

2. 한국방송공사(KBS)는 정보공개의무가 있는 공공기관에 해당한다.07 ★★★
방송법이라는 특별법에 의하여 설립 · 운영되는 한국방송공사(KBS)는 「공공기관의 정보공개에 관한 법률 시행령」 제2조 제4호의 '특별법에 의하여 설립된 특수법인'으로서 정보공개의무가 있는 「공공기관의 정보공개에 관한 법률」 제2조 제3호의 '공공기관'에 해당한다(대판 2010. 12. 23, 2008두13101).

3-1. 어느 법인이 「공공기관의 정보공개에 관한 법률」 제2조 제3호, 같은 법 시행령 제2조 제4호에 따라 정보를 공개할 의무가 있는 '특별법에 의하여 설립된 특수법인'에 해당하는지 여부는 법인에게 부여된 업무 등을 고려하여 개별적으로 판단한다.08 ★★

3-2. '한국증권업협회(현 금융투자협회)'는 「공공기관의 정보공개에 관한 법률 시행령」 제2조 제4호의 '특별법에 의하여 설립된 특수법인'에 해당한다고 보기 어렵다(한국증권업협회는 정보공개법상의 공공기관이 아니다).09 ★★★
어느 법인이 「공공기관의 정보공개에 관한 법률」 제2조 제3호 등에 따라 정보를 공개할 의무가 있는 '특별법에 의하여 설립된 특수법인'에 해당하는가는, 국민의 알권리를 보장하고 국정에 대한 국민의 참여와 국정운영의 투명성을 확보하고자 하는 위 법의 입법목적을 염두에 두고, 당해 법인에게 부여된 업무가 국가행정업무이거나, 이에 해당하지 않더라도 그 업무수행으로써 추구하는 이익이 당해 법인 내부의 이익에 그치지 않고 공동체 전체의 이익에 해당하는 공익적 성격을 갖는지 여부를 중심으로 개별적으로 판단하되 …… 당해 법인에 대하여 직접 정보공개청구를 구할 필요성이 있는지 여부 등을 종합적으로 고려하여야 한다.

기출 체크

□□□□□ 01 유아교육법에 따른 사립유치원은 공공기관의 정보공개에 관한 법령상 공공기관에 해당하지 않는다. (○, ×) 2024 지방직 · 서울시 9급

□□□□□ 02 국 · 공립의 초등학교는 공공기관의 정보공개에 관한 법령상 공공기관에 해당하지만, 사립초등학교는 이에 해당하지 않는다. (○, ×) ★★★ 2016 국가직 9급

□□□□□ 03 (정보공개법에 따르면) 국가 또는 지방자치단체로부터 보조금을 받는 사회복지법인과 사회복지사업을 하는 비영리법인도 공개대상이 되는 공공기관에 포함된다. (○, ×) ★★★ 2014 사회복지직 9급

□□□□□ 04 사립대학교는 정보공개를 할 의무가 있는 공공기관에 해당하지 않는다. (○, ×) ★★★ 2023 군무원 9급

□□□□□ 05 사립대학교는 정보공개법 시행령에 따른 정보공개의무를 지는 공공기관에 해당하나, 국비의 지원을 받는 범위 내에서만 그러한 공공기관의 성격을 가진다. (○, ×) ★★★ 2022 국회직 8급

□□□□□ 06 사립대학교에 정보공개를 청구하였다가 거부될 경우 사립대학교에 대한 국가의 지원이 한정적 · 국부적 · 일시적임을 고려한다면 사립대학교 총장을 피고로 하여 취소소송을 제기할 수 없다. (○, ×) ★★★ 2020 지방직 · 서울시 7급

□□□□□ 07 한국방송공사(KBS)는 정보공개의무가 있는 「공공기관의 정보공개에 관한 법률」 제2조 제3호의 '공공기관'에 해당한다. (○, ×) ★★★ 2024 소방간부

□□□□□ 08 판례는 '특별법에 의하여 설립된 특수법인'이라는 점만으로 정보공개의무를 인정하고 있으며, 다시금 해당 법인의 역할과 기능에서 정보공개의무를 지는 공공기관에 해당하는지 여부를 판단하지 않는다. (○, ×) ★★ 2017 서울시 9급

□□□□□ 09 한국증권업협회는 「공공기관의 정보공개에 관한 법률 시행령」 제2조 제4호에 규정된 '특별법에 따라 설립된 특수법인'에 해당하지 아니한다. (○, ×) ★★★ 2017 지방직 9급

정답 01 × 02 × 03 ○ 04 × 05 × 06 × 07 ○ 08 × 09 ○

기출 체크

□□□□□ 01 「공공기관의 정보공개에 관한 법률」 제4조 제1항에서 '정보공개에 관하여 다른 법률에 특별한 규정이 있는 경우'에 해당한다고 하여 정보공개법의 적용을 배제하기 위해서는, 특별한 규정이 '법률'이어야 하고, 정보공개의 대상 및 범위, 정보공개의 절차 등의 내용에서 정보공개법과 달리 규정하고 있는 것이어야 한다. (O, ×) 2022 소방간부

□□□□□ 02 형사소송법은 형사재판확정기록의 공개 여부 등에 대하여 「공공기관의 정보공개에 관한 법률」과 달리 규정하고 있으므로, 형사재판확정기록의 공개에 관하여는 「공공기관의 정보공개에 관한 법률」에 의한 공개청구가 허용되지 아니한다. (O, ×) 2022 국가직 7급

□□□□□ 03 형사재판확정기록의 공개에 관하여는 형사소송법의 규정이 적용되므로 「공공기관의 정보공개에 관한 법률」에 의한 공개청구는 허용되지 아니한다. (O, ×) 2019 지방직 7급

□□□□□ 04 「공공기관의 정보공개에 관한 법률」은 공공기관이 보유 · 관리하는 정보공개에 관한 일반법이지만, 국가안보에 관련되는 정보는 이 법의 적용대상이 아니다. (O, ×) 2023 군무원 7급

정답 01 O 02 O 03 O 04 O

'한국증권업협회'는 증권회사 상호 간의 업무질서를 유지하고 유가증권의 공정한 매매거래 및 투자자 보호를 위하여 일정 규모 이상인 증권회사 등으로 구성된 회원조직으로서, 증권거래법 또는 그 법에 의한 명령에 대하여 특별한 규정이 있는 것을 제외하고는 민법 중 사단법인에 관한 규정을 준용받는 점, 그 업무가 국가기관 등에 준할 정도로 공동체 전체의 이익에 중요한 역할이나 기능에 해당하는 공공성을 갖는다고 볼 수 없는 점 등에 비추어, 「공공기관의 정보공개에 관한 법률 시행령」 제2조 제4호의 '특별법에 의하여 설립된 특수법인'에 해당한다고 보기 어렵다(대판 2010. 4. 29, 2008두5643).

4. (사립)학교에 대하여 「교육관련기관의 정보공개에 관한 특례법」이 적용되는 경우에도 「공공기관의 정보공개에 관한 법률」을 적용할 수 없는 것은 아니다.

「교육관련기관의 정보공개에 관한 특례법」은 공공기관이 직무상 작성 또는 취득하여 관리하고 있는 정보 가운데 교육관련기관이 학교교육과 관련하여 직무상 작성 또는 취득하여 관리하고 있는 정보의 공개에 관하여 특별히 규율하는 법률이므로, 학교에 대하여 「교육관련기관의 정보공개에 관한 특례법」이 적용된다고 하여 더 이상 「공공기관의 정보공개에 관한 법률」을 적용할 수 없게 되는 것은 아니라고 할 것이다(대판 2013. 11. 28, 2011두5049).

❸ 적용범위

1. 일반법의 지위

정보의 공개에 관하여는 다른 '법률'에 특별한 규정이 있는 경우를 제외하고는 정보공개법이 정하는 바에 따른다(동법 제4조 제1항).

관련판례

1. 정보의 공개에 관하여는 다른 법률에 특별한 규정이 있는 경우에는 정보공개법의 적용이 배제된다.
2. 형사소송법 제59조의2는 구 「공공기관의 정보공개에 관한 법률」 제4조 제1항에서 정한 '정보의 공개에 관하여 다른 법률에 특별한 규정이 있는 경우'에 해당한다.

구 「공공기관의 정보공개에 관한 법률」(2013. 8. 6, 법률 제11991호로 개정되기 전의 것, 이하 '정보공개법'이라고 한다) 제4조 제1항은 "정보의 공개에 관하여는 다른 법률에 특별한 규정이 있는 경우를 제외하고는 이 법이 정하는 바에 의한다."라고 규정하고 있다. 여기서 '정보공개에 관하여 다른 법률에 특별한 규정이 있는 경우'에 해당한다고 하여 정보공개법의 적용을 배제하기 위해서는, 특별한 규정이 '법률'이어야 하고, 나아가 내용이 정보공개의 대상 및 범위, 정보공개의 절차, 비공개대상정보 등에 관하여 정보공개법과 달리 규정하고 있는 것이어야 한다.**01**

형사소송법 제59조의2의 내용 · 취지 등을 고려하면, 형사소송법 제59조의2는 형사재판확정기록의 공개 여부나 공개범위, 불복절차 등에 대하여 정보공개법과 달리 규정하고 있는 것으로 정보공개법 제4조 제1항에서 정한 '정보의 공개에 관하여 다른 법률에 특별한 규정이 있는 경우'에 해당한다. 따라서 형사재판확정기록의 공개에 관하여는 정보공개법에 의한 공개청구가 허용되지 아니한다(대판 2016. 12. 15, 2013두20882).**02 03**

2. 적용제외

국가안전보장에 관련되는 정보 및 보안 업무를 관장하는 기관(예 국가정보원)에서 국가안전보장과 관련된 정보의 분석을 목적으로 수집하거나 작성한 정보에 대해서는 정보공개법을 적용하지 아니한다(동법 제4조 제3항).**04**

02 | 정보공개청구권자와 공공기관의 의무

❶ 정보공개청구권자

1. 모든 국민

(1) 모든 국민은 정보의 공개를 청구할 권리를 가진다(동법 제5조 제1항).**01 02 03**

(2) 국민에는 자연인뿐만 아니라 법인,**04** 법인격 없는(권리능력 없는) 사단 · 재단도 포함**05**된다는 것이 판례의 입장이며, 이해관계 유무를 불문하므로 시민단체 등에 의한 행정감시목적의 정보공개청구도 가능하다. 한편 지방자치단체는 정보공개의무자에 해당할 뿐 정보공개청구권자인 국민에 해당하지 않는다.**06** ⓐ

관련판례

1. (환경운동연합이, 행정청이 주최한 간담회 등 각종 행사관련지출 자료에 포함된 행사참석자정보 등의 공개를 청구한 것에 대해 정보공개를 청구할 능력이 있다고 판시하면서) 정보공개청구권을 가지는 국민에는 자연인, 법인, 법인격 없는 사단 등이 모두 포함되며 법인, 법인격 없는 사단 등의 경우에는 설립목적을 불문한다(대판 2003. 12. 12, 2003두8050).**07** ★★★
2. 정보공개청구의 목적에는 특별한 제한이 없으므로 오로지 상대방을 괴롭힐 목적으로 정보공개를 구하고 있다는 등의 특별한 사정이 없는 한 정보공개의 청구는 권리남용에 해당한다고 볼 수 없다(대판 2006. 8. 24, 2004두2783).

2. 외국인의 경우

외국인에게도 정보공개청구권을 인정할 것인지가 문제되나 정보공개법과 동법 시행령은 외국인이라 하더라도 다음과 같은 경우 정보공개청구권을 인정하고 있다.**08**

① 국내에 일정한 주소를 두고 거주하거나 학술 · 연구를 위하여 일시적으로 체류하는 사람 **09**
② 국내에 사무소를 두고 있는 법인 또는 단체**10**

❷ 공공기관의 정보공개의무

1. 정보공개의 원칙

(1) 청구가 필요함

공공기관이 보유 · 관리하는 정보는 주민의 알권리 보장 등을 위하여 정보공개법에서 정하는 바에 따라 적극적으로 공개하여야 한다(동법 제3조). 한편, 이러한 정보공개의무는 특별한 사정이 없는 한 특정의 정보에 대한 공개청구가 있는 경우에야 비로소 존재한다는 것이 판례의 입장이다.

관련판례

알권리에서 파생되는 정부의 공개의무는, 특별한 사정이 없는 한 특정의 정보에 대한 공개청구가 있는 경우에야 비로소 존재한다.**11** ★★
알권리에서 파생되는 정부의 공개의무는 특별한 사정이 없는 한 국민의 적극적인 정보수집행위, 특히 특정의 정보에 대한 공개청구가 있는 경우에야 비로소 존재하므로, 정보공개청구가 없었던 경우 대한민국과 중화인민공화국이 2000. 7. 31. 체결한 양국 간 마늘교역에 관한 합의서 및 그 부속서 중 "2003. 1. 1.부터 한국의 민간기업이 자유롭게 마늘을 수입할 수 있다."는 부분을 사전에 마늘재배농가들에 공개할 정부의 의무는 인정되지 아니한다(헌재 2004. 12. 16, 2002헌마579).

기출 체크

□□□□□ **01** 모든 국민은 정보의 공개를 청구할 권리를 가진다. (○, ×)
2023 지방직 · 서울시 9급

□□□□□ **02** 이해관계자인 당사자에게 문서열람권을 인정하는 행정절차법상의 정보공개와는 달리 「공공기관의 정보공개에 관한 법률」은 모든 국민에게 정보공개청구를 허용한다. (○, ×) ★★★
2017 서울시 9급

□□□□□ **03** (정보공개법에 따르면) 정보공개청구권은 해당 정보와 이해관계가 있는 자에 한해서만 인정된다. (○, ×) ★★★
2014 서울시 9급

□□□□□ **04** 법인도 정보공개청구권의 주체가 될 수 있다. (○, ×) ★★★
2016 교육행정직 9급

□□□□□ **05** 모든 국민은 정보공개청구권을 가지며, 여기서 국민에는 자연인뿐만 아니라 권리능력 없는 사단과 재단도 포함된다. (○, ×)
2024 소방간부

□□□□□ **06** 자연인은 물론 법인도 정보공개청구를 할 수 있으나 지방자치단체는 정보공개청구를 할 수 없다. (○, ×) ★★★
2023 군무원 7급

□□□□□ **07** 정보공개청구권자인 국민에는 자연인은 물론 법인, 권리능력 없는 사단 · 재단도 포함되고, 법인, 권리능력 없는 사단 · 재단 등의 경우에는 설립목적을 불문한다. (○, ×) ★★★
2023 소방직 9급

□□□□□ **08** 모든 국민은 정보의 공개를 청구할 권리를 가지나, 외국인은 정보공개를 청구할 수 없다. (○, ×) ★★★
2024 소방직 9급

□□□□□ **09** 국내에 일정한 주소를 두고 있지 않은 외국인이 학술대회 발표를 위해 1주일간 체류하는 경우에는 정보공개청구권자가 될 수 없다. (○, ×) ★★★
2024 소방간부

□□□□□ **10** 국내에 사무소를 두고 있는 외국법인 또는 외국단체는 학술 · 연구를 위한 목적으로만 정보공개를 청구할 수 있다. (○, ×) ★★★
2023 군무원 9급

□□□□□ **11** 알권리에서 파생되는 정보의 공개의무는 특별한 사정이 없는 한 특정의 정보에 대한 공개청구가 있는 경우에 비로소 존재한다. (○, ×) ★★
2012 지방직 7급

ⓐ 하급심판례이기는 하나 서울행정법원은 지방자치단체는 정보공개청구권자인 국민에 포함되지 아니한다고 판시한 바 있다(서울행법 2005. 10. 12, 2005구합10484).

정답 01 ○ 02 ○ 03 × 04 ○ 05 ○ 06 ○ 07 ○ 08 × 09 × 10 × 11 ○

기출 체크

□□□□□ **01** 공공기관 중 중앙행정기관 및 대통령령으로 정하는 기관은 전자적 형태로 보유 · 관리하는 정보 중 공개대상으로 분류된 정보를 국민의 정보공개청구가 없더라도 정보통신망을 활용한 정보공개시스템 등을 통하여 공개하여야 한다. (○, ×) 2021 경행경채

□□□□□ **02** 공공기관은 국가의 시책으로 시행하는 공사(工事) 등 대규모 예산이 투입되는 사업에 관한 정보에 대해서는 공개의 구체적 범위, 주기, 시기 및 방법 등을 미리 정하여 정보통신망 등을 통하여 알리고, 이에 따라 정기적으로 공개하여야 한다. (○, ×) 2024 국회직 8급

□□□□□ **03** 공공기관은 국민이 알아야 할 필요가 있는 정보를 국민에게 공개하도록 적극적으로 노력하여야 하며, 정보의 공개에 관한 사무를 신속하고 원활하게 수행하기 위하여 정보공개장소를 확보하고 공개에 필요한 시설을 갖추어야 한다. (○, ×) ★★ 2010 지방직 7급

「공공기관의 정보공개에 관한 법률」 제6조【공공기관의 의무】① 공공기관은 정보의 공개를 청구하는 국민의 권리가 존중될 수 있도록 이 법을 운영하고 소관 관계법령을 정비하며, 정보를 투명하고 적극적으로 공개하는 조직문화 형성에 노력하여야 한다.

정답 01 ○ 02 ○ 03 ○

(2) 특별한 경우

다만, 공공기관 중 중앙행정기관 및 대통령령으로 정하는 기관은 전자적 형태로 보유 · 관리하는 정보 중 공개대상으로 분류된 정보를 국민의 정보공개청구가 없더라도 정보통신망을 활용한 정보공개시스템 등을 통하여 공개하여야 한다(동법 제8조의2).**01**

2. 행정정보의 공표

(1) 정보의 사전적 공개

공공기관은 다음에 해당하는 정보에 대해서는 공개의 구체적 범위, 주기, 시기 및 방법 등을 미리 정하여 정보통신망 등을 통하여 알리고, 이에 따라 정기적으로 공개하여야 한다. 다만, 비공개대상정보에 대해서는 그러하지 아니하다(동법 제7조 제1항).

① 국민생활에 매우 큰 영향을 미치는 정책에 관한 정보
② 국가의 시책으로 시행하는 공사(工事) 등 대규모 예산이 투입되는 사업에 관한 정보**02**
③ 예산집행의 내용과 사업평가 결과 등 행정감시를 위하여 필요한 정보
④ 그 밖에 공공기관의 장이 정하는 정보

(2) 적극적 노력

공공기관은 위에 적시된 사항 외에도 국민이 알아야 할 필요가 있는 정보를 국민에게 공개하도록 적극적으로 노력하여야 한다(동법 제7조 제2항).

3. 정보목록의 작성 · 비치 등

(1) 정보목록의 작성 · 비치

공공기관은 그 기관이 보유 · 관리하는 정보에 대하여 국민이 쉽게 알 수 있도록 정보목록을 작성하여 갖추어 두고, 그 목록을 정보통신망을 활용한 정보공개시스템 등을 통하여 공개하여야 한다. 다만, 비공개대상정보가 포함되어 있는 경우에는 해당 부분을 갖추어 두지 아니하거나 공개하지 아니할 수 있다(동법 제8조 제1항).

(2) 정보공개장소 확보 등

공공기관은 정보의 공개에 관한 사무를 신속하고 원활하게 수행하기 위하여 정보공개장소를 확보하고 공개에 필요한 시설을 갖추어야 한다(동법 제8조 제2항).**03**

03 | 공개대상정보 및 비공개대상정보

❶ 공개대상정보

1. 공공기관이 보유 · 관리하는 정보는 원칙적으로 공개대상이 된다(동법 제9조 제1항 본문). 즉, 공개청구의 대상이 되는 정보는 공공기관이 보유 · 관리하고 있는 정보에 한정된다.
2. 한편 공개를 구하는 정보를 공공기관이 보유 · 관리하고 있을 상당한 개연성이 있다는 점에 대한 입증책임은 정보공개청구권자에게 있다는 것이 판례의 입장이다(대판 2004. 12. 9, 2003두12707).

❷ 비공개대상정보

다음에 해당하는 정보에 대하여는 이를 공개하지 아니할 수 있다(동법 제9조 제1항 단서). 한편, 비공개대상정보에 해당하는지에 대해서는 당해 공공기관이 입증하여야 한다는 것이 판례의 입장이다.

관련판례

정보공개를 요구받은 공공기관은 법률 제 몇 호의 비공개사유에 해당하는지를 주장 · 입증하여야 하며, 개괄적 사유만을 들어 공개를 거부할 수 없다.01 02 ★★

만일 정보공개를 거부하는 경우라 할지라도 대상이 된 정보의 내용을 구체적으로 확인 · 검토하여 어느 부분이 어떠한 법익 또는 기본권과 충돌되어 정보공개법 제7조(현 제9조) 제1항 몇 호에서 정하고 있는 비공개사유에 해당하는지를 주장 · 입증하여야만 할 것이며, 그에 이르지 아니한 채 개괄적인 사유만을 들어 공개를 거부하는 것은 허용되지 아니한다(대판 2003. 12. 11, 2001두8827).03

1. 비밀 또는 비공개사항과 관련된 정보

다른 법률 또는 법률에서 위임한 명령(국회규칙 · 대법원규칙 · 헌법재판소규칙 · 중앙선거관리위원회규칙 · 대통령령 및 조례로 한정한다)04에 따라 비밀이나 비공개사항으로 규정된 정보는 비공개대상정보에 해당한다.

관련판례

1. **법률이 위임한 명령은 정보의 공개에 관하여 법률의 구체적인 위임 아래 제정된 법규명령(위임명령)을 의미한다.05 ⓐ ★★**

   「공공기관의 정보공개에 관한 법률」 제1 · 3조, 헌법 제37조의 각 취지와 행정입법으로는 법률이 구체적으로 범위를 정하여 위임한 범위 안에서만 국민의 자유와 권리에 관련된 규율을 정할 수 있는 점 등을 고려할 때, 구 「공공기관의 정보공개에 관한 법률」 제7조 제1항 제1호 소정의 '법률에 의한 명령'은 법률의 위임규정에 의하여 제정된 대통령령, 총리령, 부령 전부를 의미한다기보다는 정보의 공개에 관하여 법률의 구체적인 위임 아래 제정된 법규명령(위임명령)을 의미한다(대판 2003. 12. 11, 2003두8395).06

2. **교육공무원의 근무성적평정의 결과를 공개하지 아니한다고 규정하고 있는 교육공무원승진규정 제26조를 근거로 정보공개청구를 거부하는 것은 위법이다(공개대상).07 ★★**

   교육공무원법 제13 · 14조의 위임에 따라 제정된 교육공무원승진규정은 정보공개에 관한 사항에 관하여 구체적인 법률의 위임에 따라 제정된 명령이라고 할 수 없고, 따라서 교육공무원승진규정 제26조에서 근무성적평정의 결과를 공개하지 아니한다고 규정하고 있다고 하더라도 위 교육공무원승진규정은 「공공기관의 정보공개에 관한 법률」 제9조 제1항 제1호에서 말하는 법률이 위임한 명령에 해당하지 아니하므로 위 규정을 근거로 정보공개청구를 거부하는 것은 잘못이다(대판 2006. 10. 26, 2006두11910).

   교육공무원법 제13조 【승진】 교육공무원의 승진임용은 같은 종류의 직무에 종사하는 바로 아래 직급의 사람 중에서 대통령령으로 정하는 바에 따라 경력평정, 재교육성적, 근무성적, 그 밖에 실제 증명되는 능력에 의하여 한다.

기출 체크

□□□□□ **01** 공공기관은 「공공기관의 정보공개에 관한 법률」상 개별적 비공개사유에 해당하는 경우 이에 대한 주장이나 입증 없이 개괄적인 사유의 제시만으로 그 공개를 거부할 수 있다. (○, ×) ★★ 2023 소방간부

□□□□□ **02** 공개청구된 정보를 해당 공공기관이 공개하지 않기로 결정하였다면, 법령에서 정하고 있는 비공개사유에 해당하는지를 주장 · 입증하여야 한다. (○, ×) ★★ 2012 국회(속기 · 경위직) 9급

□□□□□ **03** 공공기관이 정보공개를 거부하는 경우에는 어느 부분이 어떠한 법익 또는 기본권과 충돌되어 비공개사유에 해당하는지를 주장 · 증명하여야 하고, 그에 이르지 아니한 채 개괄적인 사유만을 들어 공개를 거부하는 것은 허용되지 아니한다. (○, ×) ★★ 2022 지방직 · 서울시 9급

□□□□□ **04** 「공공기관의 정보공개에 관한 법률」상 정보공개를 제한하는 타 법령상의 근거에는 대통령령과 부령을 포함한다. (○, ×) ★★ 2022 서울시 지적 7급

□□□□□ **05** 「공공기관의 정보공개에 관한 법률」 제9조 제1항 제1호의 '법률에서 위임한 명령'은 법률의 위임규정에 의하여 제정된 대통령령, 총리령, 부령 전부를 의미한다. (○, ×) ★★ 2018 국회직 8급

□□□□□ **06** 정보공개법에서 공개대상의 예외로 규정하고 있는 '다른 법률 또는 법률에서 위임한 명령(국회규칙 · 대법원규칙 · 헌법재판소규칙 · 중앙선거관리위원회규칙 · 대통령령 및 조례로 한정함)에 따라 비밀이나 비공개사항으로 규정된 정보'의 해석에 있어서 '법률에서 위임한 명령'은 정보의 공개에 관하여 법률의 구체적인 위임 아래 제정된 법규명령(위임명령)을 의미한다. (○, ×) ★★ 2023 지방직 · 서울시 7급

□□□□□ **07** 정보의 공개에 관하여 법률의 구체적인 위임이 없는 교육공무원승진규정상 근무성적평정 결과를 공개하지 않는다는 규정을 근거로 정보공개청구를 거부할 수 없다. (○, ×) ★★ 2021 국가직 7급

ⓐ 총리령 · 부령이 포함되어 있을 당시의 법령에 따른 판례이다. 현재는 법령개정으로 총리령 · 부령은 법률에서 위임한 명령에 포함되지 않는다(기출 체크 04번 참조).

정답 01 × 02 ○ 03 ○ 04 ×(부령은 해당하지 않는다) 05 × 06 ○ 07 ○

기출 체크

□□□□□ **01** 법무부령인 검찰보존사무규칙은 행정기관 내부의 사무처리준칙인 행정규칙이지만, 검찰보존사무규칙상의 열람 · 등사의 제한은 「공공기관의 정보공개에 관한 법률」 제9조 제1항 제1호의 '다른 법률 또는 법률에 의한 명령에 의하여 비공개사항으로 규정된 경우'에 해당한다. (○, ×) ★★
2023 지방직 · 서울시 9급

□□□□□ **02** 기업의 비업무용 부동산 보유실태에 관한 감사원의 감사보고서의 내용은 직무상 비밀에 해당하지 않는다. (○, ×) 2023 군무원 9급

□□□□□ **03** 구 「학교폭력예방 및 대책에 관한 법률」에 따른 학교폭력대책자치위원회의 회의록은 「공공기관의 정보공개에 관한 법률」 소정의 '공개될 경우 업무의 공정한 수행에 현저한 지장을 초래한다고 인정할 만한 상당한 이유가 있는 정보'에 해당한다. (○, ×) ★★
2024 국가직 9급

□□□□□ **04** (「공공기관의 정보공개에 관한 법률」상) 국가정보원이 직원에게 지급하는 현금급여 및 월초수당에 대한 정보는 비공개대상에 해당하지 아니한다.
(○, ×) ★★ 2018 서울시 2회 7급

□□□□□ **05** (「공공기관의 정보공개에 관한 법률」상) 통일에 관한 사항으로서 공개될 경우 국가의 중대한 이익을 현저히 해칠 우려가 있다고 인정되는 정보는 비공개대상정보에 해당한다. (○, ×)
2018 국가직 7급

□□□□□ **06** 보안관찰법 소정의 보안관찰 관련 통계자료는 「공공기관의 정보공개에 관한 법률」 소정의 비공개대상정보에 해당하지 않는다. (○, ×) ★★★
2019 지방직 · 교육행정직 9급

정답 01 × 02 ○ 03 ○ 04 × 05 ○ 06 ×

구 교육공무원승진규정(대통령령) 제26조 【평정결과의 비공개】 근무성적평정의 결과는 이를 공개하지 아니한다.

3. **검찰보존사무규칙의 법적 성질은 행정규칙으로서 그 규칙에서 불기소사건기록 등의 열람 · 등사를 제한하는 것은 구 「공공기관의 정보공개에 관한 법률」 제7조 제1항 제1호의 '다른 법률 또는 법률에 의한 명령에 의하여 비공개사항으로 규정된 경우'에 해당하지 않는다**(대판 2004. 9. 23, 2003두1370).**01** ★★

4. 기업의 비업무용 부동산 보유실태에 관한 감사원의 감사보고서의 내용은 직무상 비밀에 해당하지 않는다(공개대상)(대판 1996. 10. 11, 94누7171).**02**

5. **국방부의 한국형 다목적 헬기(KMH) 도입사업에 대한 감사원장의 감사결과보고서가 군사2급비밀에 해당하는 이상 「공공기관의 정보공개에 관한 법률」 제9조 제1항 제1호에 의하여 공개하지 아니할 수 있다(비공개대상)**(대판 2006. 11. 10, 2006두9351).

6. **'학교폭력대책자치위원회 회의록'은 「공공기관의 정보공개에 관한 법률」 제9조 제1항 제1호의 비공개대상정보에 해당한다(비공개대상).** ★★
   학교폭력대책자치위원회가 피해학생의 보호를 위한 조치, 가해학생에 대한 조치, 학교폭력과 관련된 분쟁의 조정 등에 관하여 심의한 결과를 기재한 회의록은 정보공개법 제9조 제1항 제5호의 '공개될 경우 업무의 공정한 수행에 현저한 지장을 초래한다고 인정할 만한 상당한 이유가 있는 정보'에 해당한다고 보아야 할 것이다(대판 2010. 6. 10, 2010두2913).**03**

7. **국가정보원이 직원에게 지급하는 현금급여 및 월초수당에 관한 정보는 「공공기관의 정보공개에 관한 법률」 제9조 제1항 제1호의 비공개대상정보인 '다른 법률에 의하여 비공개사항으로 규정된 정보'에 해당한다(비공개대상)**(대판 2010. 12. 23, 2010두14800).**04** ★★

8. **국가정보원의 조직 · 소재지 및 정원에 관한 정보는 「공공기관의 정보공개에 관한 법률」 제9조 제1항 제1호에서 말하는 '다른 법률에 의하여 비공개사항으로 규정된 정보'에 원칙적으로 해당한다**(대판 2013. 1. 24, 2010두18918).

2. 국가이익 관련 정보

(1) 국가안전보장 · 국방 · 통일 · 외교관계 등에 관한 사항으로서 공개될 경우 국가의 중대한 이익을 현저히 해칠 우려가 있다고 인정되는 정보는 비공개대상정보에 해당한다.**05**

(2) 판례는 보안관찰 관련 통계자료는 이와 관련된 정보로서 비공개대상정보에 해당한다고 보고 있다.

관련판례

1. **보안관찰처분 관련 통계자료는 공개될 경우 국가의 중대한 이익을 해할 우려가 있는 정보 등에 해당한다**(대판 2004. 3. 18, 2001두8254 전합 다수의견).**06** ★★★

2. 甲이 외교부장관에게 '2015. 12. 28. 일본군위안부 피해자 합의와 관련하여 한일 외교장관 공동발표문의 문안을 도출하기 위하여 진행한 협의 협상에서 일본군과 관헌에 의한 위안부 강제연행의 존부 및 사실인정 문제에 대해 협의한 협상 관련 외교부장관 생산 문서'에 대한 공개를 청구하였으나, 외교부장관이 甲에게 "공개청구정보가 「공공기관의 정보공개에 관한 법률」 제9조 제1항 제2호에 해당한다."는 이유로 비공개결정을 한 사안에서, 위 합의를 위한 협상과정에서 일본군과 관헌에 의한 위안부 '강제연행'의 존부 및 사실인정 문제에 대해 협의한 정보를 공개하지 않은 처분은 적법하다(대판 2023. 6. 1, 2019두41324).

3. 공공안전 관련 정보

공개될 경우 국민의 생명 · 신체 및 재산의 보호에 현저한 지장을 초래할 우려가 있다고 인정되는 정

보는 비공개대상정보에 해당한다.

4. 형사사법 관련 정보

(1) 진행 중인 재판에 관련된 정보와 범죄의 예방, 수사, 공소의 제기 및 유지, 형의 집행, 교정(矯正), 보안처분에 관한 사항으로서 공개될 경우 그 직무수행을 현저히 곤란하게 하거나 형사피고인의 공정한 재판을 받을 권리를 침해한다고 인정할 만한 상당한 이유가 있는 정보는 비공개대상정보에 해당한다.01 02

(2) 판례는 수용자 자비부담물품의 판매수익금과 관련한 수익금 총액, 수용자 신문구독현황과 관련한 각 신문별 구독신청자 수 등에 관한 정보 등은 비공개대상정보가 아니라고 보고 있으며, 교도관의 근무보고서도 비공개대상정보가 아니라고 보고 있다.

관련판례

1-1. '진행 중인 재판에 관련된 정보'에 해당한다는 사유로 정보공개를 거부하기 위하여는 반드시 그 정보가 진행 중인 재판의 소송기록 자체에 포함된 내용일 필요는 없다.03 ★★★

1-2. '진행 중인 재판에 관련된 정보'란 재판에 관련된 일체의 정보가 그에 해당하는 것은 아니고 진행 중인 재판의 심리 또는 재판결과에 구체적으로 영향을 미칠 위험이 있는 정보에 한정된다고 보는 것이 타당하다(대판 2011. 11. 24, 2009두19021).04 ★★★

2. 수용자 자비부담물품의 판매수익금과 관련한 수익금 총액, 수용자신문구독현황과 관련한 각 신문별 구독신청자 수, 교도소장에게 배당한 수익금액 등은 형의 집행교정에 관한 사항으로서 공개될 경우 직무수행을 현저히 곤란하게 하는 정보에 해당하기 어렵다(즉, 공개대상).05

수용자 자비부담물품의 판매수익금과 관련하여 교도소장이 재단법인 교정협회로 송금한 수익금 총액과 교도소장에게 배당된 수익금액 및 사용내역, 교도소직원회 수지에 관한 결산결과와 사업계획 및 예산서, 수용자 외부병원 이송진료와 관련한 이송진료자 수, 이송진료자의 진료내역별(치료, 검사, 수술) 현황, 이송진료자의 진료비 지급(예산지급, 자비부담) 현황, 이송진료자의 진료비 총액 대비 예산지급액, 이송진료자의 병명별 현황, 수용자신문구독현황과 관련한 각 신문별 구독신청자 수 등에 관한 정보는 구 「공공기관의 정보공개에 관한 법률」(2004. 1. 29, 법률 제7127호로 전문개정되기 전의 것) 제7조 제1항 제4호에서 비공개대상으로 규정한 '형의 집행, 교정에 관한 사항으로서 공개될 경우 그 직무수행을 현저히 곤란하게 하는 정보'에 해당하기 어렵다(대판 2004. 12. 9, 2003두12707).

3. (재소자가 교도관의 가혹행위를 이유로 형사고소 및 민사소송을 제기하면서 그 증명자료 확보를 위해 '근무보고서'와 '징벌위원회 회의록' 등의 정보공개를 요청하였으나 교도소장이 이를 거부한 사안에서) '교도관의 근무보고서'는 비공개대상정보에 해당한다고 볼 수 없고, 징벌위원회 회의록 중 비공개 심사 · 의결 부분은 비공개사유에 해당하지만 '징벌절차 진행 부분'은 비공개사유에 해당하지 않는다고 보아 분리공개가 허용된다(대판 2009. 12. 10, 2009두12785).06

5. 검사 · 시험 등 관련 정보

(1) 감사 · 감독 · 검사 · 시험 · 규제 · 입찰계약 · 기술개발 · 인사관리에 관한 사항이나 의사결정 과정 또는 내부검토 과정에 있는 사항 등으로서 공개될 경우 업무의 공정한 수행이나 연구 · 개발에 현저한 지장을 초래한다고 인정할 만한 상당한 이유가 있는 정보는 비공개대상정보에 해당한다.07

(2) 다만, 의사결정 과정 또는 내부검토 과정을 이유로 비공개할 경우에는 비공개결정사실의 통지를 할 때 의사결정 과정 또는 내부검토 과정의 단계 및 종료 예정일을 함께 안내하여야 하며, 의사결정 과정 및 내부검토 과정이 종료되면 정보공개의 청구방법에 따른 청구인에게 이를 통지하여야 한다.

기출 체크

□□□□□ 01 진행 중인 재판에 관한 정보로서 공개될 경우 형사피고인의 공정한 재판을 받을 권리를 침해한다고 인정할 만한 상당한 이유가 있는 정보는 비공개대상정보에 해당한다. (○, ×) ★★★ 2016 교육행정직 9급

□□□□□ 02 교정에 관한 사항으로서 공개될 경우 그 직무수행을 현저히 곤란하게 하는 정보는 비공개대상정보에 해당한다. (○, ×) ★★★ 2011 지방직 9급

□□□□□ 03 「공공기관의 정보공개에 관한 법률」 제9조 제1항 제4호의 '진행 중인 재판에 관련된 정보'에 해당한다는 사유로 정보공개를 거부하려면 그 정보가 진행 중인 재판의 소송기록 자체에 포함된 내용이어야만 한다. (○, ×) ★★★ 2023 소방간부

□□□□□ 04 비공개대상정보로 '진행 중인 재판에 관련된 정보'는 재판에 관련된 일체의 정보가 그에 해당하는 것은 아니고, 진행 중인 재판의 심리 또는 재판결과에 구체적으로 영향을 미칠 위험이 있는 정보에 한정된다. (○, ×) ★★★ 2021 지방직 · 서울시 7급

□□□□□ 05 수용자 자비부담물품의 판매수익금과 관련한 수익금 총액, 수용자신문구독현황과 관련한 각 신문별 구독신청자 수 등에 관한 정보는 비공개대상정보에 해당하지 않는다. (○, ×) 2012 지방직(상) 9급 변형

□□□□□ 06 교도소에 수용 중이던 재소자가 담당 교도관들을 상대로 가혹행위를 이유로 형사고소 및 민사소송을 제기하면서 그 증명자료 확보를 위해 정보공개를 요청한 '근무보고서'는 공개대상정보에 해당한다. (○, ×) 2015 경행특채 1차

□□□□□ 07 공공기관은 의사결정 과정 또는 내부검토 과정에 있는 사항으로서 공개될 경우 업무의 공정한 수행에 현저한 지장을 초래한다고 인정할 만한 상당한 이유가 있는 정보는 이를 공개하지 아니할 수 있다. (○, ×) ★★★ 2009 관세사

정답 01 ○ 02 ○ 03 × 04 ○ 05 ○ 06 ○ 07 ○

(3) 한편 '공개될 경우 업무의 공정한 수행에 현저한 지장을 초래한다고 인정할 만한 상당한 이유가 있는 경우'란 공개될 경우 업무의 공정한 수행이 객관적으로 현저하게 지장을 받을 것이라는 고도의 개연성이 존재하는 경우를 의미한다는 것이 판례의 입장이다(대판 2012. 10. 11, 2010두18758).01

관련판례

1. **사법시험 제2차 시험의 답안지 열람은 시험문항에 대한 채점위원별 채점 결과의 열람과 달리 사법시험업무의 수행에 현저한 지장을 초래한다고 볼 수 없다**(대판 2003. 3. 14, 2000두6114).02 ★★★

2. **문제은행 출제방식을 채택하고 있는 치과의사 국가시험의 문제지와 정답지는 「공공기관의 정보공개에 관한 법률」상 비공개대상정보에 해당한다.**
   치과의사 국가시험에서 채택하고 있는 문제은행 출제방식이 출제의 시간 · 비용을 줄이면서도 양질의 문항을 확보할 수 있는 등 많은 장점을 가지고 있는 점, 그 시험문제를 공개할 경우 발생하게 될 결과와 시험업무에 초래될 부작용 등을 감안하면, 위 시험의 문제지와 그 정답지를 공개하는 것은 시험업무의 공정한 수행이나 연구 · 개발에 현저한 지장을 초래한다고 인정할 만한 상당한 이유가 있는 경우에 해당하므로, 「공공기관의 정보공개에 관한 법률」 제9조 제1항 제5호에 따라 이를 공개하지 않을 수 있다(대판 2007. 6. 15, 2006두15936).

3. **학교환경위생구역 내 금지행위(모텔)해제결정에 관한 학교환경위생정화위원회의 회의록에 기재된 발언 내용에서 해당 발언자의 인적사항 부분에 관한 정보는 의사결정에 있는 사항에 준하는 사항으로서 비공개대상정보에 포함될 수 있다.03 ★★**
   「공공기관의 정보공개에 관한 법률」상 비공개대상정보의 입법취지에 비추어 살펴보면, 같은 법 제7조 제1항 제5호(편저자 주 : 개정 전의 조문내용이고 현재는 제9조 제1항에 해당)의 '감사 · 감독 · 검사 · 시험 · 규제 · 입찰계약 · 기술개발 · 인사관리 · 의사결정 과정 또는 내부검토 과정에 있는 사항'은 비공개대상정보를 예시적으로 열거한 것이라고 할 것이므로 의사결정 과정에 제공된 회의 관련 자료나 의사결정 과정이 기록된 회의록 등은 의사가 결정되거나 의사가 집행된 경우에는 더 이상 의사결정 과정에 있는 사항 그 자체라고는 할 수 없으나, 의사결정 과정에 있는 사항에 준하는 사항으로서 비공개대상정보에 포함될 수 있다(대판 2003. 8. 22, 2002두12946).04ⓐ

4. **독립유공자서훈 공적심사위원회의 심의 · 의결 과정 및 그 내용을 기재한 회의록은 「공공기관의 정보공개에 관한 법률」 제9조 제1항 제5호에서 정한 '공개될 경우 업무의 공정한 수행에 현저한 지장을 초래한다고 인정할 만한 상당한 이유가 있는 정보'에 해당한다(비공개대상).05★★**
   공적심사위원회의 심사에는 심사위원들의 전문적 · 주관적 판단이 상당 부분 개입될 수밖에 없는 심사의 본질에 비추어 공개를 염두에 두지 않은 상태에서의 심사가 그렇지 않은 경우보다 더 자유롭고 활발한 토의를 거쳐 객관적이고 공정한 심사 결과에 이를 개연성이 큰 점 등 위 회의록 공개에 의하여 보호되는 알권리의 보장과 비공개에 의하여 보호되는 업무수행의 공정성 등의 이익 등을 비교 · 교량해 볼 때, 위 회의록은 정보공개법 제9조 제1항 제5호에서 정한 '공개될 경우 업무의 공정한 수행에 현저한 지장을 초래한다고 인정할 만한 상당한 이유가 있는 정보'에 해당함에도 이와 달리 본 원심판결에 비공개대상정보에 관한 법리를 오해한 위법이 있다(대판 2014. 7. 24, 2013두20301).

5. **징벌위원회 회의록 중 비공개 심사 · 의결 부분은 비공개사유에 해당하지만 '징벌절차 진행 부분'은 비공개사유에 해당하지 않는다**(대판 2009. 12. 10, 2009두12785).

6. **'2002년도 및 2003년도 국가수준 학업성취도평가자료'는 「공공기관의 정보공개에 관한 법률」 제9조 제1항 제5호에서 정한 비공개대상정보에 해당하는 부분이 있으나, '2002학년도부터 2005학년도까지의 대학수학능력시험 원데이터'는 연구목적으로 그 정보의 공개를 청구하는 경우 위 조항의 비공개대상정보에 해당하지 않는다**(대판 2010. 2. 25, 2007두9877).06 ★★

7. 국회 특수활동비 내역은 비공개대상정보가 아니다(대판 2018. 5. 3, 2018두31733).

8. 외국 또는 외국기관으로부터 비공개를 전제로 정보를 입수하였다는 이유만으로 이를 공개할 경우 업무의 공정한 수행에 현저한 지장을 받을 것이라고 단정할 수는 없다.07 다만 위와 같은 사정은 정보제공자와의 관계, 정보제공자의 의사, 정보의 취득경위, 정보의 내용 등과 함께 업무의 공정한 수행에 현저한 지장이 있는지를 판단할 때 고려하여야 할 형량요소이다(대판 2018. 9. 28, 2017두69892).★★★

기출 체크

□□□□□ 01 「공공기관의 정보공개에 관한 법률」 제9조 제1항 제5호의 '공개될 경우 업무의 공정한 수행에 현저한 지장을 초래한다고 인정할 만한 상당한 이유가 있는 경우'란 공개될 경우 업무의 공정한 수행이 객관적으로 현저하게 지장을 받을 것이라는 고도의 개연성이 존재하는 경우를 의미한다. (○, ×) ★ 2023 소방간부

□□□□□ 02 사법시험 제2차 시험의 답안지 열람은 사법시험업무의 수행에 현저한 지장을 초래한다고 볼 수 있으므로 비공개사유에 해당한다. (○, ×) ★★★ 2024 소방직 9급

□□□□□ 03 학교환경위생구역 내 금지행위 해제결정에 관한 학교환경위생정화위원회의 회의록에 기재된 발언내용에 대한 해당 발언자의 인적사항 부분에 관한 정보는 비공개대상에 해당하지 아니한다. (○, ×) ★★ 2022 지방직 · 서울시 9급

□□□□□ 04 의사결정 과정에 제공된 회의 관련 자료나 의사결정 과정이 기록된 회의록은 의사가 결정되거나 의사가 집행된 경우에는 더 이상 의사결정 과정에 있는 사항 그 자체라고는 할 수 없으므로 비공개대상정보에 포함될 수 없다. (○, ×) ★★ 2022 지방직 · 서울시 7급

□□□□□ 05 독립유공자서훈 공적심사위원회의 심의 · 의결 과정 및 그 내용을 기재한 회의록은 독립유공자 등록에 관한 신청당사자의 알권리 보장과 공정한 업무수행을 위해서 공개되어야 한다. (○, ×) ★★ 2019 국회직 8급

□□□□□ 06 '2002학년도부터 2005학년도까지의 대학수학능력시험 원데이터'는 연구목적으로 그 정보의 공개를 청구하는 경우 「공공기관의 정보공개에 관한 법률」 소정의 비공개대상정보에 해당한다. (○, ×) ★★ 2024 국가직 9급

□□□□□ 07 외국 또는 외국기관으로부터 비공개를 전제로 입수한 정보는 비공개를 전제로 하였다는 이유만으로 비공개대상정보에 해당한다. (○, ×) ★★★ 2020 국가직 7급

ⓐ '의사결정 과정' 또는 '내부검토 과정'에 있는 사항에 대해서는 공개될 경우 업무의 공정한 수행이 지장을 받게 될 우려가 있으므로 비공개대상으로 규정하고 있다. 그런데 경우에 따라서는 이미 의사가 결정되거나 의사가 집행된 이후에도 추후의 유사한 의사결정과 관련하여 업무의 공정한 수행이 지장을 받을 우려가 있는 경우도 있을 수 있다. 이런 점을 고려해 우리 판례는 '감사 · 감독 · 검사 · 시험 · 규제 · 입찰계약 · 기술개발 · 인사관리 · 의사결정 과정 또는 내부검토 과정에 있는 사항'을 예시적으로 열거한 것으로 보아 이미 의사결정이 끝난 경우에도 의사결정 과정에 준하는 사항으로서 비공개대상정보라고 본 것이다.

정답 01 ○ 02 × 03 × 04 × 05 × 06 × 07 ×

6. 개인 관련 정보

(1) 해당 정보에 포함되어 있는 성명·주민등록번호 등 개인정보보호법 제2조 제1호에 따른 개인정보로서 공개될 경우 사생활의 비밀 또는 자유를 침해할 우려가 있다고 인정되는 정보는 비공개대상정보에 해당한다.

(2) 다만, 다음에 열거한 사항은 공개대상이 된다.

> ① 법령에서 정하는 바에 따라 열람할 수 있는 정보
> ② 공공기관이 공표를 목적으로 작성하거나 취득한 정보로서 사생활의 비밀 또는 자유를 부당하게 침해하지 아니하는 정보
> ③ 공공기관이 작성하거나 취득한 정보로서 공개하는 것이 공익이나 개인의 권리구제를 위하여 필요하다고 인정되는 정보
> ④ 직무를 수행한 공무원의 성명·직위01
> ⑤ 공개하는 것이 공익을 위하여 필요한 경우로서 법령에 따라 국가 또는 지방자치단체가 업무의 일부를 위탁 또는 위촉한 개인의 성명·직업02

(3) 특히 (2)의 ③과 관련하여 공공기관이 작성하거나 취득한 정보로서 공개하는 것이 공익 또는 개인의 권리구제를 위하여 필요하다고 인정되는지 여부는, 개인의 사생활 보호 등의 이익과 공개에 의하여 보호되는 공익 등을 비교·교량하여 구체적인 사안에 따라 신중히 판단하여야 한다는 것이 판례의 입장이다(대판 2007. 12. 13, 2005두13117).

(4) 개인 관련 정보는 절대적 비공개정보가 되는 것은 아니며,03 공개의 이익과 형량하여 공개 여부를 결정하여야 한다.

(5) 공공기관이 보유·관리하고 있는 개인정보의 공개에 관하여는 구 정보공개법 제9조 제1항 제6호가 개인정보보호법에 우선하여 적용된다(대판 2021. 11. 11, 2015두53770).

관련판례

1-1. 「공공기관의 정보공개에 관한 법률」 제7조(현 제9조) 제1항 제6호 단서 (다)목 소정의 '공개하는 것이 공익을 위하여 필요하다고 인정되는 정보'에 해당하는지 여부는 비공개에 의하여 보호되는 개인의 사생활 보호 등의 이익과 공개에 의하여 보호되는 국민의 알권리의 보장과 국정에 대한 국민의 참여 및 국정운영의 투명성 확보 등의 공익을 비교·교량하여 구체적 사안에 따라 개별적으로 판단하여야 한다.04 ★★

1-2. 공무원이 '직무와 관련 없이' 개인적인 자격으로 간담회·연찬회 등 행사에 참석하고 금품을 수령한 정보는 「공공기관의 정보공개에 관한 법률」 제7조 제1항 제6호 단서 (다)목 소정의 '공개하는 것이 공익을 위하여 필요하다고 인정되는 정보'에 해당하지 않는다(비공개)(대판 2003. 12. 12, 2003두8050).05 ★★★

2. 사면대상자들의 사면실시건의서와 그와 관련된 국무회의 안건자료에 관한 정보는 구 「공공기관의 정보공개에 관한 법률」에서 정한 비공개사유에 해당하지 않는다(공개).06 ★★★
사면대상자들의 사면실시건의서와 그와 관련된 국무회의 안건자료에 관한 정보는 그 공개로 얻는 이익이 그로 인하여 침해되는 당사자들의 사생활의 비밀에 관한 이익보다 더욱 크므로 구 「공공기관의 정보공개에 관한 법률」 제7조 제1항 제6호에서 정한 비공개사유에 해당하지 않는다(대판 2006. 12. 7, 2005두241).

3. 지방자치단체의 업무추진비 세부항목별 집행내역 및 그에 관한 증빙서류에 포함된 개인에 관한 정보는 '공개하는 것이 공익을 위하여 필요하다고 인정되는 정보'에 해당하지 않는다(사생활 보호를 고려한 판례이다 – 비공개).07 ★★★
비공개에 의하여 보호되는 개인의 사생활 보호 등의 이익과 공개에 의하여 보호되는 국정운영의 투명성 확보 등의 공익을 비교·교량하여 구체적 사안에 따라 신중히 판단하여야 할 것인바, …… '공개하는 것이 공익을 위하여 필요하다고 인정되는 정보'에 해당하지 않는다고 봄이 상당하다(대판 2003. 3. 11, 2001두6425).

기출 체크

□□□□□ 01 (「공공기관의 정보공개에 관한 법률」상) 직무를 수행한 공무원의 성명·직위는 비공개대상정보이다. (○, ×) ★★ 2019 사회복지직 9급

□□□□□ 02 (「공공기관의 정보공개에 관한 법률」상) 공개하는 것이 공익을 위하여 필요한 경우로서 법령에 따라 국가가 업무의 일부를 위탁 또는 위촉한 개인의 성명·직업은, 공개되면 사생활의 비밀 또는 자유가 침해될 우려가 있다고 인정되더라도 공개대상정보에 해당한다. (○, ×) ★★ 2018 국가직 7급

□□□□□ 03 개인정보는 절대적 비공개대상정보이다. (○, ×) 2012 사회복지직 9급

□□□□□ 04 「공공기관의 정보공개에 관한 법률」상 '공개하는 것이 공익 또는 개인의 권리구제를 위하여 필요하다고 인정되는 정보'에 해당하는지 여부는 비공개에 의하여 보호되는 개인의 사생활의 비밀 등 이익과 공개에 의하여 보호되는 국정운영의 투명성 확보 등의 공익 또는 개인의 권리구제 등 이익을 비교·교량하여 구체적 사안에 따라 신중히 판단하여야 한다. (○, ×) ★★ 2024 국가직 9급

□□□□□ 05 공무원이 직무와 관련 없이 개인적 자격으로 금품을 수령한 정보는 공개대상이 되는 정보이다. (○, ×) ★★★ 2015 사회복지직 9급

□□□□□ 06 사면대상자들의 사면실시건의서와 그와 관련된 국무회의 안건자료는 공개대상이 되는 정보이다. (○, ×) ★★★ 2015 사회복지직 9급

□□□□□ 07 지방자치단체의 업무추진비 세부항목별 집행내역 및 그에 관한 증빙서류에 포함된 개인에 관한 정보는 「공공기관의 정보공개에 관한 법률」 소정의 '공개하는 것이 공익을 위하여 필요하다고 인정되는 정보'에 해당하여 공개대상이 된다. (○, ×) ★★★ 2019 지방직·교육행정직 9급

정답 01 × 02 ○ 03 × 04 ○ 05 × 06 ○ 07 ×

기출 체크

□□□□□ **01** 「공공기관의 정보공개에 관한 법률」 제9조 제1항 제6호 본문 규정에 따라 비공개대상이 되는 정보는 성명 · 주민등록번호 등 개인식별정보에 한정된다. (○, ×) ★★★ 2023 소방간부

□□□□□ **02** 「공공기관의 정보공개에 관한 법률」상 비공개대상정보에는 성명 · 주민등록번호 등 개인에 관한 사항으로서 공개될 경우 사생활의 비밀 또는 자유를 침해할 우려가 있다고 인정되는 정보도 포함된다. (○, ×) ★★★ 2019 경행경채 2차

□□□□□ **03** 불기소처분의 기록 중 피의자신문조서 등에 기재된 피의자 등의 인적사항 이외의 진술내용 역시 개인의 사생활의 비밀 또는 자유를 침해할 우려가 인정되는 경우 「공공기관의 정보공개에 관한 법률」상 비공개대상정보에 해당된다. (○, ×) 2019 경행경채 2차

□□□□□ **04** 공개청구된 정보가 수사의견서인 경우 수사의 방법 및 절차 등이 공개되더라도 수사기관의 직무수행을 현저히 곤란하게 하지 않는 때에는 비공개대상정보에 해당하지 않는다. (○, ×) ★ 2020 국가직 7급

□□□□□ **05** 정보공개청구권자의 권리구제 가능성은 정보의 공개 여부 결정에 영향을 미치지 못한다. (○, ×) 2022 국가직 7급

4. 공직자윤리법상의 등록의무자가 구 공직자윤리법 시행규칙 제12조에 따라 정부공직자윤리위원회에 제출한 문서에 포함되어 있는 '고지거부자의 인적사항'은 구 「공공기관의 정보공개에 관한 법률」 제7조 제1항 제6호 단서 (다)목에 정한 '공개하는 것이 공익을 위하여 필요하다고 인정되는 정보'에 해당하지 않는다(비공개)(대판 2007. 12. 13, 2005두13117).

5. 「공공기관의 정보공개에 관한 법률」 제9조 제1항 제6호 본문에서 정한 '당해 정보에 포함되어 있는 이름 · 주민등록번호 등 개인에 관한 사항으로서 공개될 경우 개인의 사생활의 비밀 또는 자유를 침해할 우려가 있다고 인정되는 정보'는 이름 · 주민등록번호 등 정보 형식이나 유형을 기준으로 비공개대상정보에 해당하는지를 판단하는 '개인식별정보'뿐만 아니라 그 외에 정보의 내용을 구체적으로 살펴 '개인에 관한 사항의 공개로 개인의 내밀한 내용의 비밀 등이 알려지게 되고, 그 결과 인격적 · 정신적 내면생활에 지장을 초래하거나 자유로운 사생활을 영위할 수 없게 될 위험성이 있는 정보'도 포함된다고 새겨야 한다(대판 2012. 6. 18, 2011두2361 전합). **01 02** ★★★

6-1. 불기소처분 기록이나 내사기록 중 피의자신문조서 등 조서에 기재된 피의자 등의 인적사항 이외의 진술내용이 개인의 사생활의 비밀 또는 자유를 침해할 우려가 인정되는 경우 「공공기관의 정보공개에 관한 법률」 제9조 제1항 제6호 본문에서 정한 비공개대상정보에 해당한다. **03**

6-2. 정보공개청구권자의 권리구제 가능성 등이 정보의 공개 여부 결정에 영향을 미치는 것은 아니다. ★

(1) 「공공기관의 정보공개에 관한 법률」(이하 '정보공개법'이라고 한다) 제9조 제1항 제4호는 '수사에 관한 사항으로서 공개될 경우 그 직무수행을 현저히 곤란하게 한다고 인정할 만한 상당한 이유가 있는 정보'를 비공개대상정보의 하나로 규정하고 있다. 그 취지는 수사의 방법 및 절차 등이 공개되어 수사기관의 직무수행에 현저한 곤란을 초래할 위험을 막고자 하는 것으로서, 수사기록 중의 의견서, 보고문서, 메모, 법률검토, 내사자료 등(이하 '의견서 등'이라고 한다)이 이에 해당하나, 공개청구대상인 정보가 의견서 등에 해당한다고 하여 곧바로 정보공개법 제9조 제1항 제4호에 규정된 비공개대상정보라고 볼 것은 아니고, 의견서 등의 실질적인 내용을 구체적으로 살펴 수사의 방법 및 절차 등이 공개됨으로써 수사기관의 직무수행을 현저히 곤란하게 한다고 인정할 만한 상당한 이유가 있어야만 위 비공개대상정보에 해당한다. **04**

(2) 「공공기관의 정보공개에 관한 법률」은 국민의 알권리를 보장하고 국정에 대한 국민의 참여와 국정 운영의 투명성을 확보함을 목적으로 하고(제1조), 공공기관이 보유 · 관리하는 정보는 국민의 알권리 보장 등을 위하여 적극적으로 공개하여야 한다는 정보공개의 원칙을 선언하고 있으며(제3조), 모든 국민은 정보의 공개를 청구할 권리를 가진다고 하면서(제5조 제1항) 비공개대상정보에 해당하지 않는 한 공공기관이 보유 · 관리하는 정보는 공개대상이 된다고 규정하고 있을 뿐(제9조 제1항) 정보공개청구권자가 공개를 청구하는 정보와 어떤 관련성을 가질 것을 요구하거나 정보공개청구의 목적에 특별한 제한을 두고 있지 아니하므로 정보공개청구권자의 권리구제 가능성 등은 정보의 공개 여부 결정에 아무런 영향을 미치지 못한다(대판 2017. 9. 7, 2017두44558). **05**

7. 영업비밀 관련 정보

(1) 법인 · 단체 또는 개인(이하 '법인 등')의 경영상 · 영업상 비밀에 관한 사항으로서 공개될 경우 법인 등의 정당한 이익을 현저히 해칠 우려가 있다고 인정되는 정보는 비공개대상정보에 해당한다.

(2) 다만, 다음에 열거한 정보는 공개가 가능하다.

① 사업활동에 의하여 발생하는 위해(危害)로부터 사람의 생명 · 신체 또는 건강을 보호하기 위하여 공개할 필요가 있는 정보
② 위법 · 부당한 사업활동으로부터 국민의 재산 또는 생활을 보호하기 위하여 공개할 필요가 있는 정보

정답 01 × 02 ○ 03 ○ 04 ○ 05 ○

관련판례

1-1. 정보공개법 제9조 제1항 제7호 소정의 '법인 등의 경영 · 영업상 비밀'은 부정경쟁방지법 제2조 제2호 소정의 '영업비밀'에 한하지 않고, '타인에게 알려지지 아니함이 유리한 사업활동에 관한 일체의 정보' 또는 '사업활동에 관한 일체의 비밀사항'으로 해석함이 상당하다.01 ⓐ★

1-2. 다만 '법인 등의 경영 · 영업상의 비밀에 관한 사항'이라도 공개를 거부할 만한 정당한 이익이 있는지의 여부에 따라 그 공개 여부가 결정되어야 한다.

이와 같은 양 법의 입법목적과 규율대상 등 여러 사정을 고려하여 보면, 정보공개법 제9조 제1항 제7호 소정의 '법인 등의 경영 · 영업상 비밀'은 부정경쟁방지법 제2조 제2호 소정의 '영업비밀'에 한하지 않고, '타인에게 알려지지 아니함이 유리한 사업활동에 관한 일체의 정보' 또는 '사업활동에 관한 일체의 비밀사항'으로 해석함이 상당하다. 그러나 한편, 정보공개법 제9조 제1항 제7호는 '법인 등의 경영 · 영업상의 비밀에 관한 사항'이라도 공개를 거부할 만한 정당한 이익이 있는지의 여부에 따라 그 공개 여부가 결정되어야 한다고 해석되는바, 그 정당한 이익이 있는지의 여부는 앞서 본 정보공개법의 입법 취지에 비추어 이를 엄격하게 해석하여야 할 뿐만 아니라 국민에 의한 감시의 필요성이 크고 이를 감수하여야 하는 면이 강한 공익법인에 대하여는 다른 법인 등에 대하여 보다 소극적으로 해석할 수밖에 없다고 할 것이다(대판 2008. 10. 23, 2007두1798).

2. 방송사의 취재활동을 통하여 확보한 결과물이나 그 과정에 관한 정보 또는 방송프로그램의 기획 · 편성 · 제작 등에 관한 정보는 특별한 사정이 있는 경우(사업활동에 의하여 발생하는 위해로부터 사람의 생명 · 신체 또는 건강을 보호하기 위하여 공개할 필요가 있는 정보 등)를 제외하고는 「공공기관의 정보공개에 관한 법률」 제9조 제1항 제7호에서 정한 '법인 등의 경영 · 영업상 비밀에 관한 사항'에 해당하고 공개를 거부할 만한 정당한 이익이 있다(대판 2010. 12. 23, 2008두13101).㉠

3. 법인 등이 거래하는 금융기관의 계좌번호에 관한 정보는 법인 등의 영업상 비밀에 관한 사항으로서 공개될 경우 법인 등의 정당한 이익을 현저히 해할 우려가 있다고 인정되는 정보에 해당한다(비공개대상)(대판 2004. 8. 20, 2003두8302).02 ★★

4. 아파트재건축주택조합의 조합원들에게 제공될 무상보상평수의 사업수익성 등을 검토한 자료는 구 「공공기관의 정보공개에 관한 법률」 제7조 제1항에서 정한 비공개대상정보에 해당하지 않는다(공개대상)(대판 2006. 1. 13, 2003두9459).03 ★

5. 대한주택공사(현 한국토지주택공사)의 아파트 분양원가 산출내역에 관한 정보는, 그 공개로 위 공사의 정당한 이익을 현저히 해할 우려가 있다고 볼 수 없어 구 「공공기관의 정보공개에 관한 법률」 제7조 제1항 제7호에서 정한 비공개대상정보에 해당하지 않는다(공개대상).04

피고가 위 정보를 공개함으로써 위 아파트의 분양원가 산출내역을 알 수 있게 되어 수분양자들의 알권리를 충족시키고, 나아가 공공기관의 주택정책에 대한 국민의 참여와 그 운영의 투명성을 확보할 수 있는 계기가 될 수 있는 점 등 여러 사정들을 감안하여 보면, 위 정보를 공개함으로 인하여 피고의 정당한 이익을 현저히 해할 우려가 있다고 볼 수 없다(대판 2007. 6. 1, 2006두20587).

6. 한국방송공사의 '수시집행 접대성 경비의 건별 집행서류 일체'는 「공공기관의 정보공개에 관한 법률」 제9조 제1항 제7호의 비공개대상정보에 해당하지 않는다(공개대상)(대판 2008. 10. 23, 2007두1798).

8. 특정인의 이해 관련 정보

공개될 경우 부동산 투기, 매점매석 등으로 특정인에게 이익 또는 불이익을 줄 우려가 있다고 인정되는 정보는 비공개대상정보에 해당한다.05

기출 체크

□□□□□ 01 (「공공기관의 정보공개에 관한 법률」상) 법인 등의 경영 · 영업상 비밀은 사업활동에 관한 일체의 비밀사항을 의미한다. (○, ×) ★ 2018 서울시 2회 7급

□□□□□ 02 법인 등이 거래하는 금융기관의 계좌번호에 관한 정보는 법인 등의 영업상 비밀에 관한 사항으로서 공개될 경우 법인 등의 정당한 이익을 현저히 해할 우려가 있다고 인정되는 정보에 해당한다. (○, ×) ★★ 2017 국가직(하) 7급

□□□□□ 03 재건축사업계약에 의하여 조합원들에게 제공될 무상보상평수 산출내역은 법인 등의 영업상 비밀에 관한 사항이 아니며 비공개대상정보에 해당되지 않는다. (○, ×) ★ 2017 서울시 9급

□□□□□ 04 대한주택공사의 아파트 분양원가 산출내역에 관한 정보는 비공개대상에 해당한다. (○, ×) 2023 해경간부

□□□□□ 05 공개될 경우 부동산 투기로 특정인에게 이익 또는 불이익을 줄 우려가 있다고 인정되는 정보는 비공개대상에 해당한다. (○, ×) ★★★ 2019 소방직 9급

판례 | ㉠ 방송사의 취재활동을 통하여 확보한 결과물이나 그 과정에 관한 정보 또는 방송프로그램의 기획 · 편성 · 제작 등에 관한 정보는 경쟁관계에 있는 다른 방송사와의 관계나 시청자와의 관계, 방송프로그램의 객관성 · 형평성 · 중립성이 보호되어야 한다는 당위성 측면에서 볼 때 '타인에게 알려지지 아니함이 유리한 사업활동에 관한 일체의 정보'에 해당한다고 볼 수 있는바, 개인 또는 집단의 가치관이나 이해관계에 따라 방송프로그램에 대한 평가가 크게 다를 수밖에 없는 상황에서, 「공공기관의 정보공개에 관한 법률」에 의한 정보공개청구의 방법으로 방송사가 가지고 있는 방송프로그램의 기획 · 편성 · 제작 등에 관한 정보 등을 제한 없이 모두 공개하도록 강제하는 것은 방송사로 하여금 정보공개의 결과로서 야기될 수 있는 각종 비난이나 공격에 노출되게 하여 결과적으로 방송프로그램 기획 등 방송활동을 위축시킴으로써 방송사의 경영 · 영업상의 이익을 해하고 나아가 방송의 자유와 독립을 훼손할 우려가 있다(대판 2010. 12. 23, 2008두13101).

ⓐ 부정경쟁방지법에 따르면 '영업비밀'이란 공공연히 알려져 있지 아니하고 독립된 경제적 가치를 가지는 것으로서, 상당한 노력에 의하여 비밀로 유지된 생산방법, 판매방법, 그 밖의 영업활동에 유용한 기술상 또는 경영상의 정보를 말한다.

정답 01 ○ 02 ○ 03 ○ 04 × 05 ○

기출 체크

□□□□□ **01** 정보공개청구의 대상이 되는 정보는 반드시 원본이어야 한다. (○, ×) 2024 소방직 9급

□□□□□ **02** 공개청구의 대상이 되는 정보란 공공기관이 직무상 작성 또는 취득하여 현재 보유 · 관리하고 있는 문서에 한정되며, 그 문서가 반드시 원본일 필요는 없다. (○, ×) ★★★ 2023 소방직 9급

□□□□□ **03** 「공공기관의 정보공개에 관한 법률」상의 비공개대상정보라 하더라도 비공개의 필요성이 없어진 경우에는 당해 정보를 공개해야 한다. (○, ×) ★★ 2006 관세사

판례정리 | 비공개대상정보 관련판례

비공개대상인 정보	비공개대상이 아닌 정보
① 국방부의 한국형 다목적 헬기(KMH) 도입사업에 대한 감사원장의 감사결과보고서 ② 보안관찰처분 관련 통계자료 ③ 학교환경위생정화위원회의 회의록 ④ 문제은행 출제방식을 채택하고 있는 치과의사 국가시험의 문제지와 정답지 ⑤ 지방자치단체의 도시공원위원회의 회의 관련 자료 및 회의록 ⑥ 공무원이 직무와 관련 없이 개인적인 자격으로 간담회 · 연찬회 등 행사에 참석하고 금품을 수령한 정보 ⑦ 법인 등이 거래하는 금융기관의 계좌번호에 관한 정보 ⑧ 공직자윤리위원회에 제출한 문서에 포함되어 있는 고지거부자의 인적사항 ⑨ 범죄수사기록에 포함된 관련자들의 주민등록번호 ⑩ 지방자치단체의 업무추진비 세부항목별 집행내역 및 그에 관한 증빙서류에 포함된 개인에 관한 정보 ⑪ 오송분기역유치위원회의 보조금 집행내역의 검증을 위하여 공개청구한 정보 중 개인의 성명 ⑫ 학교폭력대책자치위원회 회의록 ⑬ 국가정보원이 직원에게 지급하는 현금급여 및 월초수당에 관한 정보 ⑭ 징벌위원회 회의록 중 비공개 심사 · 의결 부분 ⑮ 2002년도 및 2003년도 국가 수준 학업성취도평가자료	① 교육공무원의 근무성적평정 결과 ② 검찰보존사무규칙상 불기소사건기록 등 ③ 수용자 자비부담물품의 판매수익금과 관련한 수익금 총액, 교도소장에게 배당한 수익금액 등 ④ 사법시험 제2차 시험 답안지 ⑤ 사면대상자들의 사면실시건의서와 그와 관련된 국무회의 안건자료에 관한 정보 ⑥ 아파트재건축주택조합의 조합원들에게 제공될 무상보상평수의 사업수익성 등을 검토한 자료 ⑦ 공직자윤리법상의 등록의무자가 제출한, 자신의 재산등록사항의 고지를 거부한 직계존비속의 본인과의 관계, 고지거부사유 등 ⑧ 한국방송공사의 '수시집행 접대성 경비의 건별 집행서류 일체' ⑨ 교도관의 근무보고서 ⑩ 징벌위원회 회의록 중 '징벌절차 진행 부분' ⑪ 2002학년도부터 2005학년도까지의 대학수학능력시험 원데이터

❸ 사본도 가능

공개청구의 대상이 되는 정보는 공공기관이 보유 · 관리하고 있는 정보에 한정되나, 반드시 원본일 필요는 없다는 것이 판례의 입장이다.

관련판례

「공공기관의 정보공개에 관한 법률」상 공개청구의 대상이 되는 정보에 해당하는 문서가 반드시 원본일 필요는 없다.01 02 ★★★

「공공기관의 정보공개에 관한 법률」상 공개청구의 대상이 되는 정보란 공공기관이 직무상 작성 또는 취득하여 현재 보유 · 관리하고 있는 문서에 한정되는 것이기는 하나, 그 문서가 반드시 원본일 필요는 없다(대판 2006. 5. 25, 2006두3049).

❹ 비공개대상정보의 예외

공공기관은 비공개대상에 해당하는 정보가 기간의 경과 등으로 인하여 비공개의 필요성이 없어진 경우에는 해당 정보를 공개대상으로 하여야 한다(동법 제9조 제2항).03

❺ 권리남용 여부

정보공개법의 목적 · 취지 등을 고려해 볼 때 오로지 상대방을 괴롭힐 목적으로 정보공개를 구하고 있다는 등의 특별한 사정이 없는 한, 정보공개의 청구는 권리남용이 아니라는 것이 판례의 입장이다. 다만, 국민의 정보공개청구가 권리의 남용에 해당하는 것이 명백한 경우, 정보공개청구권의 행사를 허용해야 하는 것은 아니다.

정답 01 × 02 ○ 03 ○

관련판례

1. 손해배상소송에 제출할 증거자료를 획득하기 위한 목적으로 정보공개를 청구한 경우, 오로지 상대방을 괴롭힐 목적으로 정보공개를 구하고 있다는 등의 특별한 사정이 없는 한, 권리남용에 해당하지 아니한다.★★★

   구 정보공개법의 목적, 규정 내용 및 취지 등에 비추어 보면, 정보공개청구의 목적에 특별한 제한이 있다고 할 수 없으므로, 피고의 주장과 같이 원고가 이 사건 정보공개를 청구한 목적이 이 사건 손해배상소송에 제출할 증거자료를 획득하기 위한 것이었고 위 소송이 이미 종결되었다고 하더라도, 원고가 오로지 피고를 괴롭힐 목적으로 정보공개를 구하고 있다는 등의 특별한 사정이 없는 한, 위와 같은 사정만으로는 원고가 이 사건 소송을 계속하고 있는 것이 권리남용에 해당한다고 볼 수 없다(대판 2004. 9. 23, 2003두1370).**01**

2-1. 국민의 정보공개청구가 권리의 남용에 해당하는 것이 명백한 경우, 정보공개청구권의 행사를 허용해야 하는 것은 아니다.**02 03** ★★★

2-2. 해당 정보를 취득 또는 활용할 의사가 전혀 없이 정보공개제도를 이용하여 사회통념상 용인될 수 없는 부당한 이득을 얻으려 하거나, 오로지 공공기관의 담당공무원을 괴롭힐 목적으로 정보공개청구를 하는 경우는 권리의 남용에 해당한다.★★★

   국민의 정보공개청구는 정보공개법 제9조에 정한 비공개대상정보에 해당하지 아니하는 한 원칙적으로 폭넓게 허용되어야 하지만, 실제로는 해당 정보를 취득 또는 활용할 의사가 전혀 없이 정보공개제도를 이용하여 사회통념상 용인될 수 없는 부당한 이득을 얻으려 하거나, 오로지 공공기관의 담당공무원을 괴롭힐 목적으로 정보공개청구를 하는 경우처럼 권리의 남용에 해당하는 것이 명백한 경우에는 정보공개청구권의 행사를 허용하지 아니하는 것이 옳다(대판 2014. 12. 24, 2014두9349).**04**

❻ 널리 알려진 정보 등의 경우

공개청구의 대상이 되는 정보가 이미 다른 사람에게 공개되어 널리 알려져 있다는 등의 사유만으로는 비공개결정이 정당화될 수 없다는 것이 판례의 입장이다.**05**

관련판례

공개청구의 대상이 되는 정보가 이미 다른 사람에게 공개되어 널리 알려져 있다거나 인터넷이나 관보 등을 통하여 공개되어 인터넷 검색이나 도서관에서의 열람 등을 통하여 쉽게 알 수 있다고 하여 소의 이익이 없다고 볼 수 없고 비공개결정이 정당화될 수도 없다(대판 2008. 11. 27, 2005두15694).**06** ★★★

기출 체크

□□□□□ **01** 정보공개를 청구한 목적이 손해배상소송에 제출할 증거자료를 획득하기 위한 것이었고 그 소송이 이미 종결되었다면, 그러한 정보공개청구는 권리남용에 해당한다. (○, ×) ★★★ 2019 국가직 7급

□□□□□ **02** 정보공개신청이 오로지 권리남용의 목적임이 명백하다면 행정청은 공개를 거부할 수 있다. (○, ×) ★★★ 2018 교육행정직 9급

□□□□□ **03** 정보공개청구권은 국민의 알권리에 근거한 헌법상 기본권이므로, 권리남용을 이유로 정보공개를 거부하는 것은 허용되지 아니한다. (○, ×) ★★★ 2017 지방직 7급

□□□□□ **04** 해당 정보를 취득 또는 활용할 의사가 전혀 없이 정보공개제도를 이용하여 사회통념상 용인될 수 없는 부당한 이득을 얻으려 하거나, 오로지 공공기관의 담당공무원을 괴롭힐 목적으로 정보공개청구를 하는 경우 권리남용에 해당함이 명백하므로 정보공개청구권의 행사가 허용되지 아니한다. (○, ×) ★★★ 2023 지방직 · 서울시 9급

□□□□□ **05** 「공공기관의 정보공개에 관한 법률」상 비공개대상정보 유형으로 가장 적절하지 않은 것은? (다툼이 있으면 판례에 의함) ★★★ 2014 경행특채 2차

① 성명 · 주민등록번호 등 개인에 관한 사항
② 의사결정 과정 또는 내부검토 과정에 있는 사항
③ 단체 또는 개인의 경영상 · 영업상 비밀에 관한 사항
④ 이미 다른 사람에게 공개하여 널리 알려져 있는 사항

□□□□□ **06** 이미 다른 사람에게 공개되어 널리 알려져 있거나 인터넷을 통해 공개되어 인터넷 검색 등을 통하여 쉽게 검색할 수 있는 경우에는 공개청구의 대상이 될 수 없다. (○, ×) ★★★ 2022 군무원 7급

정답 01 × 02 ○ 03 × 04 ○ 05 ④ 06 ×

기출 체크

□□□□□ **01** (「공공기관의 정보공개에 관한 법률」상) 정보의 공개를 청구하는 자는 해당 정보를 보유하거나 관리하고 있는 공공기관에 정보공개청구서를 제출하거나 말로써 정보의 공개를 청구할 수 있다. (○, ×) ★★ 2018 경행경채

□□□□□ **02** 정보공개의 청구는 반드시 문서로 하여야 한다. (○, ×) ★★★ 2012 사회복지직 9급

□□□□□ **03** 정보의 공개를 청구하는 자는 정보공개청구서에 청구대상정보를 기재함에 있어서 사회일반인의 관점에서 청구대상정보의 내용과 범위를 확정할 수 있을 정도로 특정함을 요한다. (○, ×) ★★★ 2024 지방직 · 서울시 9급

□□□□□ **04** 공공기관은 (「공공기관의 정보공개에 관한 법률」) 제10조에 따라 정보공개의 청구를 받으면 그 청구를 받은 날부터 30일 이내에 공개 여부를 결정하여야 한다. (○, ×) ★★★ 2018 소방직 9급

□□□□□ **05** 공공기관은 정보공개의 청구를 받으면 그 청구를 받은 날부터 10일 이내에 공개 여부를 결정하여야 하나 부득이 한 사유로 이 기간 이내에 공개 여부를 결정할 수 없는 때에는 그 기간이 끝나는 날의 다음 날부터 기산하여 10일의 범위에서 공개 여부 결정기간을 연장할 수 있다. (○, ×) ★★★ 2017 국가직 9급

□□□□□ **06** 공공기관은 정보공개청구의 대상이 된 정보가 제3자와 관련된 경우 해당 제3자의 의견을 청취할 수 있으나, 그에게 통지할 의무는 없다. (○, ×) ★★ 2018 교육행정직 9급

□□□□□ **07** 공공기관은 공개대상정보가 제3자와 관련이 있다고 인정되는 경우에는 반드시 공개청구된 사실을 제3자에게 통지하고 그에 대한 의견을 청취한 다음에 공개 여부를 결정하여야 한다. (○, ×) ★★ 2013 서울시 9급

04 | 정보공개절차

❶ 정보공개의 청구 등

1. 정보공개의 청구방법(문서 또는 말)

정보의 공개를 청구하는 자(청구인)는 해당 정보를 보유하거나 관리하고 있는 공공기관에 대하여 청구인의 성명 · 주민등록번호, 공개를 청구하는 정보의 내용 등 일정한 사항ⓐ을 기재한 정보공개청구서를 제출하거나 말로써 정보의 공개를 청구할 수 있다(동법 제10조 제1항).**01 02** 한편, 청구대상정보 기재 시 정보의 내용과 범위를 확정할 수 있을 정도로 특정하여 기재할 것이 필요하다고 봄이 판례의 입장이다.

관련판례

(아파트 택지조성원가, 분양원가 등 정보공개청구사건에서 공개를 청구한 정보의 내용 중 '관련 자료 일체' 부분은 그 내용과 범위가 정보공개청구 대상정보로서 특정되지 않았다고 하면서) **「공공기관의 정보공개에 관한 법률」에 따른 정보공개청구시 청구대상정보를 기재함에 있어서는 사회일반인의 관점에서 청구대상정보의 내용과 범위를 확정할 수 있을 정도로 특정함을 요한다**(대판 2007. 6. 1, 2007두2555).**03** ★★★

2. 정보공개 여부의 결정

(1) 결정기간

공공기관은 정보공개법 제10조에 따라 정보공개의 청구를 받으면 그 청구를 받은 날부터 10일 이내에 공개 여부를 결정하여야 한다(동법 제11조 제1항).**04**

(2) 결정기간의 연장

공공기관은 부득이한 사유로 위 (1)에 따른 기간 이내에 공개 여부를 결정할 수 없을 때에는 그 기간 끝나는 날의 다음 날부터 기산(起算)하여 10일의 범위에서 공개 여부 결정기간을 연장할 수 있다.**05** 이 경우 공공기관은 연장된 사실과 연장사유를 청구인에게 지체 없이 문서로 통지하여야 한다(동법 제11조 제2항).

(3) 제3자에 대한 통지

공공기관은 공개청구된 공개대상정보의 전부 또는 일부가 제3자와 관련이 있다고 인정할 때에는 그 사실을 제3자에게 지체 없이 통지하여야 하며, '필요한 경우'에는 그의 의견을 들을 수 있다(동법 제11조 제3항).**06 07**

(4) 소관기관의 이송

공공기관은 다른 공공기관이 보유 · 관리하는 정보의 공개청구를 받았을 때에는 지체 없이 이를 소관기관으로 이송하여야 하며, 이송한 후에는 지체 없이 소관기관 및 이송사유 등을 분명히 밝혀 청구인에게 문서로 통지하여야 한다(동법 제11조 제4항).

(5) 민원으로 처리하는 경우

공공기관은 정보공개청구가 다음에 해당하는 경우로서 「민원처리에 관한 법률」에 따른 민원으로 처리할 수 있는 경우에는 민원으로 처리할 수 있다(동법 제11조 제5항).

ⓐ 정보공개청구서 기재사항
1. 청구인의 성명 · 생년월일 · 주소 및 연락처(전화번호 · 전자우편주소 등을 말한다). 다만, 청구인이 법인 또는 단체인 경우에는 그 명칭, 대표자의 성명, 사업자등록번호 또는 이에 준하는 번호, 주된 사무소의 소재지 및 연락처를 말한다.
2. 청구인의 주민등록번호(본인임을 확인하고 공개 여부를 결정할 필요가 있는 정보를 청구하는 경우로 한정한다)
3. 공개를 청구하는 정보의 내용 및 공개방법

정답 01 ○ 02 × 03 ○ 04 × 05 ○ 06 × 07 ×

① 공개청구된 정보가 공공기관이 보유 · 관리하지 아니하는 정보인 경우01
② 공개청구의 내용이 진정 · 질의 등으로 「공공기관의 정보공개에 관한 법률」에 따른 정보공개청구로 보기 어려운 경우

3. 반복청구 등의 처리

(1) 공공기관은 위 2.에도 불구하고 정보공개청구가 다음에 해당하는 경우에는 정보공개청구 대상정보의 성격, 종전 청구와의 내용적 유사성 · 관련성, 종전 청구와 동일한 답변을 할 수밖에 없는 사정 등을 종합적으로 고려하여 해당 청구를 종결처리할 수 있다. 이 경우 종결처리사실을 청구인에게 알려야 한다(동법 제11조의2 제1항).

① 정보공개를 청구하여 정보공개 여부에 대한 결정의 통지를 받은 자가 정당한 사유 없이 해당 정보의 공개를 다시 청구하는 경우02
② 정보공개청구가 위 2.의 (5)에 따라 민원으로 처리되었으나 다시 같은 청구를 하는 경우

(2) 공공기관은 위 2.에도 불구하고 정보공개청구가 다음에 해당하는 경우에는 다음의 구분에 따라 안내하고, 해당 청구를 종결처리할 수 있다(동법 제11조의2 제2항).

① 「공공기관의 정보공개에 관한 법률」 제7조 제1항에 따른 정보 등 공개를 목적으로 작성되어 이미 정보통신망 등을 통하여 공개된 정보를 청구하는 경우 : 해당 정보의 소재(所在)를 안내
② 다른 법령이나 사회통념상 청구인의 여건 등에 비추어 수령할 수 없는 방법으로 정보공개청구를 하는 경우 : 수령이 가능한 방법으로 청구하도록 안내

❷ 정보공개 여부 결정의 통지 등

1. 공개결정의 경우

공공기관은 정보의 공개를 결정한 경우에는 공개의 일시 및 장소 등을 분명히 밝혀 청구인에게 통지하여야 한다(동법 제13조 제1항).03

2. 비공개결정의 경우

공공기관은 정보의 비공개결정을 한 경우에는 그 사실을 청구인에게 지체 없이 문서로 통지하여야 한다. 이 경우 「공공기관의 정보공개에 관한 법률」 제9조 제1항 각 호 중 어느 규정에 해당하는 비공개대상정보인지를 포함한 비공개 이유와 불복(不服)의 방법 및 절차를 구체적으로 밝혀야 한다(동법 제13조 제5항).04

관련판례

(甲이 재판기록 일부의 정보공개를 청구한 데 대하여 서울행정법원장이 민사소송법 제162조를 이유로 소송기록의 정보를 비공개한다는 결정을 전자문서로 통지한 사안에서) '문서'에 '전자문서'를 포함한다고 규정한 구 「공공기관의 정보공개에 관한 법률」 제2조와 정보의 비공개결정을 '문서'로 통지하도록 정한 (구)정보공개법 제13조 제4항(현 제5항)의 규정에 의하면 정보의 비공개결정은 전자문서로 통지할 수 있다(대판 2014. 4. 10, 2012두17384).05

기출 체크

□□□□□ 01 공공기관은 공개청구된 정보가 공공기관이 보유 · 관리하지 아니하는 정보인 경우, 「민원처리에 관한 법률」에 따른 민원으로 처리할 수 있는 경우에는 민원으로 처리할 수 있다. (○, ×) 2024 국회직 8급

□□□□□ 02 공공기관은 정보공개를 청구하여 정보공개 여부에 대한 결정의 통지를 받은 자가 정당한 사유 없이 해당 정보의 공개를 다시 청구하는 경우에는 정보공개청구 대상정보의 성격, 종전 청구와의 내용적 유사성 · 관련성 등을 종합적으로 고려하여 해당 청구를 종결 처리할 수 있다. (○, ×) 2024 국회직 8급

□□□□□ 03 공공기관은 정보의 공개를 결정한 경우에는 공개의 일시 및 장소 등을 분명히 밝혀 청구인에게 통지하여야 한다. (○, ×) ★★ 2016 경행경채

□□□□□ 04 공공기관은 정보의 비공개결정을 한 경우 청구인에게 비공개 이유와 불복의 방법 및 절차를 구체적으로 밝혀 문서로 통지하여야 한다. (○, ×) ★★ 2015 교육행정직 9급

□□□□□ 05 (「공공기관의 정보공개에 관한 법률」상) 행정소송의 재판기록 일부의 정보공개청구에 대한 비공개결정은 전자문서로 통지할 수 없다. (○, ×) 2019 국가직 9급

정답 01 ○ 02 ○ 03 ○ 04 ○ 05 ×

3. 사본 · 복제물의 교부 등

(1) 공공기관은 청구인이 사본 또는 복제물의 교부를 원하는 경우에는 이를 교부하여야 한다(동법 제13조 제2항).

(2) 공공기관은 공개대상정보의 양이 너무 많아 정상적인 업무수행에 현저한 지장을 초래할 우려가 있는 경우에는 해당 정보를 일정 기간별로 나누어 제공하거나 사본 · 복제물의 교부 또는 열람과 병행하여 제공할 수 있다(동법 제13조 제3항).01

(3) 공공기관은 정보를 공개하는 경우에 그 정보의 원본이 더럽혀지거나 파손될 우려가 있거나 그 밖에 상당한 이유가 있다고 인정할 때에는 그 정보의 사본 · 복제물을 공개할 수 있다(동법 제13조 제4항).02

관련판례

1. **정보공개를 청구하는 자가 공공기관에 대해 정보의 사본 또는 출력물의 교부방법으로 공개방법을 선택하여 정보공개청구를 한 경우, 공개청구를 받은 공공기관은 그 공개방법을 선택할 재량권이 없다.03 ★★★**

   정보공개를 청구하는 자가 공공기관에 대해 정보의 사본 또는 출력물의 교부의 방법으로 공개방법을 선택하여 정보공개청구를 한 경우에 공개청구를 받은 공공기관으로서는 정보공개법 제8조(현 제13조) 제2항에서 규정한 정보의 사본 또는 복제물의 교부를 제한할 수 있는 사유에 해당하지 않는 한 정보공개청구자가 선택한 공개방법에 따라 정보를 공개하여야 하므로 그 공개방법을 선택할 재량권이 없다고 해석함이 상당하다(대판 2003. 12. 12, 2003두8050).04

2-1. **정보공개 청구인에게 특정한 정보공개방법을 지정하여 청구할 수 있는 법령상 신청권이 있다.**

2-2. **공공기관이 공개청구의 대상이 된 정보를 청구인이 신청한 공개방법 이외의 방법으로 공개하기로 하는 결정을 한 경우, 정보공개방법에 관한 부분에 대하여 일부 거부처분을 한 것이며 이에 대하여 항고소송으로 다툴 수 있다.05 06 ★★★**

   공공기관이 공개청구의 대상이 된 정보를 공개는 하되, 청구인이 신청한 공개방법 이외의 방법으로 공개하기로 하는 결정을 하였다면, 이는 정보공개청구 중 정보공개방법에 관한 부분에 대하여 일부 거부처분을 한 것이고, 청구인은 그에 대하여 항고소송으로 다툴 수 있다(대판 2016. 11. 10, 2016두44674).

❸ 정보공개의 방법

1. 부분공개

(1) 법규정

공개청구한 정보가 비공개대상정보에 해당하는 부분과 공개가능한 부분이 혼합되어 있는 경우로서 공개청구의 취지에 어긋나지 아니하는 범위에서 두 부분을 분리할 수 있는 경우에는 비공개대상정보에 해당하는 부분을 제외하고 공개하여야 한다(동법 제14조). 따라서 법원은 공개정보와 비공개정보를 분리할 수 있는 경우에는 분리되는 공개정보에 대응하여 일부취소판결을 내려야 한다.

관련판례

1. **비공개대상정보에 해당하는 부분과 공개가 가능한 부분이 구별되고 이를 분리할 수 있는 경우, 판결의 주문에 행정청의 위 거부처분 중 공개가 가능한 정보에 관한 부분만을 취소한다고 표시하여야 한다**(대판 2003. 3. 11, 2001두6425).**07 ★★★**

2. 법원이 행정기관의 정보공개거부처분의 위법 여부를 심리한 결과 공개를 거부한 정보에 비공개사유에 해당하는 부분과 그렇지 않은 부분이 혼합되어 있고, 공개청구의 취지에 어긋나지 않는 범위 안에서 두 부분을 분리할 수 있음을 인정할 수 있을 때에는 공개가 가능한 정보에 국한하여 일부취소를 명할 수 있다(대판 2009. 12. 10, 2009두12785).

기출 체크

□□□□□ **01** 공개대상의 양이 과다하여 정상적인 업무수행에 현저한 지장을 초래할 우려가 있는 경우에는 이를 기간별로 나누어 교부하거나 열람과 병행하여 교부할 수 있다. (○, ×) ★★★
2018 서울시 1회 7급

□□□□□ **02** 행정청이 정보를 공개하는 경우에 그 정보의 원본이 더럽혀지거나 파손될 우려가 있거나 그 밖에 상당한 이유가 있다고 인정할 때에는 그 정보의 사본 · 복제물을 공개할 수 있다. (○, ×)
2024 지방직 · 서울시 9급

□□□□□ **03** (甲은 행정청 A가 보유 · 관리하는 정보 중 乙과 관련이 있는 정보를 사본 교부의 방법으로 공개하여 줄 것을 청구하였다) A는 甲이 청구한 사본 교부의 방법이 아닌 열람의 방법으로 정보를 공개할 수 있는 재량을 가진다. (○, ×) ★★★
2017 국가직(하) 9급

□□□□□ **04** 정보공개를 청구하는 자가 공공기관에 대해 정보의 사본 또는 출력물의 교부방법으로 공개방법을 선택하여 정보공개청구를 한 경우, 공개청구를 받은 공공기관은 「공공기관의 정보공개에 관한 법률」에서 규정한 정보의 사본 또는 복제물의 교부를 제한할 수 있는 사유에 해당하지 않는 한 그 공개방법을 선택할 재량권이 없다. (○, ×) ★★★
2024 국가직 9급

□□□□□ **05** 공공기관이 공개청구의 대상이 된 정보를 공개는 하되, 청구인이 신청한 공개방법 이외의 방법으로 공개하기로 하는 결정을 하였다면, 이는 정보공개청구 중 정보공개방법에 관한 부분에 대하여 일부 거부처분을 한 것이고, 청구인은 그에 대하여 항고소송으로 다툴 수 있다.
(○, ×) ★★★ 2024 지방직 · 서울시 9급

□□□□□ **06** 정보공개청구에 대하여 행정청이 전부 공개결정을 하는 경우에는, 청구인이 지정한 정보공개방법에 의하지 않았다고 하더라도 청구인은 이를 다툴 수 없다. (○, ×) ★★★ 2022 국가직 7급

□□□□□ **07** 정보공개거부처분 취소소송에서 공개청구의 취지에 어긋나지 아니하는 범위 안에서 공개를 거부한 정보가 비공개대상정보에 해당하는 부분과 공개가 가능한 부분으로 분리될 수 있다고 인정되면 법원은 공개가 가능한 부분을 특정하고 판결의 주문에 공개가 가능한 정보에 관한 부분만을 취소한다고 표시해야 한다. (○, ×) ★★★ 2023 국가직 7급

정답 01 ○ 02 ○ 03 × 04 ○ 05 ○ 06 × 07 ○

(2) 분리가능의 의미

분리할 수 있다는 의미와 관련해 판례는 물리적으로 분리가능한 경우만을 의미하는 것이 아니라 비공개대상에 관련된 부분을 삭제하고 나머지 정보만을 공개가능한 경우까지 포함한다고 보고 있다.㉠

관련판례

"비공개대상정보에 해당하는 부분과 공개가 가능한 부분을 분리할 수 있다."라고 함은 물리적으로 분리가능한 경우를 의미하는 것이 아니고 비공개대상정보에 관련된 기술 등을 삭제하고 나머지 정보만을 공개하는 것이 가능한 경우까지 포함한다(대판 2004. 12. 9, 2003두12707).**01** ★★

2. 정보의 전자적 공개

(1) 공공기관은 '전자적 형태로 보유 · 관리하는 정보'에 대하여 청구인이 전자적 형태로 공개하여 줄 것을 요청하는 경우에는 그 정보의 성질상 현저히 곤란한 경우를 제외하고는 청구인의 요청에 따라야 한다(동법 제15조 제1항).**02**

(2) 공공기관은 '전자적 형태로 보유 · 관리하지 아니하는 정보'에 대하여 청구인이 전자적 형태로 공개하여 줄 것을 요청한 경우에는 정상적인 업무수행에 현저한 지장을 초래하거나 그 정보의 성질이 훼손될 우려가 없으면 그 정보를 전자적 형태로 변환하여 공개할 수 있다(동법 제15조 제2항).**03**

3. 즉시 또는 말로 처리가 가능한 정보의 공개

다음에 해당하는 정보로서 즉시 또는 말로 처리가 가능한 정보에 대해서는 공개 여부의 결정절차를 거치지 아니하고 공개하여야 한다(동법 제16조).

① 법령 등에 따라 공개를 목적으로 작성된 정보
② 일반국민에게 알리기 위하여 작성된 각종 홍보자료
③ 공개하기로 결정된 정보로서 공개에 오랜 시간이 걸리지 아니하는 정보**04**
④ 그 밖에 공공기관의 장이 정하는 정보

4. 편집할 필요가 있는지 여부

정보공개법에 의한 공개는 원칙상 공공기관이 보유하는 정보 그 자체를 공개하는 것이지만, 전자적 형태로 보유 · 관리되는 정보의 경우에는 행정기관의 업무수행에 큰 지장을 주지 않는 한도 내에서 정보를 검색하고 편집하여 제공하여야 하는 경우도 있다.

관련판례

(대학수학능력시험 수험생의 원점수정보에 관한 공개청구를 행정청이 거부한 사안에서) **공공기관에 의하여 전자적 형태로 보유 · 관리되는 정보가 정보공개청구인이 구하는 대로 되어 있지 않더라도, 청구인이 구하는 대로 편집이 가능하며 그러한 작업이 당해 기관의 업무수행에 큰 지장을 초래하지 아니한다면 공공기관이 공개청구대상정보를 보유 · 관리하고 있는 것으로 볼 수 있다.**

공개청구를 받은 공공기관이 공개청구대상정보의 기초자료를 전자적 형태로 보유 · 관리하고 있고, 당해 기관에서 통상 사용되는 컴퓨터 하드웨어 및 소프트웨어와 기술적 전문지식을 사용하여 그 기초자료를 검색하여 청구인이 구하는 대로 편집할 수 있으며, 그러한 작업이 당해 기관의 컴퓨터 시스템 운용에 별다른 지장을 초래하지 아니한다면, 그 공공기관이 공개청구대상정보를 보유 · 관리하고 있는 것으로 볼 수 있고, 이러한 경우에 기초자료를 검색 · 편집하는 것은 새로운 정보의 생산 또는 가공에 해당한다고 할 수 없다(대판 2010. 2. 11, 2009두6001).**05**

기출 체크

□□□□□ **01** 정보의 부분공개가 허용되는 경우란 당해 정보에서 비공개대상정보에 관련된 기술 등을 제외 혹은 삭제하고 나머지 정보만 공개하는 것이 가능하고 나머지 부분의 정보만으로도 공개의 가치가 있는 경우를 의미한다. (○, ×) ★★ 2024 국가직 9급

□□□□□ **02** 공공기관은 전자적 형태로 보유 · 관리하는 정보에 대하여 청구인이 전자적 형태로 공개하여 줄 것을 요청하더라도 이를 출력한 형태로 공개하는 것이 원칙이다. (○, ×) ★★★ 2016 경행경채

□□□□□ **03** 공공기관은 전자적 형태로 보유 · 관리하지 않는 정보에 대하여 청구인이 전자적 형태로 공개하여 줄 것을 요청한 경우 특별한 사정이 없으면 그 정보를 전자적 형태로 변환하여 공개할 수 있다. (○, ×) ★★★ 2011 국가직 7급

□□□□□ **04** 정보공개가 결정되고 공개에 오랜 시간이 걸리지 않는 정보는 구술로도 공개할 수 있다. (○, ×) ★★★ 2011 국가직 9급

□□□□□ **05** 전자적 형태로 보유 · 관리되는 정보의 경우에 그 정보가 청구인이 구하는 대로 되어 있지 않더라도 공개청구를 받은 공공기관이 공개청구대상정보의 기초자료를 검색하여 청구인이 구하는 대로 편집할 수 있으며, 그 작업이 당해 기관의 업무수행에 별다른 지장을 초래하지 않는다면 그 공공기관이 공개청구대상정보를 보유 · 관리하고 있는 것으로 볼 수 있다. (○, ×) 2023 지방직 · 서울시 7급

판례 | ㉠ 甲이 외교부장관에게 한 · 일군사정보보호협정 및 한 · 일상호군수지원협정과 관련하여 각종 회의자료 및 회의록 등의 정보에 대한 공개를 청구하였으나, 외교부장관이 공개청구정보 중 일부를 제외한 나머지 정보들에 대하여 비공개결정을 한 사안에서, 위 정보는 구 「공공기관의 정보공개에 관한 법률」 제9조 제1항 제2호, 제5호에 정한 비공개대상정보에 해당하고, 공개가 가능한 부분과 공개가 불가능한 부분을 쉽게 분리하는 것이 불가능하여 같은 법 제14조에 따른 부분공개도 가능하지 않다고 본 원심판단이 정당하다(대판 2019. 1. 17, 2015두46512).

정답 01 ○ 02 × 03 ○ 04 ○ 05 ○

❹ 정보공개의 비용부담

1. 청구인 부담

정보의 공개 및 우송 등에 드는 비용은 실비(實費)의 범위에서 청구인이 부담한다(동법 제17조 제1항).01

2. 비용의 감면

공개를 청구하는 정보의 사용 목적이 공공복리의 유지 · 증진을 위하여 필요하다고 인정되는 경우에는 비용을 감면할 수 있다(동법 제17조 제2항).02

05 | 불복구제절차

❶ 비공개결정에 대한 청구인의 불복절차

1. 이의신청

(1) 청구기간 및 방법

청구인이 정보공개와 관련한 공공기관의 '비공개'결정 또는 '부분공개'결정에 대하여 불복이 있거나 정보공개청구 후 20일이 경과하도록 정보공개결정이 없는 때에는 공공기관으로부터 정보공개 여부의 결정통지를 받은 날 또는 정보공개청구 후 20일이 경과한 날부터 30일 이내에 '해당 공공기관'에 '문서'로 이의신청을 할 수 있다(동법 제18조 제1항).03 04 05

(2) 심의회의 개최

국가기관 등은 (1)에 따른 이의신청이 있는 경우에는 심의회를 개최하여야 한다. 다만, 다음에 해당하는 경우에는 심의회를 개최하지 아니할 수 있으며 개최하지 아니하는 사유를 청구인에게 문서로 통지하여야 한다(동법 제18조 제2항).

① 심의회의 심의를 이미 거친 사항
② 단순 · 반복적인 청구
③ 법령에 따라 비밀로 규정된 정보에 대한 청구

(3) 이의신청에 대한 당해 기관의 심사

공공기관은 이의신청을 받은 날부터 7일 이내에 그 이의신청에 대하여 결정하고 그 결과를 청구인에게 지체 없이 문서로 통지하여야 한다.06 다만, 부득이한 사유로 정하여진 기간 이내에 결정할 수 없을 때에는 그 기간이 끝나는 날의 다음 날부터 기산하여 7일의 범위에서 연장할 수 있으며, 연장사유를 청구인에게 통지하여야 한다(동법 제18조 제3항).

(4) 행정쟁송제기 가능성의 통지

공공기관은 이의신청을 각하(却下) 또는 기각(棄却)하는 결정을 한 경우에는 청구인에게 행정심판 또는 행정소송을 제기할 수 있다는 사실을 위 (3)에 따른 결과 통지와 함께 알려야 한다(동법 제18조 제4항).

기출 체크

□□□□□ **01** 정보의 공개 및 우송에 드는 비용은 모두 정보공개의무가 있는 공공기관이 부담한다. (○, ×)
2023 군무원 9급

□□□□□ **02** 정보의 공개 및 우송 등에 소요되는 비용은 실비의 범위에서 청구인의 부담으로 한다. 다만, 그 액수가 너무 많아서 청구인에게 과중한 부담을 주는 경우에는 비용을 감면할 수 있다. (○, ×) ★★★
2018 서울시 1회 7급

□□□□□ **03** 청구인이 정보공개와 관련한 공공기관의 비공개결정 또는 부분공개결정에 대하여 불복이 있거나 정보공개청구 후 20일이 경과하도록 정보공개결정이 없는 때에는 공공기관으로부터 정보공개 여부의 결정통지를 받은 날 또는 정보공개청구 후 20일이 경과한 날부터 7일 이내에 해당 공공기관에 문서로 이의신청을 할 수 있다. (○, ×) ★★★
2024 국회직 8급

□□□□□ **04** 정보공개청구자는 정보공개와 관련한 공공기관의 비공개결정에 대해서는 이의신청을 할 수 있지만, 부분공개의 결정에 대해서는 따로 이의신청을 할 수 없다. (○, ×) ★★★ 2016 국가직 9급

□□□□□ **05** 공공기관의 비공개결정에 대하여 불복이 있는 청구인은 해당 공공기관의 상급기관에 이의신청을 하여야 한다. (○, ×) ★★★ 2015 교육행정직 9급

□□□□□ **06** 공공기관은 이의신청을 받은 날부터 7일 이내에 그 이의신청에 대하여 결정하고 그 결과를 청구인에게 지체 없이 문서로 통지하여야 한다. (○, ×) ★★
2011 지방직 9급

정답 01 × 02 × 03 × 04 × 05 × 06 ○

(5) 임의적 절차로서 이의신청

청구인은 이의신청절차를 거치지 아니하고 **행정심판을 청구할 수 있다**(동법 제19조 제2항).**01**

2. 행정심판

(1) 행정심판의 청구

청구인이 정보공개와 관련한 공공기관의 결정에 대하여 불복이 있거나 정보공개청구 후 20일이 경과하도록 정보공개결정이 없는 때에는 행정심판법에서 정하는 바에 따라 행정심판을 청구할 수 있다.**02**

(2) 직무상 비밀의 누설금지

행정심판위원회의 위원 중 정보공개 여부의 결정에 관한 행정심판에 관여하는 위원은 재직 중은 물론 퇴직 후에도 그 직무상 알게 된 비밀을 누설하여서는 아니 된다(동법 제19조 제3항).

3. 행정소송

(1) 행정소송의 제기

① 일반론

청구인이 정보공개와 관련한 공공기관의 결정에 대하여 불복이 있거나 정보공개청구 후 20일이 경과하도록 정보공개결정이 없는 때에는 행정소송법에서 정하는 바에 따라 행정소송을 제기할 수 있다(동법 제20조 제1항). 행정소송은 행정심판을 거치지 않고 제기할 수 있다.

② 원고적격

소송을 제기하기 위해서는 원고적격이 있어야 하는데 **정보공개청구권 자체가 법률상 보호되는 구체적 권리이므로 정보공개를 청구했다가 공개거부처분을 받은 자는 개인적 이해관계와 상관없이** 공개거부로 권리를 침해받으므로 당연히 공개거부를 다툴 원고적격을 가진다는 것이 판례의 취지이다.**03**

관련판례

정보공개를 청구하였다가 거부처분을 받은 것 자체가 법률상 이익의 침해에 해당한다(대판 2004. 8. 20, 2003두8302).**04 05 06** ★★★

③ 소의 이익

공공기관이 정보를 폐기하였거나 보유 · 관리하고 있지 않은 경우 그러한 공공기관을 상대로 소송을 제기하는 경우에는 특별한 사정이 없는 한, 소의 이익이 없다. 한편, 청구인이 정보공개거부처분의 취소를 구하는 소송에서 공공기관이 청구정보를 증거 등으로 법원에 제출하여 법원을 통하여 그 사본을 청구인에게 교부 또는 송달되게 하여 결과적으로 청구인에게 정보를 공개하는 셈이 된 것만으로 정보의 비공개 결정의 취소를 구할 소의 이익은 소멸되지 않는다는 것이 판례의 입장이다.

관련판례

1. **공공기관이 공개를 구하는 정보의 폐기 등으로 인해 보유 · 관리하고 있지 아니한 경우, 정보공개거부처분의 취소를 구할 법률상 이익이 없다**(대판 2003. 4. 25, 2000두7087).**07** ★★★
2. 공공기관이 공개를 구하는 정보를 보유 · 관리하고 있지 아니한 경우 그 부분에 대해서는 소각하판결을 내려야 한다(대판 2006. 1. 13, 2003두9459).

기출 체크

□□□□□ **01** 정보공개청구인은 공공기관의 비공개결정에 불복하는 행정심판을 청구하려면 「공공기관의 정보공개에 관한 법률」에서 정하는 이의신청절차를 거쳐야 한다. (○, ×) ★★★
2023 국가직 7급

□□□□□ **02** 청구인이 정보공개와 관련한 공공기관의 결정에 대하여 불복이 있거나 정보공개청구 후 10일이 경과하도록 정보공개 결정이 없는 때에는 행정심판법에서 정하는 바에 따라 행정심판을 청구할 수 있다. (○, ×) 2023 지방직 · 서울시 9급

□□□□□ **03** 정보공개청구인이 공공기관에 대해 정보공개를 청구하였다가 거부처분을 받은 경우 취소소송을 제기할 원고적격이 인정된다. (○, ×) ★★★
2012 지방직(상) 9급

□□□□□ **04** 정보공개청구권은 법률상 보호되는 구체적인 권리이므로 청구인이 공공기관에 대하여 정보공개를 청구하였다가 거부처분을 받은 것 자체가 법률상 이익의 침해에 해당한다. (○, ×) ★★★
2021 국가직 9급

□□□□□ **05** (甲은 행정청 A가 보유 · 관리하는 정보 중 乙과 관련이 있는 정보를 사본 교부의 방법으로 공개하여 줄 것을 청구하였다) 甲이 공개청구한 정보가 甲과 아무런 이해관계가 없는 경우라면, 정보공개가 거부되더라도 甲은 이를 항고소송으로 다툴 수 있는 법률상 이익이 없다. (○, ×) ★★★ 2017 국가직(하) 9급

□□□□□ **06** 청구인이 공공기관에 대하여 정보공개를 청구하였다가 거부처분을 받은 것 자체가 법률상 이익의 침해에 해당한다고 할 것이고, 거부처분을 받은 것 이외에 추가로 어떤 법률상의 이익을 가질 것을 요구하는 것은 아니다.
(○, ×) ★★★ 2021 지방직 · 서울시 7급

□□□□□ **07** 정보공개청구는 정보공개를 구하는 자가 공개를 구하는 정보를 행정기관이 보유 · 관리하고 있을 상당한 개연성이 있다는 점을 입증함으로써 족하다 할 것이지만, 공공기관이 그 정보를 보유 · 관리하고 있지 아니한 경우에는 특별한 사정이 없는 한 정보공개거부처분의 취소를 구할 법률상의 이익이 없다.
(○, ×) ★★★ 2024 소방간부

정답 01 × 02 × 03 ○ 04 ○ 05 × 06 ○ 07 ○

기출 체크

□□□□□ **01** 정보공개거부처분의 취소를 구하는 소송에서 공공기관이 청구정보를 증거 등으로 법원에 제출하여 법원을 통하여 그 사본을 청구인에게 교부 또는 송달되게 하여 결과적으로 청구인에게 정보를 공개하는 셈이 되었다면, 당해 정보의 비공개결정의 취소를 구할 소의 이익은 소멸된다. (○, ×) ★★
2022 지방직 · 서울시 7급

□□□□□ **02** 정보공개거부처분의 취소를 구하는 소송에서 공공기관이 청구정보를 증거 등으로 법원에 제출하여 법원을 통하여 그 사본을 청구인에게 교부 또는 송달되게 하여 청구인에게 정보를 공개하는 셈이 되었다면, 이러한 우회적인 방법에 의한 공개는 「공공기관의 정보공개에 관한 법률」에 의한 공개라고 볼 수 있다. (○, ×) ★★
2020 국가직 9급

□□□□□ **03** 견책처분을 받은 공무원이 징계위원회 참여위원의 성명과 직위에 대한 정보공개청구를 하였으나 거부처분을 받았는데, 대상 징계처분에 대한 취소소송에서 해당 공무원의 취소청구가 기각된 경우에는 정보공개거부처분의 취소를 구할 법률상 이익이 없다. (○, ×)
2022 서울시 지적 7급

□□□□□ **04** 공공기관이 정보공개청구에 대해 이를 거부하는 행위는 취소소송의 대상이 되는 처분이다. (○, ×) ★★★
2018 교육행정직 9급

□□□□□ **05** 정보공개 관련결정에 대하여 행정소송이 제기된 경우에 재판장은 필요시 당사자 없이 비공개로 해당 정보를 열람할 수 있다. (○, ×) ★★
2011 국가직 9급

□□□□□ **06** 정보공개청구의 대상이 되는 정보를 공공기관이 보유 · 관리하고 있다는 점에 관하여는 정보공개를 구하는 사람에게 증명책임이 있다. (○, ×) ★★★
2023 군무원 9급

정답 01 × 02 × 03 × 04 ○ 05 ○ 06 ○

3. 청구인이 정보공개거부처분의 취소를 구하는 소송에서 공공기관이 청구정보를 증거 등으로 법원에 제출하여 법원을 통하여 그 사본을 청구인에게 교부 또는 송달되게 하여 결과적으로 청구인에게 정보를 공개하는 셈이 되었다고 하더라도, 이러한 우회적인 방법은 정보공개법이 예정하고 있지 아니한 방법으로서 정보공개법에 의한 공개라고 볼 수는 없으므로, 당해 정보의 비공개결정의 취소를 구할 소의 이익은 소멸되지 않는다.**01 02** ★★
   '이 사건 심리생리검사에서 질문한 질문내용 문서'를 공개하는 것은 심리생리검사업무에 현저한 지장을 초래한다고 인정할 만한 상당한 이유가 있다고 보아 이에 대한 비공개결정이 적법하다(대판 2016. 12. 15, 2012두11409 · 11416 병합).

4. 견책의 징계처분을 받은 甲이 사단장에게 징계위원회에 참여한 징계위원의 성명과 직위에 대한 정보공개청구를 하였으나 위 정보가 「공공기관의 정보공개에 관한 법률」 제9조 제1항 제1호, 제2호, 제5호, 제6호에 해당한다는 이유로 공개를 거부한 사안에서, 비록 징계처분 취소사건에서 甲의 청구를 기각하는 판결이 확정되었더라도 이러한 사정만으로 위 처분의 취소를 구할 이익이 없어지지 않고, 사단장이 甲의 정보공개청구를 거부한 이상 甲으로서는 여전히 정보공개거부처분의 취소를 구할 법률상 이익이 있다(대판 2022. 5. 26, 2022두33439).**03**

④ 대상적격(처분성)

정보공개청구에 대한 공공기관의 정보공개의 거부는 항고소송의 대상이 되는 처분이다.**04**

⑤ 피고적격

정보공개거부처분취소소송의 피고도 일반적인 항고소송과 동일하게 행정청이 피고적격을 가지며, 정보공개심의회가 피고가 되는 것은 아니다.

(2) 비공개 열람 · 심사

재판장은 필요하다고 인정하면 당사자를 참여시키지 아니하고 제출된 공개청구정보를 비공개로 열람 · 심사할 수 있다(동법 제20조 제2항).**05**

관련판례

1. 구 「공공기관의 정보공개에 관한 법률」(이하 '정보공개법'이라 한다) 제10조 제1항 제2호는 정보의 공개를 청구하는 자는 정보공개청구서에 '공개를 청구하는 정보의 내용' 등을 기재하도록 규정하고 있다. 청구인이 이에 따라 청구 대상정보를 기재할 때에는 사회일반인의 관점에서 청구대상정보의 내용과 범위를 확정할 수 있을 정도로 특정하여야 한다.

2. 청구인이 공개를 청구한 정보의 내용 중 너무 포괄적이거나 막연하여 사회일반인의 관점에서 그 내용과 범위를 확정할 수 있을 정도로 특정되었다고 볼 수 없는 부분이 포함되어 있다면, 이를 심리하는 법원으로서는 마땅히 정보공개법 제20조 제2항의 규정에 따라 공공기관에 그가 보유 · 관리하고 있는 청구대상정보를 제출하도록 하여, 이를 비공개로 열람 · 심사하는 등의 방법으로 청구 대상정보의 내용과 범위를 특정시켜야 한다(대판 2018. 4. 12, 2014두5477).

(3) 입증책임

정보공개제도와 관련한 입증책임에 대해 판례는 공개를 구하는 정보를 공공기관이 보유 · 관리하고 있을 상당한 개연성이 있다는 점에서는 원칙적으로 공개청구자에게 증명책임이 있다고 할 것이지만, 공공기관이 한때 보유 · 관리했으나 더 이상 보유 · 관리하고 있지 않다는 점에 대한 증명책임은 공공기관에 있다고 한다.

관련판례

1. 공개를 구하는 정보를 공공기관이 보유 · 관리하고 있을 상당한 개연성이 있다는 점에 대하여 원칙적으로 공개청구자에게 증명책임이 있다.**06** ★★★

2. 그러나 공개대상정보를 공공기관이 한때 보유 · 관리하였으나 후에 그 문서 등이 폐기되어 존재하지 않게 된 것이라면, 그 정보를 더 이상 보유 · 관리하고 있지 아니하다는 점에 대한 입증책임은 공공기관에 있다(대판 2004. 12. 9, 2003두12707). 01 ★★★

❷ 공개결정에 대한 제3자의 불복절차

1. 제3자의 비공개 요청

(1) 공공기관은 공개청구된 공개대상정보의 전부 또는 일부가 제3자와 관련이 있다고 인정할 때에는 그 사실을 제3자에게 지체 없이 통지하여야 하며 필요한 경우에는 그의 의견을 들을 수 있다(동법 제11조 제3항). 02 이에 따라 공개청구된 사실을 통지받은 제3자는 통지를 받은 날부터 3일 이내에 해당 공공기관에 대하여 자신과 관련된 정보를 공개하지 아니할 것을 요청할 수 있다(동법 제21조 제1항). 03

(2) 제3자의 비공개 요청에도 불구하고 공공기관이 공개결정을 할 때에는 공개결정이유와 공개실시일을 분명히 밝혀 지체 없이 문서로 통지하여야 한다(동법 제21조 제2항 제1문). 04

(3) 공공기관은 위 (2)에 따른 공개결정일과 공개실시일의 사이에 최소한 30일의 간격을 두어야 한다(동법 제21조 제3항). 05

(4) 한편, 판례는 제3자가 비공개 요청을 한 것만으로는 비공개 사유에 해당하는 것은 아니라고 본다.

관련판례

공공기관이 보유 · 관리하고 있는 정보가 제3자와 관련이 있는 경우, 제3자가 비공개를 요청하였다고 하여 「공공기관의 정보공개에 관한 법률」상 정보의 비공개 사유에 해당하는 것은 아니다(대판 2008. 9. 25, 2008두8680). 06 ★★★

2. 제3자의 이의신청 및 쟁송제기

비공개 요청에도 불구하고 공공기관이 공개결정을 할 때에는 공개결정이유와 공개실시일을 분명히 밝혀 지체 없이 문서로 통지하여야 하며, 제3자는 해당 공공기관에 문서로 이의신청을 하거나 행정심판 또는 행정소송을 제기할 수 있다. 07 이 경우 이의신청은 통지를 받은 날부터 7일 이내에 하여야 한다(동법 제21조 제2항).

결정에 대한 불복

공개청구 및 비공개결정에 대한 불복	비공개 요청 및 공개결정에 대한 불복
공개의 청구 ① 모든 국민(자연인, 법인, 법인격 없는 사단), 외국인의 경우 국내에 주소를 둔 자(학술연구목적 일시 체류자, 외국법인) ② 정보공개청구서 또는 말	**공개의 청구**
↓	↓
공공기관의 결정 및 연장 ① 10일 이내에 공개 또는 비공개결정 ② 10일 이내의 범위 내에서 기간 연장 가능	**제3자에 대한 통지** (정보가 제3자와 관련 있는 경우) 지체 없이 제3자에게 통지
↓	↓
	비공개 요청 제3자는 3일 이내에 비공개 요청 가능
	↓
불복 ① 문서로 이의신청(임의적 절차) – 30일 내 ② 행정심판(임의적 절차) ③ 행정소송	**불복** 공개결정시 ① 문서로 이의신청(임의적 절차) – 7일 이내 ② 행정심판(임의적 절차) ③ 행정소송

기출 체크

□□□□□ 01 공개를 구하는 정보를 공공기관이 한때 보유 · 관리하였으나 후에 그 정보가 담긴 문서 등이 폐기되어 존재하지 않게 된 것이라면 그 정보를 더 이상 보유 · 관리하고 있지 아니하다는 점에 대한 증명책임은 공공기관에게 있다. (○, ×) ★★★ 2022 지방직 · 서울시 9급

□□□□□ 02 (「공공기관의 정보공개에 관한 법률」상) 공공기관은 공개청구된 공개대상정보의 전부 또는 일부가 제3자와 관련이 있다고 인정할 때에는 그 사실을 제3자에게 지체 없이 통지하여야 하며, 필요한 경우에는 그의 의견을 들을 수 있다. (○, ×) 2023 국회직 8급

□□□□□ 03 공공기관은 공개청구된 공개대상정보의 전부 또는 일부가 제3자와 관련이 있다고 인정할 때에는 그 사실을 제3자에게 지체 없이 통지하여야 하며, 공개청구된 사실을 통지받은 제3자는 그 통지를 받은 날부터 3일 이내에 해당 공공기관에 대하여 자신과 관련된 정보를 공개하지 아니할 것을 요청할 수 있다. (○, ×) 2022 국회직 8급

□□□□□ 04 제3자의 비공개 요청에도 불구하고 공공기관이 공개결정을 하는 때에는 공개결정이유와 공개실시일을 명시하여 지체 없이 문서로 통지하여야 한다. (○, ×) ★★ 2011 사회복지직 9급

□□□□□ 05 공공기관은 제3자의 비공개 요청에도 불구하고 공개결정을 하는 때에는 공개결정일과 공개실시일의 사이에 최소한 20일의 간격을 두어야 한다. (○, ×) ★★ 2011 사회복지직 9급

□□□□□ 06 (甲은 행정청 A가 보유 · 관리하는 정보 중 乙과 관련이 있는 정보를 사본 교부의 방법으로 공개하여 줄 것을 청구하였다) A가 정보의 주체인 乙로부터 의견을 들은 결과, 乙이 정보의 비공개를 요청한 경우에는 A는 정보를 공개할 수 없다. (○, ×) ★★★ 2017 국가직(하) 9급

□□□□□ 07 (「공공기관의 정보공개에 관한 법률」상) 제3자가 자신과 관련된 정보를 공개하지 아니할 것을 요청하였음에도 불구하고 공공기관이 공개결정을 한 경우, 그 제3자는 해당 공공기관에 문서로 이의신청을 하거나 행정심판 또는 행정소송을 제기할 수 있다. (○, ×) ★★ 2023 국회직 8급

정답 01 ○ 02 ○ 03 ○ 04 ○ 05 × 06 × 07 ○

06 | 정보공개심의회, 정보공개위원회

❶ 정보공개심의회

1. 설 치

국가기관, 지방자치단체, 「공공기관의 운영에 관한 법률」 제5조에 따른 공기업 및 준정부기관, 지방공기업법에 따른 지방공사 및 지방공단(이하 '국가기관 등'이라 한다)은 **정보공개 여부 등을 심의하기 위하여 정보공개심의회**를 설치 · 운영한다. 이 경우 국가기관 등의 규모와 업무성격, 지리적 여건, 청구인의 편의 등을 고려하여 소속 상급기관(지방공사 · 지방공단의 경우에는 해당 지방공사 · 지방공단을 설립한 지방자치단체를 말한다)에서 협의를 거쳐 심의회를 통합하여 설치 · 운영할 수 있다(동법 제12조 제1항).

2. 위원회의 구성 등

(1) **정보공개심의회는 위원장 1명을 포함하여 5명 이상 7명 이하의 위원으로 구성한다**(동법 제12조 제2항).

(2) **심의회의 위원은 소속 공무원, 임직원 또는 외부 전문가로 지명하거나 위촉하되, 그중 3분의 2는 해당 국가기관 등의 업무 또는 정보공개의 업무에 관한 지식을 가진 외부 전문가로 위촉하여야 한다. 다만,** 「공공기관의 정보공개에 관한 법률」 제9조 제1항 제2호(국가안전보장 · 국방 · 통일 · 외교관계 등에 관한 사항으로서 공개될 경우 국가의 중대한 이익을 현저히 해칠 우려가 있다고 인정되는 정보) 및 제4호(진행 중인 재판에 관련된 정보와 범죄의 예방, 수사, 공소의 제기 및 유지, 형의 집행, 교정(矯正), 보안처분에 관한 사항으로서 공개될 경우 그 직무수행을 현저히 곤란하게 하거나 형사피고인의 공정한 재판을 받을 권리를 침해한다고 인정할 만한 상당한 이유가 있는 정보)에 해당하는 업무를 주로 하는 국가기관은 **그 국가기관의 장이 외부 전문가의 위촉 비율을 따로 정하되, 최소한 3분의 1 이상은 외부 전문가로 위촉하여야 한다**(동법 제12조 제3항).

(3) 심의회의 위원장은 위원 중에서 국가기관 등의 장이 지명하거나 위촉한다(동법 제12조 제4항).

3. 위원의 제척 · 기피 · 회피

2020년 개정 정보공개법에서는 정보공개심의회의 공정성을 제고하기 위하여 위원의 제척 · 기피 · 회피 규정(동법 제12조의2)을 신설하였다.

(1) 정보공개심의회의 위원이 다음에 해당하는 경우에는 심의회의 심의에서 **제척(除斥)**된다(동법 제12조의2 제1항).

> ① **위원** 또는 그 배우자나 배우자이었던 사람이 해당 심의사항의 **당사자**(당사자가 법인 · 단체 등인 경우에는 그 임원 또는 직원을 포함한다)이거나 그 심의사항의 당사자와 공동권리자 또는 공동의무자인 경우
> ② **위원이** 해당 심의사항의 **당사자와 친족**이거나 친족이었던 경우
> ③ 위원이 해당 심의사항에 대하여 증언, 진술, 자문, 연구, 용역 또는 감정을 한 경우
> ④ 위원이나 위원이 속한 법인 등이 해당 심의사항의 당사자의 대리인이거나 대리인이었던 경우

(2) 정보공개심의회의 심의사항의 당사자는 위원에게 공정한 심의를 기대하기 어려운 사정이 있는 경우에는 심의회에 **기피(忌避)** 신청을 할 수 있고, 심의회는 의결로 기피 여부를 결정하여야 한다. 이 경우 기피 신청의 대상인 위원은 그 의결에 참여할 수 없다(동법 제12조의2 제2항).

(3) 위원은 위 (1)에 따른 제척사유에 해당하는 경우에는 심의회에 그 사실을 알리고 스스로 해당 안건의 심의에서 회피(回避)하여야 한다(동법 제12조의2 제3항).

(4) 위원이 위 (1)의 어느 하나에 해당함에도 불구하고 회피신청을 하지 아니하여 심의회 심의의 공정성을 해친 경우 국가기관 등의 장은 해당 위원을 해촉하거나 해임할 수 있다(동법 제12조의2 제4항).

❷ 정보공개위원회

1. 설 치

다음의 사항을 심의 · 조정하기 위하여 **행정안전부장관 소속으로 정보공개위원회를 둔다**(동법 제22조).01

① 정보공개에 관한 정책수립 및 제도개선에 관한 사항 ② 정보공개에 관한 기준수립에 관한 사항 ③ 정보공개심의회 심의결과의 조사 · 분석 및 심의기준 개선 관련 의견제시에 관한 사항 ④ 공공기관의 정보공개운영실태 평가 및 그 결과처리에 관한 사항 ⑤ 정보공개와 관련된 불합리한 제도 · 법령 및 그 운영에 대한 조사 및 개선권고에 관한 사항 ⑥ 그 밖에 정보공개에 관하여 대통령령이 정하는 사항

2. 위원회의 구성 등

(1) 위원회는 성별을 고려하여 위원장과 부위원장 각 1명을 포함한 11명의 위원으로 구성한다(동법 제23조 제1항).

(2) 위원회의 위원은 일정한 요건을 갖춘 사람이 된다.ⓐ 이 경우 위원장을 포함한 7명은 공무원이 아닌 사람으로 위촉하여야 한다(동법 제23조 제2항).

기출 체크

□□□□□ **01** 정보공개에 관한 정책수립 및 제도개선에 관한 사항을 심의 · 조정하기 위하여 행정안전부장관 소속으로 정보공개위원회를 둔다. (○, ×) ★★

2019 국회직 8급 변형

□□□□□ **02** 행정안전부장관은 전년도의 정보공개 운영에 관한 보고서를 매년 정기국회 개회 전까지 국회에 제출하여야 한다. (○, ×) 2024 국회직 8급

ⓐ **정보공개위원회의 위원**

- 대통령령으로 정하는 관계중앙행정기관의 차관급 공무원이나 고위공무원단에 속하는 일반직 공무원
- 정보공개에 관하여 학식과 경험이 풍부한 사람으로서 행정안전부장관이 위촉하는 사람
- 시민단체(「비영리민간단체 지원법」 제2조의 규정에 따른 비영리민간단체를 말한다)에서 추천한 사람으로서 행정안전부장관이 위촉하는 사람

07 | 관련문제

❶ 정보공개 운영보고

행정안전부장관은 전년도의 정보공개 운영에 관한 보고서를 매년 정기국회 개회 전까지 국회에 제출하여야 한다(동법 제26조 제1항).02

❷ 기간의 계산

1. 정보공개법에 따른 기간의 계산은 민법에 따른다(동법 제29조 제1항).

2. 위 **1.**에도 불구하고 ① 정보공개 여부 결정기간, ② 정보공개청구 후 경과한 기간, ③ 이의신청 결정기간은 '일' 단위로 계산하고 첫날을 산입하되, 공휴일과 토요일은 산입하지 아니한다(동법 제29조 제2항).

[유튜브] 22강 필수 개념 TEST
- QR코드를 스캔해 주세요.
- 필수 개념과 출제 포인트를 풀어 보세요.
- 틀린 문제는 기본서로 확인해 주세요.

정답 01 ○ 02 ○

2025
써니 행정법총론

4회 온라인 모의고사

PART

4

행정의 실효성 확보수단

제 23 강 행정의 실효성 확보수단의 개설

실효성 확보수단

전통적 의무이행 확보수단

행정상 강제

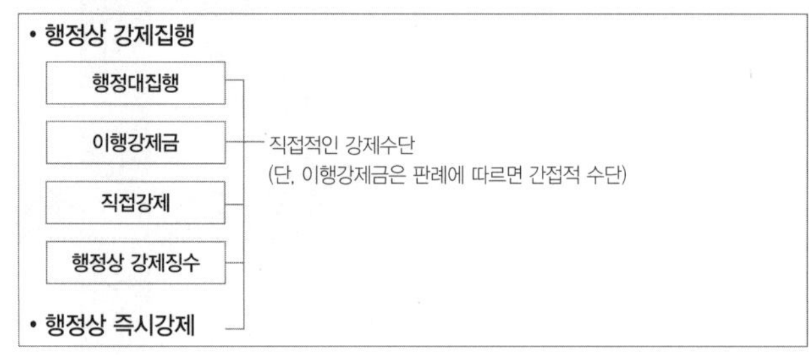

- **행정기본법상 행정상 강제 법정주의**
  - 행정청은 행정목적을 달성하기 위하여 필요한 경우에는 법률로 정하는 바에 따라 필요한 최소한의 범위에서 행정대집행, 이행강제금의 부과, 직접강제, 강제징수나 즉시강제 등의 조치를 할 수 있음(행정기본법 제30조 제1항).
  - 행정상 강제조치에 관하여 행정기본법에서 정한 사항 외에 필요한 사항은 따로 법률로 정함(동법 제30조 제2항).
- **행정기본법상 '행정상 강제' 규정의 적용제외**
  다음 사항은 행정상 강제에 대한 규정을 적용하지 않음(동법 제30조 제3항).
  - 형사(刑事), 행형(行刑) 및 보안처분 관계법령에 따라 행하는 사항
  - 외국인의 출입국 · 난민인정 · 귀화 · 국적회복에 관한 사항

행정벌

- **행정형벌**
- **행정질서벌(과태료)**

행정조사

새로운 의무이행 확보수단의 등장

과징금 ┐
　　　　　　금전상의 제재
가산세 ┘

명단공표(위반사실 등 공표)

공급거부

관허사업제한

시정명령 등

새로운 행정의 실효성 확보수단

금전상의 제재

과징금

- **의의** : 행정법상의 의무를 위반한 자에 대해 가해지는 금전상의 제재
- **근거** : 행정기본법 제28 · 29조, 개별법 O
- **종류**
  - **본래적(전형적) 과징금**

개 념	행정법규 위반, 행정법상 의무위반으로 경제적 이익을 얻는 경우(위반행위로 인한 수익을 정확히 계산할 수 없는 경우에도 부과 O) ⇨ 경제적 이익을 박탈하기 위한 행정제재금
예	「독점규제 및 공정거래에 관한 법률」 제8조의 과징금

  - **변형된 과징금**

개 념	의무위반행위가 그 사업 인 · 허가 등의 철회 · 정지사유에 해당하나 공중의 일상생활에 필수적 사업인 경우 ⇨ 사업은 존속, 사업활동으로 인한 수익을 박탈하기 위한 행정제재금
예	「여객자동차 운수사업법」 제88조의 과징금

- **특색**
  - 처분성 : 행정소송의 대상이 되는 처분임.
  - 재량행위 여부 : 과징금 부과는 원칙적으로 행정청의 재량(행정기본법 제28조 제1항)
  - 과징금납부의무의 불이행시 강제징수함.
  - 과징금납부의무는 일신전속적 의무 아님. ⇨ 상속인에게 승계됨.
  - 재량행위인 과징금 부과처분이 법이 정한 한도액을 초과하여 위법한 경우 법원으로서는 그 전부를 취소할 수밖에 없음.
  - 행정형벌과 과징금은 병과 가능
  - 관할행정청이 여객자동차운송사업자의 여러 가지 위반행위를 인지한 경우, 일부에 대해서만 우선 과징금 부과처분을 하고 나머지에 대해서 차후에 별도의 과징금 부과처분을 하는 것은 특별한 사정이 없는 한 허용되지 않음(판례).
  - 관할행정청이 여객자동차운송사업자의 여러 가지 위반행위 중 일부만 인지하여 과징금 부과처분을 하였는데 그 후 과징금 부과처분 시점 이전의 다른 위반행위를 인지하여 별도의 과징금 부과처분을 하게 되는 경우 : 일괄하여 하나의 과징금 부과처분을 하는 경우와의 형평을 고려하여 추가 과징금 부과처분의 처분양정이 이루어져야 함(판례).
- **과징금의 납부기한연기 및 분할납부**(행정기본법 제29조)
  - 과징금은 한꺼번에 납부하는 것이 원칙
  - 예외적으로 일정한 사유로 과징금의 납부기한연기 및 분할납부하게 할 수 있고, 이 경우 필요하다고 인정하면 담보제공하게 할 수 있음.

가산세

- **의의** : 세법상 의무의 성실한 이행확보를 위해 그 세법에 의하여 산출된 세액에 가산하여 징수하는 금액. 본래의 조세채무와는 별개로 부과되는 세금임.
- **특색**
  - 고의 · 과실 불문
  - 의무불이행의 정당한 사유 있는 경우 ⇨ 부과 ×
    - 세무공무원의 잘못된 설명을 믿고 신고납부의무를 불이행하였다 하더라도 그것이 관계법령에 어긋나는 것임이 명백한 경우 '정당한 사유'라 할 수 없음.
    - 법령의 부지(不知)는 정당한 사유에 해당하지 않음.
  - 법적 근거 필요
  - 가산세 부과 역시 비례원칙을 준수해야 함.
  - 본세에 감면사유가 인정된다고 하여 가산세도 감면대상에 포함되는 것은 아님(판례).

그 밖의 수단

제재처분

- **의의** : 법령 등에 따른 의무를 위반하거나 이행하지 아니하였음을 이유로 당사자에게 의무를 부과하거나 권익을 제한하는 처분으로, 행정대집행, 이행강제금, 직접강제, 강제징수, 즉시강제는 제외함.
- **특징**
  - 현실적 행위자가 아니라도 법령상 책임자로 규정된 자에게 행정법규 위반에 대한 제재조치를 부과할 수 있음.
  - 법위반자에게 고의나 과실이 없어도 원칙적으로 제재조치를 부과할 수 있음(다만, 위반자의 의무해태를 탓할 수 없는 정당한 사유가 있다면 제재조치를 할 수 없음).
- **법적 근거** : 제재처분의 근거가 되는 법률에는 제재처분의 주체, 사유, 유형 및 상한을 명확하게 규정하고 제재처분의 유형 및 상한을 정할 때에는 해당 위반행위의 특수성 및 유사한 위반행위와의 형평성 등을 종합적으로 고려함.
- **제재처분의 기준**(행정기본법 제22조) : 재량이 있는 제재처분을 할 때에는 행정청은 위반행위의 동기 · 목적 · 방법 · 결과 · 횟수 그리고 그 밖에 이에 준하는 사항으로 대통령령으로 정한 사항을 고려하여야 함.
- **제재처분의 제척기간**(행정기본법 제23조)
  - 행정청은 법령 등의 위반행위가 종료된 날부터 5년이 지나면 해당 위반행위에 대하여 제재처분을 할 수 없음.
  - 행정청은 행정심판의 재결이나 법원의 판결에 따라 제재처분이 취소 · 철회된 경우에는 재결이나 판결이 확정된 날부터 1년(합의제 행정기관은 2년)이 지나기 전까지는 그 취지에 따른 새로운 제재처분을 할 수 있음.
  - 다른 법률에서 위의 기간보다 짧거나 긴 기간을 규정하고 있으면 그 법률에서 정하는 바에 따름.
  - 법령위반으로 위법상태가 계속되는 경우 : 시정명령 및 과징금 부과처분의 제척기간 기산점이 되는 위반행위 종료일은 위법상태가 종료된 때(판례)
  - 동일한 사유로 다시 제재적 행정처분을 하는 것은 위법한 이중처분에 해당하나 제재처분을 변경하는 처분은 이중처분이 아니며, 특별한 사정이 없는 한 제재처분의 효력이 유지되는 동안에는 가능함(판례).

명단의 공표(위반사실 등 공표)

- **의의** : 행정법상의 의무위반 또는 의무불이행이 있는 경우, 위반자 성명 및 위반사실 등을 일반에게 공개하여 행정법상의 의무이행을 간접적으로 확보하는 강제수단임.
- **법적 성질**
  - 공표의 내용이 공권력행사의 실질을 가진 경우 처분의 성격을 가질 수 있음.
  - 병무청장이 병역법에 따라 병역의무 기피자의 인적사항 등을 인터넷 홈페이지에 게시하는 등의 방법으로 공개한 경우 병무청장의 공개결정은 행정처분임(판례).
- **법적 근거**
  - 원칙적으로 법적 근거 필요함.
  - 개정 행정절차법에 '위반사실 등 공표'를 규정함으로써 명단공표에 대한 일반법상 법적 근거를 마련하였고 국세징수법상 고액 · 상습체납자의 명단공개규정 등 개별법에도 근거가 있음.
- **행정절차법상 공표의 절차**
  - 행정청은 위반사실 등의 공표를 하기 전에 사실과 다른 공표로 인하여 당사자의 명예 · 신용 등이 훼손되지 아니하도록 객관적이고 타당한 증거와 근거가 있는지를 확인하여야 함.
  - 행정청은 위반사실 등의 공표를 할 때 원칙적으로 미리 당사자에게 그 사실을 통지하고 의견제출의 기회를 주어야 함.
  - 위반사실 등의 공표는 관보, 공보 또는 인터넷 홈페이지 등을 통하여 함.
  - 행정청은 위반사실 등의 공표를 하기 전에 당사자가 공표와 관련된 의무의 이행, 원상회복, 손해배상 등의 조치를 마친 경우에는 위반사실 등의 공표를 하지 아니할 수 있음.
- **공표에 대한 권리구제**
  - 공표의 정정 : 행정청은 공표된 내용이 사실과 다른 것으로 밝혀지거나 공표에 포함된 처분이 취소된 경우에는 원칙적으로 그 내용을 정정하여, 정정한 내용을 지체 없이 해당 공표와 같은 방법으로 공표된 기간 이상 공표하여야 함.
  - 행정상 손해배상청구 가능. 다만, 적시된 사실의 내용이 진실이라는 증명이 없더라도 공표 당시 진실이라 믿었고 그렇게 믿을 만한 상당한 이유가 있다면 위법성이 부정됨.

공급거부

- **의의** : 행정법상의 의무를 위반하거나 불이행한 자에 대하여 행정상 역무나 재화의 공급을 거부하는 행위
- **특색**
  - 법적 성질
    - 공급거부요청 : 처분성 부정
    - 단수처분 : 처분성 긍정
  - 법적 근거 필요. 구 건축법상 의무위반의 경우 수도공급 등의 거부에 관한 규정이 있었으나 현행 건축법에서는 삭제됨.
  - 부당결부금지원칙을 준수해야 함.

관허사업의 제한

- 행정법상 의무위반행위시 각종 인 · 허가를 거부, 정지, 철회함으로써 행정법상 의무준수 또는 의무이행을 간접적으로 강제하는 것

시정명령

- **의의** : 행정법령의 위반행위로 초래된 위법상태의 제거 내지 시정을 명하는 행정행위(하명)
- **근거** : 일반법 ×, 개별법 O(건축법, 「감염병의 예방 및 관리에 관한 법률」, 개인정보 보호법 등)
- **고의 · 과실 불필요** : 행정법규 위반자에게 고의나 과실이 없더라도 원칙적으로 제재조치를 부과할 수 있음(판례).
- **대상** : 시정명령으로 과거의 위반행위에 대한 중지는 물론 가까운 장래에 반복될 우려가 있는 동일한 유형의 행위의 반복금지까지 명할 수 있음(판례).
- **상대방**
  - 시정명령을 이행할 수 있는 법적 권한이 있는 자로 보는 것이 타당함.
  - 시정명령의 이행을 기대할 수 없는 자, 즉 대지 또는 건축물의 위법상태를 시정할 수 있는 법률상 또는 사실상의 지위에 있지 않는 자는 시정명령의 상대방이 될 수 없음(판례).
- **위반행위 결과의 부존재와 시정명령** : 위반행위가 있었으나 그 결과가 더 이상 존재하지 않는 경우 시정명령을 할 수 없음(판례).

제 1 절 실효성 확보수단

기출 체크

□□□□□ 01 행정청은 행정목적을 달성하기 위하여 필요한 경우에는 법률로 정하는 바에 따라 행정대집행, 이행강제금의 부과, 직접강제, 강제징수, 즉시강제 등의 조치를 취할 수 있으며, 이러한 조치는 필요한 최소범위에서 취해야 한다. (○, ×) 2024 소방직 9급

□□□□□ 02 행정대집행은 행정기본법상 행정상 강제에 해당한다. (○, ×) 2023 국가직 9급

정답 01 ○ 02 ○

01 | 실효성 확보수단의 필요성

국가기관 등은 공익적 견지에서 국민에 대해 일정한 작위의무를 부과하거나 일정한 행위를 금지하는 경우가 있다. 이 경우 국민이 그러한 의무를 자발적으로 이행하여야 행정목적이 달성될 수 있음은 당연하다. 그런데 이러한 행정상 의무를 국민이 이행하지 않을 경우 행정목적의 실효성, 즉 행정목적의 달성을 위해 행정청은 여러 가지 법적 수단을 취할 필요가 있다. 이와 같이 행정의 실효성을 확보하기 위해 인정되는 법적 수단을 행정의 실효성 확보수단이라고 한다.

02 | 구 분

❶ 전통적 수단

1. 종래 행정의 실효성 확보수단

전통적인 행정의 실효성 확보수단으로 행정강제와 행정벌이 인정되고 있다. 이 중 행정강제는 다시 강제집행(제24강)과 행정상 즉시강제(제25강)로 구분하고, 행정벌(제26강)은 행정형벌과 행정질서벌로 구분할 수 있다.

2. 행정상 강제

행정상 강제는, 행정상 강제집행(행정대집행, 강제징수, 이행강제금, 직접강제) 및 즉시강제로 통상 구분되며, 개별법을 통해 인정되고 있었다. 이러한 행정상 강제를 아우르는 일반법은 없었는데, 최근 제정된 행정기본법에서 '행정상 강제에 관한 일반법'으로서 제3장 제5절(제30~33조)의 강행규정을 두고 있다.

(1) 행정상 강제 법정주의

① 행정기본법 제30조 제1항은, 행정상 강제의 대표적인 유형에 대한 개념을 규정하고, 법률유보 및 최소침해 등 행정상 강제에 적용되는 기본원칙을 선언하고 있다.

행정기본법 제30조【행정상 강제】 ① 행정청은 행정목적을 달성하기 위하여 필요한 경우에는 법률로 정하는 바에 따라 필요한 최소한의 범위에서 다음 각 호의 어느 하나에 해당하는 조치를 할 수 있다. **01**
1. **행정대집행02** : 의무자가 행정상 의무(법령 등에서 직접 부과하거나 행정청이 법령 등에 따라 부과한 의무를 말한다. 이하 이 절에서 같다)로서 타인이 대신하여 행할 수 있는 의무를 이행하지 아니하는 경우 법률로 정하는 다른 수단으로는 그 이행을 확보하기 곤란하고 그 불이행을 방치하면 공익을 크게 해칠 것으로 인정될 때에 행정청이 의무자가 하여야 할 행위를 스스로 하거나 제3자에게 하게 하고 그 비용을 의무자로부터 징수하는 것
2. **이행강제금의 부과** : 의무자가 행정상 의무를 이행하지 아니하는 경우 행정청이 적절한 이행기간을 부여하고, 그 기한까지 행정상 의무를 이행하지 아니하면 금전급부의무를 부과하는 것
3. **직접강제** : 의무자가 행정상 의무를 이행하지 아니하는 경우 행정청이 의무자의 신체나 재산에 실력을 행사하여 그 행정상 의무의 이행이 있었던 것과 같은 상태를 실현하는 것
4. **강제징수** : 의무자가 행정상 의무 중 금전급부의무를 이행하지 아니하는 경우 행정청이 의무자의 재산에 실력을 행사하여 그 행정상 의무가 실현된 것과 같은 상태를 실현하는 것

5. **즉시강제** : 현재의 급박한 행정상의 장해를 제거하기 위한 경우로서 다음 각 목의 어느 하나에 해당하는 경우에 행정청이 곧 바로 국민의 신체 또는 재산에 실력을 행사하여 행정목적을 달성하는 것
가. 행정청이 미리 행정상 의무이행을 명할 시간적 여유가 없는 경우
나. 그 성질상 행정상 의무의 이행을 명하는 것만으로는 행정목적달성이 곤란한 경우

㉠ 행정청은 행정목적을 달성하기 위하여 필요한 경우에는 법률로 정하는 바에 따라 필요한 최소한의 범위에서 행정대집행, 이행강제금의 부과, 직접강제, 강제징수 및 즉시강제 중 어느 하나에 해당하는 조치를 할 수 있다(동법 제30조 제1항).

㉡ "법률로 정하는 바에 따라 …… 해당하는 조치를 할 수 있다."라고 함으로써 행정상 강제 법정주의를 규정하고 있다.

㉢ "행정목적을 달성하기 위하여 필요한 경우에는 …… 필요한 최소한의 범위에서 …… 해당하는 조치를 할 수 있다."라고 함으로써 비례의 원칙을 규정하고 있다.

② 행정상 강제조치에 관하여 행정기본법에서 정한 사항 외에 필요한 사항은 따로 법률로 정한다(동법 제30조 제2항).

(2) 행정상 강제 적용제외

형사(刑事), 행형(行刑) 및 보안처분 관계법령에 따라 행하는 사항이나 외국인의 출입국 · 난민인정 · 귀화 · 국적회복에 관한 사항에 관하여는 행정기본법 제5절을 적용하지 아니한다(동법 제30조 제3항). **'형사, 행형 및 보안처분 관계법령에 따라 행하는 사항의 경우'는 사법(司法)적인 성격 측면에서, '외국인의 출입국 · 난민인정 · 귀화 · 국적회복에 관한 사항의 경우'는 외국인에 대한 행정작용이라는 측면에서 그 규율대상의 특수성을 고려하여 '제5절 행정상 강제'의 적용대상에서 제외하고 있다.** 01

(3) 행정상 강제는 행정기본법상 처분의 재심사대상에서는 제외된다(동법 제37조 제1항, p.705 참조).

❷ 새로운 수단의 등장

최근에는 이러한 전통적 수단인 행정강제와 행정벌만으로는 행정의 실효성을 확보하는 데 불충분하고 효과적이지 못한 경우가 있으므로 행정의 실효성 확보를 위하여 새로운 수단이 등장하고 있다. 이러한 새로운 의무이행 확보수단의 예로는 과징금, 전기 · 수도 등의 공급거부, 명단공표, 관허사업제한, 가산세 등을 들 수 있는데 이하에서 검토해 본다.

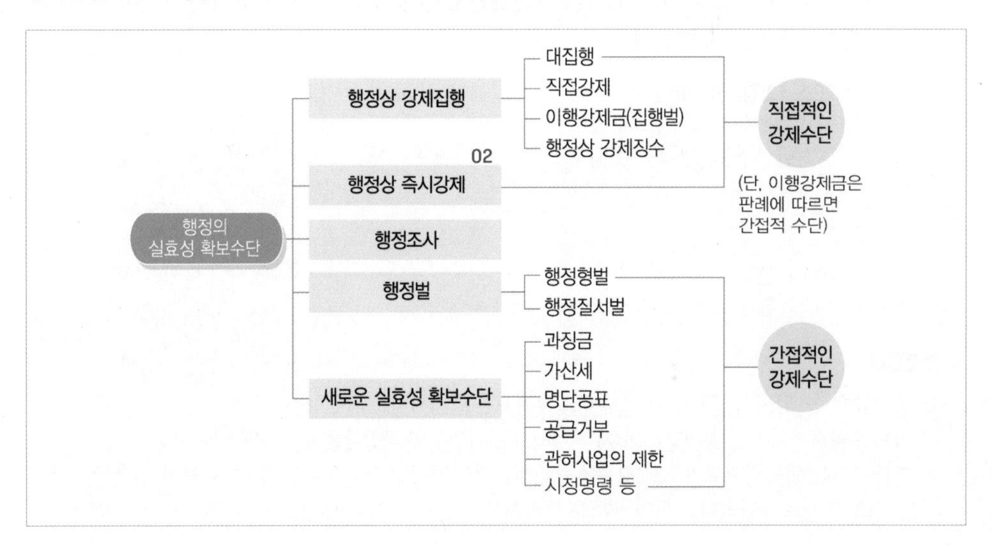

기출 체크

□□□□□ 01 외국인의 출입국에 관한 사항에 관하여는 행정기본법상 행정상 강제에 관한 규정을 적용하지 아니한다. (○, ×) 2024 소방간부

□□□□□ 02 행정상 즉시강제는 직접강제와는 달리 행정상 강제집행에 해당하지 않는다. (○, ×) 2021 국가직 9급

정답 01 ○ 02 ○

제 2 절 새로운 행정의 실효성 확보수단

초대 Topic 29 핵심집약 Topic 44

전통적인 행정의 실효성 확보수단만으로는 양적 · 질적으로 증가하고 있는 현대 행정에 있어서 행정상 의무이행을 확보하는 데에 한계가 있다. 이에 전통적 실효성 확보수단을 보완하기 위해 새로운 수단들이 등장하고 있는데, 과징금, 가산세, 명단의 공표제도, 공급거부, 관허사업의 제한 등이 그것이다. 이러한 수단들은 모두 **간접적인 강제수단**의 성질을 가진다. 이하에서 이러한 수단들에 대해 검토해 본다.

01 | 금전상의 제재 : 과징금, 부과금, 가산세

❶ 과징금

1. 의 의

과징금이란 **행정법상의 의무를 위반한 자**에 대해 가해지는 **금전상의 제재**를 말하는 것으로서 불법적인 경제적 이익을 박탈하기 위한 **본래적 과징금**과, **영업정지 등에 갈음하여** 부과되는 **변형적 과징금**이 있다.**01**

2. 근 거

이러한 과징금은 재산권의 직접적인 침해를 가져오는 것이므로 법치행정의 원리상 **법률의 구체적 근거가 있는 경우에만 부과할 수 있다.** 종래 「**독점규제 및 공정거래에 관한 법률**」, 「석유 및 석유대체연료 사업법」 등 **개별법**에서 과징금에 관한 근거를 두고 있었으나, 최근 제정된 **행정기본법에서 과징금에 관한 일반규정을 마련**함으로써 개별법에 산재한 과징금 부과의 통일적 원칙과 기준을 명확히 제시하고 있다. 이에 따라서 행정청은 법령 등에 따른 의무를 위반한 자에 대하여 법률로 정하는 바에 따라 그 위반행위에 대한 제재로서 과징금을 부과할 수 있다(행정기본법 제28조 제1항). 한편, **행정기본법 제28조 제1항은 과징금 부과의 법적 근거가 될 수 없다.02 과징금을 부과하기 위해서는 개별법률의 근거가 있어야 한다.** 행정기본법 제28조 제1항의 과징금은 본래의 과징금과 영업정지에 갈음하여 부과되는 변형된 과징금을 모두 포함한다.

> **행정기본법 제28조 【과징금의 기준】** ① 행정청은 법령 등에 따른 의무를 위반한 자에 대하여 법률로 정하는 바에 따라 그 위반행위에 대한 제재로서 과징금을 부과할 수 있다.
> ② 과징금의 근거가 되는 법률에는 과징금에 관한 다음 각 호의 사항을 명확하게 규정하여야 한다.**03**
> 1. 부과 · 징수주체
> 2. 부과사유
> 3. 상한액**04**
> 4. 가산금을 징수하려는 경우 그 사항
> 5. 과징금 또는 가산금 체납시 강제징수를 하려는 경우 그 사항

관련판례

1. 과징금은 …… 법이 규정한 범위 내에서 그 부과처분 당시까지 부과관청이 확인한 사실을 기초로 일의적으로 확정되어야 할 것이고, 그렇지 아니하고 부과관청이 과징금을 부과하면서 추후에 부과금 산정기준이 되는 새로운 자료가 나올 경우에는 과징금액이 변경될 수도 있다고 유보한다든지, 실제로 추후에 새로운 자료가 나왔다고 하여 새로운 부과처분을 할 수는 없다(대판 1999. 5. 28, 99두1571).**05** ★

기출 체크

□□□□□ **01** 이행강제금이란 행정법상 의무를 불이행하였거나 위반한 자에 대하여 당해 위반행위로 얻은 경제적 이익을 박탈하기 위하여 부과하거나 또는 사업의 취소 · 정지에 갈음하여 부과되는 금전상의 제재를 말한다. (○, ×) ★★★
2015 지방직 7급

□□□□□ **02** 행정기본법 제28조 제1항에 과징금 부과의 법적 근거를 마련하였으므로 행정청은 직접 이 규정에 근거하여 과징금을 부과할 수 있다. (○, ×)
2022 지방직 · 서울시 7급

□□□□□ **03** 과징금의 근거가 되는 법률에는 과징금에 관한 부과 · 징수주체, 부과사유, 상한액, 가산금을 징수하려는 경우 그 사항, 과징금 또는 가산금 체납시 강제징수를 하려는 경우 그 사항을 명확하게 규정하여야 한다. (○, ×)
2024 국가직 9급

□□□□□ **04** 과징금의 근거가 되는 법률에는 과징금의 상한액을 명확하게 규정하여야 한다. (○, ×)
2022 지방직 · 서울시 7급

□□□□□ **05** 금전상 제재인 과징금은 법령이 규정한 범위 내에서 그 부과처분 당시까지 부과관청이 확인한 사실을 기초로 일의적으로 확정되어야 할 것이지, 추후에 부과금 산정기준이 되는 새로운 자료가 나왔다고 하여 새로운 부과처분을 할 수 있는 것은 아니다. (○, ×) ★
2023 소방간부

정답 01 × 02 × 03 ○ 04 ○ 05 ○

2-1. 관할행정청이 여객자동차운송사업자의 여러 가지 위반행위를 인지한 경우, 인지한 여러 가지 위반행위 중 일부에 대해서만 우선 과징금 부과처분을 하고 나머지에 대해서 차후에 별도의 과징금 부과처분을 하는 것은 다른 특별한 사정이 없는 한 허용되지 않는다.01

2-2. 관할행정청이 여객자동차운송사업자가 범한 여러 가지 위반행위 중 일부만 인지하여 과징금 부과처분을 하였는데 그 후 과징금 부과처분 시점 이전에 이루어진 다른 위반행위를 인지하여 이에 대하여 별도의 과징금 부과처분을 하게 되는 경우에도 종전 과징금 부과처분의 대상이 된 위반행위와 추가 과징금 부과처분의 대상이 된 위반행위에 대하여 일괄하여 하나의 과징금 부과처분을 하는 경우와의 형평을 고려하여 추가 과징금 부과처분의 처분양정이 이루어져야 한다.02

다시 말해, 행정청이 전체 위반행위에 대하여 하나의 과징금 부과처분을 할 경우에 산정되었을 정당한 과징금액에서 이미 부과된 과징금액을 뺀 나머지 금액을 한도로 하여서만 추가 과징금 부과처분을 할 수 있다. 행정청이 여러 가지 위반행위를 언제 인지하였느냐는 우연한 사정에 따라 처분상대방에게 부과되는 과징금의 총액이 달라지는 것은 그 자체로 불합리하기 때문이다(대판 2021. 2. 4, 2020두48390).

3. 종 류

(1) 본래적 과징금(전형적 과징금)

① 개 념

행정법규의 위반 또는 행정법상 의무를 위반한 자에 대하여 당해 위반행위로 얻게 된 경제적 이익을 박탈하기 위해 이득액에 따라 행정기관이 부과하는 행정제재금을 말한다.03 따라서 과징금 액수는 이득액의 규모 등과 상호 균형을 이룰 것이 요구된다는 것이 판례의 입장이다. 한편 과징금은 위반행위로 인한 수익을 정확히 계산할 수 없는 경우에도 인정되고 있다.ⓐ

② 구체적 예

시장지배적 사업자가 그 지위를 남용하여 가격을 부당하게 인상하여 공정거래위원회가 가격인하를 명하였음에도 이러한 명령에 따르지 아니하는 경우에 부과하는 「독점규제 및 공정거래에 관한 법률」 제8조의 과징금을 들 수 있다.

관련판례

1. 구 「독점규제 및 공정거래에 관한 법률」상의 과징금부과는 기본적으로 불법적인 경제적 이익을 박탈하기 위한 것이다(대판 2001. 2. 9, 2000두6206).

2. 구 「독점규제 및 공정거래에 관한 법률」 제24조의2에 의한 부당내부거래에 대한 과징금은 부당내부거래 억지라는 행정목적을 실현하기 위하여 그 위반행위에 대하여 제재를 가하는 행정상의 제재금으로서의 기본적 성격에 부당이득환수적 요소도 부가되어 있는 것이고,04 이를 두고 헌법 제13조 제1항에서 금지하는 국가형벌권 행사로서의 '처벌'에 해당한다고는 할 수 없다(헌재 2003. 7. 24, 2001헌가25).05 06 ★★★

3. 공정거래위원회의 법 위반행위자에 대한 과징금 부과처분의 법적 성질은 재량행위이다(대판 2002. 5. 28, 2000두6121).

(2) 변형된 과징금ⓑ

① 개 념

의무위반행위가 그 사업의 인 · 허가 등의 철회 · 정지사유에 해당하지만 공중의 일상생활에 필요불가결한 사업(예 대중교통 등)인 경우 사업 자체는 존속시키면서도 그 사업활동으로 인한 수익을 박

기출 체크

□□□□□ **01** 관할행정청이 여객자동차운송사업자의 여러 가지 위반행위를 인지하였다면 전부에 대하여 일괄하여 최고한도 내에서 하나의 과징금 부과처분을 하는 것이 원칙이고, 인지한 위반행위 중 일부에 대해서만 우선 과징금 부과처분을 하고 나머지에 대해서는 차후에 별도의 과징금 부과처분을 하는 것은 다른 특별한 사정이 없는 한 허용되지 않는다. (○, ×)
2024 국가직 9급

□□□□□ **02** 관할행정청이 여객자동차운송사업자가 범한 여러 가지 위반행위 중 일부만 인지하여 과징금 부과처분을 하였는데 그 후 과징금 부과처분 시점 이전에 이루어진 다른 위반행위를 인지하여 이에 대하여 별도의 과징금 부과처분을 하게 되는 경우, 종전 과징금 부과처분의 대상이 된 위반행위와 추가 과징금 부과처분의 대상이 된 위반행위에 대하여 일괄하여 하나의 과징금 부과처분을 하는 경우와의 형평을 고려하여 추가 과징금 부과처분의 처분양정이 이루어져야 한다. (○, ×)
2023 국가직 9급

□□□□□ **03** 전형적 과징금은 원칙적으로 행정법상의 의무를 위반한 자에 대하여 당해 위반행위로 얻게 된 경제적 이익을 박탈하기 위한 목적으로 부과하는 금전적인 제재이다. (○, ×) ★★★
2014 국회직 8급

□□□□□ **04** 「독점규제 및 공정거래에 관한 법률」상 부당내부거래에 대한 과징금에는 행정상의 제재금으로서의 기본적 성격에 부당이득환수적 요소도 부가되어 있다. (○, ×) ★★★
2021 지방직 · 서울시 7급

□□□□□ **05** 구 「독점규제 및 공정거래에 관한 법률」 소정의 부당지원행위에 대한 과징금은 부당지원행위의 억지라는 행정목적을 실현하기 위한 행정상 제재금으로서의 성격에 부당이득환수적 요소도 부가되어 있으므로 국가형벌권 행사로서의 처벌에 해당하지 아니한다.
(○, ×) ★★★ 2024 국가직 9급

□□□□□ **06** 구 「독점규제 및 공정거래에 관한 법률」에서 부당지원행위 주체에 대하여 형사처벌과 함께 과징금 부과처분을 할 수 있도록 규정한 것은 헌법상 이중처벌금지원칙에 반하는 것은 아니다.
(○, ×) ★★★ 2023 소방간부

ⓐ 과징금은 불법적인 이익박탈을 목적으로 하는 것이므로 보통 매출액의 몇 % 이하(예 매출액의 3/100 이하)의 범위에서 부과한다. 다만, 매출액을 산정하기 곤란한 경우에는 일정액수 이하(예 10억원을 초과하지 않는 범위)의 범위 안에서 과징금을 부과하기도 한다.

ⓑ **변형된 과징금의 예**
여객자동차운수사업자가 명령이나 처분을 위반하여 행정청이 사업정지처분을 할 사유가 발생한 경우, 그 사업정지처분이 여객자동차운수사업의 이용자에게 심한 불편을 주거나 기타 공익을 해할 우려가 있는 때에는 사업정지처분을 갈음하여 5,000만원 이하의 과징금을 부과하는 「여객자동차 운수사업법」 제88조상의 과징금 등

정답 01 ○ 02 ○ 03 ○ 04 ○ 05 ○ 06 ○

탈하기 위하여 부과하는 행정제재금을 말한다.01 공공성이 강한 사업은 영업의 정지 등의 처분이 있게 되면 일반 대중이 불편을 겪기 때문에 영업정지 등 처분 대신 과징금 부과를 규정하고 있다.02

② 재량행위

영업정지처분에 갈음하는 과징금이 규정되어 있는 경우 과징금을 부과할 것인지, 아니면 영업정지처분을 할 것인지는 **통상 행정청의 재량**에 속한다.03

4. 과징금의 법적 성질

(1) 처분성

과징금부과행위는 침익적 행정행위로서 과징금 부과처분은 **행정소송의 대상이 되는** 처분에 해당한다.04 한편, 헌법재판소는 과징금부과주체를 법원이 아니라 행정청인 공정거래위원회로 규정하고 있는 「독점규제 및 공정거래에 관한 법률」 조항을 합헌으로 결정한 바 있다.

(2) 재량행위 여부

공정거래위원회가 부과하는 부당지원행위에 대한 과징금납부명령 등 과징금부과행위는 일반적으로 재량행위이나, 기속행위인 경우도 있다.

관련판례

「부동산 실권리자명의 등기에 관한 법률」 및 시행령에 따르면 명의신탁자에게 과징금을 부과할 것인지 여부는 **기속행위에 해당한다**(대판 2007. 7. 12, 2005두17287).05

5. 과징금의 납부기한연기 및 분할납부

(1) 최근 제정된 행정기본법에서는 과징금 납부기한연기, 분할납부의 근거 및 사유를 구체적으로 규정하고 있다.

(2) 과징금은 한꺼번에 납부하는 것을 원칙으로 한다. 다만, 행정청은 과징금을 부과받은 자가 다음에 해당하는 사유로 과징금 전액을 한꺼번에 내기 어렵다고 인정될 때에는 그 납부기한을 연기하거나 분할납부하게 할 수 있으며,06❶ 이 경우 필요하다고 인정하면 담보를 제공하게 할 수 있다(행정기본법 제29조).

① 재해 등으로 재산에 현저한 손실을 입은 경우
② 사업 여건의 악화로 사업이 중대한 위기에 처한 경우
③ 과징금을 한꺼번에 내면 자금사정에 현저한 어려움이 예상되는 경우
④ 그 밖에 위 ①~③에 준하는 경우로서 대통령령으로 정하는 사유가 있는 경우

6. 과징금납부의무의 불이행

과징금납부의무를 불이행한 경우에는 국세징수법 또는 지방세체납처분의 예에 의하여 **강제징수**한다. 한편, 이러한 과징금납부의무는 일신전속적 의무가 아니므로 과징금을 부과받은 자가 사망한 경우 상속인에게 승계된다는 것이 판례의 입장이다.

기출 체크

□□□□□ **01** 변형된 과징금은 인·허가사업에 관한 법률상의 의무위반이 있음에도 불구하고 공익상 필요하여 그 인·허가사업을 취소·정지시키지 않고 사업을 계속하되, 이에 갈음하여 사업을 계속함으로써 얻은 이익을 박탈하는 행정제재금이다. (○, ×) ★★ 2014 국회직 8급

□□□□□ **02** (과징금은) 초기에는 의무위반으로 취득한 경제적 이익을 박탈하기 위한 행정상 제재수단으로 도입되었으나 최근에는 영업정지에 갈음하여 부과되는 형태로 많이 활용되고 있다. (○, ×) 2023 소방간부

□□□□□ **03** 영업정지처분에 갈음하는 과징금이 규정되어 있는 경우 과징금을 부과할 것인지 영업정지처분을 내릴 것인지는 통상 행정청의 재량에 속한다. (○, ×) 2022 지방직·서울시 7급

□□□□□ **04** (여객자동차운송사업을 하는 甲이 관련법규 위반을 이유로 사업정지처분에 갈음하는 과징금 부과처분을 받은 경우) 과징금 부과처분에 대해 甲은 취소소송을 제기하여 다툴 수 있다. (○, ×) ★★★ 2022 지방직·서울시 9급

□□□□□ **05** 「부동산 실권리자명의 등기에 관한 법률」상 실권리자명의 등기의무를 위반한 명의신탁자에 대한 과징금의 부과처분은 재량행위에 해당하므로 조세를 포탈하거나 법령에 의한 제한을 회피할 목적이 아닌 경우에는 이를 부과하지 않거나 전액 감면할 수 있다. (○, ×) 2023 소방간부

□□□□□ **06** 과징금은 한꺼번에 납부하는 것이 원칙이나 행정청은 과징금을 부과받은 자가 재해 등으로 재산에 현저한 손실을 입어 전액을 한꺼번에 내기 어렵다고 인정될 때에는 그 납부기한을 연기하거나 분할납부하게 할 수 있다. (○, ×) 2023 소방간부

❶ 행정기본법 시행령 제7조【과징금의 납부기한 연기 및 분할납부】① 과징금 납부의무자는 법 제29조 각 호 외의 부분 단서에 따라 과징금 납부기한을 연기하거나 과징금을 분할납부하려는 경우에는 납부기한 10일 전까지 과징금 납부기한의 연기나 과징금의 분할납부를 신청하는 문서에 같은 조 각 호의 사유를 증명하는 서류를 첨부하여 행정청에 신청해야 한다.

정답 01 ○ 02 ○ 03 ○ 04 ○ 05 × 06 ○

관련판례

「부동산 실권리자명의 등기에 관한 법률」 제5조에 의하여 부과된 과징금채무는 대체적 급부가 가능한 의무이므로 위 과징금을 부과받은 자가 사망한 경우 그 상속인에게 포괄승계된다(대판 1999. 5. 14, 99두35).01 ★★

7. 한도액을 초과한 과징금 부과의 경우

재량행위인 과징금 부과처분이 법이 정한 한도액을 초과하여 위법한 경우 법원은 초과한 부분에 대해서만 취소할 수 있는지, 아니면 전부를 취소할 수밖에 없는지가 문제된다. 이에 대해 법원은 재량행위인 과징금의 경우 초과한 과징금 부분만 취소할 수는 없고 그 전부를 취소할 수밖에 없다고 한다(p.893 참조).02

8. 행정형벌과 과징금의 병과문제

과징금은 범죄에 대한 국가의 형벌권 실행으로서의 처벌이 아니므로, 행정법규위반에 대해 행정형벌을 부과하고 별도로 과징금을 부과하는 것은 이중처벌금지에 위반되지 않는다.03 다만, 현행 법령 중에는 동일한 행위에 대해 과징금과 별도로 과태료를 부과할 수 없도록 하는 규정을 둔 경우도 존재한다.

관련판례

1. 과징금은 부당내부거래 억지라는 행정목적을 실현하기 위하여 그 위반행위에 대하여 가하는 행정상 제재금의 기본적 성격에 부당이득환수적 요소가 부가된 것으로 이를 두고 국가형벌권행사로서의 처벌에 해당한다고 할 수는 없다.★★★
2. 과징금과 형사처벌을 병과하더라도 이중처벌금지원칙에 위반된다고 볼 수 없다(헌재 2003. 7. 24, 2001헌가25).04 ★★★

❷ 가산세

국세기본법 제2조【정의】 이 법에서 사용하는 용어의 뜻은 다음과 같다.
4. '가산세'(加算稅)란 이 법 및 세법에서 규정하는 의무의 성실한 이행을 확보하기 위하여 세법에 따라 산출한 세액에 가산하여 징수하는 금액을 말한다.

1. 의 의

가산세란 국세기본법 및 세법에서 규정하는 신고 등 의무의 성실한 이행을 확보하기 위하여 그 세법에 따라 산출된 세액에 가산하여 징수하는 금액으로서 본래의 조세채무와는 별개로 부과되는 세금을 말한다. 가산세는 처벌이 아니라는 점에서 행정벌, 형사벌과 병과될 수 있다.ⓐ

2. 구체적 예

현행 소득세법상으로 납세자가 정당한 사유 없이 세법상 규정된 법정신고기간 내에 신고하지 아니하였거나 과소신고를 한 경우 일정비율의 가산세를 부과하도록 하고 있는 것을 들 수 있다.

3. 고의 · 과실 필요 여부

(1) 고의 · 과실 불문

가산세를 부과함에 있어서 납세자의 의무불이행에 대한 고의 · 과실은 고려되지 않으나(고의 · 과실이 없

기출 체크

□□□□□ 01 「부동산 실권리자명의 등기에 관한 법률」 제5조에 의하여 부과된 과징금채무는 대체적 급부가 가능한 의무이므로 과징금을 부과받은 자가 사망한 경우 그 상속인에게 포괄승계된다. (○, ×) ★★ 2023 국가직 7급

□□□□□ 02 대법원 판례는 재량행위인 과징금 부과처분이 법이 정한 한도액을 초과하여 위법할 경우 법원은 그 초과된 부분을 취소할 수 있다고 보았다. (○, ×) ★★★ 2012 국가직 7급

□□□□□ 03 행정법규위반에 대하여 벌금 이외에 과징금을 함께 부과하는 것은 이중처벌금지원칙에 위반된다. (○, ×) ★★★ 2018 교육행정직 9급

□□□□□ 04 과징금은 행정상 제재금이고 범죄에 대한 국가형벌권의 실행이 아니므로 행정법규위반에 대해 벌금 이외에 과징금을 부과하는 것은 이중처벌금지의 원칙에 위반되지 않는다. (○, ×) ★★★ 2022 국가직 9급

ⓐ 성 질

행정벌과 가산세는 병과 가능하고, 형사벌과 가산세도 병과 가능하다.

1. 행정벌과 가산세의 구별
   가산세는 행정법상 의무위반의 경우에 가해지는 불이익처분이라는 점에서 행정벌과 공통되나, 성질상 처벌이 아니고 행정법상 납세의무의 성실한 이행을 담보한다는 점에서 과거의 의무위반을 벌하는 행정벌과는 다르다.
2. 형사벌과 가산세의 구별
   가산세는 행정법상 의무위반에 대해 부과된다는 점에서 형사상 의무위반에 대해 부과되는 형사벌과 다르므로 양자는 병과될 수 있다.

정답 01 ○ 02 × 03 × 04 ○

더라도 부과할 수 있다는 의미이다), 다만 의무불이행에 정당한 사유가 있는 경우에는 가산세를 부과할 수 없다는 것이 판례의 입장이다.

관련판례

1-1. 가산세를 부과함에 있어 고의 · 과실은 고려되지 않는다.01 ★★★

1-2. 단, 납세의무자의 의무해태를 탓할 수 없는 정당한 사유가 있는 경우에는 가산세를 부과할 수 없다.02 ★★★
세법상 가산세는 과세권의 행사 및 조세채권의 실현을 용이하게 하기 위하여 납세자가 정당한 이유 없이 법에 규정된 신고, 납세 등 각종 의무를 위반한 경우에 개별 세법이 정하는 바에 따라 부과되는 행정상의 제재로서 납세자의 고의 · 과실은 고려되지 않는 것이고, 다만 납세의무자가 그 의무를 알지 못한 것이 무리가 아니었다거나 그 의무의 이행을 당사자에게 기대하는 것이 무리라고 하는 사정이 있을 때 등 그 의무해태를 탓할 수 없는 정당한 사유가 있는 경우에는 이를 부과할 수 없다(대판 2003. 9. 5, 2001두403).

2. 구 법인세법 제76조 제9항은 납세자의 고의 · 과실을 묻지 아니하나, 가산세는 형벌이 아니므로 행위자의 고의 또는 과실 · 책임능력 · 책임조건 등을 고려하지 아니하고 가산세 과세요건의 충족 여부만을 확인하여 조세의 부과절차에 따라 과징할 수 있다(헌재 2006. 7. 27, 2004헌가13).★★

(2) 정당한 사유와 관련하여 논의되는 경우

납세의무자가 세무공무원의 잘못된 설명을 믿고 신고납부의무를 불이행하였다 하더라도 그것이 관계법령에 어긋나는 것이 명백한 경우에는 그것만으로는 정당한 사유에 해당할 수 없다는 것이 판례의 입장이다. 또한 법령의 부지(법을 알지 못한 것)도 정당한 사유에 해당한다고 볼 수 없다는 것이 판례의 입장이다.

관련판례

1-1. 세법상 가산세는 과세권의 행사 및 조세채권의 실현을 용이하게 하기 위하여 납세자가 정당한 이유 없이 법에 규정된 신고납세의무 등을 위반한 경우에 법이 정하는 바에 의하여 부과하는 행정상의 제재로서 납세자의 고의 · 과실은 고려되지 아니하는 것이고, 법령의 부지 또는 오인은 그 정당한 사유에 해당한다고 볼 수 없다.03 ★★★

1-2. 또한 납세의무자가 세무공무원의 잘못된 설명을 믿고 신고납부의무를 불이행하였다 하더라도 그것이 관계법령에 어긋나는 것임이 명백한 경우 '정당한 사유'가 있다고 할 수 없다(대판 2002. 4. 12, 2000두5944).04 ★★★

2. 법령의 부지는 정당한 사유에 해당한다고 볼 수 없다(대판 1999. 12. 28, 98두3532).★★★

4. 근거, 부과 및 한계

가산세는 불이익한 작용이므로 원칙적으로 법적 근거가 요구된다. 가산세는 국세기본법, 소득세법이 정한 바에 따라 징수한다. 한편, 가산세의 부과 역시 비례원칙을 준수하여야 한다는 것이 판례의 입장이다.

관련판례

가산세는 세법에서 규정하는 의무의 성실한 이행을 확보하기 위하여 세법에 따라 산출한 본세액에 가산하여 징수하는 독립된 조세로서, 본세에 감면사유가 인정된다고 하여 가산세도 감면대상에 포함되는 것이 아니고,05 반면에 그 의무를 이행하지 아니한 데 대한 정당한 사유가 있는 경우에는 본세 납세의무가 있더라도 가산세는 부과하지 않는다(대판 2018. 11. 29, 2015두56120).

기출 체크

□□□□□ **01** 가산세는 납세자가 정당한 이유 없이 법에 규정된 신고, 납세 등 각종 의무를 위반한 경우에 개별 세법이 정하는 바에 따라 부과되는 행정상의 제재로서 납세자의 고의 · 과실 또한 중요한 고려요소가 된다. (○, ×) ★★★
2023 국가직 7급

□□□□□ **02** 세법상 가산세는 행정상 제재로서 납세자의 고의 · 과실은 고려되지 않으므로 설령 납세자에게 그 의무해태를 탓할 수 없는 정당한 사유가 있는 경우라도 이를 부과할 수 있다. (○, ×) ★★★
2022 소방간부

□□□□□ **03** 세법상 가산세는 과세권 행사 및 조세채권 실현을 용이하게 하기 위하여 납세자가 정당한 이유 없이 법에 규정된 신고, 납세 등의 의무를 위반한 경우에 개별 세법에 따라 부과하는 행정상 제재로서, 납세자의 고의 · 과실은 고려되지 아니하고 법령의 부지 · 착오 등은 그 의무위반을 탓할 수 없는 정당한 사유에 해당하지 아니한다. (○, ×) ★★★
2019 국가직 9급

□□□□□ **04** 납세의무자가 세무공무원의 잘못된 설명을 믿고 신고납부의무를 이행하지 아니하였다 하더라도 그것이 관계법령에 어긋나는 것임이 명백한 때에는 그러한 사유만으로는 가산세를 부과할 수 없는 정당한 사유가 있는 경우에 해당한다고 할 수 없다. (○, ×) ★★★
2018 지방직 7급

□□□□□ **05** 가산세는 세법에서 규정하는 의무의 성실한 이행을 확보하기 위하여 세법에 따라 산출한 본세액에 가산하여 징수하는 조세로서, 본세에 감면사유가 인정된다면 가산세도 감면대상에 포함된다. (○, ×)
2023 국가직 7급

정답 01 × 02 × 03 ○ 04 ○ 05 ×

02 | 그 밖의 수단 : 제재처분, 명단공표, 공급거부, 관허사업제한, 시정명령 등

❶ 제재처분

1. 의 의

'제재처분'이란 법령 등에 따른 의무를 위반하거나 이행하지 아니하였음을 이유로 당사자에게 의무를 부과하거나 권익을 제한하는 처분을 말한다. 다만, 행정기본법 제30조 제1항 각 호에 따른 행정상 강제(행정대집행, 이행강제금, 직접강제, 강제징수, 즉시강제)는 제외한다(행정기본법 제2조 제5호).

2. 취 지

제재처분은 행정법상 의무위반자에 대하여 인 · 허가 등을 거부 · 정지 · 철회 또는 이에 갈음하는 과징금 부과 등을 통해 위반자에게 불이익을 가함으로써 행정법상의 의무이행을 간접적으로 확보하는 실효성 확보수단이다.

3. 특 징

(1) 이러한 제재조치는 현실적 행위자가 아니라도 법령상 책임자로 규정된 자에게 행정법규위반에 대한 제재조치를 부과할 수 있다. 그리고 법위반자에게 고의나 과실이 없어도 원칙적으로 제재조치를 부과할 수 있으나, 다만 위반자의 의무해태를 탓할 수 없는 정당한 사유가 있는 경우라면 제재조치를 할 수는 없다는 것이 판례의 입장이다(대판 2021. 2. 25, 2020두51587 등).

관련판례

1. **행정법규위반에 대한 제재처분은 행정목적의 달성을 위하여 행정법규위반이라는 객관적 사실에 착안하여 가하는 제재이므로, 반드시 현실적인 행위자가 아니라도 법령상 책임자로 규정된 자에게 부과되고, 01 특별한 사정이 없는 한 위반자에게 고의나 과실이 없더라도 부과할 수 있다. 02 03 ★★★**

   폐기물처리업자가 폐기물관리법령이 정한 재활용기준을 위반하였더라도 자신이 생산한 부숙토를 제3자에게 제공하면서 그가 그 부숙토를 폐기물관리법령이 허용하지 않는 방식으로 사용하리라는 점을 예견하거나 결과 발생을 회피하기 어렵다고 인정할 만한 특별한 사정이 있어 폐기물처리업자의 의무위반을 탓할 수 없는 정당한 사유가 있는 경우에는 폐기물처리업자에 대하여 제재처분을 할 수 없다고 보아야 한다. 여기에서 '의무위반을 탓할 수 없는 정당한 사유'가 있는지를 판단할 때에는 폐기물처리업자 본인이나 그 대표자의 주관적인 인식을 기준으로 하는 것이 아니라, 그의 가족, 대리인, 피용인 등과 같이 본인에게 책임을 객관적으로 귀속시킬 수 있는 관계자 모두를 기준으로 판단하여야 한다(대판 2020. 5. 14, 2019두63515 ; 대판 2021. 2. 25, 2020두51587).

2. **과징금은 현실적인 행위자가 아닌 법령상 책임자에게 부과할 수 있으며 다만, 위반자의 의무해태를 탓할 수 없는 정당한 사유가 있는 경우에는 과징금을 부과할 수 없다.**

   과징금 부과처분은 제재적 행정처분으로서 여객자동차 운수사업에 관한 질서를 확립하고 여객의 원활한 운송과 여객자동차 운수사업의 종합적인 발달을 도모하여 공공복리를 증진한다는 행정목적의 달성을 위하여 행정법규위반이라는 객관적 사실에 착안하여 가하는 제재이므로 **04** 반드시 현실적인 행위자가 아니라도 법령상 책임자로 규정된 자에게 부과되고 원칙적으로 위반자의 고의 · 과실을 요하지 아니하나, **05** 위반자의 의무해태를 탓할 수 없는 정당한 사유가 있는 등의 특별한 사정이 있는 경우에는 이를 부과할 수 없다(대판 2014. 10. 15, 2013두5005). **06** ★★★

(2) 한편, 반복하여 같은 법규위반행위를 한 경우에는 가중된 제재처분을 하도록 규정하고 있는 경우가 많다(예 식품위생법 시행규칙 제89조 [별표 23]).

기출 체크

□□□□□ **01** (여객자동차운송사업을 하는 甲이 관련법규 위반을 이유로 사업정지처분에 갈음하는 과징금 부과처분을 받은 경우) 甲이 현실적인 위반행위자가 아닌 법령상 책임자인 경우에도 甲에게 과징금을 부과할 수 있다. (○, ×) ★★★ 2022 지방직 · 서울시 9급

□□□□□ **02** 행정법규위반에 대하여 가하는 제재조치는 원칙적으로 위반자에게 고의나 과실이 있어야 부과될 수 있다. (○, ×) ★★★ 2024 소방직 9급

□□□□□ **03** 행정법규위반에 대한 영업정지처분은 행정목적의 달성을 위하여 행정법규위반이라는 객관적 사실에 착안하여 가하는 제재이므로, 반드시 현실적인 행위자가 아니라도 법령상 책임자로 규정된 자에게 부과되고, 특별한 사정이 없는 한 위반자에게 고의나 과실이 없더라도 부과할 수 있다. (○, ×) ★★★ 2022 국가직 7급

□□□□□ **04** (「여객자동차 운수사업법」 제88조의 과징금 부과처분과 관련하여) 과징금은 행정목적 달성을 위하여, 행정법규 위반이라는 객관적 사실에 착안하여 부과된다. (○, ×) ★★★ 2019 서울시 9급

□□□□□ **05** (여객자동차운송사업을 하는 甲이 관련법규 위반을 이유로 사업정지처분에 갈음하는 과징금 부과처분을 받은 경우) 甲에게 고의 · 과실이 없는 경우에는 과징금을 부과할 수 없다. (○, ×) ★★★ 2022 지방직 · 서울시 9급

□□□□□ **06** 과징금 부과처분은 원칙적으로 위반자의 고의 · 과실을 요하지 아니하나, 위반자의 의무해태를 탓할 수 없는 정당한 사유가 있는 등의 특별한 사정이 있는 경우에는 이를 부과할 수 없다. (○, ×) ★★★ 2022 지방직 · 서울시 7급

정답 01 ○ 02 × 03 ○ 04 ○ 05 × 06 ○

기출 체크

□□□□□ 01 행정청은 법령 등의 위반행위가 종료된 날부터 3년이 지나면 해당 위반행위에 대하여 제재처분(인·허가의 정지·취소·철회, 등록말소, 영업소 폐쇄와 정지를 갈음하는 과징금 부과를 말한다)을 할 수 없다. (○, ×)

2024 소방직 9급

□□□□□ 02 행정기본법상 제재처분의 제척기간인 5년이 지나면 제재처분을 할 수 없는 경우는? 2023 국가직 9급

① 제재처분을 하지 아니하면 국민의 안전·생명 또는 환경을 심각하게 해치거나 해칠 우려가 있는 경우
② 거짓이나 그 밖의 부정한 방법으로 인·허가를 받거나 신고를 한 경우
③ 정당한 사유 없이 행정청의 조사·출입·검사를 기피·방해·거부하여 제척기간이 지난 경우
④ 당사자가 인·허가나 신고의 위법성을 경과실로 알지 못한 경우

정답 01 × 02 ④

관련판례

1. 구 「화물자동차 운수사업법 시행령」 제5조 제1항 [별표 1]의 '위반행위의 횟수에 따른 가중처분기준'이 적용되려면 실제 선행 위반행위가 있고 그에 대하여 유효한 제재처분이 이루어졌음에도 그 제재처분일로부터 1년 이내에 다시 같은 내용의 위반행위가 적발된 경우이면 족하다고 보아야 한다. 선행 위반행위에 대한 선행 제재처분이 반드시 구 시행령 [별표 1] 제재처분기준 제2호에 명시된 처분내용대로 이루어진 경우이어야 할 필요는 없으며, 선행 제재처분에 처분의 종류를 잘못 선택하거나 처분양정(量定)에서 재량권을 일탈·남용한 하자가 있었던 경우라고 해서 달리 볼 것은 아니다.
2. 입법자는 대통령령에 단순히 '과징금의 산정기준'을 구체화하는 임무만을 위임한 것이 아니라, 사업정지처분을 갈음하여 과징금을 부과할 수 있는 '위반행위의 종류'를 구체화하는 임무까지 위임한 것이라고 보아야 한다. 따라서 구 「화물자동차 운수사업법 시행령」 제7조 제1항 [별표 2] '과징금을 부과하는 위반행위의 종류와 과징금의 금액'에 열거되지 않은 위반행위의 종류에 대해서 사업정지처분을 갈음하여 과징금을 부과하는 것은 허용되지 않는다고 보아야 한다(대판 2020. 5. 28, 2017두73693)..

4. 법적 근거

제재처분은 침익적 처분으로 법률유보원칙상 명문의 근거가 있어야 하는바, 제재처분의 근거가 되는 법률에는 제재처분의 주체, 사유, 유형 및 상한을 명확하게 규정하여야 한다. 이 경우 제재처분의 유형 및 상한을 정할 때에는 해당 위반행위의 특수성 및 유사한 위반행위와의 형평성 등을 종합적으로 고려하여야 한다(행정기본법 제22조 제1항).

5. 제재처분의 기준

행정청은 재량이 있는 제재처분을 할 때에는 다음의 사항을 고려하여야 한다(동법 제22조 제2항).

① 위반행위의 동기, 목적 및 방법
② 위반행위의 결과
③ 위반행위의 횟수
④ 그 밖에 위 ①부터 ③까지에 준하는 사항으로서 대통령령으로 정하는 사항

6. 제재처분의 제척기간

(1) 행정청은 법령 등의 위반행위가 종료된 날부터 5년이 지나면 해당 위반행위에 대하여 제재처분(인·허가의 정지·취소·철회, 등록말소, 영업소 폐쇄와 정지를 갈음하는 과징금 부과를 말한다)을 할 수 없다(동법 제23조 제1항).01

관련판례

법령위반으로 위법상태가 계속되는 경우 시정명령 및 과징금 부과처분의 제척기간 기산점이 되는 위반행위 종료일은 위법상태가 종료된 때이다(대판 2022. 3. 17, 2019두35978).

(2) 다음에 해당하는 경우에는 위 (1)을 적용하지 아니한다(동법 제23조 제2항).02

① 거짓이나 그 밖의 부정한 방법으로 인·허가를 받거나 신고를 한 경우
② 당사자가 인·허가나 신고의 위법성을 알고 있었거나 중대한 과실로 알지 못한 경우
③ 정당한 사유 없이 행정청의 조사·출입·검사를 기피·방해·거부하여 제척기간이 지난 경우
④ 제재처분을 하지 아니하면 국민의 안전·생명 또는 환경을 심각하게 해치거나 해칠 우려가 있는 경우

(3) 행정청은 위 (1)에도 불구하고 행정심판의 재결이나 법원의 판결에 따라 제재처분이 취소·철회된 경우에는 재결이나 판결이 확정된 날부터 1년(합의제 행정기관은 2년)이 지나기 전까지는 그 취지에 따른 새로운 제재처분을 할 수 있다(동법 제23조 제3항).

(4) 다른 법률에서 위 (1) 및 (3)의 기간보다 짧거나 긴 기간을 규정하고 있으면 그 법률에서 정하는 바에 따른다(동법 제23조 제4항).

7. 제재처분을 변경하는 처분

동일한 사유로 다시 제재적 행정처분을 하는 것은 위법한 이중처분에 해당한다. 그러나 제재처분을 변경하는 처분은 이중처분이 아니며 특별한 사정이 없는 한 제재처분의 효력이 유지되는 동안에는 가능하다.

관련판례

1. 효력기간이 정해져 있는 제재적 행정처분의 효력이 발생한 이후에도 행정청은 특별한 사정이 없는 한 상대방에 대한 별도의 처분으로써 효력기간의 시기와 종기를 다시 정할 수 있다.
2. 이는 당초의 제재적 행정처분이 유효함을 전제로 그 구체적인 집행시기만을 변경하는 후속 변경처분이다.
3. 이러한 후속 변경처분도 특별한 규정이 없는 한 의사표시에 관한 일반법리에 따라 상대방에게 고지되어야 효력이 발생한다.
4. 다만 이러한 후속 변경처분권한은 특별한 사정이 없는 한 당초의 제재적 행정처분의 효력이 유지되는 동안에만 인정된다.
5. 당초의 제재적 행정처분에서 정한 효력기간이 경과하면 그로써 처분의 집행은 종료되어 처분의 효력이 소멸하는 것이므로, 그 후 동일한 사유로 다시 제재적 행정처분을 하는 것은 위법한 이중처분에 해당한다.
6. 행정심판위원회가 행정심판청구사건의 재결이 있을 때까지 처분의 집행을 정지한다고 결정한 경우에는, 재결서정본이 청구인에게 송달된 때 재결의 효력이 발생하므로 그때 집행정지결정의 효력이 소멸함과 동시에 처분의 효력이 부활한다(대판 2022. 2. 11, 2021두40720).

8. 권리구제

제재처분에 대하여는 행정기본법에 따라 이의신청을 할 수 있고, 행정심판법과 행정소송법에 따라 행정심판과 행정소송을 제기할 수 있다. 다만, 행정기본법상 처분의 재심사대상은 되지 아니한다(동법 제37조). 한편, 국가배상법이 정하는 바에 따라 손해배상을 청구할 수도 있다.

❷ 명단공표(위반사실 등의 공표)

1. 의 의

공표란 행정법상의 의무위반 또는 의무불이행이 있는 경우에, 그 의무위반자 또는 불이행자의 성명, 위반사실 등을 일반에게 공개하여 **명예 또는 신용의 침해를 위협함으로써 심리적 압박을 가하여** 행정법상의 의무이행을 간접적으로 **확보하는 강제수단**을 말한다.**01 02**

2. 법적 성질

(1) 학 설

① 공표의 성질이 권력적 사실행위인지 비권력적 사실행위인지에 대해서는 견해가 대립한다.

② 다만, 공표의 내용이 공권력행사의 실질을 가지고 있는 경우에는 항고소송의 대상이 되는 처분의 성격을 가질 수 있다.

기출 체크

□□□□□ **01** 명단의 공표란 행정법상의 의무위반 또는 불이행이 있는 경우 그 위반자의 성명, 위반사실 등을 일반에게 공개하여 명예 또는 신용에 침해를 가함으로써 심리적인 압박을 가하여 행정법상 의무이행을 확보하는 수단을 말한다. (○, ×) ★ 2014 경행특채 1차

□□□□□ **02** 행정상 공표는 의무위반자의 명예나 신용의 침해를 위협함으로써 직접적으로 행정법상 의무이행을 확보하는 수단이다. (○, ×) ★ 2010 지방직 9급

정답 01 ○ 02 ×

(2) 판 례

관련판례

병무청장이 병역법 제81조의2 제1항에 따라 병역의무 기피자의 인적사항 등을 인터넷 홈페이지에 게시하는 등의 방법으로 공개한 경우 병무청장의 공개결정을 항고소송의 대상이 되는 행정처분으로 보아야 한다.01

그 구체적인 이유는 다음과 같다.

(1) 병무청장이 하는 병역의무 기피자의 인적사항 등 공개는, 특정인을 병역의무 기피자로 판단하여 그 사실을 일반 대중에게 공표함으로써 그의 명예를 훼손하고 그에게 수치심을 느끼게 하여 병역의무 이행을 간접적으로 강제하려는 조치로서 병역법에 근거하여 이루어지는 공권력의 행사에 해당한다.**02**

(2) 관할 지방병무청장의 공개대상자 결정의 경우 상대방에게 통보하는 등 외부에 표시하는 절차가 관계 법령에 규정되어 있지 않아, 행정실무상으로도 상대방에게 통보되지 않는 경우가 많다. 또한 관할 지방병무청장이 위원회의 심의를 거쳐 공개대상자를 1차로 결정하기는 하지만, 병무청장에게 최종적으로 공개 여부를 결정할 권한이 있으므로, 관할 지방병무청장의 공개대상자 결정은 병무청장의 최종적인 결정에 앞서 이루어지는 행정기관 내부의 중간적 결정에 불과하다. 가까운 시일 내에 최종적인 결정과 외부적인 표시가 예정되어 있는 상황에서, 외부에 표시되지 않은 행정기관 내부의 결정을 항고소송의 대상인 처분으로 보아야 할 필요성은 크지 않다. 관할 지방병무청장이 1차로 공개대상자 결정을 하고, 그에 따라 병무청장이 같은 내용으로 최종적 공개결정을 하였다면, 공개대상자는 병무청장의 최종적 공개결정만을 다투는 것으로 충분하고, 관할 지방병무청장의 공개대상자 결정을 별도로 다툴 소의 이익은 없어진다(대판 2019. 6. 27, 2018두49130).**03**

3. 법적 근거

(1) 법적 근거의 필요성 여부

공표는 비권력적 사실행위이므로 법적 근거를 요하지 아니한다고 볼 수 있다. 그러나 다수설은 일정한 경우 공표에 의해 상대방에게 인격권 · 프라이버시권 등의 침해를 가져올 우려가 있으므로 원칙적으로 법적 근거가 필요하다고 본다.**04**

(2) 실정법의 태도

① 종래 명단공표에 관하여 명시적으로 규정하는 일반법이 없었으나 최근 **행정절차법**의 개정으로 **명단공표에 대한 일반법상 법적 근거가 마련되었다**(동법 제40조의3).❶

② 개별법상으로는 「독점규제 및 공정거래에 관한 법률」 제49조, 식품위생법 제84조, 공직자윤리법 제8조의2, 국세징수법 제114조, 「아동 · 청소년의 성보호에 관한 법률」 제49조, 「공공재정 부정청구 금지 및 부정이익 환수 등에 관한 법률」 제16조 등을 들 수 있다.

③ 예컨대, 허위로 재산을 등록한 공직자에 대해 공표하는 경우(공직자윤리법 제8조의2), 청소년의 성을 매수한 자에 대한 일정사실을 공개하는 경우(「아동 · 청소년의 성보호에 관한 법률」 제49조), **고액 · 상습체납자**(체납발생일로부터 1년이 지난 국세가 2억원 이상인 체납자)**의 명단을 공개하도록 한 경우**(국세징수법 제114조) 등이 그것이다.**05**ⓐ

④ 한편, 헌법재판소는 구 「청소년의 성보호에 관한 법률」상의 명단공개제도에 관해 합헌결정을 내린 바 있다.

관련판례

청소년 성매수자에 대한 신상공개를 규정한 구 「청소년의 성보호에 관한 법률」 제20조 제2항 제1호는 이중처벌금지원칙, 과잉금지원칙, 평등원칙, 적법절차원칙에 위반되지 않는다(헌재 2003. 6. 26, 2002헌가14).**06**

기출 체크

□□□□□ **01** 병무청장이 구 병역법에 따라 병역의무 기피자의 인적사항 등을 인터넷 홈페이지에 게시하는 등의 방법으로 공개한 경우 병무청장의 공개결정은 항고소송의 대상이 되는 행정처분이 아니다. (○, ×) 2023 국가직 7급

□□□□□ **02** 병무청장이 하는 병역의무 기피자의 인적사항 공개는 특정인을 병역의무 기피자로 판단하여 그 사실을 일반 대중에게 공표함으로써 그의 명예를 훼손하고 그에게 수치심을 느끼게 하여 병역의무 이행을 간접적으로 강제하려는 조치로서 공권력의 행사에 해당한다. (○, ×) 2022 국회직 8급

□□□□□ **03** 병역법에 따라 관할 지방병무청장이 1차로 병역의무 기피자 인적사항 공개대상자 결정을 하고 그에 따라 병무청장이 같은 내용으로 최종적 공개결정을 하였더라도, 해당 공개대상자는 관할 지방병무청장의 공개대상자 결정을 다툴 수 있다. (○, ×) 2022 국가직 7급

□□□□□ **04** 행정법상 의무위반자에 대한 명단의 공표는 법적인 근거가 없더라도 허용된다. (○, ×) ★★ 2015 사회복지직 9급

□□□□□ **05** 국세징수법은 고액조세체납자의 명단공표에 관하여 규정하고 있다. (○, ×) 2003 국가직 7급

□□□□□ **06** 헌법재판소는 청소년 성매수자의 신상공개제도가 이중처벌금지원칙, 과잉금지원칙, 평등원칙, 적법절차원칙 등에 위반되지 않는다는 입장이다. (○, ×) 2010 지방직 9급

❶ 행정절차법 제40조의3【위반사실 등의 공표】① 행정청은 법령에 따른 의무를 위반한 자의 성명 · 법인명, 위반사실, 의무위반을 이유로 한 처분사실 등(이하 '위반사실 등'이라 한다)을 법률로 정하는 바에 따라 일반에게 공표할 수 있다.

ⓐ 고액 · 상습체납자 등에 대한 명단공개는 종래 국세기본법 제85조의5에서 규정하고 있었으나 2021년 1월 1일부터 시행되는 개정법에 따르면 현재는 국세징수법 제114조에서 규정하고 있다.

정답 01 × 02 ○ 03 × 04 × 05 ○(종전 ×) 06 ○

4. 행정절차법상 공표의 절차

(1) 증거와 근거 등의 확인

행정청은 위반사실 등의 공표를 하기 전에 사실과 다른 공표로 인하여 당사자의 명예 · 신용 등이 훼손되지 아니하도록 객관적이고 타당한 증거와 근거가 있는지를 확인하여야 한다(동법 제40조의3 제2항).

(2) 사전통지와 의견진술

① **행정청은 위반사실 등의 공표를 할 때에는** 미리 당사자에게 그 사실을 통지하고 **의견제출의 기회를 주어야 한다.** 다만, 다음에 해당하는 경우에는 그러하지 아니하다(동법 제40조의3 제3항).

> ㉠ 공공의 안전 또는 복리를 위하여 긴급히 공표를 할 필요가 있는 경우
> ㉡ 해당 공표의 성질상 의견청취가 현저히 곤란하거나 명백히 불필요하다고 인정될 만한 타당한 이유가 있는 경우
> ㉢ 당사자가 의견진술의 기회를 포기한다는 뜻을 명백히 밝힌 경우 **01**

② 위 ①에 따라 의견제출의 기회를 받은 당사자는 공표 전에 관할행정청에 **서면이나 말 또는 정보통신망을 이용하여 의견을 제출할 수 있다**(동법 제40조의3 제4항). **02 03**

㉠ 의견제출의 방법

ⓐ 당사자 등은 의견제출을 하는 경우 그 주장을 입증하기 위한 증거자료 등을 첨부할 수 있다.

ⓑ 행정청은 당사자 등이 말로 의견제출을 하였을 때에는 서면으로 그 진술의 요지와 진술자를 기록하여야 한다.

ⓒ 당사자 등이 정당한 이유 없이 의견제출기한까지 의견제출을 하지 아니한 경우에는 의견이 없는 것으로 본다.

㉡ 제출의견의 반영 등

ⓐ **행정청은 위반사실 등의 공표를 할 때에 당사자 등이 제출한 의견이 상당한 이유가 있다고 인정하는 경우에는 이를 반영하여야 한다.**

ⓑ 행정청은 당사자 등이 제출한 의견을 반영하지 아니하고 위반사실 등의 공표를 한 경우 당사자 등이 위반사실 등의 공표가 있음을 안 날부터 90일 이내에 그 이유의 설명을 요청하면 서면으로 그 이유를 알려야 한다. 다만, 당사자 등이 동의하면 말, 정보통신망 또는 그 밖의 방법으로 알릴 수 있다.

(3) 공표의 방법

위반사실 등의 공표는 관보, 공보 또는 인터넷 홈페이지 등을 통하여 한다(동법 제40조의3 제6항).

(4) 공표의 중지

행정청은 위반사실 등의 공표를 하기 전에 당사자가 공표와 관련된 의무의 이행, 원상회복, 손해배상 등의 조치를 마친 경우에는 위반사실 등의 공표를 하지 아니할 수 있다(동법 제40조의3 제7항). **04**

5. 한 계

관련판례

개인의 명예보호와 표현의 자유보장이 충돌하였을 때에는 표현의 자유로 얻어지는 이익, 가치와 인격권의 보호에 의하여 달성되는 가치를 형량하여 규제의 폭과 방법을 정하여야 한다.

기출 체크

□□□□□ **01** 위반사실 등의 공표에 관하여 당사자가 의견진술의 기회를 포기한다는 뜻을 명백히 밝힌 경우라도 행정청은 미리 당사자에게 그 사실을 통지하고 의견제출의 기회를 주어야 한다. (○, ×) 2024 소방직 9급

□□□□□ **02** 위반사실 등의 공표에 관하여 의견제출의 기회를 받은 당사자는 공표 전에 관할행정청에 서면이나 말 또는 정보통신망을 이용하여 의견을 제출할 수 있다. (○, ×) 2024 소방직 9급

□□□□□ **03** 행정청은 위반사실 등의 공표를 할 때에는 특별한 사정이 없는 한 미리 당사자에게 그 사실을 통지하고 의견제출의 기회를 주어야 하며, 의견제출의 기회를 받은 당사자는 공표 전에 관할행정청에 서면이나 말 또는 정보통신망을 이용하여 의견을 제출할 수 있다. (○, ×) 2023 국가직 7급

□□□□□ **04** 행정청은 위반사실 등의 공표를 하기 전에 당사자가 공표와 관련된 의무의 이행, 원상회복, 손해배상 등의 조치를 마친 경우에는 위반사실 등의 공표를 하지 아니할 수 있다. (○, ×) 2024 소방직 9급

정답 01 × 02 ○ 03 ○ 04 ○

민주주의 국가에서는 여론의 자유로운 형성과 전달에 의하여 다수의견을 집약시켜 민주적 정치질서를 생성 · 유지시켜 나가는 것이므로 표현의 자유, 특히 공익사항에 대한 표현의 자유는 중요한 헌법상의 권리로서 최대한 보장을 받아야 하지만, 그에 못지않게 개인의 명예나 사생활의 자유와 비밀 등 사적 법익도 보호되어야 할 것이므로, 인격권으로서 개인의 명예의 보호와 표현의 자유의 보장이라는 두 법익이 충돌하였을 때 그 조정을 어떻게 할 것인지는 구체적인 경우에 사회적인 여러 가지 이익을 비교하여 표현의 자유로 얻어지는 이익, 가치와 인격권의 보호에 의하여 달성되는 가치를 형량하여 그 규제의 폭과 방법을 정하여야 한다(대판 1998. 7. 14, 96다17257).

6. 공표에 대한 권리구제ⓐ

(1) 공표의 정정

행정청은 공표된 내용이 사실과 다른 것으로 밝혀지거나 공표에 포함된 처분이 취소된 경우에는 그 내용을 정정하여, 정정한 내용을 지체 없이 해당 공표와 같은 방법으로 공표된 기간 이상 공표하여야 한다. 다만, 당사자가 원하지 아니하면 공표하지 아니할 수 있다(동법 제40조의3 제8항).01

(2) 국가배상

① 일반론

손해배상청구의 요건 중 직무행위의 개념에 대해 통설 · 판례는 광의설을 취하는바, 이 설에 의하면 공표 역시 비권력적인 공행정작용이므로 위법한 공표에 의해 명예 · 신용 등이 침해된 경우에는 행정상 손해배상을 청구할 수 있다.02

② 공표에서 위법성이 부정되는 경우

㉠ **상당한 이유가 있는 경우** : 판례는 행정상 공표로 인한 명예훼손의 경우, 원칙적으로 언론이나 사인에 의한 명예훼손의 경우처럼 적시된 사실의 내용이 진실이라는 증명이 없더라도 공표 당시 진실이라고 믿었고 또 그렇게 믿을 만한 상당한 이유가 있다면 위법성이 부정된다고 보고 있다.03

㉡ **상당한 이유의 판단기준** : 판례는, 다만 행정상 공표의 경우에는 사인에 의한 공표와는 달리 더 엄격한 요건하에 상당한 이유 유무를 판단하므로 실제에 있어서 사인에 의한 경우보다 위법성 인정이 좀더 용이하다.

관련판례

1. 적시된 사실의 내용이 진실이라는 증명이 없더라도 국가기관이 공표 당시 이를 진실이라고 믿었고 또 그렇게 믿을 만한 상당한 이유가 있다면 위법성이 없다.
2. 지방국세청 소속 공무원들이 통상적인 조사를 다하여 의심스러운 점을 밝혀 보지 아니한 채 막연한 의구심에 근거하여 원고가 위장증여자로서 구 국토이용관리법을 위반하였다는 요지의 조사결과를 보고한 것이라면 국세청장이 이에 근거한 보도자료의 내용이 진실하다고 믿은 데에는 상당한 이유가 없으므로 손해배상의 책임이 인정된다.
3. 다만, 상당한 이유의 존부의 판단에 있어서는 공권력의 광범한 사실조사능력 등을 고려할 때 사인의 행위에 의한 경우보다는 훨씬 더 엄격한 기준이 요구된다 할 것이다(대판 1993. 11. 26, 93다18389).04

기출 체크

□□□□□ **01** 행정청은 공표된 내용이 사실과 다른 것으로 밝혀지거나 공표에 포함된 처분이 취소된 경우라도 당사자가 원하지 아니하면 정정한 내용을 공표하지 아니할 수 있다. (○, ×) 2024 소방직 9급

□□□□□ **02** 판례에 따르면, 위법한 공표에 의하여 명예 · 신용 등이 침해된 경우에는 행정상 손해배상청구소송을 제기하여 그 손해배상을 구할 수 없다. (○, ×) 2010 국회속기직 9급

□□□□□ **03** 공표로 타인의 명예를 훼손한 경우에도 국가기관이 공표 당시 이를 진실이라고 믿었고 또 그렇게 믿을 만한 상당한 이유가 있다면 위법성이 없다. (○, ×) 2007 관세사

□□□□□ **04** 국가기관이 행정목적달성을 위하여 언론을 통해 행정상 공표의 방법으로 실명을 공개함으로써 타인의 명예를 훼손한 경우라면 사인의 행위에 의한 경우보다 훨씬 엄격한 기준이 요구되므로 국가기관이 공표 당시 이를 진실이라고 믿었고 또 그렇게 믿을 만한 상당한 이유가 있더라도 위법성이 인정된다. (○, ×) 2022 소방간부

ⓐ 기타의 경우

공표에 의해 명예가 훼손된 자는 민법에 따른 정정공고도 가능하다는 것이 일반적 견해이며, 기타 형법상의 명예훼손죄 등도 문제될 수 있다. 다만, 사죄광고는 양심의 자유를 침해하는 것으로 허용되지 않는다는 것이 헌법재판소의 입장이다.

정답 01 ○ 02 × 03 ○ 04 ×

❸ 공급거부

1. 의 의

공급거부라 함은 행정법상의 의무를 위반하거나 불이행한 자에 대하여 행정상의 역무(service)나 재화의 공급을 거부하는 행위를 말한다.01 행정에 의해 공급되는 역무 등은 오늘날 국민생활에 필수적이라는 점에서 공급거부는 매우 강력한 행정의 실효성 확보수단으로 기능할 수 있다.

2. 법적 성질

(1) 공급거부요청

판례는 개정 전 건축법 제79조 제2항에 근거한 행정청의 전기 등의 '공급거부요청' 등에 대해 이는 권고적 성격의 행위에 불과하고 전기공급자의 법적 지위에 변동을 가져오는 것이 아니므로 항고소송의 대상이 되는 처분이 아니라고 판시한 바 있다.

관련판례

1. 위법건축물에 대한 단전 및 전화통화 단절조치 요청행위는 권고적 성격에 불과한 것으로 항고소송의 대상이 되는 행정처분이 아니다(대판 1996. 3. 22, 96누433).02 ★★★

2. 한국전력공사가 전기공급의 적법 여부를 조회한 데 대한 관할 구청장의 회신은 권고적 성격의 행위에 불과한 것으로서 항고소송의 대상이 되는 행정처분이라고 볼 수 없다.
   무단용도변경을 이유로 단전조치된 건물의 소유자로부터 새로이 전기공급신청을 받은 한국전력공사가 관할 구청장에게 전기공급의 적법 여부를 조회한 데 대하여, 관할 구청장이 한국전력공사에 대하여 건축법 제69조 제2항, 제3항의 규정에 의하여 위 건물에 대한 전기공급이 불가하다는 내용의 회신을 하였다면, 그 회신은 권고적 성격의 행위에 불과한 것으로서 한국전력공사나 특정인의 법률상 지위에 직접적인 변동을 가져오는 것은 아니므로 항고소송의 대상이 되는 행정처분이라고 볼 수 없다(대판 1995. 11. 21, 95누9099).03

(2) 단수처분

판례는 지방자치단체장에 의한 수도의 공급거부, 즉 행정청에 의한 단수처분에 대해서는 항고소송의 대상이 되는 처분으로 보고 있다(대판 1979. 12. 28, 79누218).04㉠

3. 법적 근거

공급거부도 국민생활에 중대한 영향을 미치는 침익적 행위이므로 법적 근거가 있어야 한다. 한편 공급거부에 대해서 구 건축법 제69조에는 "위법 건축물에 대하여는 전기·전화·수도의 공급자, 도시가스사업자 또는 관계행정기관의 장에게 전기·전화·수도 또는 도시가스공급시설의 설치 또는 공급의 중지를 요청할 수 있다."는 규정을 두고 있었으나 부당결부금지원칙에 위배된다는 비판을 받았던바, 2006년 5월 8일 이후로 시행되고 있는 현행 건축법에는 공급거부에 관한 위 규정을 삭제하였다.05

4. 공급거부의 한계

공급거부 역시 행정작용인 이상 비례의 원칙, 평등의 원칙 등 행정법의 일반원칙을 준수하여야 하며, 특히 행정법상의 의무와 거부될 급부 간에 실질적 관련이 있어야 한다는 부당결부금지의 원칙을 준수하여야 한다.

기출 체크

□□□□□ **01** 공급거부란 행정법상의 의무를 위반하거나 불이행한 자에 대해 일정한 재화나 서비스의 공급을 거부하는 행정작용을 말한다. (○, ×) 2014 경행특채 1차

□□□□□ **02** 행정청이 위법건축물에 대한 단전 및 전화통화 단절조치를 요청한 것은 항고소송의 대상이 되는 행정처분이라고 볼 수 없다. (○, ×) ★★★ 2023 지방직·서울시 9급

□□□□□ **03** 무단용도변경을 이유로 단전조치된 건물의 소유자로부터 새로이 전기공급신청을 받은 한국전력공사가 관할 구청장에게 전기공급의 적법 여부를 조회한 데 대하여, 관할 구청장이 한국전력공사에 대하여 건축법 규정에 의하여 해당 건물에 대한 전기공급이 불가하다는 내용의 회신은 판례가 처분성을 인정한다. (○, ×) 2024 국회직 8급

□□□□□ **04** 행정상 공급거부에 대한 권리구제에 있어 단수처분은 항고소송의 대상이 되는 행정처분이므로 위법한 단수처분에 대해서는 행정소송을 제기하여 그 취소를 구할 수 있다. (○, ×) ★★ 2018 경행경채 3차

□□□□□ **05** 현행 건축법은 이 법 또는 이 법의 규정에 의한 명령이나 처분에 위반하여 허가가 취소되거나 개축 등의 시정명령을 받고 이행하지 아니한 건축물에 대하여 전기·전화·수도의 공급자 등에게 그 공급을 중지하도록 요청할 수 있다고 규정하고 있다. (○, ×) 2011 국가직 9급

판례 | ㉠ 단수처분은 항고소송의 대상이 되는 행정처분에 해당한다.
단수처분을 두고 그것이 항고소송의 대상이 되는가에 관하여 원심이 약간의 의문을 가지고 있었음이 판시이유에서 간취된다 하더라도 결론에 있어 항고소송의 대상이 되는 것 …… (대판 1979. 12. 28, 79누218)

정답 01 ○ 02 ○ 03 × 04 ○ 05 ×

기출 체크

□□□□□ 01 행정청은 시정명령으로 과거의 위반행위에 대한 중지는 물론 가까운 장래에 반복될 우려가 있는 동일한 유형의 행위의 반복금지까지 명할 수 있다. (○, ×) ★★ 2018 교육행정직 9급

ⓐ 일반적 관허사업의 제한
국가기관 또는 지방자치단체의 장은 병역의무 불이행자에 대하여는 각종 관허업(官許業)의 특허 · 허가 · 인가 · 면허 · 등록 또는 지정 등을 하여서는 아니 되며, 이미 이를 받은 사람에 대하여는 취소하여야 한다(병역법 제76조 제2항).

④ 관허사업의 제한

1. 의 의

관허사업의 제한이란 행정법상의 의무위반행위가 있는 경우 이를 이유로 각종 인 · 허가를 거부 · 정지 · 철회할 수 있도록 함으로써 행정법상 의무의 준수 또는 의무의 이행을 **간접적으로 강제하는** 것을 말한다. 관허사업의 제한은 국민의 권익을 침해하는 권력적 행위이므로 법률의 근거가 있어야 한다.

2. 국세징수법 제112조

국세징수법 제112조는, 관할 세무서장은 납세자가 '허가 등을 받은 사업과 **관련된** 소득세, 법인세 및 부가가치세'를 체납한 경우 해당 사업의 주무관청에 허가 등을 하지 않을 것을 요구할 수 있도록 하고, 또한 '허가 등을 받은 사업과 **관련된** 소득세, 법인세 및 부가가치세'를 3회 이상 체납하고 그 체납액이 500만원 이상인 경우 해당 주무관청에 사업의 정지 또는 허가 등의 취소를 요구할 수 있도록 규정하고 있다. 이는 체납 국세의 부과원인과 관련 없는 사업에 대한 관허사업의 제한을 금지하고, 관련된 관허사업만 제한할 수 있도록 한 것이다.ⓐ

⑤ 시정명령

1. 의 의

시정명령이란 행정법령의 위반행위로 초래된 위법상태의 제거 내지 시정을 명하는 행정행위를 말하는 것으로 하명에 해당한다.

2. 법적 근거

시정명령은 상대방에게 작위 · 부작위 · 급부 등의 의무를 발생시키므로 헌법 제37조 제2항에 비추어 법적 근거를 필요로 한다. 시정명령에 관한 일반법은 없다. 개별법령에는 건축법 제79조 제1항, 「감염병의 예방 및 관리에 관한 법률」 제58조, 개인정보보호법 제64조 등이 있다.

3. 고의 · 과실의 요부

판례는 행정법규 위반자에게 고의나 과실이 없다고 하더라도 원칙적으로 제재조치를 부과할 수 있다고 본다(대판 2012. 6. 28, 2010두24371).

4. 시정명령의 대상

판례는 「독점규제 및 공정거래에 관한 법률」에 의한 시정명령의 내용은 과거의 위반행위에 대한 중지는 물론 가까운 장래에 반복될 우려가 있는 동일한 유형의 행위의 반복금지까지 명할 수 있는 것으로 본다(대판 2003. 2. 20, 2001두5347 전합).01

5. 시정명령의 상대방

시정명령의 상대방은 시정명령을 이행할 수 있는 법적 권한이 있는 자로 보는 것이 타당하다. 판례는 시정명령의 이행을 기대할 수 없는 자, 즉 대지 또는 건축물의 위법상태를 시정할 수 있는 법률상 또는 사실상의 지위에 있지 않은 자는 불가능을 요구할 수는 없으므로 시정명령의 상대방이 될 수 없다고 본다.

정답 01 ○

관련판례

대지 또는 건축물의 위법상태를 시정할 수 있는 법률상 또는 사실상의 지위에 있지 않은 자는 구 건축법 제79조 제1항에 따른 시정명령의 상대방이 될 수 없다.

구 건축법(2019. 4. 23, 법률 제16380호로 개정되기 전의 것) 제79조 제1항에 따른 시정명령은 대지나 건축물이 건축 관련법령 또는 건축허가조건을 위반한 상태를 해소하기 위한 조치를 명하는 처분으로, 건축 관련법령 등을 위반한 객관적 사실이 있으면 할 수 있고, 원칙적으로 시정명령의 상대방에게 고의·과실을 요하지 아니하며 대지 또는 건축물의 위법상태를 직접 초래하거나 또는 그에 관여한 바 없다고 하더라도 부과할 수 있다. 그러나 건축법상 위법상태의 해소를 목적으로 하는 시정명령제도의 본질상, 시정명령의 이행을 기대할 수 없는 자, 즉 대지 또는 건축물의 위법상태를 시정할 수 있는 법률상 또는 사실상의 지위에 있지 않은 자는 시정명령의 상대방이 될 수 없다고 보는 것이 타당하다. 시정명령의 이행을 기대할 수 없는 자에 대한 시정명령은 위법상태의 시정이라는 행정목적달성을 위한 적절한 수단이 될 수 없고, 상대방에게 불가능한 일을 명령하는 결과밖에 되지 않기 때문이다(대판 2022. 10. 14, 2021두45008).

기출 체크

□□□□□ **01** 시정명령이란 행정법령의 위반행위로 초래된 위법상태의 제거 내지 시정을 명하는 행정행위를 말하는 것으로서, 그 위법행위의 결과가 더 이상 존재하지 않는다면 시정명령을 할 수 없다. (○, ×) ★★ 2018 지방직 7급

6. 위반행위 결과의 부존재와 시정명령

판례는 구 「하도급거래 공정화에 관한 법률」 제13조 등의 위반행위가 있었으나 그 결과가 더 이상 존재하지 않는 경우, 같은 법 제25조 제1항에 의한 시정명령을 할 수 없다고 본다(대판 2011. 3. 10, 2009두1990).01

[유튜브] 23강 필수 개념 TEST
- QR코드를 스캔해 주세요.
- 필수 개념과 출제 포인트를 풀어 보세요.
- 틀린 문제는 기본서로 확인해 주세요.

정답 01 ○

제 24 강 행정상 강제집행(대집행 등)

일반론

강제집행의 의의

- 행정법상 개별 · 구체적인 의무의 불이행시 의무자의 신체 또는 재산에 실력을 가하여 의무를 이행시키거나 또는 이행이 있었던 것과 동일한 상태를 실현하는 행정작용
- 명령적 행위에서만 문제되며 형성적 행위 또는 확인적 행위에서는 문제되지 않음.

강제집행의 특색

- 공법상 의무를 대상, 자력집행 ⇨ 민사상 강제집행과 구별
- 행정상 강제집행이 가능한 경우 민사상 강제집행은 허용될 수 없음(판례).
- 의무의 존재 및 불이행을 전제 ⇨ 즉시강제와 구별
- 장래에 대한 의무이행강제 ⇨ 행정벌과 구별
- 법적 근거 필요 : 의무를 명하는 행위와 의무내용을 강제적으로 실현하는 행위는 별개의 행정작용이므로 의무부과의 근거 외에 강제집행의 법적 근거 필요

대집행

의 의

- 의무자가 행정상 의무로서 타인이 대신하여 행할 수 있는 의무를 이행하지 아니하는 경우 법률로 정하는 다른 수단으로는 그 이행을 확보하기 곤란하고 그 불이행을 방치하면 공익을 크게 해칠 것으로 인정될 때에 행정청이 의무자가 하여야 할 행위를 스스로 하거나 제3자에게 하게 하고 그 비용을 의무자로부터 징수하는 것(행정기본법 제30조 제1항 제1호)
- 일반법으로 행정대집행법이 있음.

주 체

대집행의 대상이 되는 의무를 부과한 당해 행정청

- 대집행을 현실적으로 수행하는 자가 반드시 당해 행정청이어야 하는 것은 아님.
- 제3자에게 대집행실행을 위탁한 경우 : 제3자는 대집행실행의 주체가 아니라 행정보조자의 지위를 가짐.
- 단, 법령에 의해 대집행권한을 위탁받은 경우 : 대집행의 주체로서 행정주체에 해당함.
- 판례 : 법령에 의해 대집행권한을 위탁받은 한국토지공사(현 한국토지주택공사)는 국가공무원법상 공무원이 아니라 행정주체에 해당함.

요 건

- **공법상 대체적 작위의무 불이행**
  - 공법상 의무 O : 건축도급계약상의 의무와 같은 사법상의 의무 ×
    - 원칙 : 행정처분에 의해 부과
    - 예외 : 법령에 의해 직접 부과될 수도 있음.
  - 작위의무 O : 장례식장 사용중지 등 부작위의무 ×
    - 부작위의무의 경우 : 작위의무로 전환 후 불이행시 대집행이 가능. 단, 전환을 위해서는 별도의 법적 근거 필요(금지규정으로부터 작위의무가 당연히 도출되는 것 ×)
  - 대체적 의무 O : 토지 · 건물의 명도의무 등 비대체적 의무 ×
- **다른 수단으로는 그 이행을 확보하기가 곤란할 것**
- **의무의 불이행을 방치함이 심히 공익을 해할 것**
- 단, 불가쟁력의 발생은 대집행 요건 아님(즉, 쟁송제기기간 내에도 대집행 가능).
- 대집행요건이 충족되는 경우, 대집행권을 발동할 것인지는 행정청의 재량에 속함.

절 차

계고

① 계고를 할 때에는 대집행의 요건이 충족되어 있어야 함.
② 상당한 기간을 부여하여야 함(상당기간이 부여되지 않았다면 대집행영장으로 대집행시기를 늦추었더라도 위법).
③ 계고는 문서로 하여야 하며 말로 하는 경우 무효
④ 처분 O(준법률행위적 행정행위로서 통지). 단, 반복된 계고는 처분 ×
⑤ 대집행의 급속한 실시를 요하여 계고할 여유가 없는 경우 등 생략 가능
⑥ 철거명령과 계고처분을 1장의 문서로 할 수 있음(판례).
⑦ 대집행할 행위의 내용과 범위가 구체적으로 특정되어야 함. 다만, 특정 여부는 계고서만으로 판단할 것은 아니고 기타 사정 등을 종합하여 특정할 수 있으면 됨.

통지

① 처분 O(준법률행위적 행정행위)
② 비상시 또는 위험이 절박하여 통지할 여유가 없는 경우 등 생략 가능

실행

① 처분 O(권력적 사실행위)
② 계고 · 통지를 거치지 않은 위법한 대집행실행 ⇨ 공무집행방해죄 성립 ×
③ 해가 뜨기 전, 해가 진 후에는 대집행이 제한됨(예외 : 해 지기 전 대집행을 착수한 경우 등).
④ 실력행사에 대해서는 학설 대립
- 판례 – 건물철거의무에 퇴거의무도 포함되어 있다고 보아 건물철거 대집행과정에서 부수적으로 건물의 점유자들에 대한 퇴거조치를 할 수 있음.
  – 점유자들이 적법한 행정대집행을 위력의 행사로 방해하는 경우 필요한 때에는 경찰의 도움을 받을 수도 있음.

비용징수

① 처분 O(하명)
② 대집행 비용은 의무자가 부담. 의무자가 납부하지 않을 때 국세징수법의 예에 따라 강제징수
③ 대집행 비용을 행정대집행법 절차에 따라 징수할 수 있음에도 민사소송절차에 의해 상환을 청구할 수는 없음(판례).
④ 대집행에 요한 비용을 징수하였을 때에는 그 징수금은 국고 또는 지방자치단체의 수입으로 함.

권리구제

- 대집행 각 단계행위 모두 행정쟁송의 대상인 처분
- 보통 단기간 종료되므로 대집행이 실행이 완료된 경우 소의 이익 ×
- 대집행요건 충족 여부의 입증책임 : 처분청인 행정청
- 건물철거명령과 대집행 계고처분 사이에는 철거명령이 무효가 아닌 한 하자승계 부정
- 대집행의 각 단계행위(계고 ⇨ 통지 ⇨ 실행 ⇨ 비용납부명령)는 하자승계 긍정
- 대집행실행이 완료되어 취소소송을 제기할 수 없는 경우에도 손해배상청구 가능
- 국유재산법 등의 경우 : 공유재산 대부계약의 해지에 따른 원상회복으로 행정대집행의 방법에 의하여 그 지상물을 철거시킬 수 있음.

이행강제금(집행벌)

의 의

- 행정법상 의무불이행시 이행강제금 부과 뜻을 미리 계고하여 의무자에게 심리적 압박을 가하여 장래를 향하여 간접적으로 의무이행을 강제하는 것(행정기본법 제30조 제1항 제2호)
- **이행강제금(집행벌)과 행정벌의 구별**
  - **목적에 의한 구별**
    - 이행강제금 : 장래를 향한 의무이행 확보
    - 행정벌 : 과거의 위반에 대한 제재

    ⇨ 따라서 이행강제금과 행정벌은 병과 가능
  - 반복부과 여부에 따른 구별 : 이행강제금은 반복부과 가능, 행정벌은 반복부과 불가능

근거 및 대상

- **근거** : 행정기본법 제31조, 개별법 O(건축법, 농지법 등)
  - 이행강제금은 침익적 행정행위에 속하므로 그 부과요건 등이 법률로써 엄격하게 정하여져야 함(판례).

- 이행강제금의 대상
  - 종래 통설 : 부작위의무, 비대체적 작위의무에 대한 강제집행수단
  - 헌법재판소 : 대체적 작위의무에 대해서도 부과 가능(행정청은 대집행과 이행강제금을 선택적으로 활용 가능하며, 합리적 재량에 의해 선택하는 이상 중첩적인 제재 아님)
- **이행강제금의 가중·감경** : 행정청은 의무불이행의 동기, 목적 및 결과와 의무불이행의 정도 및 상습성 및 그 밖에 행정목적을 달성하는 데 필요하다고 인정되는 사유 등을 고려하여 이행강제금의 부과금액을 가중하거나 감경할 수 있음.

이행강제금(집행벌)의 부과

부과요건 및 절차

- **시정명령 및 의무의 불이행**
- **상당한 이행기한의 통지(제2차 시정명령)**
- **계고처분** : 시정명령을 이행하지 아니한 자에 대해 이행강제금을 부과·징수한다는 뜻을 미리 문서로써 계고하여야 함.
- **이행강제금의 부과** : 반복부과 가능
- **시정명령의 이행시**
  - 이행강제금(집행벌)을 더 이상 부과하지 않음.
  - 이미 부과된 이행강제금(집행벌)은 징수함.
  - 국토계획법상 의무자가 이행명령기간을 지나 명령을 이행한 경우 이행명령불이행에 따른 이행강제금을 부과할 수 없음.

납부의 독촉 : 이행강제금 납부의 최초 독촉은 항고소송의 대상이 되는 처분

부과의 성질

- 행정행위(급부하명, 행정청의 직권취소 가능), 침익적 행위로서 원칙적으로 행정절차법상 의견청취절차 필요
- 기한 내 납부하지 않은 경우 「지방행정제재·부과금의 징수 등에 관한 법률」에 따라 징수
- 구 건축법상 이행강제금 납부의무는 일신전속적인 것으로 상속되지 않음.
  - 이미 사망한 사람에게 이행강제금을 부과하는 처분이나 결정은 당연무효
  - 이행강제금을 부과받은 사람이 재판절차 개시 이후 사망한 경우, 재판절차는 종료

권리구제

- **개별법에 특별한 규정을 두고 있는 경우** : 항고소송의 대상이 되는 처분성 ×
  - 예 이행강제금에 불복하여 이의제기를 한 경우 비송사건절차법에 따라 권리구제를 받을 수 있도록 규정한 농지법 제63조
  - 행정청이 농지법에 따른 이행강제금 부과처분을 하면서 행정심판을 청구하거나 행정소송을 제기할 수 있다고 잘못 안내하거나 경기도행정심판위원회가 기각재결을 하면서 행정소송을 할 수 있다고 잘못 안내하였다고 하더라도, 그러한 잘못된 안내로 행정법원의 항고소송 재판관할이 생긴다고 볼 수 없음(판례).
- **개별법에 특별한 규정을 두고 있지 않은 경우** : 항고소송의 대상이 되는 처분성 O
- 2006년 개정 이후 건축법상 이행강제금 부과는 항고소송의 대상이 되는 행정처분임.

직접강제

의 의

- 의무자가 행정상 의무를 이행하지 아니하는 경우 행정청이 의무자의 신체나 재산에 실력을 행사하여 그 행정상 의무의 이행이 있었던 것과 같은 상태를 실현하는 것(행정기본법 제30조 제1항 제3호)
- **구별개념**
  - 직접강제 : 의무불이행을 전제 O
  - 즉시강제 : 의무불이행을 전제 ×

근거 및 대상 등

- **근거** : 행정기본법 제32조, 개별법 O(식품위생법상 영업소 폐쇄조치, 출입국관리법상 외국인의 강제퇴거 등)
- **대상** : 작위의무, 부작위의무, 수인의무 등 일체의 의무의 불이행
- **절차** : 직접강제시 증표제시, 직접강제의 계고와 통지

한 계

- **보충성** : 직접강제는 행정대집행이나 이행강제금 부과의 방법으로는 행정상 의무이행을 확보할 수 없거나 그 실현이 불가능한 경우에 실시하여야 함(행정기본법 제32조 제1항).

권리구제

- 권력적 사실행위로서 처분성 O
- 손해배상청구, 결과제거청구 가능

행정상 강제징수

의 의

의무자가 행정상 의무 중 금전급부의무를 이행하지 아니하는 경우 행정청이 의무자의 재산에 실력을 행사하여 그 행정상 의무가 실현된 것과 같은 상태를 실현하는 것(행정기본법 제30조 제1항 제4호)

근 거

국세징수법이 실질적으로 일반법적 지위를 가짐.

독 촉

- 준법률적 행정행위로서 통지
- 처분성 O. 단, 반복된 독촉 처분성 ×(판례)
- 독촉은 압류의 적법요건이며 소멸시효 중단시키는 효력 가짐.

강제징수

압류

① 처분(권력적 사실행위) : 압류된 재산에 대해서는 사실상·법률상 처분이 금지됨.
② 신분을 표시하는 증표 및 압류·수색 등 통지서를 지니고 이를 관계자에게 보여 주어야 함.
③ 대상 : 금전가치가 있고 양도가치가 있는 모든 재산. 단, 생활필수품 등 일정 재산은 압류 금지(국세징수법)
  - 급여채권 등은 총액의 1/2에 해당하는 금액은 압류 금지
④ 체납자 아닌 제3자의 재산 압류시 : 당연무효(판례)
⑤ 압류재산이 징수할 국세액을 초과하는 경우 그것만으로 압류처분이 당연무효인 것은 아님.
⑥ 압류 후 근거법률이 위헌결정된 경우 : 압류를 해제해야 함(압류처분이 당연무효가 되는 것은 ×).
⑦ 체납자 사망 후, 체납자명의의 재산에 대한 압류 : 상속인에 대한 것으로 봄.

매각

① 방법 : 공매(경쟁입찰 또는 경매) 또는 수의계약
② 공매의 대행 : 세무서장은 한국자산관리공사로 하여금 공매를 대행하게 할 수 있으며, 이 경우 공매는 관할 세무서장이 한 것으로 봄.
③ 공매 : 처분 O(공법상 대리)
  - 공매결정 및 공매통지 : 처분 ×(내부행위 또는 사실행위)
④ 공매통지는 공매의 절차적 요건으로, 공매통지가 위법하면 공매처분도 위법(무효는 아님)
⑤ 공매재산에 대한 평가 등이 잘못된 경우 그 공매처분은 취소사유에 불과하여 매수인의 부당이득이 되는 것은 아님.

청산

징수순위 : 강제징수비 ⇨ 국세 ⇨ 가산세
  - 배분 후 잔액이 있으면 체납자에게 반환

권리구제

- 행정소송 제기 가능. 국세기본법은 예외적 행정심판전치절차를 규정(후술)
- 강제징수의 각 단계는 하자승계 O(단, 조세부과처분의 하자는 당연무효가 아닌 한 강제징수절차에 승계되지 않음)

제 1 절 일반론

01 | 행정상 강제집행의 의의

❶ 개 념

행정상 강제집행이란 행정법상 개별 · 구체적인 의무의 불이행이 있는 경우 행정주체가 의무자의 신체 또는 재산에 실력을 가하여 의무를 이행시키거나 또는 이행이 있었던 것과 동일한 상태를 실현하는 행정작용을 말한다. 이러한 강제집행은 명령을 집행할 필요가 있는 명령적 행위에서만 문제가 되며, 집행할 필요가 없고 집행에 적합하지도 않은 형성적 행위 또는 확인적 행위에서는 문제되지 않는다.

❷ 구별개념

1. 행정상 강제집행과 민사상 강제집행의 구별

(1) 대 상

행정상 강제집행은 공법상 의무를 대상으로 하지만, 민사상 강제집행은 사법상 의무를 그 대상으로 한다.

(2) 자력집행

행정상 강제집행은 행정권의 판단에 의해 권리를 스스로 실현하지만, 민사상 강제집행은 민사소송을 제기하여 법원의 판결을 구하고, 확정판결이 강제집행의 권원이 되어 국가의 집행기관을 통해 강제집행을 해야 한다는 점에서 근본적인 차이가 있다.

(3) 행정상 강제집행이 가능한 경우 민사상 강제집행의 허용 여부

행정상 강제집행이 인정되는 경우 민사상 강제집행이 허용될 수 있는가에 대해서는 논란이 있으나, 대법원은 행정상 강제집행이 가능한 경우에는 민사상 강제집행은 허용될 수 없다는 취지로 판시한 바 있다. 다만, 행정강제의 수단이 인정되지 않은 경우에는 민사상 강제집행의 수단을 활용할 수 있다고 본다.

관련판례

1-1. 아무런 권원 없이 국유재산에 설치한 시설물에 대하여 행정청이 행정대집행을 할 수 있음에도 민사소송의 방법으로 그 시설물의 철거를 구하는 것은 허용되지 않는다. 01 02 ★★★

1-2. 아무런 권원 없이 국유재산에 설치한 시설물에 대하여 행정청이 행정대집행을 실시하지 않는 경우, 그 국유재산에 대한 사용청구권을 가지고 있는 자가 국가를 대위하여 민사소송으로 그 시설물의 철거를 구할 수 있다 (대판 2009. 6. 11, 2009다1122). 03 ⓐ

2-1. 공유일반재산의 대부료와 연체료를 납부기한까지 내지 아니한 경우에도 「공유재산 및 물품관리법」 제97조 제2항에 의하여 지방세 체납처분의 예에 따라 이를 징수할 수 있다. 이와 같이 공유일반재산의 대부료의 징수에 관하여도 지방세 체납처분의 예에 따른 간이하고 경제적인 특별한 구제절차가 마련되어 있으므로, 특별한 사정이 없는 한 민사소송으로 공유일반재산의 대부료의 지급을 구하는 것은 허용되지 아니한다. 04

기출 체크

□□□□□ 01 관계법령상 행정대집행의 절차가 인정되어 행정청이 행정대집행의 방법으로 건물의 철거 등 대체적 작위의무의 이행을 실현할 수 있는 경우에는 따로 민사소송의 방법으로 그 의무의 이행을 구할 수 없다. (○, ×) ★★★ 2024 지방직 · 서울시 9급

□□□□□ 02 행정대집행의 절차가 인정되는 경우에 따로 민사소송의 방법으로 공작물의 철거를 구할 수는 없다. (○, ×) ★★★ 2019 경행경채 2차

□□□□□ 03 권원 없이 국유재산에 설치한 시설물에 대하여 관리청이 행정대집행을 통해 철거를 하지 않는 경우 그 국유재산에 대하여 사용청구권을 가진 자는 국가를 대위하여 민사소송으로 그 시설물의 철거를 구할 수 있다. (○, ×) 2022 지방직 · 서울시 9급

□□□□□ 04 공유일반재산의 대부료 지급은 사법상 법률관계이므로 행정상 강제집행절차가 인정되더라도 따로 민사소송으로 대부료의 지급을 구하는 것이 허용된다. (○, ×) 2022 지방직 · 서울시 9급

ⓐ 사안의 사실관계는 다음과 같다. 甲은 국유지를 무단점유하고 있는 자로서 그 토지 위에 무허가건물을 설치하였다. 한편 그 국유지에 대한 관리권한은 관련법령에 의해 보령시장에게 위임이 되어 있는 상태로서 보령시장은 乙에게 사용허가를 해준 상태이다. 즉, 乙과 보령시장 그리고 甲은 각각 乙-보령시장(乙이 보령시장에 대해 사용권이라는 채권을 가짐), 보령시장-甲(보령시장이 甲에 대해 대집행권한을 가짐)이라는 관계에 있다. 그런데 보령시장은 甲에 대해 대집행권한을 행사할 수 있음에도 대집행을 하지 않고 있어 乙이 토지에 대한 사용권을 제대로 행사할 수가 없는 상태이다. 이에 보령시장에 대해 토지사용권을 가지는 乙이 보령시장의 대집행권한을 대신 행사하여 민사소송으로 철거를 구한 사안이다. 이에 관해 우리 대법원은 행정청이 직접 국민에 대해 권한을 행사하는 경우에는 행정청이 간편한 대집행을 할 수 있다면 민사소송으로 철거를 구하는 것은 허용되지 않지만 행정청의 채권자인 사인이 행정청을 대위하는 경우에는 민사소송을 제기할 수밖에 없으므로 소의 이익이 있다고 보았다.
수험생으로서는 1-1번 제목, 행정청이 직접 하는 경우에는 행정청이 대집행이 가능하다면 민사소송으로 철거를 구하는 것은 안 된다는 것과 1-2번 제목, 사인이 행정청을 대위하는 경우에는 (사인이 사인을 상대로 제기하는 소송이므로) 민사소송으로 철거를 구하는 것이 가능하다는 것만 구분하여 기억하면 된다.

정답 01 ○ 02 ○ 03 ○ 04 ×

2-2. 「공유재산 및 물품관리법」 제83조 제1항은 …… 위 규정에 따라 지방자치단체장은 행정대집행의 방법으로 공유재산에 설치한 시설물을 철거할 수 있고, 이러한 행정대집행의 절차가 인정되는 경우에는 민사소송의 방법으로 시설물의 철거를 구하는 것은 허용되지 아니한다(대판 2017. 4. 13, 2013다207941). ★★★

2. 행정상 즉시강제와 행정상 강제집행의 구별

행정상 강제집행은 의무의 존재 및 그의 불이행을 전제로 한다는 점에서, 이것을 전제로 하지 않고 급박한 경우에 즉시 행하여지는 행정상 즉시강제와 구별된다.

3. 행정벌과 행정상 강제집행의 구별

행정상 강제집행은 개별 · 구체적인 의무불이행을 전제로 그 불이행한 의무를 장래에 향해 실현시키는 것을 목적으로 하는 데 반하여, 행정벌은 과거의 의무위반에 대하여 제재를 과하는 것을 직접적인 목적으로 하며 이를 통해 간접적으로 의무이행을 강제한다는 점에서 양자는 구별된다. 01

02 | 행정상 강제집행의 근거

❶ 이론적 근거

의무를 명하는 행위와 의무내용을 강제적으로 실현하는 행위는 별개의 행정작용이므로 의무부과의 근거법규 외에 강제집행을 위해서는 별도의 법적 근거가 필요하다는 것이 통설의 입장이다. 02 03

❷ 실정법적 근거

행정상 강제집행의 근거법으로는 대집행에 관한 일반법으로서 행정대집행법과 행정상 강제징수에 관한 일반법으로서 기능을 하는 국세징수법이 있으며, 그 밖에 개별법이 존재한다.

03 | 행정상 강제집행의 종류

행정상 강제집행의 종류로는 행정대집행 · 강제징수 · 직접강제 · 이행강제금(집행벌)이 있다(행정기본법 제30조).

종 류	적용가능한 의무
대집행	대체적 작위의무
강제징수	금전급부의무
이행강제금(집행벌) · 직접강제	대체적 작위의무, 비대체적 작위의무, 부작위의무 + 수인의무

기출 체크

□□□□□ 01 행정상 강제집행은 행정법상 개별 · 구체적인 의무의 불이행을 전제로 그 불이행한 의무를 장래에 향해 실현시키는 것을 목적으로 한다는 점에서 과거의 의무위반에 대한 제재로써 가하는 행정벌과 구별된다. (○, ×) ★★★
2008 국가직 7급

□□□□□ 02 행정법관계에서는 강제력의 특질이 인정되므로 행정법상의 의무를 명하는 명령권의 근거규정은 동시에 그 의무불이행에 대한 행정상 강제집행의 근거가 될 수 있다. (○, ×) ★★★
2017 국가직 7급

□□□□□ 03 행정상 강제집행을 위해서는 의무부과의 근거법규 외에 별도의 법적 근거를 요한다. (○, ×) ★★★
2014 서울시 7급

정답 01 ○ 02 × 03 ○

제 2 절 대집행

초대 Topic 26 핵심집약 Topic 45

01 | 대집행의 의의

❶ 개 념

대집행이란 의무자가 행정상 의무(법령 등에서 직접 부과하거나 행정청이 법령 등에 따라 부과한 의무를 말한다)로서 타인이 대신하여 행할 수 있는 의무를 이행하지 아니하는 경우 법률로 정하는 다른 수단으로는 그 이행을 확보하기 곤란하고 그 불이행을 방치하면 공익을 크게 해칠 것으로 인정될 때에 행정청이 의무자가 하여야 할 행위를 스스로 하거나 제3자에게 하게 하고 그 비용을 의무자로부터 징수하는 것을 말한다(행정기본법 제30조 제1항 제1호). 즉, '대체적' '작위'의무(다른 사람이 '대신'하여 '행할' 수 있는 의무) 위반이 있는 경우 행정청이 의무자가 해야 할 일을 스스로 행하거나(자기집행) 또는 제3자로 하여금 행하게 함(타자집행)으로써 의무의 이행이 있었던 것과 같은 상태를 실현하고 그 비용을 의무자로부터 징수하는 행정작용을 의미한다.01

❷ 법적 근거

대집행에 관한 일반법으로 행정대집행법이 있으며, 그 밖에도 도로교통법 제36조 등 개별법률에서 대집행에 대하여 규율하고 있다.02

❸ 직접강제와 대집행의 구별

대집행의 비용은 의무자가 부담하지만 직접강제의 경우에는 행정청이 부담한다는 점, 대집행은 제3자로 하여금 이행을 시킬 수 있지만 직접강제의 경우에는 행정청 자신이 하여야 하며 제3자에게 이행시킬 수 없다는 점에서 양자는 구별된다.

02 | 대집행의 주체

❶ 당해 행정청

1. 대집행을 결정하고 이를 실행할 수 있는 권한을 가진 대집행의 주체는 대집행의 대상이 되는 의무를 부과한 행정청, 즉 당해 행정청이다.03
2. 한편, 행정청은 대집행을 다른 행정청에 위탁하거나 공공단체 또는 사인에게 위탁할 수도 있다. 이 경우 위임을 받은 다른 행정청은 대집행의 주체가 될 수 있다.㉠

❷ 제3자(공공단체 또는 사인)가 행위하는 경우

대집행을 현실적으로 수행하는 자가 반드시 당해 행정청이어야 하는 것은 아니며 경우에 따라서는 제3자에게 대집행을 위탁할 수도 있다.04 05

기출 체크

□□□□□ 01 대집행은 부작위의무의 이행을 확보하기 위하여 활용하는 대표적인 행정작용의 실효성 확보수단에 해당한다. (○, ×) ★★★ 2013 국회속기직 9급

□□□□□ 02 대집행의 근거법으로는 대집행에 관한 일반법인 행정대집행법과 대집행에 관한 개별법 규정이 있다. (○, ×) 2021 소방직 9급

□□□□□ 03 대집행의 주체는 당사자에 의해 불이행되고 있는 의무를 부과한 행정청이다. (○, ×) ★★★ 2013 국회속기직 9급

□□□□□ 04 (행정대집행법 제2조의 행정대집행요건상) 당해 행정청은 의무자가 하여야 할 행위를 제3자로 하여금 행하게 할 수도 있다. (○, ×) ★★★ 2018 서울시 1회 7급

□□□□□ 05 대집행의 주체는 당해 행정청이 되나, 대집행의 실행행위는 행정청에 의한 경우 이외에 제3자에 의해서도 가능하다. (○, ×) ★★★ 2013 서울시 9급

판례 | ㉠ 군수가 군사무위임조례의 규정에 따라 무허가 건축물에 대한 철거대집행사무를 하부 행정기관인 읍·면에 위임하였다면, 읍·면장에게는 관할구역 내의 무허가 건축물에 대하여 그 철거대집행을 위한 계고처분을 할 권한이 있다(대판 1997. 2. 14, 96누15428).

정답 01 × 02 ○ 03 ○ 04 ○ 05 ○

1. 일반론

이때 공공단체 또는 사인에 대한 대집행의 위탁은 엄밀한 의미의 위탁이 아니라 사실상의 대집행 '행위'의 위탁(대집행 보조를 위한 위탁 ⓐ)이라고 해석하여야 한다. 달리 말하면, 공공단체 또는 사인의 대집행은 항상 대집행권자인 행정청의 감독과 책임하에 행해질 수 있는 것으로 보아야 한다. 이 경우 대집행을 실행하는 제3자는 대집행의 주체가 아니라 행정보조자의 지위를 갖는다고 보아야 한다.01 왜냐하면, 대집행은 물리력의 행사로서 전형적인 공권력의 행사이므로 행정기관만이 이를 행할 수 있는 것으로 보아야 하기 때문이다.

2. 법령에 의해 대집행권한을 위탁받은 경우

구 한국토지공사법 및 시행령 규정에 따르면 지방자치단체의 장은 공사가 토지개발사업을 행하는 경우 대집행권한을 공사에 위탁한다고 규정하고 있는데, 이처럼 법령에 의해 대집행권한을 위탁받은 경우 그러한 법인은 대집행의 보조자가 아니라 대집행의 주체로서 행정주체에 해당한다는 것이 판례의 입장이다.

관련판례

법령에 의해 대집행권한을 위탁받은 한국토지공사(현 한국토지주택공사)는 국가배상법 제2조에서 말하는 공무원이 아니라 행정주체에 해당한다.02 ★★★

한국토지공사법 제9조 제4호에 규정된 한국토지공사의 사업에 관하여는 「공익사업을 위한 토지 등의 취득 및 보상에 관한 법률」 제89조 제1항, 위 한국토지공사법 제22조 제6호 및 같은 법 시행령 제40조의3 제1항의 규정에 의하여 본래 시 · 도지사나 시장 · 군수 또는 구청장의 업무에 속하는 대집행권한을 한국토지공사에게 위탁하도록 되어 있는바, 한국토지공사는 이러한 법령의 위탁에 의하여 대집행을 수권받은 자로서 공무인 대집행을 실시함에 따르는 권리 · 의무 및 책임이 귀속되는 행정주체의 지위에 있다고 볼 것 …… (대판 2010. 1. 28, 2007다82950 · 82967)03

03 | 대집행의 요건

행정대집행법은 제2조❶에서 대집행의 요건에 관해 규정하고 있는데 ① 공법상의 대체적 작위의무의 불이행이 있는 경우에,05 06 ② 다른 수단으로써 그 이행을 확보하기 곤란하고, ③ 또한 그 불이행을 방치함이 심히 공익을 해할 것으로 인정될 때에 가능한바, 이하에서 검토해 본다.

❶ 공법상의 '대체적 작위의무'의 불이행

1. 의 무

(1) 공법상의 의무

대집행의 대상이 되는 의무는 원칙적으로 공법(公法)상의 의무07이며 건축도급계약상의 의무와 같은 사법(私法)상의 의무는 법령에 특별한 규정이 없는 한 대집행의 대상이 되지 않는다(법령에 특별한 규정이 있는 경우의 예로 p.525 06 참조).08 공법상의 의무는 보통의 경우 행정처분에 의하여 부과되는 것이 원칙이지만, 법령에 의해 직접 부과될 수도 있다. 대집행의 대상이 되는 의무는 법령에 의하여

기출 체크

□□□□□ **01** 행정청의 위임을 받아 대집행을 실행하는 제3자는 대집행의 주체가 아니다. (○, ×) 2013 국가직 7급

□□□□□ **02** 법령에 의해 대집행권한을 위탁받은 한국토지공사는 대집행을 수권받은 자로서 국가배상법 제2조 소정의 공무원에 해당한다. (○, ×) ★★★ 2015 지방직 7급

□□□□□ **03** 본래 시 · 도지사나 시장 · 군수 또는 구청장의 업무에 속하는 대집행권한을 법령에 의해 한국토지주택공사에게 위탁한 경우 한국토지주택공사는 이러한 위탁에 의하여 대집행을 수권받은 자로서 공무인 대집행을 실시함에 따르는 권리 · 의무 및 책임이 귀속되는 행정주체의 지위에 있다. (○, ×) ★★★ 2022 국회직 8급 변형

□□□□□ **04** 타인이 대신하여 행할 수 있는 행위가 조례에 의하여 직접 명령된 경우에는 행정대집행의 대상이 될 수 있다. (○, ×) ★★★ 2023 소방직 9급

□□□□□ **05** 대집행은 비금전적인 대체적 작위의무를 의무자가 이행하지 않는 경우 행정청이 스스로 의무자가 행하여야 할 행위를 하거나 제3자로 하여금 행하게 하는 것으로, 그 대집행의 대상은 공법상 의무에만 한정하지 않는다. (○, ×) ★★★ 2021 소방직 9급

□□□□□ **06** 대집행의 대상이 되는 대체적 작위의무는 공법상 의무여야 한다. (○, ×) ★★★ 2014 서울시 7급

□□□□□ **07** 행정대집행법상 대집행의 대상이 되는 대체적 작위의무는 공법상 의무이어야 한다. (○, ×) 2023 국가직 9급

□□□□□ **08** 행정주체와 사인 사이의 건축도급계약에 있어서, 사인이 의무불이행을 하였다고 하여도 행정대집행은 허용되지 않는다. (○, ×) ★★★ 2015 지방직 9급

❶ 행정대집행법 제2조【대집행과 그 비용징수】 법률(법률의 위임에 의한 명령, 지방자치단체의 조례를 포함한다.04 이하 같다)에 의하여 직접 명령되었거나 또는 법률에 의거한 행정청의 명령에 의한 행위로서 타인이 대신하여 행할 수 있는 행위를 의무자가 이행하지 아니하는 경우 다른 수단으로써 그 이행을 확보하기 곤란하고 또한 그 불이행을 방치함이 심히 공익을 해할 것으로 인정될 때에는 당해 행정청은 스스로 의무자가 하여야 할 행위를 하거나 또는 제3자로 하여금 이를 하게 하여 그 비용을 의무자로부터 징수할 수 있다.

ⓐ 위탁은 권한을 제3자에게 법적으로 이전하는 것이지만, 보조위탁은 권한이 수탁자에게 이전되지 않고 수탁자는 위탁자의 보조자로서 활동하는 경우를 말한다.

정답 01 ○ 02 × 03 ○ 04 ○ 05 × 06 ○ 07 ○ 08 ○

직접 명령되었거나 또는 법령에 의거한 행정처분에 의해 부과된 것이어야 하는데,01 이는 공법상 의무 중에서도 특히 권력적 행위에 의해 부과된 의무만이 대집행의 대상이 됨을 의미한다. 따라서 당사자의 대등성을 전제로 하는 공법상 계약에 의해 부과된 의무의 불이행의 경우에는 원칙적으로 행정대집행의 대상이 되지 않으며,02 소송을 통한 강제집행의 방법에 의하여야 한다.

관련판례

1. 구 「공공용지의 취득 및 손실보상에 관한 특례법」에 의한 협의취득시 건물소유자가 매매대상 건물에 대한 철거의무를 부담하겠다는 취지의 약정을 한 경우, 그 철거의무는 사법상 의무이므로 행정대집행법에 의한 대집행의 대상이 되지 않는다.03 ★★★
2. 구 「공공용지의 취득 및 손실보상에 관한 특례법」에 의한 협의취득시 건물소유자가 협의취득대상 건물에 대하여 약정한 철거의무의 강제적 이행을 행정대집행법상 대집행의 방법으로 실현할 수는 없다.★★★

   구 「공공용지의 취득 및 손실보상에 관한 특례법」(2002. 2. 4, 법률 제6656호 「공익사업을 위한 토지 등의 취득 및 보상에 관한 법률」 부칙 제2조로 폐지)에 의한 협의취득시 건물소유자가 협의취득대상 건물에 대하여 약정한 철거의무는 공법상 의무가 아닐 뿐만 아니라, 「공익사업을 위한 토지 등의 취득 및 보상에 관한 법률」 제89조에서 정한 행정대집행법의 대상이 되는 '이 법 또는 이 법에 의한 처분으로 인한 의무'에도 해당하지 아니하므로 위 철거의무에 대한 강제적 이행은 행정대집행법상 대집행의 방법으로 실현할 수 없다(대판 2006. 10. 13, 2006두7096).04

(2) 대체적 작위의무

대집행의 대상이 되는 의무는 '대체적 작위의무'(예 공유수면에 설치한 건물을 철거하여 공유수면을 원상회복하여야 할 의무)이어야 하는바, 이하에서 '대체적'의 개념과 '작위의무'의 개념을 나누어 검토해 본다.

2. 작위의무

(1) 대상의무

행정법상의 의무는 작위 · 부작위 · 수인 · 급부의무로 구분할 수 있는데, 대집행의 대상이 될 수 있는 의무는 작위의무에 한한다. 따라서 부작위의무(허가 없이 공작물을 설치하지 아니할 의무 등)05 및 수인의무(예방접종 · 건강진단을 받을 의무)를 위반한 경우에는 원칙적으로 대집행의 대상이 되지 않는다.

관련판례

1. 관계법령을 위반하여 장례식장 영업을 하고 있는 자의 장례식장 사용중지의무는 부작위의무로서 행정대집행법 제2조의 규정에 의한 대집행의 대상이 되지 않는다(대판 2005. 9. 28, 2005두7464).06 ★★★
2. 하천유수인용행위를 중단할 것과 이를 불이행할 경우 행정대집행법에 의하여 대집행하겠다는 내용의 이 사건 계고처분은 부작위의무에 대한 대집행계고처분으로서 위법하다(대판 1998. 10. 2, 96누5445).★★★

(2) 부작위의무(금지의무)의 경우

① 작위의무로 전환한 후 대집행 가능

㉠ 부작위의무(금지의무)도 그 자체로는 대집행의 대상이 되지 않지만07 08 작위의무로 전환된 후에는 그 불이행시 대집행을 할 수 있다. 예컨대, 법률상 시설설치금지의무를 위반하여 시설을 설치한 경우 이는 부작위의무(금지의무)를 위반한 경우이므로 바로 대집행을 할 수는 없다.

기출 체크

□□□□□ 01 행정청의 명령에 의한 행위뿐만 아니라 법률에 의하여 직접 명령된 행위도 행정대집행의 대상이 된다. (○, ×) ★★ 2019 경행경채 2차

□□□□□ 02 (공법상) 계약에 의한 의무불이행에 대해서는 원칙적으로 행정대집행법이 적용된다. (○, ×) 2020 소방직 9급

□□□□□ 03 「공익사업을 위한 토지 등의 취득 및 보상에 관한 법률」에 따른 토지 등의 협의취득은 사법상 계약에 해당하므로, 협의취득시 부담한 의무는 행정대집행의 대상이 되지 않는다. (○, ×) ★★★ 2024 지방직 · 서울시 9급

□□□□□ 04 국가에 토지를 매도한 자가 매매계약에 따라 지상건물을 철거할 의무가 있음에도 이를 이행하지 아니하는 경우에는 당연히 행정대집행법에 의한 대집행을 통해 그 의무의 이행을 확보할 수 있다. (○, ×) ★★★ 2024 국회직 8급

□□□□□ 05 법률상 시설설치금지의무를 위반하여 시설을 설치한 경우 별다른 규정이 없어도 대집행요건이 충족된다. (○, ×) ★★★ 2016 서울시 7급

□□□□□ 06 관계법령을 위반하여 장례식장을 영업하고 있는 자의 장례식장 사용중지의무 위반에 대해서는 행정대집행법에 의한 대집행이 가능하다. (○, ×) ★★★ 2024 소방간부

□□□□□ 07 대집행은 대체적 작위의무에 대하여 행사할 수 있는 것이 원칙이지만 부작위의무의 위반에 대하여도 가능하다. (○, ×) 2023 소방간부

□□□□□ 08 영업정지기간 중 영업의 계속의 경우 행정대집행을 할 수 있다. (○, ×) ★★★ 2013 서울시 7급

정답 01 ○ 02 × 03 ○ 04 × 05 × 06 × 07 × 08 ×

㉡ 그러나 이 경우에도 먼저 불법공작물의 철거명령을 발함으로써 작위의무로 전환한 이후에는 그 작위의무의 불이행을 이유로 대집행을 할 수 있다.01

② 작위의무로 전환함에 있어 법적 근거 필요 여부

㉠ 법치행정의 원리상 부작위의무를 작위의무로 전환하기 위해서는 법률의 명시적 근거가 있어야 하며, 그러한 근거가 있으면 부작위의무를 대체적 작위의무로 전환시켜 대집행할 수 있다.02

㉡ 법률의 명시적 근거가 없으면 금지조항(부작위의무조항)에 근거하여 작위의무를 부과할 수는 없고, 따라서 대집행이 불가능하다.03

㉢ 즉, 부작위의무를 명하는 조항은 상대방에게 금지의무를 부과할 뿐이며, 그 조항 자체로부터 금지의무를 위반하여 생긴 유형적 결과물을 제거할 의무가 발생하는 것은 아니므로 작위의무를 명하는 조항(철거명령 등의 근거조항)이 있을 때 그 조항에 근거하여 철거명령을 내리는 경우 작위의무가 발생한다.

관련판례

1. **부작위의무로부터 그 의무를 위반함으로써 생긴 결과를 시정하기 위한 작위의무를 당연히 끌어낼 수는 없으며, 또 위 금지규정으로부터 작위의무, 즉 위반결과의 시정을 명하는 권한이 당연히 추론(推論)되는 것도 아니다.★★★**

   대집행계고처분을 하기 위하여는 법령에 의하여 직접 명령되거나 법령에 근거한 행정청의 명령에 의한 의무자의 대체적 작위의무 위반행위가 있어야 한다. 따라서 단순한 부작위의무의 위반, 즉 관계법령에 정하고 있는 절대적 금지나 허가를 유보한 상대적 금지를 위반한 경우에는 당해 법령에서 그 위반자에 대하여 위반에 의하여 생긴 유형적 결과의 시정을 명하는 행정처분의 권한을 인정하는 규정(예컨대, 건축법 제69조, 도로법 제74조, 하천법 제67조, 도시공원법 제20조, 옥외광고물등관리법 제10조 등)을 두고 있지 아니한 이상, 법치주의의 원리에 비추어 볼 때 위와 같은 부작위의무로부터 그 의무를 위반함으로써 생긴 결과를 시정하기 위한 작위의무를 당연히 끌어낼 수는 없으며, 또 위 금지규정(특히 허가를 유보한 상대적 금지규정)으로부터 작위의무, 즉 위반결과의 시정을 명하는 권한이 당연히 추론(推論)되는 것도 아니다.

2. **부작위의무 위반의 경우 작위의무를 끌어내기 위해서는(작위의무로 전환하기 위해서는) 별도의 명문규정이 있어야 한다.04 ★★★**

   구 주택건설촉진법 제38조 제2항은 공동주택 및 부대시설 · 복리시설의 소유자 · 입주자 · 사용자 등을 부대시설 등에 대하여 도지사의 허가를 받지 않고 사업계획에 따른 용도 이외의 용도에 사용하는 행위 등을 금지하고, 그 위반행위에 대하여 위 주택건설촉진법 제52조의2 제1호에서 1천만원 이하의 벌금에 처하도록 하는 벌칙규정만을 두고 있을 뿐, 구 건축법 제69조(현 제79조) 등과 같은 부작위의무 위반행위에 대하여 대체적 작위의무로 전환하는 규정을 두고 있지 아니하므로 위 금지규정으로부터 그 위반결과의 시정을 명하는 원상복구명령을 할 수 있는 권한이 도출되는 것은 아니다.05 결국 행정청의 원고에 대한 원상복구명령은 권한 없는 자의 처분으로 무효라고 할 것이고, 위 원상복구명령이 당연무효인 이상 후행처분인 계고처분의 효력에 당연히 영향을 미쳐 그 계고처분 역시 무효로 된다(대판 1996. 6. 28, 96누4374).06

3. 의무의 대체성

(1) '대체적' 작위의무

① 대집행의 대상이 되는 의무는 대체적인 의무(고도의 기술이나 기능을 보유하지 않더라도 누구나 이행이 가능하여 타인이 대신할 수 있는 의무)에 한정된다.

② 따라서 비대체적 작위의무(병역의무, 증인의 출석의무 등 타인이 대신할 수 없는 의무)의 경우에는 대집행을 할 수 없다.07 08

기출 체크

□□□□□ **01** 행정청은 부작위의무의 위반에 대하여 그 시정을 별도로 명하지 아니하더라도 대집행을 할 수 있다. (○, ×) ★★★ 2015 교육행정직 9급

□□□□□ **02** 부작위의무 위반행위에 대하여 법률에 부작위의무를 대체적 작위의무로 전환하는 규정이 있으면 부작위의무를 대체적 작위의무로 전환시켜 대집행할 수 있다. (○, ×) ★★★ 2015 사회복지직 9급

□□□□□ **03** 부작위하명에는 행정행위의 강제력의 효력이 있으므로 당해 하명에 따른 부작위의무의 불이행에 대하여는 별도의 법적 근거 없이 대집행이 가능하다. (○, ×) ★★★ 2017 국가직 9급

□□□□□ **04** 부작위의무도 대체적 작위의무로 전환하는 규정을 두고 있는 경우에는 대체적 작위의무로 전환한 후에 대집행의 대상이 될 수 있다. (○, ×) ★★★ 2023 지방직 · 서울시 7급

□□□□□ **05** 부작위의무 위반행위에 대하여 대체적 작위의무로 전환하는 규정을 두고 있지 아니하더라도 그 금지규정으로부터 그 위반결과의 시정을 명하는 원상복구명령을 할 수 있는 권한이 도출될 수 있다. (○, ×) ★★★ 2019 서울시 2회 7급

□□□□□ **06** 부작위의무 위반행위에 대하여 대체적 작위의무로 전환하는 규정이 없는 경우, 부작위의무 위반결과의 시정을 명하는 원상복구명령은 무효이고, 원상복구명령의 실효성 확보를 위한 대집행의 계고처분 역시 무효로 봄이 타당하다. (○, ×) ★★★ 2022 국회직 8급

□□□□□ **07** 비대체적 작위의무의 위반은 그 자체로서 대집행의 대상이 될 수 없다. (○, ×) ★★★ 2015 교육행정직 9급

□□□□□ **08** 군복무를 위한 징집소환영장에의 불응(의 경우 행정대집행을 할 수 있다) (○, ×) 2013 서울시 7급

정답 01 × 02 ○ 03 × 04 ○ 05 × 06 ○ 07 ○ 08 ×

(2) 토지 · 건물의 명도ⓐ의무

이와 관련하여 토지나 건물의 명도의무가 대집행의 대상이 되는지가 문제된다. 토지 · 건물의 점유 이전의무는 토지 · 건물을 점유하고 있는 사람의 퇴거를 필요로 하는데, 이는 대체적 작위의무라고 할 수 없으므로 대집행의 대상이 될 수 없다.

(3) 수용 목적물인 토지나 건물의 인도 또는 이전의무

「공익사업을 위한 토지 등의 취득 및 보상에 관한 법률」 제89조는 수용 목적물인 토지나 물건의 인도 또는 이전에 관한 대집행을 규정하고 있는데, 이 규정을 토지의 인도나 이전에 대하여 대집행을 인정한 특별규정으로 보아야 하는지에 관하여 견해가 대립하고 있다. 이에 대해 판례는 토지 및 건물의 인도 또는 이전의무는 대체적 작위의무가 아니므로 이 규정에도 불구하고 대집행이 불가능하다고 본다.01

관련판례

1. 도시공원시설 점유자의 퇴거 및 명도의무는 대체적 작위의무가 아니므로 대집행의 대상이 되지 않는다.02 03 ★★★

   도시공원시설인 매점의 관리청이 그 공동점유자 중의 1인에 대하여 소정의 기간 내에 위 매점으로부터 퇴거하고 이에 부수하여 그 판매시설물 및 상품을 반출하지 아니할 경우 이를 대집행하겠다는 내용의 계고처분의 목적이 된 의무는 그 주된 목적이 매점의 원형을 보존하기 위하여 원고가 설치한 불법 시설물을 철거하고자 하는 것이 아니라, 매점에 대한 원고의 점유를 배제하고 그 점유이전을 받는 데 있다고 할 것인데, 이러한 의무는 그것을 강제적으로 실현함에 있어 직접적인 실력행사가 필요한 것이지 대체적 작위의무에 해당하는 것은 아니어서 직접강제의 방법에 의하는 것은 별론으로 하고 행정대집행법에 의한 대집행의 대상이 되는 것은 아니다(대판 1998. 10. 23, 97누157).

2-1. 구 토지수용법상 피수용자 등이 기업자에 대하여 부담하는 수용대상 토지의 인도의무는 행정대집행법에 의한 대집행의 대상이 되지 않는다.04 05 ★★★

2-2. 구 토지수용법상 피수용자 등이 기업자에 대하여 부담하는 수용대상 토지의 인도 또는 그 지장물의 명도의무를 피보전권리로 하는 명도단행가처분ⓑ은 허용될 수 있다.

(1) 피수용자 등이 기업자에 대하여 부담하는 수용대상 토지의 인도의무에 관한 구 토지수용법(2002. 2. 4, 법률 제6656호 「공익사업을 위한 토지 등의 취득 및 보상에 관한 법률」 부칙 제2조로 폐지) 제63조, 제64조, 제77조 규정에서의 '인도'에는 명도도 포함되는 것으로 보아야 하고, 이러한 명도의무는 그것을 강제적으로 실현하면서 직접적인 실력행사가 필요한 것이지 대체적 작위의무라고 볼 수 없으므로 특별한 사정이 없는 한 행정대집행법에 의한 대집행의 대상이 될 수 있는 것이 아니다.

(2) 구 토지수용법 제63조의 규정에 따라 피수용자 등이 기업자에 대하여 부담하는 수용대상 토지의 인도 또는 그 지장물의 명도의무 등이 비록 공법상의 법률관계라고 하더라도, 그 권리를 피보전권리로 하는 명도단행가처분은 그 권리에 끼칠 현저한 손해를 피하거나 급박한 위험을 방지하기 위하여 또는 그 밖의 필요한 이유가 있을 경우에는 허용될 수 있다(대판 2005. 8. 19, 2004다2809).

❷ 다른 수단으로써 그 이행을 확보하기가 곤란할 것 - 보충성

대체적 작위의무의 이행을 확보할 수 있는 다른 수단(행정지도 내지 사실상의 권유, 의무자의 자발적 이행약속 등)이 있는 경우에는 대집행이 허용되지 않는다. 이는 비례의 원칙 중 필요성의 원칙 또는 보충성의 원칙을 규정한 것이라고 할 수 있다.

기출 체크

□□□□□ 01 토지의 명도의무는 특별한 사정이 없는 한 행정대집행법에 의한 대집행의 대상이 될 수 있다. (○, ×) 2024 소방직 9급

□□□□□ 02 대집행은 대체적 작위의무의 불이행을 요건으로 하므로, 도시공원시설 점유자의 퇴거의무는 대집행의 대상이 되는 대체적 작위의무에 해당하지 않는다. (○, ×) ★★★ 2023 군무원 7급

□□□□□ 03 공원매점에서 퇴거할 의무는 비대체적 작위의무이기 때문에 행정대집행법에 의한 대집행의 대상이 되는 것은 아니다. (○, ×) ★★★ 2015 서울시 9급

□□□□□ 04 토지 · 건물 등의 인도의무는 비대체적 작위의무이므로 행정대집행법상 대집행 대상이 될 수 없다. (○, ×) ★★★ 2021 군무원 9급

□□□□□ 05 구 토지수용법상 피수용자 등이 기업자에 대하여 부담하는 수용대상 토지의 인도의무는 특별한 사정이 없는 한 행정대집행법에 의한 대집행의 대상이 될 수 없다. (○, ×) ★★★ 2019 서울시 9급

ⓐ 명 도
건물 · 토지 등을 남에게 넘겨주는 것(인도)을 특히 명도라고 한다.

ⓑ 명도단행가처분
명도단행가처분이란 점유자가 정당한 권리 없이 부동산을 점유하고 있는 경우 빠른 시일 내에 부동산에서 퇴거할 것을 명하는 임시처분을 말한다. 부동산 점유를 둘러싼 분쟁에서 채권자가 명도소송보다 신속하게 점유를 회복할 수 있도록 해주는 법적 절차이다.

정답 01 × 02 ○ 03 ○ 04 ○ 05 ○

관련판례

대체적 작위의무 위반이 있더라도 다른 요건(다른 수단으로는 그 이행을 확보하기 곤란하고, 의무의 불이행을 방치함이 심히 공익을 해할 것)이 충족되어야 대집행이 가능하다.

건축법에 위반하여 증 · 개축함으로써 철거의무가 있더라도 행정대집행법 제2조에 의하여 그 철거의무를 대집행하기 위한 계고처분을 하려면 다른 방법으로는 그 이행의 확보가 어렵고, 그 불이행을 방치함이 심히 공익을 해하는 것으로 인정되는 경우에 한한다(대판 1989. 7. 11, 88누11193). **01 02 03 ★★**

❸ 의무의 불이행을 방치함이 심히 공익을 해할 것04

이는 비례의 원칙 중 협의의 비례의 원칙을 의미하는 것으로, 비록 대집행 대상인 의무의 위반이 있다고 하더라도 그 의무불이행의 정도가 경미한 경우, 즉 사소한 공익을 위해서는 함부로 대집행을 할 수 없다는 의미이다.

1. 공익을 해한다고 인정한 판례

관련판례

1. **건물의 미관이 나아지고 철거비용이 많이 든다 하더라도 무허가증축부분을 방치함으로써 더 큰 공익을 심히 해할 우려가 있는 경우 계고처분은 적법하다.**
   무허가증축부분으로 인해 건물의 미관이 나아지고 위 증축부분을 철거하는 데 비용이 많이 소요되더라도 이를 그대로 방치한다면 이를 단속하는 당국의 권능이 무력화되어 건축행정의 원활한 수행이 위태롭게 되며 건축법의 제한규정을 회피하는 것을 사전예방하고 도시계획구역 안에서 토지의 경제적 · 효율적인 이용을 도모한다는 더 큰 공익을 심히 해할 우려가 있으므로 건물철거대집행계고처분을 할 요건에 해당된다(대판 1992. 3. 10, 91누4140). **05**

2. (바닥면적이 359m²에 달하는 불법건축물이 시장건물의 후면벽과 인접한 주택의 담장을 벽으로 삼고 철골의 기둥과 천장을 세워 그 위에 슬레이트 및 천막을 씌워 차양시설을 하여 건축되고 많은 사람이 출입하는 시장으로 사용되고 있는 것과 관련하여) **도시미관, 주거환경, 교통소통에 지장이 없다는 등의 사유가 있더라도 이를 방치한다면 더 큰 공익을 해칠 우려가 있다.**
   무허가로 불법건축되어 철거할 의무가 있는 건축물을 도시미관, 주거환경, 교통소통에 지장이 없다는 등의 사유만을 들어 그대로 방치한다면 불법건축물을 단속하는 당국의 권능을 무력화하여 건축행정의 원활한 수행을 위태롭게 하고 건축허가 및 준공검사시에 소방시설, 주차시설, 기타 건축법 소정의 제한규정을 회피하는 것을 사전예방한다는 더 큰 공익을 해칠 우려가 있다(대판 1989. 3. 28, 87누930).

2. 심히 공익을 해하지 아니한다고 본 판례

관련판례

건축허가면적보다 0.02m² 정도 초과하여 이웃의 대지를 침범한 경우 이의 철거를 위한 계고처분은 그 요건을 갖추지 못한 것으로서 위법하여 취소를 면할 수 없다.

건축허가면적보다 0.02m² 정도 초과하여 이웃의 대지를 침범한 경우에, 이 정도의 위반만으로는 주위의 미관을 해칠 우려가 없을 뿐 아니라 이를 대집행으로 철거할 경우 많은 비용이 드는 반면, 공익에는 별 도움이 되지 아니하고 도로교통 · 방화 · 보안 · 위생 · 도시미관 · 공해예방 등의 공익을 크게 해친다고 볼 수도 없기 때문에 철거를 위한 계고처분은 그 요건을 갖추지 못한 것으로서 위법하여 취소를 면할 수 없다(대판 1991. 3. 12, 90누10070).

기출 체크

□□□□□ **01** 건축법에 위반하여 증 · 개축함으로써 철거의무가 있더라도 그 철거의무를 대집행하기 위한 계고처분을 하려면 다른 방법으로는 그 이행의 확보가 어렵고, 그 불이행을 방치함이 심히 공익을 해하는 것으로 인정되는 경우에 한한다. (○, ×) ★★ 2020 지방직 · 서울시 7급

□□□□□ **02** 대집행이 행해지기 위해서는 대체적 작위의무의 불이행을 방치함이 심히 공익을 해할 것으로 인정될 때이어야 하나, 다른 수단으로써 그 이행을 확보하기 곤란할 필요까지는 요하지 않는다. (○, ×) ★★ 2015 사회복지직 9급

□□□□□ **03** 행정대집행법 제2조는 다른 수단으로써 그 이행을 확보하기 곤란한 것을 대집행의 요건으로 하고 있다. (○, ×) ★★ 2011 국회직 8급

□□□□□ **04** 의무의 불이행만으로 대집행이 가능한 것은 아니며 의무의 불이행을 방치하는 것이 심히 공익을 해한다고 인정되는 경우에 비로소 대집행이 허용된다. (○, ×) ★★ 2013 지방직 9급

□□□□□ **05** 무허가증축부분으로 인하여 건물의 미관이 나아지고 증축부분을 철거하는 데 비용이 많이 소요된다고 하더라도 건물철거대집행계고처분을 할 요건에 해당된다. (○, ×) 2020 지방직 · 서울시 7급

정답 01 ○ 02 × 03 ○ 04 ○ 05 ○

❹ 기 타

1. 불가쟁력의 발생문제 – 대집행의 요건 아님

독일행정법과 달리 우리 행정대집행법은 행정처분의 불가쟁력의 발생을 대집행실행의 전제로 하지 않고 있다. 따라서 우리 행정대집행법하에서는 의무를 명한 행정처분이 아직 다툴 수 있는 상태에 있더라도, 즉 불가쟁력이 발생되기 전이라도 대집행을 할 수 있다.**01 02**

2. 대집행의 재량성

대집행의 요건이 충족되는 경우에 대집행권을 발동할 것인지는 조문의 표현방식상 행정청의 재량에 속한다는 것이 다수설의 입장이다.**03 04** 그러나 의무의 불이행을 방치하는 것이 생명 · 신체에 중대한 침해를 야기하는 것과 같은 예외적인 경우에는 재량권이 영(0)으로 수축될 수도 있다.

04 | 대집행의 절차

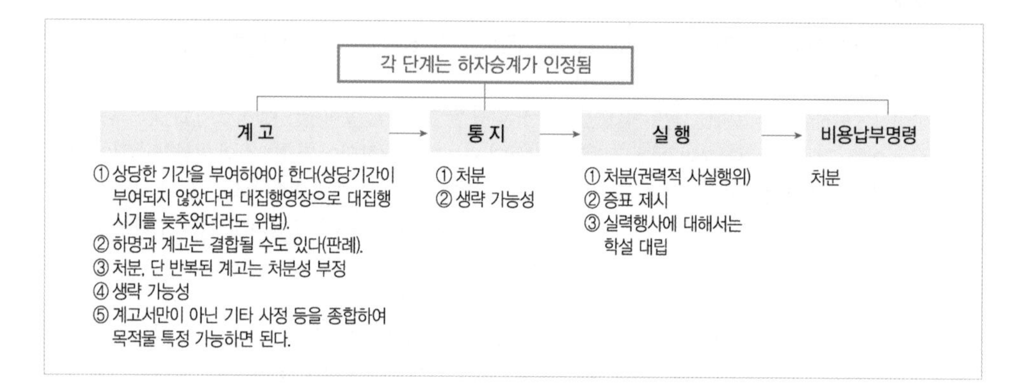

대집행은 '계고 ⇨ 대집행영장에 의한 통지 ⇨ 대집행의 실행 ⇨ 대집행 비용의 징수'라는 네 단계의 행위로 구성되는바,**05** 이러한 절차를 나누어 살펴보면 다음과 같다.

❶ 계 고

1. 개 념

계고란 '상당한 기간' 내에 의무를 이행하지 않으면 대집행을 한다는 뜻을 문서로써 알리는 행위를 말한다. 한편 이러한 계고를 함에 있어서는 위에서 본 대집행의 요건(p.515 참조)이 충족되어 있어야 함이 원칙이다.**06**

관련판례

위법한 건물의 공유자 1인에 대한 계고처분은 다른 공유자에 대하여는 그 효력이 없다(대판 1994. 10. 28, 94누5144).

2. 상당한 기간

행정청은 상당한 이행기한을 정함에 있어 의무의 성질 · 내용 등을 고려하여 사회통념상 해당 의무를 이행하는 데 필요한 기간이 확보되도록 하여야 한다. 판례는 상당한 기간을 부여하지 않은 경우는 대집행영장으로 대집행의 시기를 늦추었더라도 위법하다고 판시한 바 있다.

기출 체크

□□□□□ **01** 의무를 명하는 행정행위가 불가쟁력이 발생하지 않은 경우에는 그 행정행위에 따른 의무의 불이행에 대하여 대집행을 할 수 없다. (○, ×) ★★★
2017 국가직 9급

□□□□□ **02** 행정대집행법상 대집행을 위한 요건으로 볼 수 없는 것은? ★★★
2014 서울시 9급
① 행정대집행의 대상이 되는 의무는 공법상 의무이어야 한다.
② 행정대집행의 대상이 되는 의무는 대체성이 있는 의무이어야 한다.
③ 불이행된 의무를 다른 수단으로 이행을 확보하기 곤란해야 한다.
④ 의무의 불이행을 방치하는 것이 심히 공익을 해한다고 인정되어야 한다.
⑤ 의무를 명한 행정처분에 불가쟁력이 발생해야 한다.

□□□□□ **03** 대집행의 요건을 충족한 경우에 행정청이 대집행을 할 것인지 여부에 관해서 소수설은 재량행위로 보나, 다수설과 판례는 기속행위로 본다. (○, ×) ★★★ 2021 소방직 9급

□□□□□ **04** 행정대집행법 제2조에 따른 대집행의 실시 여부는 행정청의 재량에 속하지 않는다. (○, ×) ★★★
2017 국가직 9급

□□□□□ **05** 일반적으로 대집행의 절차는 계고, 대집행영장에 의한 통지, 대집행의 실행, 비용징수의 단계를 거치게 된다. (○, ×) ★★★ 2007 국가직 7급

□□□□□ **06** 원칙적으로 '의무의 불이행을 방치하는 것이 심히 공익을 해하는 것으로 인정되는 경우'의 요건은 계고를 할 때에 충족되어 있어야 한다. (○, ×) ★★
2017 국가직 9급

정답 01 × 02 ⑤ 03 × 04 × 05 ○ 06 ○

관련판례

계고시 상당한 기간을 부여하지 않은 경우 대집행영장으로 대집행의 시기를 늦추었다 하더라도 대집행계고처분은 상당한 이행기한을 정하여 한 것이 아니므로 위법하다.★★★

행정대집행법 제3조 제1항은 행정청이 의무자에게 대집행영장으로써 대집행할 시기 등을 통지하기 위하여는 그 전제로서 대집행계고처분을 함에 있어서 의무이행을 할 수 있는 상당한 기간을 부여할 것을 요구하고 있으므로, 행정청인 피고가 의무이행기한이 1988. 5. 24.까지로 된 이 사건 대집행계고서를 5. 19. 원고에게 발송하여 원고가 그 이행종기인 5. 24. 이를 수령하였다면, 설사 피고가 대집행영장으로써 대집행의 시기를 1988. 5. 27. 15 : 00로 늦추었더라도 위 대집행계고처분은 상당한 이행기한을 정하여 한 것이 아니어서 대집행의 적법절차에 위배한 것으로 위법한 처분이라고 할 것이다(대판 1990. 9. 14, 90누2048).**01 02**

3. 계고의 형식 및 성질

계고는 문서로 하여야 하며, 구술로 하는 경우는 무효가 된다.**03** 계고의 성질에 대해서 통설은 준법률행위적 행정행위인 통지에 해당하며**04** 항고소송의 대상이 되는 행정처분이라고 본다.**05** 한편, 판례도 계고에 대해 처분성을 인정하나 반복된 계고의 경우에는 처음의 계고, 즉 1차 계고에 대해서만 처분성을 긍정하며, 2차 · 3차의 계고 등에 대해서는 처분성을 부정한다.

관련판례

계고처분 자체도 행정소송의 대상이 되나, 2차 · 3차의 계고처분은 새로운 철거의무를 부과한 것이 아니고, 다만 대집행기한의 연기통지에 불과하므로 행정처분이 아니다(대판 1994. 10. 28, 94누5144).**06 07** ★★★

4. 계고의 생략 가능성

법률에 다른 규정이 있거나, 비상시 또는 위험이 절박한 경우에 대집행의 급속한 실시를 요하여 계고를 할 여유가 없을 때에는 계고절차를 거치지 아니하고 대집행을 할 수 있다.**08**

5. 의무를 명하는 처분과 계고의 결합 가능성

계고처분에 앞서 작위의무를 부과하는 행정처분이 선행되어야 하는지에 대해 판례는 철거명령과 계고처분을 1장의 문서로 할 수 있다고 판시한 바 있다.**09**

관련판례

계고서라는 명칭의 1장의 문서로써, 일정기간 내에 위법건축물의 자진철거를 명함과 동시에 그 소정 기한 내에 자진철거를 하지 아니할 때에는 대집행할 뜻을 미리 계고한 경우라도 철거명령 및 계고처분은 적법하다.★★★

계고서라는 명칭의 1장의 문서로써 일정기간 내에 위법건축물의 자진철거를 명함과 동시에 그 소정 기한 내에 자진철거를 하지 아니할 때에는 대집행할 뜻을 미리 계고한 경우라도 위 건축법에 의한 철거명령과 행정대집행법에 의한 계고처분은 독립하여 있는 것으로서 각 그 요건이 충족되었다고 볼 것이고,**10** 이 경우 철거명령에서 주어진 일정기간이 자진철거에 필요한 상당한 기간이라면 그 기간 속에는 계고시에 필요한 '상당한 이행기간'도 포함되어 있다고 보아야 할 것이다(대판 1992. 6. 12, 91누13564).

6. 의무의 특정

(1) 행정청이 대집행의 계고를 함에 있어서는 의무자가 이행해야 할 행위와 의무불이행시 대집행할 행위의 내용과 범위가 구체적으로 특정되어야 한다.

(2) 다만, 특정 여부는 반드시 대집행계고서만으로 판단할 것은 아니고 그 처분 전후에 송달된 문서나 기타 사정을 종합하여 이를 특정할 수 있으면 족하다는 것이 판례의 입장이다.

기출 체크

□□□□□ **01** 대집행계고처분에서 정한 의무이행기간의 이행종기인 날짜에 그 계고서를 수령하였고 행정청이 대집행영장으로써 대집행의 시기를 늦추었다고 하여도 대집행의 적법절차에 위배한 것으로 위법한 처분이다. (○, ×) ★★★ 2021 군무원 7급

□□□□□ **02** 대집행계고처분을 함에 있어서 의무이행을 할 수 있는 상당한 기간을 부여하지 아니하였다 하더라도, 행정청이 대집행계고처분 후에 대집행영장으로써 대집행의 시기를 늦추었다면 그 대집행계고처분은 적법한 처분이다. (○, ×) ★★★ 2017 지방직(하) 9급

□□□□□ **03** 대집행의 계고는 문서에 의한 것이어야 하고, 구두에 의한 계고는 무효가 된다. (○, ×) ★★★ 2012 사회복지직 9급

□□□□□ **04** 대집행의 계고는 행정지도에 해당한다. (○, ×) ★★★ 2015 교육행정직 9급

□□□□□ **05** 계고는 행정처분으로서 항고소송의 대상이 된다. (○, ×) ★★★ 2015 국가직 9급

□□□□□ **06** 위법건축물에 대한 철거명령 및 계고처분에 불응하자 제2차로 계고처분을 행한 경우, 제2차 계고처분은 항고소송의 대상인 행정처분에 해당한다. (○, ×) ★★★ 2023 소방직 9급

□□□□□ **07** 건물의 소유자에게 위법건축물을 일정기간까지 철거할 것을 명함과 아울러 불이행할 때에는 대집행한다는 내용의 철거대집행 계고처분을 고지한 후 이에 불응하자 다시 제2차, 제3차 계고서를 발송하여 일정기간까지의 자진철거를 촉구하고 불이행하면 대집행을 한다는 뜻을 고지한 경우, 제2차, 제3차의 계고처분은 새로운 철거의무를 부과한 것이 아니라 대집행기한을 연기통지한 것에 불과하다. (○, ×) ★★★ 2023 국가직 9급

□□□□□ **08** 행정청은 비상시 또는 위험이 절박한 경우에 있어서 당해 행위의 급속한 실시를 요하여 계고절차를 취할 여유가 없더라도 계고절차를 생략할 수 없다. (○, ×) ★★ 2016 경행경채

□□□□□ **09** 계고처분은 독립한 처분으로서, 위법건축물에 대한 철거명령과 동시에 발령할 수 있다. (○, ×) ★★ 2023 소방직 9급

□□□□□ **10** 계고서라는 명칭의 1장의 문서로서 일정기간 내에 위법건축물의 자진철거를 명함과 동시에 그 소정 기한 내에 자진철거를 하지 아니할 때에는 대집행할 뜻을 미리 계고한 경우라면 건축법에 의한 철거명령과 행정대집행법에 의한 계고처분의 요건이 충족된 것은 아니다. (○, ×) ★★★ 2024 지방직 · 서울시 9급

정답 01 ○ 02 × 03 ○ 04 × 05 ○ 06 × 07 ○ 08 × 09 ○ 10 ×

관련판례

대집행계고를 함에 있어 대집행할 행위의 내용 · 범위가 반드시 대집행계고서에 의하여만 특정될 필요는 없고 계고예고서, 기타 사정 등을 통해 알 수 있으면 족하다.01 ★★★

행정청이 행정대집행법 제3조 제1항에 의한 대집행계고를 함에 있어서는 의무자가 스스로 이행하지 아니하는 경우에 대집행할 행위의 내용 및 범위가 구체적으로 특정되어야 하나, 그 행위의 내용 및 범위는 반드시 대집행계고서에 의하여서만 특정되어야 하는 것이 아니고, 계고처분 전후에 송달된 문서나 기타 사정을 종합하여 행위의 내용이 특정되거나 실제 건물의 위치, 구조, 평수 등을 계고서의 표시와 대조 · 검토하여 대집행의무자가 그 이행의무의 범위를 알 수 있을 정도로 하면 족하다(대판 1996. 10. 11, 96누8086).

❷ 대집행영장에 의한 통지

1. 대집행영장에 의한 통지란 의무자가 계고를 받고도 지정된 기한까지 그 의무를 이행하지 않을 때에는 당해 행정청이 행정대집행영장으로써 대집행을 할 시기, 대집행책임자의 성명 및 대집행비용의 개산액을 의무자에게 알리는 것을 말한다. 이는 **준법률행위적 행정행위인 통지로서 항고소송의 대상이 되는 처분**에 해당한다.**02**

2. 법률에 다른 규정이 있을 경우 및 **비상시 또는 위험이 절박하여 통지를 할 여유가 없을 때**에는 대집행영장에 의한 **통지절차 역시 생략할 수 있다**(행정대집행법 제3조 제3항).**03** 이는 계고와 동시에 생략할 수도 있다.**04**

❸ 대집행의 실행

1. 개념 및 성질

대집행의 실행이란 당해 행정청 스스로 의무자가 해야 할 행위를 하거나 제3자로 하여금 그 의무를 이행시키는 물리력의 행사를 의미하며, **권력적 사실행위로서 행정처분**에 해당한다.**05** 한편 대집행절차인 **계고 및 통지절차를 거치지 아니하고 대집행 실행을 하는 것은 위법한 공무집행이므로 공무집행방해죄가 성립되지 않는다**는 것이 판례의 입장이다.㉠

2. 대집행의 제한ⓐ

행정청은 해가 뜨기 전이나 해가 진 후에는 대집행을 하여서는 아니 된다. 다만 **의무자가 동의한 경우**, **해가 지기 전에 대집행을 착수한 경우** 등의 사유가 있으면 **그러하지 아니하다.06**

3. 증표의 제시

대집행책임자는 그가 집행책임자라는 것을 표시한 증표를 휴대하여 대집행시에 이해관계인에게 제시하여야 한다.

4. 실력행사의 허용 여부

(1) 긍정설

저항을 배제하는 것은 대집행의 내용에 포함되므로 법적 근거가 없더라도 허용된다고 한다. 부득이한 경우에는 대집행의 실행을 위해 필요한 최소한의 범위 내에서 저항을 배제하는 것은 가능하다고 볼 것이다.

기출 체크

□□□□□ **01** 계고를 함에 있어서 그 행위의 내용과 범위는 반드시 시정명령서나 대집행계고서에 의하여서만 특정되어야 하는 것은 아니고, 그 처분 전후에 송달된 문서나 기타 사정을 종합하여 이를 특정할 수 있으면 족하다. (○, ×) ★★★
2023 소방간부

□□□□□ **02** 대집행의 계고와 대집행영장에 의한 통지는 그 자체가 독립하여 취소소송의 대상이 된다. (○, ×) ★★★
2015 지방직 7급

□□□□□ **03** 비상시 또는 위험이 절박한 경우에 있어 당해 행위의 급속한 실시를 요하여 대집행영장에 의한 통지절차를 취할 여유가 없을 때에는 이 절차를 거치지 아니하고 대집행할 수 있다. (○, ×) ★★★
2021 소방직 9급

□□□□□ **04** 구두에 의한 계고는 무효이며, 계고와 통지는 동시에 생략할 수 없다. (○, ×) ★★★
2020 국회직 8급

□□□□□ **05** 대집행의 실행행위는 권력적 사실행위로서의 성질을 갖는다. (○, ×) ★★
2013 서울시 9급

□□□□□ **06** 행정청은 해가 지기 전에 대집행을 착수한 경우라도 해가 진 후에는 대집행을 할 수 없다. (○, ×) ★★
2020 지방직 · 서울시 7급

판례 | ㉠ 도심광장인 '서울광장'에서, 행정대집행법이 정한 계고 및 대집행영장에 의한 통지절차를 거치지 아니한 채 위 광장에 무단 설치된 천막의 철거대집행을 행하는 공무원들에 대항하여 피고인들이 폭행 · 협박을 가하였더라도, 특수공무집행방해죄는 성립하지 않는다(대판 2010. 11. 11, 2009도11523).

ⓐ 행정청(대집행을 실행하는 제3자를 포함)은 해가 뜨기 전이나 해가 진 후에는 대집행을 하여서는 아니 된다. 다만, 다음의 어느 하나에 해당하는 경우에는 그러하지 아니하다(행정대집행법 제4조 제1항).
1. 의무자가 동의한 경우
2. 해가 지기 전에 대집행을 착수한 경우
3. 해가 뜬 후부터 해가 지기 전까지 대집행을 하는 경우에는 대집행의 목적달성이 불가능한 경우
4. 그 밖에 비상시 또는 위험이 절박한 경우

정답 01 ○ 02 ○ 03 ○ 04 × 05 ○ 06 ×

(2) 부정설

저항을 배제하는 것은 대집행의 내용으로 볼 수 없다는 것을 근거로 들어 명문의 규정이 없는 한 실력행사는 허용될 수 없다고 한다. 이 견해에 따르면 공무집행방해죄의 적용이나 경찰관직무집행법상의 위험발생방지조치 또는 범죄의 예방·제지와 같은 경찰권의 발동의 방법으로 해결하게 된다.

(3) 판례의 태도

직접적인 판례는 아니나, 판례는 건물철거의무에 퇴거의무도 포함되어 있다고 보아 건물철거 대집행과정에서 부수적으로 건물의 점유자들에 대한 퇴거조치를 할 수 있고,01 점유자들이 적법한 행정대 집행을 위력의 행사로 방해하는 경우 필요한 때에는 경찰관직무집행법에 근거한 위험발생 방지조치 또는 형법상 공무집행방해죄의 범행방지 내지 현행범체포의 차원에서 경찰의 도움을 받을 수도 있다고 본다.

관련판례

1. 관계법령상 행정대집행의 절차가 인정되어 행정청이 행정대집행의 방법으로 건물의 철거 등 대체적 작위의무의 이행을 실현할 수 있는 경우에는 따로 민사소송의 방법으로 그 의무의 이행을 구할 수 없다.02 한편, 건물의 점유자가 철거의무자일 때에는 건물철거의무에 퇴거의무도 포함되어 있는 것이어서 별도로 퇴거를 명하는 집행권원이 필요하지 않다.03 또한, 행정청이 건물소유자들을 상대로 건물철거 대집행을 실시하기에 앞서, 건물소유자들을 건물에서 퇴거시키기 위해 별도로 퇴거를 구하는 민사소송은 부적법하다.04 ★★★
2. 행정청이 행정대집행의 방법으로 건물철거의무의 이행을 실현할 수 있는 경우에는 건물철거 대집행 과정에서 부수적으로 건물의 점유자들에 대한 퇴거조치를 할 수 있고,05 점유자들이 적법한 행정대집행을 위력을 행사하여 방해하는 경우 형법상 공무집행방해죄가 성립하므로, 필요한 경우에는 경찰관직무집행법에 근거한 위험발생 방지조치 또는 형법상 공무집행방해죄의 범행방지 내지 현행범체포의 차원에서 경찰의 도움을 받을 수도 있다(대판 2017. 4. 28, 2016다213916).06 ★★★

❹ 대집행비용의 징수

대집행에 소요된 비용은 의무자가 부담한다. 행정청은 납기일을 정하여 실제에 요한 비용액에 대해 의무자에게 문서로써 납부를 명하여야 하고,07 의무자가 납부하지 않을 때에는 국세징수법의 예에 의하여 강제징수할 수 있다.08 대집행에 요한 비용을 징수하였을 때에는 그 징수금은 사무비의 소속에 따라 국고 또는 지방자치단체의 수입으로 한다.09 한편 비용납부명령은 하명으로서 처분성을 가진다.10

관련판례

1. 대한주택공사(현 한국토지주택공사)가 법령에 의하여 대집행권한을 위탁받아 공무인 대집행을 실시하기 위하여 지출한 비용을 행정대집행법 절차에 따라 국세징수법의 예에 의하여 징수할 수 있다.★★★
2. 대한주택공사가 법령에 의하여 대집행권한을 위탁받아 공무인 대집행을 실시하기 위하여 지출한 비용을 행정대집행법 절차에 따라 징수할 수 있음에도 민사소송절차에 의하여 그 비용의 상환을 청구할 수는 없다(대판 2011. 9. 8, 2010다48240).11 ★★★

기출 체크

□□□□□ 01 건물철거의무에 퇴거의무도 포함되어 있어 건물철거대집행과정에서 부수적으로 건물의 점유자들에 대한 퇴거조치를 할 수 있다. (○, ×) 2020 소방직 9급

□□□□□ 02 관계법령상 행정대집행의 절차가 인정되어 행정청이 행정대집행의 방법으로 건물의 철거 등 대체적 작위의무의 이행을 실현할 수 있는 경우에는 따로 민사소송의 방법으로 그 의무의 이행을 구할 수 없다. (○, ×) ★★★ 2023 지방직·서울시 9급

□□□□□ 03 행정대집행법에 따른 행정대집행에서 건물의 점유자가 철거의무자일 때에는 별도로 퇴거를 명하는 집행권원이 필요하다. (○, ×) ★★★ 2023 군무원 9급

□□□□□ 04 행정청이 건물소유자들을 상대로 건물철거 대집행을 실시하기에 앞서, 건물소유자들을 건물에서 퇴거시키기 위해 별도로 퇴거를 구하는 민사소송은 부적법하다. (○, ×) ★★★ 2024 소방간부

□□□□□ 05 행정청이 행정대집행의 방법으로 건물철거의무의 이행을 실현할 수 있는 경우에 건물철거 대집행 과정에서 부수적으로 건물의 점유자들에 대한 퇴거조치를 할 수 없다. (○, ×) ★★★ 2023 국회직 8급

□□□□□ 06 철거대상건물의 점유자들이 적법한 행정대집행을 위력을 행사하여 방해하는 경우, 행정청은 필요하다면 경찰관직무집행법에 근거한 위험발생 방지조치 차원에서 경찰의 도움을 받을 수 있다. (○, ×) 2020 국가직 9급

□□□□□ 07 대집행비용은 원칙상 의무자가 부담하며 행정청은 그 비용액과 납기일을 정하여 의무자에게 문서로 납부를 명하여야 한다. (○, ×) ★★★ 2020 지방직·서울시 9급

□□□□□ 08 대집행비용은 국세징수법의 예에 의하여 징수할 수 있다. (○, ×) 2023 소방직 9급

□□□□□ 09 행정대집행법에 따르면 대집행에 요한 비용을 징수하였을 때에는 그 징수금은 사무비의 소속에 따라 국고 또는 지방자치단체의 수입으로 한다. (○, ×) 2024 지방직·서울시 9급

□□□□□ 10 대집행비용의 납부명령은 독립하여 항고소송의 대상이 된다. (○, ×) ★ 2011 국가직 9급

□□□□□ 11 행정청이 행정대집행을 한 경우 그에 따른 비용의 징수는 행정대집행법의 절차에 따라 국세징수법의 예에 의하여 징수하여야 하며, 손해배상을 구하는 민사소송으로 징수할 수는 없다. (○, ×) ★★★ 2022 지방직·서울시 7급

정답 01 ○ 02 ○ 03 × 04 ○ 05 × 06 ○ 07 ○ 08 ○ 09 ○ 10 ○ 11 ○

05 | 대집행에 대한 권리구제

❶ 항고소송

1. 소송의 대상

대집행의 각 단계의 행위는 **모두 행정쟁송의 대상인 처분**에 속한다. 즉, '계고'와 '대집행영장에 의한 통지'는 준법률행위적 행정행위로서 통지에 속하고, '대집행의 실행행위'는 권력적 사실행위의 성질을 가지며, '비용납부명령'은 하명으로서 모두 처분에 속한다.

2. 소의 이익

대집행은 단기간에 종료되는 것이 보통이므로 대집행의 실행이 완료된 경우에는 소의 이익을 상실하여 원칙적으로 항고소송의 제기가 허용되지 않는다. 따라서 의무자는 항고소송을 제기하면서 집행정지의 신청을 통하여 대집행실행을 막을 필요가 있다.

관련판례

계고처분에 기한 대집행의 실행이 이미 사실행위로서 완료되었다면, 계고처분이나 대집행의 실행행위 자체의 무효확인 또는 취소를 구할 법률상 이익은 없다(대판 1995. 7. 28, 95누2623).**01**㉠ ★★★

3. 입증책임

대집행요건이 충족되었는지에 대해 다툼이 있는 경우 입증책임은 **처분청인 행정청**에 있다는 것이 판례의 입장이다.

관련판례

대집행요건을 구비하였는지에 관한 주장 및 입증책임은 처분행정청에 있다.02 ★★★

건축법에 위반하여 건축한 것이어서 철거의무가 있는 건물이라 하더라도 그 철거의무를 대집행하기 위한 계고처분을 하려면 다른 방법으로는 이행의 확보가 어렵고 불이행을 방치함이 심히 공익을 해하는 것으로 인정될 때에 한하여 허용되고 이러한 요건의 주장 · 입증책임은 처분행정청에 있다(대판 1996. 10. 11, 96누8086).**03**

4. 하자의 승계

(1) 대집행의 각 단계 행위(계고 ⇨ 통지 ⇨ 실행 ⇨ 비용납부명령)는 하자의 승계가 긍정된다. 따라서 후행처분에 대한 취소소송에서 선행처분의 위법성을 다툴 수 있다.

(2) 그러나 건물철거명령과 같이 의무를 명하는 행위와 계고 간에는 의무부과행위가 당연무효가 아닌 한 하자의 승계가 인정되지 않는다고 함이 통설 · 판례의 입장이다(p.353 참조).

관련판례

1. 계고처분이 위법하다면 후행처분인 비용납부명령 그 자체에는 아무런 하자가 없다고 하더라도 비용납부명령의 취소를 구하는 소송에서 선행행위인 계고처분이 위법하므로 후행처분인 비용납부명령도 위법하다는 것을 주장할 수 있다(대판 1993. 11. 9, 93누14271).**04** ★★★

2. 건물철거명령이 당연무효가 아닌 이상 행정심판이나 소송을 제기하여 그 위법함을 소구하는 절차를 거치지 아니하였다면 위 선행행위인 건물철거명령은 적법한 것으로 확정되었다고 할 것이므로 후행행위인 대집행계고처분에서는 그 건물이 무허가건물이 아닌 적법한 건축물이라는 주장이나 그러한 사실인정을 하지 못한다(대판 1998. 9. 8, 97누20502).**05**

기출 체크

□□□□□ **01** 대집행계고처분 취소소송의 변론이 종결되기 전에 대집행영장에 의한 통지절차를 거쳐 사실행위로서 대집행의 실행이 완료된 경우에는 계고처분의 취소를 구할 법률상의 이익이 없다. (○, ×) ★★★
2019 지방직 · 교육행정직 9급

□□□□□ **02** 대집행을 함에 있어 계고요건의 주장과 입증책임은 처분행정청에 있는 것이지, 의무불이행자에 있는 것이 아니다. (○, ×) ★★★
2020 지방직 · 서울시 9급

□□□□□ **03** 건축법에 위반하여 건축한 것이어서 철거의무가 있는 건물이라 하더라도 그 철거의무를 대집행하기 위한 계고처분을 하려면 다른 방법으로는 이행의 확보가 어렵고 불이행을 방치함이 심히 공익을 해하는 것으로 인정될 때에 한하여 허용되고 이러한 요건의 주장 · 입증책임은 처분행정청에 있다. (○, ×) ★★★
2023 군무원 9급

□□□□□ **04** 후행처분인 대집행비용납부명령 취소청구소송에서 선행처분인 계고처분이 위법하다는 이유로 대집행비용납부명령의 취소를 구할 수 없다. (○, ×) ★★★ 2021 지방직 · 서울시 9급

□□□□□ **05** 건물철거명령이 당연무효가 아닌 이상 후행행위인 대집행계고처분에 대한 취소소송에서 건물철거명령의 위법사유를 주장할 수 없다. (○, ×)
2024 소방간부

판례 | ㉠ 이미 대집행이 사실행위로서 완료된 마당에 있어서는 그 행위의 위법을 이유로 하는 손해배상 또는 원상회복의 청구를 하는 것은 몰라도 그 처분의 취소를 구함은 권리보호의 실익이 없는 것이다(대판 1967. 10. 23, 67누115).

정답 01 ○ 02 ○ 03 ○ 04 × 05 ○

❷ 이의신청과 행정심판

대집행에 대해 불복이 있는 자는 행정청에 대하여 이의신청을 할 수도 있고(행정기본법 제36조), 취소심판 등 행정심판의 제기를 통하여 권리구제를 받을 수도 있다(행정대집행법 제7조).

❸ 손해배상

대집행의 각 단계 행위는 처분성이 인정되어 취소소송의 대상이 됨은 앞서 살펴본 바와 같다. 그러나 대집행의 실행이 완료된 경우 취소소송의 제기는 소의 이익이 없으므로 각하된다.01 다만, 이 경우에도 손해배상청구는 가능하다(제15강 p.315 참조).02

06 | 국유재산법 등의 경우

국가소유재산의 관리에 관한 국유재산법 및 지방자치단체 소유재산의 관리에 관한 「공유재산 및 물품관리법」에 따르면 모든 국유재산(일반재산 포함) · 공유재산(일반재산 포함)에 대하여 행정대집행법을 준용할 수 있도록 규정하고 있으므로 행정청은 당해 재산이 행정재산인지 여부나 그 철거의무가 공법상 의무인지 여부에 관계없이 대집행을 할 수 있다.

국유재산법 제74조【불법시설물의 철거】 정당한 사유 없이 국유재산을 점유하거나 이에 시설물을 설치한 경우에는 중앙관서의 장 등은 행정대집행법을 준용하여 철거하거나 그 밖에 필요한 조치를 할 수 있다.
✚ 지방정부의 재산에 관한 법인 「공유재산 및 물품관리법」(제83조)에도 동일한 내용이 있음.

관련판례

공유재산 대부계약의 해지에 따른 원상회복으로 행정대집행의 방법에 의하여 그 지상물을 철거시킬 수 있다.03 04 ★

공유재산의 점유자가 그 공유재산에 관하여 대부계약 외 달리 정당한 권원이 있다는 자료가 없는 경우 그 대부계약이 적법하게 해지된 이상 그 점유자의 공유재산에 대한 점유는 정당한 이유 없는 점유라 할 것이고, 따라서 지방자치단체의 장은 지방재정법 제85조에 의하여 행정대집행의 방법으로 그 지상물을 철거시킬 수 있다(대판 2001. 10. 12, 2001두4078).

기출 체크

□□□□□ **01** 대집행의 실행이 완료된 후에는 소의 이익이 없으므로 행정쟁송으로 다툴 수 없음이 원칙이다. (○, ×) ★★★
2015 국회직 8급

□□□□□ **02** 대집행이 완료되어 취소소송을 제기할 수 없는 경우에도 국가배상청구는 가능하다. (○, ×) ★★★
2015 국가직 9급

□□□□□ **03** 공유재산 대부계약해지에 따라 원상회복을 위하여 실시하는 지상물의 철거는 대집행의 대상이 아니다. (○, ×) ★
2020 국회직 8급

□□□□□ **04** 공유재산 대부계약이 적법하게 해지되었음에도 불구하고 공유재산의 점유자가 그 지상물을 점유하고 있는 경우, 지방자치단체의 장은 원상회복을 위해 행정대집행의 방법으로 그 지상물을 철거시킬 수는 없다. (○, ×) ★
2017 지방직 7급

정답 01 ○ 02 ○ 03 × 04 ×

제 3 절 이행강제금(집행벌)

초대 Topic 26 핵심집약 Topic 46

01 | 이행강제금(집행벌)의 의의

❶ 개 념

1. 이행강제금이란 의무자가 행정상 의무를 이행하지 아니하는 경우 행정청이 적절한 이행기간을 부여하고, 그 기한까지 행정상 의무를 이행하지 아니하면 금전급부의무를 부과하는 것을 말한다(행정기본법 제30조 제1항 제2호). 즉, 행정법상 의무의 불이행시 그 의무를 강제하기 위하여 일정 기한까지 이행하지 않으면 일정한 금액을 부과한다는 뜻을 미리 계고하여 의무자에게 심리적 압박을 가함으로써 장래를 향하여 의무이행을 간접적으로 강제하는 것을 의미한다.**01 02 03**

관련판례

이행강제금은 행정법상의 부작위의무 또는 비대체적 작위의무를 이행하지 않은 경우에 '일정한 기한까지 의무를 이행하지 않을 때에는 일정한 금전적 부담을 과할 뜻'을 미리 '계고'함으로써 의무자에게 심리적 압박을 주어 장래를 향하여 의무의 이행을 확보하려는 간접적인 행정상 강제집행수단이고,**04** 노동위원회가 근로기준법 제33조에 따라 이행강제금을 부과하는 경우 그 30일 전까지 하여야 하는 이행강제금 부과예고는 이러한 '계고'에 해당한다. 따라서 사용자가 이행하여야 할 행정법상 의무의 내용을 초과하는 것을 '불이행 내용'으로 기재한 이행강제금 부과예고서에 의하여 이행강제금 부과예고를 한 다음 이를 이행하지 않았다는 이유로 이행강제금을 부과하였다면, 초과한 정도가 근소하다는 등의 특별한 사정이 없는 한 이행강제금 부과예고는 이행강제금제도의 취지에 반하는 것으로서 위법하고, 이에 터잡은 이행강제금 부과처분 역시 위법하다(대판 2015. 6. 24, 2011두2170).**05 ★★★**

2. 한편, 이행강제금은 '집행벌'이라는 용어로도 사용되는데,**06** 집행벌이라는 용어를 사용할 경우 행정벌의 일종으로 오해할 우려가 있으므로 이는 적절하지 않다는 반대견해가 있다.

❷ 이행강제금(집행벌)과 행정벌의 구별

1. 목적에 의한 구별

이행강제금(집행벌)은 행정상 강제집행의 수단으로서 장래를 향한 의무이행을 확보하기 위한 것인 데 반해, 행정벌은 과거의 의무위반에 대한 제재를 주된 목적으로 한다는 점에서 구별된다.**07** 따라서 이행강제금(집행벌)과 행정벌은 그 목적을 달리하므로 양자는 병과될 수 있다.

관련판례

1. **이행강제금(집행벌)과 행정벌은 목적에서 차이가 있으므로 양자를 병과하더라도 헌법에서 금지하는 이중처벌이 아니다.★★★**

   건축법 제78조에 의한 무허가 건축행위에 대한 형사처벌과 건축법 제83조 제1항에 의한 시정명령 위반에 대한 이행강제금의 부과는 그 처벌 내지 제재대상이 되는 기본적 사실관계로서의 행위를 달리하며, 또한 그 보호법익과 목적에서도 차이가 있으므로 헌법 제13조 제1항이 금지하는 이중처벌에 해당한다고 할 수 없다(헌재 2004. 2. 26, 2001헌바80 · 84 · 102 · 103, 2002헌바26 병합).**08**

기출 체크

□□□□□ **01** 건축법상 이행강제금은 시정명령의 불이행이라는 과거의 위반행위에 대한 제재이다. (○, ×) ★★★
2024 지방직 · 서울시 9급

□□□□□ **02** 이행강제금은 장래에 의무이행을 확보하기 위한 강제수단이다. (○, ×) ★★★ 2017 교육행정직 9급

□□□□□ **03** 이행강제금은 의무의 불이행시에 일정액수의 금전납부의무가 부과될 것임을 의무자에게 미리 계고함으로써 의무의 이행을 확보하는 수단을 말한다. (○, ×) ★★★ 2014 경행특채 1차

□□□□□ **04** 이행강제금은 행정상 간접적인 강제집행수단이다. (○, ×) ★★★
2023 지방직 · 서울시 7급

□□□□□ **05** 사용자가 이행하여야 할 행정법상 의무의 내용을 초과하는 것을 '불이행 내용'으로 기재한 이행강제금 부과예고서에 의하여 이행강제금 부과예고를 한 다음 이를 이행하지 않았다는 이유로 이행강제금을 부과하였다면, 초과한 정도가 근소하다는 등의 특별한 사정이 없는 한 이행강제금 부과예고는 위법하며, 이에 터잡은 이행강제금 부과처분 역시 위법하다. (○, ×) ★★★ 2019 국가직 7급

□□□□□ **06** 이행강제금은 작위의무 또는 부작위의무를 불이행한 경우에 그 의무를 간접적으로 강제이행시키는 수단으로서 집행벌이라고도 한다. (○, ×) ★★★
2015 국가직 7급

□□□□□ **07** 이행강제금은 의무위반에 대하여 장래의 의무이행을 확보하는 수단이라는 점에서 과거의 의무위반에 대한 제재인 행정벌과 구별된다. (○, ×)
2022 군무원 9급

□□□□□ **08** 이행강제금과 행정벌을 병과하는 것은 헌법에서 금지하는 이중처벌에 해당한다. (○, ×) ★★
2024 소방직 9급

정답 01 × 02 ○ 03 ○ 04 ○ 05 ○ 06 ○ 07 ○ 08 ×

2. 건축법상 이행강제금은 일정한 기한까지 의무를 이행하지 않을 때에는 일정한 금전적 부담을 과할 뜻을 미리 계고함으로써 의무자에게 심리적 압박을 주어 장래에 그 의무를 이행하게 하려는 행정상 간접적인 강제집행수단의 하나로서 과거의 일정한 법률위반행위에 대한 제재로서의 형벌이 아니라 장래의 의무이행의 확보를 위한 강제수단일 뿐이어서 범죄에 대하여 국가가 형벌권을 실행한다고 하는 과벌에 해당하지 아니하므로, 헌법 제13조 제1항이 금지하는 이중처벌금지의 원칙이 적용될 여지가 없다(헌재 2011. 10. 25, 2009헌바140). **01 02 03** ★★

2. 반복부과 여부에 따른 구별

이행강제금(집행벌)은 처벌이 아니므로 의무의 이행이 있기까지 반복적으로 부과할 수 있지만(다만, 무제한 부과할 수 있는 것은 아니고 횟수의 제한은 존재한다. 예 건축법상 이행강제금은 연 2회), **04** 행정벌은 과거의 위반에 대한 제재로서 하나의 의무위반에 대해 반복하여 부과할 수 없다.

02 | 이행강제금(집행벌)의 근거 및 대상

❶ 법적 근거

1. 행정기본법 제31조

행정기본법 제31조【이행강제금의 부과】 ① 이행강제금 부과의 근거가 되는 법률에는 이행강제금에 관한 다음 각 호의 사항을 명확하게 규정하여야 한다. 다만, 제4호 또는 제5호를 규정할 경우 입법목적이나 입법취지를 훼손할 우려가 크다고 인정되는 경우로서 대통령령으로 정하는 경우는 제외한다.
1. 부과 · 징수주체
2. 부과요건
3. 부과금액
4. 부과금액 산정기준
5. 연간 부과횟수나 횟수의 상한

2. 개별법 규정

건축법 제80조, 「부동산 실권리자명의 등기에 관한 법률」 제6조, 농지법 제63조, 「독점규제 및 공정거래에 관한 법률」 제16조, 구 「국토의 계획 및 이용에 관한 법률」 제124조의2(현 「부동산 거래신고 등에 관한 법률」 제18조) 등 일부 개별법에서 이를 규정하고 있다.

관련판례

이행강제금은 …… 국민의 자유와 권리를 제한한다는 의미에서 행정상 간접강제의 일종인 이른바 침익적 행정행위에 속하므로 그 부과요건, 부과대상, 부과금액, 부과횟수 등이 법률로써 엄격하게 정하여져야 한다(헌재 2000. 3. 30, 98헌가8). **05**

❷ 이행강제금(집행벌)의 대상

1. 이행강제금은 본래 비대체적 작위의무와 부작위의무의 이행을 강제하기 위한 강제집행수단으로 활용되어 왔다. **06** 그런데 대체적 작위의무의 불이행의 경우에도 이행강제금 부과가 가능한지에 대해서는 긍정설과 부정설이 대립하고 있다.

기출 체크

□□□□□ **01** 건축법상 이행강제금은 시정명령의 불이행이라는 과거의 위반행위에 대한 제재가 아니라 시정명령을 이행하지 않고 있는 건축주 등에 대하여 다시 상당한 이행기한을 부여하고 기한 안에 시정명령을 이행하지 않으면 이행강제금이 부과된다는 사실을 고지함으로써 의무자에게 심리적 압박을 주어 시정명령에 따른 의무의 이행을 간접적으로 강제하는 수단의 성질을 가진다. (○, ×) ★★ 2021 지방직 · 서울시 7급

□□□□□ **02** 이행강제금은 행정상 간접적인 강제집행수단의 하나로서, 과거의 일정한 법률위반행위에 대한 제재인 형벌이 아니라 장래의 의무이행 확보를 위한 강제수단일 뿐이어서, 범죄에 대하여 국가가 형벌권을 실행하는 과벌에 해당하지 아니한다. (○, ×) ★★ 2021 군무원 9급

□□□□□ **03** 건축법상 이행강제금은 형벌에 해당하므로 이중처벌금지의 원칙이 적용된다. (○, ×) ★★ 2020 소방직 9급

□□□□□ **04** 이행강제금은 장래의 의무이행을 심리적으로 강제하기 위한 것으로서 의무이행이 있을 때까지 반복하여 부과할 수 있다. (○, ×) ★★ 2019 서울시 1회 7급

□□□□□ **05** 이행강제금은 침익적 강제수단이므로 법적 근거를 요한다. (○, ×) 2020 지방직 · 서울시 9급

□□□□□ **06** 다음 중 비대체적 작위의무 또는 부작위의무의이행을 강제하는 데 적합한 행정강제수단은? ★★★ 2013 서울시 7급
① 행정형벌 ② 행정질서벌
③ 징계벌 ④ 대집행
⑤ 이행강제금

정답 01 ○ 02 ○ 03 × 04 ○ 05 ○ 06 ⑤

2. 헌법재판소는 현행 건축법상 위법건축물에 대한 이행강제수단으로 대집행(건축법 제85조)과 이행강제금(건축법 제80조)이 인정되고 있는데, 양 제도는 각각의 장단점이 있으므로 행정청은 개별사건에 있어서 위반내용, 위반자의 시정의지 등을 감안하여 대집행과 이행강제금을 선택적으로 활용할 수 있으며, 이처럼 그 합리적인 재량에 의해 선택하여 활용하는 이상 중첩적인 제재에 해당한다고 볼 수 없다고 한다.01 따라서 판례에 따르면 이행강제금은 작위의무 또는 부작위의무를 불이행한 경우에 그 의무를 간접적으로 강제이행시키는 수단에 해당한다.

관련판례

1-1. 이행강제금은 대체적 작위의무의 위반에 대하여도 부과될 수 있다.02ⓐ ★★★

1-2. 행정청은 대집행과 이행강제금을 선택적으로 활용할 수 있다고 할 것이며, 이처럼 그 합리적인 재량에 의해 선택하여 활용하는 이상 중첩적인 제재에 해당한다고 볼 수 없다(헌재 2004. 2. 26, 2001헌바80 · 84 · 102 · 103, 2002헌바26 병합).03 04㉠ ★★★

2. 개별사건에 있어서 위반내용, 위반자의 시정의지 등을 감안하여 허가권자는 행정대집행과 이행강제금을 선택적으로 활용할 수 있고, 행정대집행과 이행강제금 부과가 동시에 이루어지는 것이 아니라 허가권자의 합리적인 재량에 의해 선택하여 활용하는 이상 이를 중첩적인 제재에 해당한다고 볼 수 없다(헌재 2011. 10. 25, 2009헌바140). ★★★

❸ 이행강제금 부과금액의 가중 · 감경

행정청은 ① 의무불이행의 동기, 목적 및 결과, ② 의무불이행의 정도 및 상습성, ③ 그 밖에 행정목적을 달성하는 데 필요하다고 인정되는 사유의 사항을 고려하여 이행강제금의 부과금액을 가중하거나 감경할 수 있다(행정기본법 제31조 제2항).

03 | 이행강제금(집행벌)의 부과

❶ 행정기본법상 이행강제금의 부과절차

1. 이행강제금 부과의 계고

행정청은 이행강제금을 부과하기 전에 미리 의무자에게 적절한 이행기간을 정하여 그 기한까지 행정상 의무를 이행하지 아니하면 이행강제금을 부과한다는 뜻을 문서로 계고(戒告)하여야 한다(행정기본법 제31조 제3항).

2. 이행강제금 부과의 통지

행정청은 의무자가 행정기본법 제31조 제3항에 따른 계고에서 정한 기한까지 행정상 의무를 이행하지 아니한 경우 이행강제금의 부과금액 · 사유 · 시기를 문서로 명확하게 적어 의무자에게 통지하여야 한다(동법 제31조 제4항).

3. 이행강제금의 반복부과

행정청은 의무자가 행정상 의무를 이행할 때까지 이행강제금을 반복하여 부과할 수 있다.05 다만, 의무자가 의무를 이행하면 새로운 이행강제금의 부과를 즉시 중지하되, 이미 부과한 이행강제금은 징수하여야 한다(동법 제31조 제5항).06

기출 체크

□□□□□ 01 건축법상 위법건축물에 대한 이행강제수단으로 대집행과 이행강제금이 인정되고 있는데, 행정청은 개별사건에 있어서 위반내용, 위반자의 시정의지 등을 감안하여 대집행과 이행강제금을 선택적으로 활용할 수 있다. (○, ×) ★★★
2021 지방직 · 서울시 9급

□□□□□ 02 이행강제금은 부작위의무나 비대체적 작위의무에 대한 강제집행수단으로 이해되어 왔으나, 이는 이행강제금제도의 본질에서 오는 제약은 아니며, 이행강제금은 대체적 작위의무의 위반에 대하여도 부과될 수 있다. (○, ×) ★★★
2024 소방간부

□□□□□ 03 이행강제금은 대체적 작위의무의 위반에 대하여도 부과될 수 있으며, 건축법상 위법건축물에 대한 이행강제수단으로 행정대집행과 이행강제금을 합리적인 재량에 의해 선택적으로 활용하는 이상 이는 중첩적인 제재에 해당하지 않는다. (○, ×) ★★★ 2023 국가직 7급

□□□□□ 04 대집행과 이행강제금 중 어떠한 강제수단을 선택할 것인지에 대하여 행정청의 재량이 인정된다. (○, ×) ★★★
2020 국가직 9급

□□□□□ 05 행정청은 의무자가 행정상 의무를 이행할 때까지 이행강제금을 반복하여 부과할 수 없다. (○, ×)
2023 지방직 · 서울시 7급

□□□□□ 06 행정기본법에 따르면, 행정청은 의무자가 행정상 의무를 이행할 때까지 이행강제금을 반복하여 부과할 수 있다. 다만, 의무자가 의무를 이행하면 새로운 이행강제금의 부과를 즉시 중지하되, 이미 부과한 이행강제금은 징수하여야 한다. (○, ×) 2023 국회직 8급

판례 | ㉠ 전통적으로 행정대집행은 대체적 작위의무에 대한 강제집행수단으로, 이행강제금은 부작위의무나 비대체적 작위의무에 대한 강제집행수단으로 이해되어 왔으나, 이는 이행강제금제도의 본질에서 오는 제약은 아니며, 이행강제금은 대체적 작위의무의 위반에 대하여도 부과될 수 있다. 현행 건축법상 위법건축물에 대한 이행강제수단으로 대집행과 이행강제금(제83조 제1항)이 인정되고 있는데, 양 제도는 각각의 장단점이 있으므로 행정청은 개별사건에 있어서 위반내용, 위반자의 시정의지 등을 감안하여 대집행과 이행강제금을 선택적으로 활용할 수 있으며, 이처럼 그 합리적인 재량에 의해 선택하여 활용하는 이상, 중첩적인 제재에 해당한다고 볼 수 없다(헌재 2004. 2. 26, 2001헌바80 · 84 · 102 · 103, 2002헌바26 병합).

ⓐ 건축법 규정
건축법 제80조는 건축물의 철거 등 대체적 작위의무에 대해서도 이행강제금을 부과할 수 있다고 규정하고 있다.

정답 01 ○ 02 ○ 03 ○ 04 ○ 05 × 06 ○

4. 이행강제금의 강제징수

행정청은 이행강제금을 부과받은 자가 납부기한까지 이행강제금을 내지 아니하면 국세강제징수의 예 또는 「지방행정제재 · 부과금의 징수 등에 관한 법률」에 따라 징수한다(동법 제31조 제6항).01

❷ 개별법상 이행강제금(집행벌)의 부과요건 및 절차

건축법을 중심으로 그 밖에 개별법상의 공통된 절차를 살펴본다.

1. 시정명령 및 의무의 불이행

건축법을 예로 들면 건축허가권자는 대지 또는 건축물이 건축법이나 건축법에 근거한 명령이나 처분에 위반한 경우에는 건축주 등에 대하여 그 공사의 중지를 명하거나 상당한 기간을 정하여 건축물의 철거, 개축, 증축, 수선 등의 조치를 명할 수 있으며(건축법 제79조 제1항), 그럼에도 불구하고 시정기간 내에 시정명령을 이행하지 아니하였어야 한다(동법 제80조 제1항).

2. 상당한 이행기한의 통지(제2차 시정명령)

건축법에 따르면 시정명령을 이행하지 아니한 자에 대해서 다시 한 번 시정명령의 이행에 필요한 상당한 이행기한을 정하여 통지하도록 하고 있다. 다만, 이러한 제2차 시정명령은 그 용어에도 불구하고 독자적인 처분은 아니며, 또한 다른 개별법에는 이러한 절차를 두고 있지 않는 경우도 있다.

관련판례

1. 건축주 등이 장기간 시정명령을 이행하지 아니하였으나 그 기간 중에 시정명령의 이행 기회가 제공되지 아니하였다가 뒤늦게 이행 기회가 제공된 경우, 이행 기회가 제공되지 아니한 과거의 기간에 대한 이행강제금까지 한꺼번에 부과할 수는 없다.★★★
2. 이를 위반하여 이루어진 이행강제금 부과처분의 하자는 중대하고 명백하다.★★★
   (1) 구 건축법상 이행강제금은 시정명령의 불이행이라는 과거의 위반행위에 대한 제재가 아니라, 시정명령을 이행하지 않고 있는 건축주 · 공사시공자 · 현장관리인 · 소유자 · 관리자 또는 점유자(이하 '건축주 등'이라 한다)에 대하여 다시 상당한 이행기한을 부여하고 기한 안에 시정명령을 이행하지 않으면 이행강제금이 부과된다는 사실을 고지함으로써 의무자에게 심리적 압박을 주어 시정명령에 따른 의무의 이행을 간접적으로 강제하는 행정상의 간접강제수단에 해당한다.
   (2) 구 건축법 제80조 제1 · 4항에 의하면 문언상 최초의 시정명령이 있었던 날을 기준으로 1년 단위별로 2회에 한하여 이행강제금을 부과할 수 있고, 이 경우에도 매 1회 부과 시마다 구 건축법 제80조 제1항 단서에서 정한 1회분 상당액의 이행강제금을 부과한 다음 다시 시정명령의 이행에 필요한 상당한 이행기한을 정하여 그 기한까지 시정명령을 이행할 수 있는 기회(이하 '시정명령의 이행 기회'라 한다)를 준 후 비로소 다음 1회분 이행강제금을 부과할 수 있다.
   (3) 비록 건축주 등이 장기간 시정명령을 이행하지 아니하였더라도, 그 기간 중에는 시정명령의 이행 기회가 제공되지 아니하였다가 뒤늦게 시정명령의 이행 기회가 제공된 경우라면, 시정명령의 이행 기회 제공을 전제로 한 1회분의 이행강제금만을 부과할 수 있고, 시정명령의 이행 기회가 제공되지 아니한 과거의 기간에 대한 이행강제금까지 한꺼번에 부과할 수는 없다.02 그리고 이를 위반하여 이루어진 이행강제금 부과처분은 과거의 위반행위에 대한 제재가 아니라 행정상의 간접강제수단이라는 이행강제금의 본질에 반하여 구 건축법 제80조 제1 · 4항 등 법규의 중요한 부분을 위반한 것으로서, 그러한 하자는 중대할 뿐만 아니라 객관적으로도 명백하다고 할 것이다(대판 2016. 7. 14, 2015두46598).

3. 계고처분

시정명령을 이행하지 아니한 자에 대해 이행강제금을 부과 · 징수한다는 뜻을 미리 문서로써 계고하여야 한다.03

기출 체크

□□□□□ 01 행정청은 이행강제금을 부과받은 자가 납부기한까지 이행강제금을 내지 아니하면 국세강제징수의 예 또는 「지방행정제재 · 부과금의 징수 등에 관한 법률」에 따라 징수한다. (○, ×)
2024 지방직 · 서울시 9급

□□□□□ 02 건축주 등이 건축법상 시정명령을 장기간 이행하지 아니하였더라도, 그 기간 중에는 시정명령의 이행 기회가 제공되지 아니하였다가 뒤늦게 시정명령의 이행 기회가 제공된 경우라면, 행정청은 시정명령의 이행 기회 제공을 전제로 한 1회분의 이행강제금만을 부과할 수 있고 시정명령의 이행 기회가 제공되지 아니한 과거의 기간에 대한 이행강제금까지 한꺼번에 부과할 수는 없다. (○, ×) ★★★
2023 국가직 7급

□□□□□ 03 건축법상 허가권자는 이행강제금을 부과하기 전에 이행강제금을 부과 · 징수한다는 뜻을 미리 문서로써 계고하여야 한다. (○, ×) ★★
2019 지방직 · 교육행정직 9급

● 이행강제금(집행벌)과 행정벌의 비교

구 분	이행강제금(집행벌)	행정벌
목 적	장래의 의무 이행 확보	과거의 위반에 대한 제재
반복 부과 여부	반복적으로 부과할 수 있다(다만, 횟수의 제한은 존재 예 건축법상 이행강제금은 연 2회).	반복하여 부과할 수 없다.

정답 01 ○ 02 ○ 03 ○

관련판례

이행강제금은 행정법상의 부작위의무 또는 비대체적 작위의무를 이행하지 않은 경우에 '일정한 기한까지 의무를 이행하지 않을 때에는 일정한 금전적 부담을 과할 뜻'을 미리 알림으로써 의무자에게 심리적 압박을 주어 장래를 향하여 그 의무의 이행을 확보하려는 간접적인 행정상 강제집행수단이므로, (구)농지법 제62조 제1항에 따른 이행강제금을 부과할 때에는 그때마다 이행강제금을 부과 · 징수한다는 뜻을 미리 문서로 알려야 하고, 이와 같은 절차를 거치지 아니한 채 이행강제금을 부과하는 것은 이행강제금제도의 취지에 반하는 것으로서 위법하다(대결 2018. 11. 2, 2018마5608).**01**

4. 이행강제금의 부과 – 반복부과가 가능함

계고에도 불구하고 시정의무를 이행하지 않는 경우에 이행강제금을 부과한다. 건축법에 따르면 이행강제금(집행벌)은 1년에 2회 이내의 범위 안에서 당해 시정명령이 이행될 때까지 반복하여 부과 · 징수할 수 있다.**02** 한편 판례는 「개발제한구역의 지정 및 관리에 관한 특별조치법」상 이행강제금을 부과 · 징수할 때마다 그에 앞서 시정명령절차를 다시 거칠 필요는 없다고 한다(대판 2013. 12. 12, 2012두19137).**03**

5. 시정명령의 이행시

(1) 시정명령을 받은 자가 시정명령을 이행한 경우에는 더 이상 이행강제금(집행벌)을 부과하지 않으며, 이미 부과된 이행강제금(집행벌)은 징수한다.**04 05**

(2) 한편 판례는 「국토의 계획 및 이용에 관한 법률」상 토지의 이용 의무 불이행에 따른 이행명령을 받은 의무자가 이행명령에서 정한 기간을 지나서 그 명령을 이행한 경우, 이행명령 불이행에 따른 최초의 이행강제금을 부과할 수는 없다는 입장이다.

관련판례

1. 「부동산 실권리자명의 등기에 관한 법률」(이하 '부동산실명법'이라 한다)상 '장기미등기자'에 대하여 부과되는 이행강제금은 소유권이전등기신청의무 불이행이라는 과거의 사실에 대한 제재인 과징금과 달리, 장기미등기자에게 등기신청의무를 이행하지 아니하면 이행강제금이 부과된다는 심리적 압박을 주어 의무의 이행을 간접적으로 강제하는 행정상의 간접강제수단에 해당한다. 따라서 장기미등기자가 이행강제금 부과 전에 등기신청의무를 이행하였다면 이행강제금의 부과로써 이행을 확보하고자 하는 목적은 이미 실현된 것이므로 부동산실명법 제6조 제2항에 규정된 기간이 지나서 등기신청의무를 이행한 경우라 하더라도 이행강제금을 부과할 수 없다(대판 2016. 6. 23, 2015두36454).**06**

2-1. 건축법상의 이행강제금은 시정명령의 불이행이라는 과거의 위반행위에 대한 제재가 아니라, 의무자에게 시정명령을 받은 의무의 이행을 명하고 그 이행기간 안에 의무를 이행하지 않으면 이행강제금이 부과된다는 사실을 고지함으로써 의무자에게 심리적 압박을 주어 의무의 이행을 간접적으로 강제하는 행정상의 간접강제수단에 해당한다.**07** 이러한 이행강제금의 본질상 시정명령을 받은 의무자가 이행강제금이 부과되기 전에 그 의무를 이행한 경우에는 비록 시정명령에서 정한 기간을 지나서 이행한 경우라도 이행강제금을 부과할 수 없다(대판 2014. 12. 11, 2013두15750 등 참조).**08 ★★**

2-2. 시정명령을 받은 의무자가 그 시정명령의 취지에 부합하는 의무를 이행하기 위한 정당한 방법으로 행정청에 신청 또는 신고를 하였으나 행정청이 위법하게 이를 거부 또는 반려함으로써 결국 그 처분이 취소되기에 이르렀다면, 특별한 사정이 없는 한 그 시정명령의 불이행을 이유로 이행강제금을 부과할 수는 없다고 보는 것이 위와 같은 이행강제금 제도의 취지에 부합한다(대판 2018. 1. 25, 2015두35116).**09**

기출 체크

□□□□□ **01** 농지법에 따른 이행강제금을 부과할 때에는 그때마다 이행강제금을 부과 · 징수한다는 뜻을 미리 문서로 알려야 하고, 이와 같은 절차를 거치지 아니한 채 이행강제금을 부과하는 것은 이행강제금제도의 취지에 반하는 것으로써 위법하다. (○, ×) 2021 지방직 · 서울시 7급

□□□□□ **02** 건축법상 이행강제금은 반복하여 부과 · 징수될 수 있다. (○, ×) ★★ 2020 지방직 · 서울시 9급

□□□□□ **03** 개발제한구역법에 따른 행정청의 시정명령 불이행에 대한 이행강제금의 부과 · 징수를 위한 계고는 시정명령을 불이행한 경우에 취할 수 있는 절차라 할 것이고, 따라서 이행강제금을 부과 · 징수할 때마다 그에 앞서 시정명령절차를 다시 거쳐야 할 필요는 없다. (○, ×) 2024 소방간부

□□□□□ **04** 건축법상 시정명령을 받은 자가 이를 이행하면 이미 부과된 이행강제금은 징수하여야 하지만, 새로이 이행강제금을 부과하지는 않는다. (○, ×) 2023 소방직 9급

□□□□□ **05** 행정청은 의무자가 행정상 의무를 이행할 때까지 이행강제금을 반복하여 부과할 수 있고, 의무자가 의무를 이행하면 새로운 이행강제금의 부과를 즉시 중지하되, 이미 부과한 이행강제금은 징수하여야 한다. (○, ×) 2022 군무원 9급

□□□□□ **06** 장기 의무위반자가 이행강제금 부과 전에 그 의무를 이행하였다면 이행강제금의 부과로써 이행을 확보하고자 하는 목적은 이미 실현된 것이므로 이행강제금을 부과할 수 없다. (○, ×) 2022 군무원 9급

□□□□□ **07** 이행강제금은 의무자에게 시정명령을 받은 의무의 이행을 명하고 그 이행기간 안에 의무를 이행하지 않으면 이행강제금이 부과된다는 사실을 고지함으로써 의무자에게 심리적 압박을 주어 의무의 이행을 간접적으로 강제하는 행정상의 간접강제수단에 해당한다. (○, ×) ★★ 2024 소방간부

□□□□□ **08** 이행강제금의 본질상 시정명령을 받은 의무자가 이행강제금이 부과되기 전에 그 의무를 이행한 경우라도 시정명령에서 정한 기간을 지나서 이행하였다면 이행강제금을 부과할 수 있다. (○, ×) ★★ 2024 소방간부

□□□□□ **09** 건축법상 시정명령을 받은 의무자가 그 시정명령의 취지에 부합하는 의무를 이행하기 위한 정당한 방법으로 행정청에 신청 또는 신고를 하였으나 행정청이 위법하게 이를 거부 또는 반려함으로써 결국 그 처분이 취소되기에 이르렀더라도, 이행강제금제도의 취지에 비추어 볼 때 그 시정명령의 불이행을 이유로 이행강제금을 부과할 수 있다. (○, ×) 2023 국가직 9급

정답 01 ○ 02 ○ 03 ○ 04 ○ 05 ○ 06 ○ 07 ○ 08 × 09 ×

6. 강제징수

이행강제금 부과처분을 받은 자가 이행강제금을 납부기한까지 내지 아니하면 「지방행정제재 · 부과금의 징수 등에 관한 법률」에 따라 독촉 및 체납처분을 할 수 있다(건축법 제80조 제7항, 「지방행정제재 · 부과금의 징수 등에 관한 법률」). 한편, 이행강제금 납부의 최초 독촉은 징수처분으로서 항고소송의 대상이 되는 행정처분이라는 것이 판례의 입장이다.

관련판례

건축법상 이행강제금 납부의 최초 독촉은 항고소송의 대상이 되는 행정처분에 해당한다(대판 2009. 12. 24, 2009두14507).01 ★★

❸ 이행강제금(집행벌) 부과의 성질

1. 이행강제금(집행벌)의 부과처분은 행정행위로서 급부하명에 해당한다.02 따라서 이행강제금(집행벌)의 부과에 하자가 있다면 행정청은 이를 직권으로 취소 또는 철회할 수 있다. 또한 이행강제금 부과행위는 침익적 행위로서 원칙적으로 행정절차법상의 의견청취절차를 거쳐야 한다.03
2. 한편, 이행강제금(집행벌) 부과처분을 받은 자가 이행강제금(집행벌)을 기한 내에 납부하지 아니하는 때에는 「지방행정제재 · 부과금의 징수 등에 관한 법률」에 따라 이를 징수한다.04

04 | 이행강제금(집행벌) 부과에 대한 권리구제

❶ 개별법에 특별한 규정을 두고 있는 경우 - 항고소송의 대상이 되는 처분성 부정

이행강제금(집행벌)에 불복하는 자는 이의를 제기할 수 있으며, 이의를 제기한 경우에는 비송사건절차법ⓐ에 의해 이행강제금(집행벌)을 결정하도록 특별한 규정을 두고 있는 경우가 있다. 이 경우에는 특별한 절차에 따라 권리를 구제받을 수 있을 뿐 항고소송을 제기할 수 없다(농지법 제63조).05

관련판례

(구)농지법 제62조 제1항에 따른 이행강제금 부과처분에 불복하는 경우에는 비송사건절차법에 따른 재판절차가 적용되어야 하고, 행정소송법상 항고소송의 대상은 될 수 없다.06 (구)농지법 제62조 제6항, 제7항이 위와 같이 이행강제금 부과처분에 대한 불복절차를 분명하게 규정하고 있으므로, 이와 다른 불복절차를 허용할 수는 없다. 설령 피고가 이행강제금 부과처분을 하면서 재결청에 행정심판을 청구하거나 관할 행정법원에 행정소송을 할 수 있다고 잘못 안내하거나 경기도행정심판위원회가 각하재결이 아닌 기각재결을 하면서 관할법원에 행정소송을 할 수 있다고 잘못 안내하였다고 하더라도, 그러한 잘못된 안내로 행정법원의 항고소송 재판관할이 생긴다고 볼 수도 없다(대판 2019. 4. 11, 2018두42955).07 ★★★

❷ 개별법에 특별한 규정을 두고 있지 않은 경우

이행강제금(집행벌)의 부과에 대한 불복방법에 대해 개별법에 특별한 규정을 두고 있지 않은 경우에는 일반적인 행정법상의 권리구제수단인 행정기본법상의 이의신청을 비롯하여 행정심판법상의 행정심판 또는 행정소송법상의 행정소송을 제기할 수 있다.08 09 다만, 처분의 재심사대상에서는 제외된다.

기출 체크

□□□□□ 01 건축법상 이행강제금 납부의 최초 독촉은 항고소송의 대상이 되는 행정처분에 해당한다는 것이 판례의 태도이다. (○, ×) ★★ 2020 소방직 9급

□□□□□ 02 이행강제금의 부과처분은 행정행위로서의 성질을 가진다. (○, ×) 2010 지방직 9급

□□□□□ 03 이행강제금의 부과는 의무불이행에 대한 집행벌로 가하는 것이기 때문에 행정절차상 의견청취를 거치지 않아도 된다. (○, ×) 2015 국가직 7급

□□□□□ 04 건축법상 허가권자는 이행강제금 부과처분을 받은 자가 이행강제금을 납부기한까지 내지 아니하면 「지방행정제재 · 부과금의 징수 등에 관한 법률」에 따라 징수한다. (○, ×) 2010 국가직 9급

□□□□□ 05 이행강제금 부과처분에 대해 비송사건절차법에 의한 특별한 불복절차가 마련되어 있는 경우 이행강제금 부과처분은 항고소송의 대상이 되는 행정처분이 아니다. (○, ×) ★★★ 2020 경행경채

□□□□□ 06 농지법상 이행강제금 부과처분은 행정소송법상 항고소송의 대상이 된다. (○, ×) ★★★ 2024 소방직 9급

□□□□□ 07 처분의 근거법령에 의하면 비송사건절차법에 따라 이행강제금 부과처분에 불복하도록 규정하고 있었지만, 관할청이 이행강제금 부과처분을 하면서 재결청에 행정심판을 청구하거나 관할 행정법원에 행정소송을 할 수 있다고 잘못 안내한 경우라도 이행강제금 부과처분에 대해 행정법원에 항고소송을 제기할 수 없다. (○, ×) ★★★ 2024 지방직 · 서울시 9급

□□□□□ 08 이행강제금 부과처분에 대한 불복방법에는 개별법의 규정에 의한 방법과 일반 행정쟁송에 의하는 방법이 있다. (○, ×) ★★★ 2012 국회(속기 · 경위직) 9급

□□□□□ 09 이행강제금의 부과처분에 대한 불복방법에 관하여 아무런 규정을 두고 있지 않는 경우에는 이행강제금 부과처분은 행정행위이므로 행정심판 또는 행정소송을 제기할 수 있다. (○, ×) ★★★ 2015 국가직 7급

ⓐ **비송사건절차법**

비송사건이란 말 그대로 소송이 아닌 사건을 가리키며, 그 특징으로는 원고의 소제기가 없어도 절차가 개시되며 법원의 직권개입이 강화되며 간이 · 신속한 해결을 추구하는 것을 들 수 있다. 이러한 비송사건을 규율하기 위한 법이 비송사건절차법이다.

정답 01 ○ 02 ○ 03 × 04 ○ 05 ○ 06 × 07 ○ 08 ○ 09 ○

❸ 건축법상 이행강제금(집행벌)의 경우

1. 건축법상 이행강제금에 대해서 개정 전 건축법(2006년 5월 8일 이전)에서는 비송사건절차법에 의하도록 하는 특별한 규정을 두고 있었다. 따라서 건축법상 이행강제금은 취소소송의 대상이 되는 처분이 아니라는 것이 판례의 입장이었다.

2. 그 후 2006년 5월 8일부터 시행된 개정 건축법에서는 그러한 규정을 삭제하였으므로 이제는 이행강제금 부과는 항고소송의 대상이 되는 행정처분이라는 것이 통설의 입장이다.01

05 | 관련문제ⓐ

❶ 일신전속성 여부

이행강제금 납부의무는 일신전속적인 것으로 상속되지 않는다는 것이 판례의 입장이다.02

관련판례

1. 건축법상의 이행강제금은 간접강제의 일종으로서 그 이행강제금 납부의무는 상속인에게 승계될 수 없는 일신전속적인 성질의 것이므로 이미 사망한 사람에게 이행강제금을 부과하는 내용의 처분이나 결정은 당연무효이다.03 ★★★
2. 건축법상 이행강제금은 일신전속적인 성질의 것이므로 이행강제금을 부과받은 사람이 재판절차가 개시된 이후에 사망한 경우, 재판절차는 종료된다.04 ★★★
3. 구 건축법상 이행강제금을 부과받은 사람이 이행강제금사건의 제1심결정 후 항고심결정이 있기 전에 사망한 경우, 항고심결정은 당연무효이고, 이미 사망한 사람의 이름으로 제기된 재항고는 보정할 수 없는 흠결이 있는 것으로서 부적법하다(대결 2006. 12. 8, 2006마470).05

❷ 건물완공 후의 이행강제금 부과

위법건축물임을 건물완공 후에 알게 된 경우에는 위법건축물의 시정이라는 취지에 비추어 완공 후에도 시정명령을 할 수 있으며, 그 불이행에 대해서도 이행강제금을 부과할 수 있다는 것이 판례의 입장이다.

관련판례

건축법상 위법건축물 완공 후에도 시정명령을 할 수 있으며, 그 불이행에 대한 이행강제금의 부과는 헌법 제37조 제2항에 위배되지 않는다.

공무원들이 위법건축물임을 알지 못하여 공사 도중에 시정명령이 내려지지 않아 위법건축물이 완공되었다 하더라도, 공공복리의 증진이라는 위 목적의 달성을 위해서는 완공 후에라도 위법건축물임을 알게 된 이상 시정명령을 할 수 있다고 보아야 할 것이며,06 만약 완공 후에는 시정명령을 할 수 없다면 위법건축물을 축조한 자가 일단 건물이 완공되었다는 이유만으로 그 시정을 거부할 수 있는 결과를 초래하게 될 것이므로, …… (대결 2002. 8. 16, 2002마1022)

기출 체크

□□□□□ 01 건축법상의 이행강제금 부과처분에 대해서는 행정심판 또는 행정소송을 제기할 수 있다. (○, ×) ★★ 2023 서울시 지적 7급

□□□□□ 02 이행강제금 납부의무는 일신전속적인 성질을 가지므로 상속인 등에게 승계되지 않는다. (○, ×) ★★★ 2024 소방직 9급

□□□□□ 03 이행강제금 납부의무는 상속인 기타의 사람에게 승계될 수 없는 일신전속적인 성질의 것이므로 이미 사망한 사람에게 이행강제금을 부과하는 내용의 처분이나 결정은 당연무효이다. (○, ×) ★★★ 2023 국가직 7급

□□□□□ 04 구 건축법상 이행강제금을 부과받은 자의 이의에 의해 비송사건절차법에 의한 재판절차가 개시된 후에 그 이의한 자가 사망했다면 그 재판절차는 종료된다. (○, ×) ★★★ 2017 사회복지직 9급

□□□□□ 05 건축법상 이행강제금을 부과받은 사람이 이행강제금사건의 제1심결정 후 항고심결정이 있기 전에 사망한 경우, 항고심결정은 당연무효이고, 이미 사망한 사람의 이름으로 제기된 재항고는 보정할 수 없는 흠결이 있는 것으로서 부적법하다. (○, ×) 2024 지방직 · 서울시 9급

□□□□□ 06 공무원이 위법건축물임을 알지 못하여 공사 도중에 시정명령이 내려지지 않아 건축물이 완공되었다 하더라도 위법건축물 완공 후에도 시정명령을 할 수 있고 그 불이행에 대하여 이행강제금을 부과할 수 있다. (○, ×) 2013 국회직 8급

ⓐ 대체강제구류
이행강제금 납부의무자가 이행강제금을 납부하지 아니하고, 또한 재산을 은닉하여 강제징수도 효과가 없을 때에는 이행강제금 징수를 대체하여 일정기간 납부의무자를 구금하는 제도를 '대체강제구류'라고 부르는데, 독일과 달리 우리나라는 이러한 제도를 채택하고 있지 않다.

정답 01 ○ 02 ○ 03 ○ 04 ○ 05 ○ 06 ○

제 4 절 직접강제

초대 Topic 26 핵심집약 Topic 47

01 | 직접강제의 의의

❶ 개 념

직접강제란 의무자가 행정상 의무를 이행하지 아니하는 경우 행정청이 의무자의 신체나 재산에 실력을 행사하여 그 행정상 의무의 이행이 있었던 것과 같은 상태를 실현하는 것을 말한다(행정기본법 제30조 제1항 제3호).01 직접강제의 예로는 식품위생법상 영업소 폐쇄명령을 받은 자가 영업을 계속할 경우 강제폐쇄하는 영업소 폐쇄조치, 출입국관리법상의 각종 의무를 위반한 자에 대한 강제퇴거조치 등을 들 수 있다.02 03

❷ 구별개념

직접강제는 사전에 부과된 의무불이행을 전제로 행해진다는 점에서 의무불이행을 전제하지 않고 행해지는 즉시강제와 구별된다.

기출 체크

□□□□□ 01 직접강제는 행정법상의 의무불이행이 있는 경우에 직접 의무자의 신체나 재산에 실력을 가하여 의무의 이행이 있었던 것과 같은 상태를 실현하는 작용이다. (○, ×) ★★ 2009 국가직 9급

□□□□□ 02 식품위생법상 영업소 폐쇄명령을 받은 자가 영업을 계속할 경우 강제폐쇄하는 조치는 행정상 즉시강제에 해당한다. (○, ×) ★★ 2019 소방직 9급

□□□□□ 03 사업장의 폐쇄, 외국인의 강제퇴거는 직접강제의 예에 해당한다. (○, ×) ★★ 2009 지방직 9급

□□□□□ 04 경찰관직무집행법은 직접강제에 관한 일반적 근거를 규정하고 있다. (○, ×) 2014 국가직 9급

02 | 직접강제의 근거 및 대상 등

❶ 근거 및 적용되는 경우

1. 행정기본법의 근거

행정기본법 제32조는 개별법에 따라 인정되는 직접강제에 공통적으로 요구되는 절차(제2 · 3항)와 집행상의 한계에 대한 기본원칙(제1항)을 규정하고 있다.

2. 개별법의 근거

직접강제는 개인의 자유나 권리의 침해적 성격이 매우 강하므로 별도의 법적 근거가 있어야 하는바, 식품위생법 제79조(영업소 폐쇄조치), 공중위생관리법 제11조(폐쇄조치), 출입국관리법 제46조(외국인의 강제퇴거) 등 일부의 개별법에도 근거가 있다.04 한편, 직접강제의 근거규정과 하명의 근거규정은 별개로 취급된다는 것이 판례의 입장이다(대판 2001. 2. 23, 99두6002).

❷ 대 상

직접강제는 대체적 작위의무뿐만 아니라 비대체적 작위의무 · 부작위의무 · 수인의무 등 일체의 의무의 불이행에 대해 행할 수 있다는 점에서, 대체적 작위의무의 강제수단인 대집행과 구별된다.

정답 01 ○ 02 × 03 ○ 04 ×

기출 체크

□□□□□ **01** 직접강제는 행정대집행이나 이행강제금 부과의 방법으로는 행정상 의무이행을 확보할 수 없거나 그 실현이 불가능한 경우에 실시하여야 한다.
(○, ×) ★★ 2024 지방직 · 서울시 9급

❸ 직접강제의 공통절차

1. 직접강제시 증표제시

직접강제를 실시하기 위하여 현장에 파견되는 집행책임자는 그가 집행책임자임을 표시하는 증표를 보여주어야 한다(행정기본법 제32조 제2항).

2. 직접강제의 계고와 통지

직접강제의 계고 및 통지에 관하여는 행정기본법 제31조 제3항 및 제4항(이행강제금 부과시의 계고 및 통지 규정)을 준용한다(동법 제32조 제3항, p.528 참조).

03 | 직접강제의 한계

1. 직접강제는 강제집행수단 중에서도 가장 강력한 수단이라 할 수 있으므로, 국민의 기본권을 침해할 가능성이 높다. 따라서 다른 행정상 강제집행으로 의무이행을 강제할 수 없을 때, 즉 최후의 수단으로 인정되어야 한다. 한편, 직접강제는 비례의 원칙 등 행정법의 일반원칙을 준수해야 함은 물론이다.

2. 행정기본법 제32조 제1항은 직접강제의 보충성을 규정하고 있다.

행정기본법 제32조【직접강제】 ① 직접강제는 행정대집행이나 이행강제금 부과의 방법으로는 행정상 의무이행을 확보할 수 없거나 그 실현이 불가능한 경우에 실시하여야 한다.**01**

04 | 직접강제의 권리구제

직접강제는 권력적 사실행위로서 처분성이 인정되므로 하자 있는 직접강제에 대해서는 이의신청(행정기본법 제36조)을 비롯한 행정심판, 행정소송 등 행정쟁송을 제기할 수 있고, 손해배상청구, 결과제거청구도 가능하다고 할 것이다.

정답 01 ○

제 5 절 행정상 강제징수[a]

초대 Topic 26 핵심집약 Topic 47

01 | 행정상 강제징수의 의의

행정상 강제징수란 의무자가 행정상 의무 중 금전급부의무를 이행하지 아니하는 경우 행정청이 의무자의 재산에 실력을 행사하여 그 행정상 의무가 실현된 것과 같은 상태를 실현하는 것을 말한다(행정기본법 제30조 제1항 제4호).01 02

02 | 행정상 강제징수의 근거

행정상 강제징수는 국세징수법에 의한 국세징수와 그 밖에 각 법률이 정하는 바에 의하나, 실제로는 각 단행법이 국세징수법의 예에 의하도록 하고 있으므로03 국세징수법은 행정상 강제징수에 관하여 실질적으로 일반법적 지위를 가진다.04

03 | 절 차

❶ 독 촉

1. 개념 및 효과

독촉이란 상당한 이행기간을 정하여 의무의 이행을 최고하고, 그 의무가 이행되지 않을 경우에는 강제징수할 뜻을 알리는 것으로서 준법률행위적 행정행위인 통지로 보는 것이 일반적이다. 판례도 독촉의 처분성을 긍정하고 있으나, 반복된 독촉에 대해서는 처분성을 부정하고 있다. 한편 독촉은 압류의 적법요건이 되며 국세징수권의 소멸시효가 진행되는 것을 중단시키는 효력을 가진다.05

관련판례

부당이득금 또는 가산금의 납부를 독촉한 후 다시 동일한 내용의 독촉을 하는 경우 최초의 독촉만이 징수처분으로서 항고소송의 대상이 되는 행정처분이 되고 그 후에 한 동일한 내용의 독촉은 항고소송의 대상이 되는 행정처분이라 할 수 없다.06 ★★

보험자 또는 보험자단체가 부당이득금 또는 가산금의 납부를 독촉한 후 다시 동일한 내용의 독촉을 하는 경우 최초의 독촉만이 징수처분으로서 항고소송의 대상이 되는 행정처분이 되고 그 후에 한 동일한 내용의 독촉은 국민의 권리 · 의무나 법률상의 지위에 직접적으로 영향을 미치는 것이 아니므로 항고소송의 대상이 되는 행정처분이라 할 수 없다(대판 1999. 7. 13, 97누119).

2. 방식 및 독촉생략의 경우

(1) 관할 세무서장은 납세자가 국세를 지정납부기한까지 완납하지 아니한 경우 지정납부기한이 지난 후 10일 이내에 체납된 국세에 대한 독촉장을 발급하여야 한다(국세징수법 제10조 제1항).

(2) 독촉절차 없이 한 압류처분에 대해 학설은 무효로 보나, 판례는 그러한 경우에도 중대하고 명백한 하자로 인정하지 않고 있다.

기출 체크

□□□□□ 01 행정상 강제징수란 국민이 국가 등 행정주체에 대하여 부담하고 있는 공법상의 금전급부의무를 이행하지 않은 경우 행정청이 의무자의 재산에 실력을 가하여 의무가 이행된 것과 동일한 상태를 실현하는 행정상 강제집행수단을 말한다. (○, ×) ★★ 2020 경행경채

□□□□□ 02 (행정상 강제징수는) 행정상의 금전급부의무를 이행하지 않는 경우를 대상으로 한다. (○, ×) ★★ 2017 사회복지직 9급

□□□□□ 03 국세납부의무의 불이행에 대하여는 국세징수법에서 강제징수를 인정하고 있다. (○, ×) 2018 소방직 9급

□□□□□ 04 국세징수법은 행정상 강제징수에 관한 사실상 일반법의 지위를 갖는다. (○, ×) ★★ 2015 사회복지직 9급

□□□□□ 05 독촉은 이후에 행해지는 압류의 적법요건이 되며 최고기간 동안 조세채권의 소멸시효를 중단시키는 법적 효과를 갖는다. (○, ×) ★★ 2018 소방직 9급

□□□□□ 06 행정상 강제징수에 있어 독촉은 처분성이 인정되나 최초 독촉 후에 동일한 내용에 대해 반복한 독촉은 처분성이 인정되지 않는다. (○, ×) ★★ 2018 경행경채 3차

[a] 2021년 1월 1일부터 시행된 개정 국세기본법과 국세징수법에 따르면 종전 '납세고지'와 '납부통지'는 '납부고지', '납세고지서'와 '납부통지서'는 '납부고지서', '납세고지일'은 '납부고지일'로, '독촉 또는 납부최고'는 '독촉'으로, '체납처분'은 '강제징수'로, '체납처분비'는 '강제징수비'로, '체납처분 유예기간'은 '압류 · 매각의 유예기간'으로 각각 용어가 변경되었으며 다른 법령에서 종전의 국세징수법에 따른 '체납처분'을 인용하고 있는 경우에는 동법에 따른 '강제징수'를 인용한 것으로 보도록 하고 있다.

정답 01 ○ 02 ○ 03 ○ 04 ○ 05 ○ 06 ○

기출 체크

□□□□□ 01 체납자는 압류된 재산에 대하여 법률상의 처분을 할 수 있다. (○, ×) 2016 교육행정직 9급

□□□□□ 02 판례에 의하면, 압류는 체납국세의 징수를 실현하기 위하여 체납자의 재산을 보전하는 강제행위로서 항고소송의 대상이 되는 처분이다. (○, ×) ★★ 2015 사회복지직 9급

□□□□□ 03 세무공무원이 체납처분을 하기 위하여 질문 · 검사 또는 수색을 하거나 재산을 압류할 때에는 그 신분을 표시하는 증표 및 압류 · 수색 등 통지서를 지니고 이를 관계자에게 보여 주어야 한다. (○, ×) 2019 국가직 9급 변형

□□□□□ 04 납세자가 아닌 제3자의 재산을 대상으로 한 압류처분은 당연무효이다. (○, ×) ★★★ 2018 서울시 2회 7급

□□□□□ 05 세무공무원이 국세의 징수를 위해 납세자의 재산을 압류하는 경우 그 재산의 가액이 징수할 국세액을 초과한다면 당해 압류처분은 무효이다. (○, ×) ★★ 2017 국가직 9급

❶ 국세징수법 제41조【압류금지재산】 다음 각 호의 재산은 압류할 수 없다.
1. 체납자 또는 그와 생계를 같이 하는 가족(사실상 혼인관계에 있는 사람을 포함한다. 이하 이 조에서 '동거가족'이라 한다)의 생활에 없어서는 아니 될 의복, 침구, 가구, 주방기구, 그 밖의 생활필수품
2. 체납자 또는 그 동거가족에게 필요한 3개월간의 식료품 또는 연료
3. 인감도장이나 그 밖에 직업에 필요한 도장
4. 제사 또는 예배에 필요한 물건, 비석 또는 묘지
5. 체납자 또는 그 동거가족의 장례에 필요한 물건
6. 족보 · 일기 등 체납자 또는 그 동거가족에게 필요한 장부 또는 서류
7. 직무 수행에 필요한 제복
8. 훈장이나 그 밖의 명예의 증표
9. 체납자 또는 그 동거가족의 학업에 필요한 서적과 기구
10. 발명 또는 저작에 관한 것으로서 공표되지 아니한 것
11. 주로 자기의 노동력으로 농업을 하는 사람에게 없어서는 아니 될 기구, 가축, 사료, 종자, 비료, 그 밖에 이에 준하는 물건

12.~18. 생략

정답 01 × 02 ○ 03 ○ 04 ○ 05 ×

관련판례

압류처분에 앞서 독촉절차를 거치지 아니하였다 하더라도 압류처분을 무효로 할 만큼 중대하고도 명백한 하자라고 볼 수 없다(대판 1992. 3. 10, 91누6030).

❷ 강제징수

강제징수는 재산압류, 매각, 청산의 3단계로 행해진다.

1. 재산의 압류

(1) 개 념

압류란 **체납자의 재산에 대해 사실상 처분**(파괴 등) **및 법률상 처분**(매매 · 증여 등)**을 금지하고01 재산을 확보하는 권력적 사실행위로서 행정처분에 해당하며,02** 의무자가 독촉을 받고도 기한까지 이행하지 아니한 때에는 행정청은 재산의 압류를 행한다. **세무공무원이 ① 압류, ② 수색, ③ 질문 · 검사를 하는 경우 그 신분을 나타내는 증표 및 압류 · 수색 등 통지서를 지니고 이를 관계자에게 보여 주어야 한다**(국세징수법 제38조, 지방세징수법 제34조).**03**

(2) 대 상

압류재산 대상은 의무자의 소유로서 **금전가치가 있고 양도가치가 있는 모든 재산**이다. 다만, 국세징수법은 의복 · 침구 · 가구 등 최저 **생활필수품 같은 일정재산에 대해서는 압류를 금지**하고 있다.❶ 또한, 급료 · 연금 · 임금 · 봉급 · 상여금 · 세비 · 퇴직연금, 그 밖에 이와 비슷한 성질을 가진 **급여채권에 대하여는 그 총액의 2분의 1에 해당하는 금액은 압류하지 못한다**(동법 제42조).

(3) 체납자 아닌 자의 재산을 압류한 경우

판례는 **체납자 아닌 제3자 소유물건에 대한 압류처분에 대해서는 당연무효**라고 보고 있다.

관련판례

납세자가 아닌 제3자의 재산을 대상으로 한 압류처분은 당연무효이다.04 ★★★

체납처분으로서 압류의 요건을 규정한 국세징수법 제24조(현 제31조) 각 항의 규정을 보면 어느 경우에나 압류의 대상을 납세자의 재산에 국한하고 있으므로, 납세자가 아닌 제3자의 재산을 대상으로 한 압류처분은 그 처분의 내용이 법률상 실현될 수 없는 것이어서 당연무효이다(대판 2012. 4. 12, 2010두4612).

(4) 압류재산이 징수할 국세액을 초과한 경우

압류가 허용된 재산 중에서 어느 재산을 압류할 것인가는 세무공무원의 재량에 속한다. 그러나 비례의 원칙에 따라 가능한 한 체납자 또는 제3자의 권리를 적게 침해하는 재산을 압류하여야 할 것이다. 한편, 압류재산이 국세액을 초과하는 경우라도 그것만으로 압류처분이 당연무효가 되는 것은 아니라고 봄이 판례의 입장이다.

관련판례

압류재산이 징수할 국세액을 초과하는 경우 위 압류처분의 효력은 당연무효가 아니다.05 ★★

세무공무원이 국세의 징수를 위해 납세자의 재산을 압류하는 경우 그 재산의 가액이 징수할 국세액을 초과한다 하여 위 압류가 당연무효의 처분이라고는 할 수 없다(대판 1986. 11. 11, 86누479).

(5) 압류 후 부과처분의 근거법률이 위헌으로 결정된 경우

이 경우 압류처분은 압류해제사유가 있으므로 압류를 해제하여야 한다.

(6) 압류 후 세액이 납부된 경우

압류처분 후 고지된 세액이 납부된 경우 압류를 해제하여야 하나, 그것만으로 압류처분이 당연무효가 되는 것은 아니라고 봄이 판례의 입장이다.

관련판례

1. 압류해제사유인 '기타의 사유로 압류의 필요가 없게 된 때'의 개념에는 과세처분 및 그 체납처분절차의 근거법령에 대한 위헌결정으로 후속 체납처분을 진행할 수 없어 체납세액에 충당할 가망이 없게 되는 등으로 압류의 근거를 상실하거나 압류를 지속할 필요성이 없게 된 경우가 포함된다(대판 2002. 7. 12, 2002두3317).
2. 압류처분 후 고지된 세액을 납부한 경우 압류처분이 당연무효가 되는 것은 아니다(대판 1982. 7. 13, 81누360).

(7) 상속 또는 합병의 경우 강제징수의 속행 등

체납자의 재산에 대하여 강제징수를 시작한 후 체납자가 사망하였거나 체납자인 법인이 합병으로 소멸된 경우에도 그 재산에 대한 강제징수는 계속 진행하여야 한다. 한편 체납자가 사망한 후 체납자 명의의 재산에 대하여 한 압류는 그 재산을 상속한 상속인에 대하여 한 것으로 본다(동법 제27조).01

2. 압류재산의 매각

(1) 개념 및 방법

압류재산의 매각은 체납자의 재산을 금전으로 바꾸는 것을 의미한다. 매각은 공매 또는 수의계약ⓐ의 방법으로 하고(동법 제65조 제1항), 공매는 경쟁입찰ⓑ 또는 경매ⓒ의 방법으로 한다(동법 제65조 제2항). 한편, 관할 세무서장은 압류재산이 ① 수의계약으로 매각하지 아니하면 매각대금이 강제징수비 금액 이하가 될 것으로 예상되는 경우, ② 부패 · 변질 또는 감량되기 쉬운 재산으로서 속히 매각하지 아니하면 그 재산가액이 줄어들 우려가 있는 경우, ③ 압류한 재산의 추산가격이 1천만원 미만인 경우 등에는 수의계약으로 매각할 수 있다(동법 제67조).

(2) 공매의 대행

관할 세무서장은 공매 등에 전문지식이 필요하거나 그 밖에 직접 공매 등을 하기에 적당하지 아니하다고 인정되는 경우 대통령령으로 정하는 바에 따라 한국자산관리공사에 공매 등을 대행하게 할 수 있으며, 이 경우 공매 등은 관할 세무서장이 한 것으로 본다(동법 제103조 제1항).02

(3) 공매의 성질

공매에 대해 사법상 계약으로 보는 견해도 있으나, 통설은 공법상 대리로서 항고소송의 대상이 되는 처분이라고 본다. 판례도 공매를 행정소송의 대상이 되는 처분으로 본다.03 04

관련판례

공매는 공법상 행정처분으로서 공매에 의하여 재산을 매수한 자는 그 공매처분이 취소된 경우 그 취소처분의 위법을 주장하여 행정소송을 제기할 법률상의 이익이 있다.05 ★★★

과세관청이 체납처분으로서 행하는 공매는 우월한 공권력의 행사로서 행정소송의 대상이 되는 공법상의 행정처분이며 …… (대판 1984. 9. 25, 84누201)

기출 체크

□□□□□ 01 체납자가 사망한 후 체납자명의의 재산에 대하여 한 압류는 그 재산을 상속한 상속인에 대하여 한 것으로 본다. (○, ×) ★ 2010 국가직 7급

□□□□□ 02 세무서장은 한국자산관리공사로 하여금 공매를 대행하게 할 수 있으며, 이 경우 공매는 세무서장이 한 것으로 본다. (○, ×) 2015 국가직 9급

□□□□□ 03 판례에 따르면 공매행위는 행정행위에 해당된다. (○, ×) ★★★ 2017 사회복지직 9급

□□□□□ 04 과세관청이 체납처분으로서 행하는 공매는 우월한 공권력의 행사로서 행정소송의 대상이 되는 행정처분이다. (○, ×) ★★★ 2015 국가직 9급

□□□□□ 05 과세관청이 체납처분으로서 행하는 공매는 우월한 공권력의 행사로서 행정소송의 대상이 되는 공법상의 행정처분이며 공매에 의하여 재산을 매수한 자는 그 공매처분이 취소된 경우에 그 취소처분의 위법을 주장하여 행정소송을 제기할 법률상 이익이 있다. (○, ×) ★★★ 2024 지방직 · 서울시 9급

ⓐ 계약 등을 체결할 때 여러 사람이 참여하는 경매(競賣)나 입찰(入札) 등의 방법에 의하지 않고, 상대방을 임의로 선택하여 맺는 계약을 말한다.

ⓑ **경쟁입찰**
공매를 집행하는 공무원이 공매예정가격을 제시하고, 매수신청인에게 문서로 매수신청을 하게 하여 공매예정가격 이상의 신청가격 중 최고가격을 신청한 자(이하 '최고가매수신청인'이라 한다)를 매수인으로 정하는 방법을 말한다.

ⓒ **경 매**
공매를 집행하는 공무원이 공매예정가격을 제시하고, 매수신청인에게 구두 등의 방법으로 신청가격을 순차로 올려 매수신청을 하게 하여 최고가매수신청인을 매수인으로 정하는 방법을 말한다.

정답 01 ○ 02 ○ 03 ○ 04 ○ 05 ○

(4) 공매통지의 성질

그러나 공매하기로 한 결정(공매결정)과 공매의 통지는 내부행위 또는 사실행위로서 처분이 아니라는 것이 학설과 판례의 태도이다.

관련판례

1. **국세징수법상 공매통지 자체는 원칙적으로 항고소송의 대상이 되는 행정처분이 아니다.★★★**

   공매통지 자체가 그 상대방인 체납자 등의 법적 지위나 권리 · 의무에 직접적인 영향을 주는 행정처분에 해당한다고 할 것은 아니므로 다른 특별한 사정이 없는 한 체납자 등은 공매통지의 결여나 위법을 들어 공매처분의 취소 등을 구할 수 있는 것이지 공매통지 자체를 항고소송의 대상으로 삼아 그 취소 등을 구할 수는 없다(대판 2011. 3. 24, 2010두25527).**01**

2. **한국자산공사(현 한국자산관리공사)의 재공매(입찰)결정 및 공매통지는 항고소송의 대상이 되는 행정처분이 아니다.★★★**

   한국자산공사가 당해 부동산을 인터넷을 통하여 재공매(입찰)하기로 한 결정 자체는 내부적인 의사결정에 불과하여 항고소송의 대상이 되는 행정처분이라고 볼 수 없고,**02 03** 또한 한국자산공사의 공매통지는 공매의 요건이 아니라 공매사실 자체를 체납자에게 알려주는 데 불과한 것으로서, 통지의 상대방의 법적 지위나 권리 · 의무에 직접 영향을 주는 것이 아니라고 할 것이므로 이것 역시 행정처분에 해당한다고 할 수 없다(대판 2007. 7. 27, 2006두8464).

(5) 공매통지를 하지 않은 경우

공매통지는 공매의 절차적 요건으로서 **공매통지를 하지 않았거나 공매통지를 하였더라도 그것이 적법하지 아니한 경우에는 공매처분은 위법**하게 되는데, 그 위법의 정도에 대해서는 절차상의 하자가 있는 것에 불과하므로 무효는 아니라는 것이 판례의 입장이다. 한편, 행정청이 한국자산관리공사에게 공매를 대행하게 한 경우 그러한 **공매대행사실을 통지하지 않았다는 것만으로 공매처분이 위법하게 되는 것**은 아니라고 봄이 판례의 입장이다.

관련판례

1-1. **체납자 등에 대한 공매통지는 공매의 절차적 요건에 해당하므로, 체납자 등에게 공매통지를 하지 않았거나 적법하지 않은 공매통지를 한 경우 그 공매처분은 위법하다.04 05 ★★★**

1-2. **다만, 체납자 등은 자신에 대한 공매통지의 하자만을 공매처분의 위법사유로 주장할 수 있을 뿐 다른 권리자에 대한 공매통지의 하자를 들어 공매처분의 위법사유로 주장하는 것은 허용되지 않는다.06**

체납자 등에 대한 공매통지는 국가의 강제력에 의하여 진행되는 공매에서 체납자 등의 권리 내지 재산상의 이익을 보호하기 위하여 법률로 규정한 절차적 요건이라고 보아야 하며, 공매처분을 하면서 체납자 등에게 공매통지를 하지 않았거나 공매통지를 하였더라도 그것이 적법하지 아니한 경우에는 절차상의 흠이 있어 그 공매처분이 위법하게 되는 것이지만, 공매통지 자체가 그 상대방인 체납자 등의 법적 지위나 권리 · 의무에 직접적인 영향을 주는 행정처분에 해당한다고 할 것은 아니므로 다른 특별한 사정이 없는 한 체납자 등은 공매통지의 결여나 위법을 들어 공매처분의 취소 등을 구할 수 있는 것이지 공매통지 자체를 항고소송의 대상으로 삼아 그 취소 등을 구할 수는 없다(대판 2008. 11. 20, 2007두18154 전합).

2. **체납자 등에 대한 공매통지 없이 한 공매처분이 당연무효가 되는 것은 아니다**(대판 2012. 7. 26, 2010다50625).**07 ★★**

3. 관할행정청이 체납자인 부동산소유자 또는 그 임차인에게 한국자산관리공사의 공매대행사실을 통지하지 않았다는 이유만으로 매각처분이 위법하게 되는 것은 아니다(대판 2013. 6. 28, 2011두18304).

기출 체크

□□□□□ **01** 국세징수법상 공매통지에 하자가 있는 경우, 다른 특별한 사정이 없는 한 체납자는 공매통지 자체를 항고소송의 대상으로 삼아 그 취소 등을 구할 수 있다. (○, ×) ★★★ 2020 국가직 9급

□□□□□ **02** 한국자산공사가 당해 부동산을 인터넷을 통하여 재공매(입찰)하기로 한 결정 자체는 내부적인 의사결정에 불과하여 항고소송의 대상이 되는 행정처분이라고 볼 수 없다. (○, ×) ★★★ 2023 서울시 지적 7급

□□□□□ **03** 한국자산공사의 재공매결정과 공매통지는 행정처분에 해당한다. (○, ×) ★★★ 2021 군무원 7급

□□□□□ **04** 공매처분을 하면서 체납자에게 공매통지를 하지 않았거나 공매통지를 하였지만 그것이 적법하지 아니하다 하더라도 공매처분 자체는 위법하지 않다. (○, ×) ★★★ 2023 지방직 · 서울시 9급

□□□□□ **05** 국세징수법상 체납자에 대한 공매통지는 국가의 강제력에 의하여 진행되는 공매에서 체납자의 권리 내지 재산상의 이익을 보호하기 위하여 법률로 규정한 절차적 요건으로, 이를 이행하지 않은 경우 그 공매처분은 위법하다. (○, ×) ★★★ 2017 국가직 7급

□□□□□ **06** 체납자 등은 다른 권리자에 대한 공매통지의 하자를 들어 공매처분의 위법사유로 주장할 수 있다. (○, ×) 2023 군무원 7급

□□□□□ **07** 국세징수법상 공매통지는 국가의 강제력에 의하여 진행되는 공매절차에서 체납자 등의 권리 내지 재산상 이익을 보호하기 위하여 법률로 규정한 절차적 요건에 해당하기 때문에 그 통지를 하지 아니한 채 공매처분을 한 경우에는 그 공매처분은 당연무효이다. (○, ×) ★★ 2020 경행경채

정답 01 × 02 ○ 03 × 04 × 05 ○ 06 × 07 ×

(6) 공매재산에 대한 평가 등이 잘못된 경우 매수인의 부당이득문제

부당하게 저렴한 가격으로 공매되었다 하더라도 그러한 공매처분은 취소사유에 불과하여 취소 전까지는 유효하므로 매수인의 부당이득이 되는 것은 아니다.

관련판례

1. 공매에 있어서 공매재산에 대한 감정평가나 매각예정가격의 결정이 잘못되어 그로 인하여 공매재산이 부당하게 저렴한 가격으로 공매된 경우 그 공매처분은 취소사유에 해당하는 것일 뿐 당연무효가 되는 것은 아니다.01 ★
2. 공매절차에서 공매재산에 대한 감정평가나 매각예정가격의 결정이 잘못된 경우, 매수인이 공매재산의 시가와 감정평가액의 차액을 부당이득한 것이라고 할 수 없다(대판 1997. 4. 8, 96다52915).

3. 청 산

(1) 청산의 의의

청산이란 압류금전, 체납자 · 제3채무자로부터 받은 금전, 매각대금 등으로 받은 금전을 국세 · 강제징수비, 기타의 채권에 배분하는 것을 말한다. **배분 후 잔액이 있으면 체납자에게 지급한다.02**

(2) 배분의 방법

매각대금이 국세 · 강제징수비, 기타의 채권의 총액에 부족한 때에는 민법 기타 법령에 의하여 배분할 순위와 금액을 정하여 배분하여야 한다. 이 경우 국세관계채권은 다른 공과금, 기타 채권에 우선한다. 한편 국세와 강제징수비의 징수순위는 강제징수비, 국세, 가산세 순으로 우선 징수한다.

04 | 기 타

❶ 행정쟁송

독촉 또는 압류, 공매처분 등 강제징수에 대해 불복이 있는 자는 행정쟁송을 제기할 수 있다. 국세기본법은 이의신청절차를 규정하고 있으며, 특히 **소송을 제기하기 전에 심사청구 또는 심판청구 중 하나의 절차를 반드시 거치도록 하는 예외적 행정심판전치주의를** 규정하고 있다(p.855 참조).**03 04 05**

❷ 하자의 승계

강제징수절차는 모두가 결합하여 하나의 법률효과(즉, 강제집행의 완성)를 가져오는 관계에 있으므로 각 단계의 행위는 하자가 승계된다. 다만, **조세부과처분의 하자는 당연무효가 아닌 한 강제징수절차에 승계되지 않는다.06**

관련판례

조세의 부과처분과 압류 등의 체납처분은 별개의 행정처분으로서 독립성을 가지므로 부과처분에 하자가 있더라도 그 부과처분이 취소되지 아니하는 한 그 부과처분에 의한 체납처분은 위법이라고 할 수는 없지만, 체납처분(현 강제징수)은 부과처분의 집행을 위한 절차에 불과하므로 그 부과처분에 중대하고도 명백한 하자가 있어 무효인 경우에는 그 부과처분의 집행을 위한 체납처분도 무효라 할 것이다(대판 1987. 9. 22, 87누383).**07** ★★★

기출 체크

□□□□□ **01** 공매에 있어서 공매재산에 대한 감정평가나 매각예정가격의 결정이 잘못되어 공매재산이 부당하게 저렴한 가격으로 공매된 경우 그 공매처분은 당연무효가 된다. (○, ×) ★ 2008 지방직 7급

□□□□□ **02** 청산 후 배분하거나 충당하고 남은 금액이 있으면 이를 체납자에게 지급하여야 한다. (○, ×) 2016 교육행정직 9급

□□□□□ **03** 국세징수법상의 독촉, 압류, 압류해제거부 및 공매처분에 대하여는 이의신청을 제기할 수 있고, 심사청구와 심판청구의 결정을 모두 거친 후에 행정소송을 제기할 수 있다. (○, ×) ★★★ 2018 소방직 9급

□□□□□ **04** 국세기본법에 의하면 강제징수절차에 불복하는 당사자는 심사청구 또는 심판청구를 거친 후 행정소송을 제기하여야 한다. (○, ×) ★★★ 2016 교육행정직 9급

□□□□□ **05** 독촉과 체납처분(현 강제징수)에 대하여 불복이 있는 자는 바로 취소소송을 제기할 수 있다. (○, ×) ★★ 2015 사회복지직 9급

□□□□□ **06** 조세부과처분에 취소사유인 하자가 있는 경우 그 하자는 후행 강제징수절차인 독촉 · 압류 · 매각 · 청산 절차에 승계된다. (○, ×) ★★★ 2019 국가직 9급

□□□□□ **07** 조세부과처분이 무효라 하더라도 그로써 압류 등 체납처분의 효력을 다툴 수는 없다. (○, ×) ★★★ 2017 지방직(하) 9급

[유튜브] 24강 필수 개념 TEST
- QR코드를 스캔해 주세요.
- 필수 개념과 출제 포인트를 풀어 보세요.
- 틀린 문제는 기본서로 확인해 주세요.

정답 01 × 02 ○ 03 × 04 ○ 05 × 06 × 07 ×

제 25 강 행정상 즉시강제와 행정조사

행정상 즉시강제

의 의

개 념

현재의 급박한 위험 또는 장해를 제거하기 위해 미리 의무를 명할 시간적 여유가 없거나 그 성질상 의무를 명해서는 목적달성을 할 수 없는 경우, 직접 신체 또는 재산에 실력을 가함으로써 행정상 필요한 상태를 실현하는 행정작용(행정기본법 제30조 제1항 제5호)

구별개념

의무의 존재와 불이행을 전제 ×(※강제집행 : 의무의 존재, 불이행 전제 O)

성 질

권력적 사실행위로서 처분 ⇨ 항고소송의 대상

근 거

- 법적 근거 필요
- 행정기본법 제33조
- 개별법 O : 경찰관직무집행법, 「감염병의 예방 및 관리에 관한 법률」, 「마약류 관리에 관한 법률」, 식품위생법, 소방기본법 등

행정상 즉시강제의 종류

구 분	경찰관직무집행법	개별법
대인적 강제	보호조치, 장구 및 무기의 사용, 범죄의 예방 및 제지, 위험발생의 방지	• 「감염병의 예방 및 관리에 관한 법률」의 감염병환자의 강제입원, 강제건강진단 및 치료 • 소방기본법상의 화재현장에 있는 자에 대한 원조강제 • 「재난 및 안전관리기본법」상의 응급조치(긴급수송 등) • 「마약류 관리에 관한 법률」상의 마약중독자의 격리 및 치료를 위한 치료보호 등
대물적 강제	무기 · 흉기 등의 물건의 임시영치, 위해방지조치	• 소방기본법상의 소방활동에 방해가 되는 소방대상물의 파괴 등의 강제처분 • 도로교통법상 교통장애물의 제거 • 구 「음반 · 비디오물 및 게임물에 관한 법률」상 불법게임물의 수거 · 삭제 · 폐기 • 「재난 및 안전관리기본법」상의 응급조치(진화 · 수방 등) • 「마약류 관리에 관한 법률」상의 승인 등을 받지 못한 마약류에 관한 폐기 • 「감염병의 예방 및 관리에 관한 법률」상의 감염병 유행에 대한 방역조치(일시적 폐쇄) 등
대가택 강제	위험방지를 위한 가택출입 · 수색	조세범처벌절차법상 수색

한 계

- **실체법적 한계**
  - 급박성의 원칙
  - 비례의 원칙 : 강제집행을 원칙으로 하고 즉시강제는 예외적으로 인정
    - 즉시강제는 다른 수단으로는 행정목적을 달성할 수 없는 경우에만 허용되며, 이 경우에도 최소한으로만 실시하여야 함(행정기본법 제33조 제1항).
- **절차법적 한계(영장주의의 적용문제)**
  - 대법원(절충설) : 원칙적으로 영장 필요, 예외적으로 행정목적 달성을 위해 불가피한 경우 불필요
    - 증인의 동행명령장을 법관이 아닌 지방의회 의장이 발부하는 것은 영장주의에 위배
    - 재범의 위험성이 현저한 자를 상대로 긴급히 보호할 필요가 있는 경우, 단기간의 동행보호를 허용한 구 사회안전법상 동행보호규정 ⇨ 위헌 ×
  - 헌법재판소 : 불법게임물을 발견한 경우 영장 없이 이를 수거하여 폐기하게 할 수 있도록 규정한 구 「음반 · 비디오물 및 게임물에 관한 법률」의 조항은 급박한 상황에 대처하기 위해 행정상 즉시강제를 행할 불가피성과 정당성이 인정되므로 헌법상 영장주의에 위배 ×

구 제

- **적법한 즉시강제에 대한 구제** : 손실보상청구 가능(경찰관직무집행법 제11조의2 : 경찰관의 직무집행에 자발적으로 협조하거나 물건을 제공하여 생명 · 신체 또는 재산상의 손실을 입은 경우)
- **위법한 즉시강제에 대한 구제**
  - 행정쟁송
    - 권력적 사실행위로서 처분(※단, 행정상 즉시강제는 대부분 단기간에 종료되므로 협의의 소의 이익이 결여되는 경우가 많음. 다만, 계속적 성질을 가지는 경우에는 소의 이익이 인정됨)
- **손해배상의 청구** : 위법한 즉시강제로 손해를 입은 자는 국가배상법이 정하는 바에 따라 손해배상을 청구할 수 있음.

행정조사

의 의

행정기관이 정책결정, 직무수행시 필요한 정보나 자료를 수집하기 위해 현장조사 · 문서열람 · 시료채취 등을 하거나 조사대상자에게 보고 요구, 자료제출 요구 및 출석, 진술요구를 행하는 활동(예 세무조사)

법적 근거

- **특정의 조사대상자가 있는 경우** : 행정조사를 실시하기 위해서는 법률에 근거가 있어야 함. 다만, 조사대상자의 자발적인 협조를 얻어 실시하는 행정조사는 법률에 근거 없어도 가능(개별법령 등에서 행정조사를 규정하고 있는 경우에도 자발적인 협조를 얻어 실시할 수 있음)
- **실정법적 근거** : 일반법(행정조사기본법), 개별법(경찰관직무집행법, 소방기본법 등)
  - 행정절차법에는 행정조사에 관한 규정 없음.

적용범위

- **다음에 해당하는 사항에 대해서는 행정조사기본법이 적용되지 않음.**
  - 근로기준법 제101조에 따른 근로감독관의 직무에 관한 사항
  - 조세 · 형사 · 행형 및 보안처분에 관한 사항
  - 금융감독기관의 감독 · 검사 · 조사 및 감리에 관한 사항
- 다만, 이러한 경우라도 행정조사기본법 제4조(행정조사의 기본원칙), 제5조(행정조사의 근거), 제28조(정보통신수단을 통한 행정조사)의 규정은 적용됨(동법 제3조 제3항).

행정조사의 종류

- **성질에 따른 분류**
  - 권력적 행정조사(강제조사) : 국민의 신체나 재산에 침해를 가져오는 조사작용
  - 비권력적 행정조사(임의조사) : 상대방의 임의적인 협력을 얻어 행해지는 조사
- **대상에 따른 분류**

대인적 조사	대물적 조사	대가택 조사
질문, 신체의 수색 등	장부 · 서류의 열람, 시설검사, 물품검사 및 수거 등	개인의 주거 · 창고 · 영업소 등에 대한 출입검사 등

한 계

실체법적 한계	절차법적 한계
• 근거법에 규정된 한계 준수 • 행정조사기본법에 규정된 행정조사의 기본원칙 및 행정법의 일반원칙 등의 한계 준수 – 판례 : 세무조사권의 행사에서도 적법절차의 원칙은 마땅히 준수되어야 함. • 위법한 목적을 위한 조사 불가능	• 영장주의 : 판례는 우편물 통관검사절차에서 압수 · 수색영장 없이 진행된 우편물의 개봉, 시료채취, 성분분석 등 검사는 원칙적으로 적법하다고 봄. • 증표의 제시 : 조사대상자에게 제시 • 실력행사(저항하는 상대방을 실력으로 배제) : 부정설(다수설)

행정조사기본원칙

① 조사범위의 최소화 : 조사목적을 달성하는 데 필요 · 최소한의 범위 안에서 실시, 다른 목적을 위한 남용 불가
② 조사목적의 적합성 : 목적에 적합하도록 조사대상자를 선정하여 조사 실시
③ 중복조사의 제한 : 유사 또는 동일한 사안에 대해 공동조사 실시
④ 예방 위주의 행정조사 : 처벌보다는 법령준수 유도
⑤ 내용공표 및 비밀누설금지 : 다른 법률에 따르지 않고는 조사대상자 또는 조사내용을 공표하거나 비밀누설을 해서는 안 됨.
⑥ 조사결과에 대한 이용제한 : 원칙적으로 조사목적 이외의 용도로 이용 ×, 타인에게 제공 ×

조사의 시행

조사계획의 수립 및 조사대상의 선정

- **행정조사를 행하는 행정기관** : 법령 및 조례 · 규칙에 따라 행정권한이 있는 기관과 그 권한을 위임 또는 위탁받은 법인 · 단체 또는 그 기관이나 개인
- **조사대상자** : 행정조사의 대상이 되는 법인 · 단체 또는 그 기관이나 개인
- **조사대상의 선정** : 행정기관의 장은 객관적인 기준에 따라 행정조사대상을 선정하여야 함.
- 조사대상자는 조사대상 선정기준에 대한 열람을 행정기관의 장에게 신청할 수 있음.
- 정기조사의 원칙

조사의 방법

구분	내용
1회 출석의 원칙	원칙적으로 조사원은 1회 출석으로 당해 조사를 종결하여야 함.
출석일시 변경신청	• 지정된 출석일시에 출석하는 경우 업무 또는 생활에 지장이 있는 때에 행정기관의 장에게 신청 가능 • 변경신청을 받은 행정기관의 장은 행정조사의 목적달성범위에서 변경 가능
조사원 교체 신청	조사대상자가 이유를 명시한 서면으로 행정기관의 장에게 신청
현장조사	• 해 뜨기 전이나 해가 진 뒤에는 불허 • 다만, 업무시간 내 또는 조사대상자가 동의한 경우 등은 가능
시료채취	행정기관의 장은 시료채취로 조사대상자에게 손실을 입힌 때에는 보상하여야 함.
공동조사	행정기관 내에 둘 이상의 부서, 서로 다른 행정기관이 동일한 조사대상자에게 행정조사를 실시하는 경우 공동조사하여야 함.
중복조사의 제한	정기조사 또는 수시조사를 실시한 행정기관의 장은 동일한 사안에 대하여 동일한 조사대상자를 재조사하여서는 안 됨(위법행위가 의심되는 새로운 증거를 확보한 경우 제외).
자료 등의 영치	영치로 조사대상자의 생활 또는 영업이 사실상 불가능한 경우 사진촬영 · 사본작성으로 영치에 갈음하는 것이 가능(증거인멸 우려 있는 자료는 제외).

조사의 실시

- **법령에 근거한 행정조사**
  - 사전통지
    - 조사개시 7일 전까지 조사대상자에게 서면으로 통지하여야 함.
    - 단, 지정통계의 작성을 위하여 조사하는 경우, 조사대상자의 자발적인 협조를 얻어 실시하는 행정조사의 경우 등에는 행정조사의 개시와 동시에 출석요구서 등을 조사대상자에게 제시 또는 구두로 통지할 수 있음.
- **자발적인 협조에 따른 행정조사**
  - 조사대상자는 문서 · 전화 · 구두 등의 방법으로 당해 행정조사를 거부할 수 있음.
  - 조사대상자가 조사에 응할 것인지에 대한 응답을 하지 아니하는 경우 조사를 거부한 것으로 봄.
- **조사결과의 통지** : 행정조사의 결과를 확정한 날부터 7일 이내
- **자율신고제도**
  - 행정기관의 장은 그 신고내용을 행정조사에 갈음할 수 있음.
  - 자율신고자 등에게 행정조사의 감면 또는 행정 · 세제상의 지원 등 혜택을 부여할 수 있음.

구 제

- **적법한 조사** : 손실보상청구 가능
- **위법한 조사**
  - 세무조사가 위법한 경우 그에 기초한 부가가치세 부과처분은 위법함(판례).
  - 운전자의 동의, 법원의 영장 없이 채혈조사를 한 결과를 근거로 한 운전면허 정지 · 취소처분은 특별한 사정이 없는 한 위법함(판례).

제 1 절

행정상 즉시강제

초대 Topic 27 핵심집약 Topic 48

기출 체크

□□□□□ 01 즉시강제란 법령 또는 행정처분에 의한 선행의 구체적 의무의 불이행으로 인한 목전의 급박한 장해를 제거할 필요가 있는 경우에 행정기관이 즉시 국민의 신체 또는 재산에 실력을 행사하여 행정상의 필요한 상태를 실현하는 작용을 말한다. (○, ×) ★★★ 2019 국가직 9급

□□□□□ 02 즉시강제는 대체적 작위의무의 불이행이 있는 경우에 행정청이 스스로 의무자가 행할 행위를 대신 수행하는 조치이다. (○, ×) ★★★ 2018 교육행정직 9급

□□□□□ 03 (행정상 즉시강제는) 과거의 의무위반에 대하여 가해지는 제재이다. (○, ×) ★★★ 2022 국가직 9급

□□□□□ 04 직접강제와 즉시강제는 권력적 사실행위로서의 성격을 가지고 있다. (○, ×) ★★ 2019 사회복지직 9급

□□□□□ 05 (행정상 즉시강제는) 항고소송의 대상이 되는 처분의 성질을 갖는다. (○, ×) ★★ 2022 국가직 9급

정답 01 × 02 × 03 × 04 O(p.534 참조) 05 O

01 | 행정상 즉시강제의 의의

❶ 개 념

행정상 즉시강제란 현재의 급박한 위험 또는 장해를 제거하기 위하여 미리 의무를 명할 시간적 여유가 없거나, 그 성질상 의무를 명해서는 목적을 달성할 수 없는 경우에 직접 개인의 신체 또는 재산에 실력을 가함으로써 행정상 필요한 상태를 실현하는 행정작용을 말한다.

행정기본법 제30조【행정상 강제】 ① 행정청은 행정목적을 달성하기 위하여 필요한 경우에는 법률로 정하는 바에 따라 필요한 최소한의 범위에서 다음 각 호의 어느 하나에 해당하는 조치를 할 수 있다.
5. **즉시강제** : 현재의 급박한 행정상의 장해를 제거하기 위한 경우로서 다음 각 목의 어느 하나에 해당하는 경우에 행정청이 곧바로 국민의 신체 또는 재산에 실력을 행사하여 행정목적을 달성하는 것
가. 행정청이 미리 행정상 의무이행을 명할 시간적 여유가 없는 경우
나. 그 성질상 행정상 의무의 이행을 명하는 것만으로는 행정목적달성이 곤란한 경우

❷ 구별개념

1. 행정상 강제집행

통설은 행정상 즉시강제는 의무의 존재와 불이행을 전제로 하지 않는다는 점에서, 의무의 존재 및 그 불이행을 전제로 하는 행정상 강제집행과 구별된다고 한다.01 02

2. 행정조사

행정상 즉시강제는 필요한 상태를 실현하는 것을 목적으로 하나, 행정조사는 조사 그 자체가 기본적인 목적이라는 점에서 양자는 구별된다. 따라서 비록 행정조사가 강제성을 가지는 경우가 있더라도(예 음주측정), 행정조사는 조사가 목적이라는 점에서 행정상 즉시강제와 구별된다고 할 수 있다.

3. 행정벌

즉시강제는 과거의 의무위반에 대한 제재가 아닌 현재의 급박한 행정상 장해의 제거를 목적으로 하는 조치03인 반면에, 행정벌은 과거의 의무위반에 대해 가해지는 제재라는 점에서 양자는 구별된다.

❸ 성 질

행정상 즉시강제는 권력적 사실행위로서04 항고소송의 대상이 되는 처분에 해당한다.05

02 | 행정상 즉시강제의 근거

❶ 이론적 근거

과거에는 경찰긴급권이론에 의하여 긴급한 상황에서는 법률적 근거 없이도 즉시강제를 할 수 있는 것으로 보았으나, 법치주의가 확립된 오늘날에는 행정상 즉시강제야말로 전형적인 침해적 작용이므로 엄격한 실정법적 근거를 요한다고 봄이 통설이다.01 02

❷ 실정법적 근거

1. 행정기본법의 근거

행정기본법 제33조는 행정상 즉시강제에 관한 일반법이다. 다른 법률에 규정이 있으면 특별법우선의 원칙에 따라 그 법률에 의하며, 다른 법률에 규정이 없으면 행정기본법 제33조가 적용된다.

2. 개별법의 근거

즉시강제에 대한 법적 근거를 두고 있는 개별법으로는 경찰관직무집행법,㉠ 「감염병의 예방 및 관리에 관한 법률」, 「마약류 관리에 관한 법률」, 식품위생법, 소방기본법❶ 등을 들 수 있다.

03 | 행정상 즉시강제의 종류

❶ 대인적 강제

사람의 신체에 실력을 가하여 행정상 필요한 상태를 실현하는 작용이다.

1. 경찰관직무집행법상의 대인적 강제수단

(1) 보호조치

정신착란자, 미아, 술에 취한 상태로 인하여 자기 또는 타인의 생명 · 신체와 재산에 위해를 미칠 우려가 있는 피구호자를 보건의료기관 · 경찰서 등에 보호조치하는 것을 말한다.

관련판례

경찰관직무집행법 제4조 제1항 제1호(이하 '이 사건 조항'이라 한다)에서 규정하는 술에 취한 상태로 인하여 자기 또는 타인의 생명 · 신체와 재산에 위해를 미칠 우려가 있는 피구호자에 대한 보호조치는 경찰행정상 즉시강제에 해당04하므로, 그 조치가 불가피한 최소한도 내에서만 행사되도록 발동 · 행사 요건을 신중하고 엄격하게 해석하여야 한다(대판 2012. 12. 13, 2012도11162).★★★

(2) 범죄의 예방 및 제지

범죄행위로 인명 · 신체 · 재산에 위해를 끼칠 우려가 있어 긴급을 요하는 경우 그 행위를 제지할 수 있다.

(3) 장구 및 무기의 사용ⓐ

범인의 체포, 도주방지, 생명 · 신체에 대한 방호, 공무집행에 대한 항거의 억제를 위하여 필요한 한도 내에서 수갑 · 포승 · 경찰봉 등의 경찰장구와 무기를 사용할 수 있다.

기출 체크

□□□□□ 01 (행정상 즉시강제는) 목전에 급박한 장해를 예방하기 위한 경우에는 예외적으로 법률의 근거가 없이도 발동될 수 있다는 것이 일반적인 견해이다. (○, ×) ★★★ 2022 국가직 9급

□□□□□ 02 행정상 즉시강제는 개인에게 미리 의무를 명할 시간적 여유가 없는 경우를 전제로 하므로 그 긴급성을 고려할 때 원칙적으로 법률적 근거를 요하지 아니한다. (○, ×) ★★★ 2019 서울시 9급

□□□□□ 03 화재진압작업을 위해서 화재발생현장에 불법주차차량을 제거하는 것은 급박성을 이유로 법적 근거가 없더라도 최후수단으로서 실행이 가능하다. (○, ×) 2020 소방직 9급

□□□□□ 04 경찰관직무집행법 제4조 제1항 제1호에서 규정하는 '술에 취한 상태로 인하여 자기 또는 타인의 생명 · 신체와 재산에 위해를 미칠 우려가 있는' 피구호자에 대한 보호조치는 행정상 즉시강제에 해당한다. (○, ×) ★★★ 2023 소방간부

❶ 소방기본법 제25조 【강제처분 등】 ③ 소방본부장, 소방서장 또는 소방대장은 소방활동을 위하여 긴급하게 출동할 때에는 소방자동차의 통행과 소방활동에 방해가 되는 주차 또는 정차된 차량 및 물건 등을 제거하거나 이동시킬 수 있다.03

판례 | ㉠ 구 경찰관직무집행법 제6조 제1항은 "경찰관은 범죄행위가 목전에 행하여지려고 하고 있다고 인정될 때에는 이를 예방하기 위하여 관계인에게 필요한 경고를 발하고, 그 행위로 인하여 인명 · 신체에 위해를 미치거나 재산에 중대한 손해를 끼칠 우려가 있어 긴급을 요하는 경우에는 그 행위를 제지할 수 있다."라고 정하고 있다. 위 조항 중 경찰관의 제지에 관한 부분은 범죄의 예방을 위한 경찰행정상 즉시강제에 관한 근거조항이다(대판 2021. 10. 28, 2017다219218).

ⓐ 다만, 경찰관직무집행법상 무기나 장구사용은 직접강제의 수단이라고 보아야 한다는 견해도 있다. 이 견해는 아무리 법치주의가 발전되지 않은 나라라도 사전에 의무를 부과하는 하명과 경고 없이 사람에 대하여 경찰봉, 최루탄 등을 느닷없이 사용할 수는 없다는 점을 논거로 한다(정하중, <행정법개론>, p.485).

정답 01 × 02 × 03 × 04 ○

기출 체크

□□□□□ 01 신체의 자유를 제한하는 즉시강제는 헌법상 기본권침해에 해당하여 법률의 규정에 의해서도 허용되지 아니한다. (○, ×) 2018 교육행정직 9급

□□□□□ 02 행정상 즉시강제에 해당하지 않는 것은? ★★★ 2012 사회복지직 9급

① 「감염병의 예방 및 관리에 관한 법률」상의 감염병환자의 강제입원
② 경찰관직무집행법상의 보호조치
③ 건축법상의 이행강제금의 부과
④ 도로교통법상의 위법인공구조물에 대한 제거

□□□□□ 03 소방기본법상 소방본부장, 소방서장 또는 소방대장이 소방활동을 위하여 긴급하게 출동할 때에는 소방자동차의 통행과 소방활동에 방해가 되는 주차 또는 정차된 차량 및 물건 등을 제거하거나 이동시킬 수 있는 것은 즉시강제에 해당한다. (○, ×) 2023 소방직 9급

□□□□□ 04 구 「음반·비디오물 및 게임물에 관한 법률」상 불법게임물에 대한 수거 및 폐기조치는 행정상 즉시강제에 해당한다. (○, ×) 2023 지방직·서울시 9급

□□□□□ 05 행정상 즉시강제에 해당하지 않는 것은? ★★★ 2011 지방직 9급

① 행정대집행법에 의한 무허가건물의 강제철거
② 소방기본법에 의한 강제처분
③ 경찰관직무집행법에 의한 범죄의 예방과 제지
④ 「재난 및 안전관리기본법」에 의한 응급조치

□□□□□ 06 감염병환자의 강제입원, 불법게임물의 폐기는 행정상 직접강제의 예이다. (○, ×) ★★★ 2015 지방직 7급

□□□□□ 07 (「감염병의 예방 및 관리에 관한 법률」) 제47조 제1호의 '일시적 폐쇄'는 의무의 불이행을 전제로 하지 않으므로 강학상 '직접강제'에 해당한다. (○, ×) ★★ 2018 국회직 8급

❶ 소방기본법 제25조 【강제처분 등】 ① 소방본부장, 소방서장 또는 소방대장은 사람을 구출하거나 불이 번지는 것을 막기 위하여 필요할 때에는 화재가 발생하거나 불이 번질 우려가 있는 소방대상물 및 토지를 일시적으로 사용하거나 그 사용의 제한 또는 소방활동에 필요한 처분을 할 수 있다.
② 소방본부장, 소방서장 또는 소방대장은 사람을 구출하거나 불이 번지는 것을 막기 위하여 긴급하다고 인정할 때에는 제1항에 따른 소방대상물 또는 토지 외의 소방대상물과 토지에 대하여 제1항에 따른 처분을 할 수 있다.

정답 01 × 02 ③(강제집행의 일종인 이행강제금) 03 ○ 04 ○ 05 ①(강제집행의 일종인 대집행) 06 × 07 ×

(4) 위험발생의 방지

경찰관은 인명 또는 신체에 위해를 미치거나 재산에 중대한 손해를 끼칠 우려가 있는 천재, 사변, 공작물의 손괴, 교통사고, 위험물의 폭발 등 극도의 혼잡, 기타 위험한 사태가 있을 때에는 관리자, 기타 관계인에게 필요한 경고를 발하는 등 일정한 조치를 할 수 있다.

2. 개별법상의 대인적 강제수단 01

「감염병의 예방 및 관리에 관한 법률」상의 감염병환자의 강제입원, 강제건강진단 및 치료, 소방기본법상의 화재현장에 있는 자에 대한 원조강제, 「재난 및 안전관리기본법」상의 응급조치(긴급수송 등), 「마약류 관리에 관한 법률」상의 마약중독자의 격리 및 치료를 위한 치료보호 등을 들 수 있다. 02

❷ 대물적 강제

물건에 실력을 가하여 행정상 필요한 상태를 실현하는 작용을 말한다.

1. 경찰관직무집행법상의 대물적 강제수단

무기 · 흉기 등 물건에 대한 임시영치(경찰관직무집행법 제4조 제3항), 위해방지조치(동법 제5조 제1항) 등을 들 수 있다.

2. 개별법상의 대물적 강제수단

① 소방기본법상의 소방활동에 방해가 되는 소방대상물의 파괴 등의 강제처분, ❶ 03
② 도로교통법상 교통장애물의 제거,
③ 구 「음반 · 비디오물 및 게임물에 관한 법률」상 불법게임물의 수거 · 삭제 · 폐기, 04
④ 「재난 및 안전관리기본법」상의 응급조치(진화 · 수방 등),
⑤ 「마약류 관리에 관한 법률」상의 승인 등을 받지 못한 마약류에 관한 폐기,
⑥ 「감염병의 예방 및 관리에 관한 법률」상의 감염병 유행에 대한 방역조치(일시적 폐쇄) 등을 들 수 있다. 05 06 07

❸ 대가택 강제

소유자 · 관리자의 의사와 상관없이 타인의 가택 · 영업소 등을 출입 · 수색하는 작용을 말한다. 경찰관직무집행법상의 위험방지를 위한 가택출입 · 수색과 조세범처벌절차법상의 수색을 들 수 있다. 한편, 이러한 가택출입 · 수색에 대해서는 행정조사의 영역으로 보아야 한다는 견해가 유력하다.

04 | 행정상 즉시강제의 한계

행정상 즉시강제는 법률에 근거를 두고 이루어진다고 하더라도 사전에 의무를 부과하고 그 의무불이행이 있을 때 행하는 것이 아니라 즉각적으로 이루어지므로 개인의 신체 · 재산에 미치는 영향이 매우 크다. 따라서 즉시강제는 일정한 한계 내에서 행사되어야 하는바, 이를 살펴보면 다음과 같다.

❶ 실체법적 한계

1. 급박성의 원칙

행정상 즉시강제는 위해가 현존하거나 위험발생이 확실하여야 한다. 따라서 위험발생의 개연성이 있어야 하며 단순히 위험발생의 가능성만으로는 행해질 수가 없다.

2. 비례의 원칙(적합성 · 필요성 · 상당성원칙)ⓐ

행정기본법 제33조【즉시강제】 ① 즉시강제는 다른 수단으로는 행정목적을 달성할 수 없는 경우에만 허용되며, 이 경우에도 최소한으로만 실시하여야 한다.

행정상 즉시강제는 행정목적을 달성하기 위해 적합한 수단일 것이 요구되며, 또한 여러 수단이 있는 경우에는 최소한의 침해를 가져오는 수단일 것 등 비례원칙의 한계와 기타 행정법의 일반원칙 등을 준수하여야 한다.01 02 따라서 행정상 강제집행이 가능한 경우에는 행정상 즉시강제가 인정되지 않는다.

관련판례

1. 행정상 즉시강제는 법치국가의 요청인 예측가능성과 법적 안정성에 반하고 기본권침해의 소지가 큰 권력작용이므로 행정강제는 행정상 강제집행을 원칙으로 하고 행정상 즉시강제는 예외적으로 인정되어야 한다.03 ★★★
2. 행정상 즉시강제는 엄격한 실정법상의 근거를 필요로 할 뿐만 아니라, 그 발동에 있어서는 법규의 범위 안에서도 다시 행정상의 장해가 목전에 급박하고, 다른 수단으로는 행정목적을 달성할 수 없는 경우이어야 하며, 이러한 경우에도 그 행사는 필요 최소한도에 그쳐야 함을 내용으로 하는 조리상의 한계에 기속된다.04 05 ★★★
3. 불법게임물은 불법현장에서 이를 즉시 수거하지 않으면 증거인멸의 가능성이 있고, 그 사행성으로 인한 폐해를 막기 어려우며, 대량으로 복제되어 유통될 가능성이 있어, 불법게임물에 대하여 관계당사자에게 수거 · 폐기를 명하고 그 불이행을 기다려 직접강제 등 행정상의 강제집행으로 나아가는 원칙적인 방법으로는 목적달성이 곤란하다고 할 수 있으므로,06 이 사건 법률조항의 설정은 위와 같은 급박한 상황에 대처하기 위한 것으로서 그 불가피성과 정당성이 인정된다. …… 또한 이 사건 법률조항이 불법게임물의 수거 · 폐기에 관한 행정상 즉시강제를 허용함으로써 게임제공업주 등이 입게 되는 불이익보다는 이를 허용함으로써 보호되는 공익이 더 크다고 볼 수 있으므로, 법익의 균형성의 원칙에 위배되는 것도 아니다(헌재 2002. 10. 31, 2000헌가12).07 ★★★

❷ 절차법적 한계

1. 증표의 제시와 고지

(1) 즉시강제를 실시하기 위하여 현장에 파견되는 집행책임자는 그가 집행책임자임을 표시하는 증표를 보여주어야 하며, 즉시강제의 이유와 내용을 고지하여야 한다(행정기본법 제33조 제2항).08

(2) 위 (1)에도 불구하고 집행책임자는 즉시강제를 하려는 재산의 소유자 또는 점유자를 알 수 없거나

기출 체크

□□□□□ 01 즉시강제의 목적과 침해되는 상대방의 권익 사이에는 비례관계가 유지되어야 한다. (○, ×) ★★ 2019 사회복지직 9급

□□□□□ 02 즉시강제에도 행정법상의 일반원칙인 비례원칙이 준수되어야 한다. (○, ×) 2007 대구시 9급

□□□□□ 03 행정강제는 행정상 강제집행을 원칙으로 하며, 법치국가적 요청인 예측가능성과 법적 안정성에 반하고 기본권침해의 소지가 큰 권력작용인 행정상 즉시강제는 예외적으로 인정되는 강제 수단이다. (○, ×) ★★★ 2023 소방간부

□□□□□ 04 행정상 즉시강제는 엄격한 실정법상의 근거를 필요로 할 뿐만 아니라 그 발동에 있어서는 법규의 범위 안에서도 다시 행정상의 장해가 목전에 급박하고 다른 수단으로는 행정목적을 달성할 수 없는 경우이어야 한다. (○, ×) ★★★ 2023 소방간부

□□□□□ 05 (행정상 즉시강제는) 다른 수단으로는 행정목적을 달성할 수 없는 경우에만 허용되며, 이 경우에도 최소한으로만 실시하여야 한다. (○, ×) ★★★ 2021 국가직 9급

□□□□□ 06 행정강제는 행정상 강제집행을 원칙으로 하므로 불법게임물에 대해서도 관계당사자에게 수거 · 폐기를 명하고 그 불이행시 직접강제 등 행정상 강제집행으로 나아가야 한다. (○, ×) ★★★ 2019 사회복지직 9급

□□□□□ 07 구 「음반 · 비디오물 및 게임물에 관한 법률」상 불법게임물에 대한 수거 및 폐기조치는 행정상 즉시강제에 해당한다. (○, ×) ★★★ 2021 국가직 9급

□□□□□ 08 즉시강제를 실시하기 위하여 현장에 파견되는 집행책임자는 그가 집행책임자임을 표시하는 증표를 보여주어야 하며, 즉시강제의 이유와 내용을 고지하여야 한다. (○, ×) 2024 소방간부

ⓐ 행정상 즉시강제가 필요한 경우에도 상대방의 권익을 가장 적게 침해하는 내용의 강제가 이루어져야 한다. 예컨대, 감염병예방을 위해 강제격리로 목적을 달성할 수 있는 경우에도 강제입원을 명하는 것은 비례의 원칙에 반한다. 또한 타인의 재산에 대한 위해를 제거하기 위해 인신을 구속하는 것은 비례의 원칙에 반한다. 왜냐하면 신체의 권리는 재산권보다 우월한 가치를 갖는다고 보아야 하기 때문이다.

정답 01 ○ 02 ○ 03 ○ 04 ○ 05 ○ 06 × 07 ○ 08 ○

현장에서 그 소재를 즉시 확인하기 어려운 경우에는 즉시강제를 실시한 후 집행책임자의 이름 및 그 이유와 내용을 고지할 수 있다. 다만, ㉠ 즉시강제를 실시한 후에도 재산의 소유자 또는 점유자를 알 수 없는 경우, ㉡ 재산의 소유자 또는 점유자가 국외에 거주하거나 행방을 알 수 없는 경우, ㉢ 그 밖에 대통령령으로 정하는 불가피한 사유로 고지할 수 없는 경우에는 게시판이나 인터넷 홈페이지에 게시하는 등 적절한 방법에 의한 공고로써 고지를 갈음할 수 있다(동법 제33조 제3항).

2. 영장주의의 적용문제ⓐ

(1) 문제의 소재

행정상 즉시강제가 사람이나 그의 주거를 대상으로 하여 행사되는 경우에는 행정객체에 대한 신체의 자유와 주거의 자유를 침해할 가능성이 크다. 예컨대, 특정인에 대한 보호조치는 신체에 대한 구속과 유사하고, 타인의 주거에 대한 수색 역시 주거침입과 유사하다. 여기에서 행정상 즉시강제의 경우에도 헌법상의 영장주의를 그대로 적용할 것인가 하는 점이 문제된다.

(2) 학설 – 영장불요설, 필요설, 절충설

통설인 절충설에 따르면, 헌법상 영장주의는 형사사법권뿐 아니라 행정상 즉시강제에도 적용되어야 하나, 즉시강제 중에서 행정목적의 달성을 위해 불가피하다고 인정할 만한 합리적인 이유가 있는 특별한 경우에 한하여 영장주의가 적용되지 않는다고 본다. 절충설에 따르더라도 즉시강제가 형사책임 추궁과 관련 있거나 침해가 계속되는 등의 경우에는 반드시 사후에라도 영장이 필요하다고 볼 수 있다.ⓑ

(3) 판례의 태도

대법원은 원칙적으로 영장주의가 적용된다는 절충설의 입장을 취하고 있다. 한편 헌법재판소는 급박성을 본질로 하는 즉시강제에는 원칙적으로 영장주의가 적용되지 않는다는 입장이다.

관련판례

1-1. 사전영장주의원칙은 인신보호를 위한 헌법상의 기속원리이기 때문에 인신의 자유를 제한하는 국가의 모든 영역(예컨대, 행정상의 즉시강제)에서도 존중되어야 하고 다만 사전영장주의를 고수하다가는 도저히 그 목적을 달성할 수 없는 지극히 예외적인 경우에만 형사절차에서와 같은 예외가 인정된다고 할 것이다. 01 02 ★★

1-2. 동행명령장을 법관이 아닌 의장이 발부하고 이에 기하여 증인의 신체의 자유를 침해하여 증인을 일정 장소에 인치하도록 규정된 조례안 제6조는 영장주의원칙을 규정한 헌법 제12조 제3항에 위반한 것이다.

지방의회에서의 사무감사 · 조사를 위한 증인의 동행명령장제도도 증인의 신체의 자유를 억압하여 일정 장소로 인치하는 것으로서 …… 이 경우에도 헌법 제12조 제3항에 의하여 법관이 발부한 영장의 제시가 있어야 할 것이다. 그럼에도 불구하고 동행명령장을 법관이 아닌 의장이 발부하고 이에 기하여 증인의 신체의 자유를 침해하여 증인을 일정 장소에 인치하도록 규정된 조례안 제6조는 영장주의원칙을 규정한 헌법 제12조 제3항에 위반한 것이라고 할 것이다(대판 1995. 6. 30, 93추83).

2. 구 사회안전법 제11조 소정의 동행보호규정은 재범의 위험성이 현저한 자를 상대로 긴급히 보호할 필요가 있는 경우에 한하여 단기간의 동행보호를 허용한 것으로서 그 요건을 엄격히 해석하는 한, 동 규정 자체가 사전영장주의를 규정한 헌법규정에 반한다고 볼 수는 없다(대판 1997. 6. 13, 96다56115). 03

3. 관계행정청이 등급분류를 받지 아니하거나 등급분류를 받은 게임물과 다른 내용의 게임물을 발견한 경우 관계공무원으로 하여금 이를 수거 · 폐기하게 할 수 있도록 한 구 「음반 · 비디오물 및 게임물에 관한 법률」의 조항은 급박한 상황에 대처하기 위한 것으로서 그 불가피성과 정당성이 충분히 인정되는 경우이므로, 이 사건 법률조항이 비록 영장 없는 수거를 인정한다고 하더라도 이를 두고 헌법상 영장주의에 위배되는 것으로는 볼 수 없다. 04 05 ★★★

기출 체크

□□□□□ 01 행정상 즉시강제는 국민의 권리침해를 필연적으로 수반하므로, 이에 대해서는 항상 영장주의가 적용된다. (○, ×) ★★ 2021 국가직 9급

□□□□□ 02 (대법원에 따르면) 행정상 즉시강제에서 그 목적을 달성할 수 없는 지극히 예외적인 경우에만 헌법상 사전영장주의원칙의 예외가 인정된다. (○, ×) ★★ 2019 소방직 9급

□□□□□ 03 재범의 위험성이 현저한 자를 상대로 긴급히 보호할 필요가 있는 경우에 한하여 단기간의 동행보호를 허용한 구 사회안전법상 동행보호규정은 사전영장주의를 규정한 헌법규정에 반한다. (○, ×) 2015 경행특채 2차

□□□□□ 04 불법게임물을 발견한 경우 관계공무원으로 하여금 영장 없이 이를 수거하여 폐기하게 할 수 있도록 규정한 구 「음반 · 비디오물 및 게임물에 관한 법률」의 조항은 급박한 상황에 대처하기 위해 행정상 즉시강제를 행할 불가피성과 정당성이 인정되지 않으므로 헌법상 영장주의에 위배된다. (○, ×) ★★★ 2017 국가직(하) 9급

□□□□□ 05 구 「음반 · 비디오물 및 게임물에 관한 법률」상 등급분류를 받지 아니한 게임물을 발견한 경우 관계행정청이 관계공무원으로 하여금 이를 수거 · 폐기하게 할 수 있도록 한 규정은 헌법상 영장주의와 피해 최소성의 요건을 위배하는 과도한 입법으로 헌법에 위반된다. (○, ×) ★★★ 2014 지방직 9급

ⓐ 영장주의의 적용문제와 관련한 그 밖의 학설

1. 영장불요설
헌법상 영장주의는 원래 형사사법권의 남용으로부터 개인의 인신을 보호하기 위해 마련된 제도이므로 행정상 즉시강제의 경우에는 영장주의가 적용되지 않는다는 견해이다.

2. 영장필요설
형사사법작용과 행정상 즉시강제는 신체 · 재산에 관한 실력행사인 점에서 동일하므로 영장주의의 취지인 기본권보장을 위해서는 행정상 즉시강제에도 영장주의가 적용된다고 본다.

ⓑ 절충설에 따르면 즉시강제를 함에 있어서도 원칙적으로 헌법상의 영장주의가 적용된다. 다만, 현실적으로 즉시강제는 개념상 의무를 부과할 여유가 없는 경우에 행해지는 경우가 많으므로 영장 없이 이루어지는 경우가 많다. 예컨대, 행정상 즉시강제수단 중 경찰관직무집행법상 보호조치 · 위험발생방지 등 처분은 영장주의의 예외, 즉 영장 없이 이루어지는 강제처분이다. 왜냐하면 이러한 수단은 공적 안전이나 공적 질서의 유지를 위해 매우 빈번히 행해지는 것으로서 영장주의를 관철시킬 수 없기 때문이다.

정답 01 × 02 ○ 03 × 04 × 05 ×

행정상 즉시강제는 상대방의 임의이행을 기다릴 시간적 여유가 없을 때 하명 없이 바로 실력을 행사하는 것으로서, 그 본질상 급박성을 요건으로 하고 있어 법관의 영장을 기다려서는 그 목적을 달성할 수 없다고 할 것이므로, 원칙적으로 영장주의가 적용되지 않는다고 보아야 할 것이다(헌재 2002. 10. 31, 2000헌가12).

05 | 행정상 즉시강제에 대한 구제

❶ 적법한 즉시강제에 대한 구제

행정상 즉시강제가 적법한 경우에도, 그로 인해 특정인에게 특별한 희생이 발생하고 보상에 관한 법률의 규정이 있는 경우에는 행정상 손실보상을 청구할 수 있다. 이와 관련하여 경찰관직무집행법은 "손실발생의 원인에 대하여 책임이 없는 자가 경찰관의 직무집행에 자발적으로 협조하거나 물건을 제공하여 생명 · 신체 또는 재산상의 손실을 입은 경우 국가는 손실을 입은 자에 대하여 정당한 보상을 하여야 한다."라고 규정하고 있다.01 ❶

❷ 위법한 즉시강제에 대한 구제

1. 행정쟁송

(1) 대 상

행정상 즉시강제는 권력적 사실행위이므로 행정쟁송상의 처분에 해당한다는 것이 통설적 견해이다.02 따라서 행정상 즉시강제도 행정기본법상의 이의신청을 비롯하여 취소소송 · 취소심판 등의 대상이 된다.

(2) 소의 이익

① 행정상 즉시강제는 소방대상물의 파괴와 같이 대부분 단기간에 종료되므로 협의의 소이익을 결여하여 항고쟁송을 제기할 수 없는 경우가 많다.03 04

② 다만, 행정상 즉시강제라도 감염병환자의 강제입원, 정신질환자의 강제입원 등의 침해가 계속되고 있는 경우에는 취소소송 · 취소심판으로 다툴 소의 이익이 있다.

2. 손해배상의 청구

위법한 즉시강제로 손해를 입은 자는 국가배상법이 정하는 바에 따라 손해배상을 청구할 수 있다.05 즉시강제가 이미 종료하여 취소소송 · 취소심판 등의 제기가 불가능한 통상적인 경우 행정상 손해배상은 가장 효과적인 구제수단이 된다고 할 것이다.

기출 체크

□□□□□ 01 국가는 손실발생의 원인에 대하여 책임이 없는 자가 경찰관의 적법한 직무집행에 자발적으로 협조하거나 물건을 제공하여 생명 · 신체 또는 재산상의 손실을 입은 경우에도 정당한 보상을 하여야 한다. (○, ×) ★★ 2023 소방간부

□□□□□ 02 행정상 즉시강제는 권력적 사실행위이므로, 항고소송의 대상이 되는 처분성이 인정된다. (○, ×) ★★★ 2019 소방직 9급

□□□□□ 03 즉시강제는 단기간에 그 행위가 완료되는 경우가 대부분이므로 대체로 권리보호의 이익이 없는 경우가 많다. (○, ×) 2007 대구시 9급

□□□□□ 04 (「감염병의 예방 및 관리에 관한 법률」) 제47조 제3호의 '입원 또는 격리'가 항고소송의 대상이 된다고 하더라도 입원 또는 격리가 이미 종료된 경우에는 권리보호의 필요성이 부정될 수 있다. (○, ×) ★★ 2018 국회직 8급

□□□□□ 05 위법한 즉시강제작용으로 손해를 입은 자는 국가나 지방자치단체를 상대로 국가배상법이 정한 바에 따라 손해배상을 청구할 수 있다. (○, ×) 2022 국가직 9급

❶ 경찰관직무집행법 제11조의2【손실보상】① 국가는 경찰관의 적법한 직무집행으로 인하여 다음 각 호의 어느 하나에 해당하는 손실을 입은 자에 대하여 정당한 보상을 하여야 한다.

1. 손실발생의 원인에 대하여 책임이 없는 자가 생명 · 신체 또는 재산상의 손실을 입은 경우(손실발생의 원인에 대하여 책임이 없는 자가 경찰관의 직무집행에 자발적으로 협조하거나 물건을 제공하여 생명 · 신체 또는 재산상의 손실을 입은 경우를 포함한다)
2. 손실발생의 원인에 대하여 책임이 있는 자가 자신의 책임에 상응하는 정도를 초과하는 생명 · 신체 또는 재산상의 손실을 입은 경우

정답 01 ○ 02 ○ 03 ○ 04 ○ 05 ○

제 2 절 행정조사

핵심집약 Topic 49

기출 체크

□□□□□ 01 행정조사란 행정기관이 법령을 집행하거나 직무를 수행하는 데 필요한 문서를 수집하기 위하여 현장조사·문서열람·시료채취 등을 하거나 조사대상자에게 보고요구·자료제출요구 및 출석·진술요구를 행하는 활동을 말한다. (○, ×) ★★★ 2018 경행경채 3차

□□□□□ 02 행정조사는 사실행위의 형식으로만 가능하다. (○, ×) 2017 서울시 9급

□□□□□ 03 조사대상자의 자발적 협조를 얻는 경우가 아니라면 행정기관은 법령 등에서 행정조사를 규정하고 있는 경우에 한하여 행정조사를 실시할 수 있다. (○, ×) ★★★ 2024 소방간부

□□□□□ 04 개별법령 등에서 행정조사를 규정하고 있지 않더라도, 행정기관은 조사대상자가 자발적으로 협조하는 경우에는 행정조사를 실시할 수 있다. (○, ×) ★★★ 2023 국가직 9급

❶ 국세기본법 제2조【정의】 ① 이 법에서 사용하는 용어의 뜻은 다음과 같다.
21. '세무조사'란 국세의 과세표준과 세액을 결정 또는 경정하기 위하여 질문을 하거나 해당 장부·서류 또는 그 밖의 물건(이하 '장부 등'이라 한다)을 검사·조사하거나 그 제출을 명하는 활동을 말한다.

정답 01 × 02 × 03 ○ 04 ○

01 | 행정조사의 의의

❶ 의 의

1. 개 념

행정조사란 행정기관이 정책을 결정하거나 직무를 수행하는 데 필요한 정보나 자료를 수집하기 위하여 현장조사·문서열람·시료채취 등을 하거나 조사대상자에게 보고요구, 자료제출요구 및 출석·진술요구를 행하는 활동을 말한다(행정조사기본법 제2조 제1호).**01** 행정조사에는 보고서요구명령, 장부서류제출명령, 출두명령 등 행정행위의 형식을 취하는 것과 질문, 출입검사, 검진, 앙케트 조사 등 사실행위의 형식을 취하는 것이 있다.**02** 다만 일반적으로 행정조사 그 자체는 법적 효과를 가지지 않는 사실행위에 불과하다(음식점의 위생상태를 조사하는 것을 생각해 볼 것).

관련판례

세무조사❶는 국가의 과세권을 실현하기 위한 행정조사의 일종으로서 국세의 과세표준과 세액을 결정 또는 경정하기 위하여 질문을 하고 장부·서류 그 밖의 물건을 검사·조사하거나 그 제출을 명하는 일체의 행위를 말하며, 부과처분을 위한 과세관청의 질문조사권이 행하여지는 세무조사의 경우 납세자 또는 그 납세자와 거래가 있다고 인정되는 자 등(이하 '납세자 등'이라 한다)은 세무공무원의 과세자료 수집을 위한 질문에 대답하고 검사를 수인하여야 할 법적 의무를 부담한다(대판 2017. 3. 16, 2014두8360).

2. 즉시강제와 행정조사의 구별

행정조사로 논해지는 내용은 종래 즉시강제에 포함시켜 설명함이 일반적이었다. 그러나 오늘날 행정상 즉시강제와 행정조사는 다음과 같은 점에서 차이가 있으므로 양자를 구별하는 것이 일반적이다.

구 분	즉시강제	행정조사
목적상의 구별	그 자체가 행정상 필요한 상태의 실현을 목적으로 하는 작용	행정작용을 위하여 필요한 자료를 얻거나 사실확인을 위한 준비적·보조적 작용
성질상의 구별	강제력의 행사를 요소로 하는 권력적 작용	권력적 조사 외에 비권력적 조사도 포함

❷ 행정조사의 법적 근거

1. 일반론

(1) 특정의 조사대상자가 있는 경우

행정기관은 법령 등에서 행정조사를 규정하고 있는 경우에 한하여 행정조사를 실시할 수 있다. 다만, 조사대상자의 자발적인 협조를 얻어 실시하는 행정조사의 경우에는 그러하지 아니하다(동법 제5조).**03 04** 한편 후술할 사전통지 등의 예외사유 등을 고려할 때 개별법령 등에서 행정조사를 규정하고 있는 경우에도 행정기관이 행정조사기본법 제5조 단서에서 정한 '조사대상자의 자발적인 협조를 얻어 실시하는 행정조사'를 실시할 수 있다는 것이 판례의 입장이다.

관련판례

개별법령 등에서 행정조사를 규정하고 있는 경우, 행정기관이 행정조사기본법 제5조 단서에서 정한 '조사대상자의 자발적인 협조를 얻어 실시하는 행정조사'를 실시할 수 있다.★★

행정조사기본법 제5조에 의하면 행정기관은 법령 등에서 행정조사를 규정하고 있는 경우에 한하여 행정조사를 실시할 수 있으나(본문), 한편 '조사대상자의 자발적인 협조를 얻어 실시하는 행정조사'의 경우에는 그러한 제한이 없이 실시가 허용된다(단서). 행정조사기본법 제5조는 행정기관이 정책을 결정하거나 직무를 수행하는 데에 필요한 정보나 자료를 수집하기 위하여 행정조사를 실시할 수 있는 근거에 관하여 정한 것으로서, 이러한 규정의 취지와 아울러 문언에 비추어 보면, 단서에서 정한 '조사대상자의 자발적인 협조를 얻어 실시하는 행정조사'는 개별법령 등에서 행정조사를 규정하고 있는 경우에도 실시할 수 있다(대판 2016. 10. 27, 2016두41811).

(2) **조사대상자가 없는 경우**

조사대상자 없이 정보를 수집하는 행정조사는 원칙상 법률의 근거를 요하지 않는다. 다만, 조사의 대상이 개인정보 등이어서 조사 자체로서 국민의 권리를 침해하는 경우에는 개인이 동의하지 않는 한 법적 근거가 필요하다고 보아야 한다.

2. 실정법적 근거

(1) 행정조사에 관해 규정하고 있는 일반법으로는 행정조사기본법을 들 수 있는바, 동법은 행정조사에 관한 기본원칙, 행정조사의 방법 및 절차 등에 관한 사항을 규정하고 있다. 한편, 행정절차법에는 행정조사에 관한 규정을 두고 있지 않다.01

(2) 한편 행정조사가 규정된 개별법으로는 경찰관직무집행법, 소방기본법 등을 들 수 있다.

❸ 행정조사기본법의 적용범위❶

1. 행정조사에 관하여 다른 법률에 특별한 규정이 있는 경우를 제외하고는 행정조사기본법을 따르나 일정한 사항, 즉 행정조사기본법 제3조 제2항이 정하는 사항에 대하여는 동법의 규정이 적용되지 아니한다.
2. 다만, 이러한 경우라도 행정조사기본법 제4조(행정조사의 기본원칙), 제5조(행정조사의 근거), 제28조(정보통신수단을 통한 행정조사)의 규정은 적용된다(동법 제3조 제3항).

02 | 행정조사의 종류

❶ 성질에 따른 구분

1. 권력적 행정조사(강제조사)

(1) 권력적 행정조사는 국민의 신체나 재산에 침해를 가져오는 조사작용을 의미하는 것으로, 이에 따르지 않을 경우 처벌이나 불이익을 받게 된다.

(2) 이에 대한 예로는 도로교통법상의 운전자에 대한 음주측정, 식품위생법상의 임검 · 검사, 소방기본법상의 화재조사, 국세징수법상의 체납처분시 질문 · 검사 등을 들 수 있다.

2. 비권력적 행정조사(임의조사)

상대방의 임의적인 협력을 얻어 행해지는 조사로서, 그 예로는 여론조사, 통계조사 등을 들 수 있다.

기출 체크

□□□□□ 01 행정절차법은 행정조사에 관한 명문의 규정을 마련하고 있다. (○, ×) 2018 소방직 9급

□□□□□ 02 조세에 관한 사항도(행정조사기본법상) 행정조사의 대상에 해당한다. (○, ×)★ 2010 지방직 9급

□□□□□ 03 행정조사의 기본원칙은 군사시설 · 군사기밀보호 및 방위사업에 관한 사항에 대하여도 적용한다. (○, ×)★★ 2023 국회직 8급

□□□□□ 04 행정조사기본법 제4조(행정조사의 기본원칙)는 조세 · 보안처분에 관한 사항에 대하여 적용하지 아니한다. (○, ×)★★ 2022 국가직 7급

□□□□□ 05 금융감독기관의 감독 · 검사 · 조사에 대하여는 행정조사기본법이 적용될 여지가 없다. (○, ×)★★ 2008 지방직(하) 7급

❶ 행정조사기본법 제3조【적용범위】
① 행정조사에 관하여 다른 법률에 특별한 규정이 있는 경우를 제외하고는 이 법으로 정하는 바에 따른다.
② 다음 각 호의 어느 하나에 해당하는 사항에 대하여는 이 법을 적용하지 아니한다.
1. 행정조사를 한다는 사실이나 조사내용이 공개될 경우 국가의 존립을 위태롭게 하거나 국가의 중대한 이익을 현저히 해칠 우려가 있는 국가안전보장 · 통일 및 외교에 관한 사항
2. 국방 및 안전에 관한 사항 중 다음 각 목의 어느 하나에 해당하는 사항
가. 군사시설 · 군사기밀보호 또는 방위사업에 관한 사항
나. 병역법, 예비군법, 민방위기본법, 「비상대비에 관한 법률」, 「재난관리자원의 관리 등에 관한 법률」에 따른 징집 · 소집 · 동원 및 훈련에 관한 사항
3. 「공공기관의 정보공개에 관한 법률」 제4조 제3항의 정보에 관한 사항
4. 근로기준법 제101조에 따른 근로감독관의 직무에 관한 사항
5. 조세 · 형사 · 행형 및 보안처분에 관한 사항02
6. 금융감독기관의 감독 · 검사 · 조사 및 감리에 관한 사항
7. 「독점규제 및 공정거래에 관한 법률」, 「표시 · 광고의 공정화에 관한 법률」, 「하도급거래 공정화에 관한 법률」, 「가맹사업거래의 공정화에 관한 법률」, 「방문판매 등에 관한 법률」, 「전자상거래 등에서의 소비자보호에 관한 법률」, 「약관의 규제에 관한 법률」 및 「할부거래에 관한 법률」에 따른 공정거래위원회의 법률위반행위 조사에 관한 사항
③ 제2항에도 불구하고 제4조(행정조사의 기본원칙), 제5조(행정조사의 근거) 및 제28조(정보통신수단을 통한 행정조사)는 제2항 각 호의 사항에 대하여 적용한다.03 04 05

정답 01 × 02 × 03 ○ 04 × 05 ×

❷ 대상에 따른 구분

대인적 조사	대물적 조사	대가택 조사
질문, 신체의 수색 등	장부 · 서류의 열람, 시설검사, 물품검사 및 수거 등	개인의 주거 · 창고 · 영업소 등에 대한 출입검사 등

03 | 행정조사의 한계

❶ 실체법적 한계

1. 일반론

행정조사는 조사대상자의 자발적인 협조를 얻어 행해지는 경우 외에는 법률에 근거하여야 하므로 근거법에 규정된 한계를 준수하여야 한다. 또한 행정조사는 행정조사기본법에 규정된 행정조사의 기본원칙을 준수하여야 하며, 그 외 헌법, 행정법의 일반원칙 등의 한계를 준수하여야 한다. 그리고 위법한 목적을 위한 조사는 불가능하다.

관련판례

헌법 제12조 제1항에서 규정하고 있는 적법절차의 원칙은 형사소송절차에 국한되지 아니하고 모든 국가작용 전반에 대하여 적용된다. 세무조사는 국가의 과세권을 실현하기 위한 행정조사의 일종으로서 과세자료의 수집 또는 신고내용의 정확성 검증 등을 위하여 필요불가결하며, 종국적으로는 조세의 탈루를 막고 납세자의 성실한 신고를 담보하는 중요한 기능을 수행한다. 이러한 세무공무원의 세무조사권의 행사에서도 적법절차의 원칙은 마땅히 준수되어야 한다(대판 2014. 6. 26, 2012두911). **01** ★

2. 행정조사기본법상 행정조사의 기본원칙(동법 제4조)

조사범위의 최소화	행정조사는 조사목적을 달성하는 데 **필요한 최소한의 범위** 안에서 실시하여야 하며, 다른 목적 등을 위하여 조사권을 남용하여서는 아니 된다. **02**
조사목적의 적합성	행정기관은 조사목적에 적합하도록 **조사대상자를 선정**하여 행정조사를 실시하여야 한다. **03**
중복조사의 제한	행정기관은 유사하거나 동일한 사안에 대하여는 **공동조사** 등을 실시함으로써 행정조사가 **중복되지 아니하도록** 하여야 한다. **04 05**
예방 위주의 행정조사	행정조사는 법령 등의 위반에 대한 처벌보다는 **법령 등을 준수하도록 유도**하는 데 중점을 두어야 한다. **06**
내용 공표 및 비밀누설 금지	다른 법률에 따르지 아니하고는 행정조사의 대상자 또는 행정조사의 **내용을 공표**하거나 직무상 알게 된 비밀을 누설하여서는 아니 된다.
조사결과에 대한 이용제한	행정기관은 행정조사를 통하여 알게 된 정보를 다른 법률에 따라 내부에서 이용하거나 다른 기관에 제공하는 경우를 제외하고는 **원래의 조사목적 이외의 용도로 이용하거나 타인에게 제공하여서는 아니 된다.** **07 08**

관련문제

다음 중 행정조사기본법상 행정조사의 원칙인 것은 모두 몇 개인가? 2016 경행경채

㉠ 행정조사는 조사목적을 달성하는 데 필요한 최소한의 범위 안에서 실시하여야 한다.
㉡ 행정조사는 법령 등의 위반에 대한 처벌보다는 법령 등을 준수하도록 유도하는 데 중점을 두어야 한다.
㉢ 행정기관이 유사하거나 동일한 사안이라고 하여 공동조사 등을 실시하는 것은 국민의 권익을 침해할 수 있으므로 허용되지 않는다.
㉣ 다른 법률에 따르지 아니하고는 행정조사의 대상자 또는 행정조사의 내용을 공표하거나 직무상 알게 된 비밀을 누설하여서는 아니 된다.
㉤ 행정기관은 조사목적에 적합하도록 조사대상자를 선정하여 행정조사를 실시하여야 한다.

① 2개 ② 3개 ③ 4개 ④ 5개

정답 ③(㉠㉡㉣㉤)

기출 체크

□□□□□ **01** 헌법 제12조 제1항에서 규정하고 있는 적법절차의 원칙은 형사소송절차에 국한되지 않고 모든 국가작용 전반에 대하여 적용되는 원칙이므로 세무공무원의 세무조사권의 행사에서도 적법절차의 원칙은 준수되어야 한다. (○, ×) ★ 2018 국가직 9급

□□□□□ **02** 행정조사는 조사목적을 달성하는 데 필요한 최소한의 범위 안에서 실시하여야 하며, 다른 목적 등을 위하여 조사권을 남용하여서는 아니 된다. (○, ×) 2023 소방간부

□□□□□ **03** 행정기관은 조사목적에 적합하도록 조사대상자를 선정하여 행정조사를 실시하여야 한다. (○, ×) ★★ 2014 서울시 9급

□□□□□ **04** 유사하거나 동일한 사안에 대하여 서로 다른 기관이 공동으로 조사하는 것은 원칙적으로 허용되지 않는다. (○, ×) 2023 국회직 8급

□□□□□ **05** 행정기관은 유사하거나 동일한 사안에 대하여는 공동조사 등을 실시함으로써 행정조사가 중복되지 아니하도록 하여야 한다. (○, ×) 2021 군무원 9급

□□□□□ **06** 행정조사는 법령 등의 준수를 유도하기보다는 법령 등의 위반에 대한 처벌에 중점을 두어야 한다. (○, ×) 2020 소방직 9급

□□□□□ **07** 행정기관은 행정조사를 통하여 알게 된 정보를 다른 법률에 따라 내부에서 이용하거나 다른 기관에 제공하는 경우를 제외하고는 원래의 조사목적 이외의 용도로 이용하거나 타인에게 제공하여서는 아니 된다. (○, ×) 2021 군무원 9급

□□□□□ **08** 행정기관은 행정조사를 통하여 알게 된 정보를 임의로 다른 국가기관에 제공할 수 있다. (○, ×) ★★★ 2008 지방직 9급

● 행정조사의 한계
- 행정기관은 유사하거나 동일한 사안에 대해서는 공동조사를 실시하여야 한다.
- 행정조사는 예방 위주가 됨이 원칙이다.
- 다른 법률에 따르지 아니하고는 행정조사에 의해 알게 된 내용을 공표하거나 직무상 알게 된 비밀을 누설하여서도 아니 된다.

정답 01 ○ 02 ○ 03 ○ 04 × 05 ○ 06 × 07 ○ 08 ×

❷ 절차법적 한계

1. 행정조사와 영장주의

(1) 비권력적 행정조사의 경우

개념상 비권력적 행정조사의 경우에는 영장주의에 관한 문제가 생기지 아니한다. 그것은 피조사자에 대해 강제력을 행사하는 것이 아니고 피조사자 측의 임의적인 협력을 전제로 하는 것이기 때문이다.

(2) 권력적 행정조사의 경우

① 학설의 태도

헌법상의 영장주의가 행정조사에도 적용되는지가 문제된다. 학설상으로는 적극설 · 소극설 · 절충설 등의 대립이 있으며, 원칙적으로는 영장주의가 적용되지만 예외적으로 영장주의가 배제된다는 절충설이 통설의 입장이다. 절충설에 의하더라도 행정조사가 형사책임의 추궁을 위한 것일 때에는 영장주의가 적용된다 할 것이다.

② 판 례

㉠ 판례는 수사기관의 강제처분이 아니라 행정조사의 성격을 유지하는 한 영장은 요구되지 않는다고 한다.

관련판례

우편물 통관검사절차에서 압수 · 수색영장 없이 진행된 우편물의 개봉, 시료채취, 성분분석 등 검사는 원칙적으로 적법하다.01 ★★★

우편물 통관검사절차에서 이루어지는 우편물의 개봉, 시료채취, 성분분석 등의 검사는 수출입물품에 대한 적정한 통관 등을 목적으로 한 행정조사의 성격을 가지는 것으로서 수사기관의 강제처분이라고 할 수 없으므로,**02** 압수 · 수색영장 없이 우편물의 개봉, 시료채취, 성분분석 등 검사가 진행되었다 하더라도 특별한 사정이 없는 한 위법하다고 볼 수 없다(대판 2013. 9. 26, 2013도7718).

㉡ 다만, 형사책임 추궁을 목적으로 하는 조사의 경우에는 영장이 필요하다.

관련판례

1. 수출입물품을 검사하는 과정에서 마약류가 감추어져 있다고 밝혀지거나 그러한 의심이 드는 경우, 「마약류 불법거래 방지에 관한 특례법」 제4조 제1항에 따라 검사의 요청으로 세관장이 행하는 조치에는 영장주의원칙이 적용된다.
2. 위 조항에 따른 조치의 일환으로 특정한 수출입물품을 개봉하여 검사하고 그 내용물의 점유를 취득한 행위가 범죄수사인 압수 또는 수색에 해당하므로 사전 또는 사후에 영장을 받아야 한다(대판 2017. 7. 18, 2014도8719).**03**

㉢ 한편 헌법재판소는 영장주의의 본질은 강제처분을 함에 있어 중립적인 법관의 구체적 판단을 거쳐야 한다는 데에 있다고 본다.

관련판례

헌법상 영장주의의 본질은 체포 · 구속 · 압수 · 수색 등 기본권을 제한하는 강제처분을 함에 있어서는 중립적인 법관의 구체적 판단을 거쳐야 한다는 데에 있는바, 통신비밀보호법에서 수사기관이 전기통신사업자에게 위치정보 추적자료 제공을 요청함에 있어 관할 지방법원 또는 지원의 허가를 받도록 규정하고 있는 것은 헌법상 영장주의에 위배되지 아니한다(헌재 2018. 6. 28, 2012헌마191).

기출 체크

□□□□□ **01** 우편물 통관검사절차에서 이루어지는 우편물의 개봉, 시료채취, 성분분석 등의 검사는 수출입물품에 대한 적정한 통관 등을 목적으로 한 행정조사의 성격을 가지는 것으로서 압수 · 수색영장 없이도 이러한 검사를 진행할 수 있다. (○, ×) ★★★ 2024 지방직 · 서울시 9급

□□□□□ **02** 우편물 통관검사절차에서 이루어지는 우편물의 개봉, 시료채취, 성분분석 등의 검사는 수출입물품에 대한 적정한 통관 등을 목적으로 한 행정조사의 성격을 가지는 것으로서 수사기관의 강제처분이라고 할 수 없다. (○, ×) ★★★ 2018 국가직 7급

□□□□□ **03** 「마약류 불법거래 방지에 관한 특례법」에 따른 조치의 일환으로 특정한 수출입물품을 개봉하여 검사하고 그 내용물의 점유를 취득한 행위는 사전 또는 사후에 영장을 받아야 한다. (○, ×) 2022 소방간부

정답 01 ○ 02 ○ 03 ○

기출 체크

□□□□□ 01 조사대상자가 행정조사의 실시를 거부하거나 방해하는 경우 조사원은 행정조사기본법상의 명문규정에 의하여 조사대상자의 신체와 재산에 대해 실력을 행사할 수 있다. (○, ×) ★★
2018 국가직 7급

□□□□□ 02 행정조사의 상대방이 조사를 거부하는 경우에 공무원이 실력행사를 하여 강제로 조사할 수 있는지 여부에 대해서는 견해가 대립한다. (○, ×) ★★
2014 국가직 9급

□□□□□ 03 행정조사는 법령 등 또는 행정조사운영계획으로 정하는 바에 따라 정기적으로 실시함을 원칙으로 하되 다른 행정기관으로부터 법령 등의 위반에 관한 혐의를 통보받은 때에는 수시조사를 할 수 있다. (○, ×) 2018 경행경채 3차

□□□□□ 04 조사대상의 선정에 있어 자율준수노력 등을 고려함은 형평에 어긋나므로 허용되지 않는다. (○, ×) ★
2009 국회직 8급

□□□□□ 05 조사대상자가 조사대상 선정기준에 대한 열람을 신청한 경우에 행정기관은 그 열람이 당해 행정조사업무를 수행할 수 없을 정도로 조사활동에 지장을 초래한다는 이유로 열람을 거부할 수 없다. (○, ×) 2018 지방직 9급

ⓐ 수시조사의 사유(행정조사기본법 제7조)
1. 법률에서 수시조사를 규정하고 있는 경우
2. 법령 등의 위반에 대하여 혐의가 있는 경우
3. 다른 행정기관으로부터 법령 등의 위반에 관한 혐의를 통보 또는 이첩받은 경우
4. 법령 등의 위반에 대한 신고를 받거나 민원이 접수된 경우
5. 그 밖에 행정조사의 필요성이 인정되는 사항으로서 대통령령으로 정하는 경우

정답 01 × 02 ○ 03 ○ 04 × 05 ×

2. 증표의 제시

조사권의 남용을 막고 국민의 권리구제를 도모하기 위해 행정조사를 하는 공무원은 그 권한을 나타내는 증표를 지니고 이를 조사대상자에게 내보여야 한다.

3. 실력행사

권력적 행정조사에 상대방이 저항하는 경우 실력으로 그 저항을 배제할 수 있는지에 관해서는 행정조사기본법에 명문의 규정이 없어 학설의 대립이 있다.01 02 한편, 임의조사의 경우에는 개념상 실력행사가 허용될 수 없으므로 이러한 문제는 제기되지 않는다.

04 | 조사의 시행

❶ 조사계획의 수립 및 조사대상의 선정

1. 행정기관 및 조사대상자

(1) 행정조사를 행하는 '행정기관'이란 법령 및 조례 · 규칙에 따라 행정권한이 있는 기관과 그 권한을 위임 또는 위탁받은 법인 · 단체 또는 그 기관이나 개인을 말한다(동법 제2조 제2호).

(2) '조사대상자'란 행정조사의 대상이 되는 법인 · 단체 또는 그 기관이나 개인을 말한다(동법 제2조 제4호).

2. 연도별 행정조사운영계획의 수립

행정기관의 장은 매년 12월 말까지 다음 연도의 행정조사운영계획을 수립하여 국무조정실장에게 제출하여야 한다(동법 제6조 제1항).

3. 조사의 주기 – 정기조사의 원칙

행정조사는 법령 등 또는 행정조사운영계획으로 정하는 바에 따라 정기적으로 실시함을 원칙으로 한다. 다만, 다른 행정기관으로부터 법령 등의 위반에 관한 혐의를 통보받은 경우 등 일정한 사유가 있는 경우에는 수시조사를 할 수 있다(동법 제7조).03ⓐ

4. 조사대상의 선정(동법 제8조)

(1) 행정기관의 장은 행정조사의 목적, 법령준수의 실적, 자율적인 준수를 위한 노력, 규모와 업종 등을 고려하여 명백하고 객관적인 기준에 따라 행정조사의 대상을 선정하여야 한다.04

(2) 조사대상자는 조사대상 선정기준에 대한 열람을 행정기관의 장에게 신청할 수 있다.

(3) 행정기관의 장이 열람신청을 받은 때에는 다음 중 어느 하나에 해당하는 경우를 제외하고 신청인이 조사대상 선정기준을 열람할 수 있도록 하여야 한다.

① 행정기관이 당해 행정조사업무를 수행할 수 없을 정도로 조사활동에 지장을 초래하는 경우05
② 내부고발자 등 제3자에 대한 보호가 필요한 경우

❷ 조사의 방법

행정조사의 일반적인 방법으로는 출석 · 진술 요구(동법 제9조 제1항), 보고요구와 자료제출의 요구(동법 제10조), 현장조사(동법 제11조), 시료채취(동법 제12조) 등이 있으며, 한편 정보통신수단을 통한 행정조사도 가능하다(동법 제28조).

1. 출석 · 진술 요구 등(동법 제9조)

(1) 출석요구서의 발송

행정기관의 장이 조사대상자의 출석 · 진술을 요구하는 때에는 일시와 장소, 출석요구의 취지 등이 기재된 출석요구서를 발송하여야 한다.

(2) 출석일시 변경신청

조사대상자는 지정된 출석일시에 출석하는 경우 업무 또는 생활에 지장이 있는 때에는 행정기관의 장에게 출석일시를 변경하여 줄 것을 신청할 수 있으며, 변경신청을 받은 행정기관의 장은 행정조사의 목적을 달성할 수 있는 범위 안에서 출석일시를 변경할 수 있다.

(3) 조사원 교체신청

① 조사대상자는 조사원에게 공정한 행정조사를 기대하기 어려운 사정이 있다고 판단되는 경우에는 행정기관의 장에게 당해 조사원의 교체를 신청할 수 있다(동법 제22조 제1항).

② 조사원 교체신청은 그 이유를 명시한 서면으로 행정기관의 장에게 하여야 한다.01

③ 조사원 교체신청을 받은 행정기관의 장은 즉시 이를 심사하여야 한다.

④ 행정기관의 장은 조사원 교체신청이 조사를 지연할 목적으로 한 것이거나 그 밖에 교체신청에 타당한 이유가 없다고 인정되는 때에는 그 신청을 기각하고 그 취지를 신청인에게 통지하여야 한다.

(4) 1회 출석의 원칙

출석한 조사대상자가 출석요구서에 기재된 내용을 이행하지 아니하여 행정조사의 목적을 달성할 수 없는 경우를 제외하고는 조사원은 조사대상자의 1회 출석으로 당해 조사를 종결하여야 한다.

2. 보고요구와 자료제출의 요구(동법 제10조)

(1) 행정기관의 장은 조사대상자에게 조사사항에 대하여 보고를 요구하는 때에는 일정한 사항이 포함된 보고요구서를 발송하여야 한다.

(2) 행정기관의 장은 조사대상자에게 장부 · 서류나 그 밖의 자료를 제출하도록 요구하는 때에는 일정한 사항이 기재된 자료제출요구서를 발송하여야 한다.

3. 현장조사(동법 제11조)

(1) 조사원이 가택 · 사무실 또는 사업장 등에 출입하여 현장조사를 실시하는 경우에는 행정기관의 장은 조사목적 등이 기재된 현장출입조사서 또는 법령 등에서 현장조사시 제시하도록 규정하고 있는 문서를 조사대상자에게 발송하여야 한다.

(2) 이러한 현장조사는 원칙적으로 해가 뜨기 전이나 해가 진 뒤에는 할 수 없으나, 다음 중 어느 하나에 해당하는 경우에는 그러하지 아니하다.

> ① 조사대상자(대리인 및 관리책임이 있는 자를 포함한다)가 동의한 경우02
> ② 사무실 또는 사업장 등의 업무시간에 행정조사를 실시하는 경우03
> ③ 해가 뜬 후부터 해가 지기 전까지 행정조사를 실시하는 경우에는 조사목적의 달성이 불가능하거나 증거인멸로 인하여 조사대상자의 법령 등의 위반 여부를 확인할 수 없는 경우

기출 체크

□□□□□ **01** 조사대상자는 조사원에게 공정한 행정조사를 기대하기 어려운 사정이 있다고 판단되는 경우에는 행정기관의 장에게 구두의 방법으로 당해 조사원의 교체를 신청할 수 있다. (○, ×) ★
2018 경행경채 3차

□□□□□ **02** 조사대상자의 동의가 있는 경우 해가 뜨기 전이나 해가 진 뒤에도 현장조사가 가능하다. (○, ×) ★★★
2017 서울시 9급

□□□□□ **03** 사무실 또는 사업장 등의 업무시간에 행정조사를 실시하는 경우에도 현장조사는 해가 뜨기 전이나 해가 진 뒤에는 할 수 없다. (○, ×)
2024 국회직 8급

정답 01 × 02 ○ 03 ×

(3) 현장조사를 하는 조사원은 그 권한을 나타내는 증표를 지니고 이를 조사대상자에게 내보여야 한다.

관련판례

행정청이 현장조사를 실시하는 과정에서 조사상대방으로부터 구체적인 위반사실을 자인하는 내용의 확인서를 작성받았다면, 그 확인서가 작성자의 의사에 반하여 강제로 작성되었거나 또는 내용의 미비 등으로 구체적인 사실에 대한 증명자료로 삼기 어렵다는 등의 특별한 사정이 없는 한 그 확인서의 증거가치를 쉽게 부정할 수 없다(대판 2017. 7. 11, 2015두2864).

4. 조사권 행사의 제한

(1) 추가조사

조사원은 행정조사기본법 제9조(출석 · 진술요구), 제10조(보고요구와 자료제출의 요구), 제11조(현장조사)에 따라 사전에 발송된 사항에 한하여 조사대상자를 조사하되, 사전통지한 사항과 관련된 추가적인 행정조사가 필요할 경우에는 조사대상자에게 추가조사의 필요성과 조사내용 등에 관한 사항을 서면이나 구두로 통보한 후 추가조사를 실시할 수 있다(동법 제23조 제1항).

(2) 입회 등

조사대상자는 법률 · 회계 등에 대하여 전문지식이 있는 관계 전문가로 하여금 행정조사를 받는 과정에 입회하게 하거나 의견을 진술하게 할 수 있다(동법 제23조 제2항).01

(3) 녹음 등

조사대상자와 조사원은 조사과정을 방해하지 아니하는 범위 안에서 **행정조사의 과정을 녹음하거나 녹화할 수 있다.**02 이 경우 녹음 · 녹화의 범위 등은 상호 협의하여 정하여야 한다(동법 제23조 제3항). 조사대상자와 조사원이 녹음이나 녹화를 하는 경우에는 사전에 이를 당해 행정기관의 장에게 통지하여야 한다(동법 제23조 제4항).

5. 시료채취(동법 제12조)

조사원이 조사목적의 달성을 위하여 시료채취를 하는 경우에는 그 시료의 소유자 및 관리자의 정상적인 경제활동을 방해하지 아니하는 범위 안에서 최소한도로 하여야 하며,03 **행정기관의 장은 시료채취로 조사대상자에게 손실을 입힌 때에는 대통령령으로 정하는 절차와 방법에 따라 그 손실을 보상하여야 한다.**04

6. 공동조사(동법 제14조)

행정기관의 장은 다음의 어느 하나에 해당하는 행정조사를 하는 경우에는 공동조사를 하여야 한다.

① 당해 행정기관 내의 **둘 이상의 부서가 동일하거나 유사한 업무 분야에 대하여 동일한 조사대상자에게 행정조사를 실시하는 경우**05
② 서로 다른 행정기관이 대통령령으로 정하는 분야에 대하여 동일한 조사대상자에게 행정조사를 실시하는 경우

7. 중복조사의 제한(동법 제15조)

정기조사 또는 수시조사를 실시한 행정기관의 장은 동일한 사안에 대하여 동일한 조사대상자를 재조사하여서는 아니 된다. 다만, **당해 행정기관이 이미 조사를 받은 조사대상자에 대하여 위법행위가 의심되는 새로운 증거를 확보한 경우에는 그러하지 아니하다.**06

기출 체크

□□□□□ 01 조사대상자는 법률 · 회계 등에 대하여 전문지식이 있는 관계 전문가로 하여금 행정조사를 받는 과정에 입회하게 하거나 의견을 진술하게 할 수 있다. (○, ×) ★★ 2015 서울시 7급

□□□□□ 02 조사대상자와 조사원은 조사과정을 방해하지 아니하는 범위 안에서 행정조사의 과정을 녹음하거나 녹화할 수 있다. (○, ×) ★★ 2015 서울시 7급

□□□□□ 03 조사원이 조사목적을 달성하기 위하여 시료채취를 하는 경우에는 그 시료의 소유자 및 관리자의 정상적인 경제활동을 방해하지 아니하는 범위 안에서 최소한도로 하여야 한다. (○, ×) ★ 2020 소방직 9급

□□□□□ 04 행정기관의 장은 조사원이 조사목적의 달성을 위하여 한 시료채취로 조사대상자에게 손실을 입힌 때에는 그 손실을 보상하여야 한다. (○, ×) ★★ 2023 국가직 9급

□□□□□ 05 행정기관의 장은 당해 행정기관 내의 2 이상의 부서가 동일하거나 유사한 업무 분야에 대하여 동일한 조사대상자에게 행정조사를 실시하는 경우에는 공동조사를 하여야 한다. (○, ×) ★★ 2024 소방간부

□□□□□ 06 행정조사를 실시한 행정기관의 장은 이미 조사를 받은 조사대상자에 대하여 위법행위가 의심되는 새로운 증거를 확보한 경우에도 동일한 사안에 대하여 동일한 조사대상자를 재조사하여서는 아니 된다. (○, ×) ★★ 2023 국회직 8급

정답 01 ○ 02 ○ 03 ○ 04 ○ 05 ○ 06 ×

8. 자료 등의 영치(동법 제13조)

(1) 조사원이 현장조사 중에 자료 · 서류 · 물건 등(이하 '자료 등'이라 한다)을 영치하는 때에는 조사대상자 또는 그 대리인을 입회시켜야 한다.

(2) 조사원이 자료 등을 영치하는 경우에 조사대상자의 생활이나 영업이 사실상 불가능하게 될 우려가 있는 때에는 조사원은 자료 등을 사진으로 촬영하거나 사본을 작성하는 등의 방법으로 영치에 갈음할 수 있다. 다만, 증거인멸의 우려가 있는 자료 등을 영치하는 경우에는 그러하지 아니하다.01

❸ 조사의 실시

1. 법령에 근거한 행정조사

(1) 사전통지(동법 제17조 제1항)ⓐ

① 일반론

적법절차의 원칙상 행정조사를 하는 경우 사전통지와 이유제시를 하여야 한다. 다만, 긴급한 경우 또는 사전통지와 이유제시를 하면 조사의 목적을 달성할 수 없는 때에는 예외를 인정할 수 있다.

② 구체적 내용

행정조사를 실시하고자 하는 행정기관의 장은 출석요구서, 보고요구서, 자료제출요구서 및 현장출입조사서(이하 '출석요구서 등'이라 한다)를 조사개시 7일 전까지 조사대상자에게 서면으로 통지하여야 한다.02 다만, 다음의 어느 하나에 해당하는 경우에는 행정조사의 개시와 동시에 출석요구서 등을 조사대상자에게 제시하거나 행정조사의 목적 등을 조사대상자에게 구두로 통지할 수 있다.

> ㉠ 행정조사를 실시하기 전에 관련 사항을 미리 통지하는 때에는 증거인멸 등으로 행정조사의 목적을 달성할 수 없다고 판단되는 경우03
> ㉡ 통계법 제3조 제2호에 따른 지정통계의 작성을 위하여 조사하는 경우
> ㉢ 행정조사기본법 제5조 단서에 따라 조사대상자의 자발적인 협조를 얻어 실시하는 행정조사의 경우04 05

(2) 조사의 연기신청(동법 제18조 제1항)

출석요구서 등을 통지받은 자가 천재지변이나 그 밖에 대통령령으로 정하는 사유로 인하여 행정조사를 받을 수 없는 때에는 당해 행정조사를 연기하여 줄 것을 행정기관의 장에게 요청할 수 있다.

(3) 제3자에 대한 보충조사(동법 제19조)

행정기관의 장은 조사대상자에 대한 조사만으로는 당해 행정조사의 목적을 달성할 수 없거나 조사대상이 되는 행위에 대한 사실 여부 등을 입증하는 데 과도한 비용 등이 소요되는 경우로서 다음 중 어느 하나에 해당하는 경우에는 제3자에 대하여 보충조사를 할 수 있다.

> ① 다른 법률에서 제3자에 대한 조사를 허용하고 있는 경우
> ② 제3자의 동의가 있는 경우

2. 자발적인 협조에 따른 행정조사(동법 제20조)

(1) 행정기관의 장이 조사대상자의 자발적인 협조를 얻어 행정조사를 실시하고자 하는 경우 조사대상자는 문서 · 전화 · 구두 등의 방법으로 당해 행정조사를 거부할 수 있다.06

기출 체크

□□□□□ 01 조사원이 현장조사 중에 자료 · 서류 · 물건 등을 영치하는 경우에 조사대상자의 생활이나 영업이 사실상 불가능하게 될 우려가 있는 때에는 조사원은 증거인멸의 우려가 있는 경우가 아니라면 사진촬영 등의 방법으로 영치에 갈음할 수 있다. (○, ×) ★★ 2018 국가직 7급

□□□□□ 02 행정조사를 실시하고자 하는 행정기관의 장은 출석요구서, 보고요구서 · 자료제출요구서 및 현장출입조사서를 조사개시 7일 전까지 조사대상자에게 구두로 통지하여야 한다. (○, ×) ★★★ 2020 경행경채

□□□□□ 03 행정조사기본법상 행정조사를 실시하기 전에 관련 사항을 미리 통지하는 경우 증거인멸 등으로 행정조사의 목적을 달성할 수 없다고 판단되는 때에는, 행정기관의 장은 행정조사 종료 후 지체 없이 행정조사의 목적 등을 조사대상자에게 구두로 통지할 수 있다. (○, ×) ★★ 2024 지방직 · 서울시 9급

□□□□□ 04 행정기관은 조사대상자의 자발적인 협조를 얻어 실시하는 행정조사인 경우 행정조사기본법 제17조 제1항 본문에 따른 사전통지를 하지 않을 수 있다. (○, ×) ★★ 2021 국회직 8급

□□□□□ 05 조사대상자의 자발적인 협조를 얻어 실시하는 행정조사의 경우에는 행정조사의 목적 등을 구두로 통지할 수 있다. (○, ×) ★★ 2009 국회직 8급

□□□□□ 06 행정조사기본법에 따르면 조사대상자의 자발적인 협조를 얻어 행정조사를 실시하고자 하는 경우 조사대상자는 문서 · 전화 · 구두 등의 방법으로 당해 행정조사를 거부할 수 있다. (○, ×) ★★★ 2023 지방직 · 서울시 9급

ⓐ 의견제출(행정조사기본법 제21조)
1. 조사대상자는 (1)에 따른 사전통지의 내용에 대하여 행정기관의 장에게 의견을 제출할 수 있다.
2. 행정기관의 장은 조사대상자가 제출한 의견이 상당한 이유가 있다고 인정하는 경우에는 이를 행정조사에 반영하여야 한다.

정답 01 ○ 02 × 03 × 04 ○ 05 ○ 06 ○

(2) 한편 자발적인 협조를 얻어 실시하고자 하는 행정조사에 대하여 조사대상자가 조사에 응할 것인지에 대한 응답을 하지 아니하는 경우에는 법령 등에 특별한 규정이 없는 한 그 조사를 거부한 것으로 본다.01

3. 조사결과의 통지(동법 제24조)

행정기관의 장은 법령 등에 특별한 규정이 있는 경우를 제외하고는 행정조사의 결과를 확정한 날부터 7일 이내에 그 결과를 조사대상자에게 통지하여야 한다.02 03

❹ 자율신고제도

1. 자율신고제도의 운영(동법 제25조)

(1) 행정기관의 장은 법령 등에서 규정하고 있는 조사사항을 조사대상자로 하여금 스스로 신고하도록 하는 제도를 운영할 수 있다.04

(2) 행정기관의 장은 조사대상자가 신고한 내용이 거짓의 신고라고 인정할 만한 근거가 있거나 신고내용을 신뢰할 수 없는 경우를 제외하고는 그 신고내용을 행정조사에 갈음할 수 있다.05

2. 자율관리에 대한 혜택의 부여(동법 제27조)

행정기관의 장은 자율신고를 하는 자와 자율관리체제를 구축하고 자율관리체제의 기준을 준수한 자에 대하여는 법령 등으로 규정한 바에 따라 행정조사의 감면 또는 행정 · 세제상의 지원을 하는 등 필요한 혜택을 부여할 수 있다.

❺ 정보통신수단을 통한 행정조사

행정기관의 장은 인터넷 등 정보통신망을 통하여 조사대상자로 하여금 자료의 제출 등을 하게 할 수 있다.06 07 행정기관의 장은 정보통신망을 통하여 자료의 제출 등을 받은 경우에는 조사대상자의 신상이나 사업비밀 등이 유출되지 아니하도록 제도적 · 기술적 보안조치를 강구하여야 한다(동법 제28조).

05 | 행정조사에 대한 구제

❶ 적법한 조사의 경우

적법한 행정조사로 인하여 특별한 희생을 당한 자는 법률이 정하는 바에 따라 손실보상을 청구할 수 있다.

❷ 위법한 조사의 경우

1. 위법한 행정조사와 주된 행정행위의 효력

(1) 문제의 소재

위법한 행정조사를 통해 수집된 정보를 기초로 내린 행정결정이 위법한 것이 되는지가 문제된다. 특히, 문제가 되는 것은 행정조사를 통해 얻은 정보가 내용상으로는 정확하지만 그 수집과정에서 행정조사의 한계를 넘어 위법하게 된 경우이다.

기출 체크

□□□□□ 01 행정조사기본법에 따르면 조사대상자의 자발적인 협조에 따라 실시하는 행정조사에 대하여 조사대상자가 조사에 응할 것인지에 대한 응답을 하지 아니하는 경우에는 법령 등에 특별한 규정이 없는 한 그 조사를 거부한 것으로 본다. (○, ×) ★★ 2024 지방직 · 서울시 9급

□□□□□ 02 행정기관의 장은 법령 등에 특별한 규정이 있는 경우를 제외하고는 행정조사의 결과를 확정한 날부터 10일 이내에 그 결과를 조사대상자에게 통지하여야 한다. (○, ×) ★★★ 2023 국회직 8급

□□□□□ 03 행정기관의 장은 법령 등에 특별한 규정이 있는 경우를 제외하고는 행정조사의 결과를 확정한 날부터 7일 이내에 그 결과를 조사대상자에게 통지하여야 한다. (○, ×) ★★★ 2022 국가직 7급

□□□□□ 04 행정기관의 장은 법령 등에서 규정하고 있는 조사사항을 조사대상자로 하여금 스스로 신고하도록 하는 자율신고제도를 운영할 수 있다. (○, ×) ★ 2020 소방직 9급

□□□□□ 05 행정기관의 장은 조사대상자가 신고한 내용이 거짓의 신고라고 인정할 만한 근거가 있거나 신고내용을 신뢰할 수 없는 경우를 제외하고는 그 신고내용을 행정조사에 갈음하여야 한다. (○, ×) ★★ 2012 사회복지직 9급

□□□□□ 06 행정기관의 장은 조사대상자의 신상이나 사업비밀 등이 유출될 우려가 있으므로 인터넷 등 정보통신망을 통하여 조사대상자로 하여금 자료의 제출 등을 하게 할 수 없다. (○, ×) ★ 2023 국가직 9급

□□□□□ 07 행정기관의 장은 인터넷 등 정보통신망을 통하여 조사대상자로 하여금 자료의 제출 등을 하게 할 수 있다. (○, ×) ★ 2015 지방직 9급

정답 01 ○ 02 × 03 ○ 04 ○ 05 × 06 × 07 ○

(2) 학 설

학설이 대립하는데 다수설인 절충설에 따르면 행정조사는 행정행위와 별개의 것이고 행정행위에 필수적으로 요구되는 사전절차가 아니므로 원칙적으로 행정조사가 위법하다고 하여 행정행위가 위법하게 되는 것은 아니다. 다만, 행정조사에 중대한 위법사유가 있는 때 조사를 통하여 수집된 정보가 정당하지 아니한 경우 그에 기초한 행정행위는 위법하다고 볼 수 있다고 한다.

(3) 판 례

판례는 적극설의 입장이다.㉠ 단, 행정조사절차의 하자가 경미한 경우에는 위법하지 않은 것으로 본다.

관련판례

1. **과세관청 내지 그 상급관청이나 수사기관의 강요로 합리적이고 타당한 근거도 없이 작성된 과세자료에 터잡은 과세처분의 하자는 중대하고 명백하다**(대판 1992. 3. 31, 91다32053 전합).★★★
2. **위법한 세무조사에 기초하여 이루어진 부가가치세 부과처분은 위법하다.01** ★★★
   납세자에 대한 부가가치세 부과처분이, 종전의 부가가치세 경정조사와 같은 세목 및 같은 과세기간에 대하여 중복하여 실시된 위법한 세무조사에 기초하여 이루어진 것이어서 위법하다(대판 2006. 6. 2, 2004두12070).02
3. 구 국세기본법(2014. 12. 23, 법률 제12848호로 개정되기 전의 것) 제81조의4 제1항, 제2항 규정의 문언과 체계, 재조사를 엄격하게 제한하는 입법 취지, 그 위반의 효과 등을 종합하여 보면, 구 국세기본법 제81조의4 제2항에 따라 금지되는 재조사에 기하여 과세처분을 하는 것은 단순히 당초 과세처분의 오류를 경정하는 경우에 불과하다는 등의 특별한 사정이 없는 한 그 자체로 위법하고,03 이는 과세관청이 그러한 재조사로 얻은 과세자료를 과세처분의 근거로 삼지 않았다거나 이를 배제하고서도 동일한 과세처분이 가능한 경우라고 하여 달리 볼 것은 아니다(대판 2017. 12. 13, 2016두55421 ; 대판 2020. 2. 13, 2015두745).★★★
4. 음주운전 여부에 관한 조사방법 중 혈액채취(이하 '채혈'이라고 한다)는 상대방의 신체에 대한 직접적인 침해를 수반하는 방법으로서, 이에 관하여 도로교통법은 호흡조사와 달리 운전자에게 조사에 응할 의무를 부과하는 규정을 두지 아니할 뿐만 아니라, 측정에 앞서 운전자의 동의를 받도록 규정하고 있으므로(제44조 제3항), 운전자의 동의 없이 임의로 채혈조사를 하는 것은 허용되지 아니한다. …… 따라서 음주운전 여부에 대한 조사과정에서 운전자 본인의 동의를 받지 아니하고 또한 법원의 영장도 없이 채혈조사를 한 결과를 근거로 한 운전면허 정지 · 취소처분은 도로교통법 제44조 제3항을 위반한 것으로서 특별한 사정이 없는 한 위법한 처분으로 볼 수밖에 없다(대판 2016. 12. 27, 2014두46850).04

2. 항고쟁송

권력적인 강제조사는 권력적 사실행위로서 행정쟁송법상의 처분성이 인정되므로 행정소송의 대상이 될 수 있다. 다만, 단기간에 끝나는 행정조사의 경우에는 일반적으로 소의 이익이 부정될 것이다.

3. 손해배상

위법한 행정조사가 국가배상법 제2조의 요건을 충족하는 한, 그로 인해 손해를 받은 국민은 국가배상을 청구할 수 있다.05

기출 체크

□□□□□ **01** 위법한 세무조사에 의하여 수집된 과세자료를 기초로 한 과세처분은 위법하다. (○, ×) ★★★
2021 지방직 · 서울시 7급

□□□□□ **02** 부가가치세 부과처분이 종전의 부가가치세 경정조사와 같은 세목 및 같은 과세기간에 대하여 중복하여 실시한 위법한 세무조사에 기초하여 이루어진 경우 그 과세처분은 위법하다. (○, ×) ★★★
2019 지방직 7급

□□□□□ **03** (구)국세기본법에 따른 금지되는 재조사에 기초한 과세처분은 특별한 사정이 없는 한 위법하다. (○, ×) ★★★
2021 소방직 9급

□□□□□ **04** 음주운전 여부에 대한 조사과정에서 운전자 본인의 동의를 받지 아니하고 법원의 영장 없이 채혈조사를 한 결과를 근거로 한 운전면허 정지 · 취소처분은 특별한 사정이 없는 한 위법한 처분으로 볼 수밖에 없다. (○, ×)
2023 소방간부

□□□□□ **05** 위법한 행정조사로 손해를 입은 국민은 국가배상법에 따른 손해배상을 청구할 수 있다. (○, ×) ★★
2016 국가직 9급

판례 | ㉠ 국세기본법 제81조의5가 정한 세무조사대상 선정사유가 없음에도 세무조사대상으로 선정하여 과세자료를 수집하고 그에 기하여 과세처분을 하는 것은 적법절차의 원칙을 어기고 구 국세기본법 제81조의5와 제81조의3 제1항을 위반한 것으로서 특별한 사정이 없는 한 과세처분은 위법하다(대판 2014. 6. 26, 2012두911).

[유튜브] 25강 필수 개념 TEST
- QR코드를 스캔해 주세요.
- 필수 개념과 출제 포인트를 풀어 보세요.
- 틀린 문제는 기본서로 확인해 주세요.

정답 01 ○ 02 ○ 03 ○ 04 ○ 05 ○

제 26 강 행정벌(행정형벌, 행정질서벌)

행정벌

의 의

개 념

행정법상의 의무위반에 대하여 일반통치권에 근거하여 과하는 벌

특 성

과거 의무위반에 대한 제재를 통해 간접적으로 행정법규의 실효성을 확보하는 수단

근 거

헌법재판소는 행정형벌에 죄형법정주의가 적용된다고 봄.

구별개념

- **징계벌과 행정벌의 구별** : 병과 가능
  - 징계벌 : 특별행정법관계의 질서유지
  - 행정벌 : 일반권력관계에서 의무위반자에게 과하는 제재
- **이행강제금(집행벌)과 행정벌의 구별** : 병과 가능
  - 이행강제금 : 장래의 의무이행 확보
  - 행정벌 : 과거의 행정법상 의무위반행위에 대한 제재

종 류

구 분	행정형벌	행정질서벌
개 념	형법에 정해져 있는 벌을 과하는 것	형법상의 벌이 아닌 과태료를 과하는 것
형법총칙의 적용 여부	원칙 : 형법총칙이 적용됨.	형법총칙이 적용되지 않음.
과벌절차	원칙 : 형사소송절차	원칙 : 질서위반행위규제법
대상행위	직접적으로 행정목적을 침해하는 행위	간접적으로 행정목적의 달성에 장해를 미칠 위험성이 있는 행위(예 신고 · 서류비치 등의 의무를 태만히 하는 행위)

- 행정법규위반행위에 대해 과태료를 과할 것인지 행정형벌을 과할 것인지는 입법자의 입법재량에 속함.

행정형벌의 특수성

구체적 검토

고의 또는 과실

- 고의 : 행정범의 경우에도 원칙적으로 고의가 있어야 함.
- 과실 : 명문규정이 있는 경우에 처벌
  - 행정형벌 법규의 해석에 의해 과실행위도 처벌한다는 뜻이 도출되는 경우에는 과실행위도 처벌 가능함(판례).

위법성의 착오

위법성을 현실적으로 인식하지 못했다 하더라도 위법성의 인식이 가능하면 범죄가 성립됨.
- 자기의 행위가 죄가 되지 않는 것으로 오인한 데 정당한 이유가 있는 경우 처벌하지 않음(판례).

양벌규정

- 양벌규정은 행위자에 대한 처벌규정임과 동시에 그 위반행위의 이익귀속주체인 영업주에 대한 처벌규정임(판례).
- 행위자 이외의 자의 책임의 성질 : 과실책임(종업원의 범죄행위에 대한 법인의 책임은 종업원에 대한 주의 · 감독 의무를 태만히 한 데에 대한 법인 자신의 과실책임)
  - 종업원의 범죄성립이나 처벌이, 영업주 처벌의 전제조건 ×
- 법인의 처벌가능성 : 형법상 법인의 처벌가능성은 없지만, 행정법상의 의무에 위반된 행위를 한 때에는 행위자를 벌하는 외에 법인도 처벌한다는 양벌규정을 두는 경우가 많음.
- **지방자치단체**
  - 고유의 자치사무(예 압축트럭 청소차 운전)를 처리하면서 위반행위를 한 경우 양벌규정의 적용대상이 되는 법인 O
  - 기관위임사무(예 지정항만순찰)를 처리하면서 위반행위를 한 경우 양벌규정의 처벌대상이 되는 법인 ×
- 개인정보보호법상 양벌규정의 경우 : 구 개인정보보호법은 양벌규정에 의하여 처벌되는 개인정보처리자로 '법인 또는 개인'만을 규정하고 있을 뿐이므로, 죄형법정주의의 원칙상 '법인격 없는 공공기관'과 그 행위자를 양벌규정으로 처벌할 수 없음(판례).

행정형벌의 과벌절차

원 칙 : 법원이 형사소송절차에 따라 부과

예 외 : 통고처분

- **의의** : 행정청이 벌금 · 과료에 상당하는 금액의 납부 등을 통고하는 준사법적 행위
- **대상** : 일정한 범죄에 인정
  (조세범 · 관세범 · 교통사범 · 출입국관리사범 · 경범죄사범)
- **통고처분권자** : 세무서장 등 행정청(검사 ×, 법원 ×)
- **취지** : 전과자 발생의 방지에 기여, 검찰 및 법원의 과중한 업무부담을 덜어주는 제도
- **재량성 여부** : 권한행정청의 재량
- **효과** : 경찰서장이 통고처분을 한 이상, 통고처분에서 정한 범칙금 납부기간까지는 원칙적으로 경찰서장은 즉결심판을 청구할 수 없고, 검사도 동일한 범칙행위에 대하여 공소를 제기할 수 없음. 특별한 사정이 없는 한 경찰서장은 이미 한 통고처분을 임의로 취소할 수 없음(판례).
  - 공소시효의 정지
    - 이행 : 더 이상 처벌 안 받음(일사부재리원칙 적용).
      다만, 범칙행위의 동일성을 벗어난 범죄행위는 제외
    - 불이행 : 형사소송절차에 따라 형벌 부과
- **권리구제** : 항고소송의 대상인 처분이 아님.
  - 통고처분은 상대방의 임의의 승복을 그 발효요건으로 하기 때문에 그 자체만으로는 통고이행을 강제하거나 상대방에게 아무런 권리 · 의무를 형성하지 않으므로 행정심판이나 행정소송의 대상으로서의 처분성을 부여할 수 없음(판례).

행정질서벌의 특수성

법적 근거

- 질서위반행위규제법은 질서위반행위법정주의를 선언하고 있으므로 과태료를 부과하기 위해서는 법률의 근거 필요
- 다른 법률의 규정 중 질서위반행위규제법의 규정에 저촉되는 것은 질서위반행위규제법으로 정하는 바에 따름.
- 질서위반행위규제법상 질서위반행위는 법률(조례 포함)상 의무를 위반하여 과태료를 부과하는 행위임.
- 단, 대통령령으로 정하는 사법(私法)상 · 소송법상 의무를 위반하여 과태료를 부과하는 행위, 대통령령으로 정하는 법률에 따른 징계사유에 해당하여 과태료를 부과하는 행위는 질서위반행위규제법에서 말하는 질서위반행위에 포함되지 않음.

구체적 특수성

고의 · 과실, 위법성의 착오

- **고의 · 과실의 존재** : 고의 또는 과실이 없는 질서위반행위에는 과태료를 부과하지 않음.
- **위법성의 착오** : 자신의 행위가 위법하지 아니한 것으로 오인하고 행한 질서위반행위는 그 '오인에 정당한 이유가 있는 때'에 한하여 과태료를 부과하지 아니함.

책임연령 등

- **책임연령** : 14세가 되지 아니한 자에게 과태료를 부과하지 않음.
- **심신장애**
  - 심신장애로 옳고 그름 판단능력 ×, 판단에 따라 행위할 능력 × : 과태료 부과 ×
  - 심신장애로 옳고 그름 판단능력 ×, 판단에 따라 행위할 능력 미약 : 과태료 감경
  - 스스로 심신장애 상태를 일으켜 질서위반행위를 한 자 : 과태료 원칙대로 부과

부과대상자

행위자	과태료 부과대상자는 원칙상 질서위반행위를 한 자
법인 등	법인의 대표자, 개인의 사용인 등이 법인 또는 개인에게 부과된 법률상의 의무위반시 법인 또는 개인에게 과태료를 부과함.
다수인의 질서위반행위	• 2인 이상이 질서위반행위에 가담한 때에는 각자가 질서위반행위를 한 것으로 봄. • 신분이 없는 자가 신분에 의하여 성립하는 질서위반행위에 가담한 경우 신분이 없는 자에 대해서도 질서위반행위가 성립함. • 신분에 의하여 과태료를 감경 · 가중하거나 과태료를 부과하지 아니하는 때에는 그 신분의 효과는 신분이 없는 자에게 미치지 아니함.

기 타

시간적 범위	질서위반행위의 성립과 과태료처분은 행위시의 법률에 따름. －단, 질서위반행위 후 법률이 변경되어 그 행위가 질서위반행위에 해당하지 아니하게 되거나 과태료가 변경되기 전의 법률보다 가볍게 된 때에는 법률에 특별한 규정이 없는 한 변경된 법률을 적용함. －단, 과태료처분이나 과태료재판이 확정된 후 법률이 변경되어 그 행위가 질서위반행위에 해당하지 아니하게 된 때에는 변경된 법률에 특별한 규정이 없는 한 과태료의 징수 또는 집행을 면제함.
장소적 범위	대한민국 영역 안('대한민국 국적의 선박, 항공기 안' 포함)에서 질서위반행위를 한 자에게 적용 －대한민국 영역 밖에서 질서위반행위를 한 대한민국의 국민에게도 적용됨.
수개의 질서위반행위의 경우	하나의 행위가 둘 이상의 질서위반행위에 해당하는 경우에는 각 질서위반행위에 대하여 정한 과태료 중 '가장 중한 과태료'를 부과함.
소멸시효	과태료 부과처분이나 법원의 과태료재판이 확정된 후 5년간 징수하지 아니하거나 집행하지 않으면 시효로 소멸함.

과태료의 부과 · 징수

사전통지 및 의견제출

행정청이 질서위반행위에 대하여 과태료를 부과하고자 하는 때에는 미리 당사자에게 과태료 부과의 원인이 되는 사실, 과태료 금액 및 적용법령 등 대통령령으로 정한 사항을 통지하고, 10일 이상의 기간을 정하여 의견을 제출할 기회를 주어야 함.

부과의 방식

행정청은 의견제출절차를 마친 후에 서면으로 과태료를 부과하여야 함.

제척기간

행정청은 질서위반행위가 종료된 날(다수인이 질서위반행위에 가담한 경우에는 최종행위가 종료된 날을 말함)부터 5년이 경과한 경우에는 해당 질서위반행위에 대하여 과태료를 부과할 수 없음.

이의제기

- 과태료부과통지를 받은 날부터 60일 이내에 해당 행정청에 서면으로 이의제기
- 당사자가 이의제기하는 경우, 과태료 부과처분은 효력을 상실함.
- 이의제기를 받은 행정청은 이의제기를 받은 날부터 14일 이내에 이에 대한 의견 및 증빙서류를 첨부하여 관할법원에 통보하여야 함.

취소소송 · 헌법소원의 대상 여부

- 과태료 부과는 행정소송의 대상이 되는 행정처분 아님.
- 과태료 부과처분의 취소를 구하는 헌법소원청구는 권리보호 이익이 없음.

질서위반행위의 재판 및 집행

- 과태료사건은 다른 법령에 특별한 규정이 있는 경우를 제외하고는 당사자(질서위반행위를 한 자연인 또는 법인 등)의 주소지의 지방법원 또는 그 지원의 관할로 함.
- 과태료재판은 이유를 붙인 결정으로써 함.
- 법원은 행정청의 과태료부과사유와 기본적 사실관계에 있어서 동일성이 인정되는 한도 내에서만, 과태료 부과 가능
- 당사자와 검사는 즉시항고 가능, 이 경우 집행정지효력 O
- 과태료재판은 검사의 명령으로써 집행함.
- 검사가 과태료를 최초 부과한 행정청에 대해 과태료재판의 집행을 위탁하여 지방자치단체장이 집행한 경우 그 금원은 당해 지방자치단체의 수입이 됨.

병과의 가능성

- 대법원은 과태료 부과 후 형사처벌을 한다고 하여, 일사부재리원칙에 위반되는 것이라고 할 수 없다고 봄.
- 헌법재판소는 동일한 행위를 대상으로 하여 형벌을 부과하면서 과태료를 부과하는 것은 이중처벌금지의 기본정신에 배치될 여지가 있다고 봄.

관련문제

- 관허사업의 제한, 신용정보의 제공, 고액 · 상습체납자에 대한 감치 등의 규정이 있음.
- 의견제출기간 내 자진납부하려는 자에 대해 과태료 감경할 수 있음.
- 당사자가 이의제기 없이 그 기한 종료 후 사망한 경우 그 상속재산에 대해 강제집행할 수 있음.

제 1 절 행정벌

초대 Topic 28 핵심집약 Topic 50

01 | 행정벌의 의의

❶ 행정벌의 의의

1. 개 념

행정벌이란 행정법상의 의무위반에 대하여 국가 또는 지방자치단체가 일반통치권에 근거하여 행정의 상대방에게 과하는 행정법상의 제재로서의 처벌을 말한다.

2. 특 성

행정벌은 과거의 의무위반에 대하여 제재를 가하는 것이지만 그 존재 자체가 의무자에게 심리적 압박을 가하여 의무위반을 예방하는 효과를 가진다는 점에서 간접적으로 행정법규의 실효성을 확보하는 수단으로서의 기능을 한다.

3. 구별개념

(1) 징계벌과 행정벌의 구별

① 징계벌은 특별행정법관계의 질서를 유지하기 위하여 그 내부 질서위반자에 대하여 과하는 제재인데 반해, 행정벌은 일반권력관계에서 의무위반자에 대해 일반통치권에 근거하여 과하는 제재라는 점에서 양자는 구별된다.01

② 따라서 양자는 그 목적 · 권력의 기초 등에서 차이가 있으므로 병과할 수 있다.

(2) 이행강제금(집행벌)과 행정벌의 구별

① 이행강제금은 행정법상의 의무불이행이 있는 경우에 장래의 의무이행을 확보하기 위한 강제집행의 수단으로서 과하여지는 것인 데 반해, 행정벌은 과거의 행정법상 의무위반행위에 대한 제재로서 과하여지는 점에서 차이가 있다.02

② 따라서 양자는 목적이 다르므로 병과할 수 있다.

(3) 행정처분과 행정벌

① 행정처분은 행정법상 의무위반자에 대해 허가 등을 정지 · 철회함으로써 위반자에게 불이익을 가하는 것으로 행정형벌과는 목적이나 성질이 다르다.

② 따라서 행정처분과 행정형벌은 병과가 가능하다.

관련판례

행정처분과 형벌은 각각 그 권력적 기초, 대상, 목적이 다르다. 일정한 법규위반사실이 행정처분의 전제사실이자 형사법규의 위반사실이 되는 경우에 동일한 행위에 관하여 독립적으로 행정처분이나 형벌을 부과하거나 이를 병과할 수 있다. 법규가 예외적으로 형사소추 선행 원칙ⓐ을 규정하고 있지 않은 이상 형사판결 확정에 앞서 일정한 위반사실을 들어 행정처분을 하였다고 하여 절차적 위반이 있다고 할 수 없다(대판 2017. 6. 19, 2015두59808).03

기출 체크

□□□□□ 01 징계벌은 특별권력관계의 질서를 유지하기 위한 것이나, 행정벌은 일반권력관계에 있어서 일반사인에 대한 통치권의 발동으로 과해지는 제재이다. (○, ×) 2007 대구시 9급

□□□□□ 02 행정벌과 이행강제금은 장래에 의무의 이행을 강제하기 위한 제재로서 직접적으로 행정작용의 실효성을 확보하기 위한 수단이라는 점에서는 동일하다. (○, ×) ★★★ 2017 국가직 9급

□□□□□ 03 일정한 법규위반사실이 행정처분의 전제사실이자 형사법규의 위반사실이 되는 경우, 형사판결이 확정되기 전에 그 위반사실을 이유로 제재처분을 하였다면 절차적 위반에 해당한다. (○, ×) 2022 국가직 7급

ⓐ 형사소추선행의 원칙
어떠한 법규위반사실이 행정처분의 전제사실이자 형사법규의 위반사실이 되는 경우에 유죄 여부 또는 기소 여부가 판명될 때까지 행정처분을 하지 않고 기다려야 하는 것을 말한다.

정답 01 ○ 02 × 03 ×

❷ 행정벌의 근거

1. 학설의 태도

행정벌을 부과함에 있어서는 행정질서벌이나 행정형벌을 불문하고 법률의 근거가 요구된다. 학설은 일반적으로 죄형법정주의 원칙상 행정벌에는 법적 근거가 필요하다고 보나, 굳이 죄형법정주의를 거론하지 않더라도 행정벌은 국민에게 침익적 사항이므로 법률유보에 관한 어느 학설에 따르더라도 법적 근거가 필요하다.

2. 헌법재판소의 견해

헌법재판소에 따르면 죄형법정주의는 범죄와 형벌을 법률로 규정하도록 하는 원칙이므로 행정형벌에는 죄형법정주의가 적용되나,01 행정질서벌인 과태료 부과에는 죄형법정주의가 적용되지 않는다. 다만, 2008년 6월부터 시행되고 있는 질서위반행위규제법은 법률에 따르지 아니하고는 어떤 행위도 질서위반행위로 과태료가 부과되지 아니한다고 규정하여 질서위반행위규제 법정주의를 선언하고 있으므로 이러한 논의는 별 의미를 가지지 못한다.

관련판례

죄형법정주의는 무엇이 범죄이며 그에 대한 형벌이 어떠한 것인가는 국민의 대표로 구성된 입법부가 제정한 법률로써 정하여야 한다는 원칙인데, 부동산등기특별조치법 제11조 제1항 본문 중 제2조 제1항에 관한 부분이 정하고 있는 과태료는 행정상의 질서유지를 위한 행정질서벌에 해당할 뿐 형벌이라고 할 수 없어 죄형법정주의의 규율대상에 해당하지 아니한다(헌재 1998. 5. 28, 96헌바83).02 03 ★★★

기출 체크

□□□□□ 01 형사벌의 경우와는 달리 행정형벌에 대해서는 죄형법정주의의 원칙이 적용되지 아니한다. (○, ×) ★★★
2011 사회복지직 9급

□□□□□ 02 행정질서벌인 과태료는 죄형법정주의의 규율대상이다. (○, ×) ★★★
2021 국가직 7급

□□□□□ 03 과태료는 행정상의 질서유지를 위한 행정질서벌에 해당할 뿐 형벌이라 할 수 없어 죄형법정주의의 규율대상에 해당하지 않는다. (○, ×) ★★★
2021 소방직 9급

□□□□□ 04 행정법규 위반행위에 대하여 과하여지는 과태료는 행정형벌이 아니라 행정질서벌에 해당한다. (○, ×) ★★★
2016 국가직 9급

행정형벌과 행정질서벌

식품위생법 제94조는 썩은 음식물을 판매한 자는 10년 이하의 징역 또는 1억원 이하의 '벌금'에 처할 수 있다고 규정하고 있다. 이 경우처럼 썩은 음식물을 판매한 자에게 부과되는 벌금이 행정형벌이다.
한편 도시가스사업법 제54조는 도시가스사업자가 행정청이 실시하는 안전교육을 받지 않으면 300만원 이하의 '과태료'에 처할 수 있다고 규정하고 있다. 이처럼 안전교육을 받지 않은 자에게 부과되는 과태료가 행정질서벌이다.

02 | 행정벌의 종류

❶ 행정형벌

1. 의 의

행정형벌이란 행정법규 위반행위에 대하여 형법에 정해져 있는 벌(사형 · 징역 · 금고 · 자격상실 · 자격정지 · 벌금 · 구류 · 과료 및 몰수)을 과하는 것을 말한다.

2. 형법과 형사소송법의 적용

행정형벌에 관한 일반법은 없으며, 다만 개별법률에서 일정한 행위에 관해 행정형벌을 과하도록 규정하고 있다. 행정형벌은 형법상의 벌을 과하는 것이므로 원칙적으로 형법총칙이 적용되며, 과벌절차는 원칙적으로 형사소송절차에 의한다. 다만, 특별한 절차로서 즉결심판절차 또는 통고처분절차에 의하는 경우도 있다.

❷ 행정질서벌

1. 의 의

행정질서벌이란 행정법규 위반행위에 대하여 형법상의 벌이 아닌 과태료를 과하는 경우04를 말한다.

정답 01 × 02 × 03 ○ 04 ○

기출 체크

□□□□□ 01 과태료는 행정벌의 일종으로 형벌과 마찬가지로 형법총칙이 적용된다. (○, ×) ★★ 2020 소방직 9급

□□□□□ 02 어떤 행정법규 위반행위에 대해 과태료를 과할 것인지 행정형벌을 과할 것인지는 기본적으로 입법재량에 속한다. (○, ×) ★★★ 2014 지방직 9급

ⓐ 질서위반행위규제법

질서위반행위규제법은 2007년 12월 21일에 제정되어 2008년 6월 22일부터 시행되고 있다. 동법은 행정질서벌에 관한 일반법이라고 할 수 있다. 종전에는 다수의 개별법에서 각각 과태료에 관한 규정을 두었으나, 현재는 각 개별법에서는 과태료의 부과금액 · 부과근거 · 과태료위반행위 등만 규정하고, 과태료부과 · 징수절차와 같은 나머지 사항은 규정하지 않고 모두 질서위반행위규제법이 정하는 바에 따르고 있다.

2. 형법총칙의 적용배제

행정질서벌은 형법상의 벌이 아니므로 형법총칙은 적용되지 않으며,01 질서벌의 성립요건 등과 부과 · 징수 등의 절차에 대해서는 원칙적으로 질서위반행위규제법ⓐ에 의한다.

❸ 행정형벌과 행정질서벌의 대상행위

1. 일반론

행정형벌은 행정법상의 의무를 위반함으로써 직접적으로 행정목적을 침해하는 경우에 과하여지는 것인 데 반해, 행정질서벌은 신고 · 서류비치 등의 의무를 태만히 하는 것과 같이 간접적으로 행정목적의 달성에 장해를 미칠 위험성이 있는 경미한 범법행위에 대해 과해진다.

2. 헌법재판소의 태도

헌법재판소도 기본적으로 위와 같이 보고 있으나 구체적으로 형벌을 과할 것인가, 질서벌을 과할 것인가라는 처벌내용에 관한 문제는 입법권자의 입법재량에 속하는 것으로 보고 있다.

관련판례

어떠한 위반행위에 대해 행정형벌을 과할 것인가, 행정질서벌을 과할 것인가는 기본적으로 입법재량에 속하는 문제이다.02 ★★★

어떤 행정법규 위반행위에 대하여 이를 단지 간접적으로 행정상의 질서에 장해를 줄 위험성이 있음에 불과한 경우로 보아 행정질서벌인 과태료를 과할 것인가 아니면 직접적으로 행정목적과 공익을 침해한 행위로 보아 행정형벌을 과할 것인가, 그리고 행정형벌을 과할 경우 그 법정형의 형종과 형량을 어떻게 정할 것인가는 당해 위반행위가 위의 어느 경우에 해당하는가에 대한 법적 판단을 그르친 것이 아닌 한 그 처벌내용은 기본적으로 입법권자가 제반 사정을 고려하여 결정할 입법재량에 속하는 문제라고 할 수 있다(헌재 1994. 4. 28, 91헌바14).

정답 01 × 02 ○

제 2 절 행정형벌의 특수성

초대 Topic 28 핵심집약 Topic 51

01 | 행정형벌의 법적 근거

❶ 일반론

행정형벌에는 죄형법정주의가 적용되어 행정형벌의 부과에는 법률의 근거를 요하며, 법률에서 일정한 요건을 갖추어 위임한 경우 법규명령으로 행정형벌을 규정할 수 있다. 즉, 죄형법정주의 원칙 등 형벌법규의 해석 원리는 행정형벌에 관한 규정을 해석할 때에도 적용되어야 한다.01

관련판례

구 담배사업법 제12조 제2항, 제16조 제1항, 제17조 제1항 제4호, 제2항, 제27조의3 제1호의 내용과 형식, 문언상 의미 등과 함께 형벌법규의 확장해석을 금지하는 죄형법정주의의 일반원칙 등에 비추어 보면, 구 담배사업법 제27조의3 제1호의 적용대상이 되는 '소매인 지정을 받지 아니한 자'는 처음부터 소매인 지정을 받지 않거나 소매인 지정을 받았으나 이후 소매인 지정이 취소되어 소매인 자격을 상실한 자만을 의미하는 것으로 보아야 하고, 영업정지처분을 받았으나 아직 적법하게 소매인 지정이 취소되지 않은 자는 여기에 해당하지 않는다(대판 2015. 1. 15, 2010도15213).

❷ 행정형벌과 형법총칙

형법 제8조는 "본법 총칙은 '타 법령'에 정한 죄에 적용한다. 단, 그 법령에 특별한 규정이 있는 때에는 예외로 한다."라고 규정하고 있다. 그런데 여기서 '타 법령'이란 형법 이외에 형벌을 내용으로 하는 모든 법령을 의미하는 것으로 보는 것이 통설이므로 행정형벌에도 개별법에 특별한 규정이 있는 경우를 제외하고는 원칙적으로 형법총칙이 적용된다.02

02 | 행정형벌의 특수성에 관한 구체적 검토

❶ 고의 또는 과실

1. 고 의

형법에 의하면 형사범의 성립에는 원칙적으로 고의가 있어야 하며 과실이 있는 행위는 법률의 특별한 규정이 있는 경우에는 처벌한다. 이러한 형법의 규정은 행정범에도 적용된다. 따라서 행정범의 경우에도 범죄성립을 위해서는 원칙적으로 고의가 있어야 한다.

관련판례

행정상의 단속을 주안으로 하는 법규라 하더라도 명문규정이 있거나 해석상 과실범도 벌할 뜻이 명확한 경우를 제외하고는 형법의 원칙에 따라 고의가 있어야 벌할 수 있다(대판 2010. 2. 11, 2009도9807).03 04 05 ★★★

기출 체크

□□□□□ 01 죄형법정주의 원칙 등 형벌법규의 해석 원리는 행정형벌에 관한 규정을 해석할 때에도 적용되어야 한다. (○, ×) 2019 서울시 9급

□□□□□ 02 행정형벌에는 특별한 규정이 있는 경우를 제외하고는 형법총칙이 적용된다. (○, ×) ★★★ 2009 국가직 9급

□□□□□ 03 행정상의 단속을 주안으로 하는 법규상으로 명문규정이 없더라도 해석상 과실범도 벌할 뜻이 명확한 경우에는 과실범도 처벌할 수 있다. (○, ×) ★★★ 2023 서울시 지적 7급

□□□□□ 04 (「감염병의 예방 및 관리에 관한 법률」) 제80조의 벌금은 과실범 처벌에 관한 명문규정이 있거나 해석상 과실범도 벌할 뜻이 명확한 경우를 제외하고는 형법의 원칙에 따라 고의가 있어야 벌할 수 있다. (○, ×) ★★★ 2018 국회직 8급

□□□□□ 05 행정형벌의 과벌은 행위자의 고의 · 과실을 요하지 않는다. (○, ×) ★★★ 2011 사회복지직 9급

정답 01 ○ 02 ○ 03 ○ 04 ○ 05 ×

2. 과실행위의 경우

형법 제14조는 "과실행위는 법률에 특별한 규정이 있는 경우에 한하여 처벌한다."라고 규정하고 있다. 행정범의 경우에도 과실범을 처벌하는 명문의 규정이 있는 경우에 처벌할 수 있으며, 통설 · 판례는 한걸음 더 나아가 명문의 규정이 없더라도 행정형벌 법규의 해석에 의해 과실행위를 처벌한다는 뜻이 도출되는 경우에는 과실행위도 처벌할 수 있다고 본다.01

관련판례

1. 행정범의 경우에는 과실행위를 벌한다는 명문의 규정이 없는 경우에도 그 법률규정 중에 과실행위를 벌한다는 명백한 취지를 알 수 있는 경우에는 과실행위에 행정형벌을 부과할 수 있다.★★★
2. 구 대기환경보전법의 입법목적이나 관계규정의 취지 등을 고려하면 구 대기환경보전법에 따라 배출허용기준을 초과하는 배출가스를 배출하는 자동차를 운행하는 행위를 처벌하는 규정은 과실범의 경우에도 적용한다(대판 1993. 9. 10, 92도1136).02 ★★★

❷ 위법성의 착오

1. 형법의 규정 및 해석론

(1) 형법 제16조는 "자기의 행위가 법령에 의하여 죄가 되지 아니하는 것으로 오인한 행위는 그 오인에 정당한 이유가 있는 때에 한하여 벌하지 아니한다."라고 규정하고 있다.

(2) 이 규정에 의하면 위법성을 현실적으로 인식하지 못한 경우에도 위법성의 인식이 가능하면 처벌할 수 있고, 위법성의 인식가능성이 없으면 처벌할 수 없게 된다.

2. 행정범의 경우

통설은 행정범의 경우에도 위법성을 현실적으로 인식하지 못했다 하더라도 위법성의 인식이 가능하면 범죄가 성립된다고 본다. 다만, 행정범은 앞서 본 바와 같이 반윤리적인 범죄라기보다는 실정법의 규정에 의해 비로소 죄가 되는 법정범이라는 점에서 행위자가 법규의 존재를 모른다면 위법성의 인식가능성이 없는 경우가 많을 것이다.

관련판례

1. 교장이 교육위원회의 지시에 따라 양귀비를 심은 것은 죄가 되지 아니하는 것으로 오인한 행위로서 오인한 데 대한 정당한 이유가 있다(위법성의 인식가능성이 없다는 의미)(대판 1972. 3. 31, 72도64).㉠ⓐ
2. 허가를 담당하는 공무원이 허가를 요하지 않는다고 잘못 알려준 것을 믿은 것은 자기의 행위가 죄가 되지 않는 것으로 오인한 데 정당한 이유가 있는 경우에 해당하여 처벌할 수 없다(대판 1992. 5. 22, 91도2525).03 ★

❸ 책임능력ⓑ

형사범은 심신장애자 및 농아자(청각과 발음장애가 있는 자)의 행위는 이를 벌하지 아니하거나 그 벌을 감경하며, 14세 미만인 자의 행위는 벌하지 아니한다. 그러나 행정범에 있어서는 책임능력에 관한 형법규정의 적용을 배제 또는 제한하는 규정을 두고 있는 경우가 있다(예 담배사업법 제31조).

기출 체크

□□□□□ 01 과실범을 처벌한다는 명문의 규정이 없더라도 행정형벌 법규의 해석에 의하여 과실행위도 처벌한다는 뜻이 도출되는 경우에는 과실범도 처벌될 수 있다. (○, ×) ★★★ 2019 국가직 9급

□□□□□ 02 구 대기환경보전법에 따라 배출허용기준을 초과하는 배출가스를 배출하는 자동차를 운행하는 행위를 처벌하는 규정은 과실범의 경우에 적용하지 아니한다. (○, ×) ★★★ 2014 국가직 9급

□□□□□ 03 행정청의 허가가 있어야 함에도 불구하고 허가를 받지 아니하여 처벌대상의 행위를 한 경우라도, 허가를 담당하는 공무원이 허가를 요하지 아니하는 것으로 잘못 알려주어 이를 믿었기 때문에 허가를 받지 아니하는 것이라면 허가를 받지 않더라도 죄가 되지 않는 것으로 착오를 일으킨 데 대하여 정당한 이유가 있는 경우에 해당하여 처벌할 수 없다. (○, ×) ★ 2011 국회속기직 9급

판례 | ㉠ 국민학교(현 초등학교) 교장이 도 교육위원회의 지시에 따라 교과내용으로 되어 있는 꽃 양귀비를 교과식물로 비치하기 위하여 양귀비 종자를 사서 교무실 앞 화단에 심은 것이라면 이는 죄가 되지 아니하는 것으로 오인한 행위로서 그 오인에 정당한 이유가 있는 경우에 해당한다고 할 것이다. 10년 이상을 소채 및 종묘상 등을 경영하여 식물의 종자에 대하여 지식경험을 가진 자(판매상)는 특별한 사정이 없는 이상 양귀비종자에 마약성분이 함유되어 있는 사실을 쉽게 알고 있었다고 봄이 경험법칙상 당연하다(대판 1972. 3. 31, 72도64).

ⓐ 사람에 따라 위법성 인식가능성 존재 여부가 다를 수 있다. 예컨대, 일반인에게는 위법성 인식가능성이 없는 경우에도 사업자에게는 위법성 인식가능성이 있을 수도 있다. 왜냐하면 보통의 경우 사업자는 자신의 사업과 관련이 있는 형벌법규를 인식하고 있다고 보아야 하기 때문이다. 1번 판례도 교장과 종묘상을 구별하여 종묘상(판매상)은 처벌한 바 있다.

ⓑ 책임능력
행위자가 법규범의 의미를 이해하고 행동을 조절할 수 있는 능력

정답 01 ○ 02 × 03 ○

❹ 양벌규정

1. 의 의

범죄행위자와 함께 행위자 이외의 자를 함께 처벌하는 법규정을 양벌규정이라 한다. 형사범에서는 범죄를 행한 자만을 벌하지만 행정범에서는 범죄행위자 이외의 자를 벌하는 것으로 규정하는 경우가 있다. 종업원의 위반행위에 대해 사업주도 처벌하는 것으로 규정하는 경우가 있고, 미성년자나 피성년후견인의 위반행위에 대해 법정대리인을 처벌하는 것으로 규정하는 경우가 있다.

관련판례

양벌규정은 행위자에 대한 처벌규정임과 동시에 그 위반행위의 이익귀속주체인 영업주에 대한 처벌규정이다.

구 건축법 제54조 내지 제56조의 벌칙규정에서 그 적용대상자를 건축주, 공사감리자, 공사시공자 등 일정한 업무주로 한정한 경우에 있어서, 같은 법 제57조의 양벌규정은 업무주가 아니면서 당해 업무를 실제로 집행하는 자가 있는 때에 위 벌칙규정의 실효성을 확보하기 위하여 그 적용대상자를 당해 업무를 실제로 집행하는 자에게까지 확장함으로써 그러한 자가 당해 업무집행과 관련하여 위 벌칙규정의 위반행위를 한 경우 위 양벌규정에 의하여 처벌할 수 있도록 한 행위자의 처벌규정임과 동시에 그 위반행위의 이익귀속주체인 업무주에 대한 처벌규정이라고 할 것이다(대판 1999. 7. 15, 95도2870 전합).**01**

2. 행위자 이외의 자의 책임의 성질

이 경우 법정대리인이나 사업주의 책임은 주의 · 감독의무를 태만히 한 데 대한 과실책임의 성질을 가진다. 따라서 종업원이 처벌되지 않는 경우라 하더라도 사업주는 독자적으로 처벌될 수 있다.

관련판례

양벌규정에 의해 영업주를 처벌함에 있어서 종업원의 범죄성립이나 처벌을 요하지는 않는다.★★★

양벌규정에 의한 영업주의 처벌은 금지위반행위자인 종업원의 처벌에 종속하는 것이 아니라**02** 독립하여 그 자신의 종업원에 대한 선임 · 감독상의 과실로 인하여 처벌되는 것이므로 종업원의 범죄성립이나 처벌이 영업주 처벌의 전제조건이 될 필요는 없다(대판 2006. 2. 24, 2005도7673).**03**

3. 법인의 처벌가능성 – 양벌규정

(1) 형법상 법인의 처벌가능성

형법상 자연인 외에 법인도 범죄능력이 있는지에 대해 통설 · 판례는 이를 부정하므로 법인은 형사처벌의 대상이 될 수 없다.

(2) 행정법상 법인처벌에 대한 양벌규정

그러나 행정법의 경우 법인의 대표자, 사용인, 기타 종업원이 법인의 사무에 관하여 행정법상의 의무에 위반된 행위를 한 때에는 그 행위자를 벌하는 외에 법인도 처벌한다는 양벌규정을 두는 경우가 많다.**04** 한편 대법원은 다단계판매원을 다단계판매업자인 회사의 사용인으로 보아 다단계판매업자인 회사에 대하여도 행정형벌을 부과할 수 있다고 판시한 바 있다.

관련판례

구 「방문판매 등에 관한 법률」의 양벌규정의 적용에 있어서 다단계판매원은 다단계판매업자의 사용인에 해당한다.

다단계판매업의 영업태양 및 다단계판매업자와 다단계판매원 사이의 관계에 비추어 볼 때, 다단계판매원이 하위판매원의 모집 및 후원활동을 하는 것은 실질적으로 다단계판매업자의 관리 아래 그 업무를 위탁받아 행하는 것으로 볼 수 있어, 다단계판매업자가 상품의 판매 또는 용역의 제공에 의한 이익의 귀속주체가 된다고 할 것이므로, 다단계판매원은 다단계판매업자의 통제 · 감독을 받으면서 다단계판매업자의 업무를 직접 또는 간접으로 수행하는 자로서, 적어도 구 「방문판매 등에 관한 법률」(2002. 3. 30, 법률 제

기출 체크

□□□□□ **01** 양벌규정은 행위자에 대한 처벌규정임과 동시에 그 위반행위의 이익귀속주체인 영업주에 대한 처벌규정이다. (○, ×) 2022 국가직 9급

□□□□□ **02** 양벌규정에 의한 영업주의 처벌은 금지위반행위자인 종업원의 처벌에 종속되는 것이므로 영업주만 따로 처벌할 수는 없다. (○, ×) ★★★ 2022 지방직 · 서울시 9급

□□□□□ **03** 양벌규정에 의한 영업주의 처벌은 그 자신의 종업원에 대한 선임 · 감독상의 과실로 인하여 처벌되는 것이므로 종업원의 범죄성립이나 처벌이 영업주 처벌의 전제조건이 될 필요는 없다. (○, ×) ★★★ 2023 국가직 7급

□□□□□ **04** 행정범의 경우에는 법인의 대표자 또는 종업원 등의 행위자뿐 아니라 법인도 아울러 처벌하는 규정을 두는 경우가 있다. (○, ×) ★★ 2012 지방직 9급

정답 01 ○ 02 × 03 ○ 04 ○

기출 체크

□□□□□ 01 지방자치단체 소속 공무원이 지방자치단체 고유의 자치사무를 수행하던 중 도로법 규정에 의한 위반행위를 한 경우 지방자치단체는 도로법 소정의 양벌규정에 따라 처벌대상이 되는 법인에 해당하지 않는다. (○, ×) ★★★ 2024 국가직 9급

□□□□□ 02 지방자치단체가 자치사무를 처리하는 경우 당해 지방자치단체는 국가기관과는 별도의 독립한 공법인으로 볼 수 있지만, 양벌규정에 따라 처벌대상이 되는 법인에 해당하지는 않는다. (○, ×) ★★★ 2023 서울시 지적 7급

□□□□□ 03 지방자치단체가 국가의 기관위임사무를 처리하는 경우에도 별도의 독립한 공법인으로서 자동차관리법 제83조의 양벌규정에 의한 처벌대상이 된다. (○, ×) ★★★ 2022 소방간부

□□□□□ 04 개인정보보호법에 따르면, 죄형법정주의의 원칙상 '법인격 없는 공공기관'을 개인정보보호법 소정의 양벌규정에 의하여 처벌할 수 없고, 그 경우 행위자 역시 위 양벌규정으로 처벌할 수 없다. (○, ×) 2024 국가직 9급

□□□□□ 05 양벌규정에 의한 법인의 처벌은 어디까지나 행정적 제재처분일 뿐 형벌과는 성격을 달리한다. (○, ×) 2022 국가직 9급

□□□□□ 06 종업원의 위반행위에 대해 사업주도 처벌하는 경우, 사업주가 지는 책임은 무과실책임이다. (○, ×) ★★★ 2012 지방직 9급

□□□□□ 07 법인의 독자적인 책임에 관한 규정이 없이 단순히 종업원이 업무에 관한 범죄행위를 하였다는 이유만으로 법인에게 형사처벌을 과하는 것은 책임주의의 원칙에 반한다. (○, ×) 2019 서울시 9급

정답 01 × 02 × 03 × 04 ○ 05 × 06 × 07 ○

6688호로 전문개정되기 전의 것)의 양벌규정의 적용에 있어서는 다단계판매업자의 사용인 지위에 있다고 봄이 상당하다(대판 2006. 2. 24, 2003도4966).

(3) 지방자치단체의 경우

지방자치단체도 일정한 경우 양벌규정의 적용대상이 되는 법인이라는 것이 판례의 입장이다.

관련판례

1-1. 국가가 본래 그의 사무의 일부를 지방자치단체의 장에게 위임하여 그 사무를 처리하게 하는 기관위임사무의 경우에는 지방자치단체는 국가기관의 일부로 볼 수 있는 것이지만, 지방자치단체가 그 고유의 자치사무를 처리하는 경우에는 지방자치단체는 국가기관의 일부가 아니라 국가기관과는 별도의 독립한 공법인이므로, 지방자치단체 소속 공무원이 지방자치단체 고유의 자치사무를 수행하던 중 도로법 제81조 내지 제85조의 규정에 의한 위반행위를 한 경우에는 지방자치단체는 도로법 제86조의 양벌규정에 따라 처벌대상이 되는 법인에 해당한다.**01 02** ★★★

1-2. 지방자치단체 소속 공무원이 압축트럭 청소차를 운전하여 고속도로를 운행하던 중 제한축중을 초과 적재 운행함으로써 도로관리청의 차량운행제한을 위반한 사안에서, 해당 지방자치단체는 도로법 제86조의 양벌규정에 따른 처벌대상이 된다(대판 2005. 11. 10, 2004도2657).

2-1. 지방자치단체 소속 공무원이 지방자치단체 고유의 자치사무를 처리하면서 위반행위를 한 경우 지방자치단체도 양벌규정에 따라 처벌대상이 되는 법인에 해당한다.

2-2. (지방자치단체 소속 공무원이 지정항만순찰 등의 업무를 위해 관할관청의 승인 없이 개조한 승합차를 운행함으로써 구 자동차관리법을 위반한 사안에서 해당 지방자치단체는 양벌규정에 따른 처벌대상이 될 수 없다고 판시하면서) **지방자치단체 소속 공무원이 기관위임사무를 처리하면서 위반행위를 한 경우 해당 지방자치단체는 양벌규정에 따른 처벌대상이 될 수 없다**(대판 2009. 6. 11, 2008도6530).**03** ★★★

✚ 지방자치단체는 그 고유의 사무를 수행하기도 하지만 국가 또는 상급의 자치단체에서 위임한 사무를 수행하기도 한다. 예컨대, 서울시는 서울시의 고유사무(자치사무, 예 동작구의 출산율을 높이기 위한 양육비지원 등의 사무)를 수행하기도 하지만, 국가가 위임한 사무를 수행하기도 한다. 이 경우 국가가 해야 할 사무를 서울시장에게 위임하였다면(이른바 기관위임사무) 서울시장은 서울시의 대표가 아니라 국가공무원의 입장에 서게 되며, 비록 형식은 서울시장이 사무를 수행하더라도 그 사무는 여전히 국가의 사무가 된다. 따라서 국가가 해야 할 사무를 서울시장에게 위임하여 서울시공무원이 그 사무를 행하던 중에 범죄행위를 하게 된 경우 그 사무의 귀속주체인 법인은 서울시가 아니라 국가가 되므로 서울시에 대해 형벌을 부과할 수는 없다.

(4) 개인정보보호법상 양벌규정의 경우

관련판례

구 개인정보보호법은 제2조 제5호, 제6호에서 공공기관 중 법인격이 없는 '중앙행정기관 및 그 소속 기관' 등을 개인정보처리자 중 하나로 규정하고 있으면서도, 양벌규정에 의하여 처벌되는 개인정보처리자로는 같은 법 제74조 제2항에서 '법인 또는 개인'만을 규정하고 있을 뿐이고, 법인격 없는 공공기관에 대하여도 위 양벌규정을 적용할 것인지 여부에 대하여는 명문의 규정을 두고 있지 않으므로, 죄형법정주의의 원칙상 '법인격 없는 공공기관'을 위 양벌규정에 의하여 처벌할 수 없고, 그 경우 행위자 역시 위 양벌규정으로 처벌할 수 없다**04**고 봄이 타당하다(대판 2021. 10. 28, 2020도1942).

(5) 법인책임의 성질

양벌규정에 의한 법인의 처벌은 형벌로서의 성격을 가진다.**05** 한편 법인의 대표자의 범죄행위에 대한 법인의 책임은 법인의 직접책임이고, 종업원의 범죄행위에 대한 법인의 책임은 종업원에 대한 주의·감독의무를 태만히 한 데 대한 법인 자신의 과실책임의 성질을 가진다**06**는 것이 통설의 입장이다. 이와 관련하여 헌법재판소는 법인의 독자적인 책임에 관한 규정이 없이 단순히 종업원이 업무에 관한 범죄행위를 하였다는 이유만으로 법인에게 형사처벌을 과하는 것은 책임주의의 원칙에 반한다는 취지로 판시한 바 있다.**07**

읽기자료 | 양벌규정

양벌규정에 의해 법인이 지는 책임은 과실책임이라는 것이 통설의 입장이다. 이와 관련하여 헌법재판소는 양벌규정을 규정하고 있는 일부 법률이 그 해석상 종업원의 선임·감독상의 주의의무를 다하여 아무런 잘못이 없는 경우까지도 법인에게 형벌을 부과하도록 한 것과 관련하여, 이는 법치국가의 원리 및 죄형법정주의로부터 도출되는 책임주의원칙에 반하여 헌법에 위반된다고 판시한 바 있다.[a]

<심판대상 조문>

「가축분뇨의 관리 및 이용에 관한 법률」 제52조【양벌규정】 법인의 대표자 또는 법인이나 개인의 대리인, 사용인, 그 밖에 종업원이 그 법인 또는 개인의 업무에 관하여 제49조 내지 제51조의 규정에 따른 위반행위를 한 때에는 행위자를 벌하는 외에 그 법인 또는 개인에 대하여도 각 해당 조의 벌금형을 과한다.

+ 헌법재판소 결정례

이 사건 심판대상 법률조항들에 의할 경우, 법인이 종업원 등의 위반행위와 관련하여 선임·감독상의 주의의무를 다하여 아무런 잘못이 없는 경우까지도 법인에게 형벌을 부과될 수밖에 없게 되며 …… 단순히 법인이 고용한 종업원 등이 업무에 관하여 범죄행위를 하였다는 이유만으로 법인에 대하여 형사처벌을 과하고 있는바, 이는 다른 사람의 범죄에 대하여 그 책임 유무를 묻지 않고 형벌을 부과하는 것이므로 헌법상 법치국가의 원리 및 죄형법정주의로부터 도출되는 책임주의원칙에 반한다고 할 것이다(헌재 2010. 9. 30, 2010헌가10). **01 02** ★★

+ 참고

종업원 등의 범죄행위에 대한 법인의 가담 여부나 이를 감독할 주의의무위반 여부를 법인에 대한 처벌요건으로 규정하지 아니하고, 달리 법인이 면책될 가능성에 대해서도 정하지 아니한 채, 곧바로 법인을 종업원 등과 같이 처벌하는 것은 다른 사람의 범죄에 대하여 그 책임 유무를 묻지 않고 형사처벌하는 것이므로 헌법상 법치국가원리로부터 도출되는 책임주의원칙에 위배된다. 그러나 법인대표자의 행위는 법인의 행위로 볼 수 있고, 결국 법인대표자의 법규위반행위에 대한 법인의 책임은 법인 자신의 법규위반행위로 평가될 수 있는 행위에 대한 법인의 직접책임이므로(대표자의 고의에 의한 위반행위에 대하여는 법인이 고의책임을, 대표자의 과실에 의한 위반행위에 대하여는 법인이 과실책임을 부담한다), 법인대표자의 범죄행위에 대하여는 법인이 책임을 부담하는 것은 책임주의원칙에 위배되지 않는다(헌재 2020. 4. 23, 2019헌가25). **03** ★★★

5 기 타

1. 공범 등

(1) 형사범의 경우 교사범은 정범과 동일한 형으로, 종범은 정범의 형보다 감경한다는 규정을 두고 있다.

(2) 행정범에는 행정법상의 의무의 다양성으로 인해 형법상의 공동정범·교사범·종범[b]에 관한 규정의 적용을 배제하는 경우가 있는가 하면, 교사범을 정범으로 처벌하는 경우도 있다.

2. 누범·경합범·작량감경

행정법에서는 형법상의 누범·경합범·작량감경에 관한 규정의 적용을 배제하는 특별규정을 두고 있는 경우가 많다.

기출 체크

□□□□□ **01** 종업원 등의 범죄에 대해 법인에게 어떠한 잘못이 있는지를 전혀 묻지 않고, 곧바로 그 종업원 등을 고용한 법인에게도 종업원 등에 대한 처벌조항에 규정된 벌금형을 과하도록 규정하는 것은 책임주의에 반한다. (○, ×) ★★
2017 국가직 9급

□□□□□ **02** 헌법재판소는 종업원 등의 범죄행위와 관련하여 선임·감독상의 주의의무를 다하여 아무런 잘못이 없는 영업주도 처벌하도록 규정하고 있는 양벌규정을 법치국가의 원리 및 죄형법정주의로부터 도출되는 형벌에 관한 책임원칙에 반하므로 위헌이라고 본다. (○, ×) ★★
2012 국회직 8급

□□□□□ **03** 법인 대표자의 법규위반행위에 대한 법인의 책임은 법인 자신의 법규위반행위로 평가될 수 있는 행위에 대한 법인의 직접책임이다. (○, ×) ★★★
2022 국가직 9급

[a] 헌법재판소 결정취지에 맞추어 개정
헌법재판소의 결정 이후 법령의 개정작업이 이루어지고 있는데 개정법률에는 법인의 책임이 과실책임이라는 취지가 명백히 나타나 있다.
[개정 전]
「다중이용업소의 안전관리에 관한 특별법」 제24조【양벌규정】 법인의 대표자나 법인 또는 개인의 대리인, 사용인, 그 밖의 종업원이 그 법인 또는 개인의 업무에 관하여 제23조의 규정에 따른 위반행위를 한 때에는 행위자를 벌하는 외에 그 법인 또는 개인에 대하여도 해당 조의 벌금형을 과한다.
[개정 후]
「다중이용업소의 안전관리에 관한 특별법」 제24조【양벌규정】 법인의 대표자나 법인 또는 개인의 대리인, 사용인, 그 밖의 종업원이 그 법인 또는 개인의 업무에 관하여 제23조의 위반행위를 하면 그 행위자를 벌하는 외에 그 법인 또는 개인에게도 해당 조문의 벌금형을 과(科)한다. 다만, 법인 또는 개인이 그 위반행위를 방지하기 위하여 해당 업무에 관하여 상당한 주의와 감독을 게을리하지 아니한 경우에는 그러하지 아니하다.

[b] 교사범, 종범
- 교사범 : 범죄의사가 없는 자에게 범죄를 하도록 부추긴 자
- 종범 : 이미 범죄의사를 가진 자에 대해 범죄의 실행을 도운 자

정답 01 ○ 02 ○ 03 ○

03 | 행정형벌의 과벌절차

행정형벌도 형사소송법상의 절차에 따라 법원이 과벌하는 것이 원칙이나,01 예외적 절차도 인정되고 있다.

❶ 원 칙

행정형벌은 형법상의 벌, 즉 형벌을 과하는 것이기 때문에 원칙적으로 형사소송법이 정하는 바에 따라 통상의 형사벌과 같이 법원이 부과한다.

❷ 예외 - 특별절차로서 통고처분

통고처분의 대표적인 경우인 조세범과 관련된 절차

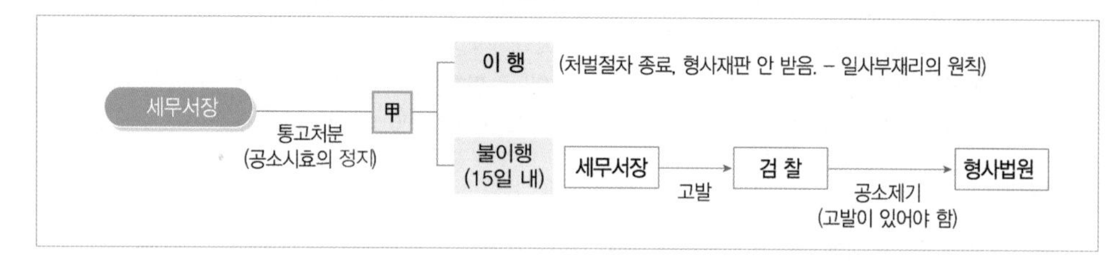

1. 의 의

통고처분이란 일정한 행정형벌을 부과해야 할 행정범에 대해 정식재판에 대신하여 절차의 간이 · 신속을 목적으로 상대방의 동의하에 행정청이 벌금 또는 과료에 상당하는(벌금 그 자체가 아니라)02 금액의 납부 등을 통고하는 준사법적 행위를 말한다.03

관련판례

통고처분은 법원에 의하여 자유형 또는 재산형에 처하는 형사절차에 갈음하여 과세관청이 조세범칙자에 대하여 금전적 제재를 통고하고 이를 이행한 조세범칙자에 대하여는 고발하지 아니하고 조세범칙사건을 신속 · 간이하게 처리하는 절차로서, 형사절차의 사전절차로서의 성격을 가진다(대판 2016. 9. 28, 2014도10748).

2. 대 상

통고처분은 모든 범죄에 대해 인정되는 것이 아니라 일정한 범죄에 인정되고 있는데, 현행법상 조세범, 관세범, 교통사범, 출입국관리사범, 경범죄사범 등에 인정되고 있다.04 05 한편 통고처분권자는 세무서장, 국세청장, 관세청장, 세관장, 경찰서장 등이며, 검사나 법원이 되는 것은 아니다.06

3. 취 지

통고처분제도는 경미한 법위반행위로 증거가 확실하며 빈번히 발생하는 위반행위에 대해 행정공무원에 의한 전문적이며 신속한 제재를 통해 검찰 및 법원의 과중한 업무부담을 덜어 주는 제도이다. 또한, 통고처분제도는 전과자 발생의 방지에 기여함으로써 형벌의 비범죄화 경향에 접근하는 제도이기도 하다.

관련판례

통고처분은 처분을 받은 당사자의 임의의 승복을 발효요건으로 하고 있으며, 형벌의 비범죄화 정신에 접근하는 제도이다.
도로교통법상의 통고처분은 처분을 받은 당사자의 임의의 승복을 발효요건으로 하고 있으며, 행정공무원에 의하여 발하여지는 것이지만, 통고처분에 따르지 않고자 하는 당사자에게는 정식재판의 절차가 보장되어 있다(헌재 2003. 10. 30, 2002헌마275).07

기출 체크

□□□□□ 01 행정형벌은 형사소송법이 정하는 절차에 따라 법원이 과벌하는 것이 원칙이다. (○, ×) ★★★
2009 국가직 9급

□□□□□ 02 통고처분에 의해 부과된 금액(범칙금)은 벌금이다. (○, ×)
2018 소방직 9급

□□□□□ 03 통고처분은 행정질서벌에도 인정된다. (○, ×) ★★
2011 지방직 7급

□□□□□ 04 통고처분은 현행법상 조세범, 관세범, 출입국관리사범, 교통사범 등에 대하여 인정되고 있다. (○, ×) ★★
2018 소방직 9급

□□□□□ 05 통고처분은 조세범 · 관세범 · 출입국사범 · 교통사범 등 행정형벌의 예외적인 과벌절차이다. (○, ×) ★★
2008 선관위 9급

□□□□□ 06 통고처분권자는 검사이다. (○, ×) 2007 서울시 9급

□□□□□ 07 도로교통법상의 통고처분은 처분을 받은 당사자의 임의의 승복을 발효요건으로 하고 있으며, 행정공무원에 의하여 발하여지는 것이지만, 통고처분에 따르지 않고자 하는 당사자에게는 정식재판의 절차가 보장되어 있다. (○, ×)
2023 지방직 · 서울시 7급

정답 01 ○ 02 × 03 × 04 ○ 05 ○ 06 × 07 ○

4. 법적 성질

통고처분을 행정행위로 보는 견해도 있으나, 통고처분은 과벌절차(행정형벌의 부과절차)의 하나로서 독자적인 행위가 아니라고 보는 설이 통설의 입장이다. 판례 역시 통고처분은 취소소송의 대상이 되는 행정처분이 아니라고 본다.01

5. 통고처분의 재량성 여부

관세법상 통고처분을 할 것인지는 권한행정청의 재량에 속한다는 것이 판례의 입장이다.

관련판례

1. 관세법상 통고처분을 할 것인지는 관세청장 또는 세관장의 재량에 맡겨져 있다.02 ★★★
2. 따라서 관세청장 또는 세관장이 관세범에 대하여 통고처분을 하지 아니한 채 고발하였다는 것만으로 그 고발 및 이에 기한 공소의 제기가 부적법하게 되는 것은 아니다(대판 2007. 5. 11, 2006도1993).03 ★★★

6. 통고처분의 효과

경범죄처벌법상 범칙금제도와 관련하여 경찰서장이 범칙행위에 대하여 통고처분을 한 이상, 범칙자의 절차적 지위를 보장하기 위하여 통고처분에서 정한 범칙금 납부기간까지는 원칙적으로 경찰서장은 즉결심판을 청구할 수 없고, 검사도 동일한 범칙행위에 대하여 공소를 제기할 수 없다는 것이 판례의 입장이다.

관련판례

경찰서장이 범칙행위에 대하여 통고처분을 한 이상, 범칙자의 위와 같은 절차적 지위를 보장하기 위하여 통고처분에서 정한 범칙금 납부기간까지는 원칙적으로 경찰서장은 즉결심판을 청구할 수 없고, 검사도 동일한 범칙행위에 대하여 공소를 제기할 수 없다.04 또한 범칙자가 범칙금 납부기간이 지나도록 범칙금을 납부하지 아니하였다면 경찰서장이 즉결심판을 청구하여야 하고, 검사는 동일한 범칙행위에 대하여 공소를 제기할 수 없다. 나아가 특별한 사정이 없는 이상 경찰서장은 범칙행위에 대한 형사소추를 위하여 이미 한 통고처분을 임의로 취소할 수 없다(대판 2021. 4. 1, 2020도15194).05

(1) 통고처분의 대표적 예인 조세범처벌절차법과 관련한 통고처분의 내용

① 공소시효의 정지

통고처분의 법정기간 내에 공소시효ⓐ가 완성되는 것을 막기 위해 조세범처벌절차법 등에서 통고처분이 있는 경우 통고일부터 고발일까지의 기간 동안 공소시효가 정지된다는 명문규정을 두고 있다.06

② 통고처분 내용대로 이행한 경우

통고처분을 받은 자가 통고된 내용에 따라 이행한 경우에는 확정판결과 동일한 효력이 발생하여 처벌절차는 종료되고 일사부재리의 원칙이 적용되어 다시 형사소추를 할 수 없다.07 08 ⓑ 다만, 이러한 효력이 발생하는 행위는 당해 범칙행위 및 그 범칙행위와 동일성이 인정되는 범칙행위에 한정되며, 범칙행위의 동일성을 벗어난 범죄행위에는 확정판결의 효력에 준하는 효력이 미치지 아니한다는 것이 판례의 입장이다.

관련판례

1-1. 도로교통법 제119조 제3항은 그 법 제118조에 의하여 범칙금 납부통고서를 받은 사람이 그 범칙금을 납부한 경우 그 범칙행위에 대하여 다시 벌받지 아니한다고 규정하고 있는바, 이는 범칙금의 납부에 확정재판의 효력에 준하는 효력을 인정하는 취지로 해석하여야 한다.

기출 체크

□□□□□ 01 통고처분은 실체법상 행정행위이므로 행정쟁송법상의 처분이 되고 취소소송의 대상이 된다. (○, ×) ★★★ 2017 서울시 7급

□□□□□ 02 법률에 따라 통고처분을 할 수 있으면 행정청은 통고처분을 하여야 하며, 통고처분 이외의 조치를 취할 재량은 없다. (○, ×) ★★★ 2015 지방직 9급

□□□□□ 03 관세청장 또는 세관장이 관세범에 대하여 통고처분을 하지 않은 채 고발하였다는 것만으로는 그 고발 및 이에 기한 공소의 제기가 부적법한 것은 아니다. (○, ×) ★★★ 2018 경행경채 3차

□□□□□ 04 경찰서장이 범칙행위에 대하여 통고처분을 한 이상, 통고처분에서 정한 범칙금 납부기간까지는 원칙적으로 경찰서장은 즉결심판을 청구할 수 없고, 검사도 동일한 범칙행위에 대하여 공소를 제기할 수 없다. (○, ×) 2021 지방직 · 서울시 9급

□□□□□ 05 특별한 사정이 없는 이상 경찰서장은 범칙행위에 대한 형사소추를 위하여 이미 한 통고처분을 임의로 취소할 수 없다. (○, ×) 2024 소방간부

□□□□□ 06 조세범처벌절차법에 따른 통고처분이 있는 경우 공소시효의 진행은 정지되지 아니한다. (○, ×) ★★ 2018 경행경채 변형

□□□□□ 07 통고처분에 따른 범칙금을 납부한 후에 동일한 사건에 대하여 다시 형사처벌을 하는 것이 일사부재리의 원칙에 반하는 것은 아니다. (○, ×) ★★★ 2019 국가직 9급

□□□□□ 08 범칙자가 범칙금을 납부하면 과형절차는 종료되고, 범칙자는 다시 형사소추되지 아니한다. (○, ×) ★★★ 2018 경행경채

ⓐ 범죄사건이라 하더라도 일정한 기간이 경과하면 검사의 공소권이 없어져서 궁극적으로 형벌권이 소멸하게 되는데, 이를 공소시효(公訴時效)라고 한다.

ⓑ 일사부재리의 원칙

헌법은 제13조 제1항 후단에서 "동일한 범죄에 대하여 거듭 처벌받지 아니한다."라고 하여 일사부재리의 원칙을 규정하고 있다. 일사부재리의 원칙 내지 이중(거듭)처벌금지의 원칙이라 함은 실체판결이 확정되어 판결의 효력이 발생하면, 그 후 동일사건에 대해서는 거듭 심판하는 것이 허용되지 아니한다는 원칙을 말한다. 따라서 무죄판결이 있은 행위와 이미 처벌이 끝난 행위에 대해서는 다시 형사책임을 물을 수 없다. 이때의 처벌이라 함은 원칙적으로 범죄에 대한 국가의 형벌권실행으로서의 과벌을 의미하는 것이고, 국가가 행하는 일체의 제재나 불이익처분이 모두 여기에 포함된다고 할 수는 없다.

정답 01 × 02 × 03 ○ 04 ○ 05 ○ 06 × 07 × 08 ○

1-2. 범칙금의 통고 및 납부 등에 관한 규정들의 내용과 취지 등에 비추어 볼 때, 범칙자가 경찰서장으로부터 범칙행위를 하였음을 이유로 범칙금의 통고를 받고 납부기간 내에 그 범칙금을 납부한 경우 범칙금의 납부에 확정판결에 준하는 효력이 인정됨에 따라 다시 벌받지 아니하게 되는 행위사실은 범칙금 통고의 이유에 기재된 당해 범칙행위 자체 및 그 범칙행위와 동일성이 인정되는 범칙행위에 한정된다고 해석함이 상당하다.01 ★★

1-3. 범칙행위와 같은 일시, 장소에서 이루어진 행위라 하더라도 범칙행위의 동일성을 벗어난 형사범죄행위에 대하여는 범칙금의 납부에 따라 확정판결의 효력에 준하는 효력이 미치지 아니한다(대판 2002. 11. 22, 2001도849).★★

2. 통고처분과 고발의 법적 성질 및 효과 등을 조세범칙사건의 처리절차에 관한 조세범처벌절차법 관련 규정들의 내용과 취지에 비추어 보면, 지방국세청장 또는 세무서장이 조세범처벌절차법 제17조 제1항에 따라 통고처분을 거치지 아니하고 즉시 고발하였다면 이로써 조세범칙사건에 대한 조사 및 처분절차는 종료되고 형사사건절차로 이행되어 지방국세청장 또는 세무서장으로서는 동일한 조세범칙행위에 대하여 더 이상 통고처분을 할 권한이 없다.02 따라서 지방국세청장 또는 세무서장이 조세범칙행위에 대하여 고발을 한 후에 동일한 조세범칙행위에 대하여 통고처분을 하였더라도, 이는 법적 권한 소멸 후에 이루어진 것으로서 특별한 사정이 없는 한 효력이 없고,03 조세범칙행위자가 이러한 통고처분을 이행하였더라도 조세범처벌절차법 제15조 제3항에서 정한 일사부재리의 원칙이 적용될 수 없다(대판 2016. 9. 28, 2014도10748).

③ 불이행

통고처분을 받은 자가 송달받은 날부터 15일 내에 통고된 내용을 이행하지 않으면 **통고처분은 당연히 그 효력을 상실**하고 세무서장의 **고발절차**에 의하여 **통상의 형사소송절차로 이행된다.04 05** 다만, 15일이 지났더라도 고발되기 전에 이행하였을 때에는 예외로 한다. 한편, 세무서장은 범칙자가 통고내용을 이행하지 않은 경우 검찰에 고발하여야 하며 **검찰은 통고권자의 고발 없이는 기소할 수 없다.**

(2) 도로교통법상 통고처분의 내용

경찰서장 등이 범칙자에 대해 범칙금 납부통고서로 범칙금을 낼 것을 통고하였으나 통고서를 받은 자가 납부기한인 10일 이내에 범칙금을 내지 아니한 경우, **경찰서장 등의 즉결심판청구에 의해 법원의 심판을 받는다.**

7. 통고처분에 대한 권리구제

통고처분에 대해 불복이 있는 경우 통고처분에 따른 범칙금을 납부하지 않으면 통고처분은 그 효력을 상실하며 행정청의 즉결심판의 청구 또는 고발에 의한 정식의 형사소송절차가 개시되는 것으로 특별규정을 두고 있다. 따라서 **통고처분은 항고소송의 대상인 처분이 아니라는 것이 통설과 판례의 입장**이며, 이러한 점이 헌법위반이 되는 것은 아니라는 것이 헌법재판소의 입장이다.

관련판례

1. 통고처분은 상대방의 임의의 승복을 그 발효요건으로 하기 때문에 그 자체만으로는 통고이행을 강제하거나 상대방에게 아무런 권리 · 의무를 형성하지 않으므로06 행정심판이나 행정소송의 대상으로서의 처분성을 부여할 수 없고,07 통고처분에 대하여 이의가 있으면 통고내용을 이행하지 않음으로써 고발되어 형사재판절차에서 통고처분의 위법 · 부당함을 얼마든지 다툴 수 있기 때문에 관세법 제38조

기출 체크

□□□□□ **01** 통고처분에 의해 범칙금을 납부한 경우, 그 납부의 효력에 따라 다시 벌받지 아니하게 되는 행위사실은 범칙금 통고의 이유에 기재된 당해 범칙행위 자체에 한정될 뿐, 그 범칙행위와 동일성이 인정되는 범칙행위에는 미치지 않는다. (○, ×) ★★ 2017 국가직 7급

□□□□□ **02** 지방국세청장 또는 세무서장이 조세범처벌절차법에 따라 통고처분을 거치지 아니하고 즉시 고발하였다면 이로써 조세범칙사건에 대한 조사 및 처분절차는 종료되고 형사사건절차로 이행되어 지방국세청장 또는 세무서장으로서는 동일한 조세범칙행위에 대하여 더 이상 통고처분을 할 권한이 없다. (○, ×) 2023 국가직 7급

□□□□□ **03** 지방국세청장이 조세범칙행위에 대하여 형사고발을 한 후에 동일한 조세범칙행위에 대하여 한 통고처분은 특별한 사정이 없는 한 위법하지만 무효는 아니다. (○, ×) 2018 지방직 7급

□□□□□ **04** 행정법규 위반자가 법정기간 내에 통고처분에 의해 부과된 금액을 납부하지 않으면 비송사건절차법에 의해 처리된다. (○, ×) ★★★ 2015 지방직 9급

□□□□□ **05** 통고처분을 받은 자가 통고처분의 내용을 이행하지 아니하면 권한행정청은 일정기간 내에 고발할 수 있고, 그에 따라 형사소송절차로 이행되게 된다. (○, ×) ★★★ 2008 국가직 9급

□□□□□ **06** 관세법상 통고처분은 상대방의 임의의 승복을 그 발효요건으로 하기 때문에 그 자체만으로는 통고이행을 강제하거나 상대방에게 아무런 권리 · 의무를 형성하지 않는다. (○, ×) ★★ 2019 국가직 7급

□□□□□ **07** 통고처분은 행정청에 의해 부과되기는 하나 행정처분이 아니므로 그에 대한 불복절차는 행정쟁송으로 할 수 없다. (○, ×) 2024 소방간부

정답 01 × 02 ○ 03 × 04 × 05 ○ 06 ○ 07 ○

제3항 제2호가 법관에 의한 재판받을 권리를 침해한다든가 적법절차의 원칙에 저촉된다고 볼 수 없다 (헌재 1998. 5. 28, 96헌바4). **01 02** ★★

2. **도로교통법상 통고처분의 취소를 구하는 행정소송은 허용되지 않는다. 03** ★★★
   도로교통법 제118조에서 규정하는 경찰서장의 통고처분은 행정소송의 대상이 되는 행정처분이 아니므로 그 처분의 취소를 구하는 소송은 부적법하고, **04** 도로교통법상의 통고처분을 받은 자가 그 처분에 대하여 이의가 있는 경우에는 통고처분에 따른 범칙금의 납부를 이행하지 아니함으로써 경찰서장의 즉결심판청구에 의하여 법원의 심판을 받을 수 있게 될 뿐이다(대판 1995. 6. 29, 95누4674). **05**

기출 체크

□□□□□ **01** 통고처분에 대하여 이의가 있으면 통고내용을 이행하지 않음으로써 고발되어 형사재판절차에서 통고처분의 위법·부당함을 다툴 수 있으므로 행정소송의 대상으로서의 처분성이 인정되지 않는다. (○, ×) ★★ 2023 소방직 9급

□□□□□ **02** 헌법재판소는 행정심판이나 행정소송의 대상에서 통고처분을 제외하고 있는 관세법 조항은 법관에 의한 재판받을 권리를 침해하지 않는다고 하였다. (○, ×) ★★ 2018 경행경채

□□□□□ **03** 도로교통법상 경찰서장의 통고처분은 행정소송의 대상이 되는 행정처분이 아니다. (○, ×) ★★★ 2022 국가직 7급

□□□□□ **04** 통고처분은 상대방의 임의의 승복을 그 발효요건으로 하기 때문에 그 자체만으로는 통고이행을 강제하거나 상대방에게 아무런 권리·의무를 형성하지 않으므로 행정심판이나 행정소송의 대상으로서의 처분성을 인정할 수 없다. (○, ×) ★★★ 2023 지방직·서울시 9급

□□□□□ **05** 도로교통법상 경찰서장의 통고처분은 행정청에 의한 행정처분에 해당하여 그 처분에 대하여 이의가 있는 경우 처분의 취소를 구하는 행정소송을 제기하거나 그 범칙금의 납부를 이행하지 아니함으로써 경찰서장의 즉결심판청구에 의하여 법원의 심판을 받을 수 있다. (○, ×) ★★★ 2022 소방간부

정답 01 ○ 02 ○ 03 ○ 04 ○ 05 ×

제 3 절 행정질서법의 특수성

초대 Topic 28 핵심집약 Topic 52

기출 체크

□□□□□ 01 지방자치단체의 조례상의 의무를 위반하여 과태료를 부과하는 행위는 질서위반행위에 해당되지 않는다. (○, ×) ★★★ 2019 지방직 · 교육행정직 9급

□□□□□ 02 지방자치단체의 조례도 과태료 부과의 근거가 될 수 있다. (○, ×) ★★★ 2016 국가직 9급

□□□□□ 03 법률에 따르지 아니하고는 어떤 행위도 질서위반행위로 과태료를 부과하지 아니한다. (○, ×) ★★★ 2022 군무원 7급

□□□□□ 04 과태료의 부과 · 징수, 재판 및 집행 등의 절차에 관한 다른 법률의 규정 중 질서위반행위규제법의 규정에 저촉되는 것은 질서위반행위규제법으로 정하는 바에 따른다. (○, ×) ★★★ 2024 국가직 9급

□□□□□ 05 민법상의 의무를 위반하여 과태료를 부과하는 행위는 질서위반행위규제법상 질서위반행위에 해당한다. (○, ×) ★★★ 2019 서울시 9급

□□□□□ 06 질서위반행위란 '법률(조례를 포함한다)상의 의무를 위반하여 과태료를 부과하는 행위'를 말하고, 이에는 대통령령으로 정하는 법률에 따른 징계사유에 해당하여 과태료를 부과하는 행위가 포함된다. (○, ×) ★★ 2009 국가직 7급

□□□□□ 07 행정질서벌은 형벌이 아니므로 형법총칙이 적용되지 않기 때문에, 질서위반행위규제법에서도 고의나 과실을 질서위반행위의 성립요건으로 하지 않고 있다. (○, ×) ★★★ 2024 소방간부

□□□□□ 08 고의 또는 과실이 없는 질서위반행위라고 하더라도 과태료를 부과할 수 있다. (○, ×) ★★★ 2023 지방직 · 서울시 9급

ⓐ 지방자치법 제34조에 따르면 조례위반행위에 대해서는 조례로써 1천만원 이하의 과태료의 벌칙을 정할 수 있다.

정답 01 × 02 ○ 03 ○ 04 ○ 05 × 06 × 07 × 08 ×

01 | 행정질서벌의 법적 근거

1. 행정질서벌의 부과는 법률에 근거가 있어야 하는바, 질서위반행위규제법은 법률(지방자치단체의 조례를 포함한다. 이하 같다01 02ⓐ)에 따르지 아니하고는 어떤 행위도 질서위반행위로 과태료가 부과되지 아니한다고 규정하여 질서위반행위 법정주의를 선언하고 있다.03

2. 질서위반행위규제법은 과태료 부과의 요건 · 절차 · 징수 등을 정하는 법률로서 과태료의 부과 · 징수 · 재판 및 집행 등의 절차에 관한 다른 법률의 규정 중 질서위반행위규제법의 규정에 저촉되는 것은 질서위반행위규제법으로 정하는 바에 따른다.04

3. 질서위반행위규제법은 질서위반행위를 형식적인 관점에서 '법률(조례 포함)상의 의무를 위반하여 과태료를 부과하는 행위'로 정의하고 있다(질서위반행위규제법 제2조 제1호). 한편 질서위반행위규제법에서 말하는 모든 질서위반행위가 행정질서벌에 해당하는 것은 아니고, 다만 행정법의 영역에서 이루어지는 질서위반행위만이 행정질서벌에 해당한다.

4. 한편 다음의 행위는 질서위반행위규제법에서 말하는 질서위반행위에 포함되지 않는다.

   ① 대통령령으로 정하는 사법(私法)상 · 소송법상 의무를 위반하여 과태료를 부과하는 행위05
   ② 대통령령으로 정하는 법률에 따른 징계사유에 해당하여 과태료를 부과하는 행위06

5. 행정질서벌의 성립요건, 절차 등에 해당하는 총칙적 규정으로 질서위반행위규제법이 있고, 행정질서벌의 부과대상인 행위의 구체적인 유형에 해당하는 규정은 개별법률에서 규정되고 있다.

02 | 행정질서벌의 구체적 특수성

❶ 고의 · 과실, 위법성의 착오

1. 고의 · 과실의 존재

질서위반행위규제법이 제정되기 전 판례는 행정질서벌은 법규위반이라는 객관적 사실에 대해 부과하는 제재이므로 행정질서벌을 부과함에 있어서는 원칙적으로 행위자의 주관적인 고의 · 과실을 요하지 않는다고 보았으나, 질서위반행위규제법은 고의 또는 과실이 없는 질서위반행위는 과태료를 부과하지 아니한다고 규정하고 있다(동법 제7조).07 08 따라서 현행법상 행정질서벌인 과태료를 부과하기 위해서는 고의 또는 과실이 있어야 한다.

관련판례

질서위반행위규제법은 과태료의 부과대상인 질서위반행위에 대하여도 책임주의 원칙을 채택하여 제7조에서 "고의 또는 과실이 없는 질서위반행위는 과태료를 부과하지 아니한다."고 규정하고 있으므로, 질서위반행위를 한

자가 자신의 책임 없는 사유로 위반행위에 이르렀다고 주장하는 경우 법원으로서는 그 내용을 살펴 행위자에게 고의나 과실이 있는지를 따져보아야 한다(대결 2011. 7. 14, 2011마364).01 ★★★

2. 위법성의 착오

자신의 행위가 위법하지 아니한 것으로 오인하고 행한 질서위반행위는 그 '오인에 정당한 이유가 있는 때'에 한하여 과태료를 부과하지 아니한다(동법 제8조).02 03

❷ 책임연령 등

1. 책임연령

14세가 되지 아니한 자의 질서위반행위는 과태료를 부과하지 아니한다. 다만, 다른 법률에 특별한 규정이 있는 경우에는 그러하지 아니하다(동법 제9조).04

2. 심신장애(동법 제10조)

(1) 심신장애로 인하여 행위의 옳고 그름을 판단할 능력이 없거나 그 판단에 따른 행위를 할 능력이 없는 자의 질서위반행위는 과태료를 부과하지 아니한다.05

(2) 심신장애로 인하여 위 (1)에 따른 능력이 미약한 자의 질서위반행위는 과태료를 감경한다.

(3) 스스로 심신장애상태를 일으켜 질서위반행위를 한 자에 대하여는 위 (1)과 (2)를 적용하지 아니한다.06

❸ 부과대상자 및 과태료의 산정

1. 행위자, 법인 등

과태료의 부과대상자는 원칙상 질서위반행위를 한 자이다. 법인의 대표자, 법인 또는 개인의 대리인, 사용인, 그 밖의 종업원이 업무에 관하여 법인 또는 그 개인에게 부과된 법률상의 의무를 위반한 때에는 법인 또는 그 개인에게 과태료를 부과한다(동법 제11조 제1항).07 08

2. 다수인의 질서위반행위(동법 제12조)

(1) 2인 이상이 질서위반행위에 가담한 때에는 각자가 질서위반행위를 한 것으로 본다.09

(2) '신분에 의하여 성립'하는 질서위반행위에 신분이 없는 자가 가담한 때에는 신분이 없는 자에 대하여도 질서위반행위가 성립한다.10

(3) '신분에 의하여 과태료를 감경 또는 가중'하거나 '과태료를 부과하지 아니하는 때'에는 그 신분의 효과는 신분이 없는 자에게는 미치지 아니한다.11

3. 과태료의 산정(동법 제14조)

행정청 및 법원은 과태료를 정함에 있어서 다음의 사항을 고려하여야 한다.

① 질서위반행위의 동기 · 목적 · 방법 · 결과
② 질서위반행위 이후의 당사자의 태도와 정황
③ 질서위반행위자의 연령 · 재산상태 · 환경
④ 그 밖에 과태료의 산정에 필요하다고 인정되는 사유

기출 체크

□□□□□ 01 질서위반행위를 한 자가 자신의 책임 없는 사유로 위반행위에 이르렀다고 주장하는 경우 법원은 그 내용을 살펴 행위자에게 고의나 과실이 있는지를 따져보아야 한다. (○, ×) ★★★ 2023 국가직 7급

□□□□□ 02 자신의 행위가 위법하지 아니한 것으로 오인하고 행한 질서위반행위는 그 오인에 정당한 이유가 있는 때에 한하여 과태료를 부과하지 아니한다. (○, ×) ★★★ 2023 국가직 9급

□□□□□ 03 (사업주 甲에게 고용된 종업원 乙이 영업행위 중 행정법규를 위반한 경우) 乙의 위반행위가 과태료 부과대상인 경우에 乙이 자신의 행위가 위법하지 아니한 것으로 오인하였다면 乙에 대해서 과태료를 부과할 수 없다. (○, ×) ★★★ 2018 지방직 9급

□□□□□ 04 (질서위반행위규제법상) 다른 법률에 특별한 규정이 없는 경우, 14세가 되지 아니한 자의 질서위반행위는 과태료를 부과하지 아니한다. (○, ×) 2020 국가직 9급

□□□□□ 05 심신(心神)장애로 인하여 행위의 옳고 그름을 판단할 능력이 없거나 그 판단에 따른 행위를 할 능력이 없는 자의 질서위반행위는 과태료를 부과하지 아니한다. (○, ×) 2023 지방직 · 서울시 7급

□□□□□ 06 스스로 심신장애 상태를 일으켜 질서위반행위를 한 자에 대하여는 과태료를 감경한다. (○, ×) ★★ 2019 국가직 7급

□□□□□ 07 질서위반행위규제법상 개인의 대리인이 업무에 관하여 그 개인에게 부과된 법률상의 의무를 위반한 때에는 행위자인 대리인에게 과태료를 부과한다. (○, ×) ★★ 2017 국가직 9급

□□□□□ 08 법인에 대해서는 과태료를 부과할 수 없다. (○, ×) ★★ 2013 경행특채

□□□□□ 09 2인 이상이 질서위반행위에 가담한 때에는 각자가 질서위반행위를 한 것으로 본다. (○, ×) ★★★ 2017 교육행정직 9급

□□□□□ 10 신분에 의하여 성립하는 질서위반행위에 신분이 없는 자가 가담한 때에는 신분이 없는 자에 대하여도 질서위반행위가 성립한다. (○, ×) ★★★ 2023 국가직 9급

□□□□□ 11 신분에 의하여 과태료를 감경 또는 가중하거나 과태료를 부과하지 아니하는 때에는 그 신분의 효과는 신분이 없는 자에게는 미치지 아니한다. (○, ×) ★★★ 2022 군무원 7급

정답 01 ○ 02 ○ 03 × 04 ○ 05 ○ 06 × 07 × 08 × 09 ○ 10 ○ 11 ○

4 기 타

1. 시간적 범위(동법 제3조)

(1) 질서위반행위의 성립과 과태료처분은 행위시의 법률에 따른다.01

(2) 질서위반행위 후 법률이 변경되어 그 행위가 질서위반행위에 해당하지 아니하게 되거나 과태료가 변경되기 전의 법률보다 가볍게 된 때에는 법률에 특별한 규정이 없는 한 변경된 법률을 적용한다.02 따라서 과태료를 부과하는 근거법령이 개정되어 행위시의 법률에 의하면 과태료 부과대상이었지만 재판시의 법률에 의하면 부과대상이 아니게 된 때에는 특별한 사정이 없는 한 과태료를 부과할 수 없다.

관련판례

질서위반행위에 대하여 과태료를 부과하는 근거법령이 개정되어 행위시의 법률에 의하면 과태료 부과대상이었지만 재판시의 법률에 의하면 부과대상이 아니게 된 때에는 개정법률의 부칙 등에서 행위시의 법률을 적용하도록 명시하는 등 특별한 사정이 없는 한 재판시의 법률을 적용하여야 하므로 과태료를 부과할 수 없다(대결 2017. 4. 7, 2016마1626).03 ★★★

(3) 행정청의 과태료처분이나 법원의 과태료재판이 확정된 후 법률이 변경되어 그 행위가 질서위반행위에 해당하지 아니하게 된 때에는 변경된 법률에 특별한 규정이 없는 한 과태료의 징수 또는 집행을 면제한다.04

2. 장소적 범위(동법 제4조)

(1) 질서위반행위규제법은 대한민국 영역 안에서 질서위반행위를 한 자에게 적용되며, 대한민국 영역 밖에서 질서위반행위를 한 대한민국의 국민에게도 적용된다.05

(2) 또한 질서위반행위규제법은 대한민국 영역 밖에 있는 대한민국의 선박 또는 항공기 안에서 질서위반행위를 한 외국인에게도 적용된다.

3. 수개의 질서위반행위의 경우(동법 제13조)

(1) 하나의 행위가 둘 이상의 질서위반행위에 해당하는 경우에는 각 질서위반행위에 대하여 정한 과태료 중 '가장 중한 과태료'를 부과한다.06

(2) 위 (1)의 경우를 제외하고 둘 이상의 질서위반행위가 경합하는 경우에는 각 질서위반행위에 대하여 정한 과태료를 각각 부과한다. 다만, 다른 법령(지방자치단체의 조례를 포함한다)에 특별한 규정이 있는 경우에는 그 법령으로 정하는 바에 따른다.

4. 소멸시효(동법 제15조)

(1) 과태료는 행정청의 과태료 부과처분이나 법원의 과태료재판이 확정된 후 5년간 징수하지 아니하거나 집행하지 아니하면 시효로 인하여 소멸한다.07

(2) 위 (1)에 따른 소멸시효의 중단 · 정지 등에 관하여는 국세기본법 제28조를 준용한다.

기출 체크

□□□□□ 01 질서위반행위의 성립은 행위시의 법률을 따르고 과태료처분은 판결시의 법률에 따른다. (○, ×) ★★
2020 소방직 9급

□□□□□ 02 질서위반행위 후 법률이 변경되어 그 행위가 질서위반행위에 해당하지 아니하게 되거나 과태료가 변경되기 전의 법률보다 가볍게 된 때에는 법률에 특별한 규정이 없는 한 변경된 법률을 적용하여야 한다. (○, ×) ★★★
2023 지방직 · 서울시 9급

□□□□□ 03 질서위반행위의 과태료 부과의 근거법률이 개정되어 행위시 법률에 의하면 과태료 부과대상이었지만 재판시 법률에 의하면 과태료 부과대상이 아니게 된 때에는 개정법률 부칙에서 종전법률 시행 당시에 행해진 질서위반행위에 행위시 법률을 적용하도록 특별한 규정을 두지 않은 이상 재판시 법률을 적용하여야 하므로 과태료를 부과하지 못한다. (○, ×) ★★★
2023 국회직 8급

□□□□□ 04 행정청의 과태료처분이나 법원의 과태료재판이 확정된 후 법률이 변경되어 그 행위가 질서위반행위에 해당하지 아니하게 된 때에는 변경된 법률에 특별한 규정이 없는 한 과태료의 징수 또는 집행을 면제한다. (○, ×) ★★★
2024 소방간부

□□□□□ 05 질서위반행위규제법은 대한민국 영역 밖에서 질서위반행위를 한 대한민국의 국민에게 적용한다. (○, ×) ★★
2015 경행특채 1차

□□□□□ 06 하나의 행위가 2 이상의 질서위반행위에 해당하는 경우에는 각 질서위반행위에 대하여 정한 과태료 중 가장 중한 과태료를 부과한다. (○, ×) ★★★
2023 국가직 9급

□□□□□ 07 질서위반행위규제법에 따른 과태료는 행정청의 과태료 부과처분이나 법원의 과태료재판이 확정된 후 5년간 징수하지 아니하거나 집행하지 아니하면 시효로 소멸한다. (○, ×) ★★★
2020 지방직 · 서울시 9급

과태료와 과징금의 구별
과태료와 과징금은 혼동하기 쉬운바, 둘의 차이점 중 주요한 것을 살펴보면 다음과 같다.

구 분	과태료	과징금
부과 주체	(원칙) 행정청이 1차적 부과	행정청
불 복	취소소송의 대상이 아님.	취소소송의 대상이 됨.

정답 01 × 02 ○ 03 ○ 04 ○ 05 ○ 06 ○ 07 ○

03 | 과태료의 부과 · 징수의 절차

1. 사전통지 및 의견제출(동법 제16조)

행정청이 질서위반행위에 대하여 과태료를 부과하고자 하는 때에는 미리 당사자(고용주 등을 포함한다)에게 과태료 부과의 원인이 되는 사실, 과태료 금액 및 적용법령 등 대통령령으로 정하는 사항을 통지하고, 10일 이상의 기간을 정하여 의견을 제출할 기회를 주어야 한다.01 이 경우 지정된 기일까지 의견제출이 없는 경우에는 의견이 없는 것으로 본다.

2. 부과의 방식(동법 제17조)

(1) 행정청은 의견제출절차를 마친 후에 서면(당사자가 동의하는 경우에는 전자문서를 포함한다)으로 과태료를 부과하여야 한다.02

(2) 서면에는 질서위반행위, 과태료금액, 그 밖에 대통령령으로 정하는 사항을 명시하여야 한다.

3. 제척기간(동법 제19조 제1항)

행정청은 질서위반행위가 종료된 날(다수인이 질서위반행위에 가담한 경우에는 최종행위가 종료된 날을 말한다)부터 5년이 경과한 경우에는 해당 질서위반행위에 대하여 과태료를 부과할 수 없다.03ⓐ

4. 이의제기(동법 제20조)

(1) 행정청의 과태료 부과에 불복하는 당사자는 과태료부과통지를 받은 날부터 60일 이내에 해당 행정청에 서면으로 이의제기를 할 수 있다.04

(2) 위 (1)에 따른 이의제기가 있는 경우에는 행정청의 과태료 부과처분은 그 효력을 상실한다.05

(3) 당사자는 행정청으로부터 질서위반행위규제법 제21조 제3항에 따른 통지를 받기 전까지는 행정청에 대하여 서면으로 이의제기를 철회할 수 있다.

(4) 이의제기를 받은 행정청은 이의제기를 받은 날부터 14일 이내에 이에 대한 의견 및 증빙서류를 첨부하여 관할법원에 통보하여야 한다.

5. 질서위반행위의 조사(동법 제22조)

행정청은 질서위반행위가 발생하였다는 합리적 의심이 있어 그에 대한 조사가 필요하다고 인정할 때에는 대통령령으로 정하는 바에 따라 다음의 조치를 할 수 있다.

① 당사자 또는 참고인의 출석요구 및 진술의 청취 ② 당사자에 대한 보고 명령 또는 자료제출의 명령

04 | 구 제

1. 취소소송의 대상 여부

과태료 부과에 대해서는 일반적으로 질서위반행위규제법이 적용되므로 그 부과처분에 대해 불복이 있을 때에는 법원에서 비송사건절차법을 준용하여 이에 대해 재판한다. 따라서 과태료 부과처분은 행정소송의 대상이 되는 행정처분으로 볼 수 없다.06

관련판례

과태료 부과는 행정소송의 대상이 되는 행정처분이라고 볼 수 없다(대판 1993. 11. 23, 93누16833).07 ★★★

기출 체크

□□□□□ 01 행정청이 질서위반행위에 대하여 과태료를 부과하고자 하는 때에는 미리 당사자에게 과태료 부과의 원인이 되는 사실, 과태료 금액 및 적용법령 등을 통지하고 10일 이상의 기간을 정하여 의견을 제출할 기회를 주어야 한다. (○, ×) ★★ 2021 소방직 9급

□□□□□ 02 과태료의 부과는 서면으로 하여야 한다. 이때 당사자가 동의하는 경우에는 전자문서도 여기서의 서면에 포함된다. (○, ×) 2017 국회직 8급

□□□□□ 03 행정청은 질서위반행위가 종료된 날(다수인이 질서위반행위에 가담한 경우에는 최종행위가 종료된 날을 말함)부터 5년이 경과한 경우에는 해당 질서위반행위에 대하여 과태료를 부과할 수 없다. (○, ×) ★★ 2023 지방직 · 서울시 7급

□□□□□ 04 행정청의 과태료 부과에 불복하는 당사자는 과태료 부과통지를 받은 날부터 60일 이내에 해당 행정청에 서면으로 이의제기를 할 수 있다. (○, ×) ★★★ 2023 지방직 · 서울시 9급

□□□□□ 05 당사자의 이의제기가 있으면 행정청의 과태료 부과처분은 그 효력을 상실한다. (○, ×) ★★★ 2024 소방간부

□□□□□ 06 과태료의 부과 여부 및 그 당부는 최종적으로 질서위반행위규제법의 절차에 의하여 판단되어야 한다고 할 것이므로, 그 과태료 부과처분은 행정청을 피고로 하는 항고소송의 대상이 되는 처분이라고 볼 수 없다. (○, ×) ★★★ 2023 소방직 9급

□□□□□ 07 행정청의 과태료 부과에 불복하는 당사자는 과태료 부과통지를 받은 날부터 90일 이내에 관할법원에 취소소송을 제기할 수 있다. (○, ×) ★★★ 2023 지방직 · 서울시 7급

ⓐ 질서위반행위규제법이 제정되기 이전에 대법원은 과태료의 제재는 범죄에 대한 형벌이 아니므로 그 성질상 공소시효(형사소송법 제249조)나 형의 시효(형법 제78조)에 상당하는 것은 있을 수 없고, 이에 상당하는 규정도 없으므로 일단 한 번 과태료에 처해질 위반행위를 한 자는 그 처벌을 면할 수 없다고 보았다(대결 2000. 8. 24, 2000마1350). 그러나 질서위반행위규제법이 제정된 현재에는 질서위반행위가 종료된 날부터 5년이 경과하면 과태료를 부과할 수 없다.

정답 01 ○ 02 ○ 03 ○ 04 ○ 05 ○ 06 ○ 07 ×

2. 헌법소원의 대상 여부

질서위반행위규제법이 제정되기 이전 헌법재판소는 과태료 부과처분에 대해 처분권자에게 이의를 제기함으로써 과태료재판을 하여야 할 법원에 통지되면 당초 행정기관의 부과처분은 효력을 상실하므로 과태료 부과처분의 취소를 구하는 헌법소원청구는 권리보호의 이익이 없다고 판시한 바 있다.㉠ 이러한 판례의 결론은 현행 질서위반행위규제법하에서도 유지될 것으로 보인다.

05 | 질서위반행위의 재판 및 집행

1. 관할법원(동법 제25조)

과태료사건은 다른 법령에 특별한 규정이 있는 경우를 제외하고는 당사자(질서위반행위를 한 자연인 또는 법인 등)의 주소지의 지방법원 또는 그 지원의 관할로 한다.01

2. 심문 등(동법 제31 · 32조)ⓐ

법원은 심문기일을 열어 당사자의 진술을 들어야 한다. 법원은 검사의 의견을 구하여야 하고, 검사는 심문에 참여하여 의견을 진술하거나 서면으로 의견을 제출하여야 한다. 법원은 당사자 및 검사에게 심문기일을 통지하여야 한다. 법원은 행정청의 참여가 필요하다고 인정하는 때에는 행정청으로 하여금 심문기일에 출석하여 의견을 진술하게 할 수 있다. 행정청은 법원의 허가를 받아 소속 공무원으로 하여금 심문기일에 출석하여 의견을 진술하게 할 수 있다.

3. 재판과 항고(동법 제36 · 37 · 38 · 39조)

과태료재판은 이유를 붙인 결정으로써 한다. 결정은 당사자와 검사에게 고지함으로써 효력이 생긴다. 결정의 고지는 법원이 적당하다고 인정하는 방법으로 한다. 당사자와 검사는 과태료재판에 대하여 즉시항고를 할 수 있다. 이 경우 항고는 집행정지의 효력이 있다.03ⓑ 항고법원의 과태료재판에는 이유를 적어야 한다.

관련판례

과태료재판의 경우, 법원으로서는 기록상 현출되어 있는 사항에 관하여 직권으로 증거조사를 하고 이를 기초로 하여 판단할 수 있는 것이나, 그 경우 행정청의 과태료 부과처분사유와 기본적 사실관계에 있어서 동일성이 인정되는 한도 내에서만 과태료를 부과할 수 있다(대결 2012. 10. 19, 2012마1163).04 ★★

4. 재판의 집행

(1) 과태료재판의 집행(동법 제42조)

과태료재판은 검사의 명령으로써 집행한다. 이 경우 그 명령은 집행력 있는 집행권원과 동일한 효력이 있다.05

(2) 과태료재판 집행의 위탁(동법 제43조)

① 검사는 과태료를 최초 부과한 행정청에 대하여 과태료재판의 집행을 위탁할 수 있고, 위탁을 받은 행정청은 국세 또는 지방세 체납처분의 예에 따라 집행한다.

기출 체크

□□□□□ 01 질서위반행위규제법상 과태료사건은 다른 법령에 특별한 규정이 있는 경우를 제외하고는 행정청의 주소지의 지방법원 또는 그 지원의 관할로 한다. (○, ×) ★★★ 2023 국가직 7급

□□□□□ 02 법원이 심문 없이 과태료재판을 하고자 하는 때에는 당사자와 검사는 특별한 사정이 없는 한 약식재판의 고지를 받은 날부터 7일 이내에 이의신청을 할 수 있다. (○, ×) 2023 지방직 · 서울시 9급

□□□□□ 03 질서위반행위규제법에 따르면, 당사자와 검사는 과태료재판에 대하여 즉시항고를 할 수 있으며, 이 경우 항고는 집행정지의 효력이 있다. (○, ×) 2024 국가직 9급

□□□□□ 04 과태료재판의 경우, 법원으로서는 기록상 현출되어 있는 사항에 관하여 직권으로 증거조사를 하고 이를 기초로 하여 판단할 수 있는 것이나, 그 경우 행정청의 과태료 부과처분사유와 기본적 사실관계에서 동일성이 인정되는 한도 내에서만 과태료를 부과할 수 있다. (○, ×) ★★ 2016 경행경채

□□□□□ 05 과태료의 재판은 판사의 명령으로 집행하며, 이 경우 그 명령은 집행력 있는 집행권원과 동일한 효력이 있다. (○, ×) 2012 지방직 9급

판례 | ㉠ 과태료 부과처분의 취소를 구하는 헌법소원청구는 권리보호이익이 없다(헌재 1998. 9. 30, 98헌마18).

ⓐ **약식재판**
법원은 상당하다고 인정하는 때에는 심문 없이 과태료재판(약식재판)을 할 수 있다(동법 제44조). 당사자와 검사는 약식재판의 고지를 받은 날부터 7일 이내에 이의신청을 할 수 있다(동법 제45조 제1항).02 법원이 이의신청이 적법하다고 인정하는 때에는 약식재판은 그 효력을 잃는다. 이 경우 법원은 심문을 거쳐 다시 재판하여야 한다(동법 제50조 제1 · 2항).

ⓑ 법원의 재판에는 판결 외의 결정 및 명령이 있는데, 이러한 재판이 있더라도 재판을 곧바로 확정시키지 아니하고 일정한 요건하에 상급의 재판기관에 불복을 신청할 수 있도록 함이 원칙이다. 이 불복신청 중 법원의 '판결'이 아닌 '명령' 또는 '결정'에 대한 불복이 바로 항고이다. 이러한 항고는 다시 보통항고(普通抗告)와 즉시항고(卽時抗告)로 나눌 수 있는데, 즉시항고는 특히 이를 허용하는 별도의 명문규정이 있는 경우에만 할 수 있는 항고이고, 보통항고는 항고를 할 수 있다는 뜻의 별도의 개별규정이 없는 경우에도 널리 법원이 행한 결정에 대하여 인정되는 항고이다. 즉시항고는 불복을 할 수 있는 기간이 보통항고에 비해 짧으며 원칙적으로 집행정지의 효력을 가진다.

정답 01 × 02 ○ 03 ○ 04 ○ 05 ×

② 지방자치단체의 장이 위 ①에 따라 집행을 위탁받은 경우에는 그 집행한 금원은 당해 지방자치단체의 수입으로 한다.

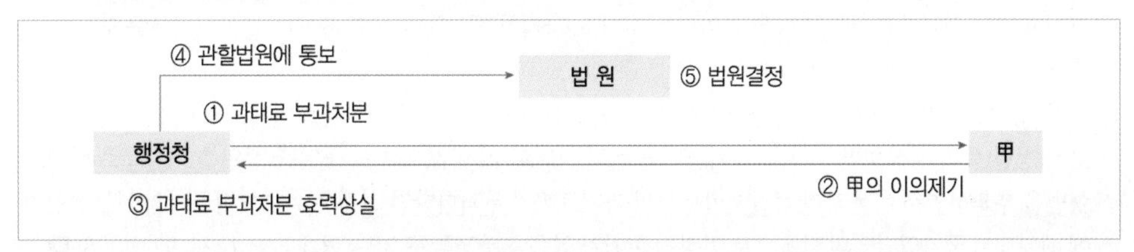

06 | 병과의 가능성

❶ 행정형벌과 행정질서벌

1. 문제의 소재

동일 행정범에 대해 행정형벌과 행정질서벌을 병과할 수 있는지가 문제된다. 이에 관해서는 학설이 대립ⓐ하는데, 이는 일사부재리원칙과 관련하여 논의된다.

2. 대법원의 태도

판례는 과태료와 형사처벌은 목적과 성질을 달리하는 별개의 것이므로 과태료 부과 후 형사처벌을 하더라도 일사부재리원칙에 위반되지 않는다고 한다.㉠

관련판례

(10일간 임시운행허가를 받은 자가 그 기간이 경과한 다음에도 자동차등록원부에 등록하지 아니한 채 무등록차량을 운행한 자에 대한 과태료의 제재 후 형사처벌을 하는 것이 일사부재리의 원칙에 위반하는 것이 아니라고 판시하면서) **과태료와 형사처벌은 성질이나 목적을 달리하는 별개의 것이므로 행정법상의 질서벌인 과태료를 납부한 후 형사처벌을 한다고 하여 일사부재리의 원칙에 위반되는 것이라고 할 수 없다.02 03 04 ★★★**

행정법상의 질서벌인 과태료의 부과처분과 형사처벌은 그 성질이나 목적을 달리하는 별개의 것이므로 행정법상의 질서벌인 과태료를 납부한 후에 형사처벌을 한다고 하여 이를 일사부재리의 원칙에 반하는 것이라고 할 수는 없으며, 자동차의 임시운행허가를 받은 자가 그 허가목적 및 기간의 범위 안에서 운행하지 아니한 경우에 과태료를 부과하는 것은 …… 만일 임시운행허가기간을 넘어 운행한 자가 등록된 차량에 관하여 그러한 행위를 한 경우라면 과태료의 제재만을 받게 되겠지만, 무등록차량에 관하여 그러한 행위를 한 경우라면 과태료와 별도로 형사처벌의 대상이 된다(대판 1996. 4. 12, 96도158).

3. 헌법재판소의 태도

헌법재판소는 동일한 행위를 대상으로 하여 형벌을 부과하면서 과태료까지 부과하는 것은 이중처벌금지의 기본정신에 배치될 여지가 있다고 본다.

관련판례

동일한 행위를 대상으로 하여 형벌을 부과하면서 행정질서벌인 과태료까지 부과한다면 이중처벌금지의 기본정신에 배치되어 국가입법권의 남용으로 인정될 여지가 있다.05 ★

헌법 제13조 제1항은 "모든 국민은 …… 동일한 범죄에 대하여 거듭 처벌받지 아니한다."라고 하여 이른바 '이중처벌금지의 원칙'을 규정하고 있는바, 이 원칙은 한번 판결이 확정되면 동일한 사건에 대해서는 다시 심판할 수 없다는 '일사부재리의 원칙'이 국가형벌권의 기속원리로 헌법상 선언된 것으로서, 동일한 범죄

기출 체크

□□□□□ 01 구 행형법에 의한 징벌을 받은 뒤에 형사처벌을 한다고 하여 일사부재리의 원칙에 반하는 것은 아니다. (○, ×) 2022 국가직 7급

□□□□□ 02 행정법상의 질서벌인 과태료의 부과처분과 형사처벌을 병과하는 것은 일사부재리의 원칙에 반하지 않는다는 것이 대법원의 입장이다. (○, ×) ★★★ 2024 지방직·서울시 9급

□□□□□ 03 신규등록신청을 위한 임시운행허가를 받고 그 기간이 끝났음에도 자동차등록원부에 등록하지 않은 채 허가기간의 범위를 넘어 운행한 차량소유자가 관련 법조항에 의한 과태료를 부과받아 납부하였다 하더라도 그 차량소유자에 대해 형사처벌을 하는 것은 일사부재리원칙에 위반하는 것이 아니다. (○, ×) ★★★ 2018 경행경채

□□□□□ 04 임시운행허가기간을 벗어난 무등록차량을 운행한 자는 과태료와 별도로 형사처벌의 대상이 된다. (○, ×) ★★★ 2014 국가직 9급

□□□□□ 05 헌법재판소의 결정에 따르면 행정질서벌과 행정형벌을 병과하면 이중처벌금지의 기본정신에 배치될 여지가 있다고 설시하고 있다. (○, ×) ★ 2009 국회속기직 9급

판례 | ㉠ 피고인이 행형법에 의한 징벌을 받아 그 집행을 종료하였다고 하더라도 행형법상의 징벌은 수형자의 교도소 내의 준수사항 위반에 대하여 과하는 행정상의 질서벌의 일종으로서 형법 법령에 위반한 행위에 대한 형사책임과는 그 목적, 성격을 달리하는 것이므로 징벌을 받은 뒤에 형사처벌을 한다고 하여 일사부재리의 원칙에 반하는 것은 아니다(대판 2000. 10. 27, 2000도3874).01

ⓐ **행정형벌과 행정질서벌의 병과에 관한 학설**

1. 긍정설
   행정형벌과 행정질서벌은 목적이나 성질이 다르다고 할 것이므로 과태료 부과 후 행정형벌을 부과하여도 일사부재리원칙에 위반되지 않는다고 한다.
2. 부정설
   행정형벌과 행정질서벌은 모두 넓은 의미의 처벌이라는 점에서 양자를 병과할 수 없다고 한다.

정답 01 ○ 02 ○ 03 ○ 04 ○ 05 ○

기출 체크

□□□□□ **01** 과태료의 고액·상습체납자에 대해서도 자유를 박탈하는 제재인 감치처분을 행할 수는 없다. (○, ×) ★★★
2011 지방직 9급

□□□□□ **02** 당사자가 과태료를 자진납부하고자 하는 경우 행정청은 과태료를 감경할 수 있고, 과태료를 체납할 경우 법원은 검사의 청구에 따라 체납된 과태료액에 상당하는 강제노역에 처할 수 있다. (○, ×)
2012 국가직 7급

ⓐ 이 판례는 이와 같이 판시한 다음 무허가건축행위로 구 건축법 제54조 제1항에 의하여 형벌을 받은 자가 그 위법건축물에 대한 시정명령을 위반한 경우 그에 대하여 과태료를 부과할 수 있도록 한 동법 제56조의2 제1항의 규정은 이중처벌금지원칙에 위배되지 않는다고 판시한 바 있다.

ⓑ 허가 등을 요하는 사업의 주무관청이 따로 있는 경우에는 행정청은 당해 주무관청에 대하여 사업의 정지 또는 허가 등의 취소를 요구할 수 있다(동법 제52조 제2항).

ⓒ **감 치**
감치는 본래 법정 내에서 소란을 피우는 등 질서를 위반한 자에 대해 경찰서 유치장, 교도소 또는 구치소에 유치하는 제재이다. 그런데 질서위반행위규제법은 과태료를 체납한 자에 대해서도 심리적 압박을 가하기 위해 법원이 감치조치에 처할 수 있도록 하고 있다.
이와 비교할 것으로 노역장 유치가 있다. 이는 형벌인 벌금 또는 과료를 선고할 때에는 납입하지 아니하는 경우의 유치기간을 정하여, 벌금을 납입하지 아니한 사람은 1일 이상 3년 이하, 과료를 납입하지 아니한 사람은 1일 이상 30일 미만의 기간 동안 노역장에 유치하여 작업에 복무하게 하는 제도이다.

정답 01 × 02 ×

행위에 대하여 국가가 형벌권을 거듭 행사할 수 없도록 함으로써 국민의 기본권, 특히 신체의 자유를 보장하기 위한 것이라고 할 수 있다. 이러한 점에서 헌법 제13조 제1항에서 말하는 '처벌'은 원칙으로 범죄에 대한 국가의 형벌권 실행으로서의 과벌을 의미하는 것이고, 국가가 행하는 일체의 제재나 불이익처분을 모두 그 '처벌'에 포함시킬 수는 없다 할 것이다.
다만, 행정질서벌로서 과태료는 행정상 의무의 위반에 대하여 국가가 일반통치권에 기하여 과하는 제재로서 형벌(특히 행정형벌)과 목적·기능이 중복되는 면이 없지 않으므로, 동일한 행위를 대상으로 하여 형벌을 부과하면서 아울러 행정질서벌로서의 과태료까지 부과한다면 그것은 이중처벌금지의 기본정신에 배치되어 국가입법권의 남용으로 인정될 여지가 있음을 부정할 수 없다(헌재 1994. 6. 30, 92헌바38).ⓐ

❷ 행정질서벌과 징계벌

행정질서벌과 징계벌은 앞서 본 바와 같이 목적·성질 등이 다르므로 징계벌을 부과한 후 행정질서벌을 부과할 수 있다는 것이 일반적 견해이다.

07 | 관련문제 – 과태료징수의 효율을 높이기 위한 수단

❶ 관허사업의 제한

행정청은 허가·인가·면허·등록 및 갱신(이하 '허가 등'이라 한다)을 요하는 사업을 경영하는 자로서 일정한 사유에 모두 해당하는 체납자에 대하여는 사업의 정지 또는 허가 등의 취소를 할 수 있다(동법 제52조 제1항).ⓑ

❷ 신용정보의 제공

행정청은 과태료 징수 또는 공익목적을 위하여 필요한 경우 국세징수법 제110조를 준용하여 「신용정보의 이용 및 보호에 관한 법률」 제25조 제2항 제1호에 따른 종합신용정보집중기관의 요청에 따라 체납 또는 결손처분자료를 제공할 수 있다(동법 제53조 제1항).

❸ 고액·상습체납자에 대한 제재

법원은 검사의 청구에 따라, 결정으로 30일의 범위 이내에서 과태료의 납부가 있을 때까지 다음의 사유에 모두 해당하는 경우 체납자(법인인 경우에는 대표자를 말한다)를 감치에 처할 수 있다(동법 제54조 제1항). 01 02ⓒ

① 과태료를 3회 이상 체납하고 있고, 체납발생일부터 각 1년이 경과하였으며, 체납금액의 합계가 1천만원 이상인 체납자 중 대통령령으로 정하는 횟수와 금액 이상을 체납한 경우
② 과태료 납부능력이 있음에도 불구하고 정당한 사유 없이 체납한 경우

❹ 행정청의 과태료 감경과 징수

1. 자진납부자에 대한 과태료 감경

(1) 행정청은 당사자가 의견제출기한 이내에 과태료를 자진하여 납부하고자 하는 경우에는 대통령령으로

정하는 바에 따라 과태료를 감경할 수 있다(동법 제18조 제1항). 01

(2) 당사자가 감경된 과태료를 납부한 경우에는 해당 질서위반행위에 대한 과태료 부과 및 징수절차는 종료한다(동법 제18조 제2항).

2. 가산금징수

행정청은 당사자가 납부기한까지 과태료를 납부하지 아니한 때에는 납부기한을 경과한 날부터 체납된 과태료에 대하여 100분의 3에 상당하는 가산금을 징수한다(동법 제24조 제1항). 02 03

❺ 상속재산 등에 대한 집행

과태료는 당사자가 과태료 부과처분에 대하여 이의를 제기하지 아니한 채 이의제기 기한이 종료한 후 사망한 경우, 그 상속재산에 대하여 집행할 수 있다(동법 제24조의2 제1항). 04

❻ 기 타

1. 과태료의 징수유예 등

행정청은 당사자가 국민기초생활보장법에 따른 수급권자, 고용보험법에 따른 실업급여수급자 등에 해당하여 과태료(체납된 과태료와 가산금, 중가산금 및 체납처분비를 포함)를 납부하기가 곤란하다고 인정되면 1년의 범위에서 대통령령으로 정하는 바에 따라 과태료의 분할납부나 납부기일의 연기(징수유예 등)를 결정할 수 있다(동법 제24조의3 제1항).

2. 자동차 관련 과태료 체납자에 대한 자동차 등록번호판의 영치

행정청은 자동차관리법 제2조 제1호에 따른 자동차의 운행 · 관리 등에 관한 질서위반행위 중 대통령령으로 정하는 질서위반행위로 부과받은 과태료를 납부하지 아니한 자에 대하여는 체납된 자동차 관련 과태료와 관계된 그 소유의 자동차 등록번호판을 영치할 수 있다(동법 제55조 제1항).

기출 체크

□□□□□ 01 행정청은 당사자가 의견제출기한 이내에 과태료를 자진납부하고자 하는 경우에는 과태료를 감경할 수 있다. (○, ×) ★★ 2012 국회(속기 · 경위직) 9급

□□□□□ 02 질서위반행위규제법에 의한 과태료 부과처분은 처분의 상대방이 이의제기하지 않은 채 납부기간까지 과태료를 납부하지 않으면 도로교통법상 통고처분과 마찬가지로 그 효력을 상실한다. (○, ×) ★★★ 2018 국가직 7급

□□□□□ 03 행정청은 당사자가 납부기한까지 과태료를 납부하지 아니한 때에는 납부기한을 경과한 날부터 체납된 과태료에 대하여 100분의 5에 상당하는 가산금을 징수한다. (○, ×) 2022 국회직 8급

□□□□□ 04 과태료는 당사자가 과태료 부과처분에 대하여 이의를 제기하지 아니한 채 질서위반행위규제법에 따른 이의제기 기한이 종료한 후 사망한 경우에는 그 상속재산에 대하여 집행할 수 있다. (○, ×) ★ 2016 지방직 7급

[유튜브] 26강 필수 개념 TEST
- QR코드를 스캔해 주세요.
- 필수 개념과 출제 포인트를 풀어 보세요.
- 틀린 문제는 기본서로 확인해 주세요.

정답 01 ○ 02 × 03 × 04 ○

2025
써니 행정법총론

5회 온라인 모의고사

2025 써니로(SunnyLaw) 합격하는 온라인 모의고사

- QR코드로 기본서 온라인 모의고사 풀기
- 〈써니로TV〉에서 라이브 테스트 실시 & 해설 강의 제공
- 정답과 취약 단원 파악하기

• 시험 일정은 "[네이버] 써니 행정법 카페"를 확인해 주세요.

PART

5

행정구제 1 (행정상 손해전보)

제 27 강 행정구제 개관

행정구제

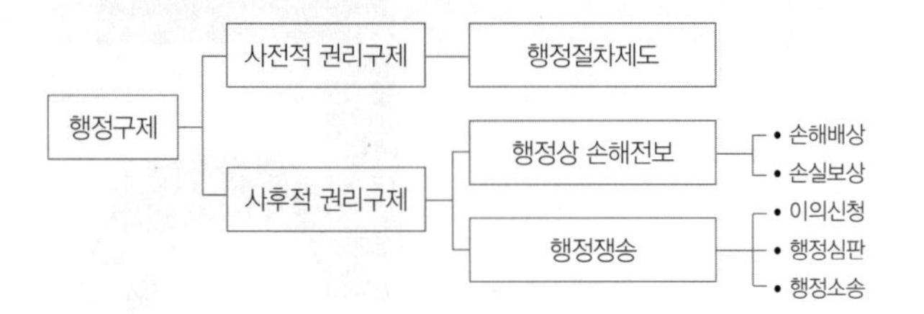

사후적 권리구제

행정상 손해전보(손해배상, 손실보상)

개 념

국가 등의 활동으로 인해 사인에게 발생한 손해 또는 손실을 보전하는 제도

유 형

- **행정상 손해배상** : 국가 등이 자신의 사무수행과 관련하여 위법하게 타인에게 손해를 가한 경우 국가가 피해자에게 손해를 배상하는 제도
- **행정상 손실보상** : 국가 등이 자신의 사무수행과 관련하여 적법하게 타인에게 특별한 희생을 가한 경우 그로부터 발생한 손실을 보상하는 제도

차이점

구 분	손해배상	손실보상
개 념	위법한 행정작용으로 인한 손해전보	적법한 행정작용으로 인한 특별한 희생에 대한 손실전보
이념적 기초	개인주의, 도의적 책임주의	단체주의, 사회적 공평부담의 이념
법적 근거	• 헌법 제29조 • 국가배상법(일반법)	• 헌법 제23조 제3항 • 일반법이 없고 개별법에 근거함.
전보의 대상	재산적 · 비재산적(생명 · 신체 등) 손해	재산적 손실
책임의 성질	과실책임주의(특히 국가배상법 제2조)	무과실책임주의
양도 · 압류	생명 · 신체의 침해로 인한 국가배상을 받을 권리는 양도 및 압류 금지	양도 및 압류 가능
전보책임자	국가 또는 지방자치단체	사업시행자

우리나라의 손해배상제도

- **국가배상법의 법적 성격**
  - 사법설(판례) : 민사소송
  - 공법설(통설) : 행정소송 중 당사자소송
- **헌법과 국가배상법의 차이**

구 분	헌 법	국가배상법
책임자	국가 또는 공공단체	국가 또는 지방자치단체
유 형	직무행위로 인한 손해배상	직무행위, 영조물 하자로 인한 손해배상

- **국가배상법상의 유형**
  - 공무원의 직무행위로 인한 손해배상(제2조)
  - 영조물의 설치 · 관리상의 하자로 인한 손해배상(제5조)

제 1 절 사후적 권리구제제도로서의 행정상 손해전보

핵심집약 Topic 53

기출 체크

□□□□□ 01 (행정상 손실보상은) 원칙적으로 적법한 공권력행사로 인한 손해의 전보제도로서 위법한 공권력행사로 인한 침해에 대한 보상인 국가배상제도와는 다르다. (○, ×) 2014 서울시 7급

□□□□□ 02 판례에 따르면 행정상 손해배상에 관하여는 국가배상법이 일반법적 지위를 갖는다고 본다. (○, ×) ★ 2015 서울시 9급

□□□□□ 03 국가배상소송을 제기하는 경우 민사소송이 아니라 공법상 당사자소송으로 제기하여야 한다. (○, ×) ★★★ 2024 지방직 · 서울시 9급

✚ 사전적 권리구제제도는 행정절차를 들 수 있다.

정답 01 ○ 02 ○ 03 ×

01 | 행정상 손해전보

❶ 손해전보의 의의

1. 개 념

손해전보란 국가 등이 그 활동으로 인해 사인에게 발생한 손해 또는 손실을 보전하는 제도를 의미한다.

2. 유 형

(1) 행정상의 손해배상

국가 등이 자신의 사무수행과 관련하여 위법하게 타인에게 손해를 가한 경우 국가가 피해자에게 손해를 배상하는 제도를 말한다.

(2) 행정상의 손실보상

국가 등이 자신의 사무수행과 관련하여 적법하게 타인에게 특별한 희생을 가한 경우 그로부터 발생한 손실을 보상하는 제도를 말한다.01

❷ 우리나라의 손해배상제도

헌법 제29조는 국가배상청구권을 헌법상 기본권으로 규정하고 있고, 개별법률로는 행정상 손해배상제도의 일반법으로 국가배상법이 제정되어 있다.02

1. 헌법적 보장

헌법 제29조는 국가배상청구권을 헌법상 기본권으로 규정하여 국민에게 널리 청구권을 인정하고 있다.

> **헌법 제29조** ① 공무원의 직무상 불법행위로 손해를 받은 국민은 법률이 정하는 바에 의하여 국가 또는 공공단체에 정당한 배상을 청구할 수 있다. 이 경우 공무원 자신의 책임은 면제되지 아니한다.
> ② 군인 · 군무원 · 경찰공무원, 기타 법률이 정하는 자가 전투 · 훈련 등 직무집행과 관련하여 받은 손해에 대하여는 법률이 정하는 보상 외에 국가 또는 공공단체에 공무원의 직무상 불법행위로 인한 배상은 청구할 수 없다.

2. 국가배상법의 법적 성격

(1) 사법(私法)설(판례의 태도)

국가배상법은 민법의 특별법인 사법이라는 견해로서 국가배상청구소송은 민사소송이라고 본다.03

관련판례

> 국가배상법은 민사상 손해배상책임의 특별법이다.★★★
> 공무원의 직무상 불법행위로 손해를 받은 국민이 국가 또는 공공단체에 배상을 청구하는 경우 국가 또는 공공단체에 대하여 그의 불법행위를 이유로 손해배상을 구함은 국가배상법이 정한 바에 따른다 하여도 이 역시 민사상의 손해배상책임을 특별법인 국가배상법이 정한 데 불과하며 …… (대판 1972. 10. 10, 69다701)

(2) 공법(公法)설(통설의 태도)

국가배상법은 공법이라는 견해로서 국가배상청구소송은 행정소송 중 당사자소송이라고 본다.

3. 유 형

행정상 손해배상청구권의 유형에는 공무원의 직무행위로 인한 손해배상청구권(국가배상법 제2조)과 영조물의 하자로 인한 손해배상청구권(국가배상법 제5조)의 두 가지가 있다.

4. 헌법과 국가배상법의 차이

(1) 책임자

헌법은 배상책임자로 '국가 또는 공공단체'를 규정하고 있으나, 국가배상법은 '국가 또는 지방자치단체'로 그 배상책임자를 규정하고 있다.01

(2) 유 형

헌법은 직무행위로 인한 손해배상청구권에 대해서만 명시하고 있으나, 국가배상법은 직무행위(국가배상법 제2조)뿐 아니라 영조물의 하자(국가배상법 제5조)로 인한 손해배상청구권까지 명시적으로 규정하고 있다.

헌법과 국가배상법의 비교

구 분	헌 법	국가배상법
책임자	국가 또는 공공단체	국가 또는 지방자치단체
유 형	직무행위로 인한 손해배상청구권	• 직무행위로 인한 손해배상청구권 • 영조물의 하자로 인한 손해배상청구권

❸ 우리나라의 손실보상제도 - 후술

기출 체크

□□□□□ 01 헌법은 배상책임자를 '국가 또는 지방자치단체'로 규정하고 있으나, 국가배상법은 배상책임자를 '국가 또는 공공단체'로 규정하고 있다. (○, ×) ★★
2007 국가직 7급

정답 01 ×

제 28 강 행정상 손해배상 1 (국가배상법 제2조 등)

공무원의 직무행위로 인한 손해배상책임의 요건

공무원의 행위

- 조직법상 의미뿐만 아니라 기능적 의미의 공무원을 포함
- 널리 공무를 위탁받아 실질적으로 그에 종사하는 자(사인 O)를 포함
- 공무위탁에는 일시적 · 한정적 공무위탁도 포함됨(통설 · 판례).
- 국회의원, 법관, 집행관, 소집 중인 향토예비군(현 예비군), 시 청소차 운전수, 통장, 교통할아버지 등은 공무원에 포함됨(판례).
- 의용소방대원은 공무원의 범위에서 제외
- 법령에 의해 대집행권한을 위탁받은 한국토지공사 : 국가배상법상 공무원 ×
- 대한변호사협회(공법인)의 변호사등록 : 공행정사무

직무행위

- **범위**
  - 권력+비권력작용(관리작용 등 : 행정지도 등 포함)
  - 사경제적 작용은 제외됨(철도운행사업으로 인한 손해배상책임과 관련하여 민법이 적용).
- **사익보호성** : 공무원에게 부과된 직무가 사익을 보호하는 것으로 인정되어야 함.
- **내용**

입법작용	직무행위 O : 단, 위법성, 고의 · 과실 요건 충족 어려움. – 헌법의 문언에 명백히 위배됨에도 국회가 '굳이 당해 입법을 한 것'과 같은 특수한 경우에는 위법 인정 – 국회가 제정한 법률이 헌법재판소에 의해 위헌결정을 받았다는 것만으로 국가배상책임이 인정되는 것은 아님 : 국회의원은 정치적 책임을 질 뿐인 것이 원칙임.
사법작용	직무행위 O : 단, 위법성, 고의 · 과실 요건 충족 어려움. – 판결 자체의 위법이 아니라 법관의 재판상 직무수행에 있어서의 공정한 재판을 위한 직무상 의무의 위반으로서의 위법 – 재판에 대한 불복절차, 시정절차가 마련되어 있는 경우 : 원칙적으로 국가배상책임 인정 × – 재판에 대한 불복절차, 시정절차가 마련되어 있지 않은 경우 : 국가배상책임 O – 법관의 재판에 법령의 규정을 따르지 아니한 잘못이 있다 하더라도 바로 그 재판상 직무행위가 국가배상법 제2조 제1항에서 말하는 위법한 행위로 되어 국가의 손해배상책임이 발생하는 것은 아님. – 헌법재판소 재판관의 위법한 직무집행의 결과 잘못된 각하결정을 함으로써 청구인으로 하여금 본안판단을 받을 기회를 상실하게 한 이상, 설령 본안판단을 하였더라도 어차피 청구가 기각되었을 것이라는 사정이 있다 하더라도 위자료를 지급할 의무가 있음.

직무를 집행하면서

- **외형설**

실질적으로 직무집행행위가 아닌 경우, 주관적인 직무집행의사 없더라도 외형상 직무행위로 보여질 때에는 '직무를 집행하면서'라는 요건을 충족한 것으로 봄.

예 인사업무담당 공무원이 다른 공무원의 공무원증 등을 위조한 행위 : 직무행위로 인정 O

고의 · 과실로 인한 행위

- 국가배상법 제2조는 과실책임을 명문으로 규정
- '사용자'가 종업원 등의 '선임 · 감독에 대한 주의의무'를 다한 경우 면책을 인정하는 민법 제756조와는 구별됨.
- **과실의 객관화 경향** : 추상적 과실(평균적 공무원의 주의의무위반 기준으로 판단), 가해공무원의 특정 불요
- **입증책임** : 고의 · 과실의 입증책임은 피해자인 원고에게 있음.
- **법령해석상의 잘못과 과실 인정 여부**
  - 원칙적으로 공무원이 관계법규를 알지 못하거나 필요한 지식을 갖추지 못하고 법규해석을 그르쳐 행정처분을 한 경우 과실이 있음.
  - 단, 법령의 해석이 복잡 · 미묘하여 어렵고 학설 · 판례가 통일되지 않을 때에 공무원이 신중을 기해 그중 어느 한 설을 취하여 처리한 경우 판례는 과실을 부정함.
  - 수사기관이 변호인의 접견신청을 허용하지 않고 변호인의 접견교통권을 침해한 경우 접견불허결정을 한 공무원에게 고의나 과실이 있음(판례).
  - 국가배상책임은 위헌 · 무효임이 명백한 긴급조치 제9호의 발령부터 적용 · 집행에 이르는 수사, 재판 등 일련의 국가작용으로 인한 손해에 대해 인정됨(판례).
- 재량행위에서 공무원이 재량준칙을 따라 처분을 한 경우 과실인정이 어려움(행정청 내부에 일응의 기준을 정해 두었는데, 그 기준에 따라 행정처분한 경우).
- 처분이 취소소송에서 취소되었다 하더라도 바로 과실을 인정할 수 없음.
- 처분의 근거법률이 사후적으로 위헌선언된 경우 과실을 인정하기 어려움.
- 처분을 구하는 신청에 대하여 상당한 기간 처분 여부 결정이 지체되었다고 하여 곧바로 공무원의 고의 또는 과실로 인한 불법행위를 인정할 수 없음(판례).

법령을 위반하여

- **법령의 범위** : 성문법과 불문법을 포함한 모든 법령 외에 인권 · 공서양속 등도 포함하여 당해 직무행위가 널리 객관적으로 정당성을 상실한 경우까지를 의미(광의설 : 다수설)
- **행정규칙 위반** : ×
  - 공무원의 조치가 적법한지는 행정규칙에 적합한지 여부가 아니라 상위법령의 규정과 입법목적 등에 적합한지 여부에 따라 판단함(판례).
  - 공무원의 조치가 행정규칙을 위반하였다고 해서 곧바로 위법하게 되는 것은 아니고, 행정규칙을 따른 것이라고 해서 적법성이 보장되는 것도 아님(판례).
- 절차상의 위법도 국가배상법상의 법령위반에 해당함.
- 신청인이 손해를 입게 될 것임이 분명하다고 할 수 있어 신청인을 위하여도 당해 행정처분을 거부할 것이 요구되는 경우라면 수익적 행정처분도 위법한 처분이 될 수 있음(판례).
- **부작위**
  - 작위의무의 존재
    - 재량행위의 경우에도 재량이 영(0)으로 수축되는 경우에는 작위의무 인정
    - 법령의 명시적 근거 없더라도 일정한 경우 작위의무 인정
    - 관련 공무원에 대하여 작위의무를 명하는 법령의 규정이 없는 경우, 공무원의 부작위로 인한 국가배상책임을 인정할 것인지는 종합적으로 고려하여 판단하여야 함(판례).
  - 사익보호성(반사적 이익 ×)
  - 행정청이 규제권한을 행사하지 않은 것이 직무상 의무를 위반한 것으로 되어 위법한 것으로 평가되는 경우 과실도 인정됨(판례).

타인에게 손해를 입히거나

- **'타인'에게** : 가해자인 공무원과 그 위법행위에 가담한 자 이외의 사람(자연인, 법인 불문)
- **손해**
  - 재산상 손해, 생명 · 신체 등 비재산상 손해, 정신적 손해(위자료) 등 일체의 손해를 의미
  - 절차적 권리침해로 인한 정신적 고통에 대한 배상은 인정되지 않음. 다만, 그 정신적 고통이 남아 있다고 볼 특별한 사정이 있는 경우, 손해배상책임이 있음(판례).

직무행위와 손해발생 간의 인과관계

상당인과관계

- 결과발생의 개연성, 가해행위의 태양, 피해의 정도 등을 종합적으로 고려해야 함.
  - 공무원이 직무상 의무를 위반함으로써 피해자가 입은 손해에 대해서는 상당인과관계의 범위에서 국가가 배상책임을 짐. 이때 상당인과관계의 유무는 종합적으로 고려하여 판단하여야 함(판례).

참고

형사책임과 국가배상책임

형사재판에서 무죄판결이 확정되더라도 국가배상책임 인정 가능

공무원 개인의 배상책임

공무원의 외부적 책임(선택적 청구권)

- **판례** : 고의 · 중과실(선택적 청구 긍정), 경과실(선택적 청구 부정)
- **공무원의 중과실** : 거의 고의에 가까운 현저한 주의를 결여한 상태를 의미함(판례).

공무원의 내부적 책임(구상권)

국가배상법 제2조 : 국가 등은 공무원이 고의 · 중과실인 경우 가해공무원에게 구상권 행사할 수 있음.

공무원의 국가에 대한 구상권

- 경과실이 있는 공무원이 피해자에게 손해를 배상하였다면 이는 타인의 채무를 변제한 경우에 해당하고 도의관념에 적합한 비채변제에 해당하므로 피해자는 공무원에게 이를 반환할 의무가 없음(판례).
- 공무원이 직무수행 중 불법행위로 타인에게 손해를 입힌 경우, 피해자에게 손해를 직접 배상한 경과실이 있는 공무원은 원칙적으로 변제한 금액에 관하여 국가에 대하여 구상권을 취득함(판례).

배상책임자 등

국가배상기준

기준액설(통설, 판례)

- 단순한 기준에 불과, 배상금액의 증감이 가능
- 구 국가배상법 제3조의 배상액 기준은 배상심의회 배상액 결정의 기준이 될 뿐 배상범위를 법적으로 제한하는 규정이 아니므로 법원을 기속하지 않음(판례).

이익공제 규정 있음(손익상계)

피해자가 손해를 입은 동시에 이익을 얻은 경우에는 손해배상액에서 그 이익에 상당하는 금액을 빼야 함(국가배상법 제3조의2).

배상책임자

국가배상법 제2조

- 국가 또는 지방자치단체
- 지방자치단체 외의 공공단체는 민법에 의함.

국가배상법 제6조

- 선임 · 감독자 외 비용부담자도 배상책임을 짐.
  - 선임 · 감독자 : 사무귀속주체, 비용부담자 : 대외적으로 비용지출한 자 포함
- 비용 : 봉급 · 급여, 기타 사무에 필요한 일체의 경비를 의미
  - 지방자치단체장에게 기관위임된 사무의 경우 지방자치단체가 경비를 대외적으로 지출하였다면 지방자치단체도 비용부담자로서 국가배상법상의 책임을 짐(판례).
  - 지방자치단체장 간의 기관위임의 경우, 위임사무처리상의 불법행위에 대한 사무귀속주체로서의 손해배상책임 주체는 상위지방자치단체가 됨(판례).

국가와 지방자치단체의 자동차손해배상책임

국가배상법과 「자동차손해배상 보장법」의 관계

- 책임성립 여부는 「자동차손해배상 보장법」이 국가배상법에 우선하여 적용됨.
- 구체적인 손해배상청구는 국가배상법 절차에 따름(국가배상법 제2조 제1항).
- 공무원 개인 차량의 경우 공무원의 경과실 · 중과실 · 고의를 불문하고 공무원이 자기를 위하여 자동차를 운행하는 자에 해당하는 한 공무원이 「자동차손해배상 보장법」상의 책임을 부담함.

제 1 절 공무원의 직무행위로 인한 손해배상책임의 요건

초대 Topic 30 핵심집약 Topic 54

기출 체크

□□□□□ 01 공무원에는 조직법상 의미의 공무원뿐만 아니라 기능적 의미의 공무원이 포함된다. (○, ×) ★★★
2019 사회복지직 9급

□□□□□ 02 국가나 지방자치단체는 공무를 위탁받은 사인이 직무를 집행하면서 고의 또는 과실로 법령을 위반하여 타인에게 손해를 입힌 때에는 국가배상법에 따라 그 손해를 배상하여야 한다.
(○, ×) ★★★ 2021 군무원 9급

□□□□□ 03 국가공무원법 및 지방공무원법상 공무원뿐만 아니라 공무를 위탁받은 사인의 직무행위도 국가배상청구의 대상이 된다. (○, ×) ★★★ 2019 국회직 8급

□□□□□ 04 국가배상법 제2조에 따른 공무원은 국가공무원법 등에 의해 공무원의 신분을 가진 자에 국한하지 않고, 널리 공무를 위탁받아 실질적으로 공무에 종사하고 있는 일체의 자를 가리킨다.
(○, ×) ★★★ 2019 국가직 7급

□□□□□ 05 국가배상법상 '공무원'이라 함은 널리 공무를 위탁받아 실질적으로 공무에 종사하고 있는 일체의 자를 가리키는 것으로서, 단지 공무의 위탁이 일시적인 사항에 관한 활동을 위한 것은 포함되지 않는다. (○, ×) ★★★
2024 지방직 · 서울시 9급

□□□□□ 06 지방자치단체로부터 어린이보호 등의 공무를 위탁받아 집행하는 교통할아버지(는 국가배상법 제2조에서 규정하는 '공무원'이다) (○, ×) ★★★
2019 소방직 9급

□□□□□ 07 향토예비군도 그 동원기간 중에는 국가배상법 제2조 소정의 공무원 중에 포함된다. (○, ×) ★
2016 경행경채

□□□□□ 08 구청 소속 청소차량 운전원(은 국가배상법 제2조에서 규정하는 '공무원'이다) (○, ×) ★ 2019 소방직 9급

□□□□□ 09 지방자치단체에 근무하는 청원경찰(은 국가배상법 제2조에서 규정하는 '공무원'이다) (○, ×) ★★
2019 소방직 9급

ⓐ 국가배상법상 공무원은 행정주체로서의 공무수탁사인보다는 넓은 개념이다. 따라서 행정보조자, 행정대행자 그리고 사인이 사법상 계약에 의해 공무를 수행하는 경우라 하더라도 그 행위가 공법적 작용에 속하면 그 사인은 국가배상법상 공무원에 해당한다. 예컨대, 차량견인업자가 경찰의 위탁에 의하여 불법주차차량을 견인하는 도중에 견인되는 차량에 피해를 입힌 경우, 사인인 차량견인업자는 국가배상법상 공무원에 해당한다.

정답 01 ○ 02 ○ 03 ○ 04 ○ 05 × 06 ○ 07 ○ 08 ○ 09 ○

국가배상법 제2조【배상책임】① 국가나 지방자치단체는 / 공무원 또는 공무를 위탁받은 사인이 / 직무를 집행하면서 / 고의 또는 과실로 / 법령을 위반하여 / 타인에게 손해를 입히면 / 이 법에 따라 그 손해를 배상하여야 한다.
(이해의 편의를 위해 조문을 축약함)

01 | 공무원의 행위

❶ 공무원의 범위

공무원은 조직법상의 의미뿐만 아니라 기능적 의미의 공무원을 포함한다.01 따라서 국가공무원법상의 공무원뿐 아니라 널리 공무를 위탁받아 실질적으로 그에 종사하는 모든 자를 포함한다.

1. 국가기관의 구성자

중앙정부 및 지방자치단체의 공무원뿐 아니라 입법부, 사법부 소속의 공무원도 포함된다. 따라서 국회의원, 검사, 법관, 헌법재판소 재판관, 지방의회의원도 공무원에 포함된다.

2. 사 인

(1) 사인도 공무를 위탁받아 실질적으로 그에 종사하면 국가배상법 제2조의 공무원이 될 수 있으며,02 03 04 이때 공무위탁에는 일시적 · 한정적 공무위탁도 포함된다는 것이 통설과 판례의 태도이다.05 ⓐ

관련판례

1-1. 지방자치단체로부터 어린이보호 등의 공무를 위탁받아 교통정리를 하던 이른바 교통할아버지도 국가배상법상 공무원에 해당한다.06 ★★★

1-2. 지방자치단체가 '교통할아버지 봉사활동 계획'을 수립한 후 관할 동장으로 하여금 '교통할아버지'를 선정하게 하여 어린이보호, 교통안내, 거리질서확립 등의 공무를 위탁하여 집행하게 하던 중 '교통할아버지'로 선정된 노인이 위탁받은 업무범위를 넘어 교차로 중앙에서 교통정리를 하다가 교통사고를 발생시킨 경우, 지방자치단체가 국가배상법 제2조 소정의 배상책임을 부담한다(대판 2001. 1. 5, 98다39060).

2. 통장이 전입신고서에 확인인을 찍는 행위는 공무를 위탁받아 실질적으로 공무를 수행하는 것이라고 보아야 하므로 국가배상법상의 공무원에 해당한다(대판 1991. 7. 9, 91다5570).

3. 소집 중인 향토예비군(현 예비군)은 국가배상법상 공무원에 해당한다(대판 1970. 5. 26, 70다471).07 ★

4. 구청 소속의 청소차량 운전수는 국가배상법상 공무원에 해당한다(대판 1980. 9. 24, 80다1051).08 ★

5. 국가나 지방자치단체에 근무하는 청원경찰은 국가배상법의 공무원에 해당한다(대판 1993. 7. 13, 92다47564).09 ★★

6-1. 피고 ○○은 피고 대한변호사협회의 장(長)으로서 국가로부터 위탁받은 공행정사무인 '변호사등록에 관한 사무'를 수행하는 범위 내에서는 국가배상법 제2조에서 정한 공무원에 해당한다.

6-2. 피고 대한변호사협회가 원고에게 아직 처벌받지 않은 여죄가 있을 가능성이 있다는 이유로 등록심사를 약 2개월간 지연하다가 원고의 변호사등록을 해준 것, 즉 피고 대한변호사협회의 변호사등록 지연은 불법행위에 해당한다.

공법인이 국가로부터 위탁받은 공행정사무를 집행하는 과정에서 공법인의 임직원이나 피용인이 고의 또는 과실로 법령을 위반하여 타인에게 손해를 입힌 경우에는, 공법인은 위탁받은 공행정사무에 관한 행정주체의 지위에서 배상책임을 부담하여야 하지만, 공법인의 임직원이나 피용인은 실질적인 의미에서 공무를 수행한 사람으로서 국가배상법 제2조에서 정한 공무원에 해당하므로 고의 또는 중과실이 있는 경우에만 배상책임을 부담하고 경과실이 있는 경우에는 배상책임을 면한다(대판 2021. 1. 28, 2019다260197).

7. 의용소방대는 국가기관이라 할 수 없으므로 의용소방대원은 국가배상법상 공무원에 해당하지 않는다(대판 1975. 11. 25, 73다1896).01 02 ★★

(2) 판례는 국회의원, 법관,03 집행관,ⓐ 소집 중인 향토예비군(현 예비군), 시 청소차 운전수, 통장, 교통할아버지, 지방자치단체에 근무하는 청원경찰 등을 공무원에 포함하고 있으나 의용소방대원은 공무원의 범위에서 제외하고 있다.

3. 법령에 의해 대집행권한을 위탁받은 한국토지공사(현 한국토지주택공사)의 경우

판례는 법령에 의해 대집행권한을 위탁받은 한국토지공사는 국가배상법상 공무원이 아니라 독자적으로 배상책임을 지는 행정주체로 보고 있다(p.515 참조).

관련판례

법령에 의해 대집행권한을 위탁받은 한국토지공사(현 한국토지주택공사)는 국가배상법 제2조에서 말하는 공무원에 해당하지 않는다.04 ★★★

한국토지공사는 이러한 법령의 위탁에 의하여 대집행을 수권받은 자로서 공무인 대집행을 실시함에 따르는 권리 · 의무 및 책임이 귀속되는 행정주체의 지위에 있다고 볼 것이지 지방자치단체 등의 기관으로서 국가배상법 제2조 소정의 공무원에 해당한다고 볼 것은 아니다(대판 2010. 1. 28, 2007다82950 · 82967).

02 | 직무행위

❶ 직무행위의 범위 - 사경제적 작용은 제외

통설 및 판례는, 국가배상법상의 직무는 공법상의 권력작용뿐만 아니라 공법상의 비권력작용(관리작용) 등 모든 공행정작용을 의미한다고 본다. 그러나 국가 또는 지방자치단체라 할지라도 사경제주체로서 활동하였을 경우에는 국가배상법상의 직무에 해당하지 않으므로 민법이 적용된다고 한다.05

관련판례

1. **서울특별시 소속 공무원이 행정지도의 일종인 공탁을 위법하게 함으로써 발생한 손해도 국가배상법상의 직무행위에 포함된다.★★★**

   국가배상법이 정한 배상청구의 요건인 공무원의 직무에는 권력적 작용만이 아니라 행정지도와 같은 비권력적 작용도 포함되며, 단지 행정주체가 사경제주체로서 하는 활동만이 제외된다(대판 1998. 7. 10, 96다38971).06 07

2. **도로개설 등 공사로 인한 무허가건물의 강제철거와 관련하여 이루어지는 시나 구 등 지방자치단체의 철거건물 소유자에 대한 시영아파트 분양권 부여 및 세입자에 대한 지원대책 등의 업무는 지방자치단체의 공권력행사 기타 공행정작용과 관련된 활동으로 볼 것이지 단순한 사경제주체로서 하는 활동이라고는 볼 수 없다**(대판 1991. 7. 26, 91다14819).08

기출 체크

□□□□□ 01 「의용소방대 설치 및 운영에 관한 법률」에 따라 소방서장이 임명한 의용소방대원(은 국가배상법 제2조에서 규정하는 '공무원'이다) (○, ×) ★★ 2019 소방직 9급

□□□□□ 02 구 소방법 제63조의 규정에 의하여 시, 읍, 면이 소방서장의 소방업무를 보조하게 하기 위하여 설치한 의용소방대는 국가기관이라고 할 수 있다. (○, ×) ★★ 2016 경행경채

□□□□□ 03 국가배상법 제2조의 공무원의 위법한 직무행위로 인한 손해배상의 요건으로서의 공무원에 대한 설명으로 옳지 않은 것은? ★★★ 2009 국가직 9급

① 공무원은 국가공무원법 및 지방공무원법상의 공무원뿐만 아니라 널리 공무를 위탁받아 그에 종사하는 모든 자를 포함한다.
② 법관이나 헌법재판소 재판관은 국가배상법 제2조에서 말하는 공무원에 해당하지 않는다.
③ 공무를 위탁받아 실질적으로 공무에 종사하고 있는 자는 공무의 위탁이 일시적이고 한정적이라고 할지라도 공무원이 될 수 있다.
④ 판례는 지방자치단체에 의해 공무를 위탁받은 이른바 '교통할아버지'를 공무원에 포함시킨다.

□□□□□ 04 법령의 위탁에 의해 지방자치단체로부터 대집행을 수권받은 구 한국토지공사는 지방자치단체의 기관으로서 국가배상법 제2조 소정의 공무원에 해당한다. (○, ×) ★★★ 2019 지방직 · 교육행정직 9급

□□□□□ 05 국가 또는 공공단체라 할지라도 사경제의 주체로 활동하였을 경우에는 그 손해배상의 책임에 국가배상법의 규정이 적용될 수 없고 민법이 적용된다. (○, ×) ★★★ 2012 지방직 9급

□□□□□ 06 국가배상법이 정한 배상청구의 요건인 '공무원의 직무'에는 권력적 작용만이 아니라 행정지도와 같은 비권력적 공행정작용도 포함된다. (○, ×) ★★★ 2024 지방직 · 서울시 9급

□□□□□ 07 국가배상청구의 요건인 '공무원의 직무'에는 행정주체가 사경제주체로서 하는 작용도 포함된다. (○, ×) ★★★ 2024 국가직 9급

□□□□□ 08 도로개설 등 공사로 인한 무허가건물의 강제철거와 관련하여 이루어지는 지방자치단체의 그 철거건물 소유자에 대한 시영아파트 분양권 부여 등의 업무는, 사경제주체로서의 활동이므로 지방자치단체의 공권력행사로 보기 어렵다고 할 것이다. (○, ×) 2016 지방직 7급

ⓐ 집행관은 법원에 배치되어 부동산을 경매하여 소송에서 이긴 사람에게 돈을 주는 등 재판을 집행하거나 재판 서류를 송달하는 등의 사무를 행하는 사람을 말한다.

정답 01 × 02 × 03 ② 04 × 05 ○ 06 ○ 07 × 08 ×

3-1. 시영버스사고는 사경제작용과 관련하여 일어난 사고이므로 국가배상법이 아니라 민법이 적용된다.

3-2. 국가 또는 공공단체라 할지라도 공권력의 행사가 아니고 순전히 대등한 지위에서 사경제의 주체로 활동하였을 경우에는 그 손해배상의 책임에 국가배상법의 규정이 적용될 수 없다(대판 1969. 4. 22, 68다2225).

4. 철도운행사업은 사경제적 작용이므로 이로 인한 사고에 공무원이 간여하였다고 하더라도 국가배상법이 아닌 민법이 적용된다(대판 1999. 6. 22, 99다7008).01 ★★

✚ 한편 판례는 철도시설물의 하자로 인한 손해배상청구의 경우는 국가배상법 제5조가 적용된다고 본다.

공공의 영조물인 철도시설물의 설치 · 관리의 하자로 인한 불법행위를 원인으로 하여 국가에 대해 손해배상청구를 하는 경우에는 국가배상법이 적용되므로 배상전치절차를 거쳐야 한다(대판 1999. 6. 22, 99다7008).02

② 사익보호성

직무를 집행하는 공무원에 대하여는 법령에 의하여 여러 가지의 직무상 의무가 부여되는바, 국가 등의 국가배상책임이 인정되려면 공무원에게 부과된 이러한 직무가 전적으로 또는 부수적으로라도 사익을 보호하는 것으로 인정되어야 한다(사익보호성 관련판례는 p.601 참조).

③ 직무행위의 내용

직무행위에는 입법작용,03 사법(司法)작용, 법률행위적 행정행위, 준법률행위적 행정행위, 행정지도 등의 사실행위, 재량행위, 부작위가 모두 포함된다는 것이 일반적 견해이다.04

1. 입법작용

(1) 국회의 입법행위로 인해 피해를 입은 경우 입법작용 역시 직무행위에 포함되므로 국가배상책임이 인정될 수 있다.

(2) 다만, 판례는 국회의원은 국민에 대해 법적 책임을 지는 것이 아니라 정치적 책임을 지는 것에 불과하므로 국회의원의 입법행위가 헌법의 문언에 명백히 위배됨에도 불구하고 국회가 굳이 입법을 한 것과 같은 특수한 경우가 아닌 한 위법행위가 아니라고 판시한 바 있다. 따라서 국회가 제정한 법률이 헌법재판소에 의해 위헌결정을 받았다는 것만으로 국가배상책임이 인정되는 것은 아니다.05

관련판례

1. 국회의 입법행위는 그 입법내용이 헌법의 문언에 명백히 위배됨에도 국회가 '굳이 당해 입법을 한 것'과 같은 특수한 경우가 아닌 한, 국가배상법 제2조 제1항 소정의 위법행위에 해당하지 않는다.06ⓐ ★★★
2. 국가가 일정한 사항에 관하여 헌법에 의하여 부과되는 '구체적인 입법의무'를 부담하고 있음에도 불구하고 그 입법에 필요한 상당한 기간이 경과하도록 고의 또는 과실로 이러한 입법의무를 이행하지 아니하는 등 극히 예외적인 사정이 인정되는 사안에 한정하여 국가배상법 소정의 배상책임이 인정될 수 있다.07 ★★★
3. 국가에게 일정한 사항에 관하여 헌법에 의하여 부과되는 '구체적인 입법의무' 자체가 인정되지 않는 경우에는 국회의원의 입법부작위에 대해 부작위로 인한 불법행위가 성립할 여지가 없다(대판 2008. 5. 29, 2004다33469).08 09 ★★

2. 사법(司法)작용

사법(司法)작용, 즉 재판작용도 직무행위에 포함된다. 재판행위로 인한 국가배상책임의 인정에 있

기출 체크

□□□□□ 01 국가의 철도운행사업은 국가가 공권력의 행사로서 하는 것이 아니고 사경제적 작용이라 할 것이므로, 이로 인한 사고에 공무원이 간여하였다고 하더라도 국가배상법을 적용할 것이 아니고 일반 민법의 규정에 따라야 한다. (○, ×) ★★ 2020 경행경채

□□□□□ 02 국가의 철도운행사업과 관련하여 발생한 사고로 인한 손해배상청구의 경우 그 사고에 공무원이 간여하였다고 하더라도 국가배상법이 아니라 민법이 적용되어야 하지만, 철도시설물의 설치 또는 관리의 하자로 인한 손해배상청구의 경우에는 국가배상법이 적용된다. (○, ×) 2021 국가직 7급

□□□□□ 03 국가배상책임의 요건으로서 직무행위에는 국회의 입법작용도 포함된다. (○, ×) ★★ 2015 교육행정직 9급

□□□□□ 04 고시가 위법하게 제정된 경우라도 고시의 제정행위는 일반 · 추상적인 규범의 정립행위이므로 국가배상책임의 대상이 되는 직무행위에 해당한다고 볼 수 없다. (○, ×) 2021 국회직 8급

□□□□□ 05 국회가 제정한 법률이 헌법재판소에 의해 위헌결정을 받은 경우 국회는 그에 대해 국가배상책임을 진다. (○, ×) ★★ 2016 교육행정직 9급

□□□□□ 06 국회의원이 제정한 법률규정이 헌법의 문언에 명백히 위반됨에도 불구하고 국회가 굳이 당해 입법을 한 것과 같은 특수한 경우가 아닌 한 국가배상법상의 위법행위에 해당하지 않는다. (○, ×) ★★★ 2022 국회직 8급

□□□□□ 07 국가가 일정한 사항에 관하여 헌법에 의하여 부과되는 구체적인 입법의무를 부담하고 있음에도 불구하고 그 입법에 필요한 상당한 기간이 경과하도록 고의 · 과실로 입법의무를 이행하지 아니하는 경우, 국가배상책임이 인정될 수 있다. (○, ×) ★★★ 2019 국가직 9급

□□□□□ 08 헌법에 의하여 부과되는 국가의 구체적인 입법의무 자체가 인정되지 않는 경우에는 애당초 부작위로 인한 불법행위가 성립할 여지가 없다. (○, ×) ★★ 2019 사회복지직 9급

□□□□□ 09 헌법에 의하여 일반적으로 부과된 의무가 있음에도 불구하고 국회가 그 입법을 하지 않고 있다면 국가배상법상 배상책임이 인정된다. (○, ×) ★★ 2017 국가직 7급

ⓐ 즉, 헌법재판소가 어떤 법률을 명백히 헌법에 위반된다고 판단하였더라도 국회가 '위헌적인 법률을 굳이 제정한 것'이 아니라면 위법한 직무행위는 아니라는 것이 판례의 입장이다.

정답 01 ○ 02 ○ 03 ○ 04 × 05 × 06 ○ 07 ○ 08 ○ 09 ×('일반적으로' 부분이 틀린 내용이다)

어서 위법은 판결 자체의 위법이 아니라 법관의 재판상 직무수행에 있어서의 공정한 재판을 위한 직무상 의무의 위반으로서의 위법이라고 보아야 한다는 것이 판례의 입장이다.

관련판례

1-1. 법관의 재판에 법령의 규정을 따르지 아니한 잘못이 있다 하더라도 이로써 바로 그 재판상 직무행위가 국가배상법 제2조 제1항에서 말하는 위법한 행위로 되어 국가의 손해배상책임이 발생하는 것은 아니다.★★

1-2. 국가배상책임이 인정되려면 당해 법관이 위법 또는 부당한 목적을 가지고 재판을 하는 등 법관이 그에게 부여된 권한의 취지에 명백히 어긋나게 이를 행사하였다고 인정할 만한 특별한 사정이 있어야 한다고 해석함이 상당하다(대판 2001. 4. 24, 2000다16114).01 ★★

2-1. 재판에 대해 불복절차 또는 시정절차가 마련되어 있는 경우에는 특별한 사정이 없는 한 불복절차를 통해 재판의 잘못을 시정할 수 있으므로 국가배상청구권이 부정된다.★★★

2-2. 헌법재판관이 청구기간 내에 제기된 헌법소원심판청구사건에서 청구기간을 오인하여 각하결정을 한 경우, 이에 대한 불복절차 내지 시정절차가 없는 때에는 국가배상책임이 인정된다.02 ★★★

2-3. 헌법재판소 재판관의 위법한 직무집행의 결과 잘못된 각하결정을 함으로써 청구인으로 하여금 본안판단을 받을 기회를 상실하게 한 이상, 설령 본안판단을 하였더라도 어차피 청구가 기각되었을 것이라는 사정이 있다고 하더라도, 청구인의 합리적인 기대를 침해한 것이고 그 침해로 인한 정신상 고통에 대하여는 위자료를 지급할 의무가 있다.03★★★

재판에 대하여 따로 불복절차 또는 시정절차가 마련되어 있는 경우에는 재판의 결과로 불이익 내지 손해를 입었다고 여기는 사람은 그 절차에 따라 자신의 권리 내지 이익을 회복하도록 함이 법이 예정하는 바이므로, 불복에 의한 시정을 구할 수 없었던 것 자체가 법관이나 다른 공무원의 귀책사유로 인한 것이라거나 그와 같은 시정을 구할 수 없었던 부득이한 사정이 있었다는 등의 특별한 사정이 없는 한, 스스로 그와 같은 시정을 구하지 아니한 결과 권리 내지 이익을 회복하지 못한 사람은 원칙적으로 국가배상에 의한 권리구제를 받을 수 없다고 봄이 상당하다고 하겠으나, 재판에 대하여 불복절차 내지 시정절차 자체가 없는 경우에는 부당한 재판으로 인하여 불이익 내지 손해를 입은 사람은 국가배상 이외의 방법으로는 자신의 권리 내지 이익을 회복할 방법이 없으므로, 이와 같은 경우에는 배상책임의 요건이 충족되는 한 국가배상책임을 인정하지 않을 수 없다(대판 2003. 7. 11, 99다24218).04ⓐ

✚ 한편 이 경우 어떤 손해가 발생한 것인지가 문제될 수 있는데, 이에 대해 판례는 각하판결을 함으로써 본안판단을 받을 기회를 상실한 청구인의 정신적 고통에 대한 '위자료'를 지급하여야 한다고 본다.

3. 법관이 행하는 재판사무의 특수성과 그 재판과정의 잘못에 대하여는 따로 불복절차에 의하여 시정될 수 있는 제도적 장치가 마련되어 있는 점 등에 비추어보면, 법관의 재판에 법령규정을 따르지 않은 잘못이 있더라도 이로써 바로 재판상 직무행위가 국가배상법 제2조 제1항에서 말하는 위법한 행위로 되어 국가의 손해배상책임이 발생하는 것은 아니다. 법관의 재판상 직무행위로 인한 국가배상책임이 인정되려면 법관이 위법하거나 부당한 목적을 가지고 재판을 하였다거나 법이 법관의 직무수행상 준수할 것을 요구하고 있는 기준을 현저하게 위반하는 등 법관이 그에게 부여된 권한의 취지에 명백히 어긋나게 이를 행사하였다고 인정할 만한 특별한 사정이 있어야 한다는 것이 확립된 판례의 입장이다(대판 2023. 6. 1, 2021다202224).

3. 수사기관의 행위

검사도 국가배상법상 공무원에 해당하므로 국가배상법상의 요건이 충족된 경우 국가배상책임이 인정될 수 있다. 다만, 검사가 공소제기한 사건에 대해 법원의 무죄판결이 확정된 경우 그러한 사유만으로 곧바로 국가배상책임이 인정되는 것은 아니라고 봄이 판례의 입장이다.

관련판례

검사는 피고인의 정당한 이익을 옹호할 의무가 있으므로 무죄를 입증할 결정적인 증거를 법원에 제출하지 않은 행위는 위법한 것으로 국가배상책임이 인정된다.05

검사는 수사기관으로서 …… 피의자에 대하여 공소를 제기할 수 있으므로 그 후 형사재판과정에서 범죄사

기출 체크

□□□□□ **01** 법관의 재판행위가 위법행위로서 국가배상책임이 인정되려면 당해 법관이 위법 또는 부당한 목적을 가지고 재판하는 등 법관에게 부여된 권한의 취지에 명백히 어긋나게 이를 행사하였다고 인정할 특별한 사정이 있어야 한다. (○, ×) ★★ 2017 국가직(하) 7급

□□□□□ **02** 청구기간 내에 헌법소원이 적법하게 제기되었음에도 헌법재판소 재판관이 청구기간을 오인하여 각하결정을 한 경우, 이에 대한 불복절차 내지 시정절차가 없는 때에는 국가배상책임을 인정할 수 있다. (○, ×) ★★★ 2024 국가직 9급

□□□□□ **03** 헌법재판소 재판관이 잘못된 각하결정을 하여 청구인으로 하여금 본안판단을 받을 기회를 상실하게 하였더라도, 본안판단에서 어차피 청구가 기각되었을 것이라는 사정이 있다면 국가배상책임이 인정되지 않는다. (○, ×) ★★★ 2018 지방직 7급

□□□□□ **04** 재판작용에 대한 국가배상의 경우, 재판에 대하여 불복절차 내지 시정절차 자체가 없는 경우에는 부당한 재판으로 인하여 불이익 내지 손해를 입은 사람은 국가배상책임의 요건이 충족된다면 국가배상을 청구할 수 있다. (○, ×) ★★★ 2021 국가직 7급

□□□□□ **05** 검사가 공판과정에서 피고인의 무죄를 입증할 수 있는 결정적인 증거를 입수하였으나 이를 법원에 제출하지 아니하여 유죄판결을 받았다면 국가배상이 인정된다. (○, ×) 2008 국회직 8급

ⓐ 판례는 법관의 재판작용과 다른 공무원의 직무행위를 구분하지 않고 법관의 재판작용에 대해서도 국가배상법상의 요건이 충족되면 국가배상책임의 성립을 인정하고 있다.

정답 01 ○ 02 ○ 03 × 04 ○ 05 ○

실의 존재를 증명함에 충분한 증거가 없다는 이유로 무죄판결이 확정되었더라도 그러한 사정만으로 바로 검사의 구속 및 공소제기가 위법하다고 할 수 없고, 그 구속 및 공소제기에 관한 검사의 판단이 그 당시의 자료에 비추어 경험칙이나 논리칙상 도저히 합리성을 긍정할 수 없는 정도에 이른 경우에만 그 위법성을 인정할 수 있다. 강도강간의 피해자가 제출한 팬티에 대한 국립과학수사연구소의 유전자검사결과 그 팬티에서 범인으로 지목되어 기소된 원고나 피해자의 남편과 다른 남자의 유전자형이 검출되었다는 감정결과를 검사가 공판과정에서 입수한 경우 그 감정서는 원고의 무죄를 입증할 수 있는 결정적인 증거에 해당하는데도 검사가 그 감정서를 법원에 제출하지 아니하고 은폐하였다면 검사의 그와 같은 행위는 위법하다고 보아 국가배상책임을 인정한다(대판 2002. 2. 22, 2001다23447).

03 | 직무를 집행하면서

❶ 외형설

1. 개 념

통설 및 판례의 입장인 외형설에 따르면 순수한 직무집행행위뿐만 아니라 실질적으로 직무집행행위가 아닌 경우 또는 행위자에게 주관적인 직무집행의사가 없더라도, 행위 자체의 외관을 객관적으로 관찰하여 직무행위로 보여질 때에는 '직무를 집행하면서'라는 요건을 충족한 것으로 본다.**01 02** 또한 당해 행위가 현실적으로 정당한 권한 내의 것인지도 불문한다.**03**

관련판례

1. **상급자가 전입신병인 하급자에게 암기사항에 관하여 교육 중 훈계하다가 도가 지나쳐 폭행한 경우에 국가배상법상의 직무집행성이 인정된다**(대판 1995. 4. 21, 93다14240).**04 ★★**
2. **인사업무담당 공무원이 다른 공무원의 공무원증 등을 위조한 행위에 대하여 실질적으로는 직무행위에 속하지 아니한다 할지라도 외관상으로 국가배상법 제2조 제1항의 직무집행 관련성이 인정된다.05 ★★★**
   울산세관의 통관지원과에서 인사업무를 담당하면서 울산세관 공무원들의 공무원증 및 재직증명서 발급업무를 하는 공무원인 ○○○이 울산세관의 다른 공무원의 공무원증 등을 위조하는 행위는 비록 그것이 실질적으로는 직무행위에 속하지 아니한다 할지라도 적어도 외관상으로는 공무원증과 재직증명서를 발급하는 행위로서 직무집행으로 보여지므로 결국 소외인의 공무원증 등 위조행위는 국가배상법 제2조 제1항 소정의 공무원이 직무를 집행함에 당하여 한 행위로 인정되고 …… (대판 2005. 1. 14, 2004다26805)**06**
3. **공무원이 통상의 근무지로 자기소유 차량을 운전하여 출근하던 중 교통사고를 일으킨 경우, 직무집행 관련성이 인정되지 않는다**(대판 1996. 5. 31, 94다15271).**07 ★**
4. **구청 공무원 甲이 주택정비계장으로 부임하기 이전에 그의 처 등과 공모하여 乙에게 무허가건물철거 세입자들에 대한 시영아파트 입주권 매매행위를 한 경우 이는 甲이 개인적으로 저지른 행위에 불과하고 당시 근무하던 세무과에서 수행하던 지방세 부과, 징수 등 본래의 직무와는 관련이 없는 행위로서 외형상으로도 직무범위 내에 속하는 행위라고 볼 수 없다**(대판 1993. 1. 15, 92다8514).

2. 피해자가 안 경우

객관적으로 보아 직무행위의 외형을 갖추고 있는 이상 실질적으로 공무집행행위가 아니라는 사정을 피해자가 알았다 하더라도 국가배상책임이 인정된다.**08**

기출 체크

□□□□□ **01** 행위 자체의 외관을 객관적으로 관찰하여 공무원의 직무행위로 보여진다 하더라도 그것이 실질적으로 직무행위에 해당하지 않는다면 그 행위는 국가배상법 소정의 '직무를 집행하면서' 행한 것으로 볼 수 없다. (○, ×) ★★★ 2024 소방간부

□□□□□ **02** 국가배상법상 공무원의 직무행위는 객관적으로 직무행위로서의 외형을 갖추고 있어야 할 뿐만 아니라 주관적 공무집행의 의사도 있어야 한다. (○, ×) ★★★ 2018 국가직 9급

□□□□□ **03** 직무행위인지 여부는 당해 행위가 현실적으로 정당한 권한 내의 것인지를 묻지 않는다. (○, ×) ★★★ 2016 사회복지직 9급

□□□□□ **04** 상급자가 전입사병인 하급자에게 암기사항에 관하여 교육하던 중 훈계하다가 도가 지나쳐 폭행한 경우에 그 폭행은 국가배상법상의 직무집행에 해당한다. (○, ×) ★★ 2011 국회직 8급

□□□□□ **05** 인사업무담당 공무원이 다른 공무원의 공무원증 등을 위조한 행위는 실질적으로 직무행위에 속하지 아니한다 할지라도 외관상으로는 국가배상법상의 직무집행에 해당한다. (○, ×) ★★★ 2018 지방직 7급

□□□□□ **06** 공무원증 발급업무를 담당하는 공무원이 대출을 받을 목적으로 다른 공무원의 공무원증을 위조하는 행위는 국가배상법 제2조 제1항의 직무집행관련성이 인정되지 않는다. (○, ×) ★★★ 2021 소방직 9급

□□□□□ **07** 공무원이 통상의 근무지로 자기소유 차량을 운전하여 출근하던 중 교통사고를 일으킨 경우, 특별한 사정이 없는 한 국가배상법 제2조 제1항에 따른 직무집행 관련성이 부정된다. (○, ×) ★ 2018 경행경채 3차

□□□□□ **08** 직무행위의 외형을 갖추고 있는 이상 상대방이 공무원의 행위가 실질적으로 공무집행행위가 아니라는 사정을 알았다 하더라도 국가배상책임이 인정된다. (○, ×) 2006 관세사

정답 01 × 02 × 03 ○ 04 ○ 05 ○ 06 × 07 ○ 08 ○

읽기자료 | 절충설과 관련한 논의

1. 직무행위의 판단기준에 대해서는 위에서 기술한 외형설 외에 직무집행의 외형과 실질적 관련성을 모두 고려하여 어느 것 하나라도 인정되면 직무행위로 볼 수 있다는 절충설이 있다. 이 견해는 아래와 같은 판례를 들어 대법원은 외형설이 아닌 절충설을 따르고 있다고 주장한다(박균성, <행정법강의>, p.561).㉠

> **육군중사가 훈련에 대비하여 개인소유의 오토바이를 운전하여 사전 정찰차 훈련지역 일대를 돌아보고 귀대하다가 교통사고를 일으킨 경우, 오토바이의 운전행위는 국가배상법 제2조 소정의 직무집행행위에 해당한다.01★**
> 위 ○○○이 자신의 개인소유 오토바이 뒷좌석에 위 ×××을 태우고 다음 날부터 실시예정인 전 제대 동시 야간훈련 및 독수리 훈련에 대비하여 사전 정찰차 훈련지역 일대를 살피고 귀대하던 중 이 사건 사고가 일어났다면, 위 ○○○이 비록 개인소유의 오토바이를 운전하였다 하더라도 실질적 · 객관적으로 위 ○○○의 운전행위는 그에게 부여된 훈련지역의 사전 정찰임무를 수행하기 위한 직무와 밀접한 관련이 있다고 보아야 할 것이다. 따라서 위 ○○○의 위 오토바이의 운전행위가 공무집행행위에 해당하지 아니한다고 본 원심의 조치는 국가배상법 제2조 소정의 '공무원이 그 직무를 집행함에 당하여'의 해석에 관한 법리를 오해한 위법이 있다 할 것이다(대판 1994. 5. 27, 94다6741).

2. 그런데 외형설의 입장을 취하는 견해도 직무를 집행하면서의 개념을 외형상 직무집행과 관련 있는 행위도 포함한다는 것으로 해석하고 있다. 따라서 수험생으로는 외형설이 통설 및 판례의 입장이며 이러한 판례(실질적 · 객관적으로 직무와 밀접한 관련이 있는 경우 책임을 인정)도 존재한다는 것을 기억하는 것으로 족하다.

❷ 군인 등의 총기사용

배상책임 인정	배상책임 부정
전술학부 조교직에 있던 상병 甲이 훈련 중인 예비군에 대한 실탄사격교육훈련을 마치고 휴식 중 꿩 한 마리가 기어가는 것을 보고 예비군 乙이 교육용으로 지급받아 가지고 있던 칼빈총을 빌려 사격하여 휴식 중이던 예비군을 명중 · 사망케 하였다면 공무원이 그 직무를 집행함에 당하여 한 행위라 할 것이다(대판 1971. 7. 27, 71다1290).	전투사격훈련에 임하였던 교관이 사격훈련이 끝난 후에 사격 중 부근 논에서 본 잉어를 잡으려고 총기를 발사한 결과 사고를 일으킨 경우에는 공무를 집행함에 당하여 일으킨 사고라고 할 수 없다(대판 1968. 1. 31, 67다1987).

04 | 고의 · 과실로 인한 행위

❶ 의 의

1. 개 념

(1) 국가배상법 제2조상의 직무행위로 인한 행정상 손해배상책임이 인정되기 위해서는 고의 또는 과실이 있어야 한다고 함으로써 과실책임을 규정하고 있다.02

(2) 고의란 자신의 행위로 일정한 결과가 발생하리라는 것을 알면서 그 결과의 발생을 받아들이고 그러한 행위를 하는 심리상태를 말하며, 과실이란 자신의 행위로 일정한 결과가 발생할 것을 알 수 있음에도 부주의로 알지 못하고 그러한 행위를 하는 심리상태를 말한다.

(3) **과실 여부가 다투어지는 경우 피해자인 국민이 공무원에게 과실이 있음을 입증하여야 한다**(p.595 참조). 그런데 본래 고의 · 과실은 공무원의 개인적이고도 주관적인 심리상태를 기초로 하므로 피해자 입장에서 가해공무원의 그러한 주관적 심리상태를 입증하기는 매우 어렵다.

(4) 이런 점에서 오늘날은 과실 개념을 객관화하여 피해자의 구제를 넓게 인정하는 것이 통설 및 판례의 태도인바 그 내용이 과실의 객관화ⓐ 경향이다. 즉 오늘날은 과실 개념을 더 이상 위법한 직

기출 체크

□□□□□ **01** 육군중사 甲이 다음 날 실시예정인 독수리 훈련에 대비하여 사전 정찰차 훈련지역 일대를 살피고 귀대하던 중 교통사고가 일어났다면, 甲이 비록 개인소유의 오토바이를 운전하였다 하더라도 실질적 · 객관적으로 위 甲의 운전행위는 그에게 부여된 훈련지역의 사전 정찰임무를 수행하기 위한 직무와 밀접한 관련이 있다고 보아야 한다. (○, ×) ★
2016 지방직 7급

□□□□□ **02** 국가배상법은 직무행위로 인한 행정상 손해배상에 대하여 무과실책임을 명시하고 있다. (○, ×) ★★★
2015 서울시 9급

판례 | ㉠ **미군부대 소속 선임하사관이 공무차 개인소유차를 운전하고 출장을 갔다가 퇴근하기 위하여 집으로 운행하던 중 사고가 발생한 경우 위 차량의 운전행위는 국가배상법 제2조 소정의 직무집행행위에 속한다.**
한미행정협정에 의하여 적용되는 국가배상법 제2조 소정의 '공무원이 그 직무를 집행함에 당하여'라고 함은 '직무의 범위 내에 속하거나 직무와 밀접한 관련이 있는 것이라고 객관적으로 보여지는 행위를 함에 당하여'라고 해석하여야 할 것인바, 미군부대 소속 선임하사관이 소속부대장의 명에 따라 공무차 예하부대로 출장을 감에 있어 부대에 공용차량이 없었던 까닭에 개인소유의 차량을 빌려 직접 운전하여 예하부대에 가서 공무를 보고나자 퇴근시간이 되어서 위 차량을 운전하여 집으로 운행하던 중 교통사고가 발생하였다면 위 선임하사관의 위 차량의 운행은 실질적 · 객관적으로 그가 명령받은 위 출장명령을 수행하기 위한 직무와 밀접한 관련이 있는 것이라고 보아야 한다(대판 1988. 3. 22, 87다카1163).

ⓐ 과실의 객관화
고의 또는 과실을 공무원 개인의 주관적 인식만을 기준으로 한다면 배상책임의 성립이 행위자인 공무원 개인의 주관적 인식에 좌우되는 것이므로 피해자 측에서 보면 불공평한 문제가 생긴다. 이 점에서 고의 또는 과실을 완화하여 평균인의 관점에서 생각하는 것이 이른바 과실의 객관화의 내용이다.

정답 01 ○ 02 ×

무행위를 한 공무원 개인의 주관적 심리상태, 즉 개개 공무원의 주의력을 기준으로 하지 않고 동일한 업무를 담당하는 평균적 공무원의 주의력을 기준으로 판단하는 것이 판례의 입장이다.

2. 판단기준

(1) 고의 또는 과실에 대해서는 공무원을 선임 · 감독함에 있어 국가의 과실이 있는지의 여부가 아니라 직무를 행하는 공무원을 기준으로 판단하여 공무원에게 고의 · 과실이 있는 경우 국가배상책임이 인정된다는 것이 판례의 입장이다.[a]

(2) 이러한 점에서 '사용자'가 피용자 등의 '선임 · 감독에 대한 주의의무'를 다했는지를 기준으로 판단하여 사용자가 피용자의 선임 및 그 사무감독에 상당한 주의를 한 때 등에는 사용자의 책임이 면제되는 면책사유를 규정하고 있는 민법 제756조와는 구별된다고 할 수 있다.[1] 즉, 민법상의 사용자 면책사유는 국가배상법상의 고의 · 과실의 판단에서는 적용되지 않는다.01 02

관련판례

국가배상법 제2조 제1항 본문 및 제2항의 입법취지는 공무원의 직무상 위법행위로 타인에게 손해를 끼친 경우에는 변제자력이 충분한 국가 등에게 선임 · 감독상 과실 여부에 불구하고 손해배상책임을 부담시켜 국민의 재산권을 보장한다는 데 있다(대판 1996. 2. 15, 95다38677 전합). ★★★

❷ 과실의 객관화 경향03

1. 문제의 소재

담당공무원을 기준으로 과실을 판단하는 견해에 따르면 과실은 주관적 개념일 수밖에 없다. 그러나 이처럼 과실을 주관적으로만 파악하여 공무원 개인의 주의능력을 기준으로 판단한다면 과실의 증명이 너무 어려워져 국민의 권익구제 측면에서 문제가 있다. 따라서 과실을 객관적으로 파악하여 과실입증을 보다 쉽게 함으로써 국가배상책임의 성립을 용이하게 할 필요성이 있는바, 이러한 경향을 과실의 객관화라고 한다.04

2. 추상적 과실

추상적 과실이란 과실 유무를 공무원을 기준으로 판단하되, '해당 공무원 개인의 주의의무'를 기준으로 하는 것이 아니라 당해 직무를 담당하는 '평균적(보통 일반의) 공무원의 주의의무'를 기준으로 판단하는 것을 의미한다. 이는 통설의 입장이며, 우리 판례도 이러한 개념을 받아들이고 있다. 이러한 입장에 따르면 담당공무원이 보통 일반의 공무원을 표준으로 하여 볼 때 객관적인 주의의무를 결하여 그 행정처분이 객관적 정당성을 상실한 것을 과실의 의미로 이해하고 있다.

관련판례

1. 보통 일반의 공무원의 주의의무를 기준으로 과실을 판단한다.05 ★★★
   공무원의 직무집행상의 과실이라 함은 공무원이 그 직무를 수행함에 있어 당해 직무를 담당하는 평균인이 보통(통상) 갖추어야 할 주의의무를 게을리한 것을 말한다(대판 1987. 9. 22, 87다카1164).

2. 그 행정처분의 담당공무원이 보통 일반의 공무원을 표준으로 하여 볼 때 객관적 주의의무를 결하여 그 행정처분이 객관적 정당성을 상실하였다고 인정될 정도에 이른 경우에 국가배상법 제2조 소정의 국가배상책임의 요건을 충족하였다고 봄이 상당할 것이며 …… (대판 2003. 12. 11, 2001다65236)06 ★★★

기출 체크

□□□□□ 01 국가나 지방자치단체는 공무원이 직무를 집행하면서 고의 또는 과실로 위법하게 타인에게 손해를 가한 때에 국가배상법상 배상책임을 지고, 공무원의 선임 및 감독에 상당한 주의를 한 경우에도 그 배상책임을 면할 수 없다. (○, ×) ★★★ 2018 국가직 9급

□□□□□ 02 민법상의 사용자 면책사유는 국가배상법상의 고의 · 과실의 판단에서는 적용되지 않는다. (○, ×) ★★★ 2010 국가직 9급

□□□□□ 03 (국가배상청구권은) 과실개념의 주관화(主觀化) 경향이 나타나고 있다. (○, ×) ★ 2014 서울시 9급

□□□□□ 04 과실개념을 객관화하려는 태도는 국가배상책임의 성립을 용이하게 하려는 의도를 지니고 있다. (○, ×) ★ 2019 사회복지직 9급

□□□□□ 05 (국가배상법상 공무원의 과실에 관하여 판례는) 당해 직무를 담당하는 평균적 공무원의 주의능력을 기준으로 판단한다. (○, ×) ★★★ 2015 서울시 9급

□□□□□ 06 행정처분의 담당공무원이 주관적 주의의무를 결하여 그 행정처분이 주관적 정당성을 상실하였다고 인정될 정도에 이른 경우에 국가배상법 제2조의 요건을 충족하였다고 봄이 상당하다. (○, ×) ★★★ 2020 지방직 · 서울시 7급

[1] 민법 제756조 【사용자의 배상책임】 ① 타인을 사용하여 어느 사무에 종사하게 한 자는 피용자가 그 사무집행에 관하여 제3자에게 가한 손해를 배상할 책임이 있다. 그러나 사용자가 피용자의 선임 및 그 사무감독에 상당한 주의를 한 때 또는 상당한 주의를 하여도 손해가 있을 경우에는 그러하지 아니하다.

[a] 이러한 견해에 따르면, 공무원이 통상적으로 갖추어야 할 주의의무를 게을리하게 되면 과실이 인정되어 다른 요건의 충족시 국가배상책임이 인정된다.

정답 01 ○ 02 ○ 03 × 04 ○ 05 ○ 06 ×

❸ 가해공무원의 특정 불요

가해공무원의 특정이 어려운 경우에는 반드시 가해공무원을 특정하지 않더라도 공무원의 행위로 인정되는 한 국가배상책임을 인정해야 한다는 것이 통설 및 판례의 입장이다.

관련판례

집회 중 사망한 사건에서 가해공무원인 전투경찰공무원을 특정하지 않더라도 손해배상책임을 인정한다.01 ★★

국가 소속 전투경찰들이 시위진압을 함에 있어서 합리적이고 상당하다고 인정되는 정도로 가능한 한 최루탄의 사용을 억제하고 또한 최대한 안전하고 평화로운 방법으로 시위진압을 하여 그 시위진압 과정에서 타인의 생명과 신체에 위해를 가하는 사태가 발생하지 아니하도록 하여야 하는데도, 이를 게을리한 채 합리적이고 상당하다고 인정되는 정도를 넘어 지나치게 과도한 방법으로 시위진압을 한 잘못으로 시위참가자로 하여금 사망에 이르게 하였다는 이유로 국가의 손해배상책임을 인정하되 …… (대판 1995. 11. 10, 95다23897)

❹ 과실의 입증책임

고의 또는 과실 여부가 소송에서 다투어지는 경우 입증책임은 **피해자인 원고에게** 있다는 것이 통설 · 판례의 태도이다.**02 03** 다만, 공무원의 고의 또는 과실이 추정되는 경우가 있다.

관련판례

구 국세징수법(2011. 4. 4, 법률 제10527호로 개정되기 전의 것) 제24조 제2항과 같이 **국세가 확정되기 전에 보전압류**를 한 후 보전압류에 의하여 징수하려는 국세의 전부 또는 일부가 확정되지 못하였다면 보전압류로 인하여 납세자가 입은 손해에 대하여 특별한 반증이 없는 한 과세관청의 담당공무원에게 **고의 또는 과실이 있다고 사실상 추정**되므로, 국가는 부당한 보전압류로 인한 손해를 배상할 책임이 있다(대판 2015. 10. 29, 2013다209534).★

❺ 공무원의 법령해석상의 잘못과 과실 인정 여부

1. 일반론

(1) 공무원은 비록 법률전문가가 아니지만 자신의 사무영역과 관련해서는 법령에 대한 지식과 학설 · 판례의 경향을 파악하고 있어야 할 의무가 있다고 볼 수 있다. 따라서 법령을 몰랐다 하더라도 과실이 인정될 수 있다.

(2) 판례 역시 일반적으로 **공무원이 관계법규를 알지 못하거나 필요한 지식을 갖추지 못하고 법규의 해석을 그르쳐 행정처분을 한 경우 과실이 있다**는 취지로 판시한 바 있다.

(3) 또한 대법원에 의해 법령의 해석이 확립되어 있음에도 불구하고 그러한 해석에 어긋나는 견해를 고집하여 위법한 처분을 하는 등의 경우에는 과실이 있다고 본다.

관련판례

1. **공무원의 법령의 부지(不知) 등에 대해서도 과실이 인정될 수 있다.★★★**
   법령에 대한 해석이 복잡 · 미묘하여 워낙 어렵고, 이에 대한 학설 · 판례조차 귀일되어 있지 않는 등의 특별한 사정이 없는 한 일반적으로 공무원이 관계법규를 알지 못하거나 필요한 지식을 갖추지 못하고 법규의 해석을 그르쳐 행정처분을 하였다면 그가 법률전문가가 아닌 행정직 공무원이라고 하여 과실이 없다고는 할 수 없다(대판 2001. 2. 9, 98다52988).**04 05 06**

기출 체크

□□□□□ **01** (국가배상법상 공무원의 위법한 직무행위로 인한) 손해배상책임을 묻기 위해서는 가해공무원을 특정하여야 한다. (○, ×) ★★ 2021 국가직 9급

□□□□□ **02** 과실의 입증책임은 원고가 아니라 피고인 국가 또는 지방자치단체로 전환된다. (○, ×) ★★★ 2015 서울시 9급

□□□□□ **03** 가해공무원의 과실 여부에 대한 입증책임은 원고에게 있다. (○, ×) ★★★ 2014 지방직 7급

□□□□□ **04** 일반적으로 공무원이 필요한 지식을 갖추지 못하고 법규의 해석을 그르쳐 행정처분을 하였다면 그가 법률전문가가 아닌 행정직 공무원이라고 하여 과실이 없다고는 할 수 없다. (○, ×) ★★★ 2022 국회직 8급

□□□□□ **05** 특별한 사정이 없는 한 일반적으로 공무원이 관계법규를 알지 못하거나 필요한 지식을 갖추지 못하고 법규의 해석을 그르쳐 행정처분을 하였다면 그가 법률전문가가 아닌 행정직 공무원이라도 과실이 있다. (○, ×) ★★★ 2018 지방직 7급

□□□□□ **06** 법령에 대한 해석이 복잡 · 미묘하여 워낙 어렵고, 이에 대한 학설 · 판례조차 귀일되어 있지 않는 등의 특별한 사정이 없는 한 공무원이 관계법규를 알지 못하거나 필요한 지식을 갖추지 못하고 잘못된 법규해석으로 행정처분을 하였다면 그가 법률전문가가 아니라 할지라도 과실을 인정할 수 있다. (○, ×) ★★★ 2015 경행특채 1차

정답 01 × 02 × 03 ○ 04 ○ 05 ○ 06 ○

기출 체크

□□□□□ 01 대법원의 판단으로 관계법령의 해석이 확립되고 이어 상급행정기관 내지 유관 행정부서로부터 시달된 업무지침이나 업무연락 등을 통하여 이를 충분히 인식할 수 있게 된 상태에서, 확립된 법령의 해석에 어긋나는 견해를 고집하여 계속하여 위법한 행정처분을 하거나 이에 준하는 행위로 평가될 수 있는 불이익을 처분상대방에게 주게 된다면, 이는 그 공무원의 고의 또는 과실로 인한 것이 되어 그 손해를 배상할 책임이 있다. (○, ×) 2024 소방직 9급

□□□□□ 02 행정청이 대법원의 법령해석과 어긋나는 견해를 고집하여 계속 위법한 행정처분을 해서 처분상대방에게 불이익을 주었다면 국가배상책임이 인정된다. (○, ×) 2008 국회직 8급

□□□□□ 03 어떠한 행정처분이 위법하다고 할지라도 그 자체만으로 곧바로 그 행정처분이 공무원의 고의 또는 과실로 인한 불법행위를 구성한다고 단정할 수는 없고, 공무원의 고의 또는 과실의 유무에 대하여는 별도의 판단을 요한다. (○, ×) 2022 소방간부

□□□□□ 04 공무원이 관계법령의 해석이 확립되기 전에 어느 한 설을 취하여 업무를 처리한 것이 결과적으로 위법하더라도 처분 당시 그 이상의 업무처리를 성실한 평균적 공무원에게 기대하기 어려웠던 경우라면 원칙적으로 공무원의 과실을 인정할 수 없다. (○, ×) 2022 국가직 9급

정답 01 ○ 02 ○ 03 ○ 04 ○

2. **행정청이 확립된 법령의 해석에 어긋나는 견해를 고집하여 계속하여 위법한 행정처분을 하거나 이에 준하는 행위로 평가될 수 있는 불이익을 처분상대방에게 주는 경우, 손해배상책임이 있다.**
   대법원의 판단으로 관계법령의 해석이 확립되고 이어 상급행정기관 내지 유관 행정부서로부터 시달된 업무지침이나 업무연락 등을 통하여 이를 충분히 인식할 수 있게 된 상태에서, 확립된 법령의 해석에 어긋나는 견해를 고집하여 계속하여 위법한 행정처분을 하거나 이에 준하는 행위로 평가될 수 있는 불이익을 처분상대방에게 주게 된다면, 이는 그 공무원의 고의 또는 과실로 인한 것이 되어 그 손해를 배상할 책임이 있다(대판 2007. 5. 10, 2005다31828).**01 02**

3. **법원이 형사소송법 등 관련법령에 근거하여 검사에게 어떠한 조치를 이행할 것을 명하였고, 관련법령의 해석상 법원의 결정에 따르는 것이 당연하고 그와 달리 해석될 여지가 없는데도 검사가 관련법령의 해석에 관하여 대법원 판례 등의 선례가 없다는 이유 등으로 법원의 결정에 어긋나는 행위를 한 경우, 당해 검사에게 직무상 의무를 위반한 과실이 있다**(대판 2012. 11. 15, 2011다48452).

4. 수사기관이 법령에 의하지 않고는 변호인의 접견교통권을 제한할 수 없다는 것은 대법원이 오래전부터 선언해 온 확고한 법리로서 변호인의 접견신청에 대하여 허용 여부를 결정하는 수사기관으로서는 마땅히 이를 숙지해야 한다. 이러한 법리에 반하여 변호인의 접견신청을 허용하지 않고 변호인의 접견교통권을 침해한 경우에는 접견불허결정을 한 공무원에게 고의나 과실이 있다고 볼 수 있다(대판 2018. 12. 27, 2016다266736).

5. **위헌 · 무효임이 명백한 긴급조치 제9호의 발령부터 적용 · 집행에 이르는 수사, 재판 등 일련의 국가작용으로 인한 손해에 대해 국가배상책임이 인정된다.★★★**
   긴급조치 제9호는 위헌 · 무효임이 명백하고 긴급조치 제9호 발령으로 인한 국민의 기본권침해는 그에 따른 강제수사와 공소제기, 유죄판결의 선고를 통하여 현실화되었다. 이러한 경우 긴급조치 제9호의 발령부터 적용 · 집행에 이르는 일련의 국가작용은 전체적으로 보아 공무원이 직무를 집행하면서 객관적 주의의무를 소홀히 하여, 그 직무행위가 객관적 정당성을 상실한 것으로서 위법하다고 평가되고, 긴급조치 제9호의 적용 · 집행으로 강제수사를 받거나 유죄판결을 선고받고 복역함으로써 개별 국민이 입은 손해에 대해서는 국가배상책임이 인정될 수 있다(대판 2022. 8. 30, 2018다212610 전합 ; 대판 2023. 1. 12, 2020다210976 ; 대판 2023. 1. 12, 2021다201184).

2. 예 외

특별한 사정이 있는 경우 평균적 공무원의 주의를 다하였다면 과실이 부정될 수도 있다. 판례도 '법령의 해석이 복잡 · 미묘하여 어렵고 학설 · 판례가 통일되지 않을 때에 공무원이 신중을 기해 그중 어느 한 설을 취하여 처리한 경우' 또는 '관계법령의 해석이 확립되기 전에 어느 한 설에 따라 업무를 처리한 것이 결과적으로 위법하여 법령의 부당집행이 된 경우'에는 과실을 부정하고 있다.

관련판례

1. **법령의 해석이 복잡 · 미묘하여 어렵고 학설 · 판례가 통일되지 않을 때에 공무원이 신중을 기해 그중 어느 한 설을 취하여 처리한 경우에는 그 해석이 결과적으로 위법한 것이었다 하더라도 국가배상법상 공무원의 과실을 인정할 수 없다**(대판 1973. 10. 10, 72다2583).★★★

2. **관계법령해석의 미확립시 과실이 부정될 수 있다.**
   어떠한 행정처분이 위법하다고 할지라도 그 자체만으로 곧바로 그 행정처분이 공무원의 고의 또는 과실로 인한 불법행위를 구성한다고 단정할 수는 없고, 공무원의 고의 또는 과실의 유무에 대하여는 별도의 판단을 요한다고 할 것인바,**03** 그 이유는 행정청이 관계법령의 해석이 확립되기 전에 어느 한 설을 취하여 업무를 처리한 것이 결과적으로 위법하게 되어 그 법령의 부당집행이라는 결과를 빚었다고 하더라도 처분 당시 그와 같은 처리방법 이상의 것을 성실한 평균적 공무원에게 기대하기 어려웠던 경우라면 특별한 사정이 없는 한 이를 두고 공무원의 과실로 인한 것이라고 볼 수는 없기 때문이다(대판 2004. 6. 11, 2002다31018).**04**

❻ 행정규칙에 따른 처분

재량행위에서 공무원이 재량준칙에 따라 처분을 한 경우에는 결과적으로 그 처분이 재량을 일탈 · 남용하여 위법하게 되었다고 하더라도 과실이 있다고 보기 어렵다는 것이 다수설과 판례의 태도이다.01 ⓐ

관련판례

1. 재량준칙에 따라 처분을 한 경우 과실이 인정되기 어렵다.★★★
   영업허가취소처분이 나중에 행정심판에 의하여 재량권을 일탈한 위법한 처분임이 판명되어 취소되었다고 하더라도 그 처분이 당시 시행되던 공중위생법 시행규칙에 정하여진 행정처분의 기준(편저자 주 : 부령 형식의 제재적 처분기준으로 판례는 행정규칙으로 봄)에 따른 것인 이상 그 영업허가취소처분을 한 행정청 공무원에게 그와 같은 위법한 처분을 한 데 있어 어떤 직무집행상의 과실이 있다고 할 수는 없다(대판 1994. 11. 8, 94다26141).02

2. 편의(공익, 합목적) 재량의 경우에 한 처분에 있어 관계공무원이 공익성, 합목적성의 인정, 판단을 잘못하여 그 재량권의 범위를 넘어선 행정행위를 한 경우가 있다 하더라도 공익성 및 합목적성의 적절 여부의 판단기준은 구체적 사안에 따라 각각 동일하다 할 수 없을 뿐만 아니라 구체적인 경우 어느 행정처분을 할 것인가에 관하여 행정청 내부에 일응의 기준을 정해 둔 경우 그 기준에 따른 행정처분을 하였다면 이에 관여한 공무원에게 그 직무상의 과실이 있다고 할 수 없다(대판 1984. 7. 24, 84다카597).03 ★★★

❼ 항고소송에서 처분이 취소된 경우 공무원의 과실 인정 문제

국가배상책임이 인정되기 위해서는 공무원의 직무행위가 위법하여야 하는데 위법과 고의 또는 과실은 별개의 개념이므로 직무행위가 위법하다고 하여 고의 또는 과실이 추정되는 것은 아니다. 따라서 어떠한 처분이 취소소송에서 취소되었다 하더라도 그 판결의 기판력은 처분이 위법하다는 점에 미치는 것일 뿐 그것만으로 공무원의 고의 또는 과실을 인정할 수는 없다는 것이 판례의 입장이다.

관련판례

어떠한 행정처분이 후에 항고소송에서 취소된 사실만으로 당해 행정처분이 곧바로 공무원의 고의 또는 과실로 인한 것으로서 불법행위를 구성한다고 단정할 수 없다(대판 2000. 5. 12, 99다70600).04 ★★★

❽ 처분의 근거법률이 사후적으로 위헌선언된 경우

공무원은 법령에 대한 심사권이 없어서 법령이 명백한 무효가 아니라면 공무원은 그 법률을 집행할 의무가 있으므로 이러한 경우에는 과실을 인정하기 어렵다는 것이 통설의 견해이다.

관련판례

처분이 있은 후에 근거법률이 위헌으로 결정된 경우, 그 법률을 적용한 공무원에게 고의 또는 과실이 있었다고 단정할 수 없다(헌재 2009. 9. 24, 2008헌바23).05 06 ★★★

❾ 위법 · 무효인 행정입법에 관여한 공무원의 경우

관련판례

행정입법에 관여한 공무원이 나름대로 합리적 근거를 찾아 어느 하나의 견해에 따라 경과규정을 두는 등의 조치 없이 새 법령을 그대로 시행 또는 적용하였으나 그 판단이 나중에 대법원이 내린 판단과 달라 결과적으로 신뢰보호원칙 등을 위반하게 된 경우, 국가배상책임의 성립요건인 공무원의 과실이 있다고 볼 수 없다(대판 2013. 4. 26, 2011다14428).07 ★

기출 체크

□□□□□ 01 공무원이 재량준칙에 따라 행정처분을 하였는데 결과적으로 그 처분이 재량을 일탈 · 남용하여 위법하게 된 때에는 그에게 직무집행상의 과실이 인정된다. (○, ×) ★★★ 2018 경행경채 3차

□□□□□ 02 영업허가취소처분이 나중에 행정심판에 의하여 재량권을 일탈한 위법한 처분임이 판명되어 취소되었다면, 그 처분이 당시 시행되던 「공중위생법 시행규칙」에 정하여진 행정처분의 기준에 따른 것이라고 하더라도 그 영업허가취소처분을 한 행정청의 공무원에게는 직무집행상의 과실이 인정된다. (○, ×) ★★★ 2023 국회직 8급

□□□□□ 03 재량권의 행사에 관하여 행정청 내부에 일응의 기준을 정해 둔 경우 그 기준에 따른 행정처분을 하였다면 이에 관여한 공무원에게 그 직무상의 과실이 있다고 할 수 없다. (○, ×) ★★★ 2016 국회직 8급

□□□□□ 04 어떠한 행정처분이 후에 항고소송에서 위법한 것으로서 취소되었다고 하더라도 그로써 곧 당해 행정처분이 공무원의 고의 또는 과실에 의한 불법행위를 구성한다고 단정할 수는 없다. (○, ×) ★★★ 2024 지방직 · 서울시 9급

□□□□□ 05 처분이 있은 후에 근거법률이 위헌으로 결정된 경우, 그 법률을 적용한 공무원에게 고의 또는 과실이 있었다고 단정할 수 있다. (○, ×) ★★★ 2019 사회복지직 9급

□□□□□ 06 헌법재판소는 처분이 있은 후에 근거법률이 위헌으로 결정된 경우, 그 법률을 적용한 공무원에게 고의 또는 과실이 있었다고 단정할 수 없다고 보았다. (○, ×) ★★★ 2012 국가직 7급

□□□□□ 07 행정입법에 관여한 공무원이 입법 당시의 상황에서 다양한 요소를 고려하여 나름대로 합리적인 근거를 찾아 어느 하나의 견해에 따라 경과규정을 두는 등의 조치 없이 새 법령을 그대로 시행하거나 적용하였더라도 이러한 경우에까지 국가배상법 제2조 제1항에서 정한 국가배상책임의 성립요건인 공무원의 과실이 있다고 할 수는 없다. (○, ×) ★ 2018 국회직 8급

ⓐ 취소소송에서는 처분의 위법 여부를 판단한다. 따라서 처분이 위법하면 법원은 취소판결을 내리게 된다. 그런데 비록 공무원이 법을 위반하였지만(특히 불문법인 비례의 원칙 등을 위반한 경우를 생각해 볼 것) 처분 당시에 상관이 발한 처분기준인 재량준칙에 충실하게 처분을 하였다면 그러한 공무원에 대해 부주의하다고 보기는 어렵다. 따라서 결과적으로 위법한 처분이라도 그러한 처분을 반드시 고의 또는 과실에 의해 행하였다고 단정할 수는 없다.

정답 01 × 02 × 03 ○ 04 ○ 05 × 06 ○ 07 ○

⑩ 행정청의 처분 여부 결정이 지체된 경우

관련판례

행정청의 처분을 구하는 신청에 대하여 상당한 기간 처분 여부 결정이 지체되었다고 하여 곧바로 공무원의 고의 또는 과실에 의한 불법행위를 구성한다고 단정할 수는 없고, 행정처분의 담당공무원이 보통 일반의 공무원을 표준으로 하여 볼 때 객관적 주의의무를 결하여 처분 여부 결정을 지체함으로써 객관적 정당성을 상실하였다고 인정될 정도에 이른 경우에 비로소 국가배상법 제2조가 정한 국가배상책임의 요건을 충족한다. 이때 객관적 정당성을 상실하였는지는 신청의 대상이 된 처분이 기속행위인지 재량행위인지 등을 종합적으로 고려하되, …… (대판 2015. 11. 27, 2013다6759)

05 | 법령을 위반하여

❶ 법령의 범위('법'의 의미)

1. 법령의 범위에 관해서는 ① 성문법과 불문법을 포함한 모든 법규를 의미한다는 협의설과 ② 협의설에서 말하는 법령 외에 인권 · 공서양속 등도 포함하여 당해 직무행위가 객관적으로 정당성을 상실한 경우까지를 의미한다는 광의설의 대립이 있다.
2. 양설의 차이는 불문법으로 인정되지 않는 공서양속까지 포함되는지에 달려 있는데, 법령 개념을 넓게 보는 광의설이 다수설 및 판례의 입장이다.

관련판례

1-1. 성폭력범죄의 담당 경찰관이 경찰서에 설치되어 있는 범인식별실을 사용하지 않고 공개된 장소인 형사과 사무실에서 피의자들을 한꺼번에 세워 놓고 나이 어린 학생인 피해자에게 범인을 지목하도록 한 행위는 국가배상법상의 '법령위반' 행위에 해당한다.

1-2. 국가배상책임에 있어서 '법령위반'은 엄격한 의미의 법령위반뿐 아니라 인권존중, 권력남용금지, 신의성실과 같이 공무원으로서 마땅히 지켜야 할 준칙이나 규범을 지키지 아니하고 위반한 경우를 포함01하여 널리 그 행위가 객관적인 정당성을 결여하고 있음을 뜻한다.02 03 04 ★★★

1-3. 「성폭력범죄의 처벌 및 피해자보호 등에 관한 법률」 제21조는 성폭력범죄의 수사 또는 재판을 담당하거나 이에 관여하는 공무원에 대하여 피해자의 인적사항과 사생활의 비밀을 엄수할 직무상 의무를 부과하고 있고, 이는 주로 성폭력범죄 피해자의 명예와 사생활의 평온을 보호하기 위한 것이므로, 성폭력범죄의 수사를 담당하거나 수사에 관여하는 경찰관이 위와 같은 직무상 의무에 반하여 피해자의 인적사항 등을 공개 또는 누설하였다면 국가는 그로 인하여 피해자가 입은 손해를 배상하여야 한다(대판 2008. 6. 12, 2007다64365).05 ★★★

2. 甲이 국가의 의뢰로 도라산역사 내 벽면 및 기둥들에 벽화를 제작 · 설치하였는데, 국가가 작품 설치일로부터 약 3년 만에 벽화를 철거하여 소각한 사안에서, 국가는 국가배상법 제2조 제1항에 따라 甲에게 위자료를 지급할 의무가 있다(대판 2015. 8. 27, 2012다204587).

❷ 개인의 권리침해가 있는 경우 곧바로 위법성을 인정할 수 있는지의 여부와 관련

개인의 권리침해가 있다 하더라도 공무원의 직무집행이 법령에 적합하게 이루어진 경우에는 위법성을 인정할 수 없다고 본다.

관련판례

1. 공무원의 직무집행이 법령이 정한 요건과 절차에 따라 이루어진 것이라면 그 과정에서 개인의 권리가 침해되는 일이 생긴다고 하여 법령적합성이 곧바로 부정되는 것은 아니다(즉, 손해배상청구권이 인정되지 않는다).06ⓐ ★★★

기출 체크

□□□□□ 01 국가배상책임의 요건으로서 법령위반은 엄격한 의미의 법령위반뿐 아니라 인권존중, 권력남용금지, 신의성실과 같이 공무원으로서 마땅히 지켜야 할 준칙이나 규범을 지키지 않고 위반한 경우를 포함한다. (○, ×) ★★★ 2024 국회직 8급

□□□□□ 02 공무원의 부작위가 공무원으로서 마땅히 지켜야 할 준칙이나 규범을 위반한 경우를 포함하여 널리 객관적인 정당성이 없는 경우, 그 부작위는 '법령을 위반'하는 경우에 해당한다. (○, ×) ★★★ 2022 지방직 · 서울시 7급

□□□□□ 03 국가배상책임에서 '법령을 위반하여'라고 함은 엄격하게 형식적 의미의 법령에서 명시적으로 공무원의 행위의무가 정하여져 있음에도 이를 위반하는 경우만을 의미한다. (○, ×) ★★★ 2017 국가직(하) 7급

□□□□□ 04 공무원의 직무상 불법행위에 대한 국가배상의 요건이 되는 '위법'은 형식적 의미의 법령에 명시적으로 위반한 경우만을 말한다. (○, ×) ★★★ 2016 교육행정직 9급

□□□□□ 05 성폭력범죄의 수사를 담당하거나 수사에 관여하는 경찰관이 피해자의 인적사항 등을 공개 또는 누설함으로써 피해자가 손해를 입은 경우, 국가의 배상책임이 인정된다는 것이 판례의 태도이다. (○, ×) ★★★ 2020 소방직 9급

□□□□□ 06 공무원의 직무집행이 법령이 정한 요건과 절차에 따라 이루어진 것이라면 특별한 사정이 없는 한 이는 법령에 적합한 것이고, 그 과정에서 개인의 권리가 침해되는 일이 생긴다고 하여 그 법령적합성이 곧바로 부정되는 것은 아니다. (○, ×) ★★★ 2018 서울시 2회 7급

ⓐ 경북대학교 북문에서 경찰관들의 시위진압에 대항하여 시위자들이 던진 화염병에 의해 OO약국 등이 화재를 입어 이에 대해 약국을 경영하는 자 등이 국가를 상대로 손해배상을 청구하였으나 1번 판례의 제목과 같은 논리로 국가배상책임을 부정한 사안이다.

정답 01 ○ 02 ○ 03 × 04 × 05 ○ 06 ○

불법시위를 진압하는 경찰관들의 직무집행이 법령에 위반한 것이라고 하기 위하여는 그 시위진압이 불필요하거나 또는 불법시위의 태양 및 시위장소의 상황 등에서 예측되는 피해발생의 구체적 위험성의 내용에 비추어 시위진압의 계속 수행 내지 그 방법 등이 현저히 합리성을 결하여 이를 위법하다고 평가할 수 있는 경우이어야 할 것이다(대판 1997. 7. 25, 94다2480).

2. (경찰관의 차량 추적을 피해 도주하던 차량이 야기한 교통사고에 대해 피해자가 국가를 상대로 손해배상을 청구한 사안에서 국가배상책임을 부정하면서) **차량추적의 개시, 계속 혹은 추적의 방법이 상당하지 않다는 등의 특별한 사정이 없는 한 추적행위는 위법하지 않다.★★**
경찰관이 교통법규 등을 위반하고 도주하는 차량을 순찰차로 추적하는 직무를 집행하는 중에 그 도주차량의 주행에 의하여 제3자가 손해를 입었다고 하더라도 그 추적이 당해 직무목적을 수행하는 데에 불필요하다거나 또는 도주차량의 도주의 태양 및 도로교통상황 등으로부터 예측되는 피해발생의 구체적 위험성의 유무 및 내용에 비추어 추적의 개시 · 계속 혹은 추적의 방법이 상당하지 않다는 등의 특별한 사정이 없는 한 그 추적행위를 위법하다고 할 수는 없다(대판 2000. 11. 10, 2000다26807 · 26814).**01**

3. 피고인의 변호인으로부터 조력을 받을 권리와 변호인의 피고인에 대한 접견교통권을 침해하는 행위는 불법행위이고, 그에 대해 국가배상책임이 인정된다(대판 2021. 11. 25, 2019다235450).

4. 헌법상 과잉금지의 원칙 내지 비례의 원칙을 위반하여 국민의 기본권을 침해한 국가작용은 국가배상책임에 있어 법령을 위반한 가해행위가 된다(대판 2022. 9. 29, 2018다224408).**02** ★★

❸ 구체적 검토

1. 행정규칙의 위반

행정규칙은 법규가 아니므로 원칙적으로 위법성이 인정되지 않는다는 것이 학설 및 판례의 일반적 견해이다.

관련판례

공무원의 조치가 적법한지는 행정규칙에 적합한지 여부가 아니라 상위법령의 규정과 입법목적 등에 적합한지 여부에 따라 판단해야 한다.
상급행정기관이 소속 공무원이나 하급행정기관에 대하여 업무처리지침이나 법령의 해석 · 적용 기준을 정해 주는 '행정규칙'은 일반적으로 행정조직 내부에서만 효력을 가질 뿐 대외적으로 국민이나 법원을 구속하는 효력이 없다. 공무원의 조치가 행정규칙을 위반하였다고 해서 그러한 사정만으로 곧바로 위법하게 되는 것은 아니고, 공무원의 조치가 행정규칙을 따른 것이라고 해서 적법성이 보장되는 것도 아니다.**03** 공무원의 조치가 적법한지는 행정규칙에 적합한지 여부가 아니라 상위법령의 규정과 입법목적 등에 적합한지 여부에 따라 판단해야 한다(대판 2020. 5. 28, 2017다211559).

2. 부작위의 위법성

(1) 문제의 소재

① 공무원의 부작위로 인한 국가배상책임을 인정하기 위해서도 공무원의 작위로 인한 국가배상책임을 인정하는 경우와 마찬가지로 국가배상법 제2조 제1항의 요건이 충족되어야 한다.

관련판례

공무원의 부작위로 인한 국가배상책임을 인정하기 위하여는 공무원의 작위로 인한 국가배상책임을 인정하는 경우와 마찬가지로 '공무원이 그 직무를 집행함에 당하여 고의 또는 과실로 법령에 위반하여 타인에게 손해를 가한 때'라고 하는 국가배상법 제2조 제1항의 요건이 충족되어야 한다(대판 2004. 6. 25, 2003다69652).**04 05** ★

② 그런데 부작위의 경우 국가배상책임과 관련하여 먼저 부작위가 위법하다고 하기 위하여는 작위의무가 인정되어야 하는데, 어떤 경우에 작위의무가 인정될 수 있는지를 살펴보고 사익보호

기출 체크

□□□□□ **01** 경찰관이 교통법규 등을 위반하고 도주하는 차량을 순찰차로 추적하는 직무를 집행하는 중에 그 도주차량의 주행에 의하여 제3자가 손해를 입었다고 하더라도 그 추적이 당해 직무목적을 수행하는 데에 불필요하다거나 추적의 개시 · 계속 혹은 추적의 방법이 상당하지 않다는 등의 특별한 사정이 없는 한 그 추적행위를 위법하다고 할 수는 없다. (○, ×) ★★ 2018 국가직 7급

□□□□□ **02** 헌법상 과잉금지의 원칙 내지 비례의 원칙을 위반하여 국민의 기본권을 침해한 국가작용은 국가배상책임에 있어 법령을 위반한 가해행위가 된다. (○, ×) ★★ 2024 지방직 · 서울시 9급

□□□□□ **03** 상급행정기관이 소속 공무원이나 하급행정기관에 대하여 업무처리지침이나 법령의 해석 · 적용 기준을 정해 주는 행정규칙을 위반한 공무원의 조치가 있다고 해서 그러한 사정만으로 곧바로 그 조치의 위법성이 인정되는 것은 아니다. (○, ×) 2022 지방직 · 서울시 7급

□□□□□ **04** 공무원의 부작위로 인한 국가배상책임을 인정하기 위하여는 공무원의 작위로 인한 국가배상책임을 인정하는 경우와 마찬가지로 국가배상법 제2조 제1항의 요건이 충족되어야 한다. (○, ×) ★ 2013 지방직(하) 7급

□□□□□ **05** 공무원의 부작위에 의한 개인의 손해발생에 대해 국가배상책임이 인정되기 위해서는 공무원의 부작위가 위법하여야 한다. (○, ×) ★ 2007 국가직 7급

정답 01 ○ 02 ○ 03 ○ 04 ○ 05 ○

기출 체크

□□□□□ **01** 부작위로 인한 손해에 대한 국가배상청구는 공무원의 작위의무를 명시한 형식적 의미의 법령에 위배된 경우에 한한다. (○, ×) ★★★ 2017 사회복지직 9급

□□□□□ **02** 공무원의 부작위로 인한 국가배상책임을 인정할 것인지 여부가 문제되는 경우에 관련 공무원에 대하여 작위의무를 명하는 형식적 법률의 규정이 없는 경우에는 국가배상책임이 인정되지 않는다. (○, ×) ★★★ 2021 지방직 · 서울시 7급

□□□□□ **03** 소방공무원의 권한행사가 관계법률의 규정에 의하여 소방공무원의 재량에 맡겨져 있으면 구체적인 상황에서 소방공무원이 권한을 행사하지 아니한 것이 현저하게 합리성을 잃어 사회적 타당성이 없는 경우에도 직무상 의무를 위반하여 위법하게 되는 것은 아니다. (○, ×) ★★ 2019 국회직 8급

□□□□□ **04** 토석채취공사 도중 경사지를 굴러 내린 암석이 가스저장시설을 충격하여 화재가 발생한 경우, 토지형질변경허가권자에게 허가 당시 사업자로 하여금 위해방지시설을 설치하게 할 의무는 없다. (○, ×) 2012 국가직 7급

□□□□□ **05** 경찰관이 구체적 상황하에서 그 인적 · 물적 능력의 범위 내의 적절한 조치라는 판단에 따라 범죄수사 직무를 수행한 경우, 그것이 객관적 정당성을 상실하여 현저하게 불합리하다고 인정되지 않는다면 그와 다른 조치를 취하지 아니한 부작위는 국가배상책임의 요건인 법령위반에 해당하지 않는다. (○, ×) ★ 2018 국가직 7급

정답 01 × 02 × 03 × 04 × 05 ○

성과 과실요건을 검토한다.

(2) 작위의무의 인정 여부

① 재량행위의 경우

㉠ 부작위가 위법하기 위해서는 공무원에게 작위의무가 인정되어야 하는데 기속행위의 경우에는 통상 작위의무가 인정된다.

㉡ 한편, 재량행위의 경우에도 재량권이 영(0)으로 수축되면 작위의무가 인정되고, 이때 작위의무를 위반하면 위법하게 된다는 것이 통설 및 판례의 입장이다.

② 조리에 의한 작위의무의 인정

㉠ 법령상 작위의무가 인정되지 않는 경우에도 조리상 작위의무를 인정할 수 있는지가 문제된다.

㉡ 판례는 국민의 생명과 재산을 보호해야 한다는 국가의 임무에 비추어 사람의 생명, 신체 및 재산 등 중요한 법익에 급박하고 현저한 위험이 존재하는 등 일정한 경우 형식적 의미의 법령에 명시적으로 작위의무가 규정되어 있지 않은 경우**라도 위험방지의** 작위의무를 인정하고 있다.

관련판례

1. **형식적 의미의 법령에 근거가 없더라도 일정한 경우 작위의무를 인정할 수 있다.★★★**
(국가배상법 제2조 제1항의) '법령에 위반하여'라고 하는 것은 엄격하게 형식적 의미의 법령에 명시적으로 공무원의 작위의무가 규정되어 있는데도 이를 위반하는 경우만을 의미하는 것은 아니고,**01** 국민의 생명, 신체, 재산 등에 대하여 절박하고 중대한 위험상태가 발생하였거나 발생할 우려가 있어서 국민의 생명, 신체, 재산 등을 보호하는 것을 본래적 사명으로 하는 국가가 초법규적, 일차적으로 그 위험 배제에 나서지 아니하면 국민의 생명, 신체, 재산 등을 보호할 수 없는 경우에는 형식적 의미의 법령에 근거가 없더라도 국가나 관련 공무원에 대하여 그러한 위험을 배제할 작위의무를 인정할 수 있다(대판 2004. 6. 25, 2003다69652).**02**

2. (군산 윤락업소 화재사건으로 사망한 윤락녀의 유족들이 국가를 상대로 제기한 손해배상청구사건에서 배상책임은 인정하면서) **경찰권의 발동 여부는 원칙적으로 경찰관의 재량권한에 속하나 구체적인 사정에 따라 권한을 행사하여 필요한 조치를 취하지 아니한 것이 현저히 불합리하다고 인정되는 경우 권한불행사는 직무상 의무를 위반한 것이 되어 위법하다**(대판 2004. 9. 23, 2003다49009).★★★
 + **편저자 주** : 즉, 재량행위이더라도 구체적 사정에 따라 재량권이 영(0)으로 수축되어 특정행위 의무가 발생하고 그러한 의무를 위반한 경우 위법한 것이 되므로 국가배상책임이 인정될 수 있다는 취지이다.

3. 소방공무원의 행정권한행사가 관계법률의 규정형식상 소방공무원의 재량에 맡겨져 있더라도 소방공무원에게 그러한 권한을 부여한 취지와 목적에 비추어 볼 때 구체적인 상황 아래에서 소방공무원이 권한을 행사하지 아니한 것이 현저하게 합리성을 잃어 사회적 타당성이 없는 경우에는 소방공무원의 직무상 의무를 위반한 것으로서 위법하게 된다(대판 2016. 8. 25, 2014다225083).**03** ★★

4. (토석채취공사 도중 경사지를 굴러 내린 암석이 가스저장시설에 충격을 가하여 화재가 발생한 사안에서) **토지형질변경허가권자에게 허가 당시 사업자로 하여금 위해방지시설을 설치하게 할 의무를 다하지 아니한 위법**과 작업 도중 구체적인 위험이 발생하였음에도 작업을 중지시키는 등의 사고예방조치를 취하지 아니한 위법이 있다(대판 2001. 3. 9, 99다64278).**04**

5. (경찰관이 음주운전 단속시 운전자의 요구에 따라 곧바로 채혈을 실시하지 않은 채 호흡측정기에 의한 음주측정을 하고 1시간 12분이 경과한 후에야 채혈을 하였다는 사정만으로는 위 행위가 위법하다고 볼 수 없다고 판시하면서) **경찰관이 구체적 상황하에서 업무상 판단에 따라 범죄의 진압 및 수사에 관한 직무를 수행한 경우, 그것이 객관적 정당성을 상실하여 현저히 불합리하다고 인정되지 않는 한 그와 다른 조치를 취하지 아니한 부작위를 이유로 국가배상책임을 인정할 수는 없다**(대판 2008. 4. 24, 2006다32132).**05** ★

6. (위조인장에 의하여 타인 명의의 인감증명서가 발급되고 이를 토대로 소유권이전등기가 경료된 부동산을 담보로 금전을 대여한 자가 손해를 입게 된 경우, 인감증명 발급업무 담당공무원의 직무집행상의 과실을 인정하면서) **인감증명사무를 처리하는 공무원에게 그 발급된 인감으로 인한 부정행위의 발생을 방지할 직무상의 의무가 있다**(대판 2004. 3. 26, 2003다54490). **01**

7-1. 공무원의 부작위로 인한 국가배상책임을 인정하기 위해서는 공무원의 작위를 원인으로 한 국가배상책임을 인정하는 경우와 마찬가지로 '공무원이 직무를 집행하면서 고의 또는 과실로 법령을 위반하여 타인에게 손해를 입힌 때'라고 하는 국가배상법 제2조 제1항의 요건이 충족되어야 한다.

7-2. 국민의 생명 · 신체 · 재산 등에 대하여 절박하고 중대한 위험상태가 발생하였거나 발생할 상당한 우려가 있어서 국민의 생명 등을 보호하는 것을 본래적 사명으로 하는 국가가 초법규적 · 일차적으로 그 위험의 배제에 나서지 아니하면 국민의 생명 등을 보호할 수 없는 경우에는 형식적 의미의 법령에 근거가 없더라도 국가나 관련 공무원에 대하여 그러한 위험을 배제할 작위의무를 인정할 수 있다. 그러나 그와 같은 절박하고 중대한 위험상태가 발생하였거나 발생할 상당한 우려가 있는 경우가 아닌 한, 원칙적으로 공무원이 관련법령에서 정하여진 대로 직무를 수행하였다면 그와 같은 공무원의 부작위를 가지고 '고의 또는 과실로 법령을 위반'하였다고 할 수는 없다. 따라서 공무원의 부작위로 인한 국가배상책임을 인정할 것인지가 문제되는 경우에 관련 공무원에 대하여 작위의무를 명하는 법령의 규정이 없는 때라면 공무원의 부작위로 인하여 침해되는 국민의 법익 또는 국민에게 발생하는 손해가 어느 정도 심각하고 절박한 것인지, 관련 공무원이 그와 같은 결과를 예견하여 그 결과를 회피하기 위한 조치를 취할 수 있는 가능성이 있는지 등을 종합적으로 고려하여 판단하여야 한다(대판 2021. 7. 21, 2021두33838).

(3) 사익보호성 ⓐ

항고소송에서 원고적격과 관련된 법률상 이익과 반사적 이익의 구별이 국가배상청구에도 적용되는지가 문제된다. 이에 대해 다수설과 판례는 법률상 이익과 반사적 이익의 구별을 국가배상책임에도 적용하여 반사적 이익의 침해에 대해서는 국가배상책임이 인정되지 않는다고 한다.㉠

관련판례

1-1. (극동호가 침몰하여 승객들이 사망 또는 부상을 입은 사안에서) **선박안전법이나 「유선 및 도선업법」(현 「유선 및 도선사업법」)의 규정은 공공의 안전 외에 일반인의 인명과 재화의 안전보장도 그 목적으로 하는 것이라는 이유로 국가배상책임이 인정된다.**

1-2. **공무원에게 부과된 의무에 대해 전적 또는 부수적으로 사익보호성이 인정되면 국가배상책임이 인정될 수 있다.★★**
선박안전법이나 「유선 및 도선업법」의 각 규정은 공공의 안전 외에 일반인의 인명과 재화의 안전보장도 그 목적으로 하는 것이라고 할 것이므로 국가 소속 선박검사관이나 시 소속 공무원들이 직무상 의무를 위반하여 시설이 불량한 선박에 대하여 선박중간검사에 합격하였다 하여 선박검사증서를 발급하고, 해당 법규에 규정된 조치를 취함이 없이 계속 운항하게 함으로써 화재사고가 발생한 것이라면, 화재사고와 공무원들의 직무상 의무위반행위와의 사이에는 상당인과관계가 있다(대판 1993. 2. 12, 91다43466).

2. (甲이 乙의 이름으로 개명허가를 받은 것처럼 호적등본을 위조하여 제출하였고 이에 담당공무원이 본적지 관할청에 통보를 하지 않고 성명을 정정하여 乙의 부동산에 대해 甲이 이익을 얻게 되자 乙이 국가배상을 청구한 사안에서 국가배상책임을 긍정하면서) **주민등록사무를 담당하는 공무원이 개명과 같은 사유로 주민등록상 성명을 정정한 경우 본적지 관할관청에 그 변경사항을 통보할 직무상 의무가 있으며 그러한 의무에는 사익보호성이 인정된다**(대판 2003. 4. 25, 2001다59842). **02**

기출 체크

□□□□□ **01** 인감증명사무를 처리하는 공무원은 인감증명이 타인과의 권리 · 의무에 관계되는 일에 사용되는 것을 예상하여 그 발급된 인감증명으로 인한 부정행위의 발생을 방지할 직무상의 의무가 있다. (○, ×) 2015 경행특채 1차

□□□□□ **02** 주민등록사무를 담당하는 공무원은 개명과 같은 사유로 주민등록상의 성명을 정정한 경우에는 반드시 본적지 관할관청에 그 변경사항을 통보하여 본적지의 호적관서로 하여금 그 정정사항의 진위를 재확인할 수 있도록 할 직무상의 의무가 있다. (○, ×) 2012 국가직 7급

판례 | ㉠ 1. (주차장 침수로 피해를 입은 자가 주차장 관리청인 서울시 등을 피고로 하여 손해배상을 청구한 사건에서) 하천법의 관련규정에 비추어 볼 때, 하천의 유지 · 관리 및 점용허가 관련 업무를 맡고 있는 지방자치단체 담당공무원의 직무상 의무는 부수적으로라도 사회구성원 개개인의 안전과 이익을 보호하기 위하여 설정된 것이다(대판 2006. 4. 14, 2003다41746).

2. (노래연습장 영업을 양수한 자가 영업주명의변경을 위하여 경찰서장에게 풍속영업변경신고서를 제출하였으나 경찰서장이 변경신고서를 거부하자 국가에 대해 손해배상을 청구한 사안에서 배상책임을 부정하면서) 구 「풍속영업의 규제에 관한 법률」에서 규정하고 있는 풍속영업의 신고 및 이에 대한 수리행위는 공공일반의 이익을 보호할 뿐 사익을 보호하는 것이 아니다(대판 2001. 4. 13, 2000다34891).

ⓐ 사익보호성
사익보호성이 국가배상법의 요건 중 어느 요건과 관련이 있는지에 대해서는 위법성의 문제로 보는 견해, 직무의 문제로 보는 견해, 손해의 문제로 보는 견해의 대립이 있다. 한편 판례는 직무상 의무의 사익보호성을 위법성의 문제로 본 경우도 있으며 상당인과관계의 문제로 본 경우도 있다. 다만, 최근 판례는 직무상 의무의 사익보호성을 상당인과관계의 문제로 보는 경향이다.

정답 01 ○ 02 ○

기출 체크

□□□□□ 01 국민이 법령에 정하여진 수질기준에 미달한 상수원수로 생산된 수돗물을 마심으로써 건강상의 위해 발생에 대한 염려 등에 따른 정신적 고통을 받았다고 하더라도, 이러한 사정만으로는 국가 또는 지방자치단체가 국민에게 손해배상책임을 부담하지 아니한다. (○, ×) ★★
2020 지방직·서울시 7급

□□□□□ 02 공직선거법이 후보자가 되고자 하는 자와 그 소속 정당에게 전과기록을 조회할 권리를 부여하고 수사기관에 회보의무를 부과한 것은 공공의 이익만을 위한 것이지 후보자가 되고자 하는 자나 그 소속 정당의 개별적 이익까지 보호하기 위한 것은 아니다. (○, ×) ★
2019 국가직 7급

□□□□□ 03 판례에 의하면 규제권한을 행사하지 아니한 것이 직무상 의무를 위반하여 위법한 것으로 되는 경우에는 특별한 사정이 없는 한 과실도 인정된다. (○, ×) ★★ 2011 국가직 7급

□□□□□ 04 절박하고 중대한 위험상태가 발생하였거나 발생할 우려가 있는 경우가 아닌 한, 원칙적으로 공무원이 관련법령대로만 직무를 수행하였다면 그와 같은 공무원의 부작위를 가지고 '고의 또는 과실로 법령에 위반'하였다고 할 수는 없다. (○, ×) ★ 2013 지방직(하) 7급

정답 01 ○ 02 × 03 ○ 04 ○

3. **국가 또는 지방자치단체가 법령이 정하는 상수원수 수질기준 유지의무를 다하지 못하고, 법령이 정하는 고도의 정수처리방법이 아닌 일반적 정수처리방법으로 수돗물을 생산·공급하였다는 사유만으로 그 수돗물을 마신 개인에 대하여 손해배상책임을 부담하는 것은 아니다.01 ★★**
상수원수의 수질을 환경기준에 따라 유지하도록 규정하고 있는 관련법령의 취지·목적·내용과 그 법령에 따라 국가 또는 지방자치단체가 부담하는 의무의 성질 등을 고려할 때, 국가 등에게 일정한 기준에 따라 상수원수의 수질을 유지하여야 할 의무를 부과하고 있는 법령의 규정은 국민에게 양질의 수돗물이 공급되게 함으로써 국민 일반의 건강을 보호하여 공공일반의 전체적인 이익을 도모하기 위한 것이지, 국민 개개인의 안전과 이익을 직접적으로 보호하기 위한 규정이 아니므로, …… 지방자치단체가 상수원수의 수질기준에 미달하는 하천수를 취수하거나 상수원수 3급 이하의 하천수를 취수하여 고도의 정수처리가 아닌 일반적 정수처리 후 수돗물을 생산·공급하였다고 하더라도, 그렇게 공급된 수돗물이 음용수 기준에 적합하고 몸에 해로운 물질이 포함되어 있지 아니한 이상, 지방자치단체의 위와 같은 수돗물 생산·공급행위가 국민에 대한 불법행위가 되지 아니한다(대판 2001. 10. 23, 99다36280).

4. (공무원 甲이 내부전산망을 통해 乙에 대한 범죄경력자료를 조회하여 「공직선거 및 선거부정방지법」 위반죄로 실형을 선고받는 등 실효된 4건의 금고형 이상의 전과가 있음을 확인하고도 乙의 공직선거 후보자용 범죄경력조회 회보서에 이를 기재하지 않은 사안에서, 甲의 중과실을 인정하여 乙이 속한 정당에 대해 국가배상책임 외에 공무원 개인의 배상책임까지 인정하면서) **공직선거법상 수사기관의 전과기록의 회보의무는 개별적 이익도 보호하기 위한 것이다**(대판 2011. 9. 8, 2011다34521).**02 ★**

(4) 과실의 인정 여부

① 공무원의 권한불행사가 위법한 것으로 평가되는 경우 과실도 인정되는지 여부

판례는 공무원이 그 권한을 행사하지 아니한 것이 직무상 의무를 위반하여 위법한 것으로 되는 경우에는 특별한 사정이 없는 한 과실도 인정된다고 본다.

관련판례

1. **구 식품위생법 제7조, 제9조, 제10조, 제16조는 사회구성원 개인의 안전과 이익을 보호하기 위한 규정이다.**
2. (어린이가 '미니컵 젤리'를 먹다가 질식하여 사망한 사안에서, 식품의약품안전청장(현 식품의약품안전처장) 등이 그 사고 발생시까지 구 식품위생법상의 규제권한을 행사하여 미니컵 젤리의 수입·유통 등을 금지하거나 그 기준과 규격, 표시 등을 강화하고 그에 필요한 검사 등을 실시하는 조치를 취하지 않은 것이 현저하게 합리성을 잃어 사회적 타당성이 없다거나 객관적 정당성을 상실하여 위법하다고 할 수 있을 정도에까지 이르렀다고 보기 어렵고, 그 권한불행사에 과실이 있다고 할 수도 없다고 판시하면서) **식품의약품안전청장 등이 구 식품위생법 제7조, 제9조, 제10조, 제16조 등에 의하여 부여된 규제권한을 행사하지 않은 것이 직무상 의무를 위반한 것으로 위법한 것으로 평가되는 경우 과실도 인정된다**(대판 2010. 9. 9, 2008다77795).**03 ★★**

② 공무원이 관련법령대로만 직무를 수행한 경우

특별한 사정이 없는 한 원칙적으로 공무원이 관련법령에서 정하여진 대로 직무를 수행하였다면 그와 같은 공무원의 부작위를 가지고 '고의 또는 과실로 법령에 위반'하였다고 할 수는 없다는 것이 판례의 입장이다.

관련판례

절박하고 중대한 위험상태가 발생하였거나 발생할 상당한 우려가 있는 경우가 아닌 한, 원칙적으로 공무원이 관련법령에서 정하여진 대로 직무를 수행하였다면 그와 같은 공무원의 부작위를 가지고 '고의 또는 과실로 법령에 위반'하였다고 할 수는 없다.04 ★

甲이 경주보훈지청에 국가유공자에 대한 주택구입대부제도에 관하여 전화로 문의하고 대부신청서까지 제출하였으나, 담당공무원에게서 주택구입대부금 지급을 보증하는 지급보증서제도에 관한 안내를 받지 못하여 대부제도 이용을 포기하고 시중은행에서 대출을 받아 주택을 구입함으로써 결과적으로 더 많은 이자를 부담하게 되었다고 주장하며 국가를 상대로 정신적 손해의 배상을 구한 사안에서, 담당공무원에게 지급보증서제도를 안내하거나 설명할 의무가 있음을 전제로 그 위반에 대한 국가배상책임을 인정한 원심판결에 법리오해의 위법이 있다(대판 2012. 7. 26, 2010다95666).**01**

3. 절차의 위법과 국가배상책임

절차상의 위법도 국가배상법상의 법령위반에 해당한다.02 따라서 절차상 위법한 가해행위로 손해가 발생한 경우 절차상 위법과 손해 사이에 상당인과관계가 있다면 국가배상책임이 인정된다. 다만, 절차상 위법하지만 실체상 적법하여 실제에 있어서 손해가 발생하였다고 볼 수 없는 경우 국가배상책임이 인정될 수 없다(p.461 참조).

관련판례

경매 담당공무원이 이해관계인에 대한 기일통지를 잘못한 것이 원인이 되어 경락허가결정이 취소되었다면, 그 사이 경락대금을 완납하고 소유권이전등기를 마친 경락인에 대하여 국가배상책임이 인정된다(대판 2008. 7. 10, 2006다23664).**03** ★★

4. 기타㉠ - 수익적 행정처분의 위법 여부 등

수익적 행정처분의 경우에도 위법성이 인정될 수 있는 경우가 있다.

관련판례

1. **신청인이 손해를 입게 될 것임이 분명하다고 할 수 있어 신청인을 위하여도 당해 행정처분을 거부할 것이 요구되는 경우라면 수익적 행정처분도 위법한 처분이 될 수 있다.ⓐ** ★
   수익적 행정처분이 신청인에 대한 관계에서 국가배상법 제2조 제1항의 위법성이 있는 것으로 평가되기 위하여는 당해 행정처분에 관한 법령의 내용, 그 성질과 법률적 효과, 그로 인하여 신청인이 무익한 비용을 지출할 개연성에 관한 구체적 사정 등을 종합적으로 고려하여 객관적으로 보아 그 행위로 인하여 신청인이 손해를 입게 될 것이 분명하다고 할 수 있어 신청인을 위하여도 당해 행정처분을 거부할 것이 요구되는 경우이어야 할 것이다(대판 2001. 5. 29, 99다37047).**04**

2. **시청 소속 공무원이 시장을 부패방지위원회에 부패혐의자로 신고한 후 동사무소로 전보된 사안에서, 그 전보인사가 사회통념상 용인될 수 없을 정도로 객관적 상당성을 결여하였다고 단정할 수 없어 불법행위를 구성하지 않는다**.**05** ★
   공무원에 대한 전보인사가 법령이 정한 기준과 원칙에 위배되거나 인사권을 다소 부적절하게 행사한 것으로 볼 여지가 있다 하더라도 그러한 사유만으로 그 전보인사가 당연히 불법행위를 구성한다고 볼 수는 없고,**06** 인사권자가 당해 공무원에 대한 보복감정 등 다른 의도를 가지고 인사재량권을 일탈·남용하여 객관적 정당성을 상실하였음이 명백한 경우 등 전보인사가 우리의 건전한 사회통념이나 사회상규상 도저히 용인될 수 없음이 분명한 경우에, 그 전보인사는 위법하게 상대방에게 정신적 고통을 가하는 것이 되어 당해 공무원에 대한 관계에서 불법행위를 구성한다. 그리고 이러한 법리는 구 부패방지법에 따라 다른 공직자의 부패행위를 부패방지위원회에 신고한 공무원에 대하여 위 신고행위를 이유로 불이익한 전보인사가 행하여진 경우에도 마찬가지이다(대판 2009. 5. 28, 2006다16215).

기출 체크

□□□□□ **01** 담당공무원이 주택구입대부제도와 관련하여 지급보증서제도에 관해 알려주지 않은 조치는 법령위반에 해당하지 않는다. (○, ×) ★ 2018 서울시 9급

□□□□□ **02** 절차상의 위법도 국가배상법상 법령위반에 해당한다. (○, ×) 2015 교육행정직 9급

□□□□□ **03** 경매 담당공무원이 이해관계인에게 기일통지를 잘못한 것이 원인이 되어 경락허가결정이 취소된 사안에서, 그 사이 경락대금을 완납하고 소유권이전등기를 마친 경락인에 대하여 국가는 배상책임을 진다. (○, ×) ★★ 2009 국회직 8급

□□□□□ **04** 수익적 행정처분이 신청인에 대한 관계에서 국가배상법상 위법성이 있는 것으로 평가되기 위하여는, 객관적으로 보아 그 행위로 인하여 신청인이 손해를 입게 될 것이 분명하다고 할 수 있어 신청인을 위하여도 당해 행정처분을 거부할 것이 요구되는 경우이어야 한다. (○, ×) ★ 2019 일반승진 5급

□□□□□ **05** 시청 소속 공무원이 시장을 구 부패방지위원회에 부패혐의자로 신고한 후 동사무소로 전보된 경우, 사회통념상 용인될 수 없을 정도로 객관적 상당성을 결여하였으므로 불법행위를 구성한다. (○, ×) ★ 2011 경행특채

□□□□□ **06** 공무원에 대한 전보인사가 인사권을 다소 부적절하게 행사한 것으로 볼 여지가 있다 하더라도 그러한 사유만으로 그 전보인사가 당연히 불법행위를 구성한다고 볼 수는 없다. (○, ×) ★ 2022 국가직 7급

판례 | ㉠ 군종장교가 종교활동을 수행하면서 소속 종단의 종교를 선전하거나 다른 종교를 비판한 것만으로 종교적 중립준수의무를 위반한 직무상의 위법은 없다(대판 2007. 4. 26, 2006다87903).

ⓐ 일반적으로 수익적 행정처분이 상대방에게 어떠한 국가배상책임을 발생시키는 행위가 되기는 어렵다. 그러나 건축할 수 없는 도로예정지상에 건축허가를 함으로 인하여 건축주(귀책사유가 없는 건축주의 경우)가 건물을 철거해야만 하는 것과 같은 경우, 건축물의 건축공사비와 철거비용의 손해가 건축주에게 발생할 수 있다(대판 1980. 3. 11, 79다1687).

정답 01 ○ 02 ○ 03 ○ 04 ○ 05 × 06 ○

기출 체크

□□□□□ 01 사인이 받은 손해란 생명 · 신체 · 재산상의 손해는 인정하지만, 정신상의 손해는 인정하지 않는다.
(○, ×) ★★ 2017 사회복지직 9급

□□□□□ 02 도지사에 의한 지방의료원의 폐업결정과 관련하여 국가배상책임이 성립하기 위하여서는 공무원의 직무집행이 위법하다는 점만으로는 부족하고 그로 인하여 타인의 권리 · 이익이 침해되어 구체적 손해가 발생하여야 한다.
(○, ×) 2019 국회직 8급

정답 01 × 02 ○

06 | 타인에게 손해를 입히거나

❶ 타 인

가해자인 공무원과 그의 직무상 위법행위에 가담한 자 이외의 모든 사람을 가리키는 것으로서 **자연인, 법인을 불문한다. 공무원 역시 다른 공무원의 불법행위로 피해를 입은 때에는 타인에 포함될 수 있다.**

❷ 손 해

손해는 가해행위로부터 발생한 일체의 손해로서 적극적 손해(치료비 등), 소극적 손해(일당 등 벌 수 있었던 금전), **재산상의 손해 또는 생명 · 신체 등 비재산상 손해 그리고 정신적 손해(위자료)를 가리지 않고 모두 포함한다.01**

관련판례

1. **불법행위를 이유로 배상하여야 할 손해는 현실로 입은 확실한 손해에 한한다**(대판 2020. 10. 15, 2017다278446).

2. (甲도지사가 도에서 설치 · 운영하는 乙지방의료원을 폐업하겠다는 결정을 발표하고 그에 따라 폐업을 위한 일련의 조치가 이루어진 후 乙지방의료원을 해산한다는 내용의 조례를 공포하고 乙지방의료원의 청산절차가 마쳐진 사안에서) **국가배상법 제2조 제1항에 따른 국가배상책임이 성립하기 위해서 공무원의 직무집행이 위법하다는 점만으로는 부족하고 공무원의 위법한 직무집행으로 타인의 권리 · 이익이 침해되어 구체적 손해가 발생하여야 한다**(대판 2016. 8. 30, 2015두60617).**02**

3-1. **법령에서 주민들의 행정절차 참여에 관하여 정하는 것은 어디까지나 주민들에게 자신의 의사와 이익을 반영할 기회를 보장하고 행정의 공정성, 투명성과 신뢰성을 확보하며 국민의 권익을 보호하기 위한 것일 뿐, 행정절차에 참여할 권리 그 자체가 사적 권리로서의 성질을 가지는 것은 아니다.**

3-2. **이와 같이 행정절차는 그 자체가 독립적으로 의미를 가지는 것이라기보다는 행정의 공정성과 적정성을 보장하는 공법적 수단으로서의 의미가 크므로, 관련 행정처분의 성립이나 무효 · 취소 여부 등을 따지지 않은 채 주민들이 일시적으로 행정절차에 참여할 권리를 침해받았다는 사정만으로 곧바로 국가나 지방자치단체가 주민들에게 정신적 손해에 대한 배상의무를 부담한다고 단정할 수 없다.★★**

(1) 행정절차는 그 자체가 독립적으로 의미를 가지는 것이라기보다는 행정의 공정성과 적정성을 보장하는 공법적 수단으로서의 의미가 크므로, 관련 행정처분의 성립이나 무효 · 취소 여부 등을 따지지 않은 채 주민들이 일시적으로 행정절차에 참여할 권리를 침해받았다는 사정만으로 곧바로 국가나 지방자치단체가 주민들에게 정신적 손해에 대한 배상의무를 부담한다고 단정할 수 없다. 이와 같은 행정절차상 권리의 성격이나 내용 등에 비추어 볼 때, 국가나 지방자치단체가 행정절차를 진행하는 과정에서 주민들의 의견제출 등 절차적 권리를 보장하지 않은 위법이 있다고 하더라도 그 후 이를 시정하여 절차를 다시 진행한 경우, 종국적으로 행정처분단계까지 이르지 않거나 처분을 직권으로 취소하거나 철회한 경우, 행정소송을 통하여 처분이 취소되거나 처분의 무효를 확인하는 판결이 확정된 경우 등에는 주민들이 절차적 권리의 행사를 통하여 환경권이나 재산권 등 사적 이익을 보호하려던 목적이 실질적으로 달성된 것이므로 특별한 사정이 없는 한 절차적 권리침해로 인한 정신적 고통에 대한 배상은 인정되지 않는다. 다만 이러한 조치로도 주민들의 절차적 권리침해로 인한 정신적 고통이 여전히 남아 있다고 볼 특별한 사정이 있는 경우에 국가나 지방자치단체는 그 정신적 고통으로 인한 손해를 배상할 책임이 있다. 이때 특별한 사정이 있다는 사실에 대한 주장 · 증명책임은 이를 청구하는 주민들에게 있고, 특별한 사정이 있는지는 주민들에게 행정절차참여권을 보장하는 취지, 행정절차참여권이 침해된 경위와 정도, 해당 행정절차 대상사업의 시행경과 등을 종합적으로 고려해서 판단해야 한다.

(2) 원고는 지방자치단체가 설치 · 운영하는 폐기물매립장 인근에 거주하는 주민으로서, 지방자치단

체가 폐기물매립장을 설치하면서 관련법령에서 정한 입지선정위원회 구성 등 주민의견수렴절차를 거치지 않은 채 관련서류를 위조하여 폐기물매립장을 설치하였고 그 폐기물매립장을 부실하게 운영하여 원고의 행정절차참여권, 환경권 등을 침해하였음을 이유로 손해배상을 청구한 사안에서, 주민들의 행정절차참여권 침해를 이유로 한 손해배상의 경우 행정절차를 이행하지 않았다는 사실만으로 곧바로 손해배상이 인정되는 것은 아니고, 관련 행정처분이 취소되는 등의 조치로도 주민들의 정신적 고통이 남아 있다고 볼 특별한 사정이 있는 경우에만 손해배상책임이 인정되는 것**01**인데, 이 사건의 경우에는 특별한 사정의 존재 여부에 앞서 원고가 관련 행정절차가 진행될 당시 인근지역 주민이었는지 여부가 심리 · 판단되지 않았는데도 피고의 손해배상책임을 인정한 원심 판결에 법리오해와 심리미진의 잘못이 있다(대판 2021. 7. 29, 2015다221668).

07 | 직무행위와 손해발생 간의 인과관계

1. 가해행위와 손해발생 사이에는 민법상 불법행위책임과 동일하게 상당한 인과관계가 있어야 하는바, 이때 상당인과관계란 경험법칙에 의해서 일정한 사실이 있으면 일정한 결과가 발생하는 것이 일반적이라고 생각되는 범위 안에서 인과관계를 인정하는 것을 의미한다.

2. 판례는 상당인과관계의 여부를 판단함에 있어서 결과발생의 개연성, 법령 등의 목적, 가해행위의 태양, 피해의 정도 등을 종합적으로 고려하여야 한다는 입장이다. 한편, 상당인과관계는 이를 주장하는 측에서 증명하여야 하지만, 반드시 의학적 · 자연과학적으로 명백히 증명되어야 하는 것이 아니며 규범적 관점에서 상당인과관계가 인정되는 경우에는 증명이 된 것으로 보아야 한다(대판 2020. 2. 13, 2017두47885).

관련판례

1. 공무원에게 직무상 의무를 부과한 법령의 보호목적이 사회구성원 개인의 이익과 안전을 보호하기 위한 것이 아니고 단순히 공공일반의 이익이나 행정기관 내부의 질서를 규율하기 위한 것이라면, 가사 공무원이 그 직무상 의무를 위반한 것을 계기로 하여 제3자가 손해를 입었다 하더라도 공무원이 직무상 의무를 위반한 행위와 제3자가 입은 손해 사이에는 법리상 상당인과관계가 있다고 할 수 없다(대판 2001. 4. 13, 2000다34891 ; 대판 2020. 7. 9, 2016다268848).**02** ⓐ ★★★

2. 일반적으로 국가 또는 지방자치단체가 권한을 행사할 때에는 국민에 대한 손해를 방지하여야 하고, 국민의 안전을 배려하여야 하며, 소속 공무원이 전적으로 또는 부수적으로라도 국민 개개인의 안전과 이익을 보호하기 위하여 법령에서 정한 직무상 의무를 위반하여 국민에게 손해를 가하면 상당인과관계가 인정되는 범위 안에서 국가 또는 지방자치단체가 배상책임을 부담하는 것이지만, 공무원이 직무를 수행하면서 근거되는 법령의 규정에 따라 구체적으로 의무를 부여받았어도 그것이 국민의 이익과는 관계없이 순전히 행정기관 내부의 질서를 유지하기 위한 것이거나, 또는 국민의 이익과 관련된 것이라도 직접 국민 개개인의 이익을 위한 것이 아니라 전체적으로 공공일반의 이익을 도모하기 위한 것이라면 그 의무를 위반하여 국민에게 손해를 가하여도 국가 또는 지방자치단체는 배상책임을 부담하지 아니한다(대판 2015. 5. 28, 2013다41431).**03** ★★★

3-1. 공무원에게 부과된 직무상 의무의 내용이 단순히 공공일반의 이익을 위한 것이거나 행정기관 내부의 질서를 규율하기 위한 것이 아니고 전적으로 또는 부수적으로 사회구성원 개인의 안전과 이익을 보호하기 위하여 설정된 것이라면, 공무원이 그와 같은 직무상 의무를 위반함으로써 피해자가 입은 손해에 대해서는 상당인과관계가 인정되는 범위에서 국가가 배상책임을 진다.**04 05** ★★★

3-2. 이때 상당인과관계의 유무는 일반적인 결과발생의 개연성은 물론 직무상 의무를 부과하는 법령을 비롯한 행동규범의 목적, 가해행위의 양태와 피해의 정도 등을 종합적으로 고려하여 판단하여야 한다(대판 2021. 6. 10, 2017다286874).

기출 체크

□□□□□ **01** 공법인이 국가나 지방자치단체의 행정작용을 대신하여 공익사업을 시행하면서 행정절차를 진행하는 과정상 주민들의 절차적 권리를 보장하지 않은 위법이 있는 경우, 절차상 위법의 시정으로도 주민들에게 정신적 고통이 남아 있다고 볼 특별한 사정이 있어도 정신적 손해의 배상을 구하는 것은 불가능하다. (○, ×) ★★ 2024 국회직 8급

□□□□□ **02** 공무원이 직무를 수행하면서 그 근거가 되는 법령의 규정에 따라 구체적으로 의무를 부여받았어도 그것이 국민의 이익과 관계없이 순전히 행정기관 내부의 질서를 유지하기 위한 것이라면 그 의무에 위반하여 국민에게 손해를 가하여도 국가 등은 배상책임을 부담하지 않는다. (○, ×) ★★★ 2022 국가직 9급

□□□□□ **03** 공무원이 법령에 따라 직무수행에 관한 의무를 부여받았어도 그것이 직접 국민 개개인의 이익을 위한 것이 아니라 전체적으로 공공일반의 이익을 도모하기 위한 것이라면 그 의무를 위반하여 국민에게 손해를 가하여도 국가 또는 지방자치단체는 배상책임을 부담하지 아니한다. (○, ×) ★★★ 2024 국회직 8급

□□□□□ **04** 공무원에게 부과된 직무상 의무의 내용이 공공일반의 이익을 위한 것이거나 행정기관 내부의 질서를 규율하기 위한 것이라면 공무원의 당해 직무상 의무위반으로 피해자가 입은 손해에 대해서는 상당인과관계가 인정되는 범위 내에서 공적 주체가 손해배상책임을 진다. (○, ×) ★★★ 2024 소방간부

□□□□□ **05** 공무원에게 부과된 직무상 의무의 내용이 전적으로 또는 부수적으로라도 사회구성원 개인의 안전과 이익을 보호하기 위하여 설정된 것이어야 직무상 의무위반과 피해자가 입은 손해 사이에 상당인과관계가 인정될 수 있다. (○, ×) ★★★ 2022 지방직 · 서울시 7급

ⓐ 앞서 본 바와 같이 판례는 국가배상책임의 성립과 관련하여서 관계법령의 사익보호성을 요구하고 있으며 사익보호성의 지위에 대해 상당인과관계를 판단하는 요소로 보는 판례가 증가하고 있다.

정답 01 × 02 ○ 03 ○ 04 × 05 ○

기출 체크

□□□□□ **01** 군교도소 수용자들이 탈주하여 일반국민에게 손해를 입혔다면 국가는 그로 인하여 피해자들이 입은 손해를 배상할 책임이 있다. (○, ×)
2021 소방직 9급

□□□□□ **02** 유흥주점의 화재로 여종업원들이 사망한 경우, 담당공무원의 유흥주점의 용도변경, 무허가 영업 및 시설기준에 위배된 개축에 대하여 시정명령 등 식품위생법상 취하여야 할 조치를 게을리 한 직무상 의무위반행위와 여종업원들의 사망 사이에는 상당인과관계가 존재하지 아니한다. (○, ×) ★★ 2014 지방직 9급

□□□□□ **03** 소방공무원들이 다중이용업소인 주점의 비상구와 피난시설 등에 대한 점검을 소홀히 함으로써 주점의 피난통로 등에 중대한 피난 장애요인이 있음을 발견하지 못하여 업주들에 대한 적절한 지도 · 감독을 하지 아니한 경우 직무상 의무위반과 주점 손님들의 사망 사이에 상당인과관계가 인정된다. (○, ×)
2019 서울시 9급

□□□□□ **04** 우편집배원이 압류 및 전부명령 결정 정본을 특별송달함에 있어 부적법한 송달을 하고도 적법한 송달을 한 것처럼 보고서를 작성하여 압류 및 전부의 효력이 발생하지 않아 집행채권자가 피압류채권을 전부받지 못한 경우 우편집배원의 직무상 의무위반과 집행채권자의 손해 사이에는 상당인과관계가 있다. (○, ×)
2019 국회직 8급

ⓐ 식품위생 담당공무원이 비위생적인 주방환경을 보고도 아무런 조치를 취하지 않은 경우, 그 음식점에서 음식을 먹은 사람이 식중독에 걸려 사망한 것과 그 음식점에서 음식을 먹던 사람이 화재로 사망한 것을 비교해서 생각해 볼 것

정답 01 ○ 02 ○ 03 ○ 04 ○

4. **군병원에 입원한 사병이 탈영하여 강도살인범죄를 저지른 경우 상당인과관계가 없다**(대판 1988. 12. 27, 87다카2293).

5. **헌병대 영창에서 탈주한 군인들이 민가에 침입하여 저지른 범죄행위에 대해 상당인과관계가 있다.**
   군행형법(현 「군에서의 형의 집행 및 군수용자의 처우에 관한 법률」)과 군행형법시행령이 군교도소나 미결수용실(이하 '교도소 등'이라 한다)에 대한 경계 감호를 위하여 관련 공무원에게 각종 직무상의 의무를 부과하고 있는 것은, 일차적으로는 그 수용자들을 격리보호하고 교정교화함으로써 공공일반의 이익을 도모하고 교도소 등의 내부질서를 유지하기 위한 것이라 할 것이지만, 부수적으로는 그 수용자들이 탈주한 경우에 그 도주과정에서 일어날 수 있는 2차적 범죄행위로부터 일반국민의 인명과 재화를 보호하고자 하는 목적도 있다고 할 것이므로, 국가공무원들이 위와 같은 직무상의 의무를 위반한 결과 수용자들이 탈주함으로써 일반국민에게 손해를 입히는 사건이 발생하였다면, 국가는 그로 인하여 피해자들이 입은 손해를 배상할 책임이 있다(대판 2003. 2. 14, 2002다62678). **01**

6-1. **유흥주점에 감금된 채 윤락을 강요받으며 생활하던 여종업원들이 유흥주점에 화재가 났을 때 미처 피신하지 못하고 유독가스에 질식해 사망한 사안에서, 소방공무원이 위 화재 전 유흥주점에 대하여 구 소방법상 시정조치를 명하지 않은 직무상 의무위반과 위 사망의 결과 사이에는 상당인과관계가 있다.** ★★
   위 각 합동점검에 참여한 소방공무원으로서는 위 소방법 관련 규정에 따라 위 잠금장치가 있는 철제문이 화재시 피난에 장애요인이 되는지 여부를 확인하고 그 문이나 잠금장치의 제거 등 시정조치를 취할 직무상 의무가 있다고 할 것인데, 위 철제문의 존재를 인식하고서도 아무런 조치를 취하지 아니한 채 오히려 점검부에는 피난장애시설이 없다는 취지로 허위 기재 및 보고를 한 잘못이 있다 할 것이고, 이러한 소방공무원의 직무상 의무위반은 앞서 본 제반 법리에 비추어 현저히 불합리하여 위법하다고 할 것이며, 이러한 직무상 의무위반 역시 망인들의 사망이라는 결과에 상당인과관계가 있다고 봄이 상당하다.

6-2. **유흥주점에 감금된 채 윤락을 강요받으며 생활하던 여종업원들이 유흥주점에 화재가 났을 때 미처 피신하지 못하고 유독가스에 질식해 사망한 사안에서, 지방자치단체의 담당공무원이 식품위생법상 취하여야 할 조치를 게을리한 직무상 의무위반행위와 위 사망의 결과 사이에는 상당인과관계가 없다**(대판 2008. 4. 10, 2005다48994). **02** ⓐ ★★

7. **소방공무원들이 다중이용업소인 주점의 비상구와 피난시설 등에 대한 점검을 소홀히 함으로써 주점의 피난통로 등에 중대한 피난 장애요인이 있음을 발견하지 못하여 업주들에 대한 적절한 지도 · 감독을 하지 아니한 경우 직무상 의무위반과 주점 손님들의 사망 사이에 상당인과관계가 인정된다**(대판 2016. 8. 25, 2014다225083). **03**

8. **우편역무종사자의 직무상 의무위반으로 내용증명우편물이 수취인에게 도달하지 않거나 그 도달에 대한 증명기능이 발휘되지 못하게 된 경우, 그 직무상 의무위반과 발송인 등이 제3자와 맺은 거래관계의 성립 · 이행 · 소멸 등과 관련하여 입은 손해 사이에는 원칙적으로 상당인과관계가 없다**(대판 2009. 7. 23, 2006다81325).

9. 우편집배원이 압류 및 전부명령 결정 정본을 특별송달하는 과정에서 민사소송법을 위반하여 부적법한 송달을 하고도 적법한 송달을 한 것처럼 우편송달보고서를 작성하여 압류 및 전부의 효력이 발생한 것과 같은 외관을 형성시켰으나, 실제로는 압류 및 전부의 효력이 발생하지 아니하여 집행채권자로 하여금 피압류채권을 전부받지 못하게 함으로써 손해를 입게 한 경우에는, 우편집배원의 위와 같은 직무상 의무위반과 집행채권자의 손해 사이에는 상당인과관계가 있다고 봄이 상당하고, 국가는 국가배상법에 의하여 그 손해에 대하여 배상할 책임이 있다(대판 2009. 7. 23, 2006다87798). **04**

10. (부산2저축은행 발행의 후순위사채에 투자한 원고들이 사채발행회사, 외부감사인, 증권회사, 신용평가회사, 금융감독원, 대한민국 등을 상대로 손해배상을 청구한 사안에서) 「금융위원회의 설치 등에 관한 법률」의 입법취지 등에 비추어 볼 때, 피고 금융감독원에 금융기관에 대한 검사 · 감독의무를 부과한 법령의 목적이 금융상품에 투자한 투자자 개인의 이익을 직접 보호하기 위한 것이라고 할 수 없으므로, 피고 금융감독원 및 그 직원들의 위법한 직무집행과 부산2저축은행의 후순위사채에 투자한 원고들이 입은 손해 사이에 상당인과관계가 있다고 보기 어렵다(대판 2015. 12. 23, 2015다210194).

08 | 관련문제 - 형사책임과 국가배상책임

형사책임(사회의 법질서를 위반한 행위에 대한 제재)과 국가배상책임(피해자에게 발생한 손해의 전보)은 각각 지도원리가 다르므로 형사재판에서 무죄판결이 확정되더라도 국가배상책임이 인정될 수 있다.

관련판례

(경찰관이 범인을 제압하는 과정에서 총기를 사용하여 범인을 사망에 이르게 한 경우 형사상 무죄판결이 확정되었지만 배상책임은 인정하면서) **형사상 범죄를 구성하지 아니하는 침해행위도 민사상 불법행위를 구성할 수 있다.★★**

불법행위에 따른 형사책임은 사회의 법질서를 위반한 행위에 대한 책임을 묻는 것으로서 행위자에 대한 공적인 제재(형벌)를 그 내용으로 함에 비하여, 민사책임은 타인의 법익을 침해한 데 대하여 행위자의 개인적 책임을 묻는 것으로서 피해자에게 발생한 손해의 전보를 그 내용으로 하는 것이고, 손해배상제도는 손해의 공평·타당한 부담을 그 지도원리로 하는 것이므로, 형사상 범죄를 구성하지 아니하는 침해행위라고 하더라도 그것이 민사상 불법행위를 구성하는지 여부는 형사책임과 별개의 관점에서 검토하여야 한다(대판 2008. 2. 1, 2006다6713). **01 02**

기출 체크

□□□□□ **01** 형사상 범죄행위를 구성하지 않는 침해행위라 하더라도 그것이 민사상 불법행위를 구성하는지 여부는 형사책임과 별개의 관점에서 검토하여야 한다. (○, ×) ★★ 2018 경행경채 3차

□□□□□ **02** 공무원의 가해행위에 대해 형사상 무죄판결이 있었더라도 그 가해행위를 이유로 국가배상책임이 인정될 수 있다. (○, ×) ★★ 2017 국가직 7급

정답 01 ○ 02 ○

제 2 절 배상책임자 등

초대 Topic 30 핵심집약 Topic 54

기출 체크

□□□□□ 01 국가배상법이 정하는 배상기준의 성격에 대하여 판례는 한정액설을 취함으로써 국가배상법이 정하는 배상금액 이상의 배상을 인정하지 아니한다. (○, ×) ★ 2008 국가직 7급

□□□□□ 02 판례는 구 국가배상법(67. 3. 3, 법률 제1899호) 제3조의 배상액 기준은 배상심의회 배상액 결정의 기준이 될 뿐 배상범위를 법적으로 제한하는 규정이 아니므로 법원을 기속하지 않는다고 보았다. (○, ×) ★ 2020 지방직 · 서울시 9급

□□□□□ 03 국가배상법 제2조 제1항을 적용할 때 피해자가 손해를 입은 동시에 이익을 얻은 경우에는 손해배상액에서 그 이익에 상당하는 금액을 빼야 한다. (○, ×) ★ 2018 경행경채

01 | 국가배상기준

❶ 국가배상기준의 성질

국가배상법 제3조는 생명 · 신체 등에 대한 침해, 물건의 훼손 등으로 인한 손해에 대해서 배상금액의 기준을 정하고 있는바, 이의 성질이 무엇인지 문제된다.

한정액설	기준액설
국가배상법 제3조의 기준은 배상액의 상한을 정한 것이라는 견해이다.	국가배상법 제3조의 기준은 단순한 기준을 정한 것에 불과하므로 구체적인 경우 배상금액은 증감이 가능하다는 견해로서 **통설 · 판례의 입장**이다. **01**

관련판례

국가배상법 제3조의 규정은 기준액이다.★

국가배상법(1967. 3. 3, 법률 제1899호) 제3조 제1 · 3항 규정의 손해배상기준은 배상심의회의 배상금지급기준을 정함에 있어 하나의 기준을 정한 것에 지나지 아니하고 이로써 배상액의 상환을 제한한 것으로는 볼 수 없으므로 손해배상액을 산정함에 있어서 국가배상법 제3조 소정의 기준에 구애되지 않고 이를 초과하여 그 액을 정하였다 하더라도 다른 특별한 사정이 없는 한 위법이라고 할 수 없다(대판 1970. 3. 10, 69다1772). **02**

❷ 이익의 공제ⓐ

국가배상법 제3조의2에서는 피해자가 손해를 입은 동시에 이익을 얻은 경우에는 **손해배상액에서 그 이익에 상당하는 금액을 빼야 한다03**고 하여 이익공제에 대해 규정하고 있다.

ⓐ 어느 행위로 인해 손해가 발생함과 동시에 이익도 발생한 경우, 손해배상액을 결정함에 있어서 그 손해액으로부터 이익을 공제한 잔액을 배상할 손해로 정하는 것을 말한다. 손해배상은 실제로 발생한 손해의 전보를 목적으로 하는 것이므로 채권자에게 손해가 발생함과 동시에 이익도 생긴 경우에는 그 이익을 공제하는 것이 형평의 원리에 맞기 때문이다. 예컨대, 아동이 사망한 때에 아동이 얻어야 할 이익을 부모가 청구하는 경우 부모는 아동의 양육비를 면하는 이익(일반적 개념으로 이익이라고 볼 수는 없지만 법률적 개념으로 그렇다는 의미이다)을 얻게 되므로 그 금액은 빼고 청구할 수 있다는 의미이다.

관련판례

다른 공무원의 불법행위로 사망한 공무원에 대한 국가 또는 지방자치단체의 손해배상액에서 공무원연금법에 의하여 지급된 유족보상금 상당액을 공제한 잔액만을 지급하면 된다.★

공무원이 공무집행 중 다른 공무원의 불법행위로 인하여 사망한 경우 …… 그 유족들이 공무원연금관리공단 등으로부터 공무원연금법 소정의 유족보상금을 지급받았다면 국가 또는 지방자치단체는 그 유족들에게 사망한 공무원의 소극적 손해액에서 유족들이 지급받은 유족보상금 상당액을 공제한 잔액만을 지급하면 된다(대판 1998. 11. 19, 97다36873 전합).

정답 01 × 02 ○ 03 ○

02 | 배상책임자

❶ 국가배상법 제2조의 책임자

1. 국가 또는 지방자치단체

국가배상법 제2조는 가해공무원이 국가의 소속인 경우, 즉 국가사무에 대해서는 국가가 배상책임을 지고, 가해공무원이 지방자치단체의 소속인 경우, 즉 지방자치단체의 사무에 대해서는 지방자치단체가 배상책임을 지도록 하고 있다.01❶

2. 지방자치단체 외의 공공단체

헌법과 달리 국가배상법은 배상책임자로 국가 또는 지방자치단체만 규정할 뿐 다른 공공단체를 제외하고 있으므로02 다른 공공단체(예 영조물법인)의 경우에는 국가배상법이 아닌 민법에 의해 손해배상청구를 할 수 있을 뿐이다.

❷ 국가배상법 제6조 제1항의 책임자

1. 규정 및 취지

(1) 국가배상법 제6조는 선임 · 감독자와 비용을 부담하는 자가 다른 경우에 비용을 부담하는 자도 배상책임을 지도록 규정하고 있다.❷ 따라서 국민은 양자에 대해서 선택적으로 배상청구가 가능하다.04ⓐ

(2) 한편, 이때 비용이란 공무원의 인건비만을 의미하는 것이 아니라 사무에 필요한 일체의 경비를 의미한다는 것이 판례의 입장이다.

관련판례

비용이란 인건비만이 아니라 당해 사무에 필요한 일체의 경비를 의미한다.★★

국가배상법 제6조 제1항 소정의 '공무원의 봉급 · 급여 기타의 비용'이란 공무원의 인건비만을 가리키는 것이 아니라 당해 사무에 필요한 일체의 경비를 의미한다고 할 것이고, 적어도 대외적으로 그러한 경비를 지출하는 자는 경비의 실질적 · 궁극적 부담자가 아니더라도 그러한 경비를 부담하는 자에 포함된다(대판 1994. 12. 9, 94다38137).

2. 선임 · 감독자와 비용부담자의 의미

(1) 선임 · 감독자는 사무의 귀속주체를 의미한다는 것이 일반적 견해이다.

(2) 비용부담자가 누구인지에 대해서는 다음과 같이 학설이 대립하는데 판례는 지방자치단체가 일단 비용을 지출한 후 그 비용을 국가로부터 보전받더라도 비용을 대외적으로 지출한 이상, 지방자치단체도 비용부담자로서 책임을 진다고 판시한 바 있다.

❸ 기관위임사무의 경우

1. 기관위임사무의 의의

기관위임사무란 법령에 의하여 국가 또는 상급지방자치단체로부터 지방자치단체의 집행기관에 처리가 위임된 사무를 말한다. 이 경우 지방자치단체의 장은 국가 또는 상급지방자치단체의 집행기관의 자

기출 체크

□□□□□ **01** 서울특별시 소속의 공무원이 공무집행 중 폭행을 가하여 손해를 입힌 경우에 피해자는 누구를 피고로 하여 손해배상청구소송을 제기하여야 하는가? ★★★ 2013 서울시 9급

① 서울특별시
② 서울특별시장
③ 행정안전부장관
④ 경찰청장
⑤ 서울시지방경찰청장(현 서울경찰청장)

□□□□□ **02** 국가배상법은 국가배상책임의 주체를 국가 또는 공공단체로 규정하고 있다. (○, ×) ★★★ 2015 사회복지직 9급

□□□□□ **03** 국가나 지방자치단체가 손해를 배상할 책임이 있는 경우에 공무원의 선임 · 감독 또는 영조물의 설치 · 관리를 맡은 자와 공무원의 봉급 · 급여, 그 밖의 비용 또는 영조물의 설치 · 관리 비용을 부담하는 자가 동일하지 아니하면 그 비용을 부담하는 자도 손해를 배상하여야 한다. (○, ×) ★★★ 2021 지방직 · 서울시 9급

□□□□□ **04** 사무귀속주체와 비용부담주체가 동일하지 아니한 경우에는 사무귀속주체가 손해를 우선적으로 배상하여야 한다. (○, ×) ★★★ 2016 서울시 9급

❶ 국가배상법 제2조【배상책임】① 국가나 지방자치단체는 …… 그 손해를 배상하여야 한다.

❷ 국가배상법 제6조【비용부담자 등의 책임】① 제2조 · 제3조 및 제5조에 따라 국가나 지방자치단체가 손해를 배상할 책임이 있는 경우에 공무원의 선임 · 감독 또는 영조물의 설치 · 관리를 맡은 자와 공무원의 봉급 · 급여, 그 밖의 비용 또는 영조물의 설치 · 관리 비용을 부담하는 자가 동일하지 아니하면 그 비용을 부담하는 자도 손해를 배상하여야 한다.03

ⓐ 선택적으로 청구할 수 있기 때문에 선임 · 감독자와 비용부담자 누구에게 배상을 청구할지는 피해자의 뜻에 달려 있다. 즉, 선임 · 감독자에게 우선적으로 배상을 청구하여야 하는 것은 아니다.

정답 01 ① 02 × 03 ○ 04 ×

격에서 사무를 처리하는 것이므로, 그러한 사무는 어디까지나 국가 또는 상급지방자치단체의 사무이다.

2. 국가배상법 제2조의 책임자

기관위임사무는 위임자(국가 또는 상급지방자치단체)의 사무가 되므로 위임자는 사무귀속자로서 국가배상법 제2조에 의한 배상책임을 진다.

3. 국가배상법 제6조 제1항(비용부담자)의 책임자

기관위임사무를 처리하는 과정에서 지방자치단체가 대외적으로 비용을 지출한 경우 판례에 따르면 지방자치단체도 비용부담자로서 배상책임을 진다.

관련판례

1. **지방자치단체장에게 기관위임된 사무의 경우 지방자치단체가 경비를 대외적으로 지출하였다면 지방자치단체도 비용부담자로서 국가배상책임을 진다.★★★**

   지방자치단체의 장이 기관위임된 국가행정사무를 처리하는 경우 그에 소요되는 경비의 실질적·궁극적 부담자는 국가라고 하더라도 당해 지방자치단체는 국가로부터 내부적으로 교부된 금원으로 그 사무에 필요한 경비를 대외적으로 지출하는 자이므로, 이러한 경우 지방자치단체는 국가배상법 제6조 제1항 소정의 비용부담자로서 공무원의 불법행위로 인한 같은 법에 의한 손해를 배상할 책임이 있다(대판 1994. 12. 9, 94다38137).**01**

2. **지방자치단체장 간의 기관위임의 경우, 위임사무처리상의 불법행위에 대한 사무귀속주체로서 손해배상책임의 주체는 상위지방자치단체이다.02 ★★★**

   지방자치단체장 간의 기관위임의 경우에 위임받은 하위지방자치단체장은 상위지방자치단체 산하 행정기관의 지위에서 그 사무를 처리하는 것이므로 사무귀속의 주체가 달라진다고 할 수 없고, 따라서 하위지방자치단체장을 보조하는 하위지방자치단체 소속 공무원이 위임사무처리에 있어 고의 또는 과실로 타인에게 손해를 가하였더라도 상위지방자치단체는 여전히 그 사무귀속주체로서 손해배상책임을 진다(대판 1996. 11. 8, 96다21331).

기출 체크

□□□□□ **01** 지방자치단체의 장이 기관위임된 국가행정사무를 처리하는 경우 국가로부터 내부적으로 교부된 금원으로 그 사무에 필요한 경비를 대외적으로 지출하는 지방자치단체는 국가배상법 제6조 제1항 소정의 비용부담자로서 손해를 배상할 책임이 있다. (○, ×) ★★★

2019 경행경채 2차

□□□□□ **02** 판례는 지방자치단체장 간의 기관위임이 있을 때 위임받은 하위지방자치단체 소속 공무원이 위임사무를 처리하면서 고의로 타인에게 손해를 가한 경우에는 상위지방자치단체는 손해배상책임을 지지 않는다고 본다. (○, ×) ★★★

2011 국가직 7급

03 | 공무원 개인의 배상책임

❶ 공무원의 외부적 책임(선택적 청구권의 문제)

1. 헌법 제29조의 규정❶

(1) 헌법 제29조 제1항 단서는 공무원 개인의 책임은 면제되지 않는다고 규정하고 있는바, 이의 해석과 관련하여 국가 등이 피해자에게 배상책임을 지는 외에 공무원 개인도 피해자에 대해서 배상책임을 지는지가 문제된다.

(2) 한편, 공무원의 국민에 대한 책임, 즉 외부적 책임의 문제는 피해자인 국민이 국가 등 외에 가해자인 공무원에게도 손해배상청구권을 행사할 수 있는지의 문제이므로 선택적 청구권의 문제가 된다.

❶ 헌법 제29조 ① 공무원의 직무상 불법행위로 손해를 받은 국민은 법률이 정하는 바에 의하여 국가 또는 공공단체에 정당한 배상을 청구할 수 있다. 이 경우 공무원 자신의 책임은 면제되지 아니한다.

2. 학설·판례

(1) 학 설

선택적 청구권 긍정설, 선택적 청구권 부정설, 절충설이 대립한다.

정답 01 ○ 02 ×

(2) 판 례

① 대법원은 초기에는 선택적 청구권을 긍정하였다가 그 후 선택적 청구권을 부정하였으나 최근 전원합의체 판결로 절충설과 동일한 내용의 판결을 한 바 있다.

② 즉, 헌법 제29조 제1항 단서에서 공무원 자신의 책임은 면제되지 않는다는 의미는 공무원의 구체적 책임의 범위까지 규정한 것이 아니라는 전제하에01 고의 · 중과실의 경우에는 공무원 개인에게 책임이 있으므로 피해자의 선택적 청구권을 긍정하고, 경과실의 경우에는 공무원 개인에게 책임이 없으므로 피해자의 선택적 청구권을 부정하는 것이 판례의 입장이다.02

③ 공무원의 중과실이란 거의 고의에 가까운 현저한 주의를 결여한 상태를 의미한다(대판 2021. 11. 11, 2018다288631).03

관련판례

1. 헌법 제29조 제1항 단서는 공무원 개인의 구체적 손해배상책임범위까지 규정한 것으로 보기는 어렵다.
2. 국가배상법 제2조 제1항 본문 및 제2항의 입법취지는 공무원의 직무상 위법행위로 타인에게 손해를 끼친 경우에는 변제자력이 충분한 국가 등에게 선임 · 감독상 과실 여부에 불구하고 손해배상책임을 부담시켜 국민의 재산권을 보장하는 데 있다.
3. 공무원이 직무수행 중 불법행위로 타인에게 손해를 입힌 경우에 국가 등이 국가배상책임을 부담하는 외에 공무원 개인도 고의 또는 중과실이 있는 경우에는 불법행위로 인한 민사상 손해배상책임을 진다.04 ★★★
4. 그러나 공무원에게 경과실뿐인 경우에는 공무원 개인은 손해배상책임을 부담하지 아니한다.05 06 ★★★
   공무원이 직무수행 중 불법행위로 타인에게 손해를 입힌 경우에 국가 등이 국가배상책임을 부담하는 외에 공무원 개인도 고의 또는 중과실이 있는 경우에는 불법행위로 인한 손해배상책임을 진다고 할 것이지만, 공무원에게 경과실뿐인 경우에는 공무원 개인은 손해배상책임을 부담하지 아니한다고 해석하는 것이 헌법 제29조 제1항 본문과 단서 및 국가배상법 제2조의 입법취지에 조화되는 올바른 해석이다(대판 1996. 2. 15, 95다38677 전합).

④ 피해자에 대해 개인책임을 지는 '공무원'의 범위

피해자에 대해 개인적으로 배상책임을 지는 공무원은 실제로 공무를 수행한 자를 말한다. 법령에 의해 공무를 위탁받은 자가 '법인'인 경우 '법인'은 경과실이 면책되는 '국가배상법 제2조 소정의 공무원'이 아니라는 것이 판례의 입장이다(p.589 **3.** 참조).

관련판례

행정주체인 공무수탁법인이 배상책임을 지는 경우에는 경과실이 면책되는 국가배상법 제2조 소정의 공무원이 아니고, 실질적으로 공무를 수행하는 공공단체의 직원 등이 경과실이 면책되는 공무원이다(대판 2010. 1. 28, 2007다82950 · 82967).

❷ 공무원의 내부적 책임(국가 등의 구상권 문제)

1. 국가배상법 제2조의 규정❶

(1) 공무원의 행위로 국가 등이 피해자인 국민에 대해 손해를 배상한 경우 공무원이 국가 등에 대해 배상책임을 지는지의 문제가 내부적 책임의 문제이다. 이는 국가의 입장에서는 구상권의 문제가 된다.

(2) 선택적 청구권에 관해서 국가배상법에 아무런 규정이 없는 것과는 달리 구상권에 관해서는 국가배상법에 명문규정을 두어07 고의 또는 중과실의 경우 국가 등은 가해공무원에 대해 구상권을 행사할 수 있다고 하고 있다.08

기출 체크

□□□□□ **01** 공무원 책임에 대한 규정인 헌법 제29조 제1항 단서는 그 조항 자체로 공무원 개인의 구체적인 손해배상책임의 범위까지 규정한 것으로 보기는 어렵다. (○, ×) 2018 서울시 1회 7급

□□□□□ **02** 공무원이 고의 또는 중과실로 직무상 불법행위를 한 경우에는 피해자는 공무원에 대해 선택적 청구가 가능하나 단순 경과실에 의한 경우에는 선택적 청구가 부정된다. (○, ×) ★★★ 2022 소방간부

□□□□□ **03** 공무원 개인이 지는 손해배상책임에서 중과실이란 공무원에게 통상 요구되는 정도의 상당한 주의를 하지 않더라도 약간의 주의를 한다면 손쉽게 위법 · 유해한 결과를 예견할 수 있는 경우임에도 만연히 이를 간과한 경우와 같이, 거의 고의에 가까운 현저한 주의를 결여한 상태를 의미한다. (○, ×) 2023 소방직 9급

□□□□□ **04** 공무원이 직무수행 중 불법행위로 타인에게 손해를 입힌 경우에 국가 등이 국가배상책임을 부담하는 것 외에 공무원 개인도 고의 또는 중과실이 있는 경우에는 불법행위로 인한 손해배상책임을 진다. (○, ×) ★★★ 2021 국회직 8급

□□□□□ **05** 공무원이 직무를 수행함에 있어서 경과실로 타인에게 손해를 입힌 경우, 국가 등은 물론 공무원 개인도 그로 인한 손해에 대하여 국가배상을 할 책임을 부담한다. (○, ×) ★★★ 2023 국회직 8급

□□□□□ **06** 공무원 개인이 고의 또는 중과실이 있는 경우에는 불법행위로 인한 손해배상책임을 진다고 할 것이지만, 공무원의 위법행위가 경과실에 기한 경우에는 공무원은 손해배상책임을 부담하지 않는다. (○, ×) ★★★ 2021 지방직 · 서울시 9급

□□□□□ **07** 국가 또는 지방자치단체가 공무원의 위법한 직무집행으로 발생한 손해에 대해 국가배상법에 따라 배상한 경우에 당해 공무원에게 구상권을 행사할 수 있는지에 대해 국가배상법은 규정을 두고 있지 않으나, 판례에 따르면 당해 공무원에게 고의 또는 중과실이 인정될 경우 국가 또는 지방자치단체는 그 공무원에게 구상권을 행사할 수 있다. (○, ×) ★★ 2018 국가직 9급

□□□□□ **08** 직무를 집행하는 공무원에게 고의 또는 중대한 과실이 있으면 국가나 지방자치단체는 그 공무원에게 구상(求償)할 수 있다. (○, ×) 2021 군무원 9급

❶ 국가배상법 제2조【배상책임】② 제1항 본문의 경우에 공무원에게 고의 또는 중대한 과실이 있으면 국가나 지방자치단체는 그 공무원에게 구상할 수 있다.

정답 01 ○ 02 ○ 03 ○ 04 ○ 05 × 06 ○ 07 × 08 ○

기출 체크

□□□□□ 01 국가 등의 가해공무원에 대한 구상권은 손해의 공평한 부담이라는 견지에서 신의칙상 상당하다고 인정되는 한도 내에서만 인정된다. (○, ×)

2024 소방간부

□□□□□ 02 경과실로 불법행위를 한 공무원이 피해자에게 손해를 배상하였다면 이는 타인의 채무를 변제한 경우에 해당하므로 피해자는 공무원에게 이를 반환할 의무가 있다. (○, ×) ★

2022 지방직 · 서울시 9급

□□□□□ 03 (국가배상법상) 피해자에게 직접 손해를 배상한 경과실이 있는 공무원은 국가에 대해 구상권을 행사할 수 없다. (○, ×) ★★★ 2023 군무원 7급

2. 구상권의 범위

관련판례

국가 등은 당해 공무원의 직무내용, 당해 불법행위의 상황 등 제반 사정을 참작하여 손해의 공평한 분담이라는 견지에서 신의칙상 상당하다고 인정되는 한도 내에서만 당해 공무원에 대하여 구상권을 행사할 수 있다.01

국가 또는 지방자치단체의 산하 공무원이 그 직무를 집행함에 당하여 중대한 과실로 인하여 법령에 위반하여 타인에게 손해를 가함으로써 국가 또는 지방자치단체가 손해배상책임을 부담하고, 그 결과로 손해를 입게 된 경우에는 국가 등은 당해 공무원의 직무내용, 당해 불법행위의 상황, 손해발생에 대한 당해 공무원의 기여 정도, 당해 공무원의 평소 근무태도, 불법행위의 예방이나 손실 분산에 관한 국가 또는 지방자치단체의 배려 정도 등 제반 사정을 참작하여 손해의 공평한 분담이라는 견지에서 신의칙상 상당하다고 인정되는 한도 내에서만 당해 공무원에 대하여 구상권을 행사할 수 있다고 봄이 상당하다(대판 1991. 5. 10, 91다6764).

③ 공무원의 국가에 대한 구상권

피해자에 대한 개인책임이 없는 경과실로 피해자에게 손해를 입힌 공무원이 피해자에게 손해를 직접 배상하였다면 공무원은 원칙적으로 국가에 대해 구상권을 취득한다는 것이 판례의 입장이다.

관련판례

1. 경과실이 있는 공무원이 피해자에 대하여 손해배상책임을 부담하지 아니함에도 피해자에게 손해를 배상하였다면 그것은 채무자 아닌 사람이 타인의 채무를 변제한 경우에 해당하고, 이는 민법 제469조의 '제3자의 변제' 또는 민법 제744조의 '도의관념에 적합한 비채변제'에 해당하여 피해자는 공무원에 대하여 이를 반환할 의무가 없다.02 ★
2. 공무원이 직무수행 중 불법행위로 타인에게 손해를 입힌 경우, 피해자에게 손해를 직접 배상한 경과실이 있는 공무원은 원칙적으로 변제한 금액에 관하여 국가에 대하여 구상권을 취득한다(대판 2014. 8. 20, 2012다54478).03 ★★★

정답 01 ○ 02 × 03 ×

제 3 절 국가와 지방자치단체의 자동차손해배상책임

초대 Topic 30 핵심집약 Topic 54

01 | 배상책임의 근거

❶ 입법상황

국가배상법 제2조 제1항 후단은 "국가나 지방자치단체는 …… 「자동차손해배상 보장법」에 따라 손해배상의 책임이 있을 때에는 이 법에 따라 그 손해를 배상하여야 한다."라고 규정하고 있다.❶

❷ 조문의 해석

「자동차손해배상 보장법」과 국가배상법의 해석에 따르면 배상책임의 성립요건에 관하여는 「자동차손해배상 보장법」이 국가배상법에 우선하여 적용되므로01 책임성립 여부는 「자동차손해배상 보장법」에 따라 판단하며, 동법에 따라 책임이 인정되면 구체적인 손해배상청구는 국가배상법의 절차에 따라 이루어진다.

기출 체크

□□□□□ 01 「자동차손해배상 보장법」은 배상책임의 성립요건에 관하여 국가배상법에 우선하여 적용된다. (O, ×)
2015 지방직 9급

❶ 국가배상법 제2조【배상책임】① 국가나 지방자치단체는 공무원 또는 공무를 위탁받은 사인(이하 '공무원'이라 한다)이 직무를 집행하면서 고의 또는 과실로 법령을 위반하여 타인에게 손해를 입히거나, 「자동차손해배상 보장법」에 따라 손해배상의 책임이 있을 때에는 이 법에 따라 그 손해를 배상하여야 한다.

02 | 배상책임의 요건

❶ 「자동차손해배상 보장법」상 요건

① '자기를 위하여' 자동차를 운행하는 자가, ② 운행으로 인하여, ③ 다른 사람을 사망하게 하거나 부상하게 하는 인적 손해가 발생하여야 하며, ④ 자살 및 고의에 의한 부상 등 면책사유가 존재하지 않아야 한다.

❷ 특 색

1. 무과실책임

「자동차손해배상 보장법」은 이른바 무과실책임으로서 자기를 위하여 자동차를 운행하는 자가 자동차를 운행하는 도중 타인에게 인적 손해를 가한 때(물적 손해는 동 조항의 규율범위에서 제외됨)에는 승객의 고의나 자살행위로 인한 것이 아닌 한 운행자의 과실 여부를 불문하고 손해배상책임을 묻도록 하고 있다.

2. '자기를 위하여'의 의미 – 운행자성

특히 문제되는 것은 '자기를 위하여'의 의미인데 이는 통상 자동차에 대한 운행을 '지배'하여 그 '이익'을 누리는 경우로 해석된다.

정답 01 O

03 | 국가배상책임

❶ 「자동차손해배상 보장법」에 의한 국가배상책임ⓐ

1. 「자동차손해배상 보장법」에 의해 국가배상책임이 인정되는 경우

(1) 「자동차손해배상 보장법」은 배상책임의 성립요건에 관해 국가배상법에 우선하여 적용되므로 국가에 운행자성(즉, 운행지배나 운행이익)이 인정되고 면책사유가 없는 한 배상책임이 성립한다.

관련판례

「자동차손해배상 보장법」 제1조, 제3조, 제28조의 규정의 취지를 종합하면 국가와 지방자치단체가 보유하는 자동차에 의하여 타인을 사상(死傷)하게 한 경우에 일어나는 손해배상책임을 묻는 요건에 관하여는 그것이 국가배상법과 저촉되는 범위에서는 「자동차손해배상 보장법」 제3조가 국가배상법의 관계규정보다 우선 적용된다고 보는 것이 상당하다(대판 1970. 3. 24, 70다135).**01**

(2) 공무원이 공무를 위해 관용차를 운행한 경우에는 국가 등이 「자동차손해배상 보장법」상 운행자성을 가지므로 국가 등은 「자동차손해배상 보장법」상 배상책임이 성립한다.

관련판례

공무원이 그 직무를 집행하기 위하여 국가 또는 지방자치단체 소유의 관용차를 운행하는 경우, 그 자동차에 대한 운행지배나 운행이익은 그 공무원이 소속한 국가 또는 지방자치단체에 귀속된다.

「자동차손해배상 보장법」 제3조 소정의 '자기를 위하여 자동차를 운행하는 자'라고 함은 자동차에 대한 운행을 지배하여 그 이익을 향수하는 책임주체로서의 지위에 있는 자를 뜻하는 것인바, 공무원이 그 직무를 집행하기 위하여 국가 또는 지방자치단체 소유의 관용차를 운행하는 경우, 그 자동차에 대한 운행지배나 운행이익은 그 공무원이 소속한 국가 또는 지방자치단체에 귀속된다고 할 것이고, 그 공무원 자신이 개인적으로 그 자동차에 대한 운행지배나 운행이익을 가지는 것이라고는 볼 수 없으므로, 그 공무원이 자기를 위하여 관용차를 운행하는 자로서 같은 법조 소정의 손해배상책임의 주체가 될 수는 없다(대판 1992. 2. 25, 91다12356).**02**

❷ 국가배상법에 의한 국가배상책임

공무원이 직무를 집행하기 위하여 자기 소유의 자동차를 운행하다가 사고가 발생한 경우, 보통의 경우에는 국가가 공무원 소유 차량에 대해 운행지배 또는 운행이익을 누리고 있다고 보기 어렵다. 따라서 국가 등이 사고 자동차의 운행자가 아니므로 국가에 대해서는 「자동차손해배상 보장법」이 적용되지 않고 국가배상법이 적용된다. 이 경우 피해자는 국가배상법상의 요건(공무원, 직무행위, 고의 또는 과실 등)을 증명하여 국가에 대해 손해배상을 청구할 수 있다.

기출 체크

□□□□□ **01** 판례는 「자동차손해배상 보장법」은 배상책임의 성립요건에 관하여는 국가배상법에 우선하여 적용된다고 판시하였다. (○, ×) 2021 소방직 9급

□□□□□ **02** 공무원이 그 직무를 집행하기 위하여 국가 또는 지방자치단체 소유의 공용차를 운행하는 경우, 그 자동차에 대한 운행지배나 운행이익은 그 공무원이 소속한 국가 또는 지방자치단체에 귀속된다고 할 것이므로, 그 공무원이 자기를 위하여 공용차를 운행하는 자로서 「자동차손해배상 보장법」 제3조 소정의 손해배상책임의 주체가 될 수는 없다. (○, ×) 2014 경행특채 2차

● 자동차손해배상책임

- 공무원이 「자동차손해배상 보장법」상의 자기를 위하여 자동차를 운행하는 자에 해당하는 한 공무원의 고의 · 중과실 · 경과실을 불문하고 공무원은 배상책임을 진다.
- 이 경우 피해자는 국가배상법상의 배상책임 요건(직무행위 등)을 입증하여 국가 등에 대해 국가배상법상의 손해배상청구권을 행사할 수 있다.

ⓐ 「자동차손해배상 보장법」 관련 정리

1. 공무원이 직무를 집행하기 위하여 자기소유의 자동차를 운행하다가 사고가 일어난 경우(공무원이 「자동차손해배상 보장법」상의 운행자에 해당하는 경우)
① 공무원은 「자동차손해배상 보장법」에 따라 고의 · 중과실 · 경과실을 묻지 않고 손해배상책임이 있다.
② 국가는 「자동차손해배상 보장법」에 따른 책임을 지는 것이 아니라 국가배상법에 따라 배상책임을 진다.

문제 | 공무원이 통상적으로 근무하는 근무지로 출근하기 위하여 자기소유의 자동차를 운행하다가 과실로 교통사고를 일으킨 경우 국가 또는 지방자치단체는 국가배상법상의 손해배상책임을 진다. (○, ×)

정답 ×
국가배상법에 따른 책임이 발생하려면 공무원의 행위가 '직무집행성'이 인정되어야 하는데 이 경우는 직무를 집행함에 당하여 불법행위를 한 것이 아니므로 국가 또는 지방자치단체는 국가배상법상의 손해배상책임을 지지 않는다(대판 1996. 5. 31, 94다15271).

2. 공무원이 직무를 집행하기 위하여 관용차를 운행하다가 사고가 일어난 경우(국가의 운행자성이 인정되는 경우)
① 국가는 「자동차손해배상 보장법」에 따라 손해배상책임이 있다.
② 공무원 개인은 일반 이론에 따라 고의 또는 중과실이 있는 경우에만 손해배상책임이 있다.

정답 01 ○ 02 ○

04 | 공무원의 배상책임

❶ 「자동차손해배상 보장법」에 의한 책임

공무원의 개인책임에 관하여도 「자동차손해배상 보장법」이 민법이나 국가배상법보다 우선하여 적용된다. 따라서 앞서 살펴본 바와 같이 일반적인 경우에는 공무원은 고의 또는 중과실이 있는 경우에 한해 배상책임을 지게 되나, 공무원이 자기소유 자동차를 운행하다가 사고를 낸 경우와 같이 공무원이 「자동차손해배상 보장법」상 자기를 위하여 자동차를 운행하는 자에 해당하는 한 공무원의 고의 · 중과실 · 경과실 여부를 묻지 않고 공무원은 「자동차손해배상 보장법」상의 배상책임을 진다. 이는 일반적인 경우 공무원의 고의 또는 중과실인 경우에 한해 배상책임을 지는 것과 구별된다.

관련판례

공무원이 자기소유 차량으로 공무수행 중 사고를 일으킨 경우 공무원 개인은 경과실에 의한 것인지 또는 고의 · 중과실에 의한 것인지를 가리지 않고 「자동차손해배상 보장법」상의 운행자성이 인정되는 한 배상책임을 부담한다(대판 1996. 5. 31, 94다15271). **01 02** ★★

❷ 「자동차손해배상 보장법」이 적용되지 않는 경우

국가의 관용차를 운전하다가 사고를 낸 경우와 같이 공무원에게 「자동차손해배상 보장법」상 운행자성이 인정되지 않는 경우에는 공무원은 일반원칙에 따라 고의 또는 중과실이 있는 경우에 한해 배상책임을 진다.

기출 체크

□□□□□ **01** 공무원이 자기소유의 자동차로 공무수행 중 사고를 일으킨 경우에는 그 공무원은 「자동차손해배상 보장법」에 의한 '자기를 위하여 자동차를 운행하는 자'에 해당하지 않아 손해배상책임을 부담하지 않는다. (○, ×) ★★
2023 국회직 8급

□□□□□ **02** 공무원이 자기소유 차량으로 공무수행 중 사고를 일으킨 경우 공무원 개인은 경과실에 의한 것인지 또는 고의 또는 중과실에 의한 것인지를 가리지 않고 「자동차손해배상 보장법」상의 운행자성이 인정되는 한 배상책임을 부담한다. (○, ×) ★★
2015 국회직 8급

[유튜브] 28강 필수 개념 TEST
- QR코드를 스캔해 주세요.
- 필수 개념과 출제 포인트를 풀어 보세요.
- 틀린 문제는 기본서로 확인해 주세요.

정답 01 × 02 ○

제 29 강 행정상 손해배상 2 (국가배상법 제5조 등)

영조물의 설치 · 관리상의 하자로 인한 손해배상

손해배상책임의 근거

- 헌법에는 명문규정을 두고 있지 않음.
- 민법 제758조와 구별

구 분	민법 제758조	국가배상법 제5조
책임대상	공작물책임에 한정	자연공물도 포함됨.
면책규정	점유자의 면책규정 존재	점유자의 면책규정 없음.

- **무과실책임** : 국가배상법 제5조의 경우 고의 · 과실을 규정하지 않고 있다는 점에서 무과실책임의 일종으로 보고 있음.

손해배상책임의 요건

공공의 영조물일 것

- 공물
  - '공공의 영조물'이라 함은 국가 또는 지방자치단체에 의하여 특정 공공의 목적에 공여된 유체물 내지 물적 설비(강학상 공물)를 말함.
  - 사(私)소유물이라도 국가 등이 관리하는 경우 포함
  - 종류 : 일반공중이 사용하는 공공용물, 행정주체가 직접 사용하는 공용물, 자연공물, 인공공물, 동산, 부동산, 동물(경찰견) 등
  - 국유림 등 일반재산(개정 전 잡종재산)은 영조물이 아님(사물(私物)에 불과하므로 민법으로 해결).

설치나 관리의 하자

- **객관설** : 설치 · 관리의 하자를 객관적으로 파악하여 영조물이 통상 갖추어야 할 안전성을 결하였는지의 여부 고려(종래 판례)
- **주관설(안전관리의무위반설)** : 설치 또는 관리의 하자라는 것은 영조물을 안전하고 양호한 상태로 보전해야 할 안전관리의무를 위반함을 의미한다고 봄.
- 객관적으로 보아 그 영조물의 결함에 영조물 설치 · 관리자의 관리행위가 미칠 수 없는 상황임이 입증된 경우라면 하자를 인정할 수 없음(주관적 요소를 고려한 판례).
- 영조물 설치 및 보존에 있어서의 안전성은 완전무결한 상태를 유지할 정도의 고도의 안전성을 의미하는 것이 아니라 사회통념상 일반적으로 요구되는 정도의 것을 말함.
- 사격장 · 공항 등에서 발생하는 소음이 수인한도를 넘는 경우 하자를 인정하여 손해배상책임을 긍정함.
- 영조물이 그 설치 및 관리에 있어 완전무결한 상태를 유지할 정도의 고도의 안전성을 갖추지 아니하였다고 하여 하자가 있다고 단정할 수는 없고, 영조물 이용자의 상식적이고 질서 있는 이용방법을 기대한 상대적인 안전성을 갖추는 것으로 족함(판례).

타인에게 손해가 발생할 것

적극적, 소극적, 재산상, 비재산상, 정신적 손해 모두 포함

상당인과관계가 있을 것

영조물책임의 감면사유(면책사유)

- **불가항력**(예견가능성 ×, 예견하였더라도 회피가능성 ×) : 입증책임은 관리주체에게 있음.
- **재정적 사유** : 참작사유일 뿐 절대적 면책사유 아님.
- 피해자에게 과실이 있었던 경우 과실상계됨.
  - 소음 등을 포함한 공해 등의 위험지역으로 이주하여 들어가 거주하는 경우와 같이 위험의 존재를 인식하거나 과실로 인식하지 못하고 이주한 경우에는 손해배상액 산정에 있어 감경 또는 면제사유로 고려하여야 함.

하자입증책임

- **하자의 입증책임** : 피해자인 원고(단, 예견가능성과 회피가능성이 없다는 점은 국가 등의 관리주체가 입증책임을 짐)

경합문제

- **영조물의 하자와 제3자 행위 또는 자연현상의 경합** : 국가 등 배상책임 성립
- **영조물책임의 감면사유와 공무원 과실의 경합** : 공무원의 과실로 피해가 확대된 경우 그 한도 내에서 배상책임이 인정됨.

배상책임자

배상책임자의 범위

국가배상법 제5조의 배상책임자	국가 또는 지방자치단체
국가배상법 제6조 제1항의 배상책임자	설치 · 관리자와 비용부담자가 다른 경우 비용부담자도 배상책임 있음.

기관위임사무의 경우

기관위임사무의 경우	• 국가 또는 광역지방자치단체 : 사무귀속주체로서 배상책임 있음. • 수임기관 : 관리비용을 지출하는 자로서 배상책임 있음.
국가 등에 사무를 위임한 경우	• 지방자치단체 : 사무귀속주체로서 배상책임 있음. • 국가 등 : 비용부담자로서의 배상책임 있음.

원인책임자에 대한 구상

손해의 원인에 대해 책임을 질 자가 따로 있는 경우 국가 또는 지방자치단체는 이들에게 구상요구 가능함.

손해배상청구권

주 체

- 주체는 국민
- 피해자가 외국인인 경우 상호보증이 있는 경우에 한하여 인정 : 당사국과 조약이 반드시 체결되어 있을 필요는 없음.

이중배상금지

근 거 : 헌법 제29조, 국가배상법 제2조

요 건

- 공공시설 등의 하자로 인한 손해배상책임에 이중배상금지에 관한 규정이 적용됨(판례).
- **적용대상자** : 군인, 군무원, 경찰공무원, 예비군대원
  - * 예비군대원의 경우 : 헌법에는 직접적인 규정이 없으나 국가배상법상 명문규정이 있음.
  - 판례 ┌ 공익근무요원, 군 입대 후 경비교도로 임용된 자 ⇨ 손해배상청구권 허용
    └ 전투경찰 ⇨ 손해배상청구권 제한
- **전투, 훈련 등 직무집행과 관련하여 손해를 받았을 것**
  - 경찰공무원이 경찰서 숙직실에서 취침 중 사망한 경우도 국가의 손해배상책임 긍정
  - 직무집행이라 함은 전투 · 훈련 또는 이에 준하는 직무집행뿐만 아니라 일반 직무집행을 포함함.
- **본인 또는 유족이 다른 법령의 규정에 의해 보상금을 지급받을 수 있을 것**
  - 공상을 입은 군인 · 경찰공무원 등이 별도의 국가보상을 받을 수 없는 경우, 이중배상금지규정은 적용되지 않음.
  - 군인 · 경찰공무원이 공상을 입고 전역 · 퇴직하였으나 그 장애의 정도가 (구)「국가유공자예우 등에 관한 법률」 또는 군인연금법의 적용대상 등급에 해당되지 않는 경우라면 국가배상청구는 가능함(판례).
  - 이중배상금지에 관한 규정은 보상금청구권이 시효로 소멸된 경우에도 적용됨(판례).
  - 경찰공무원이 구 공무원연금법에 의해 장해보상을 지급받는 것은 국가배상법 제2조 제1항 단서에서 정한 '다른 법령의 규정'에 따라 보상을 지급받는 것에 해당하지 않음(판례).
- **요건에 해당하는 자가 손해배상금을 지급받은 경우**
  - 직무집행과 관련하여 공상을 입은 군인 등이 먼저 국가배상법에 따라 손해배상금을 지급받은 다음 「보훈보상대상자 지원에 관한 법률」이 정한 보상금 등 보훈급여금의 지급을 청구하는 경우, 국가배상법에 따라 손해배상을 받았다는 이유로 그 지급을 거부할 수 없음(판례).

공동불법행위자의 구상권

대법원 (부정설의 입장)	민간인과 군인 등의 공동불법행위로 인해 다른 군인 등이 피해를 입은 경우, 민간인인 공동불법행위자는 자신의 부담부분만을 군인에게 배상하면 되고 국가에 대해 구상권을 행사할 수 없음.
헌법재판소 (긍정설의 입장)	민간인이 공동불법행위자로서 손해액 전부를 배상한 후에 다른 공동불법행위자인 군인의 부담부분에 대해 국가에 대하여 구상권을 허용하지 않는다고 해석하는 한 헌법에 위반된다고 봄.

배상청구권의 양도금지

생명 · 신체의 침해로 인한 손해배상청구권은 양도 또는 압류할 수 없음.

소멸시효

- 손해 및 가해자를 안 날로부터 3년
- 손해 및 가해자를 안 날의 의미 : 직무행위 등 불법행위의 요건을 구비하였음을 인식한 날
- 소멸시효 완성의 항변이 신의성실의 원칙에 위반되는 경우 : 허용 ×
- 공무원의 불법행위로 손해를 입은 피해자의 국가배상청구권의 소멸시효 기간이 지났으나 국가가 소멸시효 완성을 주장하는 것이 신의성실의 원칙에 반하는 권리남용으로 허용될 수 없어 배상책임을 이행한 경우, 특별한 사정이 없는 한 국가가 해당 공무원에게 구상권을 행사하는 것은 신의칙상 허용되지 않음(판례).

배상금 청구절차

행정절차

임의적 결정전치주의

- 배상심의회에 배상신청을 하지 않고도 손해배상청구소송을 제기할 수 있음.
- 배상심의회에 대한 배상금지급신청은 손해배상청구권의 시효중단사유가 됨.

배상심의회

- 배상심의회의 결정 : 처분성 부정
- 따라서 배상결정에 동의, 배상금 수령한 경우에도 법원에 손해배상청구소송 제기 가능
- 배상심의회의 배상결정은 대외적인 구속력이 없으므로 배상결정에 대하여 신청인은 동의를 거부할 수 있음.

사법절차

소송유형

- **판례** : 민사소송
- **통설** : 당사자소송

소송의 대표자

국가가 피고인 경우	법무부장관이 국가를 대표
지방자치단체가 피고인 경우	지방자치단체장이 지방자치단체를 대표

제 1 절 영조물의 설치·관리상의 하자로 인한 손해배상

초대 Topic 31 핵심집약 Topic 55

01 | 손해배상책임의 근거

❶ 국가배상법 제5조

1. 법규정

국가배상법 제5조는 영조물의 설치·관리상의 하자로 인한 손해에 관해서 국가 또는 지방자치단체가 배상책임을 진다고 규정하고 있다.

그런데 국가배상법 제5조에서는 제2조 제1항 단서(이중배상금지), 제3조(배상기준) 및 제3조의2(이익공제)의 규정을 준용하고 있다. 따라서 이중배상금지(후술), 배상기준, 이익공제에 관한 규정은 영조물의 설치·관리상의 하자로 인한 손해배상책임의 경우에도 적용된다.❶

2. 법적 성격

한편 헌법은 제29조에서 직무행위로 인한 손해배상에 관해서는 명문규정을 두고 있으나 영조물의 설치·관리상 하자로 인한 손해배상에 관해서는 명문규정을 두고 있지 않다.02

❷ 민법 제758조와 국가배상법 제5조의 관계

민법 제758조는 공작물 등의 점유자의 배상책임에 관하여 규정하고 있다. 국가배상법과 민법을 비교하면 ① 민법은 공작물의 하자에 대해 규정하고 있으나 국가배상법은 공작물에 해당하지 않는 하천 등 자연공물을 포함한 영조물의 하자에 대해 규정하고 있으므로 국가배상법이 민법보다 책임대상이 넓다는 점,03ⓐ ② 민법은 점유자의 면책규정을 두고 있으나 국가배상법은 점유자의 면책규정을 두고 있지 않다04는 점에서 양자는 구별된다.❷

❸ 무과실책임

무과실책임이란 과실책임에 대비되는 개념으로서 과실이 없는 경우에도 발생한 손해에 대해 책임을 지는 것을 의미한다.

통설 및 판례는 국가배상법 제5조의 경우 고의 또는 과실을 규정하지 않고 있다는 점에서 무과실책임으로 보고 있다.05

02 | 손해배상책임의 요건

❶ 공공의 영조물일 것

1. 공 물

(1) 국가배상법 제5조에서 말하는 공공의 영조물이란 본래적 의미의 영조물이 아니라 강학상 공물

기출 체크

□□□□□ 01 국가배상법은 공공의 영조물의 설치나 관리에 하자가 있기 때문에 타인에게 손해를 발생하게 하였을 때에는 국가나 공공단체가 그 손해를 배상하여야 함을 규정하고 있다. (○, ×) 2023 소방간부

□□□□□ 02 영조물의 설치·관리상 하자로 인한 국가배상에 관하여는 명문의 헌법상 근거가 없다. (○, ×) ★★ 2016 교육행정직 9급

□□□□□ 03 국가배상법 제5조의 영조물은 민법 제758조의 공작물의 개념보다 넓다. (○, ×) ★ 2014 서울시 7급

□□□□□ 04 (국가배상법 제5조는) 민법 제758조와는 달리 동조는 점유자의 면책규정을 두고 있지 아니하다. (○, ×) ★★★ 2014 서울시 7급

□□□□□ 05 국가배상법 제5조의 손해배상책임은 동법 제2조의 책임과 같이 과실책임주의로 규정되어 있다. (○, ×) ★★★ 2009 국가직 7급

❶ 국가배상법 제5조 【공공시설 등의 하자로 인한 책임】 ① 도로·하천, 그 밖의 공공의 영조물의 설치나 관리에 하자가 있기 때문에 타인에게 손해를 발생하게 하였을 때에는 국가나 지방자치단체01는 그 손해를 배상하여야 한다. 이 경우 제2조 제1항 단서, 제3조 및 제3조의2를 준용한다.

❷ 민법 제758조 【공작물 등의 점유자, 소유자의 책임】 ① 공작물의 설치 또는 보존의 하자로 인하여 타인에게 손해를 가한 때에는 공작물점유자가 손해를 배상할 책임이 있다. 그러나 점유자가 손해의 방지에 필요한 주의를 해태하지 아니한 때에는 (편저자 주 : 점유자는 책임이 없고) 그 소유자가 손해를 배상할 책임이 있다.

ⓐ 공작물은 인공적 물건을 의미하지만 국가배상법상 영조물은 하천 등 자연물까지 포함하고 있다는 점에서 구별된다.

정답 01 × 02 ○ 03 ○ 04 ○ 05 ×

(일반공중이 사용하는 공공용물, 행정주체가 직접 사용하는 공용물, 인공공물 · 자연공물 모두 포함),01 ⓐ 즉 직접 행정목적에 제공된 유체물 내지 물적 설비를 의미한다는 것이 통설 및 판례의 입장이다. 이러한 공물은 국가나 지방자치단체가 관리하는 물건을 의미하는데, 이때 '관리'라 함은 소유권 등 권원에 의한 것뿐 아니라 사실상 관리하는 것도 포함한다는 것이 통설 및 판례의 태도이다. 또한 사(私)소유물이라도 국가 또는 지방자치단체가 관리하는 공물인 한, 국가배상법 제5조의 영조물에 해당한다.02 03

관련판례

1. '공공의 영조물'이라 함은 국가 또는 지방자치단체에 의하여 특정 공공의 목적에 공여된 유체물 내지 물적 설비를 말한다.04 ★★★
2. 특정 공공의 목적에 공여된 물이라 함은 일반공중의 자유로운 사용에 직접적으로 제공되는 공공용물에 한하지 아니하고, 행정주체 자신의 사용에 제공되는 공용물도 포함한다.05
3. 또한 이러한 영조물에는 국가 또는 지방자치단체가 소유권, 임차권, 그 밖의 권한에 기하여 관리하고 있는 경우뿐만 아니라 사실상의 관리를 하고 있는 경우도 포함된다(대판 1995. 1. 24, 94다45302 ; 대판 1998. 10. 23, 98다17381).06 ★★★

(2) 이러한 공물에는 자연공물(하천 등), 인공공물(도로, 관공서의 청사 등), 동산(관용자동차 등), 부동산, 동물(경찰견 · 경찰마 등) 등이 모두 포함된다는 것이 통설 및 판례의 태도이다.07 08

2. 일반재산(개정 전 잡종재산)의 경우

현금, 국유림 등의 일반재산(개정 전 잡종재산)의 경우에는 공물이 아닌 사물(私物)에 불과하므로 국가배상법이 적용되는 것이 아니라 민법에 의해 해결되어야 한다는 것이 통설의 견해이다.

3. 구체적 예

학설과 판례가 국가배상법상 영조물로 인정하고 있는 것은 다음과 같다.

영조물 인정	영조물 부정
• 철도건널목자동경보기 • 공중화장실 • 여의도광장 • 철도역대합실과 승강장 • 교통신호기(보행자 신호기, 차량 신호기)09	• 국유림(①) • 공용개시 없이 사실상 군민(郡民)의 통행에 제공되고 있는 도로(②)10 • 아직 완성되지 않아 일반공중의 이용에 제공되지 않은 옹벽(③)11 • 시 명의의 종합운동장예정부지나 그 지상의 자동차 경주를 위한 안전시설(④)

관련판례

국가배상법 제5조 소정의 공공의 영조물이란 공유나 사유임을 불문하고 행정주체에 의하여 특정 공공의 목적에 공여된 유체물 또는 물적 설비를 의미하므로 사실상 군민의 통행에 제공되고 있던 도로 옆의 암벽으로부터 떨어진 낙석에 맞아 소외인이 사망하는 사고가 발생하였다고 하여도 동 사고지점 도로가 피고 군에 의하여 노선인정 기타 공용개시가 없었으면 이를 영조물이라 할 수 없다(대판 1981. 7. 7, 80다2478).

읽기자료 | 공 물

공물성을 부정한 판례를 이해하기 위해 공물 개념을 정리하면 다음과 같다.

1. 개 념
   공물이란 국가 등에 의해 직접 공적 목적에 제공되어 공법적 규율을 받는 유체물 등을 의미한다.
2. 성립요건
   공물이 성립하기 위해서는 형체적 요소로서 일정한 물건이 일반공중의 사용에 제공될 수 있는 형체를 갖출 것이 필요하다. 또한 의사적 요소로서 그 물건을 일반공중의 사용에 제공하는 취지의 공용지정행위가 필요하다.
3. 판례의 검토
   영조물 부정 예시 중에서 ①은 일반재산(개정 전 잡종재산)으로서 공물성이 부정되며, ②는 공용지정행위가 없으므로 공물성이 부정되며, ③은 공물로서 형체를 갖추지 않았으므로 공물성이 부정되며, ④는 공용지정행위도 없었고 형체적 요소도 없으므로 공물성이 부정된다.

기출 체크

□□□□□ 01 일반공중이 사용하는 공공용물 외에 행정주체가 직접 사용하는 공용물이나 하천과 같은 자연공물도 국가배상법 제5조의 '공공의 영조물'에 포함된다. (○, ×) ★★ 2017 지방직 9급

□□□□□ 02 국가배상법 제5조 소정의 공공의 영조물이란 공유나 사유임을 불문하고 행정주체에 의하여 특정 공공의 목적에 공여된 유체물 또는 물적 설비를 의미한다. (○, ×) ★★ 2021 지방직 · 서울시 7급

□□□□□ 03 국가 또는 지방자치단체가 관리하지만 사인의 소유에 속하는 공물에 대하여는 국가배상법 제5조가 적용되지 아니한다. (○, ×) ★★ 2014 국가직 7급

□□□□□ 04 공공의 영조물은 사물(私物)이 아닌 공물(公物)이어야 하지만, 공유나 사유임을 불문하고 행정주체에 의하여 특정 공공의 목적에 공여된 유체물이면 족하다. (○, ×) ★★★ 2022 군무원 9급

□□□□□ 05 국가배상법상의 '공공의 영조물'은 일반공중의 자유로운 사용에 직접적으로 제공되는 공공용물에 한하고, 행정주체 자신의 사용에 제공되는 공용물은 포함하지 않는다. (○, ×) 2023 지방직 · 서울시 7급

□□□□□ 06 국가배상법 제5조 제1항의 공공의 영조물은 국가 또는 지방자치단체가 소유권 등 권한에 기하여 관리하고 있는 경우뿐만 아니라 사실상의 관리를 하고 있는 경우도 포함된다. (○, ×) ★★★ 2024 국회직 8급

□□□□□ 07 국가배상법상 영조물이란 학문상의 공물을 뜻하며 도로 등과 같은 인공공물뿐만 아니라 동산 및 동물도 이에 포함된다. (○, ×) ★★ 2023 소방간부

□□□□□ 08 국가배상법 제5조의 영조물에 해당되지 않는 것은? ★★ 2013 서울시 9급
① 현금 ② 도로
③ 수도 ④ 서울시 청사
⑤ 관용자동차

□□□□□ 09 '공공의 영조물'에는 철도시설물인 대합실과 승강장 및 도로상에 설치된 보행자 신호기와 차량 신호기도 포함된다. (○, ×) ★★ 2020 국가직 7급

□□□□□ 10 사실상 군민의 통행에 제공되고 있던 도로 옆의 암벽으로부터 떨어진 낙석에 맞아 사망하는 사고가 발생하였다고 하여도 동 사고지점 도로가 군에 의하여 노선인정 기타 공용개시가 없었으면 이를 영조물이라 할 수 없다. (○, ×) ★ 2023 군무원 9급

□□□□□ 11 공사 중이며 아직 완성되지 않아 일반공중의 이용에 제공되지 않는 옹벽은 국가배상법 제5조 제1항 소정의 영조물에 해당하지 않는다. (○, ×) ★★★ 2024 소방간부

ⓐ 공공용물(공공용재산), 공용물(공용재산)의 개념에 대해서는 p.94 참조

정답 01 ○ 02 ○ 03 × 04 ○ 05 × 06 ○ 07 ○ 08 ① 09 ○ 10 ○ 11 ○

❷ 설치나 관리의 하자일 것

1. 하자의 의미

(1) 하자의 구체적 의미

영조물의 설치 또는 관리의 하자란 공공의 목적에 제공된 영조물이 그 용도에 따라 통상 갖추어야 할 안전성을 갖추지 못한 상태에 있음을 말한다. 이 중 설치상의 하자란 설계에서 건조까지의 하자를 의미하며, 관리상의 하자란 건조 후의 유지 · 수선의 하자를 의미한다. 다만, 구체적 의미와 관련하여 다음의 견해대립이 있다.

(2) 학 설

① **객관설**

설치 · 관리의 하자를 객관적으로 파악하여 영조물이 통상 갖추어야 할 안전성을 결함으로써 타인에게 위해를 미칠 위험성이 있는 상태를 의미하는 것으로 보는 견해이다. 이 설에 따르면 설치 · 관리자의 주관적인 관리의무위반을 필요로 하지 않는다.

② **주관설(안전관리의무위반설)**

주관설은 설치 또는 관리의 하자라는 것은 영조물을 안전하고 양호한 상태로 보전해야 할 안전관리의무를 위반함을 의미한다고 보는 견해이며 안전관리의무위반설이라고 부르기도 한다.

(3) 판 례

판례는 종래 객관설을 취하여 왔으나 최근에는 주관적 요소를 고려한 듯한 판례가 증가하고 있다. 즉, 판례는 전형적인 객관설도 아니고, 전형적인 주관설도 아닌 그 중간의 입장을 취하고 있다고 볼 수 있다.

① **객관설을 취한 판례**

하자의 개념에 대해 하자란 영조물이 그 용도에 따라 통상 갖추어야 할 안전성을 갖추지 못한 상태에 있는 것을 말한다고**01** 판시하면서 도로 지하의 상수도관에 균열이 생겨 물이 도로 위로 유출되어 도로가 결빙(結氷)된 사건에서 하자를 인정한 바 있는데,❶ 이는 객관설의 입장을 취한 것으로 평가된다.

관련판례

안전성을 갖추지 못한 상태, 즉 타인에게 위해를 끼칠 위험성이 있는 상태라 함은 당해 영조물을 구성하는 물적 시설 그 자체에 있는 물리적 · 외형적 흠결이나 불비로 인하여 그 이용자에게 위해를 끼칠 위험성이 있는 경우가 포함된다.★★★

국가배상법 제5조 제1항에 정하여진 '영조물의 설치 또는 관리의 하자'라 함은 공공의 목적에 공여된 영조물이 그 용도에 따라 갖추어야 할 안전성을 갖추지 못한 상태에 있음을 말하고,**02** 여기서 안전성을 갖추지 못한 상태, 즉 타인에게 위해를 끼칠 위험성이 있는 상태라 함은 당해 영조물을 구성하는 물적 시설 그 자체에 있는 물리적 · 외형적 흠결이나 불비로 인하여 그 이용자에게 위해를 끼칠 위험성이 있는 경우를 포함한다(대판 2004. 3. 12, 2002다14242).

② **주관적 요소를 고려한 판례**

한편 일부 판례는 안전성의 구비 여부를 판단함에 있어서는 설치 · 관리자가 그 영조물의 위험성에 비례하여 사회통념상 일반적으로 요구되는 정도의 방호조치의무를 다하였는지를 기준으로 삼아야 하며, 객관적으로 보아 그 영조물의 결함에 영조물 설치 · 관리자의 관리행위가 미칠 수 없는 상황임이 입증되는 경우라면 영조물의 설치 · 관리상의 하자를 인정할 수 없다고 판시하고 있는

기출 체크

□□□□□ **01** (甲은 A 지방자치단체가 관리하는 도로를 운행하던 중 도로에 방치된 낙하물로 인하여 손해를 입었고, 이를 이유로 국가배상법상 손해배상을 청구하려고 한다) 위 도로의 설치 · 관리상의 하자가 있는지 여부는 위 도로가 그 용도에 따라 통상 갖추어야 할 안전성을 갖추었는지 여부에 따라 결정된다. (○, ×) ★★★ 2020 국가직 9급

□□□□□ **02** 영조물의 설치 · 관리의 하자란 '영조물이 그 용도에 따라 통상 갖추어야 할 안전성을 갖추지 못한 상태에 있음'을 말한다. (○, ×) ★★★ 2018 국회직 8급

판례 | ❶ (도로 지하의 상수도관에 균열이 생겨 물이 도로 위로 유출되어 도로가 결빙(結氷)된 사건에서 하자를 인정하면서) 국가배상법 제5조 소정의 영조물의 설치 · 관리상의 하자라 함은 영조물의 설치 및 관리에 불완전한 점이 있어 영조물 자체가 통상 갖추어야 할 안전성을 갖추지 못한 상태에 있는 것을 말한다(대판 1994. 11. 22, 94다32924).

정답 01 ○ 02 ○

바, 이는 주관설에 가까운 입장이라고 볼 수 있다.01

관련판례

1. 국가배상법 제5조 제1항에 정해진 영조물의 설치 또는 관리의 하자를 판단함에 있어서는 영조물의 위험성에 비례하여 사회통념상 일반적으로 요구되는 정도의 방호조치의무를 다하였는지를 기준으로 삼아야 한다.★★★

   안전성의 구비 여부를 판단함에 있어서는 당해 영조물의 용도, 그 설치장소의 현황 및 이용상황 등 제반 사정을 종합적으로 고려하여 설치·관리자가 그 영조물의 위험성에 비례하여 사회통념상 일반적으로 요구되는 정도의 방호조치의무를 다하였는지 여부를 그 기준으로 삼아야 하며, 만일 객관적으로 보아 시간적·장소적으로 영조물의 기능상 결함으로 인한 손해발생의 예견가능성과 회피가능성이 없는 경우, 즉 그 영조물의 결함이 영조물의 설치·관리자의 관리행위가 미칠 수 없는 상황 아래에 있는 경우임이 입증되는 경우라면 영조물의 설치·관리상의 하자를 인정할 수 없다(대판 2001. 7. 27, 2000다56822).02 03

2-1. 도로의 설치·관리상의 하자는 도로의 위치 등 장소적인 조건, 도로의 구조, 교통량, 사고시에 있어서의 교통사정 등 도로의 이용상황과 본래의 이용목적 등 제반 사정과 물적 결함의 위치, 형상 등을 종합적으로 고려하여 사회통념에 따라 구체적으로 판단하여야 한다.

2-2. 적설지대가 아닌 지역의 도로 또는 고속도로 등 특수 목적의 도로가 아닌 '일반도로'에서 강설로 인하여 발생한 도로통행상의 위험을 즉시 배제하여 그 안전성을 확보할 의무는 도로의 설치·관리자에게 없다.

2-3. 강설의 특성(통상 광범위한 지역에 걸치며, 일시에 나타나고 시간이 경과하면 소멸하는 점 등), 기상적 요인과 지리적 요인, 이에 따른 도로의 상대적 안전성을 고려하면 '겨울철 산간지역에 위치한 도로'에 강설로 생긴 빙판을 그대로 방치하고 도로상황에 대한 경고나 위험표지판을 설치하지 않았다는 사정만으로 도로관리상의 하자가 있다고 볼 수 없다(대판 2000. 4. 25, 99다54998).

3. 강설에 대처하기 위하여 완벽한 방법으로 도로 자체에 융설설비를 갖추는 것이 현대의 과학기술 수준이나 재정사정에 비추어 사실상 불가능하다고 하더라도, 최저 속도의 제한이 있는 '고속도로'의 경우에 있어서는 도로관리자가 도로의 구조, 기상예보 등을 고려하여 사전에 충분한 인적·물적 설비를 갖추어 강설시 신속한 제설작업을 하고 나아가 필요한 경우 제때에 교통통제 조치를 취함으로써 고속도로로서의 기본적인 기능을 유지하거나 신속히 회복할 수 있도록 하는 관리의무가 있다(대판 2008. 3. 13, 2007다29287).04 ★

기출 체크

□□□□□ 01 하자의 의미에 관한 학설 중 객관설에 의할 때, 영조물에 결함이 있지만 그 결함이 객관적으로 보아 영조물의 설치·관리자의 관리행위가 미칠 수 없는 상황 아래에 있는 경우에는 영조물의 설치·관리상의 하자를 인정할 수 없다. (○, ×) 2021 국회직 8급

□□□□□ 02 주관적 요소를 고려하는 최근의 판례에 따르면 영조물의 결함이 영조물의 설치·관리자의 관리행위가 미칠 수 없는 상황 아래에 있는 것이 입증되는 경우 영조물의 설치·관리상의 하자를 인정할 수 있다. (○, ×) ★★★ 2016 국회직 8급

□□□□□ 03 객관적으로 보아 시간적·장소적으로 영조물의 기능상 결함으로 인한 손해발생의 예견가능성과 회피가능성이 없는 경우에는 영조물의 설치·관리상의 하자를 인정할 수 없다. (○, ×) ★★★ 2018 국회직 8급

□□□□□ 04 강설에 대처하기 위하여 완벽한 방법으로 도로 자체에 융설설비를 갖추는 것은 현대의 과학기술 수준이나 재정사정에 비추어 사실상 불가능하다고 할 것이므로, 고속도로의 관리자에게 도로의 구조, 기상예보 등을 고려하여 사전에 충분한 인적·물적 설비를 갖추어 강설시 신속한 제설작업을 하고 필요한 경우 제때에 교통통제 조치를 취할 관리의무가 있다고 할 수 없다. (○, ×) ★ 2014 국가직 7급

□□□□□ 05 (국가배상법 제5조상) 하자의 해석과 관련하여 객관설이 주관설보다 피해자의 구제에 유리하다. (○, ×) ★ 2014 서울시 7급

(4) 정 리

전통적 견해는 국가배상법 제2조는 과실책임, 국가배상법 제5조는 무과실책임을 규정한 것으로 보아 국가배상법 제5조의 하자의 의미에 대해 객관설을 취하고 있다. 한편, 하자의 해석에 대해 객관설을 취하게 되면 하자입증이 용이해지므로 주관설보다 피해자의 구제에는 유리하다고 볼 수 있다.05ⓐ

2. 일반적 판단기준

(1) 안전성의 정도

영조물의 설치 및 보존에 있어서의 안전성은 완전무결한 상태를 유지할 정도의 고도의 안전성을 의미하는 것이 아니라㉠ 영조물의 위험성에 비례하여 사회통념상 일반적으로 요구되는 정도의 것을 말한다는 것이 일반적 견해 및 판례의 입장이다. 이러한 안전성 구비 여부는 당해 영조물의 구조, 본래의 용법, 장소적 환경 및 이용상황 등의 여러 사정을 종합적으로 고려하여 구체적·개별적으로 판단하여야 한다(대판 2000. 1. 14, 99다24201).

판례 | ㉠ 국가배상법 제5조 제1항에 정해진 영조물의 설치 또는 관리의 하자라 함은 영조물이 그 용도에 따라 통상 갖추어야 할 안전성을 갖추지 못한 상태에 있음을 말하는 것이며, 다만 영조물이 완전무결한 상태에 있지 아니하고 그 기능상 어떠한 결함이 있다는 것만으로 영조물의 설치 또는 관리에 하자가 있다고 할 수 없는 것이고 …… (대판 2001. 7. 27, 2000다56822)

ⓐ 한편, 하자를 객관적으로 보더라도 국가의 책임이 무제한 인정되는 것은 아니다. 뒤에서 보는 바와 같이 비록 하자가 인정되더라도 그것이 불가항력적인 사유에 의한 것이라면 국가배상책임이 부정된다. 다만, 하자의 입증을 피해자인 국민이 하여야 한다는 점을 고려할 때 입증책임 면에서 피해자에게 유리한 부분이 존재한다.

관련판례

1. 영조물의 설치 및 관리에 있어서 항상 완전무결한 상태를 유지할 정도의 고도의 안전성을 갖추지 아니하였다고 하여 영조물의 설치 또는 관리에 하자가 있다고 단정할 수 없다.

정답 01 × 02 × 03 ○ 04 × 05 ○

기출 체크

□□□□□ **01** 영조물이 안전성을 갖추었는지 여부는 영조물의 설치자 또는 관리자가 그 영조물의 위험성에 비례하여 사회통념상 일반적으로 요구되는 정도의 방호조치의무를 다하였는지를 기준으로 판단하여야 하고, 그 설치자 또는 관리자의 재정적 · 인적 · 물적 제약 등은 고려하지 않는다. (○, ×) ★★★ 2023 국가직 7급

□□□□□ **02** 영조물이 그 설치 및 관리에 있어 완전무결한 상태를 유지할 정도의 고도의 안전성을 갖추지 아니하였다고 하여 하자가 있다고 단정할 수는 없고, 영조물 이용자의 상식적이고 질서 있는 이용 방법을 기대한 상대적인 안전성을 갖추는 것으로 족하다. (○, ×) ★★★ 2024 소방직 9급

□□□□□ **03** 학교관리자에게 고등학교 학생이 교사의 단속을 피해 담배를 피우기 위하여 3층 건물 화장실 밖의 난간을 지나다가 실족할 경우까지 대비하여 화장실 창문에 난간으로의 출입을 막는 출입금지장치를 설치할 의무가 있다고 볼 수는 없다. (○, ×) ★★ 2024 소방간부

□□□□□ **04** 판례는 사격장에서 발생하는 소음 등으로 지역주민들이 입은 피해가 수인한도를 넘는 경우 사격장의 설치 또는 관리에 하자가 있다고 한다. (○, ×) ★★★ 2011 지방직 9급

□□□□□ **05** '영조물의 설치나 관리의 하자'란 공공의 목적에 공여된 영조물이 그 용도에 따라 갖추어야 할 안전성을 갖추지 못한 상태에 있음을 말하고, 여기서 안전성을 갖추지 못한 상태란 그 영조물을 구성하는 물적 시설 자체에 있는 물리적 · 외형적 흠결이나 불비로 인하여 그 이용자에게 위해를 끼칠 위험성이 있는 경우에 한한다. (○, ×) 2024 소방직 9급

정답 01 × 02 ○ 03 ○ 04 ○ 05 ×

국가배상법 제5조 제1항에 규정된 '영조물 설치 · 관리상의 하자'는 공공의 목적에 공여된 영조물이 그 용도에 따라 통상 갖추어야 할 안전성을 갖추지 못한 상태에 있음을 말한다. 그리고 위와 같은 안전성의 구비 여부는 영조물의 설치자 또는 관리자가 그 영조물의 위험성에 비례하여 사회통념상 일반적으로 요구되는 정도의 방호조치의무를 다하였는지를 기준으로 판단하여야 하고, 아울러 그 설치자 또는 관리자의 재정적 · 인적 · 물적 제약 등도 고려하여야 한다.**01** 따라서 영조물이 그 설치 및 관리에 있어 완전무결한 상태를 유지할 정도의 고도의 안전성을 갖추지 아니하였다고 하여 하자가 있다고 단정할 수는 없고, 영조물 이용자의 상식적이고 질서 있는 이용방법을 기대한 상대적인 안전성을 갖추는 것으로 족하다(대판 2022. 7. 28, 2022다225910).**02** ★★★

2. 甲이 차량을 운전하여 지방도 편도 1차로를 진행하던 중 커브 길에서 중앙선을 침범하여 반대편 도로를 벗어나 도로 옆 계곡으로 떨어져 동승자인 乙이 사망한 사안에서, 좌로 굽은 도로에서 운전자가 무리하게 앞지르기를 시도하여 중앙선을 침범하여 반대편 도로로 미끄러질 경우까지 대비하여 도로관리자인 지방자치단체가 차량용 방호울타리를 설치하지 않았다고 하여 도로에 통상 갖추어야 할 안전성이 결여된 설치 · 관리상의 하자가 있다고 보기 어려운데도, 이와 달리 본 원심판결에 법리오해의 위법이 있다(대판 2013. 10. 24, 2013다208074).

(2) 물적 하자 및 기능적 하자

① 물적 하자는 '당해 영조물을 구성하는 물적 시설 그 자체에 있는 물리적 · 외형적 흠결이나 불비로 인하여 그 이용자에게 위해를 끼칠 위험성이 있는 경우'를 말하는데, 이는 '영조물이 통상의 용법에 따라 통상 갖추어야 할 안전성의 결여'를 말한다.

관련판례

고등학교 3학년 학생이 학교건물의 3층 난간을 넘어 들어가 흡연을 하던 중 실족하여 사망한 경우, 위 건물의 설치 · 보존상의 하자가 인정되지 않는다.03 ★★

고등학교 3학년 학생이 교사의 단속을 피해 담배를 피우기 위하여 3층 건물 화장실 밖의 난간을 지나다가 실족하여 사망한 사안에서 학교 관리자에게 그와 같은 '이례적인 사고'가 있을 것을 예상하여 복도나 화장실 창문에 난간으로의 출입을 막기 위하여 출입금지장치나 추락위험을 알리는 경고표지판을 설치할 의무가 있다고 볼 수는 없다는 이유로 학교시설의 설치 · 관리상의 하자가 없다(대판 1997. 5. 16, 96다54102).

② '기능적 하자(이용상 하자)'라 함은 '영조물이 공공의 목적에 이용됨에 있어 그 이용상태 및 정도가 일정한 한도를 초과하여 제3자에게 사회통념상 참을 수 없는 피해를 입히는 경우(수인한도를 넘는 경우)'를 말한다. 한편 이를 판단함에 있어서는 영조물의 공공성, 피해의 내용과 정도, 이를 방지하기 위하여 노력한 정도 등을 종합적으로 고려하여 판단하여야 한다. 판례는 매향리 사격장에서 발생한 소음, 김포공항에서 발생하는 소음이 수인한도를 넘는 경우 인근주민들에게 국가의 배상책임을 인정한 바 있다.**04**

관련판례

(김포공항에서 발생하는 소음 등으로 인근주민들이 입은 피해는 사회통념상 수인한도를 넘는 것으로서 김포공항의 설치 · 관리에 하자가 있다고 판시하면서) **하자란 이용상태 및 정도가 제3자에게 사회통념상 수인한도를 넘는 피해를 입히는 경우까지 포함한다.★★★**

국가배상법 제5조 제1항에 정하여진 '영조물의 설치 또는 관리의 하자'라 함은 공공의 목적에 공여된 영조물이 그 용도에 따라 갖추어야 할 안전성을 갖추지 못한 상태에 있음을 말하고, 안전성을 갖추지 못한 상태, 즉 타인에게 위해를 끼칠 위험성이 있는 상태라 함은 당해 영조물을 구성하는 물적 시설 그 자체에 있는 물리적 · 외형적 흠결이나 불비로 인하여 그 이용자에게 위해를 끼칠 위험성이 있는 경우뿐만 아니라, 그 영조물이 공공의 목적에 이용됨에 있어 그 이용상태 및 정도가 일정한 한도를 초과하여 제3자에게 사회통념상 수인할 것이 기대되는 한도를 넘는 피해를 입히는 경우까지 포함된다고 보아야 한다.**05** …… 피고

가 김포공항을 설치 · 관리함에 있어 항공법령에 따른 항공기소음기준 및 소음대책을 준수하려는 노력을 경주하였다고 하더라도, 김포공항이 항공기 운항이라는 공공의 목적에 이용됨에 있어 그와 관련하여 배출하는 소음 등의 침해가 인근주민인 선정자들에게 통상의 수인한도를 넘는 피해를 발생하게 하였다면 김포공항의 설치 · 관리상에 하자가 있다고 보아야 할 것이다(대판 2005. 1. 27, 2003다49566). **01**

3. 구체적 판단기준

(1) 도로의 경우

① 노면의 홈

노면의 홈은 도로 하자의 대표적인 경우에 해당하며 판례도 도로의 웅덩이를 방치하여 이로 인하여 사고가 발생한 경우 손해배상책임을 인정한 바 있다.㉠

② 제3자의 행위로 인하여 장해물이 생긴 경우

제3자의 행위로 인해 장해물이 생긴 경우에는 하자의 인정에 신중을 기할 필요가 있다. 즉, 도로상에 장해물이 있다는 사정만으로 곧바로 하자를 인정할 수는 없고 장해물을 발견하여 제거할 수 있는 합리적 시간이 있었는지에 따라 판단하여야 할 것이다.

관련판례

1. (도로상에 떨어져 있던 쇠파이프가 갤로퍼승용차 타이어에 튕겨 마주오던 프라이드승용차 유리창을 뚫고 들어가 운전자를 충격하여 운전자가 두개골 골절로 사망한 사건에서 손해배상책임을 부정하면서) 제3자의 행위로 인해 결함이 발생한 경우 결함이 있다는 사정만으로 도로상의 하자를 곧바로 인정할 수는 없다(대판 1997. 4. 22, 97다3194).

2-1. 도로의 설치 후 제3자의 행위에 의하여 그 본래의 목적인 통행상의 안전에 결함이 발생된 경우 제반 사정을 종합하여 그와 같은 결함을 제거하여 원상으로 복구할 수 있는데도 이를 방치한 것인지 여부를 개별적 · 구체적으로 심리하여 하자의 유무를 판단하여야 할 것이다.

2-2. 트럭 앞바퀴가 고속도로상에 떨어져 있는 자동차 타이어에 걸려 중앙분리대를 넘어가 사고가 발생한 경우에 있어서 타이어가 사고지점 고속도로상에 떨어진 것은 사고가 발생하기 10분 내지 15분 전이었다면 손해배상책임을 물을 수는 없다(대판 1992. 9. 14, 92다3243). **02** ★

③ 신호등 고장으로 인한 사고

판례는 신호등 고장의 경우에도 배상책임을 인정한 바 있다.

관련판례

가변차로에 설치된 두 개의 신호등에서 서로 모순되는 신호가 들어오는 오작동이 발생하였고 그 고장이 현재의 기술수준상 부득이한 것이라고 가정하더라도 그와 같은 사정만으로 손해발생의 예견가능성이나 회피가능성이 없어 영조물의 하자를 인정할 수 없는 경우라고 단정할 수 없다(대판 2001. 7. 27, 2000다56822). **03** ★

(2) 하천의 경우

① 하천관리상의 하자

하천에 있어서는 강수량의 정확한 예측이 어려울 뿐만 아니라, 수해를 완전히 방지하기 위하여는 제방 등의 축조로 인한 막대한 비용 · 시간 · 인력을 요하고 있다. 이에 따라 하천이 범람하여 수해가 발생될 때마다 그 손해 전부에 대하여 국가 등이 책임질 수는 없는 것이므로 판례는 다음과 같은 기준을 제시하고 있다.

기출 체크

□□□□□ **01** 김포공항을 설치 · 관리함에 있어 항공법령에 따른 항공기소음기준 및 소음대책을 준수하려는 노력을 하였더라도, 공항이 항공기 운항이라는 공공의 목적에 이용됨에 있어 그와 관련하여 배출하는 소음 등의 침해가 인근주민들에게 통상의 수인한도를 넘는 피해를 발생하게 하였다면 공항의 설치 · 관리상에 하자가 있다고 보아야 한다. (○, ×) ★★★ 2021 소방직 9급

□□□□□ **02** A가 운전하던 트럭의 앞바퀴가 고속도로상에 떨어져 있는 타이어에 걸려 중앙분리대를 넘어가 맞은편에서 오던 트럭과 충돌하여 부상을 입었다. 그런데 위 타이어가 사고지점 고속도로상에 떨어진 것은 사고가 발생하기 10분 내지 15분 전이었다. A는 국가배상책임을 물을 수 없다. (○, ×) ★ 2011 사회복지직 9급

□□□□□ **03** 가변차로에 설치된 두 개의 신호등에서 서로 모순되는 신호가 들어오는 오작동이 발생하였고 그 고장이 현재의 기술수준상 부득이한 것이라면 영조물의 하자를 인정할 수 없다. (○, ×) ★ 2024 소방간부

판례 | ㉠ 관광버스가 국도상에 생긴 웅덩이를 피하기 위하여 중앙선을 침범운행한 과실로 마주오던 트럭과 충돌하여 발생한 교통사고에 대하여 국가의 공동불법행위자로서의 손해배상책임을 인정한다(대판 1993. 6. 25, 93다14424).

정답 01 ○ 02 ○ 03 ×

기출 체크

□□□□□ **01** 100년 발생빈도의 강우량을 기준으로 책정된 계획홍수위를 초과하여 600년 또는 1,000년 발생빈도의 강우량에 의한 하천의 범람으로 발생한 재해의 경우 그 영조물의 관리청에게 책임을 물을 수 없다. (○, ×) ★★★ 2024 소방간부

□□□□□ **02** 이미 존재하는 하천의 제방이 계획홍수위를 넘고 있다면 그 하천은 용도에 따라 통상 갖추어야 할 안전성을 갖추고 있다고 보아야 하고, 새로운 하천시설을 설치할 때 기준으로 삼기 위하여 제정한 '하천시설기준'이 정한 여유고를 확보하지 못하고 있다는 사정만으로 바로 안전성이 결여된 하자가 있다고 볼 수는 없다. (○, ×) ★★★ 2023 소방간부

□□□□□ **03** 하천의 홍수위가 하천법상 관련규정이나 하천정비계획 등에서 정한 홍수위를 충족하고 있다고 해도 하천이 범람하거나 유량을 지탱하지 못해 제방이 무너지는 경우는 안전성을 결여한 것으로 하자가 있다고 본다. (○, ×) ★★★ 2022 군무원 9급

관련판례

하천관리의 하자 유무는 과거에 발생한 수해의 규모 등을 종합적으로 고려하여 판단하여야 한다.

하천관리의 하자 유무는, 과거에 발생한 수해의 규모 · 발생의 빈도 · 발생원인 · 피해의 성질 · 강우상황 · 유역의 지형 기타 자연적 조건, 토지의 이용상황 기타 사회적 조건, 개수를 요하는 긴급성의 유무 및 그 정도 등 제반 사정을 종합적으로 고려하고, 하천관리에서의 위와 같은 재정적 · 시간적 · 기술적 제약하에서 같은 종류, 같은 규모 하천에 대한 하천관리의 일반수준 및 사회통념에 비추어 시인될 수 있는 안전성을 구비하고 있다고 인정할 수 있는지 여부를 기준으로 하여 판단한다(대판 2007. 9. 21, 2005다65678).

② 하천홍수위(계획홍수위)와 관련된 문제ⓐ

㉠ **문제의 소재** : 홍수 등으로 인해 하천이 범람하여 손해가 발생한 경우 국가배상책임을 인정할 수 있는지가 문제되는데, 이는 하천홍수위와 관련하여 고찰할 필요가 있다.

㉡ **하천홍수위(계획홍수위)의 개념** : 하천홍수위란 홍수시 범람을 방지할 것으로 계획된 하천 제방의 높이를 말한다. 하천에 제방을 축조할 때에는 하천홍수위를 정하는데 이는 기존의 강우량을 고려하여 범람을 막을 수 있도록 결정하여야 한다.

㉢ **구체적 판단** : 하천홍수위가 적정하게 책정되지 않은 경우에 손해가 발생하면 이는 설치상 하자가 있는 것으로 판단할 수 있다. 그러나 하천홍수위(계획홍수위)가 적정하게 책정되었음에도 불구하고 하천이 범람한 경우라면 불가항력으로 배상책임이 인정되지 않는다.

관련판례

'하천제방'이 100년 발생빈도의 적정 강우량을 기준으로 책정된 '계획홍수위를 넘고 있다면' 수해로 손해가 발생했다 하더라도 국가배상책임을 인정할 수 없다.01 ★★★

하천의 관리청이 관계규정에 따라 설정한 계획홍수위를 변경시켜야 할 사정이 생기는 등 특별한 사정이 없는 한, 이미 존재하는 하천의 제방이 계획홍수위를 넘고 있다면 그 하천은 용도에 따라 통상 갖추어야 할 안전성을 갖추고 있다고 보아야 하고, 그와 같은 하천이 그 후 새로운 하천시설을 설치할 때 기준으로 삼기 위하여 제정한 '하천시설기준'이 정한 여유고를 확보하지 못하고 있다는 사정만으로 바로 안전성이 결여된 하자가 있다고 볼 수는 없다(대판 2003. 10. 23, 2001다48057).02

ⓐ **파제형 수해**
제방 위로 물이 넘쳐 흘러들어 발생하는 수해를 일제형 수해(제방을 넘쳐 흐른다는 의미)라고 하는 반면, 제방시설에 통상 요구되는 안전성에 결함이 있어 발생하는 수해를 파제형 수해(제방 파괴라는 의미)라고 한다. 파제형 수해의 경우 통상 국가배상책임이 인정된다.

③ 개수 중인 하천의 설치 · 관리의 하자

관련판례

관리청이 하천법 등 관련규정에 의해 책정한 하천정비기본계획 등에 따라 개수를 완료한 하천이 위 기본계획 등에서 정한 계획홍수량 등을 충족하여 관리되고 있는 경우, 특별한 사정이 없는 한 안전성을 갖추고 있다고 봄이 상당하다.03 ★★★

관리청이 하천법 등 관련규정에 의해 책정한 하천정비기본계획 등에 따라 개수를 완료한 하천 또는 아직 개수 중이라 하더라도 개수를 완료한 부분에 있어서는, 위 하천정비기본계획 등에서 정한 계획홍수량 및 계획홍수위를 충족하여 하천이 관리되고 있다면 당초부터 계획홍수량 및 계획홍수위를 잘못 책정하였다거나 그 후 이를 시급히 변경해야 할 사정이 생겼음에도 불구하고 이를 해태하였다는 등의 특별한 사정이 없는 한, 그 하천은 용도에 따라 통상 갖추어야 할 안전성을 갖추고 있다고 봄이 상당하다(대판 2007. 9. 21, 2005다65678).ⓑ

ⓑ '공사가 완료된 부분이 계획홍수량 및 계획홍수위를 충족하여 관리되고 있다면' 특별한 사정이 없는 한 안전성을 갖추고 있다고 보아야 한다는 것이 판례의 취지이다.

④ 익사사고를 방지하기 위하여 부담하는 방호조치의무의 정도

관련판례

하천 관리주체로서는 익사사고의 위험성이 있는 모든 하천구역에 대해 위험관리를 하는 것은 불가능하므로, 당해 하천의 현황과 이용상황, 과거에 발생한 사고 이력 등을 종합적으로 고려하여 하천구역의 위험성에 비례하여 사회통념상 일반적으로 요구되는 정도의 방호조치의무를 다하였다면 하천의 설치 · 관리상의 하자를 인정할 수 없다(대판 2014. 1. 23, 2013다211865).

정답 01 ○ 02 ○ 03 ×

❸ 타인에게 손해가 발생할 것

이때 타인의 개념과 손해의 개념은 국가배상법 제2조의 개념과 동일하다. 즉, 적극적 손해(치료비 등), 소극적 손해(일당 등 벌 수 있었던 금전), 재산상의 손해 또는 생명 · 신체 등 비재산상 손해 그리고 정신적 손해(위자료)를 가리지 않고 모두 포함한다(p.604 참조).01

관련판례

국가배상법 제5조 제1항의 영조물의 설치 · 관리상의 하자로 인한 손해가 발생한 경우 같은 법 제3조 제1항 내지 제5항의 해석상 피해자의 위자료청구권이 배제되지 아니한다(대판 1990. 11. 13, 90다카25604).02 ★★

❹ 상당인과관계가 있을 것

상당인과관계의 경우도 국가배상법 제2조의 개념과 동일하다.

기출 체크

□□□□□ 01 영조물의 설치 · 관리 하자로 인한 손해배상의 경우 피해자의 위자료 청구는 포함되지 않는다. (○, ×) ★★
2008 국회직 8급

□□□□□ 02 판례는 국가배상법 제5조의 영조물의 설치 · 관리상의 하자로 인한 손해가 발생한 경우, 피해자의 위자료청구권이 배제되지 아니한다고 판시하였다. (○, ×) ★★ 2021 소방직 9급

□□□□□ 03 집중호우로 제방도로가 유실되면서 그곳을 걸어가던 보행자가 강물에 휩쓸려 익사한 경우, 사고 당일의 집중호우가 50년 빈도의 최대강우량에 해당한다는 사실만으로도 국가배상법 제5조상의 영조물의 설치 또는 관리의 하자로 인한 손해배상책임에서의 면책사유인 불가항력에 해당한다. (○, ×) ★★
2015 사회복지직 9급

03 | 영조물책임의 감면사유(면책사유)

❶ 불가항력

1. 개 념

불가항력이라 함은 천재지변과 같이 인간의 능력으로 예견할 수 없거나 예견하였더라도 회피할 수 없는 힘에 의해 손해가 발생한 경우를 의미한다. 이러한 불가항력으로 인한 손해는 국가배상책임이 면제된다는 것이 통설적 견해이다.

2. 판 례

판례는 600년에서 1,000년 발생빈도의 강우량에 의해 손해가 발생한 경우에는 면책사유로 보았으나, 50년 만의 강우량으로 인한 손해의 경우 면책사유로 보고 있지 않다. 또한 자연재해라 하더라도 영조물의 설치 · 관리에 객관적 안전성이 결여된 경우에는 국가의 배상책임을 인정하고 있다.

관련판례

1. **600년 또는 1,000년 발생빈도의 강우량으로 인한 하천의 범람은 불가항력적인 재해이다.**
   100년 발생빈도의 강우량을 기준으로 책정된 계획홍수위를 초과하여 600년 또는 1,000년 발생빈도의 강우량에 의한 하천의 범람은 예측가능성 및 회피가능성이 없는 불가항력적인 재해로서 그 영조물의 관리청에 책임을 물을 수 없다(대판 2003. 10. 23, 2001다48057).

2. **집중호우로 제방도로가 유실되면서 그곳을 걸어가던 보행자가 강물에 휩쓸려 익사한 경우, 사고 당일의 집중호우가 50년 빈도의 최대강우량에 해당한다는 사실만으로 불가항력에 기인한 것으로 볼 수 없다.03★★**
   집중호우로 제방도로가 유실되면서 그곳을 걸어가던 보행자가 강물에 휩쓸려 익사한 경우, 사고 당일의 집중호우가 50년 빈도의 최대강우량에 해당한다는 사실만으로 불가항력에 기인한 것으로 볼 수 없다는 이유로 제방도로의 설치 · 관리상의 하자를 인정한다(대판 2000. 5. 26, 99다53247).

정답 01 × 02 ○ 03 ×

기출 체크

□□□□□ **01** 영조물의 하자 유무는 객관적 견지에서 본 안전성의 문제이며, 국가의 예산 부족으로 인해 영조물의 설치·관리에 하자가 생긴 경우에도 국가는 면책될 수 없다. (○, ×) ★★★ 2017 지방직 9급

□□□□□ **02** 예산부족 등 재정사정은 영조물의 안전성의 정도에 참작사유는 될 수 있으나, 절대적인 면책사유는 되지 않는다. (○, ×) ★★★ 2024 소방간부

□□□□□ **03** 소음 등의 공해로 인한 법적 쟁송이 제기되거나 그 피해에 대한 보상이 실시되는 등 피해지역임이 구체적으로 드러나고 이러한 사실이 그 지역에 널리 알려진 이후에 이주하여 오는 경우에는 위와 같은 위험에의 접근에 따른 가해자의 면책 여부를 보다 적극적으로 인정할 여지가 있다. (○, ×) ★★ 2017 지방직 9급

□□□□□ **04** 소음 등을 포함한 공해 등의 위험지역으로 이주하여 거주하는 것이 피해자가 위험의 존재를 인식하고 그로 인한 피해를 용인하면서 접근한 것이라고 볼 수 있는 경우 가해자의 면책이 인정될 수 있다. (○, ×) ★★ 2016 국가직 9급

정답 01 ○ 02 ○ 03 ○ 04 ○

❷ 재정적 사유(예산부족의 경우)

재정적 사유는 국가 등의 내부문제일 뿐이므로 면책사유로 보지 않는 것이 일반적 견해이다. 판례도 재정사정은 **영조물의 안전성 정도에 관해 참작사유는 될지언정 안전성을 결정지을 절대적 요건은 아니라고** 보아 절대적 면책사유로 보고 있지 않다.**01**

관련판례

재정사정은 안전성을 요구하는 데 대한 정도의 문제로서 참작사유에는 해당할지언정 안전성을 결정지을 절대적 요건에는 해당하지 아니한다.★★★

영조물 설치의 '하자'라 함은 영조물의 축조에 불완전한 점이 있어 이 때문에 영조물 자체가 통상 갖추어야 할 완전성을 갖추지 못한 상태에 있음을 말한다고 할 것인바 그 '하자' 유무는 객관적 견지에서 본 안전성의 문제이고 그 설치자의 재정사정이나 영조물의 사용목적에 의한 사정은 안전성을 요구하는 데 대한 정도 문제로서 참작사유에는 해당할지언정 안전성을 결정지을 절대적 요건에는 해당하지 아니한다 할 것이다(대판 1967. 2. 21, 66다1723).**02**

❸ 피해자의 과실

피해자에게 과실이 있었던 경우에는 피해자의 과실에 의하여 확대된 손해의 한도 내에서 영조물 관리주체의 책임이 부분적으로 감면된다(과실상계). 또한 소음 등을 포함한 공해지역 등의 위험지역으로 이주하는 경우, 위험의 존재를 인식하거나 본인 과실로 인식하지 못하고 이주한 경우에도 과실상계에 준하여 책임이 감면될 수 있다. 다만, 위험에 접근할 당시 위험이 문제되지 않았으며 위험 존재사실을 정확히 알 수 없었던 경우에는 책임이 감면되지 않는다는 것이 판례의 입장이다.

관련판례

1-1. 소음 등을 포함한 공해 등의 위험지역으로 이주하여 들어가 거주하는 경우와 같이 위험의 존재를 인식하거나 과실로 인식하지 못하고 이주한 경우에는 손해배상액의 산정에 있어 형평의 원칙상 과실상계에 준하여 감경 또는 면제사유로 고려하여야 한다.

1-2. 특히 소음 등의 공해로 인한 법적 쟁송이 제기되거나 그 피해에 대한 보상이 실시되는 등 피해지역임이 구체적으로 드러나고 또한 이러한 사실이 그 지역에 널리 알려진 이후에 이주하여 오는 경우에는 위와 같은 위험에의 접근에 따른 가해자의 면책 여부를 보다 적극적으로 인정할 여지가 있다.03 04 ★★

소음 등을 포함한 공해 등의 위험지역으로 이주하여 들어가서 거주하는 경우와 같이 위험의 존재를 인식하면서 그로 인한 피해를 용인하며 접근한 것으로 볼 수 있는 경우에, 그 피해가 직접 생명이나 신체에 관련된 것이 아니라 정신적 고통이나 생활방해의 정도에 그치고 그 침해행위에 고도의 공공성이 인정되는 때에는, 위험에 접근한 후 실제로 입은 피해 정도가 위험에 접근할 당시에 인식하고 있었던 위험의 정도를 초과하는 것이거나 위험에 접근한 후에 그 위험이 특별히 증대하였다는 등의 특별한 사정이 없는 한 가해자의 면책을 인정하여야 하는 경우도 있다. 특히 소음 등의 공해로 인한 법적 쟁송이 제기되거나 그 피해에 대한 보상이 실시되는 등 피해지역임이 구체적으로 드러나고 또한 이러한 사실이 그 지역에 널리 알려진 이후에 이주하여 오는 경우에는 위와 같은 위험에의 접근에 따른 가해자의 면책 여부를 보다 적극적으로 인정할 여지가 있다(대판 2010. 11. 11, 2008다57975).

2. (매향리 사격장에서 발생하는 소음 등으로 지역주민들이 입은 피해는 사회통념상 참을 수 있는 정도를 넘는 것으로서 사격장의 설치 또는 관리에 하자가 있었다고 판시하면서) **소음 등을 포함한 공해 등의 위험지역으로 이주하여 거주하는 경우라 해도 위험의 존재를 인식하면서 굳이 위험으로 인한 피해를 용인하였다고 볼 수 없는 경우에는 책임이 감면되지 아니한다**(대판 2004. 3. 12, 2002다14242).

04 | 하자의 입증책임

하자에 대해서는 피해자인 원고가 입증책임을 진다. 학설상으로는 입증책임의 곤란을 완화하기 위해 일응추정의 법리가 주장되고 있으나, 판례는 하자의 입증책임을 피해자에게 지우고 있다. 다만, 판례는 예견가능성과 회피가능성의 존부에 대한 입증책임을, 즉 관리자에게 부담시키고 있으므로 불가항력에 대해서는 국가 등의 관리주체가 입증하여야 한다.01

관련판례

고속도로의 점유관리자가 도로의 관리상 하자로 인한 손해배상책임을 면하기 위해서는 그 하자가 불가항력에 의한 것이거나 손해의 방지에 필요한 주의를 해태하지 아니하였다는 점을 주장 · 입증하여야 한다.02

고속도로의 관리상 하자가 인정되는 이상 고속도로의 점유관리자는 그 하자가 불가항력에 의한 것이거나 손해의 방지에 필요한 주의를 해태하지 아니하였다는 점을 주장 · 입증하여야 비로소 그 책임을 면할 수 있다(대판 2008. 3. 13, 2007다29287 · 29294).ⓐ

05 | 경합문제

❶ 영조물의 하자와 제3자의 행위 또는 자연현상의 경합

다른 자연적 사실이나 제3자의 행위 또는 피해자의 행위와 경합하여 손해가 발생하였더라도 영조물의 설치 또는 관리상의 하자가 손해발생의 공동원인의 하나가 된 이상 그 손해는 영조물의 설치 또는 관리상의 하자에 의하여 발생한 것이라고 보아야 한다는 것이 판례의 입장이다(대판 1994. 11. 22, 94다32924).03

❷ 영조물책임의 감면사유와 공무원 과실의 경합

불가항력 등 영조물책임의 감면사유가 있는 경우에도 불가항력의 자연재해시 관계행정기관이 과실로 피난명령을 발하지 않은 경우와 같이 공무원의 과실로 피해가 확대된 경우에는 그 한도 내에서 국가배상법 제2조의 배상책임이 인정된다.

06 | 배상책임자

❶ 배상책임자의 범위

1. 국가배상법 제5조의 배상책임자

영조물의 하자로 인한 배상책임자는 국가 또는 지방자치단체가 된다. 따라서 영조물의 설치 · 관리 사무의 귀속주체에 따라 국가사무인 경우에는 국가가 배상책임을 지며, 지방자치단체의 사무인 경우에는 지방자치단체가 배상책임을 진다.

2. 국가배상법 제6조 제1항의 배상책임자

국가배상법 제6조 【비용부담자 등의 책임】 ① 제2조 · 제3조 및 제5조에 따라 국가나 지방자치단체가 손해를 배상할 책임이 있는 경우에 공무원의 선임 · 감독 또는 영조물의 설치 · 관리를 맡은 자와 공무원의 봉급 · 급여, 그 밖의 비용 또는 영조물의 설치 · 관리비용을 부담하는 자가 동일하지 아니하면 그 비용을 부담하는 자도 손해를 배상하여야 한다.04

기출 체크

□□□□□ 01 국가배상청구소송에서 공공의 영조물에 하자가 있다는 입증책임은 피해자가 지지만, 관리주체에게 손해발생의 예견가능성과 회피가능성이 없다는 입증책임은 관리주체가 진다. (○, ×) ★★ 2017 국가직 9급

□□□□□ 02 고속도로의 관리상 하자가 인정되는 이상 고속도로의 점유관리자는 그 하자가 불가항력에 의한 것이거나 손해의 방지에 필요한 주의를 해태하지 아니하였다는 점을 주장 · 입증하여야 비로소 그 책임을 면할 수 있다. (○, ×) 2009 국회직 8급

□□□□□ 03 다른 자연적 사실이나 제3자의 행위 또는 피해자의 행위와 경합하여 손해가 발생하였더라도 영조물의 설치 · 관리상의 하자가 공동원인의 하나가 된 이상 그 손해는 영조물의 설치 · 관리상의 하자에 의하여 발생한 것이라고 보아야 한다. (○, ×) ★★ 2008 국가직 9급

□□□□□ 04 지방자치단체가 손해를 배상할 책임이 있는 경우에 영조물의 설치 · 관리를 맡은 자와 영조물의 설치 · 관리비용을 부담하는 자가 동일하지 아니하면 그 비용을 부담하는 자는 손해배상책임이 없다. (○, ×) ★★★ 2023 국회직 8급

ⓐ 본 사안은 고속도로의 관리자가 폭설로 일부 구간이 고립되어 교통정체가 생길 것이라는 점을 충분히 예견할 수 있었음에도 교통제한 및 운행정지 등 필요한 조치를 충실히 이행하지 않아서 차량운전자 등이 고속도로상에서 장시간 고립되어 입은 피해와 관련한 사안으로 피해자가 한국도로공사를 상대로 민법 제758조(국가 또는 지방자치단체가 아닌 영조물법인이므로 일반적으로 민법상의 배상책임을 짐)의 손해배상을 청구한 사안이다. 그런데 앞서 본 바와 같이 민법 제758조 제1항 단서에는 ('그러나' 부분) 점유자가 손해의 방지에 필요한 주의를 해태하지 아니한 때에는 점유자는 배상책임이 없다는 취지의 규정을 두고 있다. 따라서 손해의 방지에 필요한 주의를 해태하지 아니한 때에는 책임이 없으며 이의 입증책임은 피고측인 한국도로공사에 있다는 판례이다. 따라서 엄밀히 말하면 국가배상법상의 논의도 아니며 국가배상법상의 논의와 관련 있는 부분은 '불가항력' 부분, 즉 불가항력이면 면책되며 이는 피고에게 유리한 내용으로 피고가 입증책임을 진다는 내용이다. 그런데 행정법 학자들은 국가 또는 지방자치단체에만 국가배상법이 적용된다고 하면서 이 판례의 내용과 표현들을 소개하고 또 시험에도 출제하고 있다(2009년 국회직 8급). 따라서 수험생들은 국가배상법 제5조는 국가 또는 지방자치단체가 배상책임자가 될 때 적용된다는 것과 이 판례의 제목을 기억해 두는 것으로 충분하고 더 깊은 고민을 하지 말기를 바란다.

정답 01 ○ 02 ○ 03 ○ 04 ×

직무행위로 인한 배상책임의 경우처럼 설치 · 관리자와 비용부담자가 다른 경우 비용부담자도 배상책임을 진다. 따라서 국민은 양자에 대해 '선택적'으로 손해배상청구권을 행사할 수 있다.01

2 기관위임사무의 경우

1. 일반적인 경우

(1) 관리주체와 비용부담자가 다른 경우

관리주체와 비용부담자가 다른 대표적인 예로 국가 또는 광역지방자치단체의 영조물 관리사무가 광역지방자치단체의 장 또는 기초지방자치단체의 장에게 기관위임된 경우를 들 수 있다.

(2) 기관위임사무의 경우

이 경우 국가 또는 광역지방자치단체는 국가배상법 제5조 제1항에 의하여 사무귀속주체로서 배상책임을 지며, 수임기관에 속하는 광역지방자치단체나 기초지방자치단체는 영조물 관리비용을 지출하는 자로서 국가배상법 제6조 제1항에 의한 비용부담자로서 국가배상책임을 진다.

(3) 국가 등에 사무를 위임한 경우

한편 지방자치단체의 사무가 국가기관 등에 위임된 때에는 지방자치단체가 사무귀속주체로서 책임을 지며, 국가 등은 비용부담자로서 책임을 질 수 있다.

관련판례

1. **지방자치단체장이 설치하여 관할 지방경찰청장(현 시 · 도경찰청장)에게 관리권한이 위임된 교통신호기 고장으로 사고가 발생한 경우 지방자치단체는 사무귀속자로서(편저자 주 : 국가배상법 제5조 제1항에 의하여) 손해배상책임을 부담하고, 국가는 경찰관 등에게 봉급을 지급하는 비용부담자로서(편저자 주 : 국가배상법 제6조 제1항에 의하여) 국가배상책임을 진다.**02 03 ★★★

   지방자치단체장이 교통신호기를 설치하여 그 관리권한이 도로교통법 제71조의2 제1항의 규정에 의하여 관할 지방경찰청장(현 시 · 도경찰청장)에게 위임되어 …… 위 신호기가 고장난 채 방치되어 교통사고가 발생한 경우, 국가배상법 제2조 또는 제5조에 의한 배상책임을 부담하는 것은 지방경찰청장이 소속된 국가가 아니라, 그 권한을 위임한 지방자치단체장이 소속된 지방자치단체라고 할 것이나, 한편 국가배상법 제6조 제1항은 같은 법 제2조, 제3조 및 제5조의 규정에 의하여 국가 또는 지방자치단체가 손해를 배상할 책임이 있는 경우에 공무원의 선임 · 감독 또는 영조물의 설치 · 관리를 맡은 자와 공무원의 봉급 · 급여 기타의 비용 또는 영조물의 설치 · 관리의 비용을 부담하는 자가 동일하지 아니한 경우에는 그 비용을 부담하는 자도 손해를 배상하여야 한다고 규정하고 있으므로 교통신호기를 관리하는 지방경찰청장 산하 경찰관들에 대한 봉급을 부담하는 국가도 국가배상법 제6조 제1항에 의한 배상책임을 부담한다(대판 1999. 6. 25, 99다11120).04

2-1. 도로의 유지 · 관리에 관한 상위지방자치단체의 행정권한이 행정권한위임조례로 하위지방자치단체장에게 위임되었다면 그것은 기관위임이지 단순한 내부위임이 아니다. 기관위임의 경우 위임받은 하위지방자치단체장은 상위지방자치단체 산하 행정기관의 지위에서 그 사무를 처리하는 것이므로 사무귀속의 주체가 달라진다고 할 수 없다. 따라서 하위지방자치단체장을 보조하는 그 지방자치단체 소속 공무원이 위임사무를 처리하면서 고의 또는 과실로 타인에게 손해를 가하거나 위임사무로 설치 · 관리하는 영조물의 하자로 타인에게 손해를 발생하게 한 경우에는 권한을 위임한 상위지방자치단체가 그 손해배상책임을 진다.05

2-2. 행정권한을 기관위임한 경우 위임사무로 설치 · 관리하는 영조물의 하자로 타인에게 손해를 발생하게 한 경우에는 권한을 위임한 관청이 소속된 지방자치단체가 국가배상법 제2조 또는 제5조에 의한 배상책임을 부담하고, 권한을 위임받은 관청이 속하는 지방자치단체 또는 국가가 국가배상법 제2조 또는 제5조에 의한 배상책임을 부담하는 것은 아니다. 다만 국가배상법 제6조 제1항에 영조물의 설치 · 관리를 맡은 자와 영조물의 설치 · 관리의 비용을 부담하는 자가 동일하지 아니한 경우에는 그 비용을 부담하는 자도 손해를 배상하여야 한다고 규정되어 있을 뿐이다(대판 2017. 9. 21, 2017다223538).

기출 체크

□□□□□ 01 영조물의 설치 · 관리를 맡은 자와 영조물의 설치 · 관리비용을 부담하는 자가 동일하지 아니한 경우에 피해자는 영조물의 설치 · 관리자 또는 설치 · 관리의 비용부담자에게 선택적으로 손해배상을 청구할 수 있다. (○, ×) 2021 국회직 8급

□□□□□ 02 시 · 도경찰청장 또는 경찰서장이 지방자치단체의 장으로부터 권한을 위탁받아 설치 · 관리하는 신호기의 하자로 인해 손해가 발생한 경우 국가배상법 제5조 소정의 배상책임의 귀속주체는 국가뿐이다. (○, ×) ★★★ 2023 지방직 · 서울시 9급

□□□□□ 03 지방자치단체장이 설치하여 관할 지방경찰청장(현 시 · 도경찰청장)에게 관리권한이 위임된 교통신호기의 고장으로 인하여 교통사고가 발생한 경우, 지방자치단체뿐만 아니라 국가도 손해배상책임을 부담한다는 것이 판례의 태도이다. (○, ×) ★★★ 2020 소방직 9급

□□□□□ 04 국가배상법 제6조 제1항에 의하면 지방자치단체장이 설치하여 관할 지방경찰청장(현 시 · 도경찰청장)에게 관리권한이 위임된 교통신호기의 고장으로 인하여 교통사고가 발생한 경우, 지방자치단체가 손해배상책임을 지고 국가는 피해자에 대하여 배상책임을 지지 않는다. (○, ×) ★★★ 2020 지방직 · 서울시 7급

□□□□□ 05 상위지방자치단체가 하위지방자치단체장에게 영조물의 설치 · 관리권한을 기관위임한 경우(단, 비용은 상위지방자치단체가 부담하기로 함), 하위지방자치단체장이 기관위임사무로 설치 · 관리하는 영조물의 하자로 타인에게 손해를 발생하게 한 경우에는 권한을 위임한 상위지방자치단체가 그 손해배상책임을 진다. (○, ×) 2024 소방직 9급

정답 01 ○ 02 × 03 ○ 04 × 05 ○

2. 도로법과 관련한 경우

판례는 도로법 제20조 제2항을 위임의 근거규정으로 보고 동 조항에 따른 상급도로의 관리사무의 성질을 상급도로를 관리해야 하는 행정청(도로법 제20조 제1항에 따른 행정청)이 당해 관할구역의 지방자치단체의 장에게 위임한 기관위임사무라고 보고 있다.ⓐ

관련판례

국도(國道)에 관한 관리사무가 서귀포시로 위임된 경우 서귀포시는 비용부담자로서, 국가는 사무귀속주체로서 손해배상책임을 진다.★★★

도로법 제22조 제2항에 의하여 지방자치단체의 장인 시장이 국도의 관리청이 되었다 하더라도 이는 시장이 국가로부터 관리업무를 위임받아 국가행정기관의 지위에서 집행하는 것이므로 국가는 도로관리상 하자로 인한 손해배상책임을 면할 수 없다(대판 1993. 1. 26, 92다2684).**01**

✚ 현재는 법령의 개정으로 서귀포시는 더 이상 지방자치단체가 아니다.

❸ 최종적 배상책임자(내부적 구상권의 문제)

국가배상법 제6조 제2항의 해석과 관련하여 내부관계에서 손해배상의 책임이 있는 자, 즉 최종적 배상책임자가 누구인가에 대해서는 학설이 대립한다.

국가배상법 제6조【비용부담자 등의 책임】 ② 제1항의 경우에 손해를 배상한 자는 내부관계에서 그 손해를 배상할 책임이 있는 자에게 구상할 수 있다.**02**

관련판례

국가배상법 제6조 소정의 사무귀속자와 비용부담자로서의 지위가 두 행정주체 모두에 중첩된 경우, 내부적 부담부분은 어느 일방이 부담하는 것이 아니라 제반 사정을 종합하여 결정하여야 한다(기여도설을 취하고 있는 것으로 보이는 판례).

광역시와 국가 모두가 도로의 점유자 및 관리자, 비용부담자로서 책임을 중첩적으로 지는 경우에는, 광역시와 국가 모두가 국가배상법 제6조 제2항 소정의 궁극적으로 손해를 배상할 책임이 있는 자라고 할 것이고, 결국 광역시와 국가의 내부적인 부담부분은, 그 도로의 인계 · 인수경위, 사고의 발생경위, 광역시와 국가의 그 도로에 관한 분담비용 등 제반 사정을 종합하여 결정함이 상당하다(대판 1998. 7. 10, 96다42819).**03**

❹ 원인책임자에 대한 구상

국가 또는 지방자치단체가 배상책임을 진 경우 그 손해의 원인에 대하여 책임을 지는 자, 예컨대 영조물의 시공자 또는 영조물의 파손자 등이 따로 있을 경우에는 국가 등이 이들에게 구상할 수 있다.**04** 이 경우 원인책임자는 영조물을 불완전하게 만든 공사책임자, 도로를 파손시킨 운전자 등이 될 것이다.

국가배상법 제5조【공공시설 등의 하자로 인한 책임】 ② 제1항을 적용할 때 손해의 원인에 대하여 책임을 질 자가 따로 있으면 국가나 지방자치단체는 그 자에게 구상할 수 있다.

기출 체크

□□□□□ **01** 지방자치단체의 장인 시장이 국도의 관리청이 되었다 하더라도 국가는 도로관리상 하자로 인한 손해배상책임을 면할 수 없다. (○, ×) ★★★ 2015 경행특채 1차

□□□□□ **02** 영조물의 설치 · 관리자와 비용부담자가 다른 경우 피해자에게 손해를 배상한 자는 내부관계에서 그 손해를 배상할 책임이 있는 자에게 구상할 수 있다. (○, ×) 2023 지방직 · 서울시 9급

□□□□□ **03** 국가와 지방자치단체 모두가 도로의 점유자 및 관리자, 비용부담자로서의 책임을 중첩적으로 지는 경우에는 모두가 국가배상법 제6조 제2항에 따라 궁극적으로 손해를 배상할 책임이 있는 자이고 그 내부적인 부담 부분은 분담비용 등 제반 사정을 종합하여 결정한다. (○, ×) 2019 경행경채 2차

□□□□□ **04** 영조물의 설치 · 관리상 의 하자로 인한 손해의 원인에 대하여 책임을 질 사람이 따로 있는 경우에는 국가 · 지방자치단체는 그 사람에게 구상할 수 있다. (○, ×) ★★ 2017 지방직 7급

ⓐ 예를 들어서 대전광역시 관할구역 안으로 국도가 지나가는 경우 도로법 제20조 제2항에 따르면 관리청은 대전광역시장이 되고 비용도 대전광역시가 부담하는데, 판례는 이를 국가가 대전광역시장에게 국도의 관리사무를 기관위임한 것으로 본다.

정답 01 ○ 02 ○ 03 ○ 04 ○

제 2 절 손해배상청구권

핵심집약 Topic 55

기출 체크

□□□□□ **01** 공공시설물의 하자로 손해를 입은 외국인에게는 해당 국가와 상호보증이 없더라도 국가배상법이 적용된다. (○, ×) ★★ 2024 지방직 · 서울시 9급

□□□□□ **02** 대한민국 구역 내에 있다면 외국인에게도 국가배상청구권은 당연히 인정된다. (○, ×) ★★ 2016 서울시 9급

□□□□□ **03** 외국인이 피해자인 경우에는 해당 국가와 상호보증이 있을 때에만 국가배상법이 적용되는데, 이때 상호보증의 요건 구비를 위해 반드시 당사국과의 조약이 체결되어 있을 필요는 없다. (○, ×) ★★ 2023 군무원 9급

□□□□□ **04** 일본 국가배상법이 국가배상청구권의 발생요건 및 상호보증에 관하여 우리나라 국가배상법과 동일한 내용을 규정하고 있는 점 등에 비추어 우리나라와 일본 사이에 우리나라 국가배상법 제7조가 정하는 상호보증이 있다. (○, ×) ★★ 2019 서울시 9급

01 | 주 체

❶ 국 민

직접 피해자인 국민에게는 헌법규정에 따라 배상청구권이 인정된다. 생명 또는 신체의 해를 입은 피해자의 직계존속 · 직계비속 및 배우자도 대통령령으로 정하는 기준 내에서 피해자의 사회적 지위, 과실의 정도, 생계상태, 손해배상액 등을 고려하여 그 정신적 고통에 대한 위자료를 청구할 권리가 있다(국가배상법 제3조 제5항).

❷ 외국인

피해자가 외국인인 경우 해당 국가와 상호보증이 있는 경우에 한하여 국가배상청구권이 인정된다고 국가배상법은 규정하고 있다.**01 02** ❶ ⓐ 다만, 이러한 상호보증은 외국의 법령, 판례 및 관례 등에 의하여 발생요건을 비교하여 인정되면 충분하고 반드시 당사국과의 조약이 체결되어 있을 필요는 없다는 것이 판례의 입장이다.

관련판례

1. 상호보증은 외국의 법령, 판례 및 관례 등에 의하여 발생요건을 비교하여 인정되면 충분하고 반드시 당사국과의 조약이 체결되어 있을 필요는 없다.**03** ★★
2. 일본 국가배상법 제1조 제1항, 제6조가 국가배상청구권의 발생요건 및 상호보증에 관하여 우리나라 국가배상법과 동일한 내용을 규정하고 있는 점 등에 비추어 우리나라와 일본 사이에 국가배상법 제7조가 정하는 상호보증이 있다.**04** ★★

   상호보증은 외국의 법령, 판례 및 관례 등에 의하여 발생요건을 비교하여 인정되면 충분하고 반드시 당사국과의 조약이 체결되어 있을 필요는 없으며, 당해 외국에서 구체적으로 우리나라 국민에게 국가배상청구를 인정한 사례가 없더라도 실제로 인정될 것이라고 기대할 수 있는 상태이면 충분하다(대판 2015. 6. 11, 2013다208388).

❶ 국가배상법 제7조【외국인에 대한 책임】이 법은 외국인이 피해자인 경우에는 해당 국가와 상호보증이 있을 때에만 적용한다.

ⓐ 상호보증

상호보증이란 A국 국민이 피해자인 경우 A국 국민이 우리나라에 대해서 손해배상청구권을 행사할 수 있는지는 우리 국민도 A국에 대해 손해배상청구권을 행사할 수 있는지에 달려 있다는 것을 의미한다.

02 | 이중배상금지

❶ 이중배상금지의 근거

1. 근거규정

헌법 제29조와 국가배상법 제2조는 군인 등이 피해자인 경우 일정한 요건을 갖출 것을 전제로 그 피해자의 국가배상청구권을 배제하고 있다.

2. 취 지

헌법 제29조 제2항 및 국가배상법 제2조 제1항 단서 규정에 대해 대법원은 국가 또는 공공단체가 위

정답 01 × 02 × 03 ○ 04 ○

험한 직무를 수행하는 군인 · 군무원 · 경찰공무원 등에 대한 피해보상제도를 운영하여 간편하고 확실한 피해보상을 받을 수 있도록 보장하는 대신에, 그들이 국가 등에 대하여 공무원의 직무상 불법행위로 인한 손해배상을 청구할 수 없도록 함으로써 과도한 재정지출과 피해 군인 사이의 불균형을 방지하고, 가해자인 군인 등과 피해자인 군인 등 사이의 쟁송이 가져올 폐해를 예방하는 데 그 취지가 있다고 한다(대판 2001. 2. 15, 96다42420 전합 ; 대판 2002. 5. 10, 2000다39735).

3. 문제의 소재

그러나 보상과 배상은 별개의 제도라는 점, 보상금액이 현실적으로 충분하지 못하다는 점 때문에 이 조항의 위헌성 여부가 다투어져 왔다.[a]

4. 판례의 태도

최근 헌법재판소는 이 조항의 위헌 여부에 대해 합헌결정을 한 바 있으며, 현행 헌법하에서는 대법원도 합헌이라는 전제하에 판결을 하고 있다.

관련판례

군인의 국가 등에 대한 손해배상청구권을 제한하고 있는 국가배상법 제2조 제1항 단서는 헌법에 위반되지 않는다.01

국가배상법 제2조 제1항 단서는 헌법 제29조 제1항에 의하여 보장되는 국가배상청구권을 헌법 내재적으로 제한하는 헌법 제29조 제2항에 직접 근거하고, 실질적으로 그 내용을 같이하는 것이므로 헌법에 위반되지 아니한다(헌재 2001. 2. 22, 2000헌바38).

2 이중배상금지의 요건

국가배상법 제2조 제1항 단서는 이중배상금지에 대해서 규정하고 있는바, 이러한 요건을 검토하면 다음과 같다.[1]

1. 적용대상자

(1) 국가배상법에 명시된 자

군인, 군무원, 경찰공무원, 예비군대원의 경우 다른 요건이 충족되면 국가배상청구권이 제한된다.

(2) 예비군대원의 경우

군인, 군무원, 경찰공무원은 헌법과 국가배상법에 모두 규정되어 있으나 예비군대원은 헌법에는 없고 국가배상법에만 규정되어 있어 위헌성 여부가 논의되나 헌법재판소는 이를 합헌으로 본 바 있다.

관련판례

향토예비군대원(현 예비군대원)에 대해 국가배상청구권을 제한한 국가배상법은 합헌이다.

국가배상법 제2조 제1항 단서가 …… 개별 향토예비군대원(현 예비군대원)의 국가배상청구권을 금지하고 있는 데에는 그 목적의 정당성, 수단의 상당성 및 침해의 최소성, 법익의 균형성이 인정되어 기본권제한규정으로서 헌법상 요청되는 과잉금지의 원칙에 반한다고 할 수 없고 나아가 그 자체로서 평등의 원리에 반한다거나 향토예비군대원의 재산권의 본질적인 내용을 침해하는 위헌규정이라고 할 수 없다(헌재 1996. 6. 13, 94헌바20).

기출 체크

□□□□□ **01** 헌법재판소는 국가배상법 제2조 제1항 단서 이중배상금지규정에 대하여 헌법에 위반되지 아니한다고 판시하였다. (○, ×) 2021 소방직 9급

□□□□□ **02** 군인 · 군무원이 전투 · 훈련 등 직무집행과 관련하여 전사(戰死) · 순직(殉職)하거나 공상(公傷)을 입은 경우에 본인이나 그 유족이 다른 법령에 따라 재해보상금 · 유족연금 · 상이연금 등의 보상을 지급받을 수 있을 때에는 국가배상법 및 민법에 따른 손해배상을 청구할 수 없다. (○, ×) ★★ 2021 군무원 9급

□□□□□ **03** 도로 · 하천, 그 밖의 공공의 영조물(營造物)의 설치나 관리에 하자(瑕疵)가 있기 때문에 타인에게 손해를 발생하게 하였을 때에는 국가나 지방자치단체는 그 손해를 배상하여야 한다. 이 경우 군인 · 군무원의 이중배상금지에 관한 규정은 적용되지 않는다. (○, ×) 2021 군무원 9급

[1] 국가배상법 제2조【배상책임】① 국가나 지방자치단체는 공무원 또는 공무를 위탁받은 사인(이하 '공무원'이라 한다)이 직무를 집행하면서 고의 또는 과실로 법령을 위반하여 타인에게 손해를 입히거나, 「자동차손해배상 보장법」에 따라 손해배상의 책임이 있을 때에는 이 법에 따라 그 손해를 배상하여야 한다. 다만, 군인 · 군무원 · 경찰공무원 또는 예비군대원이 / 전투 · 훈련 등 직무집행과 관련하여 전사 · 순직하거나 공상을 입은 경우에 / 본인이나 그 유족이 다른 법령에 따라 재해보상금 · 유족연금 · 상이연금 등의 보상을 지급받을 수 있을 때에는 / 이 법 및 민법에 따른 손해배상을 청구할 수 없다.02

제5조【공공시설 등의 하자로 인한 책임】① 도로 · 하천, 그 밖의 공공의 영조물의 설치나 관리에 하자가 있기 때문에 타인에게 손해를 발생하게 하였을 때에는 국가나 지방자치단체는 그 손해를 배상하여야 한다. 이 경우 제2조 제1항 단서, 제3조 및 제3조의2를 준용한다.03

[a] 초기의 위헌결정
초기의 이 제도는 헌법에 근거규정이 없이 국가배상법에만 규정되었는바, 1971년 대법원에 의해 군인 등의 손해배상청구권을 헌법에 근거 없이 과도하게 제한한다는 이유로 위헌으로 결정되었다. 그 후 유신헌법에서 이 조항을 헌법에 포함시켜 현재까지 헌법과 국가배상법에 규정되어 있다.

정답 01 ○ 02 ○ 03 ×

기출 체크

□□□□□ **01** 공익근무요원도 국가배상법 제2조 제1항 단서의 이중배상이 금지되는 자에 해당한다. (○, ×) ★★
2023 군무원 7급

□□□□□ **02** 현역병으로 입영하여 소정의 군사교육을 마치고 전임되어 법무부장관에 의하여 경비교도로 임용된 자는 국가배상법 제2조 제1항 단서에 따라 손해배상청구가 제한되는 군인 · 군무원 · 경찰공무원 또는 향토예비군대원에 해당한다고 할 수 없다. (○, ×) ★★
2019 경행경채 2차

□□□□□ **03** 전투경찰순경은 국가배상법 제2조 제1항 단서에 따라 손해배상청구가 제한되는 군인 · 군무원 · 경찰공무원 또는 향토예비군대원에 해당한다고 보아야 한다. (○, ×) ★★
2019 경행경채 2차

□□□□□ **04** 경찰서지서의 숙직실에서 순직한 경찰공무원의 유족들은 국가배상법 및 민법의 규정에 의한 손해배상을 청구할 권리가 있다. (○, ×)
2023 군무원 9급

□□□□□ **05** 경찰공무원이 전투 · 훈련 등 직무집행과 관련하여 순직을 한 경우에는 전투 · 훈련 또는 이에 준하는 직무집행뿐만 아니라 일반 직무집행에 관하여도 국가나 지방자치단체의 배상책임이 제한된다. (○, ×) ★★★ 2019 경행경채 2차

□□□□□ **06** 경찰공무원이 낙석사고 현장 부근으로 이동하던 중 대형 낙석이 순찰차를 덮쳐 사망한 사안에서 국가배상법의 이중배상금지 규정에 따른 면책조항은 전투 · 훈련 또는 이에 준하는 직무집행뿐만 아니라 일반 직무집행에 관하여도 국가나 지방자치단체의 배상책임을 제한하는 것으로 해석하여야 한다. (○, ×) ★★★
2019 국회직 8급

ⓐ 1번 판례(대판 1979. 1. 30, 77다2389)와 2번 판례(대판 2011. 3. 10, 2010다85942)는 서로 모순되는 것처럼 보인다. 그런데 1번 판결 당시의 국가배상법 조문은 현행과 다소 다르게 규정되어 있었는바, 1번 판결은 그 당시 국가배상법 조문하에서 경찰서 지서의 숙직실은 동법에서 말하는 전투 · 훈련에 관련된 시설이라고 볼 수 없다고 본 판결이다('전투 · 훈련 기타 직무집행과 관련하거나 국방 또는 치안유지의 목적상 사용하는 시설 및 자동차 · 함선 · 항공기, 기타 운반기구 안에서 전사 · 순직 또는 공상을 입은 경우에'라고 되어 있었고, 동 판결에서는 전투시설이라고 볼 수 있는지가 쟁점이 되었었다). 따라서 두 판결을 모두 정리해 두길 바란다.

정답 01 × 02 ○ 03 ○ 04 ○ 05 ○ 06 ○

(3) 판례의 검토

판례는 공익근무요원, 군입대 후 경비교도로 임용된 자는 군인의 신분을 상실하였으므로 손해배상청구권이 허용되나, 전투경찰순경의 경우 경찰공무원의 신분을 가지므로 손해배상청구권이 제한된다고 판시한 바 있다.

관련판례

1. **공익근무요원은 소집되어 군에 복무하지 않는 한 이중배상금지가 적용되는 군인이 아니다. 01 ★★**
   공익근무요원은 병역법 제2조 제1항 제9호, 제5조 제1항의 규정에 의하면 국가기관 또는 지방자치단체의 공익목적 수행에 필요한 경비 · 감시 · 보호 또는 행정업무 등의 지원과 국제협력 또는 예술 · 체육의 육성을 위하여 소집되어 공익 분야에 종사하는 사람으로서 보충역에 편입되어 있는 자이기 때문에, 소집되어 군에 복무하지 않는 한 군인이라고 말할 수 없으므로, …… (대판 1997. 3. 28, 97다4036)

2. **현역병 입영 후 경비교도로 전임된 자는 이중배상금지가 적용되는 군인이 아니다**(대판 1998. 2. 10, 97다45914). **02 ★★**

3. **전투경찰순경은 이중배상금지가 적용되는 경찰공무원에 해당한다. 03★★**
   국가배상법 제2조 제1항 단서 중의 '경찰공무원'은 '경찰공무원법상의 경찰공무원'만을 의미한다고 단정하기 어렵고, 널리 경찰업무에 내재된 고도의 위험성을 고려하여 '경찰조직의 구성원을 이루는 공무원'을 특별취급하려는 취지로 파악함이 상당하므로 전투경찰순경은 헌법 제29조 제2항 및 국가배상법 제2조 제1항 단서 중의 '경찰공무원'에 해당한다고 보아야 할 것이다(헌재 1996. 6. 13, 94헌마118, 95헌바39 병합).

2. 전투 · 훈련 등 직무집행과 관련하여 손해를 받았을 때

(1) 군인 등이 받은 모든 손해에 대해 손해배상책임이 배제되는 것은 아니고 군인 등이 전투 · 훈련 등 직무집행과 관련하여 손해를 입은 경우만이 배제된다.

(2) 판례는 경찰공무원이 경찰서 숙직실에서 취침 중 사망한 경우에 숙직실은 전투 · 훈련과 관련된 시설이 아니므로 국가의 손해배상책임을 인정한 바 있다. 그런데 최근 대법원은 전투 · 훈련 등 직무집행이란 전투 · 훈련 또는 이에 준하는 직무집행뿐만 아니라 일반 직무집행에 관하여도 국가나 지방자치단체의 배상책임을 제한하는 것으로 본다고 판시한 바 있다.ⓐ

관련판례

1. **숙직실은 전투시설이 아니므로 숙직실에서 자다가 사망한 경우 경찰공무원이라 하더라도 국가배상청구권을 행사할 수 있다. 04**
   경찰서 지서의 숙직실은 국가배상법 제2조 제1항 단서에서 말하는 전투 · 훈련에 관련된 시설이라고 볼 수 없으므로 위 숙직실에서 순직한 경찰공무원의 유족들은 국가배상법 제2조 제1항 본문에 의하여 국가배상법 및 민법의 규정에 의한 손해배상을 청구할 권리가 있다(대판 1979. 1. 30, 77다2389).

2. (경찰공무원이 낙석사고 현장 주변 교통정리를 위하여 사고현장 부근으로 이동하던 중 대형 낙석이 순찰차를 덮쳐 사망한 사안에서) **경찰공무원 등이 '전투 · 훈련 등 직무집행과 관련하여' 순직 등을 한 경우 같은 법 및 민법에 의한 손해배상책임을 청구할 수 없다고 정한 국가배상법 제2조 제1항 단서의 면책조항은 전투 · 훈련 또는 이에 준하는 직무집행뿐만 아니라 '일반 직무집행'에 관하여도 국가나 지방자치단체의 배상책임을 제한하는 것이다**(대판 2011. 3. 10, 2010다85942). **05 06 ★★★**

3. 본인 또는 유족이 다른 법령의 규정에 의해 보상금을 지급받을 수 있을 것

(1) 피해자 등이 다른 법령의 규정에 의해 보상금 등을 지급받을 수 없을 때에는 국가배상법에 따라 배상을 청구할 수 있다는 것이 통설 및 판례의 태도이다.

(2) 판례는 「국가유공자 등 예우 및 지원에 관한 법률」, 「보훈보상대상자 지원에 관한 법률」, 군인연금법이 정한 보상에 관한 규정은 국가배상법 제2조 제1항 단서가 정한 다른 법령에 해당한다고 본다.

(3) 그러나 보상에 관한 권리가 발생한 이상, 그러한 권리가 시효로 소멸한 경우라도 국가배상을 청구할 수 없다는 것이 판례의 입장이다.

관련판례

1-1. 공상을 입은 군인 · 경찰공무원 등이 별도의 국가보상을 받을 수 없는 경우, 이중배상금지규정은 적용되지 않는다.

1-2. 군인 · 경찰공무원이 공상을 입고 전역 · 퇴직하였으나 그 장애의 정도가 「국가유공자예우 등에 관한 법률」(현 「국가유공자 등 예우 및 지원에 관한 법률」) 또는 군인연금법의 적용대상 등급에 해당되지 않는 경우라면 국가배상청구는 가능하다(대판 1997. 2. 14, 96다28066).**01**

2. 이중배상금지에 관한 규정은 보상금청구권이 시효로 소멸된 경우에도 적용된다.02

국가배상법 제2조 제1항 단서 규정은 다른 법령에 보상제도가 규정되어 있고, 그 법령에 규정된 상이등급 또는 장애등급 등의 요건에 해당되어 그 권리가 발생한 이상, 실제로 그 권리를 행사하였는지 또는 그 권리를 행사하고 있는지 여부에 관계없이 적용된다고 보아야 하고, 원고1의 그 각 법률에 의한 보상금청구권이 시효로 소멸되었다 하여 적용되지 않는다고 할 수는 없다(대판 2002. 5. 10, 2000다39735).

3. 구 공무원연금법(1982. 12. 28, 법률 제3586호로 개정되기 전의 법률) 제33조 내지 제37조 소정의 장해보상금지급제도와 국가배상법 제2조 제1항 단서 소정의 재해보상금 등의 보상을 지급하는 제도와는 취지와 목적을 달리하는 것이어서 두 제도는 서로 아무런 관련이 없다 할 것이므로 구 공무원연금법상의 장해보상금지급규정은 국가배상법 제2조 제1항 단서 소정의 '다른 법령의 규정'에 해당하지 아니하고, 따라서 경찰공무원이 구 공무원연금법의 규정에 의하여 장해보상을 지급받는 것은 국가배상법 제2조 제1항 단서 소정의 '다른 법령의 규정'에 의한 재해보상을 지급받은 것에 해당하지 아니한다(대판 1988. 12. 27, 84다카796).**03**

❸ 요건에 해당하는 자가 손해배상금을 지급받은 경우

관련판례

직무집행과 관련하여 공상을 입은 군인 등이 먼저 국가배상법에 따라 손해배상금을 지급받은 다음 「보훈보상대상자 지원에 관한 법률」이 정한 보상금 등 보훈급여금의 지급을 청구하는 경우, 국가배상법에 따라 손해배상을 받았다는 이유로 그 지급을 거부할 수 없다.04 05 ★★★

전투 · 훈련 등 직무집행과 관련하여 공상을 입은 군인 · 군무원 · 경찰공무원 또는 향토예비군대원이 먼저 국가배상법에 따라 손해배상금을 지급받은 다음 「보훈보상대상자 지원에 관한 법률」(이하 '보훈보상자법'이라 한다)이 정한 보상금 등 보훈급여금의 지급을 청구하는 경우, 국가배상법 제2조 제1항 단서가 명시적으로 '다른 법령에 따라 보상을 지급받을 수 있을 때에는 국가배상법 등에 따른 손해배상을 청구할 수 없다'고 규정하고 있는 것과 달리 보훈보상자법은 국가배상법에 따른 손해배상금을 지급받은 자를 보상금 등 보훈급여금의 지급대상에서 제외하는 규정을 두고 있지 않은 점, 국가배상법 제2조 제1항 단서의 입법취지 및 보훈보상자법이 정한 보상과 국가배상법이 정한 손해배상의 목적과 산정방식의 차이 등을 고려하면 국가배상법 제2조 제1항 단서가 보훈보상자법 등에 의한 보상을 받을 수 있는 경우 국가배상법에 따른 손해배상청구를 하지 못한다는 것을 넘어 국가배상법상 손해배상금을 받은 경우 보훈보상자법상 보상금 등 보훈급여금의 지급을 금지하는 것으로 해석하기는 어려운 점 등에 비추어, 국가보훈처장(현 국가보훈부장관)은 국가배상법에 따라 손해배상을 받았다는 사정을 들어 보상금 등 보훈급여금의 지급을 거부할 수 없다(대판 2017. 2. 3, 2015두60075).

비교판례

군복무 중 사망한 군인 등의 유족이 국가배상법에 따른 손해배상금을 지급받은 경우, 군인연금법 제31조에서 정한 사망보상금을 지급받을 수 없다.

원심은, 직무집행과 관련하여 공상을 입은 군인 등이 국가배상법에 따른 손해배상금을 지급받았더

기출 체크

□□□□□ **01** 군인이 교육훈련으로 공상을 입은 경우라도 군인연금법 또는 「국가유공자예우 등에 관한 법률」에 의하여 재해보상금 · 유족연금 · 상이연금 등 별도의 보상을 받을 수 없는 경우에는 국가배상법 제2조 제1항 단서의 적용대상에서 제외하여야 한다. (○, ×) 2023 국가직 9급

□□□□□ **02** 국가배상법 제2조 제1항 단서에서 정한 '다른 법령의 규정'에 따른 보상금청구권이 모두 시효로 소멸된 경우라고 하더라도 국가배상법 제2조 제1항 단서 규정이 적용된다. (○, ×) 2023 국가직 9급

□□□□□ **03** 경찰공무원인 피해자가 공무원연금법에 따라 공무상 요양비를 지급받는 것은 국가배상법 제2조 제1항 단서에서 정한 '다른 법령의 규정'에 따라 보상을 지급받는 것에 해당하지 않는다. (○, ×) 2023 국가직 9급

□□□□□ **04** 훈련으로 공상을 입은 군인이 국가배상법에 따라 손해배상금을 지급받은 다음 「보훈보상대상자 지원에 관한 법률」이 정한 보훈급여금의 지급을 청구하는 경우, 국가는 국가배상법 제2조 제1항 단서에 따라 그 지급을 거부할 수 있다. (○, ×) ★★★ 2023 국가직 9급

□□□□□ **05** 직무집행과 관련하여 공상을 입은 군인이 먼저 국가배상법에 따라 손해배상금을 지급받았다면 「국가유공자 등 예우 및 지원에 관한 법률」이 정한 보상금 등 보훈급여금의 지급을 청구하는 것은 이중배상금지원칙에 따라 인정되지 아니한다. (○, ×) ★★★ 2022 국가직 7급

● 이중배상금지

- 헌법 제29조와 국가배상법에는 피해자가 군인 · 군무원 등인 경우 일정한 요건을 갖출 것을 전제로 손해배상청구권을 제한하는 이중배상금지에 관한 규정을 두고 있다.
- 공익근무요원, 군입대 후 경비교도로 임용된 자는 이중배상금지규정의 적용을 받지 않는다.
- 전투경찰순경은 경찰공무원으로서 이중배상금지규정이 적용된다.
- 경찰서 숙직실에서 자다가 사망한 경우 경찰공무원이라도 국가배상청구권을 행사할 수 있다.
- 군인 등의 경우라도 보상금을 지급받을 수 없는 경우 국가배상청구권을 행사할 수 있다.
- 일단 보상금청구권이 발생한 이상 그러한 권리가 시효로 소멸한 경우라도 이중배상금지규정은 적용된다.
- 공무원과 민간인의 공동불법행위로 군인에게 피해가 발생한 경우 현재 대법원 판례에 따르면 피해자인 군인은 가해자인 민간인에게 그 부담 부분에 한해 배상청구권을 행사할 수 있을 뿐이다.

정답 01 ○ 02 ○ 03 ○ 04 × 05 ×

라도 「보훈보상대상자 지원에 관한 법률」에 따른 보훈급여금을 지급하여야 한다는 대법원 2017. 2. 3. 선고 2015두60075 판결의 법리가 이 사건에 적용됨을 전제로 하여, 군복무 중 사망한 망인의 유족인 원고가 국가배상법에 따른 손해배상금을 받았다 하더라도 이러한 사유는 원고가 군인연금법 제31조가 정한 사망보상금을 지급받는 데 장애가 되지 않는다고 판단하였다. 그러나 다른 법령에 따라 지급받은 급여와의 조정에 관한 조항을 두고 있지 아니한 「보훈보상대상자 지원에 관한 법률」과 달리, 군인연금법 제41조 제1항은 "다른 법령에 따라 국가나 지방자치단체의 부담으로 이 법에 따른 급여와 같은 종류의 급여를 받은 사람에게는 그 급여금에 상당하는 금액에 대하여는 이 법에 따른 급여를 지급하지 아니한다."라고 명시적으로 규정하고 있다. 나아가 군인연금법이 정하고 있는 급여 중 사망보상금(군인연금법 제31조)은 일실손해의 보전을 위한 것으로 불법행위로 인한 소극적 손해배상과 같은 종류의 급여라고 봄이 타당하다. 따라서 피고에게 군인연금법 제41조 제1항에 따라 원고가 받은 손해배상금 상당 금액에 대하여는 사망보상금을 지급할 의무가 존재하지 아니한다(대판 2018. 7. 20, 2018두36691).**01**

참고판례

군인연금법이 정하고 있는 급여 중 사망보상금은 일실손해의 보전을 위한 것으로 불법행위로 인한 소극적 손해배상과 같은 종류의 급여이므로, 군복무 중 사망한 망인의 유족이 국가배상을 받은 경우 피고는 사망보상금에서 소극적 손해배상금 상당액을 공제할 수 있을 뿐, 이를 넘어 정신적 손해배상금 상당액까지 공제할 수는 없다(대판 2022. 3. 31, 2019두36711).**02**

④ 공동불법행위자의 구상권

1. 문제의 소재

국가배상법 제2조 제1항 단서(이중배상금지조항)의 이중배상금지의 요건을 충족하는 경우에 피해자는 국가 또는 지방자치단체에 대하여 손해배상을 청구하지 못한다.

그런데 국가배상법 제2조 제1항 단서(이중배상금지조항)의 해석과 관련하여 군인 등이나 그 유족에 대하여 손해를 배상할 책임이 있는 공동불법행위자인 일반국민이 그 군인 등이나 유족에게 손해배상을 하고나서 국가에 대하여 구상권을 행사할 수 있는지 여부가 문제된다.ⓐ

2. 판례의 태도

(1) 대법원(부정설의 입장)

대법원은 국가배상법 제2조 제1항 단서가 적용되는 경우 민간인인 공동불법행위자는 민법의 일반이론과 달리 손해액 전부에 대한 책임을 지지 않으며, 자신의 부담부분만을 군인에게 배상하면 되고 국가에 대해 구상권을 행사할 수는 없다는 입장이다.

관련판례

민간인과 직무집행 중인 군인 등의 공동불법행위로 인하여 직무집행 중인 다른 군인 등이 피해를 입은 경우, 민간인은 자신의 부담부분에 한하여 손해를 배상하고, 만약 민간인이 피해군인 등에게 자신의 귀책부분을 넘어서 배상한 경우 국가 등에게 구상권을 행사할 수 없다.03 04 ★★★

위 헌법 및 국가배상법 규정의 입법취지를 관철하기 위하여는 …… 위와 같은 경우에는 공동불법행위자 등이 부진정연대채무자로서 각자 피해자의 손해 전부를 배상할 의무를 부담하는 공동불법행위의 일반적인 경우와 달리 예외적으로 민간인은 피해군인 등에 대하여 그 손해 중 국가 등이 민간인에 대한 구상의무를 부담한다면 그 내부적인 관계에서 부담하여야 할 부분을 제외한 나머지 자신의 부담부분에 한하여 손

기출 체크

□□□□□ **01** 군복무 중 사망한 군인 등의 유족이 국가배상법에 따른 손해배상금을 지급받은 경우 그 손해배상금 상당 금액에 대해서는 군인연금법에서 정한 사망보상금을 지급받을 수 없다. (○, ×)
2023 지방직 · 서울시 9급

□□□□□ **02** 군복무 중 사망한 사람의 유족이 국가배상을 받은 경우, 관할행정청 등은 군인연금법상 사망보상금에서 소극적 손해배상금 상당액을 공제할 수 있을 뿐, 이를 넘어 정신적 손해배상금까지 공제할 수는 없다. (○, ×)
2024 지방직 · 서울시 9급

□□□□□ **03** (대법원 판례에 따르면) 민간인과 직무집행 중인 군인 등의 공동불법행위로 인하여 직무집행 중인 다른 군인 등이 피해를 입은 경우, 민간인이 피해군인 등에게 자신의 귀책부분을 넘어서 배상한 경우에는 국가 등에게 구상권을 행사할 수 있다. (○, ×) ★★★ 2022 소방간부

□□□□□ **04** 국가배상법 제2조 제1항 단서에 의해 군인 등의 국가배상청구권이 제한되는 경우, 공동불법행위자인 민간인은 피해를 입은 군인 등에게 그 손해 전부에 대하여 배상하여야 하는 것은 아니며 자신의 부담부분에 한하여 손해배상의무를 부담한다. (○, ×) ★★★
2021 소방직 9급

ⓐ A, B가 공동으로 甲에게 손해를 가하여 甲에게 1,000만원의 손해배상청구권이 발생한 경우를 생각해 보자(A, B는 각각 50%의 잘못이 있다고 가정한다). 이러한 경우를 이른바 공동불법행위라고 한다. 이때 피해자인 甲은 A에게 500만원이 아닌 1,000만원의 손해배상청구권을 행사할 수 있다(B를 선택하여 1,000만원의 손해배상청구를 할 수도 있음은 물론이다). 이는 피해자 보호를 위해서 인정된 것에 불과하므로, A와 B 사이에서는 A는 자기가 부담하여야 할 부분인 500만원을 넘는 부분에 대해서는 B의 책임을 대신 이행한 것이 되므로 B에게 구상권을 행사할 수 있다.

정답 01 ○ 02 ○ 03 × 04 ○

해배상의무를 부담하고, 한편 국가 등에 대하여는 그 귀책부분의 구상을 청구할 수 없다고 해석함이 상당하다 할 것이고, 이러한 해석이 손해의 공평 · 타당한 부담을 그 지도원리로 하는 손해배상제도의 이상에도 맞는다 할 것이다(대판 2001. 2. 15, 96다42420 전합).

(2) **헌법재판소(긍정설의 입장)**

헌법재판소는 민간인이 공동불법행위자로서 손해액 전부를 배상한 후에 국가에 구상청구하는 것을 부인하는 것은 평등원칙, 재산권 보장규정 및 헌법 제37조 제2항 등의 헌법규정에 반한다고 보고 있다. 즉, 이중배상금지규정은 민간인인 공동불법행위자가 다른 공동불법행위자인 군인의 부담부분에 대해 국가에 대하여 구상권을 행사하는 것을 허용하지 않는다고 해석하는 한 헌법에 위반된다고 판시한 바 있다.ⓐ

관련판례

국가배상법 제2조 제1항 단서 중 군인에 관련되는 부분은 국가에 대하여 구상권을 행사하는 것을 허용하지 아니한다고 해석하는 한, 헌법에 위반된다(한정위헌).01 ★★★

국가배상법 제2조 제1항 단서 중 군인에 관련되는 부분을, 일반국민이 직무집행 중인 군인과 행한 공동불법행위로 직무집행 중인 다른 군인에게 공상을 입혀 그 피해자에게 공동의 불법행위로 인한 손해를 배상한 다음 공동불법행위자인 군인의 부담부분에 관하여 국가에 대하여 구상권을 행사하는 것을 허용하지 않는다고 해석한다면, 이는 위 단서 규정의 헌법상 근거규정인 헌법 제29조가 구상권의 행사를 배제하지 아니하는데도 이를 배제하는 것으로 해석하는 것으로서 합리적인 이유 없이 일반국민을 국가에 대하여 지나치게 차별하는 경우에 해당하므로 헌법 제11조, 제29조에 위반되며, 또한 국가에 대한 구상권은 헌법 제23조 제1항에 의하여 보장되는 재산권이고 위와 같은 해석은 그러한 재산권의 제한에 해당하며 재산권의 제한은 헌법 제37조 제2항에 의한 기본권제한의 한계 내에서만 가능한데, 위와 같은 해석은 헌법 제37조 제2항에 의하여 기본권을 제한할 때 요구되는 비례의 원칙에 위배하여 일반국민의 재산권을 과잉제한하는 경우에 해당하여 헌법 제23조 제1항 및 제37조 제2항에도 위반된다(헌재 1994. 12. 29, 93헌바21).

03 | 배상청구권의 양도금지

생명 · 신체의 침해로 인한 손해배상청구권은 양도 또는 압류할 수 없다02고 국가배상법에 명문규정을 두고 있다. 반면 재산권침해로 인한 손해배상청구권은 양도할 수 있다.❶

04 | 배상청구권의 소멸시효

❶ 시효기간

국가배상법은 배상청구권의 소멸시효에 대하여 명문규정을 두고 있지 않은데, 이 경우 국가배상법 제8조에 따라 민법규정에 의하게 되므로 민법 제766조에 따라서 국가배상청구권은 손해 및 가해자를 안 날로부터 3년이 경과하면 시효로 소멸한다.❷ 한편, 피해자나 법정대리인이 손해 및 가해자를 알지 못한 경우에는 불법행위의 종료일로부터 국가재정법 제96조 제1항에 따라 5년간 손해배상청구권을 행사하지 아니하면 시효로 소멸한다는 것이 판례의 취지이다.03 ㉠ 다만, 소멸시효의 주장이 권리남용에 해당하거나 신의성실의 원칙에 반하는 경우에는 국가배상청구권은 시효로 소멸하지 않는다.

기출 체크

□□□□□ **01** 헌법재판소는 일반국민이 직무집행 중인 군인과의 공동불법행위로 다른 군인에게 공상을 입혀 그 피해자에게 손해전부를 배상했을지라도, 공동불법행위자인 군인의 부담부분에 관하여 국가에 대한 구상권은 허용되지 않는다고 본다. (○, ×) ★★★ 2011 지방직 7급

□□□□□ **02** 생명 · 신체의 침해로 인한 국가배상을 받을 권리는 양도하거나 압류하지 못한다. (○, ×) ★★ 2024 소방간부

□□□□□ **03** 국가배상청구권은 피해자나 법정대리인이 손해 및 가해자를 안 날로부터 3년간, 불법행위가 있은 날로부터 5년간 이를 행사하지 않으면 시효로 인하여 소멸된다. (○, ×) ★★★ 2023 군무원 7급

❶ 국가배상법 제4조【양도 등 금지】 생명 · 신체의 침해로 인한 국가배상을 받을 권리는 양도하거나 압류하지 못한다.

❷ 민법 제766조【손해배상청구권의 소멸시효】 ① 불법행위로 인한 손해배상의 청구권은 피해자나 그 법정대리인이 그 손해 및 가해자를 안 날로부터 3년간 이를 행사하지 아니하면 시효로 인하여 소멸한다.
② 불법행위를 한 날로부터 10년을 경과한 때에도 전항과 같다.

판례 | ㉠ 1. 국가배상법 제2조 제1항에 따른 손해배상청구권을 불법행위의 종료일로부터 5년간 행사하지 아니한 경우, 국가재정법 제96조에 의하여 시효소멸한다.
2. 불법체포 · 구금으로 인한 국가배상청구권의 소멸시효 기산일인 불법행위의 종료일은 구속영장 발부 · 집행에 의하여 불법상태가 종료된 날이다(대판 2008. 11. 27, 2008다60223).

ⓐ

대법원	헌법재판소
민간인인 공동불법행위자는 자신의 부담부분만을 배상하면 되고 국가에 대해 구상권을 행사할 수 없음.	민간인인 공동불법행위자가 국가에 대하여 구상권을 행사하는 것을 허용하지 않는다고 해석하는 한 헌법에 위반됨.

정답 01 × 02 ○ 03 ○

기출 체크

□□□□□ **01** (국가배상법상) 배상청구권의 시효와 관련하여 '가해자를 안다는 것'은 피해자나 그 법정대리인이 가해 공무원의 불법행위가 그 직무를 집행함에 있어서 행해진 것이라는 사실까지 인식함을 요구하지 않는다. (○, ×) ★ 2017 국가직 7급

□□□□□ **02** 국가배상청구에 있어서 채권자가 동일한 목적을 달성하기 위하여 복수의 채권을 갖고 있는 경우 어느 하나의 청구권을 행사하는 것이 다른 채권에 대한 소멸시효 중단의 효력이 있다고 할 수 없다. (○, ×) ★ 2008 지방직 7급

정답 01 × 02 ○

관련판례

국가배상청구권에 관한 3년의 단기시효기간 기산에는 민법 제766조 제1항 외에 소멸시효의 기산점에 관한 일반규정인 민법 제166조 제1항이 적용된다. 따라서 3년의 단기시효기간은 그 '손해 및 가해자를 안 날'에 더하여 그 '권리를 행사할 수 있는 때'가 도래하여야 비로소 시효가 진행한다(대판 2023. 1. 12, 2021다201184).

❷ 손해 및 가해자를 안 날의 의미

판례는 이에 대해 "피해자가 가해공무원과 국가 또는 지방자치단체 사이에 공법상 근무관계가 있다는 사실을 알고, 또한 일반인이 당해 공무원의 불법행위가 국가 또는 지방자치단체의 직무를 집행함에 있어서 행해진 것이라고 판단하기에 족한 사실까지도 인식하는 것을 의미한다."라고 판시한 바 있다.

관련판례

시효기간을 계산함에 있어 '손해 및 가해자를 안 날'이란 직무행위 등 불법행위의 요건을 구비하였음을 인식한 날을 의미한다.★

국가배상법 제2조 제1항 본문 전단 규정에 따른 배상책임을 묻는 사건에 대하여는 동법 제8조의 규정에 의하여 민법 제766조 소정의 단기소멸시효제도가 적용되는 것인바, 여기서 가해자를 안다는 것은 피해자가 가해공무원과 국가 또는 지방자치단체 사이에 공법상 근무관계가 있다는 사실을 알고, 또한 일반인이 당해 공무원의 불법행위가 국가 또는 지방자치단체의 직무를 집행함에 있어서 행해진 것이라고 판단하기에 족한 사실까지도 인식하는 것을 의미한다(대판 1989. 11. 14, 88다카32500). **01**

❸ 국가배상청구소송의 제기와 보상청구권의 소멸시효

1. 이중배상금지가 적용되는 공무원이 「국가유공자 등 예우 및 지원에 관한 법률」 등에 의해 보상을 받을 수 있는 경우 손해배상청구를 할 수 없음은 앞서 본 바와 같다. 또한 보상청구권이 이미 발생한 이상, 그 권리가 시효로 소멸한 경우 손해배상청구권을 행사할 수 없음도 앞서 본 바와 같다.

2. 그런데 이와 관련하여 이중배상금지가 적용되는 공무원이 국가배상청구소송을 제기한 것이 보상청구권의 소멸시효도 중단시키는 것인지가 문제되는바, 판례는 그것만으로 보상청구권의 소멸시효가 중단되는 것은 아니라고 한다.

관련판례

(이중배상금지가 적용되는 공무원이 「국가유공자 등 예우 및 지원에 관한 법률」 등에 의해 보상청구권이 있음에도 불구하고 국가배상청구소송을 제기하여 소송 진행 중 「국가유공자 등 예우 및 지원에 관한 법률」상의 소멸시효기간인 3년이 경과한 경우 국가배상청구소송에 의해 「국가유공자 등 예우 및 지원에 관한 법률」에 따른 보상청구권의 소멸시효가 중단되는지에 대해 이를 부정하면서) **채권자가 동일한 목적을 달성하기 위하여 복수의 채권을 갖고 있는 경우, 어느 하나의 청구권을 행사하는 것이 다른 채권에 대한 소멸시효 중단의 효력이 있다고 할 수 없다**(대판 2002. 5. 10, 2000다39735). **02** ★

3. 한편 소멸시효 완성의 항변이 신의성실의 원칙에 위반되는 경우 그러한 항변은 인정되지 않는다.

관련판례

1. (불법구금상태에서 고문을 당한 후 간첩방조 등의 범죄사실로 유죄판결을 받고 형집행을 당한 사람에 대하여 국가배상책임을 인정하면서) **국가의 소멸시효 완성 항변은 신의성실의 원칙에 반하는 권리남용으로서 허용될 수 없다.**

   경찰 수사관들이 甲을 불법구금상태에서 고문하여 간첩혐의에 대한 허위자백을 받아내는 등의 방법으로 증거를 조작함으로써 甲이 구속 · 기소되어 유죄판결을 받고 그 형집행을 당하도록 하였으므로, 그 소속 공무원들의 불법행위로 인하여 甲과 그 가족이 입은 일체의 비재산적 손해에 대하여 국가배상법에 따른 위자료배상책임을 인정하면서, 甲이 국가를 상대로 위자료지급청구를 할 수 없는 객관적인 장애사유가 있었고, 피해자인 甲을 보호할 필요성은 심대한 반면 국가의 이행거절을 인정하는 것은 현저히 부당하고 불공평하므로 국가의 소멸시효 완성 항변은 신의성실의 원칙에 반하는 권리남용으로서 허용될 수 없다(대판 2011. 1. 13, 2009다103950).

2. 공무원의 불법행위로 손해를 입은 피해자의 국가배상청구권의 소멸시효 기간이 지났으나 국가가 소멸시효 완성을 주장하는 것이 신의성실의 원칙에 반하는 권리남용으로 허용될 수 없어 배상책임을 이행한 경우에는, 그 소멸시효 완성 주장이 권리남용에 해당하게 된 원인행위와 관련하여 해당 공무원이 그 원인이 되는 행위를 적극적으로 주도하였다는 등의 특별한 사정이 없는 한, 국가가 해당 공무원에게 구상권을 행사하는 것은 신의칙상 허용되지 않는다고 봄이 상당하다(대판 2016. 6. 9, 2015다200258). **01 02** ★★

기출 체크

□□□□□ **01** 국가배상청구권의 소멸시효기간은 지났으나 국가가 소멸시효 완성을 주장하는 것이 신의성실의 원칙에 반하는 권리남용으로 허용될 수 없어 배상책임을 이행한 경우, 국가는 원칙적으로 해당 공무원에 대해 구상권을 행사할 수 있다. (○, ×) ★★ 2022 국가직 9급

□□□□□ **02** 국가배상청구권의 소멸시효 기간이 지났으나 국가가 소멸시효 완성을 주장하는 것이 신의성실의 원칙에 반하는 권리남용으로 허용될 수 없어 배상책임을 이행한 경우에는, 그 소멸시효 완성 주장이 권리남용에 해당하게 된 원인행위와 관련하여 해당 공무원이 그 원인이 되는 행위를 적극적으로 주도하였다는 등의 특별한 사정이 없는 한, 국가가 해당 공무원에게 구상권을 행사하는 것은 신의칙상 허용되지 않는다. (○, ×) ★★ 2019 서울시 9급

정답 01 × 02 ○

제 3 절 배상금 청구절차

핵심집약 Topic 55

기출 체크

□□□□□ **01** 국가배상법에 따른 손해배상의 소송은 배상심의회에 배상신청을 하지 아니하면 제기할 수 없다. (○, ×) ★★ 2024 지방직 · 서울시 9급

□□□□□ **02** 국가배상법에 따른 손해배상의 소송은 배상심의회에 배상신청을 하지 아니하고도 제기할 수 있다. (○, ×) ★★ 2023 군무원 9급

□□□□□ **03** (국가배상법상) 배상심의회에 대한 배상신청은 임의절차이다. (○, ×) ★★ 2019 소방직 9급

□□□□□ **04** 판례에 따르면 국가배상법상 배상심의회에 의한 배상결정은 행정처분이 아니다. (○, ×) ★★ 2008 선관위 9급

□□□□□ **05** 국가배상법상 배상신청인은 배상심의회의 배상결정에 동의하여 배상금을 수령한 이후에도 손해배상소송을 제기하여 배상금의 증액을 청구할 수 있다. (○, ×) 2006 국가직 7급

□□□□□ **06** 배상심의회의 결정은 대외적인 법적 구속력을 가지므로 배상 신청인과 상대방은 그 결정에 항상 구속된다. (○, ×) 2020 지방직 · 서울시 9급

ⓐ 개정 전 국가배상법이 필요적 결정전치주의를 채택한 것에 대해서는 위헌이라는 견해가 있었으나 대법원은 합헌이라 본 바 있고, 헌법재판소도 이에 대해 합헌결정을 내린 바 있다. 즉, 전치주의와 관련된 내용은 위헌결정에 의해 바뀐 것이 아니다.

정답 01 × 02 ○ 03 ○ 04 ○ 05 ○ 06 ×

01 | 행정절차

❶ 임의적 결정전치주의

국가배상법 제9조는 배상심의회에 배상신청을 하지 않고도 손해배상청구소송을 제기할 수 있다고 하여 임의적 결정전치주의를 채택하고 있다.**01 02 03** 개정 전 국가배상법에서는 필요적 결정전치주의를 채택하고 있었는데, 2000년 개정된 국가배상법에서는 임의적 결정전치주의를 채택하고 있다.ⓐ 한편 배상심의회에 대한 배상금지급신청은 손해배상청구권의 시효중단사유가 된다.

❷ 배상심의회의 결정

관련판례

국가배상심의위원회의 결정은 행정처분이 아니다.**04** ★★

국가배상법에 의한 배상심의회의 결정은 행정처분이 아니므로 행정소송의 대상이 아니다(대판 1981. 2. 10, 80누317).

❸ 배상결정의 효력

현재의 국가배상법하에서는 신청인은 배상결정에 동의하거나 배상금을 수령한 경우에도 법원에 손해배상청구소송을 제기하여 배상금의 증액을 청구할 수 있다.**05**

❹ 지급청구를 하지 아니한 경우

배상결정을 받은 신청인이 배상금 지급을 청구하지 아니하거나 지방자치단체가 대통령령으로 정하는 기간 내에 배상금을 지급하지 아니하면 그 결정에 동의하지 아니한 것으로 본다(국가배상법 제15조 제3항). 배상심의회의 배상결정은 대외적인 구속력이 없으므로 배상결정에 대하여 신청인은 동의를 거부할 수 있다.**06**

02 | 사법절차

❶ 소송유형

국가배상법을 공법으로 보고 행정상 손해배상청구권을 공권으로 보는 다수설에 따르면, 손해배상청구소송은 행정소송인 공법상의 당사자소송에 의하여야 한다. 그러나 국가배상법을 사법으로 보고 행정상 손해배상청구권을 사권으로 보는 판례에 따르면, 국가배상청구소송은 민사소송에 의한다.01 02 한편, 행정소송법은 분쟁의 일회적 해결과 재판의 모순방지를 위해 행정소송에서 그 청구와 관련된 손해배상청구를 행정소송에 병합하여 청구하는 이른바 관련청구의 병합을 규정하고 있다(행정소송법 제10조).

❷ 대표자

국가가 피고인 경우에는 법무부장관이, 지방자치단체가 피고인 경우에는 지방자치단체의 장이 국가 또는 지방자치단체를 대표하여 소송을 수행한다.ⓐ

기출 체크

□□□□□ 01 국가배상책임을 공법적 책임으로 보는 견해는 국가배상청구소송은 당사자소송으로 제기되어야 한다고 보나, 재판실무에서는 민사소송으로 다루고 있다. (○, ×) ★★★ 2015 서울시 9급

□□□□□ 02 처분의 위법을 원인으로 하는 국가배상청구권은 그 원인관계에 비추어 공권으로 보는 것이 판례의 입장이다. (○, ×) ★★★ 2007 국가직 7급

ⓐ 법무부장관이 피고라는 의미가 아니라, 피고는 국가이며 국가를 대표해서 소송을 수행하는 자가 법무부장관이라는 의미이다.

[유튜브] 29강 필수 개념 TEST
- QR코드를 스캔해 주세요.
- 필수 개념과 출제 포인트를 풀어 보세요.
- 틀린 문제는 기본서로 확인해 주세요.

정답 01 ○ 02 ×

제 30 강 행정상 손실보상 1 (손실보상청구권의 요건)

행정상 손실보상

손실보상청구권의 개념

적법한 공권력행사에 의한 재산상 특별한 손해에 대하여 재산권보장과 공평부담이라는 견지에서 행하는 조절적인 재산적 보상

행정상 손실보상의 근거

이론적 근거(통설)

- **특별희생설** : 사유재산권의 보장을 전제로 하여 공익을 위해 특정인에게 특별한 희생 내지 불평등한 희생이 있는 경우, 이를 공동체 전체에 부담을 하여 보상하는 것이 정의 · 공평의 요구에 합치하는 것이라는 견해
- 재산권보장과 공적 부담 앞의 평등원칙

실정법적 근거

손실보상청구권의 요건

공공의 필요

- 순수 국고목적은 공공필요에 해당되지 않음.
- 공공필요성이 인정되면 사기업을 위해서도 수용이 이루어질 수 있음.
- 사업시행자에게 해당 공익사업을 수행할 의사와 능력이 있어야 한다는 것도 사업인정의 한 요건임(판례).
- 입증책임 – 사업시행자(판례의 입장)

재산권에 대한 의도적인 침해

- 일체의 재산적 가치 있는 권리(물권 · 채권, 공법상 · 사법상 권리 불문)
  - 위법한 건축물도 원칙적으로 손실보상의 대상이 됨.
- 현존하는 구체적 가치일 것(기대이익 ×, 자연적 · 문화적 학술가치 ×)

수용 · 사용 또는 제한

- 손실보상이 인정되기 위해서는 침해가 현실적으로 발생하여야 함.

적법한 공용침해

- 법률에 근거한 적법한 침해가 있어야 함.
- **구별** : 손해배상 – 위법한 침해

재산권의 수용 · 사용 또는 제한 및 그에 대한 보상은 법률로써 하되

- 법률은 국회제정의 형식적 의미의 법률이어야 하며 법률의 근거 없이 명령 · 조례로는 수용 · 사용 및 제한 안 됨.
- 헌법 제23조 제3항은 보상청구권의 근거에 관하여서뿐만 아니라 보상의 기준과 방법에 관하여서도 법률의 규정에 유보하고 있는 것으로 보아야 함(판례).

정당한 보상

- **헌법 제23조의 정당한 보상**
  - **완전보상설** : 피침해재산의 완전한 가치를 보상해야 함(통설 및 판례).
  - 정신적 손해와 개발이익은 포함되지 않음.
- **개발이익배제의 문제**
  - 당해 사업으로 인한 개발이익은 배제하는 것이 타당함.
  - 그러나 다른 사업으로 인한 개발이익은 배제하면 안 됨.
- **개발이익배제의 방법**
  - 개발이익을 배제하기 위해 공시지가(표준공시지가)를 기준으로 하여 보상(공시지가를 기준으로 한 보상은 '정당보상의 원칙'에 위배되지 않음)
  - 사업인정고시일 전의 시점을 공시기준일로 하는 공시지가를 보상액 산정기준으로 함.
  - 원칙적으로 협의성립 당시 또는 재결 당시의 가격에 의한 재산권의 보상(객관적 가치보상)
  - 당해 공공사업의 시행을 직접 목적으로 하는 사업계획의 승인 · 고시로 인한 가격변동은 고려해서는 안 됨.

특별한 희생

개 설

- 손실보상의 요건이 충족되기 위해서는 재산권의 침해를 통하여 개인에게 사회적 제약의 범위를 넘는 특별한 희생이 발생해야 함.
- 사회적 제약(사회적 구속성, 민법상의 상린관계적 제한)은 보상 필요 없음.

구체적 검토

- 시료채취로 조사대상자에게 손실을 입힌 때 보상해야 함(행정조사기본법 제12조).
- 공공용물에 대한 일반사용이 적법한 개발행위로 인해 제한됨으로써 얻는 불이익은 특별한 희생이 아님.

보상규정의 존재

기 타

손실보상청구권의 성질

판 례	• 전통적 판례 : 손실보상청구소송은 민사소송에 의함. • 행정소송(당사자소송)으로 보는 최근 판례 : 하천법상 하천구역 편입토지에 대한 손실보상금의 지급을 구하는 소송 및 농업손실에 대한 보상청구권에 관한 소송
통 설	공법상 당사자소송

헌법 제23조 제3항 규정의 성격

- 학설

방침규정설	입법에 관한 방침규정에 불과하므로 보상 여부는 입법자가 자유로이 결정
위헌무효설 (입법자에 대한 직접효력설)	재산권침해규정시 보상규정이 없으면 위헌 · 무효의 법률이며, 이에 근거한 재산권침해행위는 위법행위가 되므로 국민은 손해배상청구권을 갖게 됨. 헌법 제23조 제3항을 불가분조항으로 봄.
직접효력설	직접 헌법상 보상규정에 근거하여 보상을 청구할 수 있음. 헌법 제23조 제3항을 불가분조항으로 보지 않음.
유추적용설	헌법 제23조 제1항(재산권보장규정) 및 제11조(평등원칙)를 근거로 제23조 제3항 및 관계규정을 유추적용하여 손실보상청구, 독일의 수용유사침해법리 도입

- 판례

대법원	판례태도는 일관되어 있지 않음(유추적용설, 위헌무효설 등).

불가분조항 여부

- 헌법 제23조 제3항이 불가분조항의 원칙을 선언한 것인지에 대해 견해 대립함.
- 불가분조항으로 본다면 보상규정을 두지 아니한 수용법률은 헌법위반이 됨.
- 한편 헌법 제23조 제3항을 위헌무효설(입법자에 대한 직접효력설)은 불가분조항으로 보는 데 반해 직접효력설은 불가분조항으로 보지 않음.

헌법 제37조 제2항과의 관계

헌법재판소는 헌법 제23조 제3항의 '공공필요'는 '국민의 재산권을 그 의사에 반하여 강제적으로라도 취득해야 할 공익적 필요성'을 의미하고, 이 요건 중 공익성은 기본권 일반의 제한사유인 '공공복리'보다 좁은 것으로 보고 있음.

경계이론 · 분리이론

경계이론 · 분리이론 비교(헌법 제23조 해석이론)

구 분	경계이론(전환이론)	분리이론
개 념	재산권의 내용규정과 공용침해는 별개의 제도가 아니며, 양자는 재산권 제한의 정도에 따라 구별되는 것으로 봄.	입법자의 의사를 존중, 침해의 형태 및 목적을 기준으로 내용 규정과 공용침해를 별개의 제도로 봄.
재산권의 내용규정(헌법 제23조 제1 · 2항)	재산권 규제의 정도가 약함.	• 침해의 형태 : 재산권의 제한이 일반적 · 추상적 • 목적 : 일반적 공익목적 위해 재산권자의 권리 · 의무를 장래를 향해 새롭게 규율함. • 헌법적 한계를 넘는 경우는 비례의 원칙 위반으로 위헌 · 위법이 됨.
공용침해규정(헌법 제23조 제3항)	재산권 규제의 정도가 강함.	• 침해의 형태 : 재산권의 제한이 개별적 · 구체적 • 목적 : 침해를 통해 기존의 재산권자의 법적 지위를 완전하게 또는 부분적으로 박탈
보 장	가치보장에 중점	존속보장에 중점
주장자	독일 연방최고법원	• 독일 연방헌법재판소 • 우리 헌법재판소
권리구제	특별한 희생에 대해 • 보상규정이 있는 경우 ⇨ 손실보상청구 • 보상규정이 없는 경우 ⇨ 직접효력설/유추적용설 등	• 다양한 견해 존재(취소소송, 헌법소원, 입법자의 후속입법에 따른 권리구제) • 헌법재판소의 입장 : 입법자의 보상입법을 기다려 보상을 청구할 수 있음.

재산권보장의 방법

재산권보장의 방법으로는 존속보장의 방법과 가치보장의 방법이 있음.

구 분	존속보장	가치보장
의 의	• 재산권자가 재산권을 보유하고 사용 · 수익 · 처분하는 것 자체를 보장하는 것을 의미 • 이에 따르면 국민의 보상의 문제 이전에 자신의 재산권이 침해되지 않도록 방어할 수 있음.	• 공공필요에 의해 재산권에 대한 공적인 침해가 가해지는 경우 재산권의 가치를 보장하기 위해 보상 등의 조치를 취하는 것을 의미 • 이는 재산권을 금전적 가치로 평가하여 공공의 필요가 있는 경우에는 사업시행자는 당연히 국민의 재산권을 침해할 수 있고, 이 경우 보상만 충실히 해주면 된다는 입장으로서 손실보상의 요건 중 특별한 희생에 중점을 둠.
헌법규제	제23조 제1항	제23조 제3항
실현제도	공용침해에서의 공공필요성 요건, 환매제도, 분리이론, 위법한 재산권침해행위에 대한 취소소송 등	• 손실보상, 매수청구제도, 수용유사침해이론, 경계이론 등 • 생활보상은 보상제도라는 점에서 가치보장을 위한 것이지만 존속보장의 의미도 가짐.
법 언	"방어하라. 그리고 청산하라."	"인용하라. 그리고 청산하라."
양자의 관계	공공필요를 위해 공용침해가 행해지는 경우 존속보장과 가치보장의 우열에 대해서 다수설은 재산권의 중요성에 비추어 존속보장이 가치보장보다 우선한다고 보고 있음.	

도시계획제한과 손실보상문제

대법원	개발제한구역의 지정 등은 사회적 제약의 범위 내
헌법재판소	• 사회적 제약의 범위 내(헌법합치) : 종래 목적대로 사용 가능, 지가하락, 지가상승률의 상대적 감소 • 사회적 제약의 범위를 넘은 것(헌법위반) – 종래 목적대로 사용 불가(나대지) – 토지를 이용할 수 있는 방법이 전혀 없는 경우(사정변경으로 인한 용도폐지) • 다만, 개발제한구역제도 그 자체는 헌법에 위반되지 않는다는 점에서 단순위헌결정이 아니라 헌법불합치결정을 함. 토지소유자는 개발제한구역지정 그 자체를 다투는 등의 행위를 할 수는 없고 보상입법을 기다려 그에 따라 권리행사를 할 수 있을 뿐이라고 판시

- **현행법** : 개발제한구역 지정에 관해 매수청구 등 보상규정을 둠.
  – 헌법재판소는 「개발제한구역의 지정 및 관리에 관한 특별조치법」 제11조 제1항 등에 대한 위헌소원사건에서 토지의 효용이 감소한 토지소유자에게 토지매수청구권을 인정하는 등 보상규정을 두고 있는 점에 비추어 합헌결정을 함(판례).

제 1 절 행정상 손실보상

초대 Topic 32 핵심집약 Topic 56

01 | 행정상 손실보상의 개념

행정상 손실보상이란 적법한 공권력의 행사에 의해 가해진 개인의 재산상의 특별한 손해에 대하여, 재산권보장과 공평부담의 견지에서 행정주체가 행하는 조절적인 재산적 보상을 말한다.**01 02**

02 | 행정상 손실보상의 근거

❶ 손실보상의 이론적 근거

기득권의 불가침을 전제로 기득권 침해에 대한 보상이라는 기득권설, 보상은 국가의 우월성을 전제로 국가가 은혜적으로 부여하는 것이라고 보는 은혜설 등이 있으나, 통설은 특별희생설ⓐ을 취하고 있다. 즉, 재산권의 보장과 공적 부담 앞의 평등원칙이 손실보상의 이론적 근거가 된다. 특별희생설에 의하면 공공복지와 개인의 권리 사이에 충돌이 있는 경우, 공공복지를 위해 자기의 권리가 희생되도록 강요된 자에게는 국가가 보상을 하여야 한다.

❷ 실정법적 근거

1. 헌법적 근거

헌법 제23조 제3항은 손실보상에 관한 근거규정이 된다.**03** 헌법 제23조 제3항에 따르면 "공공필요에 의한 재산권의 수용 · 사용 또는 제한 및 그에 대한 보상은 법률로써 하되, 정당한 보상을 지급하여야 한다."고 규정하고 있다.**04**

2. 개별법적 근거

전체적인 손실보상에 관한 일반법은 없으나,**05** 공익사업과 관련된 토지 등의 수용 및 사용과 손실보상에 관한 일반법의 성격을 가지는 「공익사업을 위한 토지 등의 취득 및 보상에 관한 법률」(토지보상법)과 그 밖의 도로법, 하천법 등에서 재산권침해와 그로 인한 손실보상에 관해 규정하고 있다. 제31강에서는 토지보상법의 내용을 중심으로 손실보상에 관해 살펴본다.

기출 체크

□□□□□ **01** 손실보상은 적법한 공권력의 행사로 인한 손해의 전보제도이다. (○, ×) 2005 서울시 9급

□□□□□ **02** 손실보상청구권을 발생시키는 침해는 재산권이나 신체에 대한 것이어야 한다. (○, ×) ★★ 2014 서울시 7급

□□□□□ **03** 헌법 제23조 제3항이 (손실보상의) 헌법적 근거가 된다. (○, ×) ★★★ 2014 서울시 9급

□□□□□ **04** 헌법 제23조 제3항은 "공공필요에 의한 재산권의 수용 · 사용 또는 제한 및 그에 대한 보상은 법률로써 하되, 정당한 보상을 지급하여야 한다."고 규정하고 있다. (○, ×) ★★★ 2015 경행특채 1차

□□□□□ **05** 손실보상에 관한 일반법으로 손실보상법이 있다. (○, ×) 2017 경행특채

ⓐ 사유재산권의 보장을 전제로 하여 공익을 위해 특정인에게 다른 사람이 받지 않는 특별한 희생 내지 불평등한 희생이 있는 경우, 이를 공동체 전체에 부담을 하여 보상하는 것이 정의 · 공평의 요구에 합치하는 것이라는 견해가 특별희생설이다.

정답 01 ○ 02 × 03 ○ 04 ○ 05 ×

03 | 손실보상청구권의 요건

❶ 공공의 필요

1. 개 념

(1) 공공의 필요란 일정한 공익사업을 시행하거나 공공복리를 달성하기 위해 재산권의 제한이 불가피한 경우를 말하는 것으로 도로건설 등 반드시 일정한 사업만을 의미하는 것은 아니고 일반적인 공익을 위한 것이면 공공필요에 해당하는 것으로 본다. 다만, 순수 국고목적ⓐ을 위한 것은 여기서의 공공필요에 해당하지 않는다.01

관련판례

도시계획시설사업은 도로 · 철도 · 항만 · 공항 · 주차장 등 교통시설, 수도 · 전기 · 가스공급설비 등 공급시설과 같은 도시계획시설을 설치 · 정비 또는 개량하여 공공복리를 증진시키고 국민의 삶의 질을 향상시키는 것을 목적으로 하고 있으므로, 도시계획시설사업은 그 자체로 공공필요성의 요건이 충족된다. 그렇다면 이 사건 수용조항(편저자 주 : 「국토의 계획 및 이용에 관한 법률」 제86조 제7항)은 공공필요성을 갖춘 사업을 위하여 수용권이 행사되도록 규정한 것이므로, 헌법 제23조 제3항에 위반된다고 할 수 없다(헌재 2014. 7. 24, 2013헌바294).02

(2) 한편, 특정 사기업이 생활배려영역에서 복리적인 기능을 수행한다면, 그 사기업을 위해서도 법률 또는 법률에 근거한 처분으로 수용이 이루어질 수 있다. 예컨대, 사기업인 원자력발전소가 전기공급을 위해 타인의 토지를 수용할 수도 있다. 다만, 사업시행자가 사인인 경우에는 일정한 제도적 규율(규제)도 필요하다는 것이 판례의 입장이다.

관련판례

1. 민간기업을 수용의 주체로 규정한 「산업입지 및 개발에 관한 법률」 제22조 제1항은 공공필요 요건을 충족하므로 헌법 제23조 제3항에 위반되지 않는다.03 04 ★★★
   헌법 제23조 제3항은 정당한 보상을 전제로 하여 재산권의 수용 등에 관한 가능성을 규정하고 있지만, 재산권 수용의 주체를 한정하지 않고 있다. 위 헌법조항의 핵심은 당해 수용이 공공필요에 부합하는가, 정당한 보상이 지급되고 있는가 여부 등에 있는 것이지, 그 수용의 주체가 국가인지 민간기업인지 여부에 달려 있다고 볼 수 없다. 또한 국가 등의 공적 기관이 직접 수용의 주체가 되는 것이든 그러한 공적 기관의 최종적인 허부판단과 승인결정하에 민간기업이 수용의 주체가 되는 것이든, 양자 사이에 공공필요에 대한 판단과 수용의 범위에 있어서 본질적인 차이를 가져올 것으로 보이지 않는다. 따라서 위 수용 등의 주체를 국가 등의 공적 기관에 한정하여 해석할 이유가 없다(헌재 2009. 9. 24, 2007헌바114).05 06 07

2-1. 해당 공익사업을 수행하여 공익을 실현할 의사나 능력이 없는 자에게 타인의 재산권을 공권력적 · 강제적으로 박탈할 수 있는 수용권을 설정하여 줄 수는 없으므로, 사업시행자에게 해당 공익사업을 수행할 의사와 능력이 있어야 한다는 것도 사업인정의 한 요건이라고 보아야 한다.08

2-2. 사업시행자가 해당 공익사업을 수행할 의사나 능력을 상실하였음에도 여전히 그 사업인정에 기하여 수용권을 행사하는 것은 수용권의 공익목적에 반하는 수용권의 남용에 해당하여 허용되지 않는다(대판 2011. 1. 27, 2009두1051).

3. 수용은 타인의 재산권을 직접적으로 박탈하는 것일 뿐 아니라, 헌법 제10조로부터 도출되는 계약의 자유 내지 피수용자의 거주이전 자유까지 문제될 수 있는 등 사실상 많은 헌법상 가치들의 제약을 초래할 수 있으므로, 헌법적 요청에 의한 수용이라 하더라도 국민의 재산을 그 의사에 반하여 강제적으로라도 취득해야 할 정도의 필요성이 인정되어야 하고, 그 필요성이 인정되기 위해서는 공용수용을 통하여 달성하려는 공익과 그로 인하여 재산권을 침해당하는 사인의 이익 사이의 형량에서 사인의 재산권 침해를 정당화할 정도의 공익의 우월성이 인정되어야 한다. 특히 사업시행자가 사인인 경우에는 위와 같은 공익의 우월성이 인정되는 것 외에도 사인은 경제활동의 근본적인 목적이 이윤을 추구하는 일에 있으므로, 그 사업시행으로 획득할 수 있는 공익이 현저히 해태되지 않도록 보장하는 제도적 규율도 갖추어져 있어야 한다(헌재 2014. 10. 30, 2011헌바172).09★

기출 체크

□□□□□ 01 순수 국고목적의 작용이라 하더라도 공공필요성이 인정된다는 것이 일치된 견해이다. (○, ×) ★ 2009 관세사

□□□□□ 02 「국토의 계획 및 이용에 관한 법률」에서 규정하는 도시계획시설사업은 도로 · 철도 · 항만 · 공항 · 주차장 등 교통시설, 수도 · 전기 · 가스공급설비 등 공급시설과 같은 도시계획시설을 설치 · 정비 또는 개량하여 공공복리를 증진시키고 국민의 삶의 질을 향상시키는 것을 목적으로 하고 있으므로, 그 자체로 공공필요성의 요건이 충족된다. (○, ×) 2023 소방직 9급

□□□□□ 03 민간기업을 토지수용의 주체로 정한 법률조항도 헌법 제23조 제3항에서 정한 '공공필요'를 충족하면 헌법에 위반되지 아니한다. (○, ×) ★★★ 2016 서울시 9급

□□□□□ 04 헌법재판소는 「산업입지 및 개발에 관한 법률」에서 민간기업에게 산업단지개발사업에 필요한 토지 등을 수용할 수 있도록 규정한 조항이 헌법 제23조 제3항에 위반되지 않는다고 판시하였다. (○, ×) ★★★ 2014 사회복지직 9급

□□□□□ 05 공용수용은 공공필요에 부합하여야 하므로, 수용 등의 주체를 국가 등의 공적 기관에 한정하여야 한다. (○, ×) ★★★ 2021 국가직 7급

□□□□□ 06 민간기업도 토지수용의 주체가 될 수 있다. (○, ×) ★★★ 2021 군무원 7급

□□□□□ 07 국가 등의 공적 기관이 직접 수용의 주체가 되는 것이든 그러한 공적 기관의 최종적인 허부판단과 승인결정하에 민간기업이 수용의 주체가 되는 것이든, 양자 사이에 공공필요에 대한 판단과 수용의 범위에 있어서 본질적인 차이가 있는 것은 아니다. (○, ×) ★★★ 2020 국가직 7급

□□□□□ 08 사업인정은 공익사업의 시행자에게 일정한 절차를 거칠 것을 조건으로 일정한 내용의 수용권을 설정하여 주는 형성행위이며, 사업시행자에게 해당 공익사업을 수행할 의사와 능력이 있어야 한다는 것도 사업인정의 한 요건이 된다. (○, ×) 2023 국가직 7급

□□□□□ 09 사업시행자가 사인인 경우에는 공익의 우월성이 인정되는 것 외에 그 사업시행으로 획득할 수 있는 공익이 현저히 해태되지 아니하도록 보장하는 제도적 규율도 갖추어져 있어야 한다. (○, ×) ★ 2017 국회직 8급

ⓐ 순수한 국고목적의 예로 외화수입이나 재정적 수요를 충족하기 위해서 토지 등을 수용하는 경우를 들 수 있다.

정답 01 × 02 ○ 03 ○ 04 ○ 05 × 06 ○ 07 ○ 08 ○ 09 ○

(3) 토지보상법은 동법이 적용될 수 있는 공익사업에 대해 규정하고 있으며, 우리 판례는 '워커힐사건'에서 외국인을 대상으로 하는 관광 및 서비스사업도 공익사업으로 인정한 바 있다.

2. 판단기준

공공필요라는 개념은 공익이라는 개념과 비례의 원칙을 포함하는 개념으로서 수용을 정당화하는 공공필요의 판단은 비례의 원칙에 의해 행해진다. 즉, 수용으로 인하여 달성하는 공익과 수용으로 인하여 침해되는 이익(공익 및 사익)을 비교 · 형량하여 침해되는 이익이 지나치게 크지 않는 한 수용은 정당한 것이 된다. 수용으로 인하여 침해되는 공익의 예로는 환경상 이익, 문화재 보호이익 등을 들 수 있다. 한편 공공의 필요에 대한 입증책임은 사업시행자에게 있다.

관련판례

공용수용이 공익사업을 위해 필요한지에 대한 입증책임의 소재는 사업시행자에게 있다.

공용수용은 공익사업을 위하여 특정의 재산권을 법률에 의하여 강제적으로 취득하는 것을 내용으로 하므로 그 공익사업을 위한 필요가 있어야 하고, 그 필요가 있는지에 대하여는 수용에 따른 상대방의 재산권 침해를 정당화할 만한 공익의 존재가 쌍방의 이익의 비교 · 형량의 결과로 입증되어야 하며, 그 입증책임은 사업시행자에게 있다(대판 2005. 11. 10, 2003두7507).

2 재산권에 대한 의도적인 침해

1. 재산권의 의의

(1) 재산권이란 토지소유권뿐만 아니라 그 밖에 법에 의하여 보호되는 일체의 재산적 가치 있는 권리(어업권, 광업권, 특허권01 등)를 의미하며 재산권의 종류는 물권인지 채권인지를 가리지 않는다. 한편, 이러한 재산권에는 사법(私法)상의 권리만이 아니라 공법상의 권리(공유수면매립권 등)도 포함된다.02

(2) 또한 위법한 건축물도 원칙적으로 손실보상의 대상이 되나, 다만 비주거용 건축물로서 위법성의 정도가 커서 거래의 객체가 되지 않는 경우에는 예외적으로 보상대상이 되지 않는다는 것이 판례의 입장이다.

관련판례

1. **구 수산업법상 어업허가를 받고 허가어업에 종사하던 어민이 공유수면매립사업의 시행으로 피해를 입게 된 경우, 손실보상청구권이 있다.**

   어업허가는 일정한 종류의 어업을 일반적으로 금지하였다가 일정한 경우 이를 해제하여 주는 것으로서 어업면허에 의하여 취득하게 되는 어업권과는 그 성질이 다른 것이기는 하나, 어업허가를 받은 자가 그 허가에 따라 해당 어업을 함으로써 재산적인 이익을 얻는 면에서 보면 어업허가를 받은 자의 해당 어업을 할 수 있는 지위는 재산권으로 보호받을 가치가 있고 ...... 정당한 어업허가를 받고 공유수면매립사업지구 내에서 허가어업에 종사하고 있던 어민들에 대하여 손실보상을 할 의무가 있는 사업시행자가 손실보상의무를 이행하지 아니한 채 공유수면매립공사를 시행함으로써 실질적이고 현실적인 침해를 가한 때에는 불법행위를 구성하는 것이고, 이 경우 허가어업자들이 입게 되는 손해는 그 손실보상금 상당액이다(대판 1999. 11. 23, 98다11529).03

2-1. **토지수용법상의 사업인정 고시 이전에 건축된 지장물인 건물은 통상 적법한 건축허가를 받았는지 여부에 관계없이 손실보상의 대상이 된다.04 ★★**

2-2. **주거용 건물이 아닌 위법건축물의 경우, 그 위법의 정도가 관계법령의 규정이나 사회통념상 용인할 수 없을 정도로 크고 객관적으로도 합법화될 가능성이 거의 없어 거래의 객체도 되지 아니하는 경우에는 예외적으로 토지수용법상의 수용보상 대상이 되지 아니한다**(대판 2001. 4. 13, 2000두6411).

기출 체크

□□□□□ 01 특허권을 수용한 경우에도 손실보상의 원인이 된다. (○, ×)
2001 국가직 7급

□□□□□ 02 손실보상청구권을 공권으로 보게 되면 손실보상청구권을 발생시키는 침해의 대상이 되는 재산권에는 공법상의 권리만이 포함될 뿐 사법상의 권리는 포함되지 않는다. (○, ×) ★★★
2017 국가직 9급

□□□□□ 03 정당한 어업허가를 받고 공유수면매립사업지구 내에서 허가어업에 종사하고 있던 어민들에 대하여 손실보상을 할 의무가 있는 사업시행자가 손실보상의무를 이행하지 아니한 채 공유수면매립공사를 시행함으로써 실질적이고 현실적인 침해를 가한 때에는 불법행위를 구성하는 것이고, 이 경우 허가어업자들이 입게 되는 손해는 그 손실보상금 상당액이다. (○, ×)
2018 국회직 8급

□□□□□ 04 지장물인 건물은 그 건물이 적법한 건축허가를 받아 건축된 것인지 여부에 관계없이 토지수용법상의 사업인정의 고시 이전에 건축된 건물이기만 하면 손실보상의 대상이 된다. (○, ×) ★★
2016 경행경채

판례 | 워커힐관광사업의 경우 공익사업으로 인정될 수 있다(대판 1971. 10. 22, 71다1716).

정답 01 ○ 02 × 03 ○ 04 ○

2. 현존하는 구체적 가치일 것

재산권은 현존하는 구체적 재산가치일 것이 요구되므로, 지가상승의 기대와 같은 기대이익은 손실보상의 대상이 아니다.01 또한 자연적 · 문화적 학술가치도 원칙적으로 손실보상의 대상이 아니다.

관련판례

토지의 문화적 · 학술적 가치는 특별한 사정이 없는 한 손실보상의 대상이 될 수 없다.02 ★★

문화적 · 학술적 가치는 특별한 사정이 없는 한 그 토지의 부동산으로서 경제적 · 재산적 가치를 높여 주는 것이 아니므로 토지수용법 제51조 소정의 손실보상의 대상이 될 수 없으니, 이 사건 토지가 철새 도래지로서 자연 · 문화적인 학술가치를 지녔더라도 손실보상의 대상이 될 수 없다(대판 1989. 9. 12, 88누11216).

3. 비재산적 법익의 경우

생명 · 신체 등 비재산권에 대한 침해의 경우에는 손실보상청구권이 성립하는 것이 아니라 후술할 희생보상청구권의 문제가 될 수 있을 뿐이다(제32강 참조).03

❸ 수용 · 사용 또는 제한ⓐ

1. 침해의 유형

침해란 재산권의 가치를 하락시키는 것으로서, 헌법 제23조 제3항은 침해의 유형으로 수용 · 사용 · 제한을 규정하고 있는바, 이들 유형을 포괄하여 보통 공용침해라고 부른다.

2. 침해의 의도성

상대방의 손실은 공권력 주체에 의해 직접적으로 의도된 것이어야 하고(반대견해 있음) 의도되지 않은 침해의 보상은 후술할 수용적 침해보상의 문제가 된다.

3. 공용침해로 손실이 발생하였을 것

판례는 손실보상이 인정되기 위해서는 재산권에 대한 침해가 현실적으로 발생하여야 하며,04 공익사업과 손실 사이에 상당인과관계가 있어야 된다고 보고 있다.

관련판례

1-1. 간척사업의 시행으로 종래의 관행어업권자에게 구 공유수면매립법에서 정하는 손실보상청구권이 인정되기 위해서는 매립면허고시 후 매립공사가 실행되어 관행어업권자에게 실질적이고 현실적인 피해가 발생해야 한다.05 ★★★

1-2. 공유수면매립면허의 고시가 있다고 하여 반드시 그 사업이 시행되고 그로 인하여 손실이 발생한다고 할 수 없으므로, 매립면허 고시 이후 매립공사가 실행되어 관행어업권자에게 실질적이고 현실적인 피해가 발생한 경우에만 공유수면매립법에서 정하는 손실보상청구권이 발생하였다고 할 것이다(대판 2010. 12. 9, 2007두6571).06 ★★★

2. 공익사업의 시행으로 토석채취허가를 연장받지 못한 경우 그로 인한 손실과 공익사업 사이에 상당인과관계는 인정되지 않으며 그 손실이 적법한 공권력의 행사로 가하여진 재산상의 특별한 희생으로서 손실보상의 대상이 되는 것도 아니다.07 ★★

산림 내에서의 토석채취허가는 산지관리법 소정의 토석채취제한지역에 속하는 경우에 허용되지 아니함은 물론이나 그에 해당하는 지역이 아니라 하여 반드시 허가하여야 하는 것으로 해석할 수는 없고 허가권자는 신청지 내의 임황과 지황 등의 사항 등에 비추어 국토 및 자연의 보전 등의 중대한 공익상 필요가 있을 때에는 재량으로 그 허가를 거부할 수 있는 것이다. 따라서 그 자체로 중대한 공익상의 필요가 있는 공익사업이 시행되어 토석채취허가를 연장받지 못하게 되었다고 하더라도 토석채취허가가 연장되지 않게 됨으로 인한 손실과 공익사업 사이에 상당인과관계가 있다고 할 수 없을 뿐 아니라,

기출 체크

□□□□□ 01 손실보상이 이루어지는 재산권에는 지가상승에 대한 기대이익이나 영업이익의 가능성이 포함되지 아니한다. (○, ×) ★★ 2011 사회복지직 9급

□□□□□ 02 문화적 · 학술적 가치는 특별한 사정이 없는 한 그 토지의 부동산으로서의 경제적 · 재산적 가치를 높여 주는 것이므로 토지수용법 제51조 소정의 손실보상의 대상이 된다. (○, ×) ★★ 2016 경행경채

□□□□□ 03 손실보상은 원칙적으로 재산 · 생명 · 신체의 침해에 대한 보상이다. (○, ×) 2005 서울시 9급

□□□□□ 04 손실보상이 인정되기 위해서는 재산권에 대한 침해가 현실적으로 발생하여야 하는 것은 아니다. (○, ×) ★★ 2015 경행특채 1차

□□□□□ 05 간척사업의 시행으로 종래의 관행어업권자에게 구 공유수면매립법에서 정하는 손실보상청구권이 인정되기 위해서는 매립면허고시 후 매립공사가 실행되어 관행어업권자에게 실질적이고 현실적인 피해가 발생해야 한다. (○, ×) ★★★ 2023 서울시 지적 7급

□□□□□ 06 매립면허 고시 이후 매립공사가 실행되어 관행어업권자에게 실질적이고 현실적인 피해가 발생한 경우에만 구 공유수면매립법에서 정하는 손실보상청구권이 발생한다. (○, ×) ★★★ 2023 소방간부

□□□□□ 07 공익사업의 시행으로 토석채취허가를 연장받지 못한 경우 그로 인한 손실은 적법한 공권력의 행사로 가하여진 재산상의 특별한 희생으로서 손실보상의 대상이 된다. (○, ×) ★★ 2018 서울시 9급

ⓐ 수용 · 사용 · 제한

구분	내용
수 용	재산권의 일체를 박탈하는 것을 의미하는 것으로 직접 법률의 규정에 의해 행해지는 경우(입법적 수용)도 있음. 예 도로건설을 위한 개인의 토지 수용
사 용	재산권의 사용권을 설정하는 것 예 주택의 강제임대 등
제 한	개인의 재산권에 대해 일정한 제한을 가하는 것 예 건축물의 신축 금지 등

정답 01 ○ 02 × 03 × 04 × 05 ○ 06 ○ 07 ×

특별한 사정이 없는 한 그러한 손실이 적법한 공권력의 행사로 가하여진 재산상의 특별한 희생으로서 손실보상의 대상이 된다고 볼 수도 없다(대판 2009. 6. 23, 2009두2672).

4. 적법한 공용침해

손실보상청구권이 성립하기 위해서는 형식적 법률에 근거한 적법한 침해가 있어야 하는바, 이 점에서 손해배상과 구별된다.01 법률에 근거하지 않은 수용은 불법행위를 구성하므로 손해배상청구가 가능하다.

❹ 재산권의 수용 · 사용 또는 제한 및 그에 대한 보상은 법률로써 하되

1. 헌법 제23조 제3항에서는 "공공필요에 의한 재산권의 수용 · 사용 및 제한은 '법률'로써 하여야 한다."고 규정하고 있는바, 여기서의 법률은 국회제정의 형식적 의미의 법률이어야 하며 법률의 근거 없이 명령 또는 조례로 수용을 할 수는 없다.02

2. 동 규정❶은 보상을 법률로 하도록 하고 있는바, 이는 보상청구권의 근거에 관하여서뿐만 아니라 보상의 기준과 방법에 관하여서도 법률의 규정에 유보하고 있는 것으로 보아야 한다는 것이 판례의 입장이다.

관련판례

헌법 제23조 제3항의 규정은 보상청구권의 근거에 관하여서뿐만 아니라 보상의 기준과 방법에 관하여서도 법률의 규정에 유보하고 있는 것으로 보아야 한다.04 05 ★★

헌법 제23조 제3항의 규정은 …… 보상청구권의 근거에 관하여서뿐만 아니라 보상의 기준과 방법에 관하여서도 법률의 규정에 유보하고 있는 것으로 보아야 하고, 위 구 토지수용법과 지가공시법의 규정들은 바로 헌법에서 유보하고 있는 그 법률의 규정들로 보아야 할 것이다(대판 1993. 7. 13, 93누2131).

❺ 정당한 보상

1. 헌법규정

헌법에서는 정당한 보상을 하도록 규정하고 있는바, 이때 정당한 보상의 의미와 관련하여 학설이 대립한다.

(1) 완전보상설

피침해재산의 완전한 가치를 보상해야 한다는 견해로서 통설이다. 이 설은 다시 구체적 범위와 관련하여 ① 침해된 재산의 객관적 가치만을 완전히 보상하면 된다는 견해와 ② 발생된 손실의 전부를 보상하여야 하므로 부대적 손실까지 보상하여야 한다는 견해로 나누어진다. 한편, 정신적 손해와 개발이익(후술)은 완전보상에 포함되지 않는다고 보는 것이 일반적 견해이다.

(2) 상당보상설

재산권의 사회적 공공성과 침해행위의 공공성에 비추어 사회국가원리에 바탕을 둔 기준에 따르는 적정한 보상이면 족하다는 견해로서 완전보상을 원칙으로 하되, 합리적인 이유가 있는 경우에는 완전보상을 밑돌 수도 있다는 입장이다.

(3) 사법부의 태도

대법원과 헌법재판소는 모두 완전보상설의 입장을 취하고 있다. 다만 개발이익은 성질상 완전보상의 범위에 포함되지 않는다고 한다.

기출 체크

□□□□□ **01** 행정상 손실보상과 관련 없는 내용은? ★★★ 2015 서울시 7급
① 행정청이 위법하게 운전면허를 취소하는 경우
② 사후적 행정구제제도
③ 개인의 특별한 희생
④ 공공도로용지를 위한 토지수용

□□□□□ **02** 재산권의 수용 · 사용 · 제한은 법률로써 하여야 하고, 이 '법률'에 법률종속명령이나 조례는 포함되지 아니한다. (○, ×) ★ 2011 사회복지직 9급

□□□□□ **03** 공공필요에 의한 재산권의 수용 · 사용 또는 제한 및 그에 대한 보상은 법률로써 하되, 정당한 보상을 지급하여야 한다. (○, ×) 2024 지방직 · 서울시 9급

□□□□□ **04** 헌법 제23조 제3항에서 보상은 법률로써 하되 정당한 보상을 지급하여야 한다고 하여 구체적인 보상액의 산출기준은 법률에 유보하고 있다. (○, ×) ★★ 2018 교육행정직 9급

□□□□□ **05** 헌법은 보상청구권의 근거뿐만 아니라 보상의 기준과 방법에 관해서도 법률에 유보하고 있다. (○, ×) ★★ 2012 국가직 7급

❶ 헌법 제23조 ① 모든 국민의 재산권은 보장된다. 그 내용과 한계는 법률로 정한다.
② 재산권의 행사는 공공복리에 적합하도록 하여야 한다.
③ 공공필요에 의한 재산권의 수용 · 사용 또는 제한 및 그에 대한 보상은 법률로써 하되, 정당한 보상을 지급하여야 한다.03

정답 01 ① 02 ○ 03 ○ 04 ○ 05 ○

관련판례

1-1. 정당한 보상이란 완전보상을 뜻하는 것으로서 보상금액뿐만 아니라 보상의 시기나 방법 등에 있어서도 어떠한 제한을 두어서는 아니 된다는 것을 의미한다.★★★

1-2. 개발이익은 성질상 완전보상의 범위에 포함되지 아니한다.★★★

헌법 제23조 제3항이 규정하는 정당한 보상이란 원칙적으로 피수용재산의 객관적인 재산가치를 완전하게 보상하는 것이어야 한다는 완전보상을 뜻하는 것으로서01 02 보상금액뿐만 아니라 보상의 시기나 방법 등에 있어서도 어떠한 제한을 두어서는 아니 된다는 것을 의미한다고 할 것이다. …… 개발이익은 그 성질상 완전보상의 범위에 포함되지 아니한다(헌재 1995. 4. 20, 93헌바20, 94헌바4, 95헌바6).03

2. 지장물인 건물의 일부가 수용된 경우 잔여건물 부분의 교환가치하락으로 인한 감가보상을 잔여지의 감가보상을 규정한 「공공용지의 취득 및 손실보상에 관한 특례법 시행규칙」 제26조 제2항을 유추적용하여 인정할 수 있다.04 ★

정당한 보상은 완전보상을 의미하는 것으로 건물의 일부가 수용되어 잔여건물 부분에 대하여 보수만으로 보전될 수 없는 가치하락이 있는 경우에는 관련규정을 유추적용하여 잔여건물의 가치하락분에 대한 보상, 즉 감가(減價)보상을 하여야 한다(대판 2001. 9. 25, 2000두2426).

3. '정당한 보상'이라 함은 원칙적으로 피수용재산의 객관적인 재산가치를 완전하게 보상하여야 한다는 완전보상을 뜻하는 것이라 할 것이나, 투기적인 거래에 의하여 형성되는 가격은 정상적인 객관적 재산가치로는 볼 수 없으므로 이를 배제한다고 하여 완전보상의 원칙에 어긋나는 것은 아니며, 공익사업의 시행으로 지가가 상승하여 발생하는 개발이익은 궁극적으로는 국민 모두에게 귀속되어야 할 성질의 것이므로 이는 완전보상의 범위에 포함되는 피수용토지의 객관적 가치 내지 피수용자의 손실이라고는 볼 수 없다(대판 1993. 7. 13, 93누2131).05 ★★★

2. 개발이익 배제의 문제

(1) 개발이익의 의의

① 개발사업이 시행되면 토지가격이 급등하는 경우가 있을 수 있는데, 개발이익이란 바로 이러한 개발사업의 시행 등으로 인해 정상지가상승분을 초과하는 토지가액의 증가분을 의미한다.

② 이러한 개발이익은 토지소유자 자신의 투자와 노력으로 증가한 이익이 아니므로 보상액을 책정함에 있어 배제될 필요가 있다.

(2) 사법부의 입장

대법원과 헌법재판소 모두 개발이익을 배제하는 것은 타당하다는 입장이다. 한편 대법원은 당해 공익사업으로 인한 개발이익은 배제하는 것이 타당하나, 다른 공익사업으로 인한 개발이익(예 주택건설사업 이전에 도로 개통으로 토지가격이 상승한 경우의 이익)은 현재 시행하려고 하는 공익사업과는 무관하므로 배제해서는 안 된다는 입장이다.

관련판례

1. 당해 사업으로 인한 개발이익은 피수용자의 객관적 재산가치에 포함되지 아니하므로 개발이익을 배제하는 것은 정당하다(대판 1993. 7. 27, 92누11084).★★

2. 손실보상액 산정에 있어 '당해 공공사업'과는 상관없는 '다른 사업'의 시행으로 인한 개발이익을 배제하여서는 안 된다(대판 1992. 2. 11, 91누7774).06 ★★

3. 개발이익의 배제의 방법

(1) 공시지가 기준

개발이익을 배제하기 위해 협의나 재결에 의하여 취득하는 토지에 대하여는 「부동산 가격공시에 관한 법률」에 따른 공시지가(표준공시지가)를 기준으로 하여 보상한다(토지보상법 제70조 제1항).ⓐ

기출 체크

□□□□□ 01 헌법 제23조 제3항이 규정하는 정당한 보상이란 원칙적으로 피수용재산의 객관적인 재산가치를 완전하게 보상하는 것이어야 한다는 완전보상을 뜻한다. (○, ×) ★★★ 2024 소방간부

□□□□□ 02 (행정상 손실보상에서) 헌법 제23조 제3항에 규정된 '정당한 보상'은 상당보상을 의미한다는 것이 헌법재판소의 입장이다. (○, ×) ★★★ 2019 소방직 9급

□□□□□ 03 당해 공익사업으로 인한 개발이익을 손실보상액 산정에서 배제하는 것은 헌법상 정당보상의 원칙에 위배되지 아니한다. (○, ×) ★★★ 2017 국가직(하) 9급

□□□□□ 04 건물의 일부만 수용되어 잔여부분을 보수하여 사용할 수 있는 경우 그 건물 전체의 가격에서 수용된 부분의 비율에 해당하는 금액과 건물 보수비를 손실보상액으로 평가하여 보상하면 되고, 잔여건물에 대한 가치하락까지 보상해야 하는 것은 아니다. (○, ×) ★ 2014 국가직 7급

□□□□□ 05 공익사업시행으로 인한 개발이익은 완전보상의 범위에 포함되는 피수용토지의 객관적 가치 내지 피수용자의 손실에 해당한다. (○, ×) ★★★ 2021 국가직 7급

□□□□□ 06 토지수용으로 인한 보상액을 산정함에 있어서 당해 공공사업과 관계없는 다른 사업의 시행으로 인한 개발이익은 이를 배제하지 아니한 가격으로 평가하여야 한다. (○, ×) ★★ 2019 소방직 9급

● 개발이익의 배제

- 당해 사업으로 인한 개발이익은 배제된다.
- 다른 사업으로 인한 개발이익은 배제해서는 안 된다.
- 당해 공공사업의 시행을 직접 목적으로 하는 사업계획의 승인 · 고시로 인한 가격변동은 고려해서는 안 된다.
- 사업시행을 직접 목적으로 하여 용도지역 등이 변경된 경우에는 변경되기 전의 용도지역 등을 기준으로 하여 보상을 한다.

ⓐ 취득하는 토지를 평가함에 있어서는 평가대상토지와 유사한 이용가치를 지닌다고 인정되는 하나 이상의 표준지의 공시지가를 기준으로 한다(토지보상법 시행규칙 제22조 제1항). 보상대상 토지별 표준지는 특정되어야 하며 그 선정사유를 알 수 있도록 하여야 한다.

정답 01 ○ 02 × 03 ○ 04 × 05 × 06 ○

기출 체크

□□□□□ 01 헌법재판소는 공시지가에 의한 보상을 하는 것은 합헌으로 보았으나, 개발이익을 배제하여 보상금액을 결정하는 것은 위헌이라고 결정하였다. (○, ×) ★★ 2024 소방직 9급

□□□□□ 02 헌법 제23조 제3항이 규정하는 '정당한 보상'이란 원칙적으로 피수용재산의 객관적인 재산가치를 완전하게 보상하는 완전보상을 의미하므로, 공시지가를 기준으로 수용된 토지에 대한 보상액을 산정하는 것은 헌법에 위반된다. (○, ×) ★★ 2019 경행경채 2차

관련판례

공익사업을 위한 토지수용의 경우 「부동산 가격공시 및 감정평가에 관한 법률」(현 「부동산 가격공시에 관한 법률」)이 정한 공시지가를 기준으로 보상하도록 하는 구 「공익사업을 위한 토지 등의 취득 및 보상에 관한 법률」 제70조 제1항은 정당보상의 원칙에 위배되지 않으므로 위헌이 아니다. 01 02 ★★

동 조항이 「부동산 가격공시 및 감정평가에 관한 법률」에 의한 공시지가를 기준으로 토지수용으로 인한 손실보상액을 산정하되, 개발이익을 배제하고 공시기준일부터 재결시까지의 시점보정을 인근 토지의 가격변동률과 생산자물가상승률에 의하도록 한 것은 …… 헌법 제23조 제3항이 규정한 정당보상의 원칙에 위배되지 않는다(헌재 2013. 12. 26, 2011헌바162).

(2) 공시지가 기준일

사업인정 후의 취득에 있어서 기준이 되는 공시지가는 사업인정고시일 전의 시점을 공시기준일로 하는 공시지가로서, 당해 토지에 관한 협의의 성립 또는 재결 당시 공시된 공시지가 중 당해 사업인정고시일에 가장 가까운 시점에 공시된 공시지가로 한다(토지보상법 제70조 제4항).ⓐ

ⓐ 이는 개발이익을 배제하기 위한 것으로, 보상액의 산정을 사업인정고시일 전의 공시지가를 기준으로 함으로써 사업인정 이후 재결시까지의 수용의 원인이 된 공익사업으로 인한 개발이익이 배제되게 된다.

관련판례

1. 「공익사업을 위한 토지 등의 취득 및 보상에 관한 법률」(이하 '토지보상법'이라 한다) 및 같은 법 시행령은 토지보상법에서 규정하고 있는 공익사업의 계획 또는 시행의 공고 · 고시의 절차, 형식이나 기타 요건에 관하여 따로 규정하고 있지 않다.
2. 공익사업의 근거법령에서 공고 · 고시의 절차, 형식이나 기타 요건을 정하고 있는 경우에는 원칙적으로 공고 · 고시가 그 법령에서 정한 바에 따라 이루어져야 보상금 산정의 기준이 되는 공시지가의 공시기준일이 해당 공고 · 고시일 전의 시점으로 앞당겨지는 효과가 발생할 수 있다.
3. 공익사업의 근거법령에서 공고 · 고시의 절차, 형식 및 기타 요건을 정하고 있지 않은 경우, 「행정 효율과 협업 촉진에 관한 규정」(현 「행정업무의 운영 및 혁신에 관한 규정」)이 적용될 수 있다(제2조). 위 규정은 고시 · 공고 등 행정기관이 일정한 사항을 일반에게 알리는 문서를 공고문서로 정하고 있으므로(제4조 제3호), 위 규정에서 정하는 바에 따라 공고문서가 기안되고 해당 행정기관의 장이 이를 결재하여 그의 명의로 일반에 공표한 경우 위와 같은 효과가 발생할 수 있다. 다만 당해 공익사업의 시행으로 인한 개발이익을 배제하려는 토지보상법령의 입법취지에 비추어 「행정 효율과 협업 촉진에 관한 규정」에 따라 기안, 결재 및 공표가 이루어지지 않았다고 하더라도 공익사업의 계획 또는 시행에 관한 내용을 공고문서에 준하는 정도의 형식을 갖추어 일반에게 알린 경우에는 토지보상법 제70조 제5항에서 정한 '공익사업의 계획 또는 시행의 공고 · 고시'에 해당한다고 볼 수 있다.
4. 국토교통부는 2008. 8. 26. 언론을 통해 전국 5곳에 국가산업단지를 새로 조성한다는 내용을 발표하였고, 이후 국토교통부장관은 2009. 9. 30.경 대구국가산업단지 개발사업에 관하여 산업단지계획을 승인 · 고시하였는데, 위 산업단지개발사업지구 내 토지소유자인 원고들이 수용재결 및 2008. 1. 1. 공시된 비교표준지의 공시지가를 기준으로 보상금액을 결정한 이의재결에 불복하여 2009. 1. 1. 공시된 공시지가를 기준으로 산정해야 한다고 주장하면서 보상금 증액을 청구한 사안에서, 대법원은 위와 같은 법리를 판시하고 국토교통부의 2008. 8. 26.자 언론발표가 토지보상법 제70조 제5항에서 정한 '공익사업의 계획 또는 시행의 공고 · 고시'에 해당하지 않는다고 판단하여, 이와 달리 위 언론발표가 토지보상법 제70조 제5항에서 정한 '공익사업의 계획 또는 시행의 공고 · 고시'에 해당한다는 전제에서 2008. 1. 1. 공시된 비교표준지의 공시지가를 기준으로 보상금액을 평가해야 한다고 판단한 원심을 파기환송한 사례(대판 2022. 5. 26, 2021두45848)

(3) 가격시점

토지보상법은 보상액산정의 기준이 되는 시점을 가격시점으로 하면서 가격시점을 협의에 의한 경우에는 협의성립 당시의 가격을, 재결에 의한 경우에는 수용 또는 사용의 재결 당시의 가격을 기준으로 하

정답 01 × 02 ×

고 있으며,01 보상액을 산정할 경우에 해당 공익사업으로 인하여 토지 등의 가격이 변동되었을 때에는 이를 고려하지 아니한다고 규정하고 있다.02 03❶

(4) 물가상승률 등의 고려

취득재산에 대한 보상액으로 결정되는 취득재산의 가격은 기준이 되는 표준공시지가를 기준으로 하여 토지의 상황을 고려하여 수정하고, 기준이 되는 공시지가의 공시기준일과 가격시점 사이의 지가변동률 및 물가상승률을 고려하여 보상액을 수정하여(시점수정) 결정하게 된다.

관련판례

수용대상토지의 보상가격을 정함에 있어 표준지공시지가를 기준으로 비교한 금액이 수용대상토지의 수용사업인정 전의 개별공시지가보다 적은 경우가 있다 하더라도, 이것만으로는 정당보상의 원리에 어긋나지 않으므로 위헌이 아니다(헌재 1990. 6. 25, 89헌마107).04

04 | 특별한 희생

❶ 개 설

손실보상의 요건이 충족되기 위하여는 재산권의 침해를 통하여 개인에게 사회적 제약의 범위를 넘는 특별한 희생이 발생되어야 한다.05 특별한 희생의 문제를 언급하기에 앞서서 우선 '공용침해'와 '재산권의 내용 · 한계의 설정'의 구분과 관련하여 경계이론과 분리이론이 대립하는바, 이에 대해서는 제2절(p.654)에서 후술한다.

1. 사회적 제약이란 사회공동체의 이익을 위해 당연히 감수해야 하는 희생으로 특별한 희생에 해당하지 않는 것을 말하고, 특별한 희생이란 사회적 제약의 한계를 넘는 희생을 의미한다.
2. 사회적 제약(사회적 구속성, 민법상의 상린관계(相隣關係)ⓐ적 제한)의 경우는 보상이 필요 없으나06 특별한 희생의 경우에는 보상이 필요하므로 양자의 구별은 매우 중요하다.

❷ 구체적 검토

1. 검사시험을 위한 소량의 물건 수거

(1) 일반론

식품위생법 제22조에 따르면 위생관리를 위해 영업장소 등에 출입하여 검사에 필요한 최소한의 식품 등을 수거할 수 있는바, 일반적인 경우 이는 재산권의 사회적 제약으로 볼 수 있다. 다만, 이 경우에도 조사대상자에게 특별한 희생을 입힐 수가 있는바, 이에 대해서는 보상이 있어야 할 것이다.

(2) 행정조사기본법

2007년 8월 18일부터 시행되고 있는 행정조사기본법은 시료채취로 조사대상자에게 손실을 입힌 때에는 대통령령으로 정하는 절차와 방법에 따라 그 손실을 보상하여야 한다고 규정하고 있다(동법 제12조 제2항).❷

기출 체크

□□□□□ 01 보상액의 산정은 협의에 의한 경우에는 협의성립 당시의 가격을, 재결에 의한 경우에는 수용 또는 사용의 재결 당시의 가격을 기준으로 한다. (○, ×) ★★★ 2022 국회직 8급

□□□□□ 02 「공익사업을 위한 토지 등의 취득 및 보상에 관한 법률」상 보상액의 산정에 있어 재결에 의한 경우에는 수용 또는 사용의 재결 당시의 가격을 기준으로 하고, 해당 공익사업으로 인하여 토지 등의 가격이 변동되었을 때에는 이를 고려하지 아니한다. (○, ×) ★★★ 2023 소방간부

□□□□□ 03 보상액을 산정할 경우에 해당 공익사업으로 인하여 토지 등의 가격이 변동되었을 때에는 이를 고려하여야 한다. (○, ×) ★★★ 2017 서울시 9급

□□□□□ 04 개별공시지가가 아닌 표준지공시지가를 기준으로 보상액을 산정하는 것은 헌법 제23조 제3항에 위반되지 않는다. (○, ×) ★★ 2021 군무원 7급

□□□□□ 05 손실보상은 공공필요에 의한 행정작용에 의하여 사인에게 발생한 특별한 희생에 대한 전보이므로 재산권침해로 인한 손실이 특별한 희생에 해당하여야 한다. (○, ×) 2017 국가직(하) 9급

□□□□□ 06 재산권의 사회적 제약에 해당하는 공용제한에 대해서는 보상규정을 두지 않아도 된다. (○, ×) ★★★ 2018 국회직 8급

❶ 「공익사업을 위한 토지 등의 취득 및 보상에 관한 법률」 제67조 【보상액의 가격시점 등】 ① 보상액의 산정은 협의에 의한 경우에는 협의 성립 당시의 가격을, 재결에 의한 경우에는 수용 또는 사용의 재결 당시의 가격을 기준으로 한다.
② 보상액을 산정할 경우에 해당 공익사업으로 인하여 토지 등의 가격이 변동되었을 때에는 이를 고려하지 아니한다.

❷ 행정조사기본법 제12조 【시료채취】
① 조사원이 조사목적의 달성을 위하여 시료채취를 하는 경우에는 그 시료의 소유자 및 관리자의 정상적인 경제활동을 방해하지 아니하는 범위 안에서 최소한도로 하여야 한다.
② 행정기관의 장은 제1항에 따른 시료채취로 조사대상자에게 손실을 입힌 때에는 대통령령으로 정하는 절차와 방법에 따라 그 손실을 보상하여야 한다.

ⓐ 민법상 상린관계(이웃 간의 관계)의 예
민법 제244조 【지하시설 등에 대한 제한】
① 우물을 파거나 용수, 하수 또는 오물 등을 저치할 지하시설을 하는 때에는 경계로부터 2미터 이상의 거리를 두어야 하며 저수지, 구거(편저자 주 : 빗물이나 허드렛물이 흐르는 작은 도랑) 또는 지하실 공사에는 경계로부터 그 깊이의 반 이상의 거리를 두어야 한다.

정답 01 ○ 02 ○ 03 × 04 ○ 05 ○ 06 ○

기출 체크

□□□□□ 01 일반공중의 이용에 제공되는 공공용물을 허가나 특허 없이 일반사용하고 있던 자가 당해 공공용물에 관한 적법한 개발행위로 인하여 종전에 비하여 그 일반사용이 제한을 받게 되었다면 그로 인한 불이익은 특별한 사정이 없는 한 손실보상의 대상이 된다. (○, ×) ★★★ 2024 소방간부

□□□□□ 02 손실보상청구권의 법적 성질에 대해서는 공권설과 사권설의 대립이 있다. (○, ×) 2014 서울시 9급

□□□□□ 03 손실보상청구권의 성질에 관하여 대법원은 전통적으로 사권설의 입장에서 민사소송으로 다루어 왔으나, 최근에는 당사자소송으로 보는 판례도 나타나고 있다. (○, ×) ★★★ 2011 국가직 9급

ⓐ 공공용물(公共用物)이란 공물 중 일반 공중의 사용에 제공된 물건을 말한다. 이러한 공공용물은 특허를 받아 독점적으로 사용할 수도 있지만(예 도로법상의 도로점용허가 등) 특별한 허가 없이 자유롭게 사용할 수도 있는데 이를 일반사용이라고 한다.

정답 01 × 02 ○ 03 ○

2. 공공용물에 대한 일반사용의 경우의 제한 ⓐ

공공용물에 대한 일반사용이 행정청의 적법한 개발행위로 인해 제한됨으로써 입는 불이익은 특별한 희생이 아니다.

관련판례

공공용물에 대한 일반사용(해안가 백사장에 대한 어선정박 등)이 적법한 개발행위로 인해 제한됨으로써 입는 불이익은 손실보상의 대상이 되는 특별한 희생이 아니다(대판 2002. 2. 26, 99다35300). 01 ★★★

05 | 보상규정의 존재

헌법에 따라 개별법률이 보상규정을 둔 경우에는 문제가 없으나 보상규정을 두지 않은 경우에는 어떻게 할 것인지가 문제되는데, 이에 관해서는 앞서 살펴본 바와 같다(p.651 참조).

06 | 기 타

❶ 손실보상청구권의 성질

1. 학 설 02

(1) 공권설(통설)

손실보상은 그 원인행위가 공법적인 것이므로 손실보상의무의 이행관계는 공법관계로 보아야 하며, 이에 따라 손실보상청구권은 공권이라는 견해이다. 이 견해가 통설적 입장으로, 이 설에 따르면 손실보상청구권에 관한 소송은 행정소송인 공법상 당사자소송에 의한다.

(2) 사권설

손실보상의 원인행위가 비록 공법적인 것이라 할지라도 이에 대한 손실보상은 사법상의 채권 · 채무관계로서 손실보상청구권은 사권이라는 견해이다. 이 견해에 따르면 손실보상청구에 관한 소송은 민사소송에 의한다.

2. 판 례

(1) 전통적 판례

판례는 손실보상의 원인행위가 비록 공법적인 것이라 할지라도 손실의 내용이 사권이라면 그 손실보상청구권은 사권이라는 입장이다. 이 견해에 따르면 손실보상청구에 관한 소송은 민사소송에 의한다.

(2) 행정소송으로 보는 최근의 판례

최근 대법원은 전원합의체 판결을 통해 하천법상 하천구역 편입토지에 대한 손실보상청구를 공법상 권리로 보아 행정소송법상 당사자소송의 대상이 된다고 판시하여, 이전의 하천법상 부칙과 이에 따른 특별조치법에 의한 손실보상청구에 대해 민사소송으로 다루던 판례를 변경하였다. 또한 「공익사업을 위한 토지 등의 취득 및 보상에 관한 법률」(이하 '토지보상법')에 의한 농업손실에 대한 보상청구권은 공권으로서 그에 관한 쟁송은 행정쟁송절차에 의하여야 한다고 판시한 바 있다. 03

관련판례

1. **구 수산업법 제81조 소정의 손실보상청구권은 사권이므로 이를 행사하기 위해서는 민사소송을 제기해야 한다(민사소송으로 본 판례).**
   이러한 어업면허에 대한 처분 등이 행정처분에 해당된다 하여도 이로 인한 손실은 사법상의 권리인 어업권에 대한 손실을 본질적 내용으로 하고 있는 것으로서 그 보상청구권은 공법상의 권리가 아니라 사법상의 권리이고, 따라서 같은 법 제81조 제1항 제1호 소정의 요건에 해당한다고 하여 보상을 청구하려는 자는 행정관청이 그 보상청구를 거부하거나 보상금액을 결정한 경우라도 이에 대한 행정소송을 제기할 것이 아니라 면허어업에 대한 처분을 한 행정관청(또는 그 처분을 요청한 행정관청)이 속한 권리주체인 지방자치단체(또는 국가)를 상대로 민사소송으로 직접 손실보상금지급청구를 하여야 하고 …… (대판 1998. 2. 27, 97다46450)

2. **구 하천법상 하천구역 편입토지 보상에 대한 손실보상청구권의 법적 성질은 공법상 권리로서 이에 따른 손실보상금의 지급을 구하거나 손실보상청구권의 확인을 구하는 소송은 당사자소송이다.01 ★★★**
   하천법 부칙 제2조와 '법률 제3782호 하천법 중 개정법률 부칙 제2조의 규정에 의한 보상청구권의 소멸시효가 만료된 「하천구역 편입토지 보상에 관한 특별조치법」' 제2조, 제6조의 각 규정들을 종합하면, 위 규정들에 의한 손실보상청구권은 1984. 12. 31. 전에 토지가 하천구역으로 된 경우에는 당연히 발생되는 것이지, 관리청의 보상금지급결정에 의하여 비로소 발생하는 것은 아니므로,**02** 위 규정들에 의한 손실보상금의 지급을 구하거나 손실보상청구권의 확인을 구하는 소송은 행정소송법 제3조 제2호 소정의 당사자소송에 의하여야 한다(대판 2006. 5. 18, 2004다6207 전합).

3. **「하천구역 편입토지 보상에 관한 특별조치법」에 정한 하천편입 토지소유자의 보상청구권에 기하여 손실보상금의 지급을 구하거나 손실보상청구권의 확인을 구하는 소송은 당사자소송이다**(대판 2006. 11. 9, 2006다23503).**03 04 ★★★**

4. **「공익사업을 위한 토지 등의 취득 및 보상에 관한 법률」 제77조 제2항에 의한 농업손실에 대한 보상청구권은 행정쟁송절차에 의하여야 한다**(대판 2011. 10. 13, 2009다43461).**05 ★★★**

5. **구 「공익사업을 위한 토지 등의 취득 및 보상에 관한 법률」 제79조 제2항 등에 따른 사업폐지 등에 대한 보상청구권에 관한 쟁송형태는 행정소송이다.06 ★★★**
   구 「공익사업을 위한 토지 등의 취득 및 보상에 관한 법률」 제79조 제2항, 「공익사업을 위한 토지 등의 취득 및 보상에 관한 법률 시행규칙」 제57조에 따른 사업폐지 등에 대한 보상청구권은 공익사업의 시행 등 적법한 공권력의 행사에 의한 재산상 특별한 희생에 대하여 전체적인 공평부담의 견지에서 공익사업의 주체가 손해를 보상하여 주는 손실보상의 일종으로 공법상 권리임이 분명하므로 그에 관한 쟁송은 민사소송이 아닌 행정소송절차에 의하여야 한다(대판 2012. 10. 11, 2010다23210).

6. 토지가 구 소하천정비법에 의하여 소하천구역으로 적법하게 편입된 경우 그로 인하여 그 토지의 소유자가 사용 · 수익에 관한 권리행사에 제한을 받아 손해를 입고 있다고 하더라도 구 소하천정비법 제24조에서 정한 절차에 따라 손실보상을 청구할 수 있음은 별론으로 하고, 관리청의 제방부지에 대한 점유를 권원 없는 점유와 같이 보아 손해배상이나 부당이득의 반환을 청구할 수 없다(대판 2021. 12. 30, 2018다284608).**07**

기출 체크

□□□□□ **01** 손실보상청구권이 공법상 권리인 경우 손실보상금의 지급을 구하거나 손실보상청구권의 확인을 구하는 손실보상관계소송(은 판례상 당사자소송이다) (○, ×) ★★★ 2014 국회직 8급

□□□□□ **02** 하천법 부칙과 이에 따른 특별조치법이 하천구역으로 편입된 토지에 대하여 손실보상청구권을 규정하였다고 하더라도 당해 법률규정이 아니라 관리청의 보상금지급결정에 의하여 비로소 손실보상청구권이 발생한다. (○, ×) ★★★ 2024 지방직 · 서울시 9급

□□□□□ **03** 대법원은 하천구역으로 편입된 토지에 대한 손실보상청구권과 관련하여 공법상의 법률관계를 대상으로 하는 당사자소송절차에 의하지 않고 민사소송절차에 따라야 한다고 판시하였다. (○, ×) ★★★ 2024 소방직 9급

□□□□□ **04** 「하천구역 편입토지 보상에 관한 특별조치법」 제2조 제1항의 규정에 의한 손실보상금의 지급을 구하거나 손실보상청구권의 확인을 구하는 소송(은 판례가 민사소송의 대상이라고 판단하고 있다) (○, ×) ★★★ 2018 서울시 9급

□□□□□ **05** (「공익사업을 위한 토지 등의 취득 및 보상에 관한 법률」상 토지수용에 따른 권리구제에서) 농업손실에 대한 보상청구권은 행정소송법상 당사자소송에 의해야 한다. (○, ×) ★★★ 2017 사회복지직 9급

□□□□□ **06** 「공익사업을 위한 토지 등의 취득 및 보상에 관한 법률」에 따른 사업폐지 등에 대한 보상청구권은 사법상 권리로서 그에 관한 소송은 민사소송절차에 의하여야 한다. (○, ×) ★★★ 2019 지방직 · 교육행정직 9급

□□□□□ **07** 구 소하천정비법에 따라 소하천구역으로 편입된 토지의 소유자가 사용 · 수익에 대한 권리행사에 제한을 받아 손해를 입고 있는 경우, 손실보상을 청구할 수 있을 뿐만 아니라, 관리청의 제방부지에 대한 점유를 권원 없는 점유와 같이 보아 관리청을 상대로 손해배상이나 부당이득의 반환을 청구할 수 있다. (○, ×) 2023 소방직 9급

❷ 헌법 제23조 제3항의 성격

1. 문제의 소재

헌법 제23조 제3항에서는 공용침해가 있는 경우 손실보상을 하도록 규정하고 있는데, 법률이 공익목적을 위해 재산권의 수용 · 사용 · 제한에 관해서는 규정하면서 보상규정을 두고 있지 않은 경우 개인이 어떻게 구제를 받을 수 있는지가 제23조의 성격과 관련하여 논의된다.

정답 01 ○ 02 × 03 × 04 × 05 ○ 06 × 07 ×

2. 학 설ⓐ

구 분	내 용	비 판
입법자에 대한 직접효력설 (위헌무효설)	헌법규정은 국민에게 손실보상청구권을 부여한 것은 아니지만 입법자에 대해서는 국민의 재산권을 침해하는 입법을 할 때 반드시 보상에 관한 규정을 두도록 구속하는 효력을 가진다고 한다. 따라서 **법률이 재산권침해를 규정하면서 보상에 관해 규정하지 않으면 그 법률은 위헌·무효의 법률**이며, **이에 근거한 재산권 침해행위는 위법행위**가 되므로 국민은 위법한 재산권 침해에 대해 취소소송을 제기할 수 있고 국가배상법에 의한 **손해배상청구권**을 갖게 된다고 한다.	국가배상법상 손해배상청구권이 성립하기 위해서는 고의·과실이 있어야 하는바, 공용침해의 경우 고의·과실 인정이 어렵다는 점에서 비판을 받고 있다.
직접효력설	손실보상에 관한 헌법상의 규정이 국민에 대해 직접적 효력이 있다고 보며, 따라서 만일 법률에 당연히 있어야 할 보상규정이 없는 경우에는 **직접 헌법상의 보상규정에 근거**하여 **보상을 청구할 수 있다**는 견해이다. 헌법 제23조 제3항에 대해, 입법자에 대한 직접효력설(위헌무효설)은 불가분조항으로 이해하는 데 반해 **직접효력설은 불가분조항으로 보지 않는다.01**	헌법 제23조 제3항은 공용침해에 대한 보상을 법률로써 하도록 규정하고 있는바, 헌법 문언과 조화되기 어렵다는 비판을 받고 있다.
유추적용설 (간접효력설)	헌법 제23조 제3항을 직접 적용해서 보상을 청구할 수는 없으나 **헌법 제23조 제1항(재산권 보장규정) 및 제11조(평등원칙)를 근거로 헌법 제23조 제3항 및 관계규정을 유추적용해서 손실보상을 청구**할 수 있다는 견해로서 **독일의 수용유사침해법리를 도입**하여 문제를 해결하려는 것이다.ⓑ	평등원칙으로부터 적극적인 손실보상청구권을 도출하기 어렵다는 점과 수용유사침해이론이 우리나라에 그대로 적용되기는 힘들다는 점에서 비판을 받고 있다.

3. 대법원

대법원은 손실보상 대신에 불법행위로 처리한 경우도 있고, 제3공화국 당시 헌법상 손실보상규정이 직접적 효력이 있는 규정이라고 본 경우도 있으나, 최근에는 공용침해로 인한 특별한 손해에 대해 보상규정이 없는 경우에 관련법률상의 보상규정을 유추적용하여 보상을 인정하고 있다.

관련판례

1. **법률에 직접적으로 손실보상청구를 인정하는 명문규정이 없는 경우에도 관련법령을 유추적용하여 손실보상을 하여야 한다.02 03 ★★★**
   공유수면매립사업의 시행자로서는 위 구 「공공용지의 취득 및 손실보상에 관한 특례법 시행규칙」(1991. 10. 28. 건설부령 제493호로 개정되기 전의 것) 제25조의2의 규정을 유추적용하여 위와 같은 어민들에게 손실보상을 하여 줄 의무가 있다(대판 1999. 11. 23, 98다11529).

2. 법률 제2292호 하천법 개정법률 제2조 제1항 제2호 (나)목 및 (다)목, 제3조에 의하면, 제방부지 및 제외지는 법률규정에 의하여 당연히 하천구역이 되어 국유로 되는데도, 「하천편입토지 보상 등에 관한 특별조치법」(이하 '특별조치법'이라 한다)은 법률 제2292호 하천법 개정법률 시행일(1971. 7. 20.)부터 법률 제3782호 하천법 중 개정법률의 시행일(1984. 12. 31.) 전에 국유로 된 제방부지 및 제외지에 대하여는 명시적인 보상규정을 두고 있지 않다. 그러나 제방부지 및 제외지가 유수지와 더불어 하천구역이 되어 국유로 되는 이상 그로 인하여 소유자가 입은 손실은 보상되어야 하고 보상방법을 유수지에 관한 것과 달리할 아무런 합리적인 이유가 없으므로, 법률 제2292호 하천법 개정법률 시행일부터 법률 제3782호 하천법 중 개정법률 시행일 전에 국유로 된 제방부지 및 제외지에 대하여도 특별조치법 제2조를 유추적용하여 소유자에게 손실을 보상하여야 한다고 보는 것이 타당하다(대판 2011. 8. 25, 2011두2743).**04**

기출 체크

□□□□□ **01** 헌법 제23조 제3항을 국민에 대한 직접적인 효력이 있는 규정으로 보는 견해는 동 조항의 재산권의 수용·사용·제한 규정과 보상규정을 불가분조항으로 본다. (○, ×) ★★ 2017 국가직 9급

□□□□□ **02** 대법원은 헌법 제23조 제3항의 규정에도 불구하고 보상에 관한 구체적 사항이 법률로써 정해져 있지 아니한 때에는 손실보상을 인정할 수 없다고 한다. (○, ×) ★★★ 2014 국회직 8급

□□□□□ **03**

> 甲은 개발제한구역 내 소재한, 지목은 대지이나 건축되지 아니한 토지(나대지)의 소유자이다. 甲은 당해 토지가 개발제한구역으로 지정됨으로써 건축을 할 수 없게 되어 사용 및 수익이 불가능하게 되었다.

(위 사례의 경우) 대법원의 판례이론에 의할 경우 법률에 손실보상에 관한 규정이 없는 때에도 관련법률의 유추해석 등을 통하여 甲에게 손실보상이 주어질 수 있다. (○, ×) ★★★ 2013 서울시 7급

□□□□□ **04** 제방부지 및 제외지가 유수지와 더불어 하천구역이 되어 국유로 되는 이상 그로 인하여 소유자가 입은 손실은 특별한 희생에 해당하고, 보상방법을 유수지에 대한 것과 달리할 아무런 합리적인 이유가 없으므로 소유자에게 손실을 보상하여야 한다. (○, ×) 2023 소방직 9급

ⓐ 방침규정설

내 용	손실보상에 관한 헌법규정은 입법에 관한 방침규정에 불과하므로 재산권을 침해당한 자에 대한 보상 여부는 입법자가 자유로이 결정할 수 있으며, 입법자가 보상이 불필요하다고 하여 보상규정을 두고 있지 않은 경우 보상을 청구할 수는 없다고 한다.
비 판	재산권규정을 유명무실하게 하는 견해로서 오늘날은 주장되지 않는다.

ⓑ 독일의 수용유사침해법리를 도입하여 문제를 해결하려는 견해를 통상 유추적용설이라고 부르는바, 판례가 관련법률상의 보상규정을 유추적용한다는 의미와는 구별할 것을 요한다.

정답 01 × 02 × 03 ○ 04 ○

4. 헌법재판소

헌법재판소는 법률에 보상규정을 두지 않은 것이 위헌이라는 입장을 밝히면서 보상에 대한 입법의무를 부과하는 입장이다.

관련판례

국립공원구역지정 후 토지를 종래의 목적으로도 사용할 수 없거나 토지를 사적으로 사용할 수 있는 방법이 없이 공원구역 내 일부 토지소유자에 대하여 가혹한 부담을 부과하면서 아무런 보상규정을 두지 않은 경우에는 비례의 원칙에 위반되어 당해 토지소유자의 재산권을 과도하게 침해하는 것이라고 할 수 있다(헌재 2003. 4. 24, 99헌바110).01

③ 불가분조항 여부

1. 불가분조항의 개념

독일 기본법은 "수용은 보상의 종류와 방법을 정한 법률에 근거하여서만 허용된다."라고 규정하고 있는바, 이를 불가분조항 ⓐ이라고 한다. 이에 따르면 공용침해의 근거법률과 손실보상의 근거법률은 반드시 하나의 같은 법률 속에 동시에 규정되어 있어야 하는바, 이처럼 같은 법률 속에 침해규정과 보상규정이 함께 규정되어 있어야 한다는 원칙을 이른바 불가분조항의 원칙이라고 한다.

2. 우리 헌법 제23조 제3항이 불가분조항인지 여부

헌법 제23조 제3항의 해석과 관련하여 독일 기본법과 우리 기본법은 조문규정방식이 다르다는 점을 들어 불가분조항이 아니라는 견해와 우리 헌법 제23조 제3항도 불가분조항이라고 보는 견해(다수설)의 대립이 있다. 불가분조항이라고 본다면 보상규정을 두지 아니한 수용법률은 헌법위반이 된다.02

④ 헌법 제37조 제2항과의 관계

헌법 제37조 ② 국민의 모든 자유와 권리는 국가안전보장·질서유지 또는 공공복리를 위하여 필요한 경우에 한하여 법률로써 제한할 수 있으며, 제한하는 경우에도 자유와 권리의 본질적인 내용을 침해할 수 없다.

관련판례

1. 헌법 제23조의 근본취지는 우리 헌법이 사유재산제도의 보장이라는 기조 위에서 원칙적으로 모든 국민의 구체적 재산권의 자유로운 이용·수익·처분을 보장하면서 공공필요에 의한 재산권의 수용·사용 또는 제한은 헌법이 규정하는 요건을 갖춘 경우에만 예외적으로 허용한다는 것으로 해석된다.
2. 헌법재판소는 헌법 제23조 제3항에서 규정하고 있는 '공공필요'의 의미를 "국민의 재산권을 그 의사에 반하여 강제적으로라도 취득해야 할 공익적 필요성"으로 해석하여 왔다. 즉, '공공필요'의 개념은 '공익성'과 '필요성'이라는 요소로 구성되어 있다. …… 오늘날 공익사업의 범위가 확대되는 경향에 대응하여 재산권의 존속보장과의 조화를 위해서는, '공공필요'의 요건에 관하여, 공익성은 추상적인 공익 일반 또는 국가의 이익 이상의 중대한 공익을 요구하므로 기본권 일반의 제한사유인 '공공복리'보다 좁게 보는 것이 타당하며,03 공익성의 정도를 판단함에 있어서는 공용수용을 허용하고 있는 개별법의 입법목적, 사업내용, 사업이 입법목적에 이바지하는 정도는 물론, 특히 그 사업이 대중을 상대로 하는 영업인 경우에는 그 사업시설에 대한 대중의 이용·접근가능성도 아울러 고려하여야 한다(헌재 2014. 10. 30, 2011헌바172).

기출 체크

□□□□□ 01 국립공원구역지정 후 토지를 종래의 목적으로도 사용할 수 없거나 토지를 사적으로 사용할 수 있는 방법이 없이 공원구역 내 일부 토지소유자에 대하여 가혹한 부담을 부과하면서 아무런 보상규정을 두지 않은 경우에는 비례의 원칙에 위반되어 당해 토지소유자의 재산권을 과도하게 침해하는 것이라고 할 수 있다. (○, ×) 2023 소방간부

□□□□□ 02 헌법 제23조 제3항을 불가분조항으로 볼 경우, 보상규정을 두지 아니한 수용법률은 헌법위반이 된다. (○, ×)★ 2017 지방직 9급

□□□□□ 03 헌법재판소는 헌법 제23조 제3항의 '공공필요'는 '국민의 재산권을 그 의사에 반하여 강제적으로라도 취득해야 할 공익적 필요성'을 의미하고, 이 요건 중 공익성은 기본권 일반의 제한사유인 '공공복리'보다 좁은 것으로 보고 있다. (○, ×) 2017 국가직 9급

ⓐ 불가분조항의 기능
불가분조항에 따르면 침해의 근거법률을 제정하려는 입법자는 동시에 보상의 근거를 반드시 규정해야 하므로 공용침해법률의 제정에 신중을 기하게 된다. 또한 보상을 수용의 전제조건으로 함으로써 사인을 보호하는 기능을 가진다.

정답 01 ○ 02 ○ 03 ○

제 2 절 경계이론 · 분리이론

핵심집약 Topic 57

기출 체크

□□□□□ 01 분리이론과 경계이론은 재산권의 내용 · 한계설정과 공용침해를 보다 합리적으로 구분하려는 이론이다. (○, ×) 2018 교육행정직 9급

01 | 헌법 제23조 해석이론

헌법 제23조의 규정❶을 해석함에 있어서 다음 두 가지 이론이 대립한다. 전통적인 이론은 이른바 경계이론으로 행정법학계의 주류적인 이론이며, 이 책에서도 경계이론의 관점에서 접근하였다. 이에 반해 분리이론은 '자갈채취판결'을 통해 독일 연방헌법재판소가 취한 견해로서 새로운 이론이다.

❶ 헌법 제23조 ① 모든 국민의 재산권은 보장된다. 그 내용과 한계는 법률로 정한다.
② 재산권의 행사는 공공복리에 적합하도록 하여야 한다.
③ 공공필요에 의한 재산권의 수용 · 사용 또는 제한 및 그에 대한 보상은 법률로써 하되, 정당한 보상을 지급하여야 한다.

02 | 헌법규정

❶ 재산권의 내용규정

토지 등의 재산권은 개인에게 무제한적인 소유와 사용의 대상이 될 수는 없으며 사회공동체에 대한 관계에서 일정한 한계를 가질 수밖에 없다. 그 점을 고려하여 헌법 제23조 제1 · 2항에서 "재산권의 내용과 한계는 법률로 정한다. 재산권의 행사는 공공복리에 적합하도록 하여야 한다."라고 규정하고 있다. 이러한 헌법규정을 재산권 내용규정 또는 사회적 제약규정이라고 부르며, 재산권 제한이 이에 해당하는 경우에는 보상이 필요 없다.

❷ 공용침해규정

그러나 일정한 경우 국가작용으로 재산권침해가 발생한 경우 당연히 그에 따른 보상이 필요하므로 헌법 제23조 제3항에서 "공공필요에 의한 재산권의 수용 · 사용 또는 제한 및 그에 대한 보상은 법률로써 하되, 정당한 보상을 지급하여야 한다."라고 규정하고 있다. 이러한 규정을 공용침해규정이라고 부르며, 이에 해당하는 재산권침해의 경우 보상이 필요하다.

❸ 구별의 어려움

만약 어느 개인의 재산소유권을 완전히 박탈하여 국가가 취득하거나 기타 타인에게 이전하는 경우 이는 당연히 공용침해에 해당하므로 보상이 필요하다. 그런데 재산권의 사용을 제한하는 경우에는 양자의 구별이 반드시 명확한 것은 아니다. 예컨대 **도시계획관련법령에서 도시지역을 주거지역, 상업지역, 공업지역, 녹지지역 등으로 결정하고 각각에 따라 건축 가능성과 건물의 층수 등을 제한하는 경우 그러한 법규정이 재산권행사의 내용을 구체화한 규정인지, 아니면 재산권에 대한 공용침해규정인지 구별이 어려운 경우가 있다. 이에 이를 구별하기 위한 이론이 경계이론과 분리이론이다.**01

정답 01 ○

03 | 경계이론(전환이론), 분리이론

❶ 경계이론(전환이론)

1. 경계이론은 재산권의 내용규정과 공용침해는 별개의 제도가 아니며, 양자는 재산권 제한의 정도에 따라 구별되는 것으로서 재산권 제한의 정도가 일정한 경계(문턱, 한계)를 넘어서는 순간 보상의무가 있는 공용침해로 전환된다고 본다. 경계이론은 후술할 수용유사침해론으로 연결되며 독일 연방최고법원과 우리 대법원이 취하는 입장이다(대법원은 최근 분리이론을 따르고 있다는 견해 있음).01

2. 경계이론에 따르면 사회적 제약을 벗어나는 재산권 규제는 보상규정의 유무를 불문하고 보상이 있어야 한다.

❷ 분리이론

1. 내 용

(1) 분리이론은 입법자의 의사에 따라 재산권에 대한 제한의 문제를 헌법 제23조 제1·2항에 의한 재산권의 내용과 한계의 문제와 헌법 제23조 제3항의 공용제한과 손실보상의 문제로 구분한다.

(2) 분리이론은 내용규정과 공용침해규정은 서로 분리된 별개의 제도로서 단순히 재산권 제한의 정도에 따라 구별되는 것이 아니고 침해의 형태 및 목적을 기준으로 구별된다고 한다.

(3) 즉, 형태를 기준으로 법률의 규정에 의한 재산권의 제한이 일반적·추상적으로 재산권을 새롭게 규정하는 경우에는 헌법 제23조 제1·2항의 재산권의 내용과 한계의 문제로 보고, 법률의 규정에 의한 재산권의 제한이 개별적·구체적으로 기존의 재산권을 박탈 내지 축소하는 경우에는 헌법 제23조 제3항의 공용제한과 손실보상의 문제로 본다.

(4) 또한 목적을 기준으로 내용규정(내용과 한계의 문제)은 일반적인 공익 목적을 위하여 재산권자의 권리와 의무를 장래를 향해서 새롭게 규율하는 것이고, 공용침해(공용제한과 손실보상의 문제)는 침해를 통해서 기존의 재산권자의 법적 지위를 완전하게 또는 부분적으로 박탈하는 것이 목적이라고 본다. 분리이론은 독일 연방헌법재판소가 취하고 있는 입장이다.

2. 헌법 제23조 제1·2항과 제3항의 관계

분리이론에 따르면 양자를 전혀 별개의 분리된 제도로 이해하므로 만약 내용규정이 헌법적 한계를 넘어서 개인에게 특별한 희생을 강요한다고 평가되는 경우라도 그것이 공용침해규정으로 전환되어 개인에게 보상이 필요한 것이 아니라, 그러한 규정은 비례의 원칙 내지는 평등의 원칙을 위반한 것으로 위헌·위법이 된다. 따라서 입법자는 비례원칙 위반이 되지 않도록 재산권 제한을 합헌적으로 하여야 할 의무를 지는데, 이 의무를 조절의무라고 한다. 조절조치로는 제1차적으로 국가침해의 제한 등 비금전적 구제가 행해져야 하고, 이러한 구제조치들이 어려운 경우 제2차적으로 손실보상, 매수청구 등 금전적 보상이 주어져야 한다(존속보장의 우선).

3. 권리구제

분리이론에 의할 때 비례의 원칙에 반하는 과도한 재산권의 내용적 제한이 행해진 경우 국민이 어떠한 구제수단을 취할 것인지에 대해서는 견해가 다양하다. 즉, 조절조치의무를 이행하지 않는 경우

기출 체크

□□□□□ 01 재산권의 사회적 제약과 공용침해는 별개의 제도가 아니라 재산권 규제의 강도에 따라서 상대적으로 구분되는 것으로, 사회적 제약의 경계를 벗어나면 보상의무가 있는 공용침해로 전환된다고 보는 경계이론은 독일의 연방헌법재판소의 판결에서 유래한다. (○, ×)
2008 국가직 7급

□□□□□ 02 분리이론은 재산권의 존속보장보다는 가치보장을 강화하려는 입장에서 접근하는 견해이다. (○, ×) ★★
2015 국회직 8급

□□□□□ 03 사회적 제약을 벗어나는 무보상의 공용침해에 대하여, 분리이론은 당해 침해행위의 폐지를 주장함으로써 위헌적 침해의 억제에 중점을 두고 있음에 비하여 경계이론은 보상을 통한 가치의 보장에 중점을 두고 있다. (○, ×) ★★
2008 국가직 7급

경계이론, 분리이론
- 경계이론(독일 연방최고법원의 입장)이란 사회적 제약과 공용침해는 별개의 제도가 아니라 재산권 규제의 강도에 따라서 상대적으로 구분되는 것으로 사회적 제약의 정도가 일정한 한계를 벗어나게 되면 보상이 필요한 공용침해로 전환된다는 이론이다.
- 경계이론은 사회적 제약을 벗어나는 경우 공용침해가 된다고 함으로써 보상을 통한 가치보장에 중점을 두고 있다.02
- 분리이론(독일 연방헌법재판소의 입장)이란 사회적 제약을 벗어나는 보상 없는 공용침해에 대해서 이는 위법한 침해가 되므로 위헌적 침해의 폐지 등을 주장함으로써 존속보장에 중점을 두고 있다고 볼 수 있다.03

정답 01 × 02 × 03 ○

재산권 제한조치가 위헌이므로 취소소송을 통하여 구제를 받아야 한다는 견해, 조절조치의무 불이행이라는 입법부작위에 대한 헌법소원을 통하여 구제를 받아야 한다는 견해, 헌법재판소의 견해와 같이 재산권 제한조치의 근거가 되는 법률의 위헌확인과 조절조치에 관한 입법을 기다려 구제를 받아야 한다는 견해가 있다. 우리 헌법재판소는 구 도시계획법 제21조에 관한 사건에서 입법자의 보상입법을 기다려 보상을 청구할 수 있다고 판시한 바 있다.

❸ 도시계획제한

1. 문제의 소재

도시계획에서는 각종 지구의 지정, 개발제한구역의 지정 등을 통해 토지소유권 등 개인의 재산권에 많은 제약을 가하고 있는데, 이와 관련하여 구 도시계획법 제21조에서는 행정청에 개발제한구역을 지정할 수 있는 권한을 주면서 아무런 보상규정을 두고 있지 않아 이의 해석과 관련하여 문제가 된 바 있다.

2. 사법부의 태도

(1) 대법원은 보상규정을 두지 않은 구 도시계획법 제21조에 대해 이러한 재산권 제한은 사회적 제약에 해당한다고 보아 합헌으로 본 바 있다.

관련판례

개발제한구역지정으로 토지소유자가 입는 불이익은 사회적 제약에 불과하다(대판 1996. 6. 28, 94다54511).

(2) 헌법재판소는 개발제한구역제도 자체는 합헌이나 개발제한구역지정으로 말미암아 일부 토지소유자에게 사회적 제약의 범위를 넘는 부담이 발생하는 예외적인 경우에도 아무런 보상 없이 이를 감수하도록 하는 것은 비례의 원칙에 위배되어 당해 토지소유자의 재산권을 과도하게 침해하는 것으로서 헌법에 위반된다고 판시하였다. 이런 전제하에 헌법재판소는 구 도시계획법 제21조에 대해 단순위헌결정이 아닌 헌법불합치결정을 선고하였으며,01ⓐ 토지소유자는 개발제한구역지정 그 자체를 다투는 등의 행위를 할 수는 없고 보상입법을 기다려 그에 따라 권리행사를 할 수 있을 뿐이라고 판시한 바 있다.

관련판례

1. 구 도시계획법 제21조에 규정된 개발제한구역제도 그 자체는 원칙적으로 합헌적인 규정인데, 다만 개발제한구역의 지정으로 말미암아 일부 토지소유자에게 사회적 제약의 범위를 넘는 가혹한 부담이 발생하는 예외적인 경우에 대하여 보상규정을 두지 않은 것에 위헌성이 있다.★★★
2. 보상의 구체적 기준과 방법은 헌법재판소가 결정할 성질의 것이 아니라 광범위한 입법형성권을 가진 입법자가 입법정책적으로 정할 사항이므로, 입법자가 보상입법을 마련함으로써 위헌적인 상태를 제거할 때까지 위 조항을 형식적으로 존속케 하기 위하여 헌법불합치결정을 한다.02 ★★★
3. 입법자는 되도록 빠른 시일 내에 보상입법을 하여 위헌적 상태를 제거할 의무가 있고,03 행정청은 보상입법이 마련되기 전에는 새로 개발제한구역을 지정하여서는 아니 되며, 토지소유자는 보상입법을 기다려 그에 따른 권리행사를 할 수 있을 뿐 개발제한구역의 지정이나 그에 따른 토지재산권의 제한 그 자체의 효력을 다투거나 위 조항에 위반하여 행한 자신들의 행위의 정당성을 주장할 수는 없다(헌재 1998. 12. 24, 89헌마214 · 90헌바16 · 97헌바78 병합).04 ★★★

기출 체크

□□□□□ 01 헌법재판소는 재산권의 제한이 특별한 희생에 해당하는 경우에 보상규정을 두지 않는 것은 위헌이라고 하면서도 단순위헌이 아닌 헌법불합치결정을 하였다. (○, ×) ★★ 2011 국가직 9급

□□□□□ 02 헌법재판소는 구 도시계획법상 개발제한구역의 지정으로 일부 토지소유자에게 사회적 제약의 범위를 넘는 가혹한 부담이 발생하는 경우에 보상규정을 두지 않은 것은 위헌성이 있는 것이고, 보상의 구체적 기준과 방법은 입법자가 입법정책적으로 정할 사항이라고 결정하였다. (○, ×) ★★★ 2014 지방직 9급

□□□□□ 03 헌법재판소는 구 도시계획법 제21조의 개발제한구역제도에 대하여 그 자체는 합헌이지만 보상규정을 결한 것에 위헌성이 있어 입법권자는 이를 시정할 의무가 있다고 보았다. (○, ×) ★★★ 2014 국회직 8급

□□□□□ 04

甲은 개발제한구역 내 소재한, 지목은 대지이나 건축되지 아니한 토지(나대지)의 소유자이다. 甲은 당해 토지가 개발제한구역으로 지정됨으로써 건축을 할 수 없게 되어 사용 및 수익이 불가능하게 되었다.

(1) 헌법재판소의 판례이론에 의할 경우 위 사례와 같은 경우 법률에 조정적 보상규정을 두지 않는 것은 비례의 원칙을 위반한 위헌이다. (○, ×)
(2) 헌법재판소의 판례이론에 의할 경우 甲은 개발제한구역의 지정에 대한 취소소송과 손해배상청구소송을 통하여 재산권 침해의 구제를 받을 수 있다. (○, ×) ★★★ 2013 서울시 7급

ⓐ 왜냐하면 단순위헌결정을 선고하면 위헌결정의 기속력으로 인해 도시계획법 제21조는 그 효력을 상실하게 되는바, 도시계획법 제21조는 개발제한구역지정 자체가 위헌이라기보다는 오로지 보상규정의 결여라는 이유 때문에 헌법에 합치되지 아니한다는 평가를 받은 것이므로 개발제한구역 자체는 유지시키기 위해 헌법불합치라는 변형결정을 내린 것이다. 따라서 입법자는 되도록 빠른 시일 내에 보상입법을 마련함으로써 이 사건 법률조항의 위헌적 상태를 제거하여야 한다고 판시하면서, 또한 행정청은 위헌적 상태를 제거하기 위한 보상입법이 마련되기 전에는 이 사건 법률조항에 근거하여 새로이 개발제한구역의 지정을 하여서는 아니 된다고 판시하였다.

정답 01 ○ 02 ○ 03 ○
04 (1) ○ (2) ×

① 사회적 제약의 범위 내

개발제한구역의 지정 후 토지를 종래 목적으로 사용할 수 있는 경우, 그리고 지가하락이나 지가상승률의 상대적 감소의 경우에는 사회적 제약의 범주 내의 것(합헌적인 것)으로 보았다.01 02

관련판례

도축장 사용정지 · 제한명령은 구제역과 같은 가축전염병의 발생과 확산을 막기 위한 것이고, 도축장 사용정지 · 제한명령이 내려지면 국가가 도축장 영업권을 강제로 취득하여 공익목적으로 사용하는 것이 아니라 소유자들이 일정기간 동안 도축장을 사용하지 못하게 되는 효과가 발생할 뿐이다. 이와 같은 재산권에 대한 제약의 목적과 형태에 비추어 볼 때, 도축장 사용정지 · 제한명령은 공익목적을 위하여 이미 형성된 구체적 재산권을 박탈하거나 제한하는 헌법 제23조 제3항의 수용 · 사용 또는 제한에 해당하는 것이 아니라, 도축장 소유자들이 수인하여야 할 사회적 제약으로서 헌법 제23조 제1항의 재산권의 내용과 한계에 해당한다.03 따라서 이에 대한 보상금은 도축장 사용정지 · 제한명령으로 인한 도축장 소유자들의 경제적인 부담을 완화하고 그러한 명령의 준수를 유도하기 위하여 지급하는 시혜적인 급부에 해당한다(헌재 2015. 10. 21, 2012헌바367).

② 사회적 제약의 범위를 넘은 것

개발제한구역의 지정 후 토지를 종래의 목적으로 사용할 수 없거나 또는 토지를 이용할 수 있는 방법이 전혀 없는 예외적인 경우에 보상 없이 이를 감수하도록 하고 있는 한 헌법에 위반된다고 보았다.

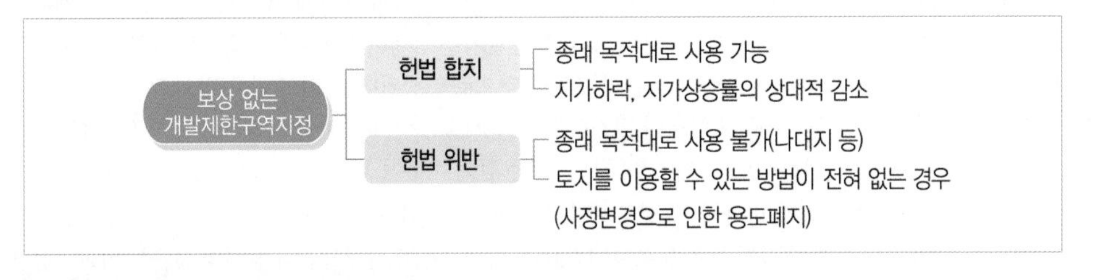

③ 사회적 제약의 범위를 넘은 것의 구체적 예

이와 관련하여 종래 목적으로 사용할 수 없는 경우의 예로는 나대지를 들었고, 토지를 이용할 수 있는 방법이 전혀 없는 경우의 예로는 사정변경으로 인한 용도폐지(토지가 종래 농지 등으로 사용되었으나 개발제한구역지정이 있은 후에 주변지역의 도시과밀화로 인하여 농지가 오염되거나 수로가 차단되는 등의 사유로 토지를 더 이상 종래의 목적으로 사용하는 것이 불가능하거나 현저히 곤란하게 되어 버린 경우)를 든 바 있다.

관련판례

1. 개발제한구역지정으로 토지를 종래 용법에 따라 사용할 수 없거나 실질적으로 사용 · 수익을 전혀 할 수 없는 예외적인 경우에도 보상 없이 이를 감수하도록 하고 있는 것은 헌법에 위반된다.★★★
   개발제한구역지정으로 인하여 토지를 종래의 목적으로도 사용할 수 없거나 또는 더 이상 법적으로 허용된 토지이용의 방법이 없기 때문에 실질적으로 토지의 사용 · 수익의 길이 없는 경우에는 토지소유자가 수인해야 하는 사회적 제약의 한계를 넘는 것으로 보아야 한다.04 이러한 경우에는 재산권의 사회적 기속성으로도 정당화될 수 없는 가혹한 부담을 토지소유자에게 부과하는 것이므로 입법자가 그 부담을 완화하는 보상규정을 두어야만 비로소 헌법상으로 허용될 수 있기 때문이다(헌재 1998. 12. 24, 89헌마214).

2. 도시계획시설의 지정으로 말미암아 당해 토지의 이용가능성이 배제되거나 또는 토지소유자가 토지를 종래 허용된 용도대로도 사용할 수 없기 때문에 이로 말미암아 현저한 재산적 손실이 발생하는 경우에는, 원칙적으로 사회적 제약의 범위를 넘는 수용적 효과를 인정하여 국가나 지방자치단체는 이에 대한 보상을 해야 한다(헌재 1999. 10. 21, 97헌바26).05 06

기출 체크

□□□□□ 01 개발제한구역의 지정으로 인한 개발가능성의 소멸과 그에 따른 지가의 하락이나 지가상승률의 상대적 감소는 토지소유자가 감수해야 하는 사회적 제약의 범주에 속하는 것으로 보아야 한다. (○, ×) ★★★ 2022 소방간부

□□□□□ 02 개발제한구역 지정으로 인한 지가의 하락은 원칙적으로 토지소유자가 감수해야 하는 사회적 제약의 범주에 속하나, 지가의 하락이 20% 이상으로 과도한 경우에는 특별한 희생에 해당한다. (○, ×) ★★★ 2018 서울시 9급

□□□□□ 03 도축장 사용정지 · 제한명령은 공익목적을 위하여 이미 형성된 구체적 재산권을 박탈하거나 제한하는 헌법 제23조 제3항의 수용 · 사용 또는 제한에 해당하는 것이 아니라, 도축장 소유자들이 수인하여야 할 사회적 제약으로서 헌법 제23조 제1항의 재산권의 내용과 한계에 해당한다. (○, ×) 2023 군무원 9급

□□□□□ 04 토지를 종래의 목적으로도 사용할 수 없는 경우에는 토지소유자가 수인해야 할 사회적 제약의 한계를 넘는 것으로 보아야 한다. (○, ×) ★★★ 2019 사회복지직 9급

□□□□□ 05 도시계획시설의 지정으로 말미암아 당해 토지의 이용가능성이 배제되거나 또는 토지소유자가 토지를 종래 허용된 용도대로도 사용할 수 없기 때문에 이로 인하여 현저한 재산적 손실이 발생하는 경우에는, 원칙적으로 국가나 지방자치단체는 이에 대한 보상을 해야 한다. (○, ×) 2024 지방직 · 서울시 9급

□□□□□ 06 도시계획시설의 지정으로 말미암아 당해 토지의 이용가능성이 배제되거나 또는 토지소유자가 토지를 종래 허용된 용도로도 사용할 수 없기 때문에 이로 말미암아 현저한 재산적 손실이 발생하는 경우라 하더라도, 이는 사회적 제약의 범위를 넘지 않는 것으로 국가나 지방자치단체는 이에 대한 보상을 해야 하는 것은 아니다. (○, ×) 2022 소방간부

정답 01 ○ 02 × 03 ○ 04 ○ 05 ○ 06 ×

기출 체크

□□□□□ **01** 헌법재판소는 「개발제한구역의 지정 및 관리에 관한 특별조치법」 제11조 제1항 등에 대한 위헌소원사건에서 토지의 효용이 감소한 토지소유자에게 토지매수청구권을 인정하는 등 보상규정을 두었지만 적절한 손실보상에 해당하지 않는다고 위헌결정을 하였다. (○, ×)

2023 국가직 9급

ⓐ 행정권에 의한 사인의 구체적인 권익침해가 있는 경우 개인의 구체적인 권익구제를 주된 목적으로 하는 대법원은 개발제한구역지정으로 인한 피해가 특별한 희생에 해당되어 보상이 주어져야 하는 것인가의 여부에 논의의 초점이 맞추어져 있고, 헌법질서의 수호를 주된 목적으로 하는 헌법재판소의 논리는 사회적 제약의 범위를 넘는 가혹한 부담이 발생하는 예외적인 경우에 보상규정을 두지 않은 법률이 헌법에 위반하는가의 여부에 초점이 맞추어져 있다. 대법원의 논리는 경계이론으로 연결되고, 헌법재판소의 논리는 분리이론으로 연결된다.

정답 01 ×

비교판례

도시계획시설부지가 나대지인 경우와 달리 지목이 대(垈) 이외인 토지인 경우는 도시계획시설결정에 의한 제한이 수인하여야 하는 사회적 제약의 범주에 속하는 것으로서 재산권에 대한 침해라고 할 수 없고, 이에 따라 지목이 대인 토지에 대하여 인정되는 매수청구권을 인정하지 않더라도 합리적 이유가 있으므로 평등원칙에 반하지 아니한다(헌재 2009. 7. 30, 2007헌바110).

3. 현행법의 태도

헌법재판소의 판결취지에 따라 「개발제한구역의 지정 및 관리에 관한 특별조치법」이 제정되어 동법에 토지매수의 청구 등의 보상규정이 마련되었다. 한편, 도시계획법은 2002년 말에 폐지되어 현재는 도시계획에 관한 내용이 「국토의 계획 및 이용에 관한 법률」에 규정되어 있는데, 동법에서도 매수청구 등 보상에 관한 규정을 두고 있다.

관련판례

도시의 무질서한 확산을 방지하고 도시주변의 자연환경을 보전하여 도시민의 건전한 생활환경을 확보하기 위하여 도시의 개발을 제한할 필요가 있으므로 개발제한구역지정으로 인한 토지재산권의 제한은 그 목적의 정당성이 인정되고, 개발제한구역 내에서 그 구역지정의 목적에 위배되는 건축물의 건축, 공작물의 설치 등을 원칙적으로 그리고 전면적으로 금지하는 것은 위와 같은 개발제한구역의 입법목적을 달성하는 데 기여하므로 수단의 적정성도 인정되며, 개발제한구역 내의 토지에 대한 선별적, 부분적, 예외적 이용제한의 수단만을 선택하여서는 목적의 효율적인 달성을 기대하기 어려우므로 전면적인 규제수단은 입법목적을 달성하기 위해 필요한 최소한의 조치인 것으로 인정된다. 그리고 같은 법이 개발제한구역의 지정으로 인하여 토지의 효용이 현저히 감소하거나 그 사용·수익이 사실상 불가능한 토지소유자에게 토지매수청구권을 인정하는 등 보상규정을 두고 있는 점에 비추어, 이 사건 특조법 조항(편저자 주 : 「개발제한구역의 지정 및 관리에 관한 특별조치법」 제11조 제1항)이 토지재산권의 제한을 통하여 실현하고자 하는 공익의 비중과 이 사건 특조법 조항에 의하여 발생하는 토지재산권의 침해의 정도를 비교·형량할 때 양자 사이에 적정한 비례관계가 성립한다고 보이므로 법익균형성도 충족된다. 따라서 개발제한구역 내에서 건축물의 건축 및 용도변경 등의 행위를 제한하는 이 사건 특조법 조항이 비례의 원칙을 위반하여 청구인들의 재산권을 과도하게 침해한 것으로 보기 어렵다(헌재 2004. 2. 26, 2001헌바80·84 병합).**01**

04 | 우리 헌법재판소의 태도

헌법재판소는 건축물의 건축 등을 제한하는 개발제한구역의 지정(그린벨트)의 근거규정인 구 도시계획법 제21조 관련 사건에서 이른바 분리이론에 입각하여 판시한 바 있으며, 기타 사건에서도 재산권 제한의 경우 분리이론의 입장을 취하고 있다.ⓐ

관련판례

1. **내용과 한계를 정하는 규정의 경우도 사회적 제약의 한계를 벗어나는 경우 비례원칙에 위반되며 비례원칙에 부합되기 위해서는 일정한 보상규정을 두어야 한다.★★**

   이 사건 법률조항은 입법자가 토지재산권에 관한 권리와 의무를 일반적·추상적으로 확정하는 규정으로 법질서 안에서 보호받을 수 있는 권리로서 재산권의 내용과 한계를 정하는, 재산권을 형성하는 규정인 동시에 공익적 요청에 따른 재산권의 사회적 제약을 구체화하는 규정(편저자 주 : 그린벨트와 관련된 조항)이기도 하다(헌법 제23조 제1·2항). 이 사건 법률조항에 의한 재산권의 제한은 개발제한구역으로 지정된 토지를 원칙적으로 지정 당시의 지목과 토지현황에 의한 이용방법에 따라 사용할 수 있는 한, 재산권에 내재하는 사회적 제약을 비례의 원칙에 합치하게 합헌적으로 구체화한 것이라고 할 것이나, 종래의 지목과 토지현황에 의한 이용방법에 따른 토지의 사용도 할 수 없거나 실질적으로 사용 · 수익을 전혀 할 수 없는 예외적인 경우에도 아무런 보상 없이 이를 감수하도록 하고 있는 한, 비례의 원칙에 위반되어 당해 토지소유자의 재산권을 과도하게 침해하는 것으로서 헌법에 위반된다 할 것이다. ……
따라서 입법자가 이 사건 법률조항을 통하여 국민의 재산권을 비례의 원칙에 부합하게 합헌적으로 제한하기 위해서는, 수인의 한계를 넘어 가혹한 부담이 발생하는 예외적인 경우에는 이를 완화하는 보상규정을 두어야 한다. 이러한 보상규정은 입법자가 헌법 제23조 제1 · 2항에 의하여 재산권의 내용을 구체적으로 형성하고 공공의 이익을 위하여 재산권을 제한하는 과정에서 이를 합헌적으로 규율하기 위하여 두어야 하는 규정이다.
재산권의 침해와 공익 간의 비례성을 회복하기 위해서 헌법상 반드시 금전보상만을 해야 하는 것은 아니다. 입법자는 지정의 해제 또는 토지매수청구권제도와 같이 금전보상을 갈음하거나 기타 손실을 완화할 수 있는 제도를 보완하는 등 여러 가지 다른 방법을 사용할 수 있다. 즉, 입법자에게는 헌법적으로 가혹한 부담의 조정이란 '목적'을 달성하기 위하여 이를 완화 · 조정할 수 있는 '방법'의 선택에 있어서 광범위한 형성의 자유가 부여된다(헌재 1998. 12. 24, 89헌마214).

2. **정비사업의 시행으로 인하여 용도가 폐지되는 국가 또는 지방자치단체 소유의 정비기반시설을 사업시행자가 새로이 설치한 정비기반시설의 설치비용에 상당하는 범위 안에서 사업시행자에게 무상으로 양도되도록 한 「도시 및 주거환경정비법」 제65조 제2항은 헌법 제23조 제3항의 수용에 해당하지 않으므로 헌법상 수용에 따른 정당한 보상의 원칙이 적용되지 않는다**(헌재 2013. 10. 24, 2011헌바355).

3. 개성공단 전면중단 조치는 공익 목적을 위하여 개별적 · 구체적으로 형성된 구체적인 재산권의 이용을 제한하는 공용제한이 아니므로, 이에 대한 정당한 보상이 지급되지 않았다고 하더라도, 그 조치가 헌법 제23조 제3항을 위반하여 개성공단 투자기업인 청구인들의 재산권을 침해한 것으로 볼 수 없다(헌재 2022. 1. 27, 2016헌마364).

4. **코로나19의 예방을 위한 집합제한조치로 인하여 음식점을 영업하는 청구인들의 영업이익이 감소하였다고 하더라도 그 손실을 보상하지 않는 것이 청구인들의 재산권을 제한하는 것은 아니다.**
   (1) 구체적인 권리가 아닌 단순한 이익이나 재화의 획득에 관한 기회 또는 기업활동의 사실적 · 법적 여건 등은 재산권보장의 대상에 포함되지 아니하므로, 코로나19의 예방을 위한 집합제한조치로 인하여 음식점을 영업하는 청구인들의 영업이익이 감소하였다고 하더라도 그 손실을 보상하지 않는 것이 청구인들의 재산권을 제한하는 것은 아니다. 감염병예방법 제49조 제1항 제2호에 근거한 집합제한조치로 인하여 청구인들의 일반음식점영업이 제한되어 영업이익이 감소되었다 하더라도, 청구인들이 소유하는 영업시설 · 장비 등에 대한 구체적인 사용 · 수익 및 처분권한을 제한받는 것은 아니므로, 보상규정의 부재가 청구인들의 재산권을 제한한다고 볼 수 없다.
   (2) 심판대상조항의 개정 연혁과 집합제한조치의 특성, 정부의 집합제한조치에 대한 보상책 및 청구인들이 받은 영업제한의 정도 등을 고려할 때, 심판대상조항이 청구인들의 평등권을 침해하지 않는다. 즉, 국가의 방역정책으로 인하여 입은, 재산권의 보호범위에 포함되지 않는 영업상 손실을 보상할지 여부는 국가의 재정상황이나 대상의 범위, 피해정도 등 여러 사정이 고려되어 정해질 입법정책의 문제이다. 정부는 집합제한조치로 인한 부담을 완화하기 위하여 다양한 지원을 하였고, 감염병예방법과는 별개로 「소상공인 보호 및 지원에 관한 법률」이 2021년 개정되어 2021년 3분기 이후 발생한 집합제한조치로 인한 손실을 보상하는 규정이 신설되었다. 또한 코로나19 유행 전보다 영업매출이 감소하였더라도, 집합제한조치는 공동체 전체를 위하여 코로나19의 확산을 방지하기 위한 것이므로 사회구성원 모두가 그 부담을 나누어질 필요가 있고, 그러한 매출감소는 코로나19 감염을 피하기 위하여 사람들이 자발적으로 음식점 방문을 자제한 것에 기인하는 측면도 있다. 한편, 비수도권에서 음식점을 영업하는 청구인들은 영업시간제한을 받은 기간이 짧고, 영업이 제한된 시간 이외에는 정상적으로 영업이 가능하였으며 영업이 제한된 시간 동안에도 포장 · 배달을 통한 영업은 가능하였다. 그러므로 심판대상조항이 감염병의 예방을 위하여 집합제한조치를 받은 영업장의 손실을 보상하는 규정을 두고 있지 않다고 하더라도 청구인들의 평등권을 침해한다고 할 수 없다(헌재 2023. 6. 29, 2020헌마1669).

[유튜브] 30강 필수 개념 TEST
- QR코드를 스캔해 주세요.
- 필수 개념과 출제 포인트를 풀어 보세요.
- 틀린 문제는 기본서로 확인해 주세요.

제 31 강 행정상 손실보상 2 (손실보상의 기준과 내용 등)

손실보상의 기준과 내용

토지보상법(토지수용)상의 일반적 기준

보상대상자

- 공익사업에 필요한 토지의 소유자 및 관계인(사업인정의 고시 이후에 권리를 취득한 자는 관계인에 포함되지 않음)
- 토지보상법상 보상대상인 '기타 토지에 정착한 물건에 대한 소유권 그 밖의 권리를 가진 관계인'에는 수거 · 철거권 등 실질적 처분권을 가진 자도 포함됨(판례).

공용수용의 경우

- **객관적 가치보상 + 부대적 손실보상**
  - 협의성립 당시 또는 재결 당시의 가격에 의한 '시가보상의 원칙'
- **용도지역 등의 변경** : 공익사업시행을 직접 목적으로 변경된 토지는 변경되기 전의 용도지역 또는 용도지구 등을 기준으로 평가함.
- **손실보상청구권 유무의 판단시점** : 공공사업의 시행 당시를 기준으로 함.
- **손실보상의무불이행상태에서 공사를 시행한 경우** : 불법행위 성립
- **보상 없이 타인의 토지를 점유 · 사용하는 경우** : 보상의무 있음.

보상내용의 변천과정

대인적 보상(주관적 가치) ⇨ 대물적 보상(객관적 가치) ⇨ 생활보상으로 발전

재산권보상

토지의 보상	공시지가 기준으로 보상
토지 이외의 재산권보상	• 농업에 대한 보상(실제 경작자에게 보상) • 광업권, 어업권, 양식업권, 물(용수시설 포함) 등의 사용에 관한 권리에 대한 보상 • **잔여지보상** : 동일한 토지소유자에 속하는 일단의 토지의 일부가 취득됨으로써 잔여지의 가격이 감소한 때에는 잔여지를 종래의 목적으로 사용하는 것이 가능한 경우라도 그 잔여지는 손실보상의 대상이 됨(판례). • 이전비보상 • **영업손실의 보상** : 폐업과 휴업은 영업을 실제로 이전하였는지가 아니라 이전이 가능한지에 따라 구별함. • **임금손실의 보상** : 근로기준법에 의한 평균임금을 고려하여 보상함.

생활(권)보상

의 의

- 공용침해 이전의 생활상태를 회복하기 위해 필요한 모든 조치를 강구하는 것
- 원상회복적 성격
- 헌법 제23조 제3항에 따른 '정당한 보상' 포함 여부

구 분	이주대책	생활대책
대법원	포함 ×	포함 O
헌법재판소	모두 포함 ×(국가의 정책적인 배려에 의해 마련된 제도라는 입장)	

이주대책

- 이주대책의 실시 여부는 입법자의 입법정책적 재량(토지보상법에서 세입자를 이주대책대상자에서 제외하고 있는 것은 위헌 아님)
- 토지보상법에서 사업시행자에게 이주대책의 수립 · 실시의무를 규정하고 있으므로 사업시행자에게는 법적인 의무. 단, 사업시행자는 이주대책내용결정에 있어서는 재량을 가짐.
  - 공익사업의 시행자가 이주대책대상자와 체결한 택지에 관한 특별공급계약에서 구 토지보상법에 규정된 생활기본시설 설치비용을 이주대책대상자가 부담할 분양대금에 포함시킨 경우, 그 부분은 강행법규에 위배되어 무효가 됨(판례).
- 이주대책에 필요한 비용은 사업시행자가 부담함. 다만, 행정청이 아닌 사업시행자가 이주대책을 수립 · 실시하는 경우에 지방자치단체가 비용의 일부를 보조할 수 있음.
- **이주대책대상자의 수분양권 등 특정한 실체법상의 권리취득시기** : 사업시행자가 이주대책대상자로 확인 · 결정한 때

이주정착금의 지급

- **이주대책을 수립 · 실시하지 아니하는 경우, 이주정착지가 아닌 지역으로 이주하고자 하는 경우** : 이주정착금을 지급하여야 함.

주거이전비의 지급

- **주거이전비** : 세입자의 주거이전비 보상청구권은 공법상 권리로 행정소송

사업손실(간접손실)보상

- 사업지 밖의 재산권에 가해지는 손실에 대한 보상
- 판례는 간접손실을 헌법 제23조 제3항에서 규정한 손실보상의 대상이 된다고 봄.
- 비록 법률에 규정이 없더라도 손실이 쉽게 예견될 수 있고, 손실의 범위도 구체적으로 특정될 수 있다면 관련법규를 유추적용하여 보상해 주어야 함.
  - 공익사업인 고속철도 건설사업 시행 후의 고속철도 운행에 따른 소음, 진동 등으로 인하여 고속철도 인근에서 양잠업을 영위하던 원고에게 발생한 손실에 관하여 토지보상법 관련규정에 따라 손실보상청구를 할 수 있음(판례).
  - 공익사업시행지구 밖 영업손실보상의 요건인 '공익사업의 시행으로 인한 그 밖의 부득이한 사유로 일정 기간 동안 휴업이 불가피한 경우'에 공익사업 시행 결과로 휴업이 불가피한 경우도 포함됨(판례).
  - 실질적으로 같은 내용의 손해에 관하여 「공익사업을 위한 토지 등의 취득 및 보상에 관한 법률」에 따른 손실보상과 환경정책기본법에 따른 손해배상청구권이 동시에 성립하는 경우 : 두 청구권을 동시에 행사할 수 없음(판례).

확장수용

- **잔여지수용청구권** : 토지의 일부가 수용되어 잔여지를 종래 목적대로 사용하는 것이 현저히 곤란할 때(이용 불가능한 경우만이 아니라 이용 가능하나 많은 비용이 소요되는 경우 포함) 관할토지수용위원회에 잔여지수용청구 가능
- 잔여지수용청구권은 형성권의 성질을 가지며 행사기간은 제척기간
- 잔여지수용청구를 받아들이지 않은 토지수용위원회의 재결에 대하여 토지소유자가 불복하여 제기하는 소송의 성질 : 보상금증감소송, 피고는 사업시행자(형식적 당사자소송)
- 해당 사업완료일까지 행사하여야 함.

손실보상의 유형과 지급원칙

금전보상의 원칙

현금 지급

예외 – 현물보상, 채권보상(임의적 채권보상, 의무적 채권보상), 매수보상, 대토보상(일종의 현물보상에 해당)

사전보상의 원칙

선 급

- 예외 – 후급 : 이자와 물가변동에 따르는 불이익은 보상책임자가 부담(수용에 대한 재결절차에서 정한 보상액과 행정소송절차에서 정한 보상금액의 차액이 수용시기에 지급되지 않은 이상 지연손해금이 당연히 발생함)
- 공익사업의 시행자가 토지소유자와 관계인에게 보상액을 지급하지 않고 그 승낙도 받지 않은 채 공사에 착수함으로써 토지소유자와 관계인이 손해를 입은 경우 : 토지소유자와 관계인에 대하여 불법행위가 성립할 수 있고, 사업시행자는 그로 인한 손해를 배상할 책임을 짐(판례).

개인별 보상의 원칙

개별급

'개인별'이란 수용 또는 사용의 대상이 되는 물건별로 보상을 하는 것이 아니라 피보상자 개인별로 보상하는 것을 의미함.

전액보상의 원칙

일시급

해당 공익사업을 위한 공사에 착수하기 전에 보상액의 전액을 지급하여야 한다는 원칙으로, 이때의 '전액의 지급'은 통상 일시급으로 이루어짐.

사업시행자보상의 원칙

국가 등이 아니라도 사업시행자라면 그 자가 보상을 하는 것이 원칙임.

기타 보상의 원칙

일괄보상

사업시행자는 동일한 사업지역에 보상시기를 달리하는 동일인 소유의 토지 등이 여러 개 있는 경우 토지소유자 또는 관계인이 요구할 때에는 한꺼번에 보상금을 지급하도록 하여야 함.

사업시행이익과의 상계금지

사업시행자는 동일한 토지소유자에 속하는 일단의 토지의 일부를 취득 또는 사용하는 경우 해당 공익사업의 시행으로 인하여 잔여지의 가격이 증가하거나 그 밖의 이익이 발생한 때에도 그 이익을 그 취득 또는 사용으로 인한 손실과 상계할 수 없음.

손실보상의 절차와 불복

토지보상법상 손실보상절차

협의전치(前置)주의

당사자 간의 합의가 성립하면 법이 정한 손실보상기준에 맞지 않아도 그 기준에 따른 손실보상금 청구를 추가로 할 수는 없음(판례).

토지수용위원회의 재결

- 공익사업시행자는 관할토지수용위원회에 재결신청 가능
  - 토지소유자 및 관계인은 서면으로 사업시행자에게 재결을 신청할 것을 청구할 수 있음.
- 토지수용위원회는 신청한 범위에 재결해야 함.
  - 단, 손실보상의 경우에는 증액재결이 가능
- 수용재결이 있은 후 토지소유자 등과 사업시행자가 다시 합의하여 임의로 계약체결할 수 있음.

이의신청(임의적 전치)

- 행정심판의 성질을 가짐.

행정소송

- 토지수용위원회의 재결에 대하여 불복이 있는 때에는 재결서를 받은 날로부터 90일 이내에, 이의신청을 거친 경우에는 이의신청에 대한 재결서를 받은 날로부터 60일 이내에 행정소송을 제기할 수 있음.
  - 이의신청이나 행정소송의 제기는 사업의 진행 및 토지의 수용 또는 사용을 정지시키지 않음.
  - 공익사업으로 인해 농업손실을 입은 자가 사업시행자에게서 토지보상법에 따른 보상을 받으려면 재결절차를 거쳐야 하고, 이를 거치지 않고 곧바로 민사소송으로 보상금을 청구하는 것은 허용되지 않음(판례).
- **소송의 대상** : 원처분주의

보상금증감소송(형식적 당사자소송)

피 고

- **당해 소송제기자가 토지소유자 또는 관계인인 때** : 사업시행자(즉, 토지수용위원회가 피고가 되는 것은 아님)
- **당해 소송제기자가 사업시행자인 때** : 토지소유자 또는 관계인

입증책임

판례는 보상금증액청구소송에서 입증책임에 관해 정당한 손실보상금액이 더 많다는 점을 원고가 입증하여야 한다고 봄.

제 1 절 손실보상의 기준과 내용

초대 Topic 32 핵심집약 Topic 58

기출 체크

□□□□□ 01 「공익사업을 위한 토지 등의 취득 및 보상에 관한 법률」상 보상대상이 되는 '기타 토지에 정착한 물건에 대한 소유권 그 밖의 권리를 가진 관계인'에는 수거·철거권 등 실질적 처분권을 가진 자도 포함된다. (○, ×) 2021 국가직 7급

□□□□□ 02 토지에 대한 보상액은 가격시점에서의 현실적인 이용상황, 일반적인 이용방법에 의한 객관적 상황, 일시적인 이용상황 및 토지소유자나 관계인이 갖는 주관적 가치 및 특별한 용도에 사용할 것을 전제로 한 경우 등을 고려한다. (○, ×) 2020 국회직 8급

□□□□□ 03 토지수용으로 인한 손실보상액은 당해 공공사업의 시행을 직접 목적으로 하는 계획의 승인·고시로 인한 가격변동을 고려함이 없이 수용재결 당시의 가격을 기준으로 하여 정하여야 한다. (○, ×) ★★★ 2014 국가직 7급

❶ 「공익사업을 위한 토지 등의 취득 및 보상에 관한 법률」 제2조【정의】이 법에서 사용하는 용어의 뜻은 다음과 같다.
5. '관계인'이란 사업시행자가 취득하거나 사용할 토지에 관하여 지상권·지역권·전세권·저당권·사용대차 또는 임대차에 따른 권리 또는 그 밖에 토지에 관한 소유권 외의 권리를 가진 자나 그 토지에 있는 물건에 관하여 소유권이나 그 밖의 권리를 가진 자를 말한다. 다만, 제22조에 따른 사업인정의 고시가 된 후에 권리를 취득한 자는 기존의 권리를 승계한 자를 제외하고는 관계인에 포함되지 아니한다.

정답 01 ○ 02 × 03 ○

01 | 손실보상의 기준

❶ 토지보상법상(토지수용)의 일반적 기준

1. 보상대상자

「공익사업을 위한 토지 등의 취득 및 보상에 관한 법률」(이하 '토지보상법')상 보상의 대상이 되는 자는 공익사업에 필요한 토지의 소유자 및 관계인이 되는바, 이러한 관계인에는 토지에 관한 소유권 이외의 권리를 가진 자나 그 토지에 있는 물건에 관한 소유권 등을 가진 자가 포함된다.❶

관련판례

「공익사업을 위한 토지 등의 취득 및 보상에 관한 법률」상 보상대상이 되는 '기타 토지에 정착한 물건에 대한 소유권 그 밖의 권리를 가진 관계인'에는 수거·철거권 등 실질적 처분권을 가진 자도 포함된다(대판 2019. 4. 11, 2018다277419).01

2. 공용수용의 경우

(1) 객관적 가치보상 + 부대적 손실보상

① 피침해재산의 객관적 가치보상

토지보상법은 원칙적으로 협의성립 당시 또는 재결 당시의 가격에 의한 재산권보상을 하도록 하여 시가보상의 원칙을 규정하고 있다. 토지에 대한 보상액은 가격시점에서의 현실적인 이용상황과 일반적인 이용방법에 의한 객관적 상황을 고려하여 산정하되, 일시적인 이용상황과 토지소유자나 관계인이 갖는 주관적 가치 및 특별한 용도에 사용할 것을 전제로 한 경우 등은 고려하지 아니한다.02

② 부대적 손실의 보상

토지보상법은 수용과 관련된 부대적 손실인 잔여지 가격하락에 의한 손실과 공사비용의 보상, 지상물건의 이전비보상, 영업손실보상, 이전대상 건축물의 수용 등에 관해서도 규정하고 있다.

(2) 용도지역 등의 변경

개발이익을 배제하기 위해 토지보상법 시행규칙은 공익사업의 시행을 직접 목적으로 하여 용도지역 또는 용도지구 등이 변경된 토지에 대하여는 변경되기 전의 용도지역 또는 용도지구 등을 기준으로 평가하도록 하고 있다.

관련판례

1. 토지수용보상액 산정시 당해 공공사업의 시행을 직접 목적으로 하는 계획의 승인·고시로 인한 가격변동은 고려해서는 안 된다.★★★

   토지수용보상액을 산정함에 있어서는 구 토지수용법 제46조 제1항에 따라 당해 공공사업의 시행을 직접 목적으로 하는 계획의 승인·고시로 인한 가격변동은 이를 고려함이 없이 수용재결 당시의 가격을 기준으로 하여 정하여야 할 것이므로,03 당해 사업인 택지개발사업에 대한 실시계획의 승인과 더불어 그 용도지역이 주거지역으로 변경된 토지를 그 사업의 시행을 위하여 후에 수용하였다면 그 재결을 위한 평가를 함에 있어서는 그 용도지역의 변경을 고려함이 없이 평가하여야 할 것이다(대판 1999. 3. 23, 98두13850).

2. 공원조성사업의 시행을 직접 목적으로 일반주거지역에서 자연녹지지역으로 변경된 토지에 대한 수용보상액을 산정하는 경우, 그 대상토지의 용도지역을 일반주거지역으로 하여 평가하여야 한다(대판 2007. 7. 12, 2006두11507).

3-1. 공법상 제한이 당해 공공사업의 시행을 직접 목적으로 하여 가하여진 경우가 아니라면 그러한 제한을 받는 상태 그대로 평가하여야 한다.

3-2. 문화재보호구역의 확대지정이 당해 공공사업인 택지개발사업의 시행을 직접 목적으로 하여 이루어진 것이 아님이 명백하므로 토지의 수용보상액은 그러한 공법상 제한을 받는 상태대로 평가하여야 한다(대판 2005. 2. 18, 2003두14222). **01** ★★★

4. 어느 수용대상 토지에 관하여 특정 시점에서 용도지역 · 지구 · 구역(이하 '용도지역 등'이라고 한다)을 지정 또는 변경하지 않은 것이 특정 공익사업의 시행을 위한 것일 경우 이는 해당 공익사업의 시행을 직접 목적으로 하는 제한이라고 보아 용도지역 등의 지정 또는 변경이 이루어진 상태를 상정하여 토지가격을 평가하여야 한다. **02** 여기에서 특정 공익사업의 시행을 위하여 용도지역 등을 지정 또는 변경하지 않았다고 볼 수 있으려면, 토지가 특정 공익사업에 제공된다는 사정을 배제할 경우 용도지역 등을 지정 또는 변경하지 않은 행위가 계획재량권의 일탈 · 남용에 해당함이 객관적으로 명백하여야만 한다(대판 2018. 1. 25, 2017두61799).

기출 체크

□□□□□ **01** 문화재보호구역의 확대지정이 당해 공공사업인 택지개발사업의 시행을 직접 목적으로 하여 가하여진 것이 아님이 명백하므로 토지의 수용보상액은 그러한 공법상 제한을 받는 상태대로 평가하여야 한다. (○, ×) ★★★ 2020 경행경채

□□□□□ **02** 어느 수용대상 토지에 관하여 특정 시점에서 용도지역 등의 지정 또는 변경을 하지 않은 것이 특정 공익사업의 시행을 위한 것일 경우, 용도지역 등의 지정 또는 변경이 이루어진 상태를 상정하여 토지가격을 평가하여야 한다. (○, ×) 2022 소방간부

(3) 수용당하지 않은 토지의 소유자에 대한 개발이익의 환수의 문제

위와 같은 기준으로 보상한다면 지가가 오른 개발지역 내에서 토지를 수용당한 토지소유자와 수용당하지 않은 토지소유자 및 개발사업자 간에 불균형이 생겨, 수용당하지 않은 토지의 소유자 등이 개발로 인한 이익을 차지하는 불공평한 결과를 초래할 수 있다. 따라서 이는 헌법상 평등원칙위반이 아닌가 하는 문제가 제기되는데, 이에 대해 헌법재판소는 위헌이 아니라는 입장을 취하고 있다.㉠

판례 | ㉠ 피수용토지를 둔 토지소유자로부터만 개발이익을 환수하는 것이 합리적 이유 없이 수용 여부에 따라 토지소유자를 차별한 것은 아니다(헌재 1990. 6. 25, 89헌마107).

3. 공용사용, 공용제한의 경우

공용사용과 공용제한의 경우에도 보상을 하여야 한다.

1. 일반적 계획제한
   도시지역, 농림지역, 개발제한구역 등 용도지역 · 구역 등에 의한 공법상 제한을 말하는 것으로 그 자체로서 제한목적이 완성되는 것을 말한다. 일반적 계획제한의 경우 그러한 제한을 받는 상태 그대로 재결 당시의 토지의 형태 및 이용상황 등에 따라 평가한 가격을 기준으로 적정한 보상가액을 정하여야 한다. 예컨대, 당해 공공사업 시행 이전에 이미 개발제한구역으로 지정된 경우라면 개발제한구역으로 보아 토지가격을 산정하면 된다.
   관련판례 도시계획법(현 「국토의 계획 및 이용에 관한 법률」)에 의한 개발제한구역의 지정은 위와 같은 '일반적 계획제한'에 해당한다 할 것이어서 당해 공공사업의 시행 이전에 개발제한구역 지정이 있었을 경우에는 그러한 제한이 있는 상태 그대로 평가함이 상당하다고 할 것이다(대판 1993. 10. 12, 93누12527).
2. 개별적 계획제한
   도로, 광장, 공원, 녹지 등의 계획결정을 말하는 것으로 그 목적달성을 위하여 구체적인 사업의 시행을 필요로 하는 제한을 말한다. 개별적 계획제한의 경우 그러한 제한을 받지 않는 상태로 토지 등의 가격을 평가하여야 한다. 왜냐하면 개별적 계획제한의 경우 이로 인해 토지가격이 변동되고 변동된 가격을 기준으로 보상금액을 산정하면 토지소유자에게 불이익이 발생할 수 있기 때문이다.
   관련판례 도로의 설치에 관한 도시계획결정과 같은 '개별적 계획제한'의 경우 그러한 제한을 받지 아니하는 상태대로 평가하여야 한다(대판 1993. 11. 12, 93누7570).

4. 손실보상청구권 유무의 판단시점

투기를 방지하기 위해 손실보상청구권 유무를 판단할 기준시점은 공공사업의 시행 당시를 기준으로 하여야 한다.

관련판례

(당진화력발전소 제1 · 2호기 건설사업의 실시계획의 승인 · 고시에 의하여 그 전원개발사업구역 내의 공유수면의 이용에 제한이 가해진 후에 어업허가를 받은 자는 전원개발사업구역 내의 공유수면의 이용에 관하여 특별한 손실을 입게 되었다고 볼 수 없다고 판시하면서) **공공사업의 시행으로 인한 손실보상청구권의 유무를 판단할 기준시점은 공공사업의 시행 당시를 기준으로 하여야 하며, 공공사업 실시계획의 승인 · 고시 이후 영업허가를 받은 자는 그 이후의 공공사업 시행으로 특별한 손실을 입었다고 볼 수 없다.**

공공사업의 시행으로 손해를 입었다고 주장하는 자가 보상을 받을 권리를 가졌는지의 여부는 해당 공공사업의 시행 당시를 기준으로 판단하여야 하고, 그와 같은 공공사업의 시행에 관한 실시계획 승인과 그에 따른 고시가 된 이상 그 이후에 영업을 위하여 이루어진 각종 허가나 신고는 위와 같은 공공사업의 시행에 따른 제한이 이미 확정되어 있는 상태에서 이루어진 것이므로 그 이후의 공공사업 시행으로 그 허가나 신고권자가 특별한 손실을 입게 되었다고는 볼 수 없다(대판 2006. 11. 23, 2004다65978).

5. 손실보상금 채권(청구권)의 존부 및 범위의 확정

손실보상금 채권(청구권)은 토지보상법에서 정한 절차로서 관할 토지수용위원회의 재결 또는 행정

정답 01 ○ 02 ○

기출 체크

□□□□□ 01 생활보상은 피수용자가 종전과 같은 생활을 유지할 수 있도록 실질적으로 보장하는 보상을 말한다.
(O, X) ★★★ 2015 국회직 8급

판례 | ㉠ 토지수용법상 기업자는 토지수용으로 인하여 토지소유자 또는 관계인이 입게 되는 손실을 수용의 시기까지 보상할 의무가 있고 그 보상금의 지급 또는 공탁을 조건으로 수용의 시기에 그 수용목적물에 대한 권리를 취득하게 되는 것이므로 이러한 보상을 함이 없이 수용목적물에 대한 공사를 시행하여 토지소유자 또는 관계인에게 손해를 입혔다면 이는 불법행위를 구성하는 것으로서 이와 같은 불법행위를 주장하여 손해금의 지급을 구하는 소는 손실보상이라는 용어를 사용하였다고 하여도 민사상의 손해배상청구로 보아야 한다(대결 1988. 11. 3, 88마850).

정답 01 O

소송절차를 거쳐야 비로소 구체적인 권리의 존부 및 범위가 확정된다.

관련판례

1. 손실보상금 채권은 토지보상법에서 정한 절차로서 관할 토지수용위원회의 재결 또는 행정소송절차를 거쳐야 비로소 구체적인 권리의 존부 및 범위가 확정된다.
2. 따라서 재결절차를 거치지 않은 채 곧바로 사업시행자를 상대로 손실보상을 청구하는 것은 허용되지 않는다.
   토지보상법 등 관계법령에 따라 토지수용위원회의 재결을 거쳐 이루어지는 손실보상금 채권은 관계법령상 손실보상의 요건에 해당한다는 것만으로 바로 존부 및 범위가 확정된다고 볼 수 없고, 손실보상금 채권은 토지보상법에서 정한 절차로서 관할 토지수용위원회의 재결 또는 행정소송절차를 거쳐야 비로소 구체적인 권리의 존부 및 범위가 확정된다. 따라서 토지소유자 등이 사업시행자로부터 손실보상을 받기 위해서는 사업시행자와 협의가 이루어지지 않으면 토지보상법 제34조, 제50조 등에 규정된 재결절차를 거친 뒤에 그 재결에 대하여 불복이 있는 때에 비로소 토지보상법 제83조 내지 제85조에 따라 이의신청 또는 행정소송을 제기할 수 있을 뿐이고, 이러한 절차를 거치지 않은 채 곧바로 사업시행자를 상대로 손실보상을 청구하는 것은 허용되지 않는다(대판 2022. 11. 24, 2018두67 전합).

6. 손실보상의무불이행상태에서 공익사업을 시행한 경우

손실보상의무불이행상태에서 공사를 시행한 경우 불법행위가 성립하며, 이 경우 손해금액은 손실보상금 상당액이라는 것이 판례의 입장이다.

관련판례

기업자가 토지수용법상 소정의 보상을 함이 없이 수용목적물에 대한 공사를 시행한 경우 토지소유자가 그 손해금의 지급을 구하는 소는 민사상의 손해배상청구로 보아야 한다(대결 1988. 11. 3, 88마850).㉠

② 보상내용의 변천과정

손실보상은 대인적 보상에서 대물적 보상으로, 그리고 생활보상으로 발전되어 왔다.

1. 대인적 보상

피수용자의 수용목적물에 대한 주관적 가치를 기준으로 보상을 하는 경우를 대인적 보상이라고 하는데, 이에 따르면 보상의 기준이 불분명하고 통상 보상금액이 고액이 된다는 단점이 있었다.

2. 대물적 보상 - 재산권보상

대인적 보상의 문제점 때문에 대물적 보상이 등장하였는바, 이는 수용목적물에 대한 피수용자의 주관적 가치가 아니라 객관적 시장가치를 기준으로 보상이 이루어지는 것을 말하는 것으로 재산권보상이라고도 하며, 현행 토지보상법도 대물적 보상의 원칙을 취하고 있다.

3. 생활보상

(1) 댐, 공업단지 등 대규모 개발사업의 경우 주민들의 생활근거가 상실되는 경우가 종종 발생하는바, 이 경우 재산권의 객관적 가치를 보상해 주는 것만으로는 적절치 못한 경우가 대부분이다. 이에 대물적 보상이 가지는 문제점을 해결하기 위하여 등장한 것이 생활보상의 개념이다.

(2) 생활보상이란 재산권의 수용 등으로 인해 생활근거를 상실하게 되는 재산권의 피수용자 등에 대하여 종전과 같은 생활을 유지하도록 실질적으로 보장하는 보상을 말한다.01 즉, 재산권보상은 침해가 없었던 것과 동일한 재산상태의 실현을 목적으로 하는 반면에, 생활보상이라 함은 침해가 없었던 것과 동일한 생활상태의 실현을 목적으로 한다.

02 | 재산권보상

재산권보상이란 피침해재산의 손실에 대한 객관적인 가치의 보상과 공용침해로 필연적으로 발생된 부대적 손실(영업손실 · 이전료 등)에 대한 보상을 의미한다.

❶ 토지의 보상

토지보상법은 공시지가를 기준으로 하여 지가변동이 없는 인근토지의 지가상승률 등을 고려한 금액으로 보상하도록 규정하고 있는바, 이에 대해서는 앞서 살펴본 바 있다.

❷ 토지 이외의 재산권보상

1. 건축물 등에 대한 보상

건축물 · 입목 · 공작물 등에 대해서는 이전료를 보상하는 것이 원칙이다. 하지만 이전으로 인해 종래의 목적대로 사용할 수 없거나 이전비가 그 물건의 가격을 넘는 경우, 사업시행자가 공익사업에 직접 사용할 목적으로 취득하는 경우에는 당해 물건의 가격으로 보상하여야 한다(토지보상법 제75조 제1항).

2. 농업에 대한 보상

농업의 손실에 대하여는 농지의 단위면적당 소득 등을 고려하여 실제 경작자에게 보상하여야 한다. 다만, 농지소유자가 해당 지역에 거주하는 농민인 경우에는 농지소유자와 실제 경작자가 협의하는 바에 따라 보상할 수 있다(토지보상법 제77조 제2항).**01**

3. 권리에 대한 보상

광업권, 어업권, 양식업권, 물(용수시설 포함) 등의 사용에 관한 권리에 대하여는 투자비용, 예상수익 및 거래가격 등을 고려하여 평가한 적정가격으로 보상하여야 한다(토지보상법 제76조 제1항).

관련판례

하천법 제50조에 의한 하천수 사용권은 토지보상법 제76조 제1항이 손실보상의 대상으로 규정하고 있는 '물의 사용에 관한 권리'에 해당한다(대판 2018. 12. 27, 2014두11601).**02**

4. 잔여지보상

사업시행자는 동일한 소유자에게 속하는 일단의 토지의 일부가 취득되거나 사용됨으로 인하여 잔여지의 가격이 감소하거나 그 밖의 손실이 있을 때 또는 잔여지에 통로 · 도랑 · 담장 등의 신설이나 그 밖의 공사가 필요할 때에는 원칙상 국토교통부령으로 정하는 바에 따라 그 손실이나 공사의 비용을 보상하여야 한다.

관련판례

1. 사업시행자가 동일한 토지소유자에 속하는 일단의 토지 일부를 취득함으로 인하여 잔여지의 가격이 감소하거나 그 밖의 손실이 있을 때 등에는 잔여지를 종래의 목적으로 사용하는 것이 가능한 경우라도 잔여지 손실보상의 대상이 되며,**03** 잔여지를 종래의 목적에 사용하는 것이 불가능하거나 현저히 곤란한 경우이어야만 잔여지 손실보상청구를 할 수 있는 것이 아니다(대판 2018. 7. 20, 2015두4044). ★

2-1. 특정한 공익사업의 사업시행자가 보상하여야 하는 잔여지 손실은, 동일한 소유자에게 속하는 일단의 토지 중 일부를 사업시행자가 그 공익사업을 위하여 취득하거나 사용함으로 인하여 잔여지에 발생

기출 체크

□□□□□ **01** 농업의 손실에 대하여는 농지의 단위면적당 소득 등을 고려하여 실제 경작자에게 보상하여야 하지만, 농지소유자가 해당 지역에 거주하는 농민인 경우에는 농지소유자와 실제 경작자가 협의하는 바에 따라 보상할 수 있다. (○, ×)
2011 지방직 7급

□□□□□ **02** 구 하천법에 의한 하천수 사용권은 「공익사업을 위한 토지 등의 취득 및 보상에 관한 법률」이 손실보상의 대상으로 규정하고 있는 '물의 사용에 관한 권리'에 해당한다. (○, ×)
2023 지방직 · 서울시 9급

□□□□□ **03** 동일한 토지소유자에 속하는 일단의 토지의 일부가 취득됨으로써 잔여지의 가격이 감소한 때에는 잔여지를 종래의 목적으로 사용하는 것이 가능한 경우라도 그 잔여지는 손실보상의 대상이 된다. (○, ×) ★
2019 지방직 7급

정답 01 ○ 02 ○ 03 ○

기출 체크

□□□□□ **01** (「공익사업을 위한 토지 등의 취득 및 보상에 관한 법률」상) 잔여지에 현실적 이용상황 변경 또는 사용가치 및 교환가치의 하락 등이 발생하였더라도 그 손실이 토지가 공익사업에 취득 · 사용됨으로써 발생한 것이 아닌 경우에는 손실보상의 대상이 되지 않는다. (○, ×) ★
2019 서울시 1회 7급

□□□□□ **02** 영업을 폐업하거나 휴업함에 따른 영업손실에 대하여는 영업이익과 시설의 이전비용 등을 고려하여 보상하여야 한다. (○, ×) 2022 국회직 8급

□□□□□ **03** 영업손실에 관한 보상에 있어서 영업의 휴업과 폐지를 구별하는 기준은 당해 영업을 다른 장소로 실제로 이전하였는지의 여부에 달려 있다. (○, ×) ★★
2008 지방직 7급

□□□□□ **04** 토지수용법 제51조가 규정하고 있는 '영업상의 손실'이란 수용의 대상이 된 토지 · 건물 등을 이용하여 영업을 하다가 그 토지 · 건물 등이 수용됨으로 인하여 영업을 할 수 없거나 제한을 받게 됨으로 인하여 생기는 직접적인 손실을 말한다. (○, ×) ★★ 2015 경행특채 2차

□□□□□ **05** 영업을 하기 위해 투자한 비용이나 그 영업을 통해 얻을 것으로 기대되는 이익에 대한 손실은 영업손실보상의 대상이 된다고 할 수 없다. (○, ×) ★★
2024 국가직 9급

하는 것임을 전제로 한다. 따라서 이러한 잔여지에 대하여 현실적 이용상황 변경 또는 사용가치 및 교환가치의 하락 등이 발생하였더라도, 그 손실이 토지의 일부가 공익사업에 취득되거나 사용됨으로 인하여 발생하는 것이 아니라면 특별한 사정이 없는 한 토지보상법 제73조 제1항 본문에 따른 잔여지 손실보상 대상에 해당한다고 볼 수 없다.**01** ★

2-2. 고속도로 건설공사를 위해 일단의 토지의 일부만 수용되고 남은 '잔여지'가 고속도로 접도구역으로 지정되어 가치가 하락한 것이 토지보상법 제73조 제1항의 잔여지 가격감소 손실보상의 대상이 되지 않는다(대판 2017. 7. 11, 2017두40860).

5. 이전비보상

이에 해당하는 것으로는 건축물 등에 대한 이전비보상이 있으며, 분묘에 대하여는 이장에 소요되는 비용 등을 산정하여 보상하여야 한다(토지보상법 제75조 제4항).

6. 영업손실의 보상

(1) 토지 등의 재산권의 수용에 부수하여 영업을 폐업하거나 휴업함에 따른 영업손실ⓐ은 영업이익과 시설의 이전비용 등을 고려하여 보상하여야 한다(토지보상법 제77조 제1항).**02**

(2) 재결절차를 거쳤는지 여부는 보상항목별로 판단하여야 한다(대판 2020. 4. 9, 2017두275). 보상항목이란 피보상자별로 어떤 토지, 물건, 권리 또는 영업이 손실보상대상에 해당하는지, 나아가 보상금액이 얼마인지를 심리판단하는 기초 단위를 말한다.

관련판례

편입토지 · 물건 보상, 지장물 보상, 잔여 토지 · 건축물 손실보상 또는 수용청구의 경우에는 원칙적으로 개별물건별로 하나의 보상항목이 되지만, 잔여 영업시설 손실보상을 포함하는 영업손실보상의 경우에는 '전체적으로 단일한 시설 일체로서의 영업' 자체가 보상항목이 된다(대판 2018. 7. 20, 2015두4044).

(3) 한편, 영업손실에 관한 보상에 있어서 영업의 폐업과 휴업은 당해 영업을 그 영업소 소재지나 인접 시 · 군 또는 구 지역 안의 다른 장소로 이전이 가능한지에 따라 구별한다는 것이 판례의 입장이다.

관련판례

1. 영업손실에 관한 보상에서 영업의 폐지(편저자 주 : 폐업)와 휴업의 구별기준은 실제로 이전하였는지가 아니라 영업을 다른 장소로 이전하는 것이 가능한지에 달려 있다.**03** 또한 이전 가능 여부는 법령상 이전장애사유 유무와 사실상의 이전장애사유 유무 등을 종합하여 판단함이 상당하다(대판 2001. 11. 13, 2000두1003).★★

2-1. 구 토지수용법 제51조가 규정하고 있는 '영업상의 손실'이란 수용의 대상이 된 토지 · 건물 등을 이용하여 영업을 하다가 그 토지 · 건물 등이 수용됨으로 인하여 영업을 할 수 없거나 제한을 받게 됨으로 인하여 생기는 직접적인 손실을 말하는 것이다.**04** ★★

2-2. 수용재결 이전의 사업인정고시 등 절차의 진행으로 입은 영업상의 손실은 손실보상의 대상이 되지 않는다(대판 2005. 7. 29, 2003두2311).ⓑ

3. 영업을 하기 위하여 투자한 비용이나 그 영업을 통하여 얻을 것으로 기대되는 이익은 손실보상의 대상이 아니다.★★
구 토지수용법 제51조의 규정은 영업을 하기 위하여 투자한 비용이나 그 영업을 통하여 얻을 것으로 기대되는 이익에 대한 손실보상의 근거규정이 될 수 없고, 그 외 관계법령에도 영업을 하기 위하여 투자한 비용이나 그 영업을 통하여 얻을 것으로 기대되는 이익에 대한 손실보상의 근거규정이나 그 보상의 기준과 방법 등에 관한 규정이 없으므로, 이러한 손실은 그 보상의 대상이 된다고 할 수 없다(대판 2006. 1. 27, 2003두13106).**05**

ⓐ 토지보상법 제77조가 규정하고 있는 '영업손실'이란 수용의 대상이 된 토지 등을 이용하여 영업을 하다가 그 토지 · 건물 등이 수용됨으로 인하여 영업을 할 수 없거나 제한을 받게 됨으로써 생기는 직접적인 손실, 즉 수용손실을 말하는 것으로 후술하는 간접손실인 영업손실과 구별된다.

ⓑ 수용재결 이전의 사업인정고시 등 절차의 진행으로 입은 손실은 수용의 대상이 된 토지 · 건물 등이 수용됨으로 인하여 생기는 직접적인 손실이 아니므로 손실보상의 대상이 될 수 없다는 것이 판례의 취지이다.

정답 01 ○ 02 ○ 03 × 04 ○ 05 ○

(4) 또한, 판례는 토지보상법상 공익사업에 해당하고 해당 공익사업으로 폐업하거나 휴업하게 된 것이어서 토지보상법령에서 정한 영업손실보상대상에 해당하면, 사업인정고시가 없더라도 영업손실을 보상할 의무가 있다고 한다.01

관련판례

〔지방자치단체가 전통시장 공영주차장 설치사업(공익사업)을 사업인정고시 없이 시행하면서 협의취득한 건물의 임차인들에게 영업손실보상을 하지 않자, 임차인들이 재산상 손해로서 영업손실보상 상당액과 정신적 손해에 대한 위자료를 함께 청구한 사건에서〕 **「공익사업을 위한 토지 등의 취득 및 보상에 관한 법률」(이하 '토지보상법')상 공익사업에 해당하지만 국토교통부장관의 사업인정고시가 없는 경우라도, 토지보상법상 영업손실보상에 관한 규정이 적용된다.**

사업인정고시는 수용재결절차로 나아가 강제적인 방식으로 토지소유자나 관계인의 권리를 취득 · 보상하기 위한 절차적 요건에 지나지 않고 영업손실보상의 요건이 아니다. 토지보상법령도 반드시 사업인정이나 수용이 전제되어야 영업손실보상의무가 발생한다고 규정하고 있지 않다. 따라서 피고가 시행하는 사업이 토지보상법상 공익사업에 해당하고 원고들의 영업이 해당 공익사업으로 폐업하거나 휴업하게 된 것이어서 토지보상법령에서 정한 영업손실보상대상에 해당하면, 사업인정고시가 없더라도 피고는 원고들에게 영업손실을 보상할 의무가 있다(대판 2021.11. 11, 2018다204022).02

7. 임금손실의 보상

영업을 폐업하거나 휴업함에 따라 **휴직하거나 실직하는 근로자**의 임금손실에 대하여는 **근로기준법**에 따른 **평균임금** 등을 고려하여 보상하여야 한다(토지보상법 제77조 제3항).03

> **기출 체크**
>
> □□□□□ **01** 사업인정고시는 수용재결절차로 나아가 강제적인 방식으로 토지소유자나 관계인의 권리를 취득 · 보상하기 위한 요건으로서 영업손실보상청구를 위해서는 반드시 사업인정이나 수용이 전제되어야 한다. (○, ×) 2023 소방간부
>
> □□□□□ **02** 사업인정고시는 수용재결절차로 나아가 강제적인 방식으로 토지소유자나 관계인의 권리를 취득 · 보상하기 위한 절차적 요건에 지나지 않고 영업손실보상의 요건이 아니므로, 사업시행자가 시행하는 사업이 공익사업에 해당하고 그 사업으로 인한 폐업이 영업손실보상대상에 해당한다면 사업인정고시가 없더라도 사업시행자는 영업손실을 보상할 의무가 있다. (○, ×) 2023 국가직 7급
>
> □□□□□ **03** 영업을 폐업하거나 휴업함에 따라 휴직하거나 실직하는 근로자의 임금손실에 대하여는 근로기준법에 따른 평균임금 등을 고려하여 보상하여야 한다. (○, ×)★ 2020 국회직 8급 변형
>
> □□□□□ **04** (손실보상에 관하여) 최근에는 재산권보상뿐만 아니라 생활보상의 개념도 등장하였다. (○, ×)★★★ 2014 서울시 9급

03 | 생활(권)보상

❶ 등장배경

종래 손실보상은 토지소유권을 중심으로 토지소유권의 상실과 그에 따라 발생하는 경제적 손실에 대한 보상을 그 내용으로 하고 있었다. 그러나 오늘날에는 댐, 공업단지 등 **대규모 공공사업**의 건설로 인해 단순한 토지소유권이 아닌 삶의 기본 터전 자체가 상실되는 경우가 발생하기 때문에 이에 대한 대책을 마련할 필요성이 제기되고 있다. 이와 관련하여 논의되는 것이 **생활보상**의 개념이다.04

❷ 법적 근거

1. 헌법적 근거

(1) 학 설

생활보상도 정당보상에 포함되는 것으로 보는 견해(헌법 제23조설), 생활보상은 경제적 약자를 위한 생존배려적인 것으로서 인간다운 생활을 할 권리를 규정하는 헌법 제34조에 근거하여 인정되는 것으로 보는 견해(헌법 제34조설), 생활보상은 헌법 제23조 제3항과 제34조에 동시에 근거하는 것으로 보는 견해(헌법 제23 · 34조 결합설)의 대립이 있다.

정답 01 × 02 ○ 03 ○ 04 ○

기출 체크

□□□□□ **01** 이주대책은 생활보상의 일환으로 국가의 적극적이고 정책적인 배려에 의하여 마련된 제도이다. (○, ×) ★★★
2020 국회직 8급

□□□□□ **02** 「공익사업을 위한 토지 등의 취득 및 보상에 관한 법률」상 이주대책은 이주대책대상자들에 대하여 종전의 생활상태를 원상으로 회복시키면서 동시에 인간다운 생활을 보장하여 주기 위한 생활보상의 일환이다. (○, ×) ★★★
2014 사회복지직 9급

헌법 제23조 제3항에 따른 '정당한 보상' 포함 여부

구 분	이주대책	생활대책
대법원	포함되지 않음.	포함됨.
헌법재판소	모두 포함되지 않음.	

정답 01 ○ 02 ○

(2) 판 례

① 헌법재판소

생활보상의 하나인 이주대책은 공공필요에 의하여 재산권을 수용당한 국민이 당연히 국가에 대하여 갖는 공법상의 권리인 손실보상청구권과는 다른 개념으로 헌법 제23조 제3항에서 말하는 정당한 보상에 해당하지 않는다고 판시한 바 있다. 또한 생활대책도 헌법 제23조 제3항에서 말하는 정당한 보상에 포함되기 어렵다고 판시한 바 있다(p.672 참조).

② 대법원

주거용 건축물의 세입자에 대한 주거이전비와 이사비는 사회보장적 성격의 금원으로 보면서도, 생활대책은 헌법 제23조 제3항에 따른 '정당한 보상'에 포함되는 것으로 보아야 한다고 판시한 바 있다(p.672 참조).

관련판례

1. **이주대책은 헌법 제23조 제3항에 규정된 정당한 보상에 포함되는 것이라기보다는 생활보상의 일환으로서 국가의 적극적이고 정책적인 배려에 의하여 마련된 제도라고 볼 것이다.01 ★★★**
   이주대책은 공익사업의 시행에 필요한 토지 등을 제공함으로 인하여 생활의 근거를 상실하게 되는 이주대책대상자들에게 종전 생활상태를 원상으로 회복시키면서 동시에 인간다운 생활을 보장하여 주기 위하여 마련된 제도이다(헌재 2006. 2. 23, 2004헌마19).**02**

2. **공익사업의 시행으로 인하여 이주하는 주거용 건축물의 세입자에게 지급되는 주거이전비와 이사비는 사회보장적인 차원에서 지급하는 금원의 성격을 갖는다**(대판 2006. 4. 27, 2006두2435).

2. 법률적 근거

토지보상법과 동법 시행규칙에서는 생활보상의 내용에 대해 규정하고 있는데, 그 예로는 이주정착금 지급, 세입자에 대한 주거이전비의 지급 등을 들 수 있다.

❸ 법적 성질

1. 생존권의 보장수단

생활보상은 단순한 재산권의 보장에만 그치는 것이 아니라 생존권의 보장이자 사회국가원리 실현수단의 성질도 가진다.

2. 원상회복적 성격

생활보상은 공용침해 이전의 생활상태를 회복하는 것을 목적으로 한다는 점에서 원상회복적인 성격을 가진다.

❹ 생활보상의 내용

생활보상은 그 대표적인 내용으로 이주대책 및 이주정착금의 지급이 있으며, 그 외 토지보상법령상으로 주거이전비의 지급, 영세민을 보호하기 위한 이농비 보상, 개별법상으로는 고용(「산업입지 및 개발에 관한 법률」 제36조 제2항), 직업훈련의 실시(「댐건설 및 주변지역지원 등에 관한 법률」) 등이 있으며 기타 생활대책용지의 공급과 같이 공익사업 시행 이전과 같은 경제수준을 유지할 수 있도록 하는 내용의 생활대책이 논의된다.

1. 이주대책

(1) 의 의

이주대책이란 공익사업의 시행으로 인하여 주거용 건축물을 제공함에 따라 생활의 근거를 상실하게 되는 자를 종전과 같은 생활상태를 유지할 수 있도록 다른 지역으로 이주시키는 것을 말한다.❶ 이주대책으로는 집단이주, 특별분양, 아파트수분양권의 부여 등을 들 수 있는바, 판례는 이러한 이주대책을 생활보상의 일종으로 보고 있다.㉠

(2) 이주대책수립의무

① 토지보상법에 따르면 사업시행자에게 이주대책의 수립 · 실시의무를 규정하고 있으므로 이는 법적인 의무로서,01 이주대책은 국토교통부령이 정하는 부득이한 사유ⓐ가 있는 경우를 제외하고는 이주대책대상자 중 이주정착지에 이주를 희망하는 자가 10호 이상인 경우에 수립 · 실시한다(토지보상법 시행령 제40조 제2항).02

② 이주대책을 규정하고 있는 조문의 취지를 고려할 때 이주대책을 규정하고 있는 토지보상법 제78조는 그 적용을 배제할 수 없는 강행법규라는 것이 판례의 입장이다.

③ 헌법재판소는 이주대책은 국가의 정책적인 배려에 의해 마련된 제도로서 이주대책의 실시 여부는 '입법자'의 입법정책적 재량에 속하므로, 토지보상법 시행령에서 세입자를 이주대책의 대상자에서 제외하는 것이 세입자의 재산권을 침해하는 것이 아니라고 본다.

관련판례

1. **사업시행자의 이주대책 수립 · 실시의무를 정하고 있는 구 「공익사업을 위한 토지 등의 취득 및 보상에 관한 법률」 제78조 제1항과 이주대책의 내용을 정하고 있는 같은 조 제4항 본문은 당사자의 합의 또는 사업시행자의 재량에 의하여 적용을 배제할 수 없는 강행법규이다.03 ★★**

   위 법에 의한 이주대책은 공익사업의 시행에 필요한 토지 등을 제공함으로 인하여 생활의 근거를 상실하게 되는 이주대책대상자들에게 종전 생활상태를 원상으로 회복시키면서 동시에 인간다운 생활을 보장하여 주기 위하여 마련된 제도이므로, 사업시행자의 이주대책 수립 · 실시의무를 정하고 있는 구 토지보상법 제78조 제1항은 물론 이주대책의 내용에 관하여 규정하고 있는 같은 조 제4항 본문 역시 당사자의 합의 또는 사업시행자의 재량에 의하여 적용을 배제할 수 없는 강행법규이다(대판 2011. 6. 23, 2007다63089 · 63096 전합).

2. **공익사업의 시행자가 이주대책대상자와 체결한 택지에 관한 특별공급계약에서 구 「공익사업을 위한 토지 등의 취득 및 보상에 관한 법률」 제78조 제4항에 규정된 생활기본시설 설치비용을 이주대책대상자가 부담할 분양대금에 포함시킨 경우, 그 부분은 강행법규에 위배되어 무효가 된다.**

   이주대책대상자와 공익사업의 시행자 사이에 체결된 택지에 관한 특별공급계약에서 구 「공익사업을 위한 토지 등의 취득 및 보상에 관한 법률」 제78조 제4항에 규정된 생활기본시설 설치비용을 분양대금에 포함시킴으로써 이주대책대상자가 생활기본시설 설치비용까지 사업시행자에게 지급하게 되었다면, 특별공급계약 중 생활기본시설 설치비용을 분양대금에 포함시킨 부분은 강행법규인 구 「공익사업을 위한 토지 등의 취득 및 보상에 관한 법률」 제78조 제4항에 위배되어 무효이다(대판 2019. 3. 28, 2015다49804).

3-1. **이주대책의 실시 여부는 '입법자'의 입법정책적 재량의 영역에 속한다.04 ★★**

3-2. **「공익사업을 위한 토지 등의 취득 및 보상에 관한 법률 시행령」 제40조 제3항 제3호가 이주대책의 대상자에서 세입자를 제외하고 있는 것은 세입자의 재산권을 침해하지 않는다.05 06 07 ★★**

   이주대책은 헌법 제23조 제3항에 규정된 정당한 보상에 포함되는 것이라기보다는 이에 부가하여 이주자들에게 종전의 생활상태를 회복시키기 위한 생활보상의 일환으로서 국가의 정책적인 배려에 의하여 마련된 제도라고 볼 것이다. 따라서 이주대책의 실시 여부는 입법자의 입법정책적 재량의 영역에 속하므로 「공익사업을 위한 토지 등의 취득 및 보상에 관한 법률 시행령」 제40조 제3항 제3호(이하 '이 사건 조항'이라 한다)가 이주대책의 대상자에서 세입자를 제외하고 있는 것이 세입자의 재산권을 침해하는 것이라 볼 수 없다(헌재 2006. 2. 23, 2004헌마19).

기출 체크

□□□□□ **01** 이주대책은 인간다운 생활을 보장하여 주기 위한 사회보장적 차원의 급부로서 공익사업시행자의 법적 의무는 아니다. (○, ×) ★★ 2009 국회직 8급

□□□□□ **02** 이주대책의 수립의무자는 사업시행자이며, 법령에서 정한 일정한 경우 이주대책을 수립할 의무가 있다. (○, ×) ★ 2020 국회직 8급

□□□□□ **03** 사업시행자의 이주대책 수립 · 실시의무 및 이주대책의 내용에 관한 규정은 당사자의 합의 또는 사업시행자의 재량에 의하여 적용을 배제할 수 없는 강행법규이다. (○, ×) ★★ 2020 국가직 7급

□□□□□ **04** 이주대책은 이주자들에게 종전의 생활상태를 회복시키기 위한 생활보상의 일환으로서 국가의 정책적인 배려에 의하여 마련된 제도이므로, 이주대책의 실시 여부는 입법자의 입법정책적 재량의 영역에 속한다. (○, ×) ★★ 2017 국가직(하) 9급

□□□□□ **05** 「공익사업을 위한 토지 등의 취득 및 보상에 관한 법률 시행령」에서 이주대책의 대상자에서 세입자를 제외하고 있는 것이 세입자의 재산권을 침해하는 것이라 볼 수 없다. (○, ×) ★★ 2022 군무원 9급

□□□□□ **06** 헌법재판소는 헌법 제23조 제3항의 정당한 보상에 세입자의 이주대책까지 포함된다고 본다. (○, ×) ★★ 2018 교육행정직 9급

□□□□□ **07** 세입자를 이주대책대상자에서 제외하는 것은 세입자의 평등권과 재산권을 침해한다. (○, ×) ★★ 2011 사회복지직 9급

❶ 「공익사업을 위한 토지 등의 취득 및 보상에 관한 법률」 제78조 【이주대책의 수립 등】 ① 사업시행자는 공익사업의 시행으로 인하여 주거용 건축물을 제공함에 따라 생활의 근거를 상실하게 되는 자(이하 '이주대책대상자'라 한다)를 위하여 대통령령이 정하는 바에 따라 이주대책을 수립 · 실시하거나 이주정착금을 지급하여야 한다.

판례 | ㉠ 구 「공공용지의 취득 및 손실보상에 관한 특례법」 제8조 제1항 소정의 '이주대책'은 생활보상의 일환이다(대판 2003. 7. 25, 2001다57778).

ⓐ **국토교통부령이 정하는 부득이한 사유**
1. 공익사업시행지구의 인근에 택지 조성에 적합한 토지가 없는 경우
2. 이주대책에 필요한 비용이 당해 공익사업의 본래의 목적을 위한 소요비용을 초과하는 등 이주대책의 수립 · 실시로 인하여 당해 공익사업의 시행이 사실상 곤란하게 되는 경우

정답 01 × 02 ○ 03 ○ 04 ○ 05 ○ 06 × 07 ×

기출 체크

□□□□□ **01** '공익사업을 위한 관계 법령에 의한 고시 등이 있은 날' 당시 주거용 건물이 아니었던 건물이 그 이후에 주거용으로 불법 용도변경된 경우에도 이주대책대상이 되는 주거용 건축물이 될 수 있다. (○, ×) ★★ 2011 사회복지직 9급

□□□□□ **02** (「공익사업을 위한 토지 등의 취득 및 보상에 관한 법률」상) 해당 공익사업의 성격, 구체적인 경위나 내용, 원만한 시행을 위한 필요 등 제반 사정을 고려하여, 사업시행자는 법이 정한 이주대책대상자를 포함하여 그 밖의 이해관계인에게까지 넓혀 이주대책 수립 등을 시행할 수 있다. (○, ×) ★ 2018 지방직 7급

□□□□□ **03** 「공익사업을 위한 토지 등의 취득 및 보상에 관한 법률」상 행정청이 아닌 사업시행자가 이주대책을 수립 · 실시하는 경우에 이주정착지에 대한 도로 등 통상적인 생활기본시설에 필요한 비용은 지방자치단체가 부담하여야 한다. (○, ×) 2015 지방직 9급

(3) 이주대책수립자

이주대책을 수립하는 자는 사업시행자인데, 사업시행자가 이주대책을 수립하고자 하는 때에는 미리 관할 지방자치단체의 장과 협의하여야 한다.

(4) 이주대책대상자

① 법규정의 내용

토지보상법상 이주대책대상자는 '공익사업의 시행으로 인하여 주거용 건축물을 제공함에 따라 생활의 근거를 상실하게 되는 자'(토지보상법 제78조 제1항) 및 '대통령령으로 정하는 공익사업의 시행으로 공장을 이전하는 자'(토지보상법 제78조의2)이다.

관련판례

(군인아파트의 관리실 용도로 신축되어 택지개발예정지구지정 공람공고일 당시까지도 관리실로 사용하다가 그 후에 주거용으로 개조한 건물은 이주대책대상이 되는 주거용 건축물에 해당하지 않는다고 판시하면서) **「공익사업을 위한 토지 등의 취득 및 보상에 관한 법률 시행령」 제40조 제3항 제2호의 '공익사업을 위한 관계법령에 의한 고시 등이 있은 날' 당시 주거용 건물이 아니었던 건물이 그 후 주거용으로 용도변경된 경우, 이주대책대상이 되는 주거용 건축물이 아니다**(대판 2009. 2. 26, 2007두13340). **01** ★★

② 법상 제외되는 자[a]

㉠ 허가를 받거나 신고를 하고 건축하여야 하는 건축물을 허가를 받지 아니하거나 신고를 하지 아니하고 건축한 건축물의 소유자

㉡ 타인이 소유하고 있는 건축물에 거주하는 **세입자**(토지보상법 시행령 제40조 제5항)

③ 세입자의 경우

사업시행자는 법상 이주대책대상자가 아닌 세입자도 **임의로 이주대책대상자에 포함시킬 수 있다.** 이주대책의 수립에 의해 이주대책대상자에 포함된 세입자 등은 영구임대주택 입주권 등 **이주대책을 청구할 권리를 가지며 이를 거부한 것은 거부처분**이 된다(대판 1994. 2. 25, 93누15120).

관련판례

「공익사업을 위한 토지 등의 취득 및 보상에 관한 법률」 및 「공익사업을 위한 토지 등의 취득 및 보상에 관한 법률 시행령」이 공익사업의 시행으로 인하여 주거용 건축물을 제공함에 따라 생활의 근거를 상실하게 되는 자의 범위를 정하고 이주대책대상자에게 시행할 이주대책 수립·실시 또는 이주정착금의 지급의 내용에 관하여 구체적으로 규정하고 있으므로, 사업시행자는 법이 정한 이주대책대상자를 법령이 예정하고 있는 이주대책 수립 등의 대상에서 임의로 제외해서는 아니 된다. 그렇지만 규정 취지가 사업시행자가 시행하는 이주대책 수립 등의 대상자를 법이 정한 이주대책대상자로 한정하는 것은 아니므로, 사업시행자는 해당 공익사업의 성격, 구체적인 경위나 내용, 원만한 시행을 위한 필요 등 제반 사정을 고려하여 법이 정한 이주대책대상자를 포함하여 그 밖의 이해관계인에게까지 넓혀 이주대책 수립 등을 시행할 수 있다(대판 2015. 7. 23, 2012두22911). **02** ★

(5) 이주대책의 내용

① 이주대책의 내용에는 이주정착지에 대한 도로, 급수시설, 배수시설, 그 밖의 공공시설 등 통상적인 수준의 생활기본시설이 포함되어야 하며, **이에 필요한 비용은 사업시행자가 부담한다. 03 다만, 행정청이 아닌 사업시행자가 이주대책을 수립 · 실시하는 경우에 지방자치단체는 비용의 일부를 보조할 수 있다**(토지보상법 제78조 제4항).

② 사업시행자는 법령에서 정한 일정한 경우 **이주대책을 수립할 의무**를 지지만, 이주대책의 '내용결

● 이주대책
- 이주대책은 생활보상의 일종으로 원상회복적 성격을 가진다.
- 재개발사업의 경우에도 이주대책을 수립하여야 한다.
- 사업시행자는 이주대책의 내용결정에서는 재량권을 가진다.
- 이주대책수립자는 사업시행자이다.
- 세입자는 원칙적으로 법률상 이주대책대상자가 아니다.

[a] 당해 건축물에 공익사업을 위한 관계법령에 의한 고시 등이 있는 날부터 계약체결일 또는 수용재결일까지 계속하여 거주하고 있지 아니한 건축물의 소유자도 이주대책대상에서 제외된다. 다만, 질병으로 인한 요양, 징집으로 인한 입영, 공무, 취학, 그 밖에 이에 준하는 부득이한 사유로 인하여 거주하지 아니한 경우에는 제외되지 않는다.

- 사업시행자 : 이주대책
  - 수립 ⇨ 의무
  - 내용결정 ⇨ 재량
- 입법자 : 이주대책 실시 여부 ⇨ 재량

정답 01 × 02 ○ 03 ×

정'에 있어서는 법령에 의해 정해진 것을 제외하고는 재량권을 가지므로01 사업시행자는 이주대책 기준을 설정할 재량이 있다는 것이 판례의 입장이다.

관련판례

1. 도시개발사업의 사업시행자는 이주대책기준을 정하여 이주대책대상자 가운데 이주대책을 수립·실시하여야 할 자를 선정하여 그들에게 공급할 택지 등을 정하는 데 재량을 가진다(대판 2009. 3. 12, 2008두12610).02 ★★
2. 아파트특별공급대상자를 무주택세대주로 제한한 것은 재량권을 일탈·남용한 것이 아니다.
   도시계획사업에 따른 이주대책으로 주택을 특별공급하면서 「주택공급에 관한 규칙」 등에 따라 무주택세대주에 한하여 특별공급대상자로 결정한 것이 적법하며 아파트특별공급대상자를 특별공급신청일 현재 무주택세대주로 제한한 것이 재량권을 일탈·남용하였다고 볼 수 없다(대판 2006. 4. 28, 2004두978).

(6) 이주자의 법적 지위

이주자는 택지분양권이나 아파트입주권 등을 받을 수 있는 수분양권(受分讓權)을 취득하는데, 이 권리의 취득시기가 문제된다.

① 이주대책대상자의 수분양권 등 특정한 실체법상의 권리취득시기

이에 대해 판례는 이주대책계획수립시가 아닌 이주대책계획수립 후 이주자가 이주대책대상자 선정을 신청하고 사업시행자가 이를 받아들여 이주대책대상자로 확인·결정하여야 비로소 수분양권이 발생한다고 본다. 이러한 이주대책대상자 확인·결정은 항고소송의 대상이 되는 처분이다.

관련판례

1. 구 「공공용지의 취득 및 손실보상에 관한 특례법」 제8조 제1항(현 토지보상법 제78조)에 의하여 이주자에게 이주대책상의 택지분양권이나 아파트입주권 등을 받을 수 있는 구체적인 권리(수분양권)가 직접 발생하는 것이 아니라03 사업시행자가 이주대책대상자로 확인·결정하여야만 비로소 구체적인 수분양권이 발생하게 된다(대판 1994. 5. 24, 92다35783 전합).04 05 ★★★
2. 「공익사업을 위한 토지 등의 취득 및 보상에 관한 법률」상의 공익사업시행자가 하는 이주대책대상자 확인·결정의 법적 성질은 행정처분으로서 이에 대한 쟁송방법은 항고소송이다(대판 2014. 2. 27, 2013두10885).06 ★★★

② 이주대책대상자 선정신청에 대한 거부

판례와 같이 확인·결정시설에 따르면 이주대책대상자 선정신청에 대한 거부는 처분이 되므로 이에 대하여 취소소송을 제기하고 응답이 없는 경우에는 부작위위법확인소송을 제기하여야 한다.

2. 이주정착금의 지급

사업시행자는 ① 이주대책을 수립·실시하지 아니하는 경우, ② 이주대책대상자가 이주정착지가 아닌 다른 지역으로 이주하고자 하는 경우 등에는 이주대책대상자에게 국토교통부령이 정하는 바에 따라 이주정착금을 지급하여야 한다(토지보상법 시행령 제41조).07 ❶

3. 주거이전비의 지급

(1) 주거용 건물의 거주자에 대하여는 주거이전에 필요한 비용과 가재도구 등 동산의 운반에 필요한 비용을 산정하여 보상하여야 한다(토지보상법 제78조 제6항).

(2) 판례는 세입자의 주거이전비 보상청구권은 공법상의 권리로 보아 그 보상과 관련한 소송은 행정소송

기출 체크

□□□□□ **01** 사업시행자는 이주대책을 수립할 의무를 질 뿐, 그 내용결정에 있어서 재량권을 갖는 것은 아니다. (○, ×) ★★ 2010 지방직 7급

□□□□□ **02** 도시개발사업의 사업시행자가 이주대책기준을 정하여 이주대책대상자 가운데 이주대책을 수립·실시하여야 할 자를 선정하여 그들에게 공급할 택지 등을 정할 때는 재량권을 갖는다. (○, ×) ★★ 2020 국회직 8급

□□□□□ **03** 이주대책은 이른바 생활보상에 해당하는 것으로서 헌법 제23조 제3항이 규정하는 손실보상의 한 형태로 보아야 하므로, 법률이 사업시행자에게 이주대책의 수립·실시의무를 부과하였다면 이로부터 사업시행자가 수립한 이주대책상의 택지분양권 등의 구체적 권리가 이주자에게 직접 발생한다. (○, ×) ★★★ 2019 국가직 7급

□□□□□ **04** 구 「공공용지의 취득 및 손실보상에 관한 특례법」상 사업시행자가 이주대책을 수립하여 이주대책에서 정한 절차에 따라 이주대책대상자로 확인·결정하여야만 이주자에게 비로소 구체적인 수분양권이 발생한다. (○, ×) ★★★ 2024 소방간부

□□□□□ **05** 사업시행자가 이주대책에 관한 구체적인 계획을 수립하여 이를 해당자에게 통지 내지 공고하게 되면 이주대책대상자에게 구체적인 수분양권이 발생하게 된다. (○, ×) ★★★ 2021 국회직 8급

□□□□□ **06** 「공익사업을 위한 토지 등의 취득 및 보상에 관한 법률」상 공익사업시행자가 하는 이주대책대상자 확인·결정(은 행정소송의 대상인 행정처분에 해당한다) (○, ×) ★★★ 2017 국가직(하) 9급

□□□□□ **07** 사업시행자는 이주대책을 수립·실시하지 아니하는 경우 또는 이주대책대상자가 이주정착지가 아닌 다른 지역으로 이주하고자 하는 경우에는 이주대책대상자에게 이주정착금을 지급하여야 한다. (○, ×) ★ 2010 지방직 7급

❶ 「공익사업을 위한 토지 등의 취득 및 보상에 관한 법률 시행령」 제41조 【이주정착금의 지급】 사업시행자는 법 제78조 제1항에 따라 다음 각 호의 어느 하나에 해당하는 경우에는 이주대책대상자에게 국토교통부령이 정하는 바에 따라 이주정착금을 지급하여야 한다.
1. 이주대책을 수립·실시하지 아니하는 경우
2. 이주대책대상자가 이주정착지가 아닌 다른 지역으로 이주하려는 경우

정답 01 × 02 ○ 03 × 04 ○ 05 × 06 ○ 07 ○

이라고 판시한 바 있다(대판 2008. 5. 29, 2007다8129).01

4. 이농비 · 이어비 보상

공익사업의 시행으로 인하여 영위하던 농 · 어업을 계속할 수 없게 되어 다른 지역으로 이주하는 농 · 어민이 지급받을 보상금이 없거나 그 총액이 국토교통부령으로 정하는 금액에 미치지 못하는 경우에는 그 금액 또는 그 차액을 보상하여야 한다(토지보상법 제78조 제7항).

5. 생활대책

생활대책용지의 공급과 같이 공익사업 시행 이전과 같은 경제수준을 유지할 수 있도록 하는 내용의 생활대책도 생활보상의 개념에 포함될 수 있으나 이와 관련하여 토지보상법에서는 명문규정을 두고 있지는 않다. 대법원은 사업시행자가 스스로 생활대책을 수립하는 경우 생활대책 역시 헌법 제23조 제3항의 정당한 보상에 포함되는 것으로 보아야 한다고 판시한 바 있다. 다만, 헌법재판소는 생활대책은 헌법 제23조 제3항에 규정된 정당한 보상에 포함되는 것이라기보다는 생활보상의 일환으로서 국가의 정책적인 배려에 의하여 마련된 제도로 보고 있다.

관련판례

1-1. **생활대책에 관한 분명한 근거규정을 두고 있지는 않으나, 생활대책을 수립 · 실시할 수 있도록 하는 내부규정을 두고 있고 내부규정에 따라 생활대책대상자 선정기준을 마련하여 생활대책을 수립 · 실시하는 경우 이러한 생활대책 역시 헌법 제23조 제3항에 따른 정당한 보상에 포함되는 것으로 보아야 한다. – 대법원**

1-2. (사업시행자 스스로 공익사업의 원활한 시행을 위하여 생활대책을 수립 · 실시할 수 있도록 하는 내부규정을 두고 이에 따라 생활대책대상자 선정기준을 마련하여 생활대책을 수립 · 실시하는 경우 생활대책대상자 선정기준에 해당하는 자는 사업시행자에게 생활대책대상자 선정 여부의 확인 · 결정을 신청할 수 있는 권리를 가지는 것이어서) **생활대책대상자 선정기준에 해당하는 자가 자신을 생활대책대상자에서 제외하거나 선정을 거부한 사업시행자를 상대로 항고소송을 제기할 수 있다.02 03 04 ★★**
생활대책에 관한 분명한 근거규정을 두고 있지는 않으나, 사업시행자 스스로 공익사업의 원활한 시행을 위하여 필요하다고 인정함으로써 생활대책을 수립 · 실시할 수 있도록 하는 내부규정을 두고 있고 내부규정에 따라 생활대책대상자 선정기준을 마련하여 생활대책을 수립 · 실시하는 경우에는, 이러한 생활대책 역시 "공공필요에 의한 재산권의 수용 · 사용 또는 제한 및 그에 대한 보상은 법률로써 하되, 정당한 보상을 지급하여야 한다."고 규정하고 있는 헌법 제23조 제3항에 따른 정당한 보상에 포함되는 것으로 보아야 한다(대판 2011. 10. 13, 2008두17905).

2. 한국토지주택공사가 택지개발사업의 시행자로서 일정 기준을 충족하는 손실보상대상자들에 대하여 생활대책을 수립 · 시행하였는데, 직권으로 甲 등이 생활대책대상자에 해당하지 않는다는 결정을 하고, 甲 등의 이의신청에 대하여 재심사결과로도 생활대책대상자로 선정되지 않았다는 통보를 한 사안에서, 그 재심사결과통보는 독립한 행정처분으로서 항고소송의 대상이 된다(대판 2016. 7. 14, 2015두58645).

3. **생활대책은 헌법 제23조 제3항에 규정된 정당한 보상에 포함되는 것이라기보다는 생활보상의 일환으로서 국가의 정책적인 배려에 의하여 마련된 제도이다. – 헌법재판소 05 ★★**
'생업의 근거를 상실하게 된 자에 대하여 일정 규모의 상업용지 또는 상가분양권 등을 공급하는' 생활대책은 헌법 제23조 제3항에 규정된 정당한 보상에 포함되는 것이라기보다는 생활보상의 일환으로서 국가의 정책적인 배려에 의하여 마련된 제도이므로, 그 실시 여부는 입법자의 입법정책적 재량의 영역에 속한다. 이 사건 법률조항이 공익사업의 시행으로 인하여 농업 등을 계속할 수 없게 되어 이주하는 농민 등에 대한 생활대책 수립의무를 규정하고 있지 않다는 것만으로 재산권을 침해한다고 볼 수 없다(헌재 2013. 7. 25, 2012헌바71).

기출 체크

□□□□□ **01** 「공익사업을 위한 토지 등의 취득 및 보상에 관한 법률」상 주거용 건축물 세입자의 주거이전비 보상청구권은 사법상의 권리이고, 주거이전비 보상청구소송은 민사소송에 의해야 한다.
(○, ×) ★★★ 2019 국가직 7급

□□□□□ **02** 사업시행자 스스로 공익사업의 원활한 시행을 위하여 생활대책을 수립 · 실시할 수 있도록 하는 내부규정을 두고 이에 따라 생활대책대상자 선정기준을 마련하여 생활대책을 수립 · 실시하는 경우, 생활대책대상자 선정기준에 해당하는 자기 자신을 생활대책대상자에서 제외하거나 선정을 거부한 사업시행자를 상대로 항고소송을 제기할 수 있다.
(○, ×) ★★ 2022 군무원 9급

□□□□□ **03** 사업시행자 스스로 생활대책을 수립 · 실시하는 경우, 이는 내부적인 기준에 불과하므로 생활대책대상자 선정기준에 해당하는 자는 사업시행자에게 생활대책대상자 선정 여부의 확인 · 결정을 신청할 수 있는 권리를 갖지 못한다.
(○, ×) ★★ 2015 국회직 8급

□□□□□ **04** 생활대책대상자 선정기준에 해당하는 자는 자신을 생활대책대상자에서 제외하거나 선정을 거부한 사업시행자를 상대로 항고소송을 제기할 수 있다. (○, ×) ★★ 2015 국회직 8급

□□□□□ **05** 헌법재판소는 생업의 근거를 상실하게 된 자에 대하여 일정 규모의 상업용지 또는 상가분양권 등을 공급하는 생활대책이 헌법 제23조 제3항이 규정하는 정당한 보상에 포함된다고 결정하였다. (○, ×) ★★ 2014 지방직 9급

정신적 보상
현행법은 보상대상을 재산권에 한정하고 있기 때문에 우리의 공동사회에 전통적으로 존재하는 일종의 무형재산은 무시하는 결과를 초래한다. 따라서 이에 대한 적절한 보상방안이 강구되어야 할 것이나 현행법상으로는 특별한 규정이 없다.

정답 01 × 02 ○ 03 × 04 ○ 05 ×

04 | 사업손실(간접손실)의 보상

❶ 의 의

사업손실보상(간접손실)은 공공사업의 시행 또는 완성 후의 시설이 간접적으로 사업지 밖의 타인의 재산권에 가하는 손실을 의미한다. 간접손실도 공익사업이 원인이 되어 발생한 것이므로 특별한 희생에 해당하는 경우에는 공적 부담 앞의 평등원칙상 보상하여야 한다.

❷ 법적 근거

1. 판례는 간접손실을 헌법 제23조 제3항에서 규정한 손실보상의 대상이 된다고 보고 있으며, 토지보상법과 동법 시행규칙에서는 간접손실에 관한 내용을 규정하고 있다.
2. 토지보상법 제79조 제2항은 "공익사업이 시행되는 지역 밖에 있는 토지 등이 공익사업의 시행으로 인하여 본래의 기능을 다할 수 없게 되는 경우에는 국토교통부령으로 정하는 바에 따라 그 손실을 보상하여야 한다."라고 간접손실보상의 원칙을 규정하고 있다.

❸ 요 건

한편 간접손실보상이 인정되기 위하여는 간접손실이 발생하여야 하고, 당해 간접손실이 특별한 희생이 되어야 한다.

관련판례

간접적인 영업손실도 일정한 요건을 갖춘 경우 특별한 희생이 되어 헌법 제23조 제3항에 규정한 손실보상의 대상이 된다.01 ★★

간접적인 영업손실이라고 하더라도 피침해자인 수산업협동조합이 공공의 이익을 위하여 당연히 수인하여야 할 재산권에 대한 제한의 범위를 넘어 수산업협동조합의 위탁판매사업으로 얻고 있는 영업상의 재산이익을 본질적으로 침해하는 특별한 희생에 해당하고, 사업시행자는 공유수면매립면허 고시 당시 그 매립사업으로 인하여 위와 같은 영업손실이 발생한다는 것을 상당히 확실하게 예측할 수 있었고 그 손실의 범위도 구체적으로 확정할 수 있으므로, 위 위탁판매수수료 수입손실은 헌법 제23조 제3항에 규정한 손실보상의 대상이 되고 …… (대판 1999. 10. 8, 99다27231)02

❹ 토지보상법 시행규칙상의 간접손실보상의 내용

토지보상법 시행규칙은 제59조 이하에서 간접보상을 유형화하여 열거 · 규정하고 있다. 그 내용으로는 공익사업시행지구 밖의 대지 등에 대한 보상(동법 시행규칙 제59조), 공익사업시행지구 밖의 건축물에 대한 보상(동법 시행규칙 제60조), 공익사업시행지구 밖의 영업손실에 대한 보상(동법 시행규칙 제64조) 등을 들 수 있다.

관련판례

1. 공익사업인 고속철도 건설사업 시행 후의 고속철도 운행에 따른 소음, 진동 등으로 인하여 고속철도 인근에서 양잠업을 영위하던 원고에게 발생한 손실에 관하여 「공익사업을 위한 토지 등의 취득 및 보상에 관한 법률」(이하 '토지보상법'이라고 한다) 관련규정에 따라 손실보상청구를 할 수 있다.
2. 「공익사업을 위한 토지 등의 취득 및 보상에 관한 법률 시행규칙」 제64조 제1항 제2호에서 정한 공익사업시행지구 밖 영업손실보상의 요건인 '공익사업의 시행으로 인한 그 밖의 부득이한 사유로 일정 기간 동안 휴업이 불가피한 경우'에 공익사업의 시행 결과로 휴업이 불가피한 경우도 포함된다.

기출 체크

□□□□□ 01 간접적 영업손실은 특별한 희생이 될 수 없다. (○, ×) ★★ 2019 사회복지직 9급

□□□□□ 02 공유수면매립으로 인하여 위탁판매수수료 수입을 상실한 수산업협동조합에 대해서는 법률의 보상규정이 없더라도 손실보상의 대상이 된다. (○, ×) ★★ 2021 군무원 7급

판례 | 요건이 충족되지 않아 간접손실청구가 부정된 판례

1. 하굿둑 공사의 시행으로 인해 참게 축양업자가 입은 간접손실에 대한 손실보상청구권은 인정할 수 없다(대판 1998. 1. 20, 95다29161).
2. (관계법령이 요구하는 허가나 신고 없이 김양식장을 배후지로 하여 김종묘생산어업에 종사하던 자들의 간접손실 청구를 부정하면서) 손실의 예견가능성이 없고, 그 손실의 범위도 구체적으로 특정하기 어려운 경우 「공공용지의 취득 및 손실보상에 관한 특례법 시행규칙」상의 손실보상에 관한 규정을 유추적용할 수 없다(대판 2002. 11. 26, 2001다44352).

정답 01 × 02 ○

기출 체크

□□□□□ 01 공공사업 시행으로 사업시행지 밖에서 발생한 간접손실은 손실발생을 쉽게 예견할 수 있고 손실범위도 구체적으로 특정할 수 있더라도, 사업시행자와 협의가 이루어지지 않고 그 보상에 관한 명문의 근거법령이 없는 경우에는 보상의 대상이 아니다. (○, ×) ★★

2019 국가직 7급

□□□□□ 02 공공사업의 시행으로 인하여 사업지구 밖에서 수산제조업에 대한 간접손실이 발생하리라는 것을 쉽게 예견할 수 있고 그 손실의 범위도 구체적으로 특정할 수 있는 경우라면, 그 손실의 보상에 관하여 구 「공공용지의 취득 및 손실보상에 관한 특례법 시행규칙」의 간접보상 규정을 유추적용할 수 있다. (○, ×) ★★

2015 국회직 8급

□□□□□ 03 수산업협동조합이 관계법령에 의하여 대상지역에서의 독점적 지위가 부여되어 있던 위탁판매사업을 공유수면매립으로 인해 중단하게 되어 입은 위탁판매수수료 수입손실에 대하여 판례는 보상을 인정한 바 있다. (○, ×) ★★

2006 국회직 8급

정답 01 × 02 ○ 03 ○

3. 실질적으로 같은 내용의 손해에 관하여 「공익사업을 위한 토지 등의 취득 및 보상에 관한 법률」 제79조 제2항에 따른 손실보상과 환경정책기본법 제44조 제1항에 따른 손해배상청구권이 동시에 성립하는 경우, 영업자가 두 청구권을 동시에 행사할 수 없다.

(1) 공익사업시행지구 밖 영업손실보상의 요건인 '공익사업의 시행으로 인한 그 밖의 부득이한 사유로 일정 기간 동안 휴업이 불가피한 경우'란 공익사업의 시행 또는 시행 당시 발생한 사유로 휴업이 불가피한 경우만을 의미하는 것이 아니라 공익사업의 시행 결과, 즉 그 공익사업의 시행으로 설치되는 시설의 형태 · 구조 · 사용 등에 기인하여 휴업이 불가피한 경우도 포함된다.

(2) 피고(한국철도시설공단)가 이 사건 철도노선을 완공하여 개통한 후, 한국철도공사로 하여금 이 사건 노선에서 고속열차를 운행하도록 함으로써 발생한 소음 · 진동 · 전자파로 인하여 이 사건 잠업사에서 생산하는 누에씨의 품질저하, 위 누에씨를 공급받는 전라북도 농업기술원 종자사업소의 누에씨 수령 거부, 잠업농가의 누에씨 수령 거부 등의 피해가 발생하였다고 봄이 타당하므로, 호남고속철도 열차 운행으로 인한 소음 · 진동 · 전자파의 원인자인 피고(한국철도시설공단)가 위 소음 · 진동 · 전자파의 환경오염으로 인하여 원고에게 발생한 손해를 배상할 책임이 있다.

(3) 토지보상법 제79조 제2항(그 밖의 토지에 관한 비용보상 등)에 따른 손실보상과 환경정책기본법 제44조 제1항(환경오염의 피해에 대한 무과실책임)에 따른 손해배상은 그 근거규정과 요건 · 효과를 달리하는 것으로서, 각 요건이 충족되면 성립하는 별개의 청구권이다. 다만, 손실보상청구권에는 이미 '손해전보'라는 요소가 포함되어 있어 실질적으로 같은 내용의 손해에 관하여 양자의 청구권을 동시에 행사할 수 있다고 본다면 이중배상의 문제가 발생하므로, 실질적으로 같은 내용의 손해에 관하여 양자의 청구권이 동시에 성립하더라도 영업자는 어느 하나만을 선택적으로 행사할 수 있을 뿐이고, 양자의 청구권을 동시에 행사할 수는 없다고 봄이 타당하다.

(4) 토지보상법상 공익사업시행지구 밖 영업손실보상대상에는 공익사업의 시행으로 설치되는 시설의 형태 · 구조 · 사용 등에 기인하여 발생한 손실도 포함되므로, 이를 토대로 원고가 주장하는 토지보상법상 손실보상청구권은 성립하였고 그에 관한 쟁송은 공법상 당사자소송절차에 의하여야 한다(대판 2019. 11. 28, 2018두227).

❺ 법률에 규정이 없는 경우

1. 간접손실은 그 개념상 모든 경우를 빠짐없이 법령에 규정하기는 곤란하므로 보상규정이 없다 하더라도 일정한 요건이 충족되면 보상을 하여야 한다는 것이 일반적 견해이다.

2. 판례도 구 토지수용법하에서 간접손실의 경우 간접손실이 발생하리라는 것을 쉽게 예견할 수 있고, 손실의 범위도 구체적으로 특정될 수 있다면 관련법규를 유추적용하여 보상해 주어야 한다고 본다.01

관련판례

(공유수면매립사업으로 인하여 수산업협동조합이 관계법령에 의해 대상지역에서 독점적 지위가 부여되어 있던 위탁판매사업을 중단하게 된 경우, 그로 인한 위탁판매수수료 수입상실에 대해 「공공용지의 취득 및 손실보상에 관한 특례법 시행규칙」을 유추적용하여 손실보상을 청구할 수 있다고 판시하면서) **공공사업의 시행 결과 공공사업의 기업지 밖에서 발생한 간접손실에 대하여 사업시행자와 협의가 이루어지지 아니하고, 그 보상에 관한 명문의 법령이 없는 경우, 피해자는 「공공용지의 취득 및 손실보상에 관한 특례법 시행규칙」상의 손실보상에 관한 규정을 유추적용하여 사업시행자에게 보상을 청구할 수 있다**(대판 1999. 10. 8, 99다27231).02 03 ★★

05 | 확장수용

❶ 의 의

1. 공용수용은 원칙적으로 당해 공익사업을 위하여 필요한 최소한도에 국한되어야 하지만, 예외적으로 피수용자의 권리보호를 위하여 또는 사업의 목적달성상 필요한 때에는 수용한도를 넘어서 목적물이 확장되는 경우가 있다.
2. 이와 관련하여 논의되는 것이 확장수용인바, 확장수용이란 피수용자 또는 사업시행자의 청구에 의하여 공용수용의 목적물의 범위를 확장하는 것을 말한다.

❷ 종 류

1. 공용사용에 대한 수용청구

「공익사업을 위한 토지 등의 취득 및 보상에 관한 법률」 제72조【사용하는 토지의 매수청구 등】사업인정고시가 된 후 다음 각 호의 어느 하나에 해당하는 때에는 해당 토지소유자는 사업시행자에게 해당 토지의 매수를 청구하거나 관할 토지수용위원회에 그 토지의 수용을 청구할 수 있다. 이 경우 관계인은 사업시행자 또는 관할 토지수용위원회에 그 권리의 존속을 청구할 수 있다.
1. 토지를 사용하는 기간이 3년 이상인 경우
2. 토지의 사용으로 인하여 토지의 형질이 변경되는 경우
3. 사용하려는 토지에 그 토지소유자의 건축물이 있는 경우

① 토지를 사용하는 기간이 3년 이상인 경우, ② 토지의 사용으로 인하여 토지의 형질이 변경되는 경우, ③ 사용하려는 토지에 그 토지소유자의 건축물이 있는 경우에는 '토지소유자'는 사업시행자에게 매수청구를 하거나 관할 토지수용위원회에 토지의 수용을 청구할 수 있다(토지보상법 제72조). **01**

관련판례

1. **토지보상법 제72조에 의한 사용토지에 대한 수용청구권은 형성권ⓐ의 성질을 가진다.**
2. **토지소유자의 토지수용청구를 받아들이지 아니한 토지수용위원회의 재결에 대하여 토지소유자가 불복하여 제기하는 소송은 토지보상법 제85조 제2항에 규정되어 있는 '보상금의 증감에 관한 소송'에 해당하고, 피고는 토지수용위원회가 아니라 사업시행자로 하여야 한다.**

   「공익사업을 위한 토지 등의 취득 및 보상에 관한 법률」(이하 '토지보상법'이라고 한다) 제72조의 문언, 연혁 및 취지 등에 비추어 보면, 위 규정이 정한 수용청구권은 토지보상법 제74조 제1항이 정한 잔여지수용청구권과 같이 손실보상의 일환으로 토지소유자에게 부여되는 권리로서 그 청구에 의하여 수용효과가 생기는 형성권의 성질을 지니므로, 토지소유자의 토지수용청구를 받아들이지 아니한 토지수용위원회의 재결에 대하여 토지소유자가 불복하여 제기하는 소송은 토지보상법 제85조 제2항에 규정되어 있는 '보상금의 증감에 관한 소송'에 해당하고, 피고는 토지수용위원회가 아니라 사업시행자로 하여야 한다(대판 2015. 4. 9, 2014두46669). **02** ★

2. 잔여지 등 수용

(1) 개 념

「공익사업을 위한 토지 등의 취득 및 보상에 관한 법률」 제74조【잔여지 등의 매수 및 수용청구】① 동일한 소유자에게 속하는 일단의 토지의 일부가 협의에 의하여 매수되거나 수용됨으로 인하여 잔여지를 종래의 목적에 사용하는 것이 현저히 곤란할 때에는 해당 토지소유자는 사업시행자에게 잔여지를 매수하여 줄 것을 청구할 수 있으며, 사업인정 이후에는 관할 토지수용위원회에 수용을 청구할 수 있다. 이 경우 수용의 청구는 매수에 관한 협의가 성립되지 아니한 경우에만 할 수 있으며, 사업완료일까지 하여야 한다. **03**
② 제1항에 따라 매수 또는 수용의 청구가 있는 잔여지 및 잔여지에 있는 물건에 관하여 권리를 가진 자는 사업시행자나 관할 토지수용위원회에 그 권리의 존속을 청구할 수 있다.

기출 체크

□□□□□ **01** 「공익사업을 위한 토지 등의 취득 및 보상에 관한 법률」에 따라 사업인정고시가 된 후 토지의 사용으로 인하여 토지의 형질이 변경되는 경우에 토지소유자는 중앙토지수용위원회에 그 토지의 매수청구권을 행사할 수 있다. (○, ×)
2023 국가직 9급

□□□□□ **02** 사업인정고시가 된 후 사업시행자가 토지를 사용하는 기간이 3년 이상인 경우 토지소유자는 토지수용위원회에 토지의 수용을 청구할 수 있고, 토지수용위원회가 이를 받아들이지 않는 재결을 한 경우에는 사업시행자를 피고로 하여 토지보상법상 보상금의 증감에 관한 소송을 제기할 수 있다. (○, ×) ★
2022 국회직 8급

□□□□□ **03** 동일한 소유자에게 속하는 일단의 토지의 일부가 협의에 의하여 매수되거나 수용됨으로 인하여 잔여지를 종래의 목적에 사용하는 것이 현저히 곤란할 때에는 해당 토지소유자는 사업시행자에게 잔여지를 매수하여 줄 것을 청구할 수 있으며, 사업인정 이후에는 관할 토지수용위원회에 수용을 청구할 수 있고, 이 경우 수용의 청구는 매수에 관한 협의가 성립되지 아니한 경우에만 할 수 있으며 사업완료일까지 하여야 한다. (○, ×)
2023 지방직·서울시 7급

ⓐ **형성권**
권리자의 일방적 의사표시로 법률관계의 변동(권리의 발생·변경·소멸 등)을 가져오는 권리를 말한다. 원래 법률관계의 변동은 관계 당사자의 의사합치 등(예 차량 구매시 일방 당사자의 계약 요청인 청약과 타방 당사자의 이에 대한 승낙)이 있어야 한다. 그런데 형성권은 일방 당사자의 의사표시만으로 법률관계의 변동이 일어난다는 점에서 특색이 있다.

정답 01 × 02 ○ 03 ○

동일한 토지소유자에 속하는 일단의 토지의 일부가 협의에 의하여 매수되거나 수용되어 잔여지를 종래의 목적에 사용하는 것이 현저히 곤란한 때에는 당해 토지소유자는 사업인정 이후에는 관할 토지수용위원회에 수용을 청구할 수 있는바, 이를 잔여지수용청구라고 한다(토지보상법 제74조). 한편, 수용의 청구가 있는 잔여지 및 잔여지에 있는 물건에 관하여 권리를 가진 자는 사업시행자나 관할 토지수용위원회에 그 권리의 존속을 청구할 수 있다.

관련판례

구 「공익사업을 위한 토지 등의 취득 및 보상에 관한 법률」 제74조 제1항의 토지소유자의 잔여지수용청구 의사표시는 관할 토지수용위원회에 하여야 한다.★

잔여지수용청구의 의사표시는 관할 토지수용위원회에 하여야 하는 것으로서, 관할 토지수용위원회가 사업시행자에게 잔여지수용청구의 의사표시를 수령할 권한을 부여하였다고 인정할 만한 사정이 없는 한, 사업시행자에게 한 잔여지매수청구의 의사표시를 관할 토지수용위원회에 한 잔여지수용청구의 의사표시로 볼 수는 없다(대판 2010. 8. 19, 2008두822).**01**

(2) 요 건

요건해석과 관련하여 '사용하는 것이 현저히 곤란한 때'라고 함은 물리적으로 사용하는 것이 곤란하게 된 경우는 물론 사회적 · 경제적으로 사용하는 것이 곤란하게 된 경우, 즉 절대적으로 이용불가능한 경우만이 아니라 이용은 가능하나 많은 비용이 소요되는 경우를 포함한다는 것이 판례의 입장이다.**02 03**

(3) 성 질

판례는 잔여지수용청구권이 그 요건을 구비한 때에는 토지수용위원회의 특별한 조치를 기다릴 것 없이 청구에 의하여 수용의 효과가 발생하므로 이는 형성권적 성질을 가진다고 한다.**04**

(4) 잔여지수용청구권의 행사기간

잔여지수용청구는 협의가 성립되지 아니한 경우에 한하여 사업완료일까지 하여야 하는바,**05** 이러한 잔여지수용청구권의 행사기간은 제척기간이다.

관련판례

토지수용법에 의한 잔여지수용청구권의 법적 성질은 형성권이며, 그 행사기간의 법적 성질은 제척기간으로 기간 내에 권리를 행사하지 아니하면 권리가 소멸한다(대판 2001. 9. 4, 99두11080).**06**

(5) 불복방법

토지소유자가 잔여지수용거부재결에 대해 소송을 제기하는 경우에 취소소송을 제기하여야 하는지 아니면 보상금청구소송을 제기하여야 하는지가 문제된다. 이에 대해 잔여지수용청구권은 형성권이므로 잔여지수용은 청구에 의해 수용의 효과가 발생하고 잔여지수용의 문제는 궁극적으로는 보상금의 증감의 문제이므로 보상금증감청구를 제기하여야 한다는 것이 판례의 입장이다.

관련판례

구 「공익사업을 위한 토지 등의 취득 및 보상에 관한 법률」 제74조 제1항에 의한 잔여지수용청구를 받아들이지 않은 토지수용위원회의 재결에 대하여 토지소유자가 불복하여 제기하는 소송의 성질은 보상금의 증감에 관한 소송에 해당하므로 그 상대방은 사업시행자가 된다.07 08 09 10 ★★★

구 「공익사업을 위한 토지 등의 취득 및 보상에 관한 법률」(2007. 10. 17, 법률 제8665호로 개정되기 전의 것) 제74조 제1항에 규정되어 있는 잔여지수용청구권은 손실보상의 일환으로 토지소유자에게 부여되는 권리로서 그 요건을 구비한 때에는 잔여지를 수용하는 토지수용위원회의 재결이 없더라도 그 청구에 의하여 수용의 효과가 발생하는 형성권적 성질을 가지므로, 잔여지수용청구를 받아들이지 않은 토지수용위원회의 재결에 대하여 토지소유자가 불복하여 제기하는 소송은 위 법 제85조 제2항에 규정되어 있는 '보상금의 증감에 관한 소송'에 해당하여 사업시행자를 피고로 하여야 한다(대판 2010. 8. 19, 2008두822).

기출 체크

□□□□□ **01** 토지소유자가 사업시행자에게 잔여지매수청구의 의사표시를 하였다면, 그 의사표시는 특별한 사정이 없는 한 관할 토지수용위원회에 한 잔여지수용청구의 의사표시로 볼 수 있다. (○, ×) ★ 2019 지방직 7급

□□□□□ **02** 사업시행자가 동일한 토지소유자에 속하는 일단의 토지 일부를 취득함으로 잔여지를 종래의 목적에 사용하는 것이 불가능하거나 현저히 곤란한 경우이어야만 잔여지 손실보상청구를 할 수 있다. (○, ×) 2022 군무원 7급

□□□□□ **03** 잔여지가 이용은 가능하지만 그 이용에 많은 비용이 소요되는 경우에는 잔여지수용을 청구할 수 있다. (○, ×) 2011 국가직 7급

□□□□□ **04** 잔여지수용청구권은 그 요건을 구비한 때에는 잔여지를 수용하는 토지수용위원회의 재결이 없더라도 그 청구에 의하여 수용의 효과가 발생하는 형성권적 성질을 가진다. (○, ×) 2020 국가직 7급

□□□□□ **05** 「공익사업을 위한 토지 등의 취득 및 보상에 관한 법률」상의 잔여지수용청구는 매수에 관한 협의가 성립되지 아니한 경우에만 할 수 있으며, 사업완료일까지 하여야 한다. (○, ×) 2019 소방직 9급 변형

□□□□□ **06** 잔여지수용청구는 당해 공익사업의 공사완료일까지 해야 하지만, 토지소유자가 그 기간 내에 잔여지수용청구권을 행사하지 않았더라도 그 권리가 소멸하는 것은 아니다. (○, ×) 2019 지방직 7급

□□□□□ **07** 토지보상법에 의한 보상금증감청구소송은 보상금의 증액 또는 감액 청구에 관한 소송이므로 잔여지수용청구를 거절한 재결에 불복하는 소송은 '보상금의 증감에 관한 소송'에 해당되지 아니한다. (○, ×) ★★★ 2023 지방직 · 서울시 7급

□□□□□ **08** 잔여지수용청구를 받아들이지 않은 토지수용위원회의 재결에 대하여 토지소유자가 불복하여 제기하는 소송은 보상금의 증감에 관한 소송에 해당하여 사업시행자를 피고로 하여야 한다. (○, ×) ★★★ 2023 서울시 지적 7급

□□□□□ **09** 「공익사업을 위한 토지 등의 취득 및 보상에 관한 법률」상 잔여지수용청구권은 형성권적 성질을 가지므로, 잔여지수용청구를 받아들이지 않은 재결에 대하여 토지소유자가 불복하여 제기하는 소송은 보상금증감청구소송에 해당한다. (○, ×) ★★★ 2017 지방직(하) 9급

□□□□□ **10** 잔여지수용청구를 받아들이지 않은 토지수용위원회의 재결에 불복하여 제기하는 소송(은 행정소송으로 청구할 수 있다) (○, ×) ★★★ 2017 국가직 7급

정답 01 × 02 × 03 ○ 04 ○ 05 ○ 06 × 07 × 08 ○ 09 ○ 10 ○

제 2 절 손실보상의 유형과 지급

초대 Topic 32 핵심집약 Topic 58

01 | 금전보상의 원칙

❶ 현금지급 원칙

손실보상은 현금으로 지급하는 것이 원칙01이나, 일정한 경우 현물보상, 채권보상, 매수보상, 대토보상과 같은 다른 보상으로 하는 것도 가능하다.02

❷ 예외 : 현물보상, 채권보상, 매수보상, 대토보상

1. 현물보상

「도시 및 주거환경정비법」에 따르면 일정한 경우 건축시설물 등 현물로 보상이 이루어질 수도 있는바, 공용환지나 공용환권 등이 이에 해당한다.

2. 채권보상[a]

채권으로 하는 손실보상을 의미하는바, 이는 토지가격이 상당히 높아 보상을 위한 재정부족으로 인해 공익사업을 수행하는 데 어려움이 있는 경우 현금이 아닌 채권으로 보상하도록 함으로써 공익사업의 원활한 수행을 보장하기 위한 것이다.

3. 매수보상

매수보상이란 물건에 대한 이용제한 때문에 종래의 이용목적으로 물건을 사용하기가 곤란하게 된 경우에 상대방에게 그 물건의 매수청구권을 인정하고,03 그에 따라 그 물건을 매수함으로써 실질적으로 보상을 행하는 방법을 말한다.

4. 대토(代土)보상

손실보상은 다른 법률에 특별한 규정이 있는 경우를 제외하고는 현금으로 지급하되 토지소유자가 원하는 경우에는 해당 공익사업의 토지이용계획 및 사업계획 등을 고려하여 공익사업의 시행으로 조성된 토지로 보상할 수 있다. 이는 일종의 현물보상에 해당한다.

02 | 사전보상의 원칙

사업시행자는 해당 공익사업을 위한 공사에 착수하기 이전에 토지소유자와 관계인에게 보상액의 전액을 지급하여야 한다.04 이러한 사전보상은 선급이라고도 한다. 다만, 토지보상법 제38조에 따른 천재지변시의 토지 사용과 토지보상법 제39조에 따른 시급한 토지 사용의 경우 또는 토지소유자 및 관

기출 체크

□□□□□ 01 「공익사업을 위한 토지 등의 취득 및 보상에 관한 법률」상 손실보상은 원칙적으로 토지 등의 현물로 보상하여야 하고, 현금으로 지급하는 것은 다른 법률에 특별한 규정이 있는 경우에 예외적으로 허용된다. (○, ×) ★★★ 2017 국가직(하) 9급

□□□□□ 02 손실보상은 현금보상이 원칙이나 일정한 경우에는 채권이나 현물로 보상할 수 있다. (○, ×) ★★★ 2014 국가직 7급

□□□□□ 03 토지의 이용에 대한 공용제한을 하는 경우 현행법상 토지매수청구권을 부여하는 경우도 있다. (○, ×) 2009 국회직 8급

□□□□□ 04 「공익사업을 위한 토지 등의 취득 및 보상에 관한 법률」에 따라 공익사업에 필요한 토지 등의 취득 또는 사용으로 인하여 토지소유자나 관계인이 입은 손실은 사업시행자가 보상하여야 한다. 이때 보상은 해당 공익사업을 위한 공사에 착수하기 이전에 이루어지며, 다른 특별한 규정이 없는 한 현금지급을 원칙으로 한다. (○, ×) ★★★ 2024 소방직 9급

[a] 채권보상
채권보상과 관련하여서는 그것이 합헌이라는 주장과 위헌이라는 주장이 대립하고 있다. 합헌론은 채권보상이 보상대상자인 부재(不在)부동산 소유자에게 자산증식수단으로서의 토지에 대한 통상적인 수익을 보장해 주는 것이므로 헌법위반이 아니라 하고, 위헌론은 일정한 경우에 부재부동산 소유자에게 채권으로 보상하도록 하는 것은 합리적 이유가 없는 것으로 평등원칙 위반으로 위헌이라고 한다.

정답 01 × 02 ○ 03 ○ 04 ○

계인의 승낙이 있는 경우에는 그러하지 아니하다(토지보상법 제62조).01 채권보상도 성질상 후급에 해당한다. 한편, 후급의 경우 이자와 물가변동에 따르는 불이익은 보상책임자가 부담하여야 한다는 것이 판례의 입장이다.02

관련판례

1. 사업시행자가 보상금 지급이나 토지소유자 및 관계인의 승낙 없이 공익사업을 위한 공사에 착수하여 영농을 계속할 수 없게 한 경우에는 손해를 배상할 책임이 있다(대판 2013. 11. 14, 2011다27103).
2. 수용에 대한 재결절차에서 정한 보상액과 행정소송절차에서 정한 보상금액의 차액이 수용시기에 지급되지 않은 이상 지연손해금이 당연히 발생한다(대판 1991. 12. 24, 91누308).03㉠ ★★
3. 공익사업의 시행자는 해당 공익사업을 위한 공사에 착수하기 이전에 토지소유자와 관계인에게 보상액 전액을 지급하여야 한다(토지보상법 제62조 본문). 공익사업의 시행자가 토지소유자와 관계인에게 보상액을 지급하지 않고 그 승낙도 받지 않은 채 공사에 착수함으로써 토지소유자와 관계인이 손해를 입은 경우, 토지소유자와 관계인에 대하여 불법행위가 성립할 수 있고, 사업시행자는 그로 인한 손해를 배상할 책임을 진다(대판 2021. 11. 11, 2018다204022).04

03 | 개인별 보상의 원칙

손실보상은 개인별로 보상액을 산정할 수 없는 때를 제외하고는 토지소유자 또는 관계인에게 개인별로 보상하여야 한다는 원칙으로 개별급이라고도 한다(토지보상법 제64조). 한편, 이때 '개인별'이란 수용 또는 사용의 대상이 되는 물건별로 보상을 하는 것이 아니라 피보상자 개인별로 보상하는 것을 의미한다.

관련판례

토지수용법(현 「공익사업을 위한 토지 등의 취득 및 보상에 관한 법률」)에 의한 보상은 피보상자 개인별로 행하여지며, 피보상자가 수용대상물건 중 전부 또는 일부에 관하여 불복이 있는 경우에는 그 불복의 사유를 주장하여 행정소송을 제기할 수 있다(대판 2000. 1. 28, 97누11720).05㉡ ★★★

04 | 전액보상의 원칙

사업시행자는 해당 공익사업을 위한 공사에 착수하기 전에 토지소유자와 관계인에게 보상액의 전액을 지급하여야 한다는 원칙으로서, 이때 말하는 '전액의 지급'은 통상 일시급으로 이루어진다(토지보상법 제62조).

기출 체크

□□□□□ 01 사업시행자는 해당 공익사업을 위한 공사에 착수하기 이전에 토지소유자와 관계인에게 보상액 전액을 지급하여야 한다. 다만, (토지보상법) 제38조에 따른 천재지변시의 토지사용과 제39조에 따른 시급한 토지사용의 경우 또는 토지소유자 및 관계인의 승낙이 있는 경우에는 그러하지 아니하다. (○, ×)
2022 서울시 지적 7급

□□□□□ 02 공익사업을 시행하는 경우에는 사전보상이 원칙이나, 천재지변시의 토지사용의 경우에는 사업시행자가 후급할 수 있고 이때의 지연이자는 부담하지 않는다. (○, ×) ★★ 2008 지방직 9급

□□□□□ 03 (판례에 따르면) 재결절차에서 정한 보상액과 행정소송절차에서 정한 보상금액의 차액이 수용시기에 지급되지 않은 이상 지연손해금이 당연히 발생한다고 보았다. (○, ×) ★★
2011 국회속기직 9급

□□□□□ 04 공익사업의 시행자는 해당 공익사업을 위한 공사에 착수하기 이전에 토지소유자에게 보상액 전액을 지급하여야 하나, 사업시행자가 보상액을 지급하지 않고 승낙도 받지 않은 채 공사에 착수하였다 하더라도 토지소유자에 대하여 불법행위로 인한 손해배상책임이 발생하는 것은 아니다. (○, ×) 2023 국회직 8급

□□□□□ 05 「공익사업을 위한 토지 등의 취득 및 보상에 관한 법률」에 따른 보상은 토지소유자나 관계인 개인별로 하는 것이 아니라 수용 또는 사용의 대상이 되는 물건별로 행해지는 것이다. (○, ×) ★★★
2021 국가직 7급

판례 | ㉠ 재결절차에서 정한 보상액과 행정소송절차에서 정한 보상금액의 차액 역시 수용과 대가관계에 있는 손실보상의 일부이므로 동 차액이 수용의 시기에 지급되지 않은 이상, 이에 대한 지연손해금이 발생하는 것은 당연하다(대판 1991. 12. 24, 91누308).

㉡ 토지수용법은 수용 또는 사용함으로 인한 보상은 피보상자의 개인별로 산정할 수 없을 때를 제외하고는 피보상자에게 개인별로 하여야 한다고 규정하고 있으므로, 보상은 수용 또는 사용의 대상이 되는 물건별로 하는 것이 아니라 피보상자 개인별로 행하여지는 것이어서 피보상자는 수용대상물건 중 전부 또는 일부에 관하여 불복이 있는 경우 그 불복의 사유를 주장하여 행정소송을 제기할 수 있다(대판 2000. 1. 28, 97누11720).

보상의 원칙
금전보상시 손실보상은 선급 · 개별급 · 일시급이 원칙이며, 예외적으로 후급 · 일괄급 · 분할급이 허용될 수 있다.

정답 01 ○ 02 × 03 ○ 04 × 05 ×

05 | 사업시행자보상의 원칙01 02 03

수용 등을 통해 직접 수익한 자가 보상의무자가 되는바, 토지보상법도 사업시행자보상의 원칙을 규정하고 있다(토지보상법 제61조). 따라서 국가 등이 아니라도 사업시행자라면 그 자가 보상을 하는 것이 원칙이다.[a]

06 | 기타 보상의 원칙

❶ 일괄보상

사업시행자는 동일한 사업지역에 보상시기를 달리하는 동일인 소유의 토지 등이 여러 개 있는 경우 토지소유자 또는 관계인이 요구할 때에는 한꺼번에 보상금을 지급하도록 하여야 한다(토지보상법 제65조).04 05

❷ 사업시행이익과의 상계금지

사업시행자는 동일한 소유자에게 속하는 일단의 토지의 일부를 취득하거나 사용하는 경우 해당 공익사업의 시행으로 인하여 잔여지의 가격이 증가하거나 그 밖의 이익이 발생한 경우에도 그 이익을 그 취득 또는 사용으로 인한 손실과 상계할 수 없다(토지보상법 제66조).06

기출 체크

□□□□□ 01 공익사업에 필요한 토지 등의 취득 또는 사용으로 인하여 토지소유자나 관계인이 입은 손실은 사업시행자가 보상하여야 한다. (○, ×) ★★★ 2022 서울시 지적 7급

□□□□□ 02 「공익사업을 위한 토지 등의 취득 및 보상에 관한 법률」상 손실보상 지급 원칙으로 가장 적절하지 않은 것은? ★★★ 2014 경행특채 2차

① 물건별 보상의 원칙
② 사업시행자 보상의 원칙
③ 사전보상의 원칙
④ 현금보상의 원칙

□□□□□ 03 「공익사업을 위한 토지 등의 취득 및 보상에 관한 법률」에 의할 때 보상금지급의 원칙으로 옳지 않은 것은? ★★★ 2007 국가직 9급

① 현물보상의 원칙
② 개인별 보상의 원칙
③ 사전보상의 원칙
④ 사업시행자보상의 원칙

□□□□□ 04 사업시행자는 동일한 사업지역에 보상시기를 달리하는 동일인 소유의 토지 등이 여러 개가 있는 경우 토지 등의 소유자가 일괄보상을 요구하더라도 「공익사업을 위한 토지 등의 취득 및 보상에 관한 법률」에 따라 단계적으로 보상금을 지급하여야 한다. (○, ×) ★★ 2023 국가직 9급

□□□□□ 05 사업시행자는 동일한 사업지역에 보상시기를 달리하는 동일인 소유의 토지 등이 여러 개 있는 경우 토지소유자나 관계인이 요구할 때에는 한꺼번에 보상금을 지급하도록 하여야 한다. (○, ×) ★★ 2022 서울시 지적 7급

□□□□□ 06 사업시행자는 동일한 소유자에게 속하는 일단의 토지의 일부를 취득하거나 사용하는 경우 해당 공익사업의 시행으로 인하여 잔여지의 가격이 증가하거나 그 밖의 이익이 발생한 경우 그 이익을 그 취득 또는 사용으로 인한 손실과 상계할 수 있다. (○, ×) ★★ 2022 서울시 지적 7급

[a] 한편, 손실보상액을 결정함에 있어 사업시행자의 재산상태를 고려해서는 안 된다는 것이 일반적 견해이다.

정답 01 ○ 02 ① 03 ① 04 × 05 ○ 06 ×

제 3 절 손실보상의 절차와 불복

초대 Topic 32 핵심집약 Topic 58

기출 체크

□□□□□ 01 토지보상법에 의한 보상을 하면서 손실보상금에 관한 당사자 간의 합의가 성립하면 그 합의내용이 토지보상법에서 정하는 손실보상기준에 맞지 않는다고 하더라도 합의가 적법하게 취소되는 등의 특별한 사정이 없는 한 추가로 토지보상법상 기준에 따른 손실보상금 청구를 할 수는 없다. (○, ×) ★★ 2021 국회직 8급

□□□□□ 02 「공익사업을 위한 토지 등의 취득 및 보상에 관한 법률」에 의한 보상합의는 공공기관이 사경제주체로서 행하는 사법상 계약의 실질을 가진다. (○, ×) ★★★ 2023 서울시 지적 7급

□□□□□ 03 (「공익사업을 위한 토지 등의 취득 및 보상에 관한 법률」상) 협의가 성립되지 아니하거나 협의를 할 수 없을 때에는 사업시행자는 사업인정고시가 된 날부터 1년 이내에 대통령령으로 정하는 바에 따라 관할 토지수용위원회에 재결을 신청할 수 있다. (○, ×) 2019 국회직 8급

□□□□□ 04 토지소유자 등이 손실보상대상에 해당한다고 주장하며 보상을 요구하는데도 사업시행자가 손실보상대상에 해당하지 아니한다며 보상대상에서 이를 제외한 채 협의를 하지 않아 결국 협의가 성립하지 않은 경우, 토지소유자 등에게는 재결신청청구권이 인정된다. (○, ×) 2022 지방직 · 서울시 7급

□□□□□ 05 사업시행자가 토지소유자 등의 재결신청의 청구를 거부하는 경우, 토지소유자 등은 민사소송의 방법으로 그 절차이행을 구할 수 있다. (○, ×) 2022 지방직 · 서울시 7급

ⓐ 토지수용위원회

구 분	중앙토지수용위원회	지방토지수용위원회
소 속	국토교통부	시 · 도
심사대상	• 국가 또는 시 · 도가 사업시행자인 사업 • 수용 또는 사용할 토지가 2 이상의 시 · 도에 걸쳐 있는 사업	중앙토지수용위원회의 관할 외 사항

정답 01 ○ 02 ○ 03 ○ 04 ○ 05 ×

손실보상액의 결정방법 및 불복절차에 관해서는 통칙적 규정이 없으므로 개별법에 정한 바에 따른다. 손실보상과 관련하여 가장 문제되는 것이 토지보상법이므로, 이하에서는 토지보상법상의 절차를 중심으로 하여 살펴본다.

01 | 협의전치(前置)주의

공익사업시행자는 수용 또는 사용할 토지의 소유자 및 관계인과 보상액, 수용의 개시일 등에 관하여 협의하여야 한다(토지보상법 제16 · 26조). 협의가 성립되면 그것으로 공용수용의 절차는 종결되고, 협의의 내용에 따라 수용의 효과가 발생한다. 판례는 이러한 합의는 사경제주체로서 행하는 사법상 계약의 성질을 가지므로 합의가 성립한 경우, 그 합의 내용이 같은 법에서 정하는 손실보상 기준에 맞지 않는다고 하더라도 특별한 사정이 없는 한 그 기준에 따른 손실보상금 청구를 추가로 할 수는 없다는 입장이다.

관련판례

「공익사업을 위한 토지 등의 취득 및 보상에 관한 법률」에 의한 보상을 하면서 손실보상금에 관한 당사자 간의 합의가 성립한 경우, 그 합의 내용이 같은 법에서 정하는 손실보상 기준에 맞지 않는다고 하더라도 특별한 사정이 없는 한 그 기준에 따른 손실보상금 청구를 추가로 할 수는 없다. 01 ★★

「공익사업을 위한 토지 등의 취득 및 보상에 관한 법률」에 의한 보상합의는 공공기관이 사경제주체로서 행하는 사법상 계약의 실질을 가지는 것이다(대판 2013. 8. 22, 2012다3517). 02 ★★★

02 | 토지수용위원회ⓐ의 재결

1. 당사자 간에 '협의가 성립되지 아니하거나' 협의를 할 수 없을 때에는 사업시행자는 사업인정의 고시가 있은 날부터 1년 이내에 대통령령이 정하는 바에 따라 관할 토지수용위원회에 재결을 신청할 수 있다(토지보상법 제28조). 03 재결신청에 따라 내려지는 최초의 재결을 수용재결이라고 한다. 판례는 '협의가 성립되지 아니한 때'의 의미를 협의 절차를 거쳤으나 협의가 성립하지 아니한 경우뿐만 아니라 토지에 대해 보상대상이 아니라고 보아 협의를 거치지 않은 경우도 포함된다고 본다.

관련판례

1. 「공익사업을 위한 토지 등의 취득 및 보상에 관한 법률」 제30조 제1항에서 정한 '협의가 성립되지 아니한 때'에, 토지소유자 등이 손실보상대상에 해당한다고 주장하며 보상을 요구하는데도 사업시행자가 손실보상대상에 해당하지 않는다며 보상대상에서 이를 제외한 채 협의를 하지 않아 결국 협의가 성립하지 않은 경우도 포함된다. 04
2. 토지의 소유자가 토지상의 지장물에 대하여 재결신청을 청구하였으나, 사업시행자가 손실보상대상에 해당하지 않아 재결신청대상이 아니라는 이유로 수용재결 신청을 거부한 것은 항고소송의 대상이 되는 행정처분이다(대판 2011. 7. 14, 2011두2309). 05

2. 한편, 피수용자인 토지소유자 및 관계인은 '토지수용위원회'에 재결을 신청할 수는 없고 협의가 성립되지 아니하였을 때에는 토지소유자와 관계인은 서면으로 '사업시행자에게 재결을 신청할 것을 청구'할 수 있다.01 이 경우 사업시행자는 그 청구를 받은 날부터 60일 이내에 재결을 신청하여야 한다(토지보상법 제30조).

3. 토지수용위원회는 사업시행자, 토지소유자 또는 관계인이 신청한 범위에서 재결하여야 한다. 다만, 손실보상의 경우에는 증액재결을 할 수 있다.02❶

4. **수용재결이 있은 후의 협의 가능 여부**

관련판례

「공익사업을 위한 토지 등의 취득 및 보상에 관한 법률」상 토지수용위원회의 수용재결이 있은 후 토지소유자 등과 사업시행자가 다시 협의하여 토지 등의 취득이나 사용 및 그에 대한 보상에 관하여 임의로 계약을 체결할 수 있다.03 04 ★

「공익사업을 위한 토지 등의 취득 및 보상에 관한 법률」은 사업시행자로 하여금 우선 협의취득 절차를 거치도록 하고, 협의가 성립되지 않거나 협의를 할 수 없을 때에 수용재결취득 절차를 밟도록 예정하고 있기는 하다. 그렇지만 일단 토지수용위원회가 수용재결을 하였더라도 사업시행자로서는 수용 또는 사용의 개시일까지 토지수용위원회가 재결한 보상금을 지급 또는 공탁하지 아니함으로써 재결의 효력을 상실시킬 수 있는 점 …… (대판 2017. 4. 13, 2016두64241)

03 | 이의신청

❶ 재결에 대한 이의신청

1. 중앙토지수용위원회의 재결에 대하여 이의가 있는 자는 중앙토지수용위원회에 이의를 신청할 수 있다(토지보상법 제83조 제1항).

2. 한편, 지방토지수용위원회의 토지보상법 제34조의 규정에 의한 재결에 대하여 이의가 있는 자는 당해 지방토지수용위원회를 거쳐 중앙토지수용위원회에 이의를 신청할 수 있다(토지보상법 제83조 제2항).05

3. 이의신청은 행정심판으로서의 성질을 가지며 토지보상법상 이의신청에 관한 규정은 행정심판법에 대한 특별법규정이다. 이러한 이의신청은 재결서의 정본을 받은 날부터 30일 이내에 하여야 한다(토지보상법 제83조 제3항). 이러한 이의신청은 임의적 절차에 불과하다.06

관련판례

토지수용위원회의 수용재결에 대한 이의절차는 실질적으로 행정심판의 성질을 갖는 것이므로 토지수용법(현 토지보상법)에 특별한 규정이 있는 것을 제외하고는 행정심판법의 규정이 적용된다고 할 것이다(대판 1992. 6. 9, 92누565).

❷ 이의신청에 대한 재결의 취소 · 변경

이의신청을 받은 경우 중앙토지수용위원회는 토지보상법 제34조에 따른 재결이 위법하거나 부당하다고 인정할 때에는 그 재결의 전부 또는 일부를 취소하거나 보상액을 변경할 수 있다(토지보상법 제84조 제1항).07

기출 체크

□□□□□ **01** (「공익사업을 위한 토지 등의 취득 및 보상에 관한 법률」상) 사업인정고시가 된 후 협의가 성립되지 아니하였을 때에는 토지소유자와 관계인은 대통령령으로 정하는 바에 따라 서면으로 사업시행자에게 재결을 신청할 것을 청구할 수 있다. (○, ×) 2019 국회직 8급

□□□□□ **02** 토지수용위원회는 손실보상의 신청범위와 관계없이 손실보상의 증액재결을 할 수 없다. (○, ×) ★ 2011 국가직 9급

□□□□□ **03** 토지수용위원회의 수용재결이 있은 후라고 하더라도 토지소유자와 사업시행자가 다시 협의하여 토지 등의 취득 · 사용 및 그에 대한 보상에 관하여 임의로 계약을 체결할 수 있다. (○, ×) ★ 2024 소방간부

□□□□□ **04** 토지수용위원회의 수용재결이 있은 후에는 토지소유자 등과 사업시행자가 다시 협의하여 토지 등의 취득이나 사용 및 그에 대한 보상에 관하여 임의로 계약을 체결할 수 없다. (○, ×) ★ 2022 지방직 · 서울시 7급

□□□□□ **05** 중앙토지수용위원회의 재결에 이의가 있는 자는 중앙토지수용위원회에, 지방토지수용위원회의 재결에 이의가 있는 자는 해당 지방토지수용위원회를 거쳐 중앙토지수용위원회에 이의를 신청할 수 있다. (○, ×) ★★ 2015 국회직 8급

□□□□□ **06** (「공익사업을 위한 토지 등의 취득 및 보상에 관한 법률」상) 수용재결에 대하여 불복하는 경우 이의재결을 거치지 아니하면 취소소송을 제기할 수 없다. (○, ×) ★★★ 2023 군무원 7급

□□□□□ **07** (「공익사업을 위한 토지 등의 취득 및 보상에 관한 법률」상) 이의신청을 받은 중앙토지수용위원회는 수용재결이 위법 또는 부당한 때에는 그 재결의 전부 또는 일부를 취소하거나 보상액을 변경할 수 있다. (○, ×) 2023 군무원 7급

❶ 「공익사업을 위한 토지 등의 취득 및 보상에 관한 법률」 제50조 【재결사항】
① 토지수용위원회의 재결사항은 다음 각 호와 같다.
1. 수용하거나 사용할 토지의 구역 및 사용방법
2. 손실보상
3. 수용 또는 사용의 개시일과 기간
4. 그 밖에 이 법 및 다른 법률에서 규정한 사항
② 토지수용위원회는 사업시행자, 토지소유자 또는 관계인이 신청한 범위에서 재결하여야 한다. 다만, 제1항 제2호의 손실보상의 경우에는 증액재결을 할 수 있다.

정답 01 ○ 02 × 03 ○ 04 × 05 ○ 06 × 07 ○

04 | 행정소송

❶ 행정소송의 제기

1. 사업시행자 · 토지소유자 · 관계인은 토지수용위원회의 수용재결에 대하여 불복이 있는 때에는 재결서를 받은 날로부터 90일 이내에, 이의신청을 거친 경우에는 이의신청에 대한 재결서를 받은 날로부터 60일 이내의 기간을 준수하여 행정소송 제기가 가능하다.**01 02** 한편, 이의신청이나 행정소송의 제기는 사업의 진행 및 토지의 수용 또는 사용을 정지시키지 아니한다.**03 04 05**

2. 토지소유자가 사업시행자로부터 손실보상을 받기 위하여는 토지보상법 제34조, 제50조 등에 규정된 재결절차를 거친 다음 그 재결에 대하여 불복할 때 비로소 토지보상법 제83조 내지 제85조에 따라 권리구제를 받을 수 있을 뿐이며, 특별한 사정이 없는 한 이러한 재결절차를 거치지 않은 채 곧바로 사업시행자를 상대로 손실보상을 청구하는 것은 허용되지 않는다.

관련판례

1. **토지수용에 대한 불복절차에는 행정심판법 제18조상의 청구기간, 행정소송법 제20조의 제소기간에 관한 규정이 적용되지 않는다**(대판 1989. 3. 28, 88누5198).**06**
2. **공익사업으로 인하여 영업을 폐지(편저자 주 : 폐업)하거나 휴업하는 자가 토지보상법상 재결절차를 거치지 않은 채 사업시행자를 상대로 영업손실보상청구소송을 제기할 수는 없다**(대판 2011. 9. 29, 2009두10963).**07 ★★★**
3. 구 「공익사업을 위한 토지 등의 취득 및 보상에 관한 법률」의 관련규정에 의하여 취득하는 어업피해에 관한 손실보상청구권은 민사소송의 방법으로 행사할 수는 없고, 구 토지보상법 제34조, 제50조 등에 규정된 재결절차를 거친 다음 그 재결에 대하여 불복이 있는 때에 비로소 구 토지보상법 제83조 내지 제85조에 따라 권리구제를 받아야 하며, 이러한 재결절차를 거치지 않은 채 곧바로 사업시행자를 상대로 손실보상을 청구하는 것은 허용되지 않는다고 봄이 타당하다(대판 2014. 5. 29, 2013두12478).
4. 구 「공익사업을 위한 토지 등의 취득 및 보상에 관한 법률」(2013. 3. 23, 법률 제11690호로 개정되기 전의 것, 이하 '토지보상법'이라 한다) 제26조, 제28조, 제30조, 제34조, 제50조, 제61조, 제83조 내지 제85조의 규정내용과 입법취지 등을 종합하면, 공익사업에 영업시설 일부가 편입됨으로 인하여 잔여 영업시설에 손실을 입은 자가 사업시행자로부터 구 「공익사업을 위한 토지 등의 취득 및 보상에 관한 법률 시행규칙」 제47조 제3항에 따라 잔여 영업시설의 손실에 대한 보상을 받기 위해서는, 토지보상법 제34조, 제50조 등에 규정된 재결절차를 거친 다음 그 재결에 대하여 불복이 있는 때에 비로소 토지보상법 제83조 내지 제85조에 따라 권리구제를 받을 수 있을 뿐이다. 이러한 재결절차를 거치지 않은 채 곧바로 사업시행자를 상대로 손실보상을 청구하는 것은 허용되지 않는다(대판 2018. 7. 20, 2015두4044).
5. 농업손실보상청구권은 공익사업의 시행 등 적법한 공권력의 행사에 의한 재산상의 특별한 희생에 대하여 전체적인 공평부담의 견지에서 공익사업의 주체가 그 손해를 보상하여 주는 손실보상의 일종으로 공법상의 권리임이 분명하므로 그에 관한 쟁송은 민사소송이 아닌 행정소송절차에 의하여야 할 것이고, …… 공익사업으로 인하여 농업의 손실을 입게 된 자가 사업시행자로부터 구 토지보상법 제77조 제2항에 따라 농업손실에 대한 보상을 받기 위해서는 구 토지보상법 제34조, 제50조 등에 규정된 재결절차를 거친 다음 그 재결에 대하여 불복이 있는 때에 비로소 구 토지보상법 제83조 내지 제85조에 따라 권리구제를 받을 수 있다(대판 2011. 10. 13, 2009다43461).**08 ★★★**

❷ 소송의 대상

현행 토지보상법 제85조는 원처분주의를 규정하고 있다는 것이 통설의 태도이며 판례의 입장이다 (p.844 참조).

기출 체크

□□□□□ **01** 중앙토지수용위원회의 이의재결에 대한 행정소송은 재결서를 받은 날부터 90일 이내에 제기하여야 한다. (○, ×) 2023 국회직 8급

□□□□□ **02** 토지수용에 관한 행정소송에 있어서 토지소유자는 중앙토지수용위원회의 이의재결에 대하여 불복이 있을 때 제기할 수 있고 수용재결은 행정소송의 대상이 될 수 없다. (○, ×) 2021 국가직 7급

□□□□□ **03** (「공익사업을 위한 토지 등의 취득 및 보상에 관한 법률」상) 토지수용위원회의 재결에 대한 토지소유자의 행정소송제기는 사업의 진행 및 토지의 수용 또는 사용을 정지시키지 아니한다. (○, ×) 2024 국가직 9급

□□□□□ **04** 사업시행자, 토지소유자 또는 관계인은 토지수용위원회의 재결에 불복할 때에는 재결서를 받은 날부터 90일 이내에, 이의신청을 거쳤을 때에는 이의신청에 대한 재결서를 받은 날부터 60일 이내에 각각 행정소송을 제기할 수 있으며, 이 경우 행정소송의 제기는 사업의 진행 및 토지의 수용 또는 사용을 정지시키지 아니한다. (○, ×) 2023 지방직 · 서울시 7급

□□□□□ **05** (건설회사 A는 택지개발사업을 위해 관련법령에 따른 절차를 거쳐 甲 소유의 토지 등을 취득하고자 甲과 보상에 관한 협의를 하였으나 협의가 성립되지 않았다. 이에 관할 지방토지수용위원회에 재결을 신청하여 토지의 수용 및 보상금에 대한 수용재결을 받았다) 甲이 수용재결에 대하여 이의신청을 제기하면 사업의 진행 및 토지의 수용 또는 사용을 정지시키는 효력이 있다. (○, ×) 2022 국가직 9급

□□□□□ **06** (「공익사업을 위한 토지 등의 취득 및 보상에 관한 법률」에 의한) 수용재결에 대해 취소소송으로 다투는 경우에 행정소송법 제20조의 제소기간 규정이 적용되지 않는다. (○, ×) 2013 국회직 8급

□□□□□ **07** 공익사업으로 인하여 영업을 폐지하거나 휴업하는 자는 「공익사업을 위한 토지 등의 취득 및 보상에 관한 법률」에 규정된 재결절차를 거치지 않은 채 곧바로 사업시행자를 상대로 영업손실보상을 청구할 수 있다. (○, ×) ★★★ 2023 서울시 지적 7급

□□□□□ **08** 공익사업으로 인해 농업손실을 입은 자가 사업시행자에게서 「공익사업을 위한 토지 등의 취득 및 보상에 관한 법률」에 따른 보상을 받으려면 재결절차를 거쳐야 하고, 이를 거치지 않고 곧바로 민사소송으로 보상금을 청구하는 것은 허용되지 않는다. (○, ×) ★★★ 2019 국가직 7급

정답 01 × 02 × 03 ○ 04 ○ 05 × 06 ○ 07 × 08 ○

관련판례

토지소유자 등이 수용재결에 불복하여 이의신청을 거친 후 취소소송을 제기하는 경우 피고적격을 가지는 자는 수용재결을 한 토지수용위원회이며 소송대상은 수용재결이 된다.

「공익사업을 위한 토지 등의 취득 및 보상에 관한 법률」 제85조 제1항 전문의 문언 내용과 같은 법 제83조, 제85조가 중앙토지수용위원회에 대한 이의신청을 임의적 절차로 규정하고 있는 점, 행정소송법 제19조 단서가 행정심판에 대한 재결은 재결 자체에 고유한 위법이 있음을 이유로 하는 경우에 한하여 취소소송의 대상으로 삼을 수 있도록 규정하고 있는 점 등을 종합하여 보면, 수용재결에 불복하여 취소소송을 제기하는 때에는 이의신청을 거친 경우에도 수용재결을 한 중앙토지수용위원회 또는 지방토지수용위원회를 피고로 하여 수용재결의 취소를 구하여야 하고, 다만 이의신청에 대한 재결 자체에 고유한 위법이 있음을 이유로 하는 경우에는 그 이의재결을 한 중앙토지수용위원회를 피고로 하여 이의재결의 취소를 구할 수 있다고 보아야 한다(대판 2010. 1. 28, 2008두1504). **01 02** ★★★

05 | 보상금증감소송

❶ 의 의

토지보상법 제85조의 규정에 따라 제기하고자 하는 행정소송이 보상금의 증감에 관한 소송인 경우 당해 소송을 제기하는 자가 토지소유자 또는 관계인인 때에는 사업시행자를, 사업시행자인 때에는 토지소유자 또는 관계인을 각각 피고로 한다. **03** 이처럼 수용재결이나 이의재결 중 보상금에 대한 재결에 불복이 있는 경우 보상금의 증액 또는 감액을 청구하는 소송을 보상금증감소송이라 한다.

❷ 법적 성질(형식적 당사자소송)

토지보상법은 보상금증감소송의 경우 처분청인 토지수용위원회를 피고로 하지 않고 대등한 당사자인 토지소유자 또는 관계인과 사업시행자를 원고 또는 피고로 하고 있는데, 이러한 점에서 보상금증감소송은 형식적으로는 당사자소송에 속한다(p.759 참조). **04 05**

관련판례

토지보상법 제85조 제2항에 따른 보상금 증액청구의 소는 토지소유자 등이 사업시행자를 상대로 제기하는 당사자소송의 형식을 취하고 있지만, 토지수용위원회의 재결 중 보상금 산정에 관한 부분에 불복하여 그 증액을 구하는 소이므로 실질적으로는 재결을 다투는 항고소송의 성질을 가진다(대판 2022. 11. 24, 2018두67 전합).

❸ 인정범위

관련판례

어떤 보상항목이 공익사업을 위한 토지 등의 취득 및 보상에 관한 법령상 손실보상대상에 해당함에도 관할 토지수용위원회가 사실을 오인하거나 법리를 오해함으로써 손실보상대상에 해당하지 않는다고 잘못된 내용의 재결을 한 경우에는, 피보상자는 관할 토지수용위원회를 상대로 그 재결에 대한 취소소송을 제기할 것이 아니라, 사업시행자를 상대로 구 「공익사업을 위한 토지 등의 취득 및 보상에 관한 법률」 제85조 제2항에 따른 보상금증감소송을 제기하여야 한다(대판 2018. 7. 20, 2015두4044). **06** ★★★

기출 체크

□□□□□ **01** 수용재결에 불복하여 취소소송을 제기하는 때에는 이의신청을 거친 경우에도 수용재결을 한 중앙토지수용위원회 또는 지방토지수용위원회를 피고로 하여 수용재결의 취소를 구하여야 하지만, 이의신청에 대한 재결 자체에 고유한 위법이 있는 경우에는 그 이의재결을 한 중앙토지수용위원회를 피고로 하여 이의재결의 취소를 구할 수 있다. (○, ×) ★★★ 2024 지방직 · 서울시 9급

□□□□□ **02** 이의신청을 거쳐 중앙토지수용위원회에서 이의재결이 내려진 경우 취소소송의 대상은 이의재결이고, 수용재결을 취소소송의 대상으로 할 수 없다. (○, ×) ★★★ 2023 군무원 7급

□□□□□ **03** 토지소유자가 손실보상금의 액수를 다투고자 할 경우에는 사업시행자가 아니라 토지수용위원회를 상대로 보상금의 증액을 구하는 소송을 제기하여야 한다. (○, ×) ★★★ 2016 서울시 9급

□□□□□ **04**

甲의 토지는 공익사업의 대상지역으로 「공익사업을 위한 토지 등의 취득 및 보상에 관한 법률」에 따라 사업인정절차를 거쳐 甲의 토지에 대한 수용재결이 있었다.

(1) 甲이 수용재결에 대해 이의재결을 거친 경우 항고소송의 대상은 이의재결이 된다. (○, ×) ★★★

(2) 甲이 수용재결에서 정해진 보상금에 불복하여 보상금의 증액을 청구하려면 수용재결에 대한 취소소송을 제기하여야 한다. (○, ×) ★★★ 2016 서울시 7급

□□□□□ **05** 수용재결에서 결정된 손실보상금의 증액을 위해 제기하는 보상금증감청구소송은 항고소송의 일종이다. (○, ×) ★★★ 2013 국회직 8급

□□□□□ **06** 어떤 보상항목이 손실보상대상에 해당함에도 관할 토지수용위원회가 사실을 오인하거나 법리를 오해함으로써 손실보상대상에 해당하지 않는다고 잘못된 내용의 재결을 한 경우에는, 피보상자는 관할 토지수용위원회를 상대로 재결취소소송을 제기하여야 한다. (○, ×) ★★★ 2024 국가직 9급

정답 01 ○ 02 × 03 × 04 (1) × (2) × 05 × 06 ×

❹ 보상항목 등 일부에 대한 불복 등

관련판례

1. 「공익사업을 위한 토지 등의 취득 및 보상에 관한 법률」상 피보상자 또는 사업시행자가 여러 보상항목들 중 일부에 대해서만 개별적으로 불복의 사유를 주장하여 행정소송을 제기할 수 있다.
2. 법원이 구체적인 불복신청이 있는 보상항목들에 관해서 감정을 실시하는 등 심리한 결과, 재결에서 정한 보상금액이 일부 보상항목의 경우 과소하고 다른 보상항목의 경우 과다한 것으로 판명된 경우, 보상항목 상호 간의 유용을 허용하여 정당한 보상금을 결정할 수 있다.

   하나의 재결에서 피보상자별로 여러 가지의 토지, 물건, 권리 또는 영업의 손실에 관하여 심리 · 판단이 이루어졌을 때, 피보상자 또는 사업시행자가 반드시 재결 전부에 관하여 불복하여야 하는 것은 아니며,01 여러 보상항목들 중 일부에 관해서만 불복하는 경우에는 그 부분에 관해서만 개별적으로 불복의 사유를 주장하여 행정소송을 제기할 수 있다(대판 2018. 5. 15, 2017두41221).

❺ 보상금증액청구소송의 당사자적격[a]

1. 원고적격

토지소유자와 관계인이다. 토지소유자는 공익사업에 필요한 토지의 소유자를 말하고, 관계인이란 사업시행자가 취득하거나 사용할 토지에 관하여 지상권 · 지역권 · 전세권 · 저당권 · 사용대차 또는 임대차에 따른 권리 또는 그 밖에 토지에 관한 소유권 외의 권리를 가진 자나 그 토지에 있는 물건에 관하여 소유권이나 그 밖의 권리를 가진 자를 말한다(토지보상법 제2조).

2. 피고적격

토지보상법 제85조 제2항❶은 보상금증액청구소송에서의 피고를 '사업시행자'로 하고 있으므로 보상의무를 지는 국가 또는 공공단체 등의 사업시행자가 피고가 되는 것이지 행정청인 토지수용위원회가 피고가 되는 것은 아니다.04

❻ 입증책임

판례는 보상금증액청구소송에서 입증책임에 관해 정당한 손실보상금액이 더 많다는 점을 원고가 입증하여야 한다고 본다.

관련판례

보상금의 증액에 관한 소송에서 정당한 손실보상금액이 더 많다는 점에 대한 입증책임은 원고에게 있다(대판 2008. 8. 21, 2007두13845).

❼ 보상금증감청구소송의 제기기간

보상금증감청구소송의 제기기간은 수용재결에 대한 취소소송에서와 같이 이의신청을 제기함이 없이 보상금증감청구소송을 제기하는 경우에는 재결서를 받은 날부터 90일 이내이고, 이의신청을 거친 때에는 이의신청에 대한 재결서를 받은 날부터 60일 이내이다(토지보상법 제85조 제1항).05

기출 체크

□□□□□ **01** 하나의 재결에서 피보상자별로 여러 가지의 토지, 물건, 권리 또는 영업의 손실에 관하여 심리 · 판단이 이루어졌을 때, 피보상자 또는 사업시행자가 여러 보상항목들 중 일부에 관해서만 불복하는 경우 반드시 재결 전부에 관하여 불복하여야 하는 것은 아니다. (○, ×)
2023 지방직 · 서울시 7급

□□□□□ **02** 「공익사업을 위한 토지 등의 취득 및 보상에 관한 법률」상 보상금의 증감에 관한 소송인 경우 그 소송을 제기하는 자가 토지소유자 또는 관계인일 때에는 지방토지수용위원회 또는 중앙토지수용위원회를 피고로 한다. (○, ×) ★★★
2024 지방직 · 서울시 9급

□□□□□ **03** 「공익사업을 위한 토지 등의 취득 및 보상에 관한 법률」 제85조 제2항에 의하면, 동법 제1항에 따라 제기하려는 행정소송이 보상금의 증감에 관한 소송인 경우 그 소송을 제기하는 자가 토지소유자 또는 관계인일 때에는 사업시행자를, 사업시행자일 때에는 토지소유자 또는 관계인을 각각 피고로 한다. (○, ×) ★★★
2017 경행경채

□□□□□ **04** 「공익사업을 위한 토지 등의 취득 및 보상에 관한 법률」상) 토지소유자가 손실보상금의 액수를 다투고자 하는 경우 토지수용위원회가 아니라 사업시행자를 상대로 보상금의 증액을 구하는 소송을 제기해야 한다. (○, ×) ★★★
2024 국가직 9급

□□□□□ **05** 「공익사업을 위한 토지 등의 취득 및 보상에 관한 법률」에 의한 보상금 증감에 관한 소송은 수용재결서를 받은 날부터 90일 이내에, 이의신청을 거쳤을 때에는 이의신청에 대한 재결서를 받은 날부터 60일 이내에 각각 행정소송을 제기할 수 있다. (○, ×) ★★★
2023 군무원 9급

❶ 「공익사업을 위한 토지 등의 취득 및 보상에 관한 법률」 제85조 【행정소송의 제기】 ② 제1항에 따라 제기하려는 행정소송이 보상금의 증감(增減)에 관한 소송인 경우 그 소송을 제기하는 자가 토지소유자 또는 관계인일 때에는 사업시행자를, 사업시행자일 때에는 토지소유자 또는 관계인을 각각 피고로 한다.02 03

[a] 보상금증액청구소송이 일반적이다. 보상금감액소송의 경우에는 원고와 피고가 반대로 된다.

정답 01 ○ 02 × 03 ○ 04 ○ 05 ○

관련문제

다음 사례에 대한 설명으로 옳은 것은? (다툼이 있는 경우 판례에 의함) 2022 국가직 7급

> 경기도 A 군수는 개발촉진지구에서 시행되는 지역개발사업의 시행자로 B를 지정 · 고시하고 실시계획을 승인 · 고시하였다. B는 개발사업구역에 편입된 甲 소유 토지에 관하여 「공익사업을 위한 토지 등의 취득 및 보상에 관한 법률」에 따라 甲과 협의를 하였으나 협의가 이루어지지 아니하자 경기도 지방토지수용위원회에 위 토지에 대한 수용재결 신청을 하여 수용재결서 정본을 송달받았다.

① 甲은 수용재결에 불복할 때에는 그 재결서를 받은 날부터 60일 이내에, 이의신청을 거쳤을 때에는 이의신청에 대한 재결서를 받은 날부터 30일 이내에 각각 행정소송을 제기하여야 한다.

② 甲이 수용재결에 이의가 있을 경우 경기도 지방토지수용위원회를 거쳐 중앙토지수용위원회에 이의를 신청할 수 있다.

③ 甲이 수용재결에 대하여 중앙토지수용위원회의 이의재결을 거친 후 취소소송을 제기할 경우, 이의재결에 고유한 위법이 없는 경우에도 중앙토지수용위원회를 피고로 하여 수용재결의 취소를 구하여야 한다.

④ 甲이 보상금의 증액청구를 하고자 하는 경우에는 경기도 지방토지수용위원회를 피고로 하여 당사자소송을 제기하여야 한다.

정답 ②(①은 p.682, ②는 p.681, ③은 p.683 참조)

[유튜브] 31강 필수 개념 TEST
- QR코드를 스캔해 주세요.
- 필수 개념과 출제 포인트를 풀어 보세요.
- 틀린 문제는 기본서로 확인해 주세요.

제 32 강 손해전보를 위한 그 밖의 제도 등

손해전보를 위한 그 밖의 제도

독일법상 수용유사침해

의 의

- **개념** : 공용침해행위로 인해 개인에게 특별한 희생이 발생했음에도 불구하고 보상규정이 결여되어 있는 경우, 이를 수용행위와 유사한 공용침해로 보아 손실보상을 인정하는 이론
- 보상을 직접 목적으로 하는 것으로 경계이론에서 도출됨.
- 위법 · 무책의 침해
  (※손해배상 – 위법 · 유책, 손실보상 – 적법 · 무책)
- **위법의 의미** : 보상규정을 갖추지 못함으로써 법률이 위헌이 되어 결과적으로 그 법에 따른 침해는 위법이 됨.

발전과정

수용유사침해이론은 독일의 연방최고법원의 판례를 통하여 성립된 이론

도입논의

우리 대법원은 유보적 입장을 보인 적이 있을 뿐 명시적으로 인정한 경우는 없음.

독일법상 수용적 침해

의 의

적법한 공권력행사로 비의도적 · 비정형적 결과가 발생하여 재산권이 침해된 경우
(※수용유사침해 – 위법)

도입논의

우리 대법원은 명시적으로 인정한 경우 없음.

독일법상 희생보상청구권

의 의

적법한 공권력행사로 생명 · 신체 등 비재산적 법익이 침해된 경우

법적 근거

- 일반적인 제도로서 인정되지 않음.
- 「감염병의 예방 및 관리에 관한 법률」, 소방기본법 등 개별법률에서 인정

행정상의 결과제거청구

결과제거청구권의 의의

개 념

일종의 원상회복청구권

구별개념

구 분	손해배상청구권	결과제거청구권
목 적	금전에 의한 배상	결과제거를 통한 원상회복
고의 · 과실 유무	고의 · 과실 O	고의 · 과실 ×
대 상	상당인과관계 있는 손해	직접적인 결과

※결과제거청구권으로 충분히 구제되지 않은 경우 손해배상청구 가능

성 질

- 물권적 청구권에 한정할 것은 아님.

결과제거청구권의 요건

행정주체의 공행정작용으로 인한 침해

법률상 이익의 침해

- 타인의 권리 또는 법률상의 이익 침해(명예 · 호평 등 정신적인 것도 포함)
- 사실상의 이익, 반사적 이익 침해 ×

위법한 상태의 존재

- 위법한 상태는 위법한 행정작용에 의해 처음부터 발생할 수도 있고 사후적으로 발생할 수도 있음.
- 위법한 침해상태가 결과제거청구권의 행사시까지 계속되어야 함.

결과제거의 가능성 · 허용성 · 기대가능성

결과제거청구권의 내용 등

- 원상회복의 청구
- 공행정작용으로 인한 직접적인 결과의 제거만을 그 대상으로 함.
- 민법상 과실상계에 관한 규정은 공법상 결과제거청구권에 유추적용 가능
- **소송절차** : 당사자소송에 의해야 함(통설).

제 1 절 손해전보를 위한 그 밖의 제도

핵심집약 Topic 59

기출 체크

□□□□□ 01 「감염병의 예방 및 관리에 관한 법률」 제71조에 의한 예방접종 피해에 대한 국가의 보상책임은 무과실책임이지만, 질병, 장애 또는 사망이 예방접종으로 발생하였다는 점이 인정되어야 한다. (○, ×) 2023 군무원 9급

❶ 「감염병의 예방 및 관리에 관한 법률」 제71조【예방접종 등에 따른 피해의 국가보상】 ② 제1항에 따라 보상받을 수 있는 질병, 장애 또는 사망은 예방접종약품의 이상이나 예방접종 행위자 및 예방·치료 의약품 투여자 등의 과실 유무에 관계없이 해당 예방접종 또는 예방·치료 의약품을 투여받은 것으로 인하여 발생한 피해로서 질병관리청장이 인정하는 경우로 한다.

정답 01 ○

01 | 전통적 손실보상제도의 한계

❶ 전통적 손실보상제도

전통적 손실보상제도는 적법·무책(고의·과실이 없는 경우)의 행정이 공공필요를 위해 의도적으로 개인의 재산권에 공권력을 행사함으로써 개인이 입은 손실을 보상해 주는 제도를 의미한다. 그런데 이러한 전통적 손실보상제도로는 구제가 곤란한 영역이 발생하는바, 이에 대해 검토해 본다.

❷ 손해전보제도의 흠결

1. 위법·무책의 공무원 직무행위의 경우

(1) 현행 손해전보제도

현행 손해전보제도상으로는 고의·과실(유책)의 위법행위에 대해서는 국가배상이 인정되며, 적법한 공권력행사에 의하여 가해지는 재산권침해에 대해서는 손실보상이 인정된다.

(2) 수용유사침해 논의

그런데 위법한 행위이지만 고의·과실이 없는 경우가 있을 수 있고, 이 경우 국가배상책임이 인정되지 않는 문제가 발생한다. 이와 관련하여 논의되는 것이 **수용유사침해이론**이다.

2. 비의욕적 공용침해(결과적 손실)의 경우

현행 손실보상제도는 적법한 공권력행사로 인한 의도적 침해를 예상한 제도이다. 그러나 현실적으로는 행정주체가 의도하지 않고 예상하지 못한 손실이 행정작용에 수반하여 발생할 수 있다. 이와 관련해 논의되는 것이 수용적 침해의 이론이다.

3. 비재산적 법익에 대한 적법한 침해의 경우

(1) 손실보상은 적법행위를 통한 재산권침해를 전제로 하고 있다. 따라서 예방접종의 부작용으로 인한 사고 등 적법한 행정작용으로 인해 생명 또는 신체의 '비재산적 법익'에 대한 침해가 일어나는 경우에도 기존의 손실보상제도로는 구제받기가 어렵다. 이와 관련해 논의되는 것이 **희생보상청구권**이다.

(2) 「감염병의 예방 및 관리에 관한 법률」은 예방접종으로 인한 질병, 장애 또는 사망에 대해 예방접종 행위자 등의 과실 유무에 관계없이 국가가 보상하는 것을 규정하고 있다. 판례는 그 보상의 실질을 피해자의 특별한 희생에 대한 보상, 즉 손실보상에 가까운 것으로 보고 있다.

관련판례

1. 「감염병의 예방 및 관리에 관한 법률」 제71조❶에 의한 예방접종 피해에 대한 국가의 보상책임은 무과실책임이지만, 질병, 장애 또는 사망(이하 '장애 등'이라 한다)이 예방접종으로 발생하였다는 점이 인정되어야 한다(대판 2019. 4. 3, 2017두52764). 01

2. 구 전염병예방법에 의한 피해보상제도가 수익적 행정처분의 형식을 취하고는 있지만, 구 전염병예방법의 취지와 입법경위 등을 고려하면 실질은 피해자의 특별한 희생에 대한 보상에 가까우므로, …… (대판 2014. 5. 16, 2014두274)

02 | 독일법상 수용유사침해

❶ 의 의

1. 개념 및 근거

(1) 수용유사침해이론이란 공용침해행위로 인해 개인에게 특별한 희생이 발생했음에도 불구하고 보상규정이 결여되어 있는 경우,01 이를 수용행위와 유사한 공용침해로 보아 손실보상을 인정하는 이론이다.ⓐ

(2) 수용유사침해이론은 보상을 직접 목적으로 하는 것으로서 경계이론에서 나오는바, 위헌성의 제거를 직접 목적으로 하는 분리이론과는 기초를 달리한다.02

2. 위법의 의미

(1) 수용유사침해에서 위법은 고의 또는 과실로 법령을 위반하여 타인에게 침해를 가하는 경우의 위법(국가배상의 위법)과는 다른 의미를 가진다.

(2) 즉, 이때의 위법은 공용침해의 근거법률이 헌법이 요구하는 공용침해요건을 갖추지 못하여 위헌이 되고, 그러한 법률에 의한 공용침해가 결과적으로 위헌이 된다는 의미의 위법이다.

❷ 독일의 논의 전개

1. 성립배경 및 발전

(1) 수용유사침해이론은 손해배상제도와 손실보상제도로 해결되지 않는 영역에 대한 국가의 책임 문제를 해결하기 위해 독일 연방최고법원의 판례를 통하여 형성된 이론이다.

(2) 즉, 독일 법원은 독일기본법 제14조 제3항에 근거하여 적법한 침해에 대한 보상이 이루어진다면 위법한 침해에 대해서는 당연히 손실보상이 이루어져야 한다는 것을 근거로 동 이론을 성립시켰으며, 그 후 이 이론은 점차 재산권에 대한 위법 · 유책한 공용침해의 경우로 확대 · 발전되었다.

2. 자갈채취사건과 그 후의 전개과정

(1) 동 이론은 독일 연방헌법재판소의 자갈채취사건판결에 의해 위기를 맞게 되었다. 자갈채취사건 판결 이전에는 위법한 침해가 이루어지면 그 위법행위를 수인하고 대신에 독일기본법 제14조 제3항에 따라 손실보상을 청구할 수 있었으나, 독일 연방헌법재판소는 동 사건에서 독일기본법 제14조 제3항을 적용하던 종래의 수용유사침해의 법리에 의한 보상청구를 제약하는 판결을 하였다.

(2) 동 판결 이후 독일의 학설과 판례는 위법한 수용이 이루어지면 먼저 그에 대한 취소소송을 제기하여 구제를 생각하여야 하고, 취소소송을 제기할 수 없는 경우(예 사실행위, 법령, 제소기간 등의 경과로 행정쟁송제기가 불가능한 경우 등)에 한하여 독일기본법 제14조 제3항이 아닌 관습법으로

기출 체크

□□□□□ 01 수용유사적 침해란 공용침해의 요건을 구비하였으나 보상규정을 결하고 있는 경우를 말한다. (○, ×)
2005 서울시 9급

□□□□□ 02 수용유사침해보상에 관한 설명으로 옳은 것은? ★
2008 국가직 9급

① 적법한 공행정작용의 비전형적이고 비의도적인 부수적 효과로써 발생한 개인의 재산권에 대한 손해를 전보하는 것을 말한다.
② 분리이론보다는 경계이론과 밀접한 관련이 있다.
③ 통상적인 공용침해가 적법 · 무책인 데 비하여, 수용유사침해는 위법 · 유책이다.
④ 수용유사침해는 우리 대법원의 판례를 통해서 발전된 이론으로 그에 관한 명시적인 법률규정은 없다.

ⓐ **수용유사침해**
구 도시계획법에서는 개발제한구역지정에 대한 근거규정을 두면서 그로 인한 침해에 대한 보상은 규정하지 않고 있었다. 이때 나대지 소유자가 개발제한구역지정으로 인해 건물을 신축하지 못하는 경우 이러한 자의 손실은 특별한 희생에 해당한다고 할 수 있다. 이때 개발제한구역지정과 같은 재산권 제한행위는 비록 구 도시계획법에 근거가 있더라도 보상규정의 결여로 인해 위헌 · 위법적인 침해가 되며, 이러한 침해를 적법한 공용침해와 구별하여 수용유사침해라고 부른다.

정답 01 ○ 02 ②(①은 p.691, ③④는 p.690 참조)

인정되어 온 희생보상청구권에 의하여 여전히 수용유사침해의 법리를 인정하여 손실보상청구가 가능하다고 한다.

읽기자료 | 자갈채취판결

1. 사건의 개요

   오랫동안 자기소유의 토지 위에서 자갈을 채취하여 오던 자가 자갈을 계속하여 채취하고자 허가를 신청하였으나, 새로 제정된 물관리법에 의해 허가가 거부되었다. 이에 원고는 민사법원에 행정청의 행위를 수용으로 보고 수용유사침해의 법리에 따라 그로 인한 보상을 청구하였다. 이에 법원이 물관리법에 위헌적 소지가 있다는 이유로 연방헌법재판소에 사건을 이송하였다.

2. 연방헌법재판소의 판단요지

   개인이 자기에 대해 행해진 처분을 수용으로 본다면 보상에 대한 법률상 근거가 있을 때에만 손실보상을 청구할 수 있다. 만약 법률상 근거가 없다면 손실보상을 청구할 수는 없고 처분의 위법성을 이유로 처분에 대해 취소소송을 제기하여야 한다. 따라서 취소소송과 손실보상청구권의 선택은 인정되지 아니한다. 즉, 독일기본법 제14조 제3항에 따른 수용보상은 적법한 수용의 경우에만 적용된다. 이러한 연방헌법재판소의 판단은 재산권에 대해 가치보장보다는 존속보장을 우선시한 것으로 평가받고 있다.

❸ 구별개념

1. 본래 의미의 공용침해에 대한 보상

수용유사침해의 보상은 위법한 공용침해에 대한 보상이라는 점에서, 적법한 공용침해에 대한 보상인 본래 의미의 손실보상과 구별된다.

2. 국가배상

수용유사침해의 보상은 위법 · 무책의 침해로 야기된 특별한 희생에 대한 손실의 조절적 보상이라는 점에서, 위법 · 유책의 침해에 대한 손해배상을 의미하는 **국가배상**과 구별된다.

❹ 요 건

수용유사침해로 인한 손실보상청구권은 일반적인 손실보상청구권과 같이 **공공의 필요, 재산권에 대한 공용침해, 특별한 희생의 요건이 충족**되어야 한다. 다만, 보상의 법적 근거가 없는 **위법한 것이라는 점**에서 일반적 **손실보상청구권의 요건과 구별**이 된다. 또한 재산권의 보장은 1차적으로 존속보호를 목표로 하므로 재산권에 대한 위법한 침해에 대하여 존속보호가 불가능하거나 충분하지 아니하면 보상이 주어져야 한다는 전제하에 수용유사침해보상청구권이 인정된다.

❺ 우리나라의 도입 논의

행정상 손실보상의 근거규정이 없어 이른바 수용유사침해이론이 문제되는 경우 이러한 이론을 도입할 것인지에 대해서는 학설의 논의가 있다.

1. 학 설

보상에 관한 입법상 흠결이 있는 경우 ① 독일의 수용유사침해에 관한 법리를 받아들여 손실보상청구가 가능하다는 견해(유추적용설의 입장), ② 수용유사침해보상에 해당하는 경우에는 손해배상청구만 가능하다는 견해(위헌무효설의 입장), ③ 헌법 제23조 제3항을 근거로 직접 손실보상청구가 가능하다는 견해(직접효력설의 입장) 등이 있다. 즉, 유추적용설을 주장하는 견해만이 수용유사침해이론의 도입을 긍정하고, 다른 견해는 이를 부정한다고 볼 수 있다.

2. 판 례

고등법원은 수용유사침해이론의 도입을 긍정한 바 있으나, 우리 대법원은 수용유사침해이론의 개념은 언급하면서도 그 도입 여부에 대해 유보적 입장을 보인 바 있을 뿐 명시적으로 인정한 경우는 없다.01

관련판례

국군보안사령부 정보처장이 언론통폐합조치의 일환으로 사인 소유의 방송사 주식을 강압적으로 국가에 증여하게 한 것은 사법상의 증여계약일 뿐 수용유사침해행위에 해당되지 않는다.02 ★

수용유사적 침해의 이론은 국가, 기타 공권력의 주체가 위법하게 공권력을 행사하여 국민의 재산권을 침해하였고 그 효과가 실제 수용과 다름없을 때에는 적법한 수용이 있는 것과 마찬가지로 국민이 그로 인한 손실의 보상을 청구할 수 있다는 내용으로 이해되는데, 과연 우리 법제하에서 그와 같은 이론을 채택할 수 있는 것인가는 별론으로 하더라도 이 사건에서 피고 대한민국의 이 사건 주식취득이 그러한 공권력의 행사에 의한 수용유사적 침해에 해당한다고 볼 수는 없다.

국가가 이 사건 주식을 취득한 것이 원심판시와 같이 공공의 필요에 의한 것이라고 본다 하여도 그 수단이 사법상의 증여계약에 의한 것인 경우에는 비록 공무원이 그 증여계약 체결과정에서 위법하게 강박을 행사했더라도 그것만으로 이 사건 주식의 취득 자체를 공권력의 행사에 의한 것이라고는 볼 수 없고, ……

(대판 1993. 10. 26, 93다6409)

03 | 독일법상 수용적 침해

❶ 의 의

1. 개 념

수용적 침해란 공공필요에 의해 이루어진 적법한 공권력행사가 예상하지 못한 부수적이며 비정형적인 결과를 야기하여 개인의 재산권에 직접적 피해를 주는 경우 이를 특별한 희생으로 보아 손실보상을 인정하는 것이다.03

2. 논의되는 영역

① 지하철공사가 장기간 계속됨으로 인하여 인근상점이 오랫동안 영업을 하지 못한 경우, ② 도로의 건설로 인한 고객의 통행상 불편이 가중되어 인근상가의 매출감소를 야기하는 경우, ③ 폐기물처리시설을 설치 · 운영하는 과정에서 인근주민에게 예상치 못한 재산상의 피해가 발생하는 경우, ④ 경찰관이 총기발사에 필요한 요건을 구비하고 총을 발사하였으나 방향을 잃은 총알에 의하여 사인의 차량이 파손된 경우 등이 그 예이다.

❷ 구별개념ⓐ

1. 본래 의미의 손실보상(공용침해)

본래 의미의 손실보상(공용침해)은 재산권에 대한 의도적 침해이나, 수용적 침해는 처음부터 특별

기출 체크

□□□□□ 01 대법원의 판례는 개발제한구역지정으로 인한 재산권제한을 수용유사침해로 보아 손실보상을 인정하고 있다. (○, ×) ★ 2003 국가직 7급

□□□□□ 02 대법원은 국군보안사가 사인 소유의 방송사 주식을 강제로 국가에게 증여하게 한 사건에서 수용유사적 침해이론에 근거해 손실보상을 인정한다고 판시하였다. (○, ×) ★ 2024 소방직 9급

□□□□□ 03 수용유사의 침해란 타인의 재산권에 대한 위법한 공용침해를 말하고, 수용적 침해란 적법한 행정작용의 이형적 · 비의욕적인 부수적 결과로서 타인의 재산권에 수용적 영향을 가하는 침해를 말한다. (○, ×) ★ 2003 국가직 7급

ⓐ 수용적 침해, 간접손실
일반적으로 수용적 침해를 '적법한 행정작용의 결과로 발생한 의도되지 않은 침해'라고 정의하는데, 이 경우 수용적 침해와 간접손실의 관계가 문제된다. 간접손실을 공익사업으로 인하여 사업시행지 밖의 재산권자에게 필연적으로 가해지는 손실로 본다면, 간접손실은 수용적 침해의 일부에 해당한다고 볼 수 있다. 즉, 수용적 침해가 간접손실보다 넓은 개념이다. 수용적 침해는 간접손실뿐만 아니라 기타 적법한 행정작용의 결과로 발생한 의도되지 않은 침해 전체를 의미한다고 하겠다.

정답 01 × 02 × 03 ○

기출 체크

□□□□□ **01** 구 전염병예방법 제54조의2에 의하면 국가는 동법 규정에 의하여 예방접종을 받은 자가 그 예방접종으로 인하여 질병에 걸리거나 장애인이 된 때나 사망한 때에는 대통령령이 정하는 기준과 절차에 따라 보상을 하여야 한다. 이러한 보상과 관련이 깊은 것은? ★

2006 노동부 · 선관위 9급

① 희생보상청구
② 공법상 결과제거청구
③ 생활보상
④ 간접손실보상

정답 01 ①

ⓐ 희생보상청구권

원래 희생보상청구권은 공동체의 복리증진을 위해 희생된 개인의 모든 유형의 침해에 대하여 국가가 보상한다는 의미를 가진 원리였다. 그런데 그 후 재산권의 침해에 대한 손실보상제도가 완비되자, 비재산적 법익에 대한 손실의 보상에 대해 청구할 수 있는 권리로 한정된 것이다. 한편 앞서 본 바와 같이 독일연방헌법재판소가 독일 기본법 제14조 제3항이 더 이상 수용유사침해이론의 논거가 되지 못한다고 판시하자 독일 연방법원은 프로이센 일반란트법이 비록 폐지는 되었지만 여전히 관습법으로는 효력이 있으며 수용유사침해이론의 근거가 된다고 보고 있다.

한 희생을 가할 의도가 없었다는 점에서 구별된다.

2. 수용유사침해

수용유사침해는 위법한 침해이나, 수용적 침해는 적법한 침해라는 점에서 구별된다.

❸ 수용적 침해의 요건

공공의 필요	수용적 침해의 공권력행사는 공공필요, 즉 공익달성을 위한 것이다.
적법한 공권력의 행사	수용적 침해의 공권력행사는 그 자체로는 적법한 것이어야 한다.
비의도적 · 비정형적 결과로 인한 재산권 피해	공권력행사 자체는 적법하지만 이로 인하여 의도하지 않은 비정형적인 결과가 발생하고 이것이 재산권의 침해로 이어지는 경우이다. 이 점에서 본래 의미의 손실보상과 구별된다.
특별한 희생	수용적 침해에 대한 보상 역시 개인에게 특별한 희생이 발생하는 경우이어야 한다.

❹ 우리나라의 도입 논의

학설은 동 이론의 인정 여부에 대해 견해가 대립한다. 아직까지 이 이론을 명시적으로 도입한 판례는 없다.

04 | 독일법상 희생보상청구권

❶ 의 의

1. 개 념

희생보상청구권ⓐ이란 적법한 공권력행사로 인해 생명 · 신체 등의 비재산적 법익이 침해된 경우 그 손실에 대한 보상을 청구할 수 있는 권리를 말한다. 독일에서는 일반적으로 이 이론도 관습법적인 것으로 인정되고 있는 희생보상원칙에 근거한 것이라고 보고 있다.

2. 논의되는 영역

① 국립병원 의사가 법률에 의해 강제되는 예방주사를 접종하였는데 특이체질의 사람이 이로 인해 병을 얻은 경우, ② 경찰관이 범인을 향해 총을 발사하였으나 방향을 잃은 총알에 의해 사인이 다친 경우, ③ 화재현장에서 진화작업을 돕던 자가 작업 중 부상 또는 사망한 경우 등이 그 예이다.

3. 손실보상과 희생보상청구권의 구별

희생보상청구권은 비록 행정작용으로 인하여 불이익이 발생했으나 그것이 재산권에 대한 침해가 아닌 비재산권에 대한 침해인 경우에 인정되는 것이라는 점에서 헌법 제23조 제3항의 손실보상과는 구별된다.

❷ 법적 근거

일반적인 제도로서 독일법상 관습법적인 희생보상청구제도는 인정되지 않고 있으나 우리 실정법상 개별 법률에 희생보상청구권이 인정되는 경우가 있다. 예컨대, 예방접종을 받은 자가 그로 인해 질병에 걸리거나 장애인이 된 경우에 보상을 인정하는 「감염병의 예방 및 관리에 관한 법률」(구 전염병예방법), **01** 경찰관의 적법한 직무집행 과정에서 발생한 재산상의 손실 외에 생명 또는 신체상의 손실에 대하여도 보상을 인정하는 경찰관직무집행법, 소방활동에 종사하다가 사망 또는 부상을 입은 경우에 보상을 인정하는 소방기본법을 들 수 있다.❶

관련판례

구 전염병예방법 제54조의2(예방접종으로 인한 피해에 대한 국가보상)에 따른 국가보상의 성질은 특별희생보상이다.

위와 같은 국가의 보상책임은 예방접종의 실시 과정에서 드물기는 하지만 불가피하게 발생하는 부작용에 대해서, 예방접종의 사회적 유용성과 이에 따른 국가적 차원의 권장 필요성, 예방접종으로 인한 부작용이라는 사회적으로 특별한 의미를 가지는 손해에 대한 상호부조와 손해분담의 공평, 사회보장적 이념 등에 터잡아 구 전염병예방법이 특별히 인정한 독자적인 피해보상제도이다(대판 2014. 5. 16, 2014두274).

❸ 요 건

희생보상청구권은 공공의 필요, 적법한 공권력행사, 비재산권에 대한 침해, 특별한 희생이라는 요건이 충족되면 성립한다.

❶ 소방기본법 제24조 【소방활동 종사명령】 ① 소방본부장, 소방서장 또는 소방대장은 화재, 재난 · 재해, 그 밖의 위급한 상황이 발생한 현장에서 소방활동을 위하여 필요할 때에는 그 관할구역에 사는 사람 또는 그 현장에 있는 사람으로 하여금 사람을 구출하는 일 또는 불을 끄거나 불이 번지지 아니하도록 하는 일을 하게 할 수 있다. 이 경우 소방본부장, 소방서장 또는 소방대장은 소방활동에 필요한 보호장구를 지급하는 등 안전을 위한 조치를 하여야 한다.

제49조의2 【손실보상】 ① 소방청장 또는 시 · 도지사는 다음 각 호의 어느 하나에 해당하는 자에게 제3항의 손실보상심의위원회의 심사 · 의결에 따라 정당한 보상을 하여야 한다.

2. 제24조 제1항 전단에 따른 소방활동 종사로 인하여 사망하거나 부상을 입은 자

희생유사침해

수용에 대한 보상의 경우와 마찬가지로 희생보상 역시 위법한 침해행위의 경우에까지 확대되었는바, 이를 희생유사침해에 대한 손실보상이라고 할 수 있다. 희생유사침해는 위법성의 문제만 제외하면 희생보상의 경우와 법적 근거, 요건, 효과 등이 동일하다고 할 것이다. 즉, 희생유사침해는 비재산적 법익에 대한 위법한 침해라고 볼 수 있다.

손해전보제도

수용유사침해	'위법'한 침해
수용적 침해	'비의도적 · 비정형적' 침해
희생보상청구권	'비재산권'에 대한 침해

제 2 절 행정상의 결과제거청구

핵심집약 Topic 59

기출 체크

□□□□□ 01 공법상 결과제거청구권은 공행정작용으로 인하여 야기된 위법한 상태를 제거하여 그 원상회복을 목적으로 하는 권리이다. (○, ×) ★★
2010 지방직 7급

□□□□□ 02 공법상 결과제거청구는 가해행위의 위법 및 가해자의 고의 또는 과실을 요건으로 한다. (○, ×) ★★
2010 지방직 7급

□□□□□ 03 공법상 결과제거청구권의 대상은 가해행위와 상당인과관계가 있는 손해이다. (○, ×) 2021 군무원 9급

● 결과제거청구권
- 공행정작용으로 인한 침해가 존재해야 하는 바, 공행정작용에는 법적인 행위뿐만 아니라 사실행위도 포함되며 권력작용뿐만 아니라 비권력작용도 포함된다.
- 행정주체의 사법(私法)적 활동으로 인한 침해에 대해서는 결과제거청구권이 인정되지 않는다.
- 법률상 이익이 침해되어야 하며 반사적 이익, 사실상 이익 침해의 경우에는 결과제거청구권이 인정되지 않는다.
- 이때 법률상 이익이라 함은 재산적 가치 있는 것뿐만 아니라 명예 · 호평 등 정신적인 것까지도 포함한다.
- 결과제거청구권의 성립요건으로서의 위법한 상태는 처음부터 발생할 수도 있고 사후적으로 발생할 수 있다.
- 위법한 행정행위가 취소할 수 있는 행위에 불과한 경우 당해 행정행위는 공정력에 의해 취소되기까지는 유효한 것으로 통용되어 권익침해의 상태가 정당화되므로 결과제거청구권이 인정되지 않는다.
- 당초에는 적법한 행정행위가 후에 위법하게 된 경우에도 결과제거청구권이 인정된다.
- 원상회복이 불가능한 경우 결과제거청구권이 인정될 수는 없고 손해배상청구 등을 할 수밖에 없다.

정답 01 ○ 02 × 03 ×

01 | 결과제거청구권의 의의

❶ 의 의

1. 개 념

(1) 결과제거청구권이란 행정청의 공행정작용으로 조성된 위법한 결과의 제거를 청구하는 일종의 원상회복청구권을 말한다.01

(2) 예를 들면, ① 운전면허증의 압수가 취소되었음에도 불구하고 행정청이 그것을 반환하지 않는 경우, ② 공직자의 직무수행 중의 발언으로 명예를 훼손당한 자가 그 발언의 철회를 요구하고자 하는 경우 등에 인정되는 권리이다.

2. 결과제거청구권의 필요성

결과제거청구권은 기존 국가배상제도와 취소소송제도로는 당사자의 권익을 충분히 구제할 수 없기 때문에 이것을 보완하기 위해 인정되는 제도이다. 행정상 손해배상청구로는 손해에 대한 금전배상은 청구할 수 있으나 방해행위의 배제를 청구할 수는 없고, 또한 행정쟁송에서 청구가 인용되어도 원상회복이 되지 않는 경우가 있으므로 결과제거청구권을 인정할 필요성이 있다.

❷ 행정상 손해배상청구권과 결과제거청구권의 구별

1. 손해배상은 금전에 의한 배상을 목적으로 하지만, 결과제거청구권은 위법한 결과의 제거를 통한 원상회복을 목적으로 한다.

2. 손해배상은 가해행위의 위법과 가해자의 고의 또는 과실을 요건으로 하지만, 결과제거청구는 가해행위의 위법이 아닌 결과의 위법성이 문제되며 가해자의 고의 · 과실을 요건으로 하지 않는다.02

손해배상청구권과 결과제거청구권

구 분	손해배상청구권	결과제거청구권
목 적	금전에 의한 배상	위법한 결과의 제거(원상회복)
고의 · 과실	필요(특히 국가배상법 제2조)	요건 아님.
대 상	가해행위와 상당인과관계가 있는 손해	공행정작용의 직접적인 결과

3. 대상에 있어서 손해배상은 가해행위와 상당인과관계가 있는 손해를 대상으로 하지만, 결과제거청구는 공행정작용의 직접적인 결과만을 대상으로 한다.03 이와 같이 양자는 요건 면에서 구별되므로 결과제거청구권으로 충분히 구제되지 않은 경우 손해배상청구권을 행사할 수 있다.

❸ 성 질

1. 결과제거청구권을 행정청의 정당한 권한 없이 이루어진 행위로 말미암아 사인의 물권(물건에 대한 권리)적 지배권이 침해된 경우에 발생하는 물권적 청구권이라고 보는 견해가 있다.
2. 그러나 명예훼손의 경우 명예회복을 청구하는 것과 같이 물권적 내용을 가지지 않는 경우에도 발생할 수 있으므로 물권적 청구권에 한정할 것은 아니라는 것이 다수설의 견해이다.

02 | 결과제거청구권의 요건

❶ 행정주체의 공행정작용으로 인한 침해

행정주체의 공행정작용으로 인한 침해가 존재하여야 한다. 공행정작용에는 법적 행위뿐 아니라 사실행위도 포함되고 권력작용뿐 아니라 관리작용 등 비권력적 작용도 포함된다.01 그러나 행정주체의 사법(私法)적 활동으로 인한 침해는 민법상 소유권에 기한 방해배제청구권의 대상이 되므로 공법상의 결과제거청구권이 인정되지 않는다.

❷ 법률상 이익의 침해

1. 타인의 권리 또는 법률상 이익 침해

행정작용으로 인하여 야기된 결과적 상태가 타인의 권리 또는 법률상 이익을 침해하고 있어야 한다. 단순한 반사적 이익, 사실상 이익의 침해는 포함되지 않는다.02 다만, 여기에서의 권리 또는 법률상 이익에는 재산적으로 가치 있는 것뿐만 아니라, 명예 · 호평 등 정신적인 것까지도 포함된다.

2. 보호가치 있는 이익 침해

그러나 결과제거청구권은 침해되는 권리 또는 법률상 이익이 보호할 만한 가치가 있는 경우에만 인정된다. 예를 들어, 불법주차차량을 다른 장소에 견인한 경우 그 차주는 원상회복을 요구할 수 없다.

❸ 위법한 상태의 존재

공행정작용의 결과로서 위법한 상태가 야기되어야 한다. 위법한 상태의 존재 여부는 사실심의 변론종결시를 기준으로 판단한다. 위법한 상태는 위법한 행정작용에 의해 처음부터 발생할 수도 있고 사후적으로 발생할 수도 있다.03 또한 위법한 침해상태가 결과제거청구권의 행사시까지 계속되어야 한다.ⓐ

❹ 결과제거의 가능성 · 허용성 · 기대가능성

1. 결과제거청구의 내용은 원래의 상태 또는 동일한 가치의 상태로 회복함이 사실상 가능하며, 법적으로 허용되고 또한 의무자에게 그것이 기대가능한 것이어야 한다.04 이러한 요건이 구비되지 아니하면 손해배상이나 손실보상만이 문제된다.

기출 체크

□□□□□ 01 결과제거청구는 권력작용뿐만 아니라 관리작용에 의한 침해의 경우에도 인정된다. (○, ×) 2021 군무원 9급

□□□□□ 02 타인의 법률상 이익을 침해하는 것뿐만 아니라, 사실상의 이익을 침해하는 경우에도 결과제거청구권이 성립한다. (○, ×) 2005 서울시 9급

□□□□□ 03 공법상 결과제거청구에 있어서 위법한 상태는 적법한 행정작용의 효력의 상실에 의해 사후적으로 발생할 수도 있다. (○, ×)★ 2010 지방직 7급

□□□□□ 04 (공법상 결과제거청구권은) 원상회복이 행정주체에게 기대가능한 것이어야 한다. (○, ×) 2021 군무원 9급

ⓐ **사후에 합법화된 경우**
불법수용된 토지가 사후에 합법화된 경우처럼 처음에는 위법한 상태였더라도 사후에 합법화된 경우에는 위법한 상태가 더 이상 존재하지 않으므로 결과제거청구권이 인정되지 않는다.

정답 01 ○ 02 × 03 ○ 04 ○

2. 예컨대, 불법으로 압류된 자동차가 파손된 경우에는 원상회복이 사실상 불가능하고, 수용절차 없이 부지가 도로로 편입되었더라도 도로에 대해서는 사권을 행사할 수 없으므로 원상회복이 불가능하다. 또한 모욕은 사후적인 행위로 회복이 가능하지 아니하므로, 모욕행위에 대한 결과제거청구 역시 허용되지 아니한다.

관련판례

1. **적법한 사용권을 취득함이 없이 타인의 토지를 도로부지로 편입하여 도로로 사용하는 경우에 토지소유자의 사권행사에는 제한이 있다(부정 사례).**
   도로를 구성하는 부지에 대하여는 사권을 행사할 수 없으므로 그 부지의 소유자는 불법행위를 원인으로 하여 손해배상을 청구함은 별론으로 하고 그 부지에 관하여 그 소유권을 행사하여 인도를 청구할 수 없다(대판 1968. 10. 22, 68다1317).
   + 도로를 구성하는 부지에 대하여는 사권은 행사할 수 없다는 명문규정이 있다(도로법 제4조). ❶

2. **공중의 편의를 위한 상수도시설에 대해 대지소유자가 소유권에 기하여 철거를 요구하는 것은 권리남용에 해당하지 않는다(긍정 사례).**
   대지소유자가 그 소유권에 기해 그 대지의 불법점유자인 시에 대해 권원 없이 그 대지의 지하에 매설한 상수도관의 철거를 구하는 경우에 공익사업으로서 공중의 편의를 위해 매설한 상수도관을 철거할 수 없다거나 이를 이설할 만한 마땅한 다른 장소가 없다는 이유만으로는 대지소유자의 위 철거청구가 오로지 타인을 해하기 위한 것으로서 권리남용에 해당한다고 할 수는 없다(대판 1987. 7. 7, 85다카1383).

3. 또한 결과제거를 위한 원상회복이 지나치게 많은 비용을 요하는 경우에도 결과제거청구권은 인정될 수 없고 손해배상이나 손실보상만이 가능하다고 볼 것이다.

03 | 결과제거청구권의 내용

❶ 원상회복의 청구

결과제거청구권의 내용은 공행정작용으로 인한 위법한 결과를 제거하여 원래의 상태로 회복시켜 줄 것을 청구하는 것이다. 한편, 이러한 청구권을 통해서도 원상회복될 수 없는 불이익상태가 존재하는 경우 손해전보가 가능하다.

❷ 직접적 결과의 제거

결과제거청구권은 위법한 공행정작용으로 인한 직접적 결과의 제거만을 대상으로 하고**01 02** 간접적인 결과의 제거는 그 내용으로 하지 않는다.**03**ⓐ 예컨대, 무주택자가 사인의 주택에 강제로 배정되고, 그 이후에 강제배정처분이 위법한 것으로 인정된 경우에는, 결과제거청구권으로서는 무주택자의 퇴거만을 요구할 수 있으며, 무주택자가 주거에 가한 기물파손, 기타의 손해에 대하여는 원상회복을 요구할 수가 없다. 다만, 실제로 무엇이 직접적이고 무엇이 간접적인지는 판단하기 어렵다고 할 것이다.

기출 체크

□□□□□ **01** 공법상 결과제거청구권은 공행정작용의 직접적인 결과만을 그 대상으로 한다. (○, ×) ★★★
2010 지방직 7급

□□□□□ **02** 공법상 결과제거청구권(행정상 원상회복청구권)에 관한 설명으로 옳은 것은? ★★★ 2002 국가직 7급
① 가해행위의 위법 및 가해자의 과실을 요건으로 한다.
② 관리작용에 의한 침해인 경우에도 인정되나, 법률행위에 한정된다.
③ 공행정작용의 직접적인 결과만을 그 대상으로 한다.
④ 결과제거청구소송은 행정상 항고소송이다.

□□□□□ **03** A시는 복지시설의 운영자인 B에게 무주택 상태에 있는 C가 6개월간 동 시설에 거주할 수 있게 하도록 명령하였다. 그러나 C가 거주한 지 6개월이 지났는데도 방을 비워 주지 않고 있는 상태이고, A시도 더 이상 아무런 조치를 취하지 않고 있다. 더욱이 C는 본인이 거주하던 방의 일부를 파손하였다. 다음 중 이 사례에 관한 설명으로 옳지 않은 것은?
2008 국회직 8급
① B는 A시가 명령한 6개월의 기간이 종료되었으므로 A시에 대하여 C가 퇴거하도록 해줄 것을 요구할 수 있다.
② B가 A시에 대하여 C에 대한 퇴거조치를 요구하는 것은 공법적 관계이므로, 이에 대한 소송은 당사자소송으로 하여야 한다는 것이 일반적인 견해이다.
③ B는 A시에 대하여 C에 대한 퇴거조치를 요구함에 있어 C가 파손한 부분에 대한 원상회복도 청구할 수 있다.
④ B는 C를 상대로 민사상의 손해배상을 청구할 수 있다.
⑤ A시의 명령은 행정소송법상 처분에 해당되므로 B는 취소소송을 통하여 이를 다툴 수 있으나, 이미 제소기간이 경과되어 부적법 각하될 것이다.

❶ 도로법 제4조【사권의 제한】도로를 구성하는 부지, 옹벽, 그 밖의 시설물에 대해서는 사권(私權)을 행사할 수 없다. 다만, 소유권을 이전하거나 저당권을 설정하는 경우에는 사권을 행사할 수 있다.

ⓐ 간접적 결과의 예
제3자효 행정행위와 관련하여, 제3자가 건축허가를 받아 건축한 건축물 때문에 재산권을 침해받은 자가 취소소송을 제기하여 승소한 경우라도 결과제거청구권을 통해서는 제3자가 완공한 건축물의 제거를 청구할 수는 없다.

정답 01 ○ 02 ③ 03 ③

04 | 과실상계

민법상의 과실상계에 관한 규정은 공법상 결과제거청구권에 유추적용될 수 있다. 따라서 피해자의 과실이 위법상태 발생에 기여한 경우에는 그 과실에 비례하여 결과제거청구권이 제한되거나 상실된다.01 다만, 명예훼손발언의 철회와 같이 과실상계의 문제가 처음부터 일어나지 않는 경우도 있다.

기출 체크

□□□□□ 01 피해자의 과실이 위법상태의 발생에 기여한 경우에는 그 과실에 비례하여 결과제거청구권이 제한되거나 상실된다. (○, ×) 2021 군무원 9급

05 | 쟁송절차

결과제거청구권을 공권으로 보는 것이 통설의 태도이며 이에 따르면 결과제거청구소송은 공법상 당사자소송이다. 그러나 현재 판례상 공법상 위법상태의 제거를 구하는 당사자소송(사실행위의 이행을 구하는 당사자소송)은 원칙적으로 인정되고 있지 않다.

[유튜브] 32강 필수 개념 TEST
- QR코드를 스캔해 주세요.
- 필수 개념과 출제 포인트를 풀어 보세요.
- 틀린 문제는 기본서로 확인해 주세요.

정답 01 ○

2025
써니 행정법총론

6회 온라인 모의고사

PART

6

행정구제 2 (행정쟁송)

제 33 강 행정심판의 개관 등

행정심판의 개관

의 의

개 념

- 행정청의 위법·부당한 처분 등으로 법률상 이익을 침해당한 자가 행정기관에 대하여 시정을 구하는 절차
- 행정심판법은 행정심판에 관한 일반법, 다른 특별법이 있으면 그 법이 우선 적용

구 별

- **행정심판과 이의신청**

구 분	행정심판	이의신청
청구기관	주로 상급행정청 소속 행정심판위원회	주로 처분청
대 상	원칙적으로 모든 위법·부당한 처분	개별법에 정하고 있는 처분

- 이의신청을 제기해야 할 사람이 처분청에 표제를 '행정심판청구서'로 한 서류를 제출한 경우라도 서류의 내용에 이의신청의 요건에 맞는 불복취지와 사유가 충분히 기재되어 있다면 표제에도 불구하고 이를 처분에 대한 이의신청으로 볼 수 있음(판례).
- 과세처분에 관한 이의신청절차에서 과세관청이 이의신청사유가 옳다고 인정하여 과세처분을 직권으로 취소한 후, 특별한 사유 없이 이를 번복하여 종전과 동일한 내용의 처분을 할 수는 없음(판례).

- **행정심판과 행정소송의 비교**

구 분	행정심판	행정소송
판정기관	행정심판위원회	법원
성 질	약식쟁송	정식쟁송
종 류	• 취소심판 • 무효등확인심판 • 의무이행심판	• 취소소송 • 무효등확인소송 • 부작위위법확인소송
대 상	위법·부당한 처분 또는 부작위	위법한 처분 또는 부작위
거부처분	취소심판, 무효등확인심판, 의무이행심판	취소소송, 무효등확인소송
의무이행쟁송 인정 여부	긍정	부정
당사자심판(소송)	×	○
적극적 변경 여부	가능	불가능
기 간	• 처분이 있음을 안 날 : 90일 • 처분이 있은 날 : 180일	• 처분이 있음을 안 날 : 90일 • 처분이 있은 날 : 1년
심 리	• 구술심리 또는 서면심리 • 비공개원칙	• 구술심리 • 공개원칙
가구제	집행정지(○), 임시처분(○ : 보충성)	집행정지(○), 임시처분(×)
집행정지의 요건	**중대한 손해**가 생기는 것을 예방할 필요성이 긴급하다고 인정할 때	**회복하기 어려운 손해**를 예방하기 위하여 긴급한 필요가 있다고 인정할 때
재처분 불이행	간접강제, 직접처분(거부처분 또는 부작위에 대한 처분이행명령재결에 따른 재처분 불이행시)	간접강제
오고지·불고지에 대한 규정	○	×
기판력	×	○
피청구인(피고인) 경정	위원회의 **직권** 또는 당사자의 신청	원고의 신청
사정재결(판결)	• 취소심판, 의무이행심판 • 행정심판위원회의 직접구제 또는 구제명령	• 취소소송 • 법원이 사정판결을 함에 있어서는 미리 원고가 그로 인하여 입게 될 손해의 정도와 배상방법 그 밖의 사정을 조사하여야 함. • 원고는 손해배상 및 기타 적당한 구제방법의 청구를 법원에 병합하여 제기할 수 있음.
공통점	• 국민의 권리구제수단 • 불고불리의 원칙 • 신청을 전제로 한 절차 개시 • 불이익변경금지의 원칙 • 사정재결·사정판결의 인정 • 법률상 이익이 있어야 제기할 수 있음.	• 대심구조주의 • 집행부정지의 원칙 • 직권심리주의의 가미 • 간접강제

- **행정기본법상 처분에 대한 이의신청 및 재심사**

	이의신청	처분의 재심사
근 거	행정기본법 제36조	행정기본법 제37조
대 상	행정청의 처분(행정심판법상 행정심판대상인 처분). 다만, 공무원 인사관계법령에 따른 징계 등 처분에 관한 사항 등은 제외함.	불가쟁력이 발생했어도 재심사 신청 사유에 해당하는 처분(제재처분 및 행정상 강제는 제외). 다만, 공무원 인사관계법령에 따른 징계 등 처분에 관한 사항 등은 제외함.
제기(신청) 기간	처분을 받은 날부터 30일 이내 신청	재심사 신청사유를 안 날부터 60일 이내. 다만, 처분이 있은 날부터 5년이 지나면 신청할 수 없음.
처리 기간	이의신청을 받은 날부터 14일 이내 결과 통지(단, 10일 범위에서 한 차례 연장 가능)	신청을 받은 날부터 90일(합의제 행정기관은 180일) 이내 결과 통지[단, 90일(합의제 행정기관은 180일) 범위에서 한 차례 연장 가능]
관계	• 이의신청과 관계없이 행정심판법상 행정심판 또는 행정소송법상 행정소송을 제기할 수 있음. • 이의신청 결과를 통지받은 날(통지기간 내에 결과를 통지받지 못한 경우 통지기간이 만료되는 날의 다음 날)부터 90일 이내에 행정심판 또는 행정소송을 제기할 수 있음.	• **불복 불가** : 처분을 유지하는 결과에 대해 불복할 수 없음.

- **처분의 재심사 신청사유**
  - 처분(제재처분 및 행정상 강제는 제외)이 행정심판, 행정소송 및 그 밖의 쟁송을 통하여 다툴 수 없게 된 경우(법원의 확정판결이 있는 경우는 제외)로서 다음에 해당하는 사유
    - 처분의 근거가 된 사실관계 또는 법률관계가 추후에 당사자에게 유리하게 바뀐 경우
    - 당사자에게 유리한 결정을 가져다주었을 새로운 증거가 있는 경우
    - 민사소송법 제451조에 따른 재심사유에 준하는 사유가 발생한 경우 등 대통령령으로 정하는 경우
  - 해당 처분의 절차, 행정심판, 행정소송 및 그 밖의 쟁송에서 당사자가 중대한 과실 없이 위 사유를 주장하지 못한 경우에만 신청할 수 있음.

행정심판의 종류

개 설

- 구 공무원연금법상 공무원연금급여 재심위원회에 대한 심사청구제도의 법적 성격은 특별행정심판임(판례).
- 행정심판법에는 당사자심판에 관해서는 규정을 두지 않음.

행정심판법상 행정심판의 종류

구 분	취소심판	무효등확인심판	의무이행심판
의 의	행정청의 위법 또는 부당한 처분을 취소하거나 변경하는 행정심판	행정청의 처분의 효력 유무 또는 존재 여부를 확인하는 행정심판	당사자의 신청에 대한 행정청의 위법 또는 부당한 거부처분이나 부작위에 대해 일정한 처분을 하도록 하는 행정심판
인용 재결	1. 처분취소·변경재결 2. 처분변경명령재결	유효, 무효, 실효, 존재, 부존재 확인재결	1. 처분재결 2. 처분명령재결
특 징	1. 청구기간의 제한 ○ 2. 사정재결 ○	1. 청구기간의 제한 × 2. 사정재결 ×	1. 청구기간의 제한 – 거부처분 ○ – 부작위 × 2. 사정재결 ○
거 부	거부처분취소재결(제49조 제2항) 인정	거부처분무효·부존재확인재결(제49조 제2항) 인정	의무이행재결
기속력 확보			직접처분(제50조)
	간접강제(제50조의2)		
가구제	적극적 처분에 대하여는 집행정지(제30조)가, 소극적 처분(거부·부작위)에 대하여는 임시처분(제31조)이 인정됨.		

행정심판대상

개괄주의	행정청의 처분 또는 부작위에 대하여는 다른 법률에 특별한 규정이 있는 경우 외에는 행정심판법에 따라 행정심판을 청구할 수 있음.
처분 또는 부작위	위법한 처분 또는 부작위뿐만 아니라 부당한 처분 또는 부작위도 포함
제외대상	• 대통령의 처분 또는 부작위는 원칙적 × • 심판청구에 대한 재결이 있는 경우, 당해 재결 및 동일한 처분 또는 부작위 × – 시 · 도 행정심판위원회의 기각재결이 내려진 경우, 청구인은 중앙행정심판위원회에 다시 행정심판을 청구할 수 없음.

행정심판의 당사자 등

청구인

자 격	• 처분의 상대방 아닌 제3자도 될 수 있으며 자연인 · 법인 불문 • 법인 아닌 사단 · 재단도 대표자 또는 관리인이 정해져 있는 경우 그 '사단'이나 '재단'의 이름으로 행정심판제기 가능
선정대표자	• 다수가 공동으로 심판청구시 그중 3인 이하의 대표자 선정 가능, 행정심판위원회도 선정 권고 가능 • 그 사건에 관한 모든 행위를 할 수 있으나 취하시 동의를 얻어야 함. • 다른 청구인들은 선정대표자를 통해서만 사건에 관한 행위 가능 • 당사자가 아닌 자를 선정대표자로 선정한 경우 선정행위는 무효에 해당함(판례).
청구인적격	법률상 이익이 있는 자 – 의무이행심판 : 처분을 신청한 자로서 행정청의 거부처분 또는 부작위에 대하여 일정한 처분을 구할 법률상 이익이 있는 자
청구인의 지위승계	• 당연승계 : 행정심판을 제기한 뒤 청구인이 사망한 경우 그 상속인이나 법령에 의하여 당해 처분에 관계되는 권리나 이익을 승계한 자가 청구인의 지위를 승계함. • 허가승계 : 행정심판이 제기된 후에 당해 심판청구의 대상과 관계되는 권리 또는 이익을 양수한 자는 관계행정심판위원회의 허가를 받아 청구인의 지위를 승계함.

피청구인

피청구인 적격	처분을 한 처분청 또는 부작위를 한 부작위청(의무이행심판의 경우 청구인의 신청을 받은 행정청). 다만, 처분이나 부작위가 있은 후 그 권한이 다른 행정청에 승계된 경우에는 권한을 승계한 행정청
피청구인의 경정	• 청구인이 피청구인을 잘못 지정한 경우 또는 행정심판이 제기된 후에 당해 처분이나 부작위에 대한 권한이 다른 행정청에 승계된 경우 • 당사자의 신청 또는 직권으로 결정 • 피청구인의 변경결정 : 종전의 피청구인에 대한 심판청구는 취하됨. 종전의 피청구인에 대한 행정심판이 청구된 때 새로운 피청구인에 대한 행정심판이 청구된 것으로 봄. • 행정심판위원회는 피청구인을 경정하는 결정을 하면, 결정서 정본을 당사자(종전의 피청구인, 새로운 피청구인 포함)에게 송달해야 함.

참가인

신청에 의한 참가	행정심판의 결과에 이해관계가 있는 제3자나 행정청은 행정심판위원회의 허가를 받아 참가할 수 있음.
요구에 의한 참가	행정심판위원회는 필요하다고 인정하면 행정심판결과에 이해관계가 있는 제3자나 행정청에 그 사건 심판에 참가할 것을 요구할 수 있음.
참가인의 지위	당사자가 할 수 있는 심판절차상의 행위를 할 수 있음.

대리인

• 경제적 이유로 대리인을 선임할 수 없는 경우 국선대리인 선임 신청 가능

행정심판위원회

행정심판위원회의 설치

• **행정심판기관의 일원화** : 행정심판위원회가 행정심판의 심리 · 재결기능 모두 담당
• **일반행정심판위원회**

해당 행정청 소속 행정심판 위원회	• 감사원, 국가정보원장, 그 밖에 대통령령으로 정하는 대통령 소속기관의 장 • 국회사무총장, 법원행정처장, 헌법재판소사무처장 및 중앙선거관리위원회사무총장 • 국가인권위원회, 그 밖에 지위 · 성격의 독립성과 특수성 등이 인정되어 대통령령으로 정하는 행정청
중앙행정심판 위원회	• 해당 행정청 소속 설치 외의 국가행정기관의 장 또는 그 소속 행정청 • 특별시장 등(광역자치단체장 등) • 국가 · 지방자치단체 · 공공법인 등이 공동으로 설립한 행정청
시 · 도지사 소속 행정심판 위원회	• 시 · 도 소속 행정청 • 시 · 도의 관할구역에 있는 시 · 군 · 자치구의 장 등 • 시 · 도의 관할구역에 있는 둘 이상의 지방자치단체 · 공공법인 등이 공동으로 설립한 행정청
직근상급행정기관 소속 행정심판위원회(위 행정심판위원회 외의 경우)	

• **특별행정심판위원회** : 소청심사위원회, 조세심판원, 중앙토지수용위원회 등

행정심판위원회의 구성 및 회의

구 분	각급 행정심판위원회	중앙행정심판위원회
구 성	위원장 1명을 포함한 50명 이내의 위원	위원장 1명을 포함한 70명 이내의 위원(위원 중 상임위원은 4명 이내)
위원장	해당 행정심판위원회가 소속된 행정청(시 · 도지사 소속의 행정심판위원회에서는 위원장(비상임)을 공무원이 아닌 위원으로 정할 수 있음)	국민권익위원회의 부위원장 중 1명
위원장의 직무대행	• 위원장이 사전에 지명한 위원 • 지명된 공무원인 위원(직무등급 높은 순서 ≫ 재직기간 긴 순서 ≫ 연장자 순서)	상임위원(상임으로 재직한 기간이 긴 순서 ≫ 연장자 순서)
회 의	원칙 : 위원장+위원장이 회의마다 지정하는 8명의 위원(행정청이 위촉한 위원 6명 이상, 위원장이 공무원이 아닌 경우 5명 이상)	• 위원장, 상임위원, 비상임위원을 포함하여 9명 • 소위원회 둘 수 있음(4명 위원, 자동차운전면허행정처분 사건을 심리 · 의결함).
의 결	구성원 과반수의 출석과 출석위원 과반수의 찬성	
임 기	• 소속 공무원인 위원 : 재직하는 동안 • 위촉된 위원 : 2년, 2차 연임 가능	• 상임위원 : 3년, 1차 연임 가능 • 비상임위원 : 2년, 2차 연임 가능

제척 · 기피 · 회피제도

• 제척 · 기피 · 회피제도 – 공정성을 위해
• 위원 아닌 직원에게도 준용

행정심판위원회의 권한

• **심리권**
• **심리권에 부수된 권한**(청구인지위의 승계허가권, 대리인선임허가권, 피청구인경정결정권 등)
• **재결권**
• **집행정지결정권 및 집행정지취소결정권**
• **직접처분권**
 – 의무이행재결이 있음에도 당해 행정청이 처분을 하지 않는 경우 당사자가 신청하면 기간을 정하여 서면으로 시정을 명하고 그 기간 내에 이행하지 아니하면 직접처분을 할 수 있음.
 – 행정심판위원회는 직접처분을 하였을 경우 그 사실을 해당 행정청에 통보하여야 하고, 그 통보를 받은 행정청은 행정심판위원회가 한 처분을 자기가 한 처분으로 보아 관리 · 감독 등 필요한 조치를 하여야 함.
• **간접강제권 등**

제 1 절 행정심판의 개관

초대 Topic 45 핵심집약 Topic 60

01 | 행정심판의 의의

❶ 개 념

1. 행정심판이란 행정청의 위법 또는 부당한 처분, 그 밖에 공권력의 행사 · 불행사 등으로 인하여 권리나 이익을 침해당한 자가 행정기관에 대하여 그 시정을 구하는 절차를 말한다. 실정법상으로는 행정심판 이외에 이의신청, 심사청구, 재심청구 등의 여러 가지 용어를 사용하고 있다.
2. 행정심판법은 행정심판에 관한 일반법으로서 다른 특별법이 있으면 그 법이 우선적용되며, 그 법이 규정하고 있지 않은 사항에 대해서는 행정심판법이 적용된다.❶

관련판례

징계, 기타 불이익처분을 받은 지방공무원의 불복절차에 관하여 지방공무원법에서 규정하지 아니한 사항에 대해서는 행정심판법 규정이 적용될 수 있다.

징계, 기타 불이익처분을 받은 지방공무원의 불복절차에 관하여 지방공무원법에서 규정하지 아니한 사항에 관하여는 행정심판법이 정하는 바에 의하여야 하므로 지방공무원법이 규정하지 않은 사항을 규정한 행정심판법 제42조 제1항, 제18조 제3 · 6항, 제17조 제1 · 5항의 각 규정은 징계 기타 불이익처분을 받은 지방공무원의 불복절차에도 적용된다(대판 1989. 9. 12, 89누909).

❷ 행정심판과 유사제도의 구별

1. 이의신청과 행정심판의 구별

이의신청이란, 행정청의 위법 · 부당한 처분으로 인해 권리나 이익이 침해된 자가 통상 처분청(상급행정청이 되는 경우도 있음)에 불복을 제기하는 절차를 말한다. 판례는 이의신청을 제기해야 할 사람이 처분청에 표제를 '행정심판청구서'로 한 서류를 제출한 경우라 할지라도 서류의 내용에 이의신청 요건에 맞는 불복취지와 사유가 충분히 기재되어 있다면 표제에도 불구하고 이를 처분에 대한 이의신청으로 볼 수 있다고 본다(대판 2012. 3. 29, 2011두26886).03

관련판례

과세처분에 관한 이의신청절차에서 과세관청이 이의신청사유가 옳다고 인정하여 과세처분을 직권으로 취소한 후, 특별한 사유 없이 이를 번복하여 종전 처분과 동일한 내용의 처분을 할 수는 없다.04 ★★★

과세처분에 관한 불복절차과정에서 불복사유가 옳다고 인정하여 이에 따라 필요한 처분을 하였을 경우에는, 불복제도와 이에 따른 시정방법을 인정하고 있는 국세기본법 취지에 비추어 볼 때 동일 사항에 관하여 특별한 사유 없이 이를 번복하고 종전과 동일한 처분을 하는 것은 허용될 수 없다.05 따라서 과세관청이 과세처분에 대한 이의신청절차에서 납세자의 이의신청 사유가 옳다고 인정하여 과세처분을 직권으로 취소한 경우, 납세자가 허위의 자료를 제출하는 등 부정한 방법에 기초하여 직권취소되었다는 등의 특별한 사유가 없는데도 이를 번복하고 종전과 동일한 과세처분을 하는 것은 위법하다(대판 2017. 3. 9, 2016두56790).

✚ 행정심판이 아닌 이의신청에 따른 취소는 직권취소이다. 다만, 행정심판법상 행정심판이 아닌 이의신청절차도 불복절차이므로 관련규정의 취지를 고려하여 이의신청에 따른 직권취소에도 특별한 사정이 없는 한 번복할 수 없는 불가변력을 인정한 것이다(박균성, <행정법강의>, p.693).

기출 체크

□□□□□ **01** (행정심판법상) 다른 법률에서 특별행정심판이나 이 법에 따른 행정심판절차에 대한 특례를 정한 경우에도 그 법률에서 규정하지 아니한 사항에 관하여는 이 법에서 정하는 바에 따른다. (○, ×) ★★ 2017 경행경채

□□□□□ **02** 관계행정기관의 장이 특별행정심판 또는 행정심판법에 따른 행정심판절차에 대한 특례를 신설하거나 변경하는 법령을 제정 · 개정할 때에는 미리 중앙행정심판위원회와 협의하여야 한다. (○, ×) ★ 2024 국회직 8급

□□□□□ **03** 이의신청을 제기해야 할 사람이 처분청에 표제를 '행정심판청구서'로 한 서류를 제출한 경우라 할지라도 서류의 내용에 이의신청 요건에 맞는 불복취지와 사유가 충분히 기재되어 있다면 이를 처분에 대한 이의신청으로 볼 수 있다. (○, ×) 2018 경행경채 3차

□□□□□ **04** 과세처분에 대해 이의신청을 하고 이에 따라 직권취소가 이루어졌다면 특별한 사정이 없는 한 불가변력이 발생한다. (○, ×) ★★★ 2020 국회직 8급

□□□□□ **05** 과세관청이 과세처분에 대한 이의신청절차에서 납세자의 이의신청사유가 옳다고 인정하여 과세처분을 직권으로 취소한 경우, 특별한 사유 없이 이를 번복하고 종전 처분을 되풀이할 수는 없다. (○, ×) ★★★ 2023 서울시 지적 7급

❶ 행정심판법 제4조【특별행정심판 등】
① 사안(事案)의 전문성과 특수성을 살리기 위하여 특히 필요한 경우 외에는 이 법에 따른 행정심판을 갈음하는 특별한 행정불복절차(이하 '특별행정심판'이라 한다)나 이 법에 따른 행정심판절차에 대한 특례를 다른 법률로 정할 수 없다.
② 다른 법률에서 특별행정심판이나 이 법에 따른 행정심판절차에 대한 특례를 정한 경우에도 그 법률에서 규정하지 아니한 사항에 관하여는 이 법에서 정하는 바에 따른다.01
③ 관계행정기관의 장이 특별행정심판 또는 이 법에 따른 행정심판절차에 대한 특례를 신설하거나 변경하는 법령을 제정 · 개정할 때에는 미리 중앙행정심판위원회와 협의하여야 한다.02

정답 01 ○ 02 ○ 03 ○ 04 ○ 05 ○

(1) 구별내용

행정심판은 일반적으로 처분청의 상급행정청 소속의 행정심판위원회에 제기하는 쟁송이지만 이의신청은 통상 처분청(상급행정청이 되는 경우도 있음)에 제기하는 쟁송이다. 그러나 행정심판도 예외적으로 처분청 자체에 대한 제기가 허용되므로 이러한 점에서는 상대적인 차이가 있는 것에 불과하다.

(2) 구별실익

행정심판법 제51조에 따르면 심판청구에 대해 재결이 있는 경우 그 재결 및 같은 처분 또는 부작위에 대하여 다시 심판청구를 할 수 없다. 그런데 개별법률에서 정하고 있는 이의신청 중에는 실질은 행정심판에 해당하는 경우가 있는바(예 토지보상법상의 수용재결에 대한 이의신청, p.681 참조),01 만약 이의신청이 행정심판이라면 다시 심판청구를 할 수 없으나 행정심판이 아니라면 특별한 규정이 없는 한 다시 행정심판을 제기할 수 있는 것으로 볼 수 있다는 점에서 양자를 구별할 필요가 있다. 또한 이의신청이 행정심판의 성질을 갖는 것이라면 개별법에 특별한 규정이 있는 것을 제외하고는 행정심판법의 규정이 적용된다.02

(3) 행정심판과 이의신청의 관계

① 이의신청에 대해 규정한 법률이 행정심판과의 관계에 대해 명시적으로 규정하고 있는 경우도 있는데, 이 경우는 특별히 문제될 것이 없다. 예컨대, 「공공기관의 정보공개에 관한 법률」 제18 · 19조는 정보공개와 관련한 공공기관의 비공개 또는 부분공개의 결정에 대하여 불복이 있는 자는 이의신청뿐만 아니라 행정심판을 청구할 수 있다고 규정하고 있다.03 반면에 난민법 제21조 제2항은 법무부장관의 난민불인정결정 또는 난민취소결정에 대해 법무부장관에게 이의신청을 한 경우에는 행정심판법에 따른 행정심판을 청구할 수 없다고 규정하고 있다.04

② 문제는 이에 관하여 특별한 규정을 두고 있지 않은 경우인데, 행정기본법은 "이의신청을 한 경우에도 그 이의신청과 관계없이 행정심판법에 따른 행정심판 또는 행정소송법에 따른 행정소송을 제기할 수 있다."라는 명문의 규정을 두고 있다(동법 제36조 제3항).

2. 행정심판과 행정소송의 비교(내용을 이해한 후 표로 정리할 것)

행정심판과 행정소송은 모두 행정쟁송수단인 점에서는 동일하나 행정심판과 행정소송은 기본적으로 심판기관에 차이가 있다. 양자를 비교하면 다음과 같다.

구 분	행정심판	행정소송
판정기관	행정기관	법원
대 상	위법 · 부당	위법
심 리	구술심리 또는 서면심리	구술심리
의무이행쟁송	인정	불인정
공통점	• 국민의 권리구제수단 • 대심구조 • 불고불리의 원칙 • 집행부정지의 원칙 • 법률상 이익이 있어야 제기할 수 있음.	• 신청을 전제로 한 절차개시 • 직권주의의 가미 • 불이익변경금지의 원칙 • 사정재결 · 사정판결의 인정 • 간접강제

기출 체크

□□□□□ 01 이의신청은 그것이 준사법적 절차의 성격을 띠어 실질적으로 행정심판의 성질을 가지더라도 이를 행정심판으로 볼 수 없다. (○, ×) ★ 2016 국회직 8급

□□□□□ 02 토지수용위원회의 수용재결에 대한 이의절차는 실질적으로 행정심판의 성질을 갖는 것이므로 토지수용법(현 토지보상법)에 특별한 규정이 있는 것을 제외하고는 행정심판법의 규정이 적용된다고 할 것이다. (○, ×) ★★ 2023 군무원 9급

□□□□□ 03 「공공기관의 정보공개에 관한 법률」상 정보공개와 관련한 공공기관의 비공개결정에 대하여 이의신청을 한 경우(에는 행정심판법에 따른 행정심판을 제기할 수 없다) (○, ×) 2022 국가직 9급

□□□□□ 04 난민법상 난민불인정결정에 대해 법무부장관에게 이의신청을 한 경우(에는 행정심판법에 따른 행정심판을 제기할 수 없다) (○, ×) 2022 국가직 9급

정답 01 × 02 ○ 03 × 04 ○

기출 체크

□□□□□ **01** 공무원 인사관계법령에 의한 징계 등 처분에 관한 사항에 대하여도 행정기본법상의 이의신청 규정이 적용된다. (○, ×) 2023 군무원 7급

□□□□□ **02** (행정기본법상) 행정청이 부득이한 사유로 14일 이내에 이의신청에 대한 결과를 통지할 수 없는 경우에는 그 기간을 만료일 다음 날부터 기산하여 10일의 범위에서 한 차례 연장할 수 있다. (○, ×) 2023 서울시 지적 7급

정답 01 × 02 ○

02 | 행정기본법상 처분에 대한 이의신청 및 재심사

행정기본법은 행정청의 처분에 이의가 있는 경우 당사자는 처분을 받은 날부터 30일 이내에 처분에 대한 이의신청을 할 수 있도록 규정함과 동시에 불가쟁력이 발생하여 쟁송으로 다툴 수 없는 처분이라도 특별한 사정이 있는 경우에는 처분의 재심사를 통해 다툴 수 있도록 규정하고 있다.

❶ 행정기본법상 처분에 대한 이의신청

행정기본법 제36조는 행정청의 '처분에 대한 이의신청'을 일반적으로 규정하고 있다. 다른 법률에서 이의신청과 이에 준하는 절차에 대하여 정하고 있는 경우에도 그 법률에서 규정하지 아니한 사항에 관하여는 행정기본법 제36조에서 정하는 바에 따른다(동법 제36조 제5항).

1. 이의신청

(1) 이의신청은 행정청의 처분에 이의가 있는 당사자가 할 수 있고, 제3자는 할 수 없다.

(2) 이의신청은 **행정청의 처분**(행정심판법 제3조에 따라 같은 법에 따른 행정심판의 대상이 되는 처분을 말한다)을 대상으로 한다.

(3) 다만 다음에 해당하는 사항에 관하여는 행정기본법 제36조를 적용하지 아니한다(동법 제36조 제7항).

> ① 공무원 인사관계법령에 따른 징계 등 처분에 관한 사항**01**
> ② 국가인권위원회법 제30조에 따른 진정에 대한 국가인권위원회의 결정
> ③ 노동위원회법 제2조의2에 따라 노동위원회의 의결을 거쳐 행하는 사항
> ④ 형사, 행형 및 보안처분 관계법령에 따라 행하는 사항
> ⑤ 외국인의 출입국 · 난민인정 · 귀화 · 국적회복에 관한 사항
> ⑥ 과태료 부과 및 징수에 관한 사항

2. 이의신청의 제기기간

행정청의 처분에 이의가 있는 당사자는 처분을 받은 날부터 **30일 이내에 해당 행정청에 이의신청**을 할 수 있다(동법 제36조 제1항).

3. 이의신청에 대한 처리기간

(1) 행정청은 이의신청을 받으면 그 신청을 받은 날부터 **14일 이내에 그 이의신청에 대한 결과를 신청인에게 통지하여야** 한다(동법 제36조 제2항 본문).

(2) 다만, 부득이한 사유로 **14일 이내에 통지할 수 없는 경우에는** 그 기간을 만료일 다음 날부터 기산하여 **10일의 범위에서 한 차례 연장**할 수 있으며, 연장사유를 신청인에게 통지하여야 한다(동법 제36조 제2항 단서).**02**

4. 처분에 대한 이의신청과 행정심판 · 행정소송의 관계

(1) 이의신청을 한 경우에도 그 이의신청과 관계없이 행정심판법에 따른 행정심판 또는 행정소송법에 따른

행정소송을 제기할 수 있다(동법 제36조 제3항).01

(2) 이의신청에 대한 결과를 통지받은 후 행정심판 또는 행정소송을 제기하려는 자는 그 결과를 통지받은 날(통지기간 내에 결과를 통지받지 못한 경우에는 통지기간이 만료되는 날의 다음 날을 말한다)부터 90일 이내에 행정심판 또는 행정소송을 제기할 수 있다(동법 제36조 제4항).02

❷ 행정기본법상 처분의 재심사

행정기본법 제37조는 불가쟁력이 발생하여 쟁송으로 다툴 수 없는 처분도 특별한 사정이 있는 경우 다툴 수 있도록 '처분의 재심사'를 일반적으로 규정하고 있다. '처분의 재심사'에 관하여 다른 법률에 특별한 규정이 있는 경우를 제외하고는 행정기본법 제37조에서 정하는 바에 따른다(동법 제5조 제1항).

1. 처분의 재심사

(1) 처분의 재심사는 처분의 상대방인 당사자가 신청할 수 있다. 이해관계 있는 제3자는 이를 신청할 수 없다.

(2) 당사자는 처분(제재처분 및 행정상 강제는 제외한다)이 행정심판, 행정소송 및 그 밖의 쟁송을 통하여 다툴 수 없게 된 경우(법원의 확정판결이 있는 경우는 제외한다)라도 처분의 근거가 된 사실관계 또는 법률관계가 추후에 당사자에게 유리하게 바뀐 경우 등 일정한 요건에 해당하면 해당 처분을 한 행정청에 처분을 취소·철회하거나 변경하여 줄 것을 신청할 수 있다(동법 제37조 제1항).03 04

(3) 다만 다음에 해당하는 사항에 관하여는 행정기본법 제37조를 적용하지 아니한다(동법 제37조 제8항).ⓐ

> ① 공무원 인사관계법령에 따른 징계 등 처분에 관한 사항
> ② 노동위원회법 제2조의2에 따라 노동위원회의 의결을 거쳐 행하는 사항
> ③ 형사, 행형 및 보안처분 관계법령에 따라 행하는 사항
> ④ 외국인의 출입국·난민인정·귀화·국적회복에 관한 사항
> ⑤ 과태료 부과 및 징수에 관한 사항
> ⑥ 개별법률에서 그 적용을 배제하고 있는 경우

2. 처분의 재심사 신청사유

(1) 처분의 재심사를 신청하기 위해서는 처분(제재처분 및 행정상 강제는 제외)이 행정심판, 행정소송 및 그 밖의 쟁송을 통하여 다툴 수 없게 된 경우(법원의 확정판결이 있는 경우는 제외)로서 다음의 어느 하나에 해당하여야 한다(동법 제37조 제1항, 동법 시행령 제12조).

> ① 처분의 근거가 된 사실관계 또는 법률관계가 추후에 당사자에게 유리하게 바뀐 경우
> ② 당사자에게 유리한 결정을 가져다주었을 새로운 증거가 있는 경우
> ③ 민사소송법 제451조에 따른 재심사유에 준하는 사유가 발생한 경우 등 대통령령으로 정하는 경우

기출 체크

□□□□□ 01 행정기본법상 처분에 대한 이의신청에 관한 설명으로 옳지 않은 것은? 2024 소방간부

① 행정청의 처분에 이의가 있는 당사자는 처분을 받은 날부터 30일 이내에 해당 행정청에 이의신청을 할 수 있다.
② 행정청은 이의신청을 받으면 부득이한 사유가 아니라면 그 신청을 받은 날부터 14일 이내에 그 이의신청에 대한 결과를 신청인에게 통지하여야 한다.
③ 처분에 대한 이의신청을 한 경우에는 행정심판법에 따른 행정심판을 제기할 수 없다.
④ 과태료 부과 및 징수에 관한 사항은 행정기본법에 따른 이의신청이 인정되지 아니한다.
⑤ 다른 법률에서 이의신청과 이에 준하는 절차에 대하여 정하고 있는 경우에도 그 법률에서 규정하지 아니한 사항에 관하여는 행정기본법에서 정하는 바에 따른다.

□□□□□ 02 (행정기본법상) 이의신청에 대한 결과를 통지받은 후 행정심판을 제기하려는 자는 그 결과를 통지받은 날부터 90일 이내에 행정심판을 제기할 수 있다. (○, ×) 2023 서울시 지적 7급

□□□□□ 03 (행정기본법상) 당사자는 처분에 대하여 법원의 확정판결이 있는 경우에는 처분의 근거가 된 사실관계 또는 법률관계가 추후에 당사자에게 유리하게 바뀐 경우에도 해당 처분을 한 행정청이 처분을 취소·철회하거나 변경하여 줄 것을 신청할 수는 없다. (○, ×) 2023 군무원 7급

□□□□□ 04 (행정기본법상) 당사자는 제재처분을 행정심판, 행정소송 및 그 밖의 쟁송을 통하여 다툴 수 없게 된 경우에 해당 처분을 한 행정청에 처분을 취소 또는 철회하여 줄 것을 신청할 수 없다. (○, ×) 2023 서울시 지적 7급

□□□□□ 05 당사자는 국가인권위원회법에 따른 진정에 대한 국가인권위원회의 결정을 행정심판, 행정소송 및 그 밖의 쟁송을 통하여 다툴 수 없게 된 경우에 해당 결정을 한 국가인권위원회에 결정을 취소 또는 철회하여 줄 것을 신청할 수 없다. (○, ×) 2023 서울시 지적 7급

ⓐ '국가인권위원회법 제30조에 따른 진정에 대한 국가인권위원회의 결정'은 행정기본법 제36조(처분에 대한 이의신청) 적용배제사항이지만 제37조(처분의 재심사) 적용배제사항은 아니다.05

정답 01 ③ 02 ○ 03 ○ 04 ○ 05 ×

기출 체크

□□□□□ 01 (행정기본법상) 처분을 유지하는 재심사 결과에 대하여는 행정심판, 행정소송 및 그 밖의 쟁송수단을 통하여 불복할 수 없다. (○, ×)
2023 군무원 7급

□□□□□ 02 행정심판법에서는 취소심판, 무효등확인심판, 의무이행심판에 대해서 규정하고 있다. (○, ×) ★★★
2024 소방직 9급

□□□□□ 03 당사자의 신청에 대한 행정청의 위법한 부작위에 대하여 행정청의 부작위가 위법하다는 것을 확인하는 행정심판은 현행법상 허용되지 않는다. (○, ×) ★★★ 2020 지방직 · 서울시 9급

정답 01 ○ 02 ○ 03 ○

㉠ 처분업무를 직접 또는 간접적으로 처리한 공무원이 그 처분에 관한 직무상 죄를 범한 경우
㉡ 처분의 근거가 된 문서나 그 밖의 자료가 위조되거나 변조된 것인 경우
㉢ 제3자의 거짓 진술이 처분의 근거가 된 경우
㉣ 처분에 영향을 미칠 중요한 사항에 관하여 판단이 누락된 경우

(2) 위 (1)에 따른 신청은 해당 처분의 절차, 행정심판, 행정소송 및 그 밖의 쟁송에서 당사자가 중대한 과실 없이 위 (1)의 ①~③의 사유를 주장하지 못한 경우에만 할 수 있다(동법 제37조 제2항).

3. 처분의 재심사 신청기간

처분의 재심사 신청은 당사자가 위 2. (1)의 재심사 신청사유를 안 날부터 60일 이내에 하여야 한다. 다만, 처분이 있은 날부터 5년이 지나면 신청할 수 없다(동법 제37조 제3항).

4. 재심사 신청에 대한 처리기간

(1) 처분의 재심사 신청을 받은 행정청은 특별한 사정이 없으면 신청을 받은 날부터 90일(합의제 행정기관은 180일) 이내에 처분의 재심사 결과(재심사 여부와 처분의 유지 · 취소 · 철회 · 변경 등에 대한 결정을 포함한다)를 신청인에게 통지하여야 한다(동법 제37조 제4항 본문).

(2) 다만, 부득이한 사유로 90일(합의제 행정기관은 180일) 이내에 통지할 수 없는 경우에는 그 기간을 만료일 다음 날부터 기산하여 90일(합의제 행정기관은 180일)의 범위에서 한 차례 연장할 수 있으며, 연장사유를 신청인에게 통지하여야 한다(동법 제37조 제4항 단서).

5. 재심사 결과에 대한 불복

처분의 재심사 결과 중 처분을 유지하는 결과에 대해서는 행정심판, 행정소송 및 그 밖의 쟁송수단을 통하여 불복할 수 없다(동법 제37조 제5항).01

6. 처분의 재심사와 직권취소 · 철회의 관계

행정청의 행정기본법 제18조에 따른 취소와 제19조에 따른 철회는 처분의 재심사에 의하여 영향을 받지 아니한다(동법 제37조 제6항). 따라서 행정청은 처분의 재심사와 별도로 취소 또는 철회를 할 수 있다.

03 | 행정심판의 종류

❶ 개 설

1. 행정심판법상의 종류

행정심판법은 행정심판의 종류로서 취소심판, 무효등확인심판, 의무이행심판을 규정하고 있는데,02 이들은 모두 항고심판의 성질을 갖는다.03

2. 특별행정심판

행정심판법 외의 개별법률에서 사건의 전문성 등을 고려하여 특별한 행정심판을 규정하고 있는 경우가 있는데, 특허심판, 조세심판 등이 그 예이다.

관련판례

구 공무원연금법상 공무원연금급여 재심위원회에 대한 심사청구제도의 법적 성격은 특별행정심판이다.

구 공무원연금법 제80조에 의하면, …… 구 공무원연금급여 재심위원회에 대한 심사청구제도는 사안의 전문성과 특수성을 살리기 위하여 특히 필요하여 행정심판법에 따른 일반행정심판을 갈음하는 특별한 행정불복절차(행정심판법 제4조 제1항), 즉 특별행정심판에 해당한다(대판 2019. 8. 9, 2019두38656).01

3. 당사자심판ⓐ

(1) 의 의

당사자심판이란 공권력행사를 전제하지 않고 행정법관계의 형성 또는 존부에 관해 다툼이 있는 경우 당사자의 신청에 의해 권한 있는 기관이 처음으로 판정하는 심판으로서 시심적 쟁송에 해당한다. 당사자심판을 구하는 절차를 재결신청이라 하고, 그 판정을 재결이라 부른다. 실정법상으로는 재결 · 재정 · 결정 등의 용어를 사용한다.

(2) 법적 근거

당사자심판에 관해서는 일반법적 근거가 없고 개별법상 근거(예 환경분쟁조정법상 재정(裁定)제도)가 있을 뿐이다. 행정심판에 관한 일반법인 행정심판법은 당사자심판에 관해서는 규정하고 있지 않다.02 03

(3) 재결기관

심판기관, 즉 재결기관은 일반행정청인 것이 보통이나 공정성을 위해 토지수용위원회 · 농지위원회 · 노동위원회처럼 행정위원회가 설치되는 경우도 있고, 일반행정청이 재결기관인 때에도 조정위원회의 자문을 거치게 하는 경우도 있다.ⓑ

❷ 행정심판법상 행정심판의 종류

1. 취소심판

(1) 의 의

① 행정심판의 중심을 이루는 것으로서 행정청의 위법 또는 부당한 공권력의 행사나 거부, 그 밖에 이에 준하는 행정작용 때문에 권익을 침해당한 자가 그 취소 또는 변경을 구하는 행정심판을 말한다.04

② 한편 거부처분에 대해서는 의무이행심판이 가능하므로 취소심판청구는 허용되지 않는다는 견해도 있으나, 다수설은 거부처분취소심판의 가능성을 긍정하였으며, 판례도 당사자의 신청을 거부하는 처분을 취소하는 재결을 인정하고 있어 긍정설의 입장이었다(대판 1998. 12. 13, 88누7880). 그런데 2017년 4월 개정 행정심판법에서 명문으로 거부처분에 대한 취소심판을 인정(행정심판법 제49조 제2항)하고 있다.05 06 07

기출 체크

□□□□□ **01** 공무원연금법상 공무원연금급여 재심위원회에 대한 심사청구제도는 사안의 전문성과 특수성을 살리기 위하여 특히 필요하여 행정심판법에 따른 일반행정심판을 갈음하는 특별한 행정불복절차, 즉 특별행정심판에 해당한다. (○, ×) 2023 군무원 9급

□□□□□ **02** 행정심판법은 당사자심판을 규정하여 당사자소송과 연동시키고 있다. (○, ×) ★★ 2020 지방직 · 서울시 7급

□□□□□ **03** 행정심판법에서 규정한 행정심판의 종류로는 행정소송법상 항고소송에 대응하는 취소심판, 무효등확인심판, 의무이행심판과 당사자소송에 대응하는 당사자심판이 있다. (○, ×) ★★ 2017 국가직(하) 9급

□□□□□ **04** 행정청의 부당한 처분을 변경하는 행정심판은 현행법상 허용된다. (○, ×) 2020 지방직 · 서울시 9급

□□□□□ **05** 행정청의 거부처분에 대해서는 의무이행심판을 청구하여야 하고, 취소심판은 청구할 수 없다. (○, ×) ★★★ 2023 국회직 8급

□□□□□ **06** 당사자의 신청에 대한 행정청의 부당한 거부처분을 취소하는 행정심판은 현행법상 허용되지 않는다. (○, ×) ★★★ 2020 지방직 · 서울시 9급

□□□□□ **07** 판례는 당사자의 신청을 거부하는 처분을 취소하는 재결을 인정한다. (○, ×) ★★★ 2012 지방직 7급

ⓐ **당사자심판의 예**
사업시행자와 토지소유자 간에 토지취득에 관한 협의가 성립되지 않은 경우, 사업시행자는 토지수용위원회에 재결을 신청할 수 있는바, 이때 토지수용위원회가 내리는 재결이 당사자심판에 해당한다.

ⓑ **재결절차**
심판청구권자나 심판청구기간 · 심판절차는 각각의 개별법이 정하는 바에 따른다. 개별법에 따르면 재결기간에 제한을 두기도 한다. 재결은 신청의 범위 내에서 이루어지며(예 토지보상법 제50조 제2항), 불가변력을 갖는다.

정답 01 ○ 02 × 03 × 04 ○ 05 × 06 × 07 ○

(2) 특수성

취소심판에는 심판청구기간의 제한이 있으며, 처분이 위법하더라도 공공복리상 청구를 기각하는 사정재결을 할 수가 있고, 행정심판을 제기하여도 당해 처분의 효력은 정지되지 않는 **집행부정지원칙**이 인정되고 있다.

(3) 재 결

행정심판위원회는 직접 원처분을 취소 · 변경할 수도 있으며(처분취소 · 변경재결), 원처분청에 대하여 처분을 다른 처분으로 변경할 것을 명할 수도 있다(처분변경명령재결).01 02 03ⓐ

2. 무효등확인심판

(1) 의 의

무효등확인심판은 행정청의 처분의 효력 유무 또는 존재를 확인하는 행정심판을 말한다. 무효등확인심판에는 무효확인심판, 유효확인심판, 실효확인심판, 존재확인심판, 부존재확인심판이 포함된다.

(2) 특수성

심판청구기간의 제한을 받지 아니하여 기간에 관계없이 언제든지 행정심판을 제기할 수 있으며 사정재결을 할 수 없다.

(3) 재 결

행정심판위원회는 처분무효확인재결, 처분유효확인재결, 처분실효확인재결, 처분존재확인재결, 처분부존재확인재결 등의 재결을 한다.

3. 의무이행심판

(1) 의 의

의무이행심판은 당사자의 신청에 대한 행정청의 위법 또는 부당한 거부처분이나 부작위에 대하여 일정한 처분을 하도록 하는 행정심판을 말한다.04 05 06 의무이행심판은 거부처분이나 부작위와 같은 소극적 행정작용으로 인한 국민의 권익침해에 대한 실효적인 **구제수단**이다. 행정심판의 경우 행정소송에서 의무이행소송이 인정되지 않는 것과는 달리 부작위에 대한 강력한 구제수단인 의무이행심판이 마련되어 있으므로, 행정심판법에서 의무이행심판과 별도로 부작위위법확인심판을 규정하고 있지 않다.

(2) 특수성

부작위를 심판대상으로 하는 경우 부작위가 계속되는 한 심판청구기간의 제한을 받지 않고 집행정지에 관한 규정도 적용될 수 없다. 다만, 거부처분을 심판대상으로 하는 경우에는 심판청구기간의 제한을 받는다. 한편, 의무이행심판에는 사정재결을 할 수 있다.

(3) 재 결

심판청구가 이유 있다고 인정할 때에는 행정심판위원회는 직접 신청에 따른 처분(처분재결)을 할 수도 있고, 원처분청에 대하여 신청에 따른 처분(처분명령재결)을 할 것을 명할 수도 있다.

기출 체크

□□□□□ 01

> 甲은 단란주점영업을 하던 중 관할행정청으로부터 식품위생법 위반을 이유로 1개월의 영업정지처분을 받게 되었다. 이에 甲이 관할행정청을 피청구인으로 하여 취소심판을 제기하였다.

(1) 행정심판위원회는 1개월의 영업정지처분의 취소를 명하는 재결을 할 수 있다. (○, ×)
(2) 행정심판위원회는 취소심판청구가 이유 있다고 인정하면 처분을 다른 처분으로 변경할 수 있다. (○, ×) ★★★

2024 소방간부

□□□□□ 02 취소심판의 재결로서 처분취소재결, 처분변경재결, 처분변경명령재결을 할 수 있으며, 처분취소명령재결은 할 수 없다. (○, ×) ★★★ 2019 서울시 1회 7급

□□□□□ 03 취소심판에서는 스스로 처분을 취소하거나 다른 처분으로 변경할 수 없다. (○, ×) ★★★ 2013 서울시 7급

□□□□□ 04 당사자의 신청에 대한 행정청의 부당한 거부처분을 취소하는 행정심판은 현행법상 허용되지 않는다. (○, ×) ★★★ 2020 지방직 · 서울시 9급

□□□□□ 05 당사자의 신청에 대한 행정청의 부당한 거부처분에 대하여 일정한 처분을 하도록 하는 행정심판은 현행법상 허용된다. (○, ×) ★★★ 2020 지방직 · 서울시 9급

□□□□□ 06 거부처분은 취소심판의 대상이므로 거부처분의 상대방은 이에 대하여 취소심판만 청구할 수 있다. (○, ×) ★★★ 2017 서울시 9급

ⓐ **취소명령재결**
개정 전 행정심판법에서는 취소명령재결이 있었으나 행정심판위원회의 재결이 있음에도 처분청이 처분을 취소하지 않는 경우에는 실효성이 떨어진다는 점에서 개정 행정심판법에는 취소명령재결을 삭제하였다.

정답 01 (1) × (2) ○ 02 ○ 03 × 04 × 05 ○ 06 ×

04 | 행정심판의 대상

❶ 개괄주의

행정심판법은 심판청구대상을 제한적으로 열거하는 열기주의의 방식을 채택하지 않고 동법 제3조 제1항에서 "행정청의 처분 또는 부작위에 대하여는 다른 법률에 특별한 규정이 있는 경우 외에는 이 법에 따라 행정심판을 청구할 수 있다."라고 규정함으로써 개괄주의를 채택하고 있다.01

❷ 처분 또는 부작위

1. 처분이라 함은 행정청이 행하는 구체적 사실에 관한 법집행으로서의 공권력의 행사 또는 그 거부, 그 밖에 이에 준하는 행정작용을 말한다. 행정심판에서는 위법한 처분뿐 아니라 부당한 처분도 심판대상이 된다는 점에서 행정소송과 구별된다.02
2. 부작위란 행정청이 당사자의 신청에 대하여 상당한 기간 내에 일정한 처분을 하여야 할 법률상 의무가 있는데도 처분을 하지 않는 것을 말한다. 이때 부작위라 함은 '처분의 부작위'를 의미하며 부당한 부작위도 포함됨은 물론이다.03

❸ 제외대상 – 행정심판법의 규정

1. 행정심판법 제3조 제2항에서 "대통령의 처분 또는 부작위에 대하여는 다른 법률에서 행정심판을 청구할 수 있도록 정한 경우 외에는(예 공무원에 대한 징계의 경우는 소청심사위원회의 심사 가능) 행정심판을 청구할 수 없다."라고 규정하여 대통령의 처분 등에 대해서는 원칙적으로 행정심판을 청구할 수 없도록 하고 있다.04
2. 행정심판법 제51조에서 "심판청구에 대한 재결이 있으면 그 재결 및 같은 처분 또는 부작위에 대하여 다시 행정심판을 청구할 수 없다."라고 규정하여 행정심판을 거친 사건에 대해서는 행정심판청구가 반복되는 것을 금지하고 있다.05 06 07 08

기출 체크

□□□□□ **01** 행정청의 처분 또는 부작위에 대하여는 다른 법률에 특별한 규정이 있는 경우 외에는 행정심판법에 따라 행정심판을 청구할 수 있다. (○, ×) ★
2020 군무원 9급

□□□□□ **02** (행정심판법상) 행정심판의 대상에는 처분 또는 부작위의 위법성뿐만 아니라 부당성도 포함된다. (○, ×) ★★★
2019 소방직 9급

□□□□□ **03** 행정심판법상 위법한 처분 · 부작위뿐만 아니라 부당한 처분 · 부작위에 대해서도 다툴 수 있다. (○, ×) ★★★
2012 지방직 7급

□□□□□ **04** (행정심판법상) 대통령의 처분 또는 부작위에 대하여는 다른 법률에서 행정심판을 청구할 수 있도록 정한 경우 외에는 행정심판을 청구할 수 없다. (○, ×) ★★★
2020 군무원 9급

□□□□□ **05** 심판청구에 대한 재결이 있으면 그 재결 및 같은 처분 또는 부작위에 대하여 다시 행정심판을 청구할 수 없다. (○, ×) ★★★
2023 지방직 · 서울시 7급

□□□□□ **06** (A행정청이 甲에게 한 처분에 대하여 甲이 B행정심판위원회에 행정심판을 청구한 경우에) B행정심판위원회의 재결에 고유한 위법이 있는 경우에는 甲은 다시 행정심판을 청구할 수 있다. (○, ×) ★★★
2022 지방직 · 서울시 9급

□□□□□ **07** 개별법률에 특별규정이 없는 경우에 행정심판청구에 대한 재결이 있으면 그 재결 및 같은 처분 또는 부작위에 대하여 다시 행정심판을 청구할 수 있다. (○, ×) ★★★
2018 경행경채

□□□□□ **08** 시 · 도 행정심판위원회의 기각재결이 내려진 경우 청구인은 중앙행정심판위원회에 그 재결에 대하여 다시 행정심판을 청구할 수 있다. (○, ×) ★★★
2016 지방직 9급

정답 01 ○ 02 ○ 03 ○ 04 ○ 05 ○ 06 × 07 × 08 ×

제 2 절 행정심판의 당사자 등

초대 Topic 45 핵심집약 Topic 61

기출 체크

□□□□□ 01 종중이나 교회와 같은 비법인사단은 사단 자체의 명의로 행정심판을 청구할 수 없고 대표자가 청구인이 되어 행정심판을 청구하여야 한다. (○, ×) ★ 2018 국가직 9급

□□□□□ 02 법인이 아닌 사단 또는 재단으로서 대표자나 관리인이 정하여져 있는 경우에는 그 사단이나 재단의 이름으로 심판청구를 할 수 있다. (○, ×) ★ 2023 국회직 8급

□□□□□ 03 법인이 아닌 사단 또는 재단으로서 대표자나 관리인이 정하여져 있는 경우에는 그 대표자나 관리인의 이름으로 심판청구를 할 수 있다. (○, ×) ★ 2018 국회직 8급

□□□□□ 04 행정심판의 경우 여러 명의 청구인이 공동으로 심판청구를 할 때에는 청구인들 중에서 3명 이하의 선정대표자를 선정할 수 있다. (○, ×) ★ 2018 국회직 8급

□□□□□ 05 행정심판절차에서 청구인들이 '당사자 아닌 자'를 선정대표자로 선정한 행위는 무효이다. (○, ×) ★ 2008 국회직 8급

□□□□□ 06 (행정심판법상) 처분의 효과가 기간의 경과, 처분의 집행, 그 밖의 사유로 소멸된 뒤에도 그 처분의 취소로 회복되는 법률상 이익이 있는 자는 취소심판을 청구할 수 있다. (○, ×) ★ 2019 서울시 2회 7급

ⓐ 청구인이란 처분 또는 부작위에 불복하여 그의 취소 또는 변경 등을 구하는 심판청구를 제기하는 자를 말하는 것으로서, 행정소송의 원고에 대응되는 개념이다.

ⓑ 청구인적격이란, 심판청구인이 되어 재결을 받을 수 있는 법적 자격을 말하는 것으로서, 원고적격에 대응하는 개념이다. 청구인적격은 모든 사람에 의한 행정심판 제기를 제한함으로써 행정심판의 남용을 방지하고, 권리보호가 필요한 당사자를 한정하여 권리구제의 실효성을 기하기 위해 인정되는 것이다.

정답 01 × 02 ○ 03 × 04 ○ 05 ○ 06 ○

행정심판의 당사자로는 청구인과 피청구인을 들 수 있으며, 그 밖에 관계인으로서 참가인과 대리인이 있다.

01 | 청구인 - 당사자

❶ 의 의ⓐ

1. 자 격

(1) 청구인은 처분의 상대방인지 제3자인지를 불문하며, 자연인인지 법인인지도 불문한다.

(2) 한편, 종중이나 교회와 같은 법인이 아닌 사단이나 재단도 대표자 또는 관리인이 정하여져 있는 경우에는 그 '사단'이나 '재단'의 이름으로 행정심판을 청구할 수 있다(동법 제14조). **01 02 03**

2. 선정대표자

(1) 여러 명의 청구인이 공동으로 심판청구를 할 때에는 청구인들 중에서 3명 이하의 선정대표자를 선정할 수 있으며, **04** 행정심판위원회도 그 선정을 권고할 수 있다.

(2) 이러한 선정대표자는 다른 청구인들을 위해 그 사건에 관한 모든 행위를 할 수 있으나, 심판청구의 취하를 하려면 다른 청구인들의 동의를 얻어야만 하며, 그 동의받은 사실을 서면으로 소명하여야 한다. 선정대표자가 선정된 때에는 다른 청구인들은 그 선정대표자를 통해서만 사건에 관한 행위를 할 수 있다(동법 제15조).

관련판례

행정심판절차에서 청구인들이 당사자가 아닌 자를 선정대표자로 선정하였다면 행정심판법 제11조(현 제15조)에 위반되어 그 선정행위는 무효이다(대판 1991. 1. 25, 90누7791). **05** ★

❷ 청구인적격ⓑ

1. 취소심판의 청구인적격

(1) 법률상 이익의 존재

취소심판은 처분의 취소 또는 변경을 구할 법률상 이익이 있는 자가 청구할 수 있다(동법 제13조 제1항).

(2) 처분의 효과가 소멸된 후의 경우

처분의 효과가 기간의 경과, 처분의 집행, 그 밖의 사유로 소멸된 후에도 그 처분의 취소로 회복되는 법률상 이익이 있는 경우에는 행정심판을 청구할 수 있다(동법 제13조 제1항). **06**

2. 무효등확인심판의 청구인적격

처분의 효력 유무 또는 존재 여부에 대한 확인을 구할 법률상 이익이 있는 자가 청구할 수 있다(동법 제13조 제2항).

3. 의무이행심판의 청구인적격

의무이행심판은 처분을 신청한 자로서 행정청의 거부처분 또는 부작위에 대하여 일정한 처분을 구할 법률상 이익이 있는 자가 청구할 수 있다(동법 제13조 제3항).01

❸ 청구인의 지위승계

1. 당연승계

행정심판을 제기한 뒤에 자연인인 청구인이 사망한 때에는 그 상속인이나 법령에 의하여 당해 처분에 관계되는 권리나 이익을 승계한 자가 그 청구인의 지위를 승계하며(동법 제16조 제1항), 법인 또는 법인격 없는 사단(社團)이나 재단(財團)인 청구인이 다른 법인과 합병한 때에는 합병에 의하여 존속하거나 설립된 법인 등이 그 청구인의 지위를 승계한다(동법 제16조 제2항). 이 경우에 청구인의 지위를 승계한 자는 그 사유를 증명하는 서면을 첨부하여 행정심판위원회에 신고하여야 한다(동법 제16조 제3항).

2. 허가승계ⓐ

행정심판이 제기된 후에 당해 심판청구의 대상과 관계되는 권리 또는 이익을 양수한 자는 관계행정심판위원회의 허가를 받아 청구인의 지위를 승계할 수 있다(동법 제16조 제5항).02 행정심판위원회는 이러한 지위승계신청을 받으면 기간을 정하여 당사자와 참가인에게 의견을 제출하도록 할 수 있으며, 당사자와 참가인이 그 기간에 의견을 제출하지 아니하면 의견이 없는 것으로 본다(동법 제16조 제6항).

02 | 피청구인 – 당사자

❶ 개 념

피청구인은 심판청구를 제기받은 당사자를 말하는 것으로서, 소송에 있어 피고에 대응되는 개념이다.

❷ 피청구인적격

피청구인은 당해 심판청구의 대상인 **처분을 한 행정청**03❶ 또는 부작위를 한 **부작위청**(의무이행심판의 경우 청구인의 신청을 받은 행정청)04이 된다. 다만, 행정처분이나 부작위가 있은 후에 그에 관한 권한이 다른 행정청에 승계된 경우에는 권한을 승계한 행정청이 피청구인이 된다(동법 제17조 제1항).05

❸ 피청구인의 경정

1. 청구인이 피청구인을 잘못 지정한 경우 또는 행정심판이 제기된 후에 당해 처분이나 부작위에 대한 권한이 다른 행정청에 승계된 경우에는 행정심판위원회는 당사자의 신청 또는 직권에 의하여 결정으로

기출 체크

□□□□□ **01** 의무이행심판은 거부처분이나 부작위에 대하여 일정한 처분을 구할 법률상 이익이 있는 자가 청구인적격을 갖는다. (○, ×) ★★★ 2023 군무원 7급

□□□□□ **02** 행정심판의 대상과 관련되는 권리나 이익을 양수한 특정승계인은 행정심판위원회의 허가를 받아 청구인의 지위를 승계할 수 있다. (○, ×) ★★★ 2018 국가직 9급

□□□□□ **03** 행정심판에 있어 피청구인은? ★★★ 2013 서울시 9급
① 처분의 상대방
② 법무부장관
③ 직근상급행정청
④ 처분행정청
⑤ 행정심판위원회

□□□□□ **04** 의무이행심판의 경우에는 청구인의 신청을 받은 행정청을 피청구인으로 하여 행정심판을 청구하여야 한다. (○, ×) ★★ 2015 경행특채 1차

□□□□□ **05** 심판청구의 대상과 관계되는 권한이 다른 행정청에 승계된 경우에는 권한을 승계한 행정청을 피청구인으로 하여야 한다. (○, ×) ★★ 2015 경행특채 1차

❶ 행정심판법 제2조【정의】이 법에서 사용하는 용어의 뜻은 다음과 같다.
4. '행정청'이란 행정에 관한 의사를 결정하여 표시하는 국가 또는 지방자치단체의 기관, 그 밖에 법령 또는 자치법규에 따라 행정권한을 가지고 있거나 위탁을 받은 공공단체나 그 기관 또는 사인(私人)을 말한다.

ⓐ 행정심판의 대상이 되는 처분 중에는 타인에게 그 효과를 이전할 수 있는 것이 적지 않은 바(예 공유수면매립면허 등), 허가승계의 목적은 당해 처분에 관계되는 권리나 이익을 양수한 자가 청구인의 지위를 승계할 수 있도록 함으로써 당해 사건에 대한 실질적인 이해관계자와 청구인을 부합되게 하려는 데 목적이 있다.

정답 01 ○ 02 ○ 03 ④ 04 ○ 05 ○

기출 체크

□□□□□ 01 피청구인의 경정은 행정심판위원회에서 결정하며 언제나 당사자의 신청을 전제로 한다. (○, ×) ★★
2020 지방직 · 서울시 7급

□□□□□ 02 청구인이 피청구인을 잘못 지정한 경우에는 (행정심판)위원회는 직권으로 또는 당사자의 신청에 의하여 결정으로써 피청구인을 경정할 수 있다. (○, ×) ★★ 2018 국회직 8급

□□□□□ 03 피청구인의 경정이 있으면 심판청구는 피청구인의 경정시에 제기된 것으로 본다. (○, ×) ★★★
2018 서울시 1회 7급

□□□□□ 04 행정심판의 결과에 이해관계가 있는 제3자 또는 행정청은 행정심판위원회의 허가를 받아 그 사건에 참가할 수 있다. (○, ×) ★ 2015 사회복지직 9급

□□□□□ 05 행정심판결과에 이해관계가 있는 제3자나 행정청은 신청에 의하여 행정심판에 참가할 수 있으나, 행정심판위원회가 직권으로 심판에 참가할 것을 요구할 수는 없다. (○, ×) ★
2018 국회직 8급

□□□□□ 06 행정심판위원회는 필요하다고 인정하면 그 심판결과에 이해관계가 있는 제3자에게 그 사건 심판에 참가할 것을 요구할 수 있으며, 이 요구를 받은 제3자는 지체 없이 참가 여부를 위원회에 통지하여야 한다. (○, ×) ★ 2015 국회직 8급

□□□□□ 07 참가인은 행정심판절차에서 당사자가 할 수 있는 심판절차상의 행위를 할 수 있다. (○, ×) ★★★
2018 국회직 8급

정답 01 × 02 ○ 03 × 04 ○ 05 ×
06 ○ 07 ○

써 피청구인을 바꿀 수 있다(동법 제17조 제2 · 5항).01 02 행정심판위원회는 피청구인을 경정하는 결정을 하면 결정서 '정본'을 당사자(종전의 피청구인과 새로운 피청구인을 포함한다)에게 송달하여야 한다(동법 제17조 제3항).

2. 피청구인의 변경결정이 있으면 종전의 피청구인에 대한 심판청구는 취하되고 종전의 피청구인에 대한 행정심판이 청구된 때에 새로운 피청구인에 대한 행정심판이 청구된 것으로 본다(동법 제17조 제4항).03

03 | 참가인 – 관계인

❶ 의 의

행정심판의 결과에 이해관계가 있는 제3자나 행정청은 당해 심판에 참가할 수 있다. 이때 '이해관계'라 함은 법률상의 이해관계를 의미한다는 것이 판례의 입장이다.

❷ 종 류

1. 신청에 의한 참가

(1) 행정심판의 결과에 이해관계가 있는 제3자나 행정청은 해당 심판청구에 대한 행정심판위원회나 소위원회의 의결이 있기 전까지 행정심판위원회의 허가를 받아 그 사건에 대하여 심판참가를 할 수 있다(동법 제20조 제1항).04

(2) 심판참가를 하려는 자는 참가의 취지와 이유를 적은 참가신청서를 행정심판위원회에 제출하여야 한다. 이 경우 당사자의 수만큼 참가신청서 부본을 함께 제출하여야 한다(동법 제20조 제2항).

(3) 행정심판위원회는 참가신청을 받으면 허가 여부를 결정하고, 지체 없이 신청인에게는 결정서 정본을, 당사자와 다른 참가인에게는 결정서 등본을 송달하여야 하며, 신청인은 송달을 받은 날부터 7일 이내에 행정심판위원회에 이의신청을 할 수 있다(동법 제20조 제5 · 6항).

2. 요구에 의한 참가

행정심판위원회는 필요하다고 인정하면 그 행정심판결과에 이해관계가 있는 제3자나 행정청에 그 사건 심판에 참가할 것을 요구할 수 있다.05 행정심판위원회의 요구를 받은 제3자나 행정청은 지체 없이 그 사건 심판에 참가할 것인지 여부를 행정심판위원회에 통지하여야 한다(동법 제21조).06 즉, 이해관계인은 당연히 참가하는 것이 아니라 참가 여부를 스스로 결정할 수 있다.

❸ 참가인의 지위

참가인은 행정심판절차에서 당사자가 할 수 있는 심판절차상의 행위를 할 수 있다(동법 제22조 제1항).07

04 | 대리인

❶ 선 임

1. 청구인은 법정대리인, 배우자, 청구인 또는 배우자의 사촌 이내의 혈족, 청구인이 법인이거나 청구인능력이 있는 법인이 아닌 사단 또는 재단인 경우 그 소속 임직원, 변호사, 다른 법률에 따라 심판청구를 대리할 수 있는 자, 그 밖에 행정심판위원회의 허가를 받은 자를 대리인으로 선임할 수 있다(동법 제18조 제1항).

2. 피청구인은 그 소속 직원, 변호사, 다른 법률에 따라 심판청구를 대리할 수 있는 자, 그 밖에 행정심판위원회의 허가를 받은 자를 대리인으로 선임할 수 있다(동법 제18조 제2항).

❷ 대리행위의 효과

대리인은 청구인 또는 피청구인을 위하여 대리권의 범위 안에서 자기의 의사결정과 명의로 심판청구에 관한 행위를 하는 자이지만, 그 행위의 효과는 직접 청구인 또는 피청구인에게 귀속된다.

❸ 국선대리인

1. 청구인이 경제적 능력으로 인해 대리인을 선임할 수 없는 경우에는 행정심판위원회에 국선대리인을 선임하여 줄 것을 신청할 수 있다(동법 제18조의2 제1항).**01**

2. 행정심판위원회는 위 **1.**의 신청에 따른 국선대리인 선정 여부에 대한 결정을 하고, 지체 없이 청구인에게 그 결과를 통지하여야 한다. 이 경우 행정심판위원회는 심판청구가 명백히 부적법하거나 이유 없는 경우 또는 권리의 남용이라고 인정되는 경우에는 국선대리인을 선정하지 아니할 수 있다(동법 제18조의2 제2항).

기출 체크

□□□□□ **01** 행정심판청구인이 경제적 능력으로 인해 대리인을 선임할 수 없는 경우에는 행정심판위원회에 국선대리인을 선임하여 줄 것을 신청할 수 있다. (○, ×) ★★ 2019 국가직 9급

정답 01 ○

제 3 절 행정심판위원회

초대 Topic 45 핵심집약 Topic 62

01 | 행정심판위원회의 설치

❶ 의 의

1. 행정심판위원회란 행정심판청 구를 수리하여 재결할 권한을 가지는 **합의제 행정청**을 말하는 것으로서 직근상급행정기관 소속 행정심판위원회, 해당 행정청 소속 행정심판위원회, 중앙행정심판위원회, 광역지방자치단체장 소속 행정심판위원회와 같이 여러 종류가 있으므로 국민으로서는 어느 기관이 행정심판위원회가 되는지 알기 어려운 문제가 있다. 따라서 행정심판법에서는 고지제도를 채택함으로써 이러한 문제를 해결하고 있다(p.743 참조).

2. 개정 전 행정심판법은 심리 · 의결기능과 재결기능을 분리시켜 심리 · 의결기능은 행정심판위원회에, 재결의 기능은 재결청에 부여함으로써 행정심판기관을 이원화했었다. 그런데 이러한 이원화가 행정심판사건의 신속한 해결을 방해한다는 점 때문에 2008년 2월 29일 행정심판법을 개정하여 **행정심판기관을 행정심판위원회로 일원화하였다.01** 따라서 현재는 **행정심판위원회가 행정심판의 심리 · 재결기능을 모두 담당하고 있다.02**

❷ 종 류

행정심판위원회는 행정심판법에 의해 설치되는 일반행정심판위원회와 개별법에 의해 설치되는 특별행정심판위원회가 있다.

1. 일반행정심판위원회

일반행정심판위원회에는 독립기관 등 소속행정심판위원회(동법 제6조 제1항), 중앙행정심판위원회(동법 제6조 제2항), 시 · 도지사 소속 행정심판위원회(동법 제6조 제3항). 직근상급행정기관 소속 행정심판위원회(동법 제6조 제4항)가 있다.

(1) 독립기관 등 소속 행정심판위원회 – 해당 행정청 소속 행정심판위원회

① 감사원, 국가정보원장,**03** 그 밖에 대통령령으로 정하는 대통령 소속기관의 장, ② **국회사무총장 · 법원행정처장04** · 헌법재판소사무처장 및 중앙선거관리위원회사무총장, ③ **국가인권위원회,05** 그 밖에 지위 · 성격의 독립성과 특수성 등이 인정되어 대통령령으로 정하는 행정청 또는 그 소속 행정청(행정기관의 계층구조와 관계없이 그 감독을 받거나 위탁을 받은 모든 행정청을 말하되, 위탁을 받은 행정청은 그 위탁받은 사무에 관하여는 위탁한 행정청의 소속 행정청으로 본다)의 **처분 또는 부작위에 대한 행정심판의 청구에 대하여는 해당 행정청에 두는 행정심판위원회에서 심리 · 재결한다**(동법 제6조 제1항). 예컨대, 국회사무총장의 처분이나 부작위에 대한 행정심판기관은 국회사무처 소속 행정심판위원회가 된다.**06**

기출 체크

□□□□□ **01** 행정심판법은 권리구제의 실효성을 확보하기 위해서 심리 · 의결기능과 재결기능을 분리시키고 있다. (○, ×) ★★★ 2009 국가직 9급

□□□□□ **02** 행정심판의 청구를 심리 · 재결하기 위하여 행정심판위원회를 둔다. (○, ×) ★★★ 2008 지방직 9급

□□□□□ **03** 국민권익위원회에 두는 중앙행정심판위원회가 심리 · 재결하는 행정처분이 아닌 것은? ★★★ 2014 국가직 9급

① 국가정보원장의 행정처분
② 서울특별시 의회의 행정처분
③ 대구광역시 교육감의 행정처분
④ 해양경찰청장의 행정처분

□□□□□ **04** 법원행정처장의 부당한 처분에 대해서는 중앙행정심판위원회에 행정심판을 제기할 수 있다. (○, ×) ★★ 2015 서울시 7급

□□□□□ **05** 국가인권위원회의 처분 또는 부작위에 대한 행정심판의 청구는 국민권익위원회에 두는 중앙행정심판위원회에서 심리 · 재결한다. (○, ×) ★★ 2018 국회직 8급

□□□□□ **06** 국회사무총장의 처분에 대한 행정심판의 청구에 대해서는 국민권익위원회에 두는 중앙행정심판위원회에서 심리 · 재결한다. (○, ×) 2021 국회직 8급

정답 01 × 02 ○ 03 ① 04 × 05 × 06 ×

(2) 중앙행정심판위원회

① 위 해당 행정청 소속으로 설치하는 경우 외의 국가행정기관의 장 또는 그 소속 행정청

② 특별시장01 · 광역시장 · 특별자치시장 · 도지사 · 특별자치도지사(특별시 · 광역시 · 특별자치시 · 도 또는 특별자치도의 교육감을 포함한다) 또는 특별시 · 광역시 · 특별자치시 · 도 · 특별자치도의 의회(의장, 위원회의 위원장, 사무처장 등 의회 소속 모든 행정청을 포함한다)

③ 지방자치법에 따른 지방자치단체조합 등 관계법률에 따라 국가 · 지방자치단체 · 공공법인 등이 공동으로 설립한 행정청의 처분 또는 부작위에 대한 심판청구에 대하여는 「부패방지 및 국민권익위원회의 설치와 운영에 관한 법률」에 따른 국민권익위원회에 두는 중앙행정심판위원회에서 심리 · 재결한다(동법 제6조 제2항). 예컨대, 보건복지부장관의 처분 또는 부작위에 대한 행정심판기관은 중앙행정심판위원회가 된다.

(3) 시 · 도지사 소속 행정심판위원회

① 시 · 도 소속 행정청,02 03 ② 시 · 도의 관할구역에 있는 시 · 군 · 자치구의 장, 소속 행정청 또는 시 · 군 · 자치구의 의회(의장, 위원회의 위원장, 사무국장, 사무과장 등 의회 소속 모든 행정청을 포함한다), ③ 시 · 도의 관할구역에 있는 둘 이상의 지방자치단체(시 · 군 · 자치구를 말한다) · 공공법인 등이 공동으로 설립한 행정청의 처분 또는 부작위에 대한 심판청구에 대하여는 시 · 도지사 소속으로 두는 행정심판위원회에서 심리 · 재결한다(동법 제6조 제3항).04 예컨대, 종로구청장의 처분이나 부작위에 대해서는 서울특별시장 소속의 행정심판위원회가 행정심판기관이 된다.05

(4) 직근상급행정기관 소속 행정심판위원회

그 밖에 대통령령으로 정하는 국가행정기관 소속 특별지방행정기관의 장의 처분 또는 부작위에 대한 심판청구에 대하여는 해당 행정청의 직근상급행정기관에 두는 행정심판위원회에서 심리 · 재결한다(동법 제6조 제4항). 이때 직근상급행정기관이란 여러 개의 상급기관이 있는 경우 처분청 또는 부작위청으로부터 가장 가까운 상급행정기관을 의미한다.

2. 특별행정심판위원회

개별법률에서 특별한 제3의 기관을 설치하여 심리 · 재결하도록 하는 경우가 있는바, 예컨대 공무원의 징계처분 등의 경우 국가공무원법 또는 지방공무원법에 따른 소청심사위원회06가 심판기관이 되며, 국세 및 관세에 관한 처분의 경우 국세기본법에 따른 조세심판원07❶이 심판기관이 된다. 그리고 토지수용의 경우 「공익사업을 위한 토지 등의 취득 및 보상에 관한 법률」에 따른 중앙토지수용위원회08가 심판기관이 된다.

기출 체크

□□□□□ 01 서울특별시장의 처분에 대한 행정심판은 중앙행정심판위원회에서 심리 · 재결한다. (○, ×) ★★★ 2015 서울시 7급

□□□□□ 02 시 · 도 소속 행정청의 처분 또는 부작위에 대한 심판청구에 대하여는 시 · 도지사 소속으로 두는 행정심판위원회가 심리 · 재결한다. (○, ×) ★★★ 2024 소방직 9급

□□□□□ 03 서울특별시 소속 행정청의 처분에 대한 행정심판을 관할하는 기관은? ★★★ 2014 서울시 9급
① 서울특별시행정심판위원회
② 해당 행정청이 위치한 구(區)행정심판위원회
③ 중앙행정심판위원회
④ 서울특별시장
⑤ 행정심판청구인이 임의적으로 선택할 수 있다.

□□□□□ 04 시 · 도의 관할구역에 있는 둘 이상의 시 · 군 · 자치구 등이 공동으로 설립한 행정청의 처분에 대하여는 시 · 도지사 소속 행정심판위원회에서 심리 · 재결한다. (○, ×) ★★★ 2015 지방직 9급

□□□□□ 05 종로구청장의 처분이나 부작위에 대한 행정심판청구는 서울특별시 행정심판위원회에서 심리 · 재결하여야 한다. (○, ×) ★★★ 2019 서울시 9급

□□□□□ 06 국가공무원법상 소청심사(는 행정심판법에 따른 행정심판기관이 아닌 특별행정심판기관에 의하여 처리되는 특별행정심판에 해당한다) (○, ×) 2022 국가직 7급

□□□□□ 07 국세기본법상 조세심판(은 행정심판법에 따른 행정심판기관이 아닌 특별행정심판기관에 의하여 처리되는 특별행정심판에 해당한다) (○, ×) 2022 국가직 7급

□□□□□ 08 「공익사업을 위한 토지 등의 취득 및 보상에 관한 법률」상 토지수용재결에 대한 이의신청(은 행정심판법에 따른 행정심판기관이 아닌 특별행정심판기관에 의하여 처리되는 특별행정심판에 해당한다) (○, ×) 2022 국가직 7급

❶ 국세기본법 제67조【조세심판원】① 심판청구에 대한 결정을 하기 위하여 국무총리 소속으로 조세심판원을 둔다.
제80조【결정의 효력】① 제80조의2에서 준용하는 제65조에 따른 결정은 관계 행정청을 기속(羈束)한다.

정답 01 ○ 02 ○ 03 ① 04 ○ 05 ○ 06 ○ 07 ○ 08 ○

02 | 행정심판위원회의 구성 및 회의

❶ 각급 행정심판위원회

중앙행정심판위원회를 제외한 행정심판위원회는 **위원장 1명을 포함하여 50명 이내의 위원으로** 구성된다(동법 제7조 제1항).

1. 위원장

행정심판위원회의 위원장은 해당 행정심판위원회가 소속된 행정청이 되며, 위원장이 없거나 부득이한 사유로 직무를 수행할 수 없거나 위원장이 필요하다고 인정하는 경우에는 ① 위원장이 사전에 지명한 위원, ② 지명된 공무원인 위원(2명 이상인 경우에는 직급 또는 고위공무원단에 속하는 공무원의 직무등급이 높은 위원 순으로, 직급 또는 직무등급도 같은 경우에는 위원 재직기간이 긴 위원 순서로, 재직기간도 같은 경우에는 연장자 순서로 한다)의 순서에 따라 위원이 위원장의 직무를 대행한다(동법 제7조 제2항). **다만, 시·도지사 소속으로 두는 행정심판위원회의 경우에는 해당 지방자치단체의 조례로 정하는 바에 따라 공무원이 아닌 위원을 위원장(비상임)으로 정할 수 있다**(동법 제7조 제3항).**01**

2. 위 원ⓐ

행정심판위원회의 위원은 해당 행정심판위원회가 소속된 행정청이 ① 변호사 자격을 취득한 후 5년 이상의 실무경험이 있는 사람, ② 학교에서 조교수 이상으로 재직하거나 재직하였던 사람, ③ 행정기관의 4급 이상 공무원이었거나 고위공무원단에 속하는 공무원이었던 사람, ④ 박사학위를 취득한 후 해당 분야에서 5년 이상 근무한 경험이 있는 사람, ⑤ 그 밖에 행정심판과 관련된 분야의 지식과 경험이 풍부한 사람 중 어느 하나에 해당하는 사람 중에서 성별을 고려하여 위촉하거나 그 소속 공무원 중에서 지명한다(동법 제7조 제4항).

3. 회 의

행정심판위원회의 회의는 **위원장과 위원장이 회의마다 지정하는 8명의 위원**(그중 소속 행정청이 위촉한 위원은 6명 이상으로 하되, 시·도지사 소속으로 두는 행정심판위원회로서 위원장이 공무원이 아닌 경우에는 5명 이상으로 한다)으로 구성한다. **행정심판위원회는 구성원 과반수의 출석과 출석위원 과반수의 찬성으로 의결한다**(동법 제7조 제6항).

❷ 중앙행정심판위원회

중앙행정심판위원회는 **위원장 1명을 포함하여 70명 이내의 위원으로 구성하되,02 위원 중 상임위원은 4명** 이내로 한다.**03**

1. 위원장

중앙행정심판위원회의 위원장은 원칙적으로 **국민권익위원회의 부위원장 중 1명**이 되며,**04** 위원장이 없거나 부득이한 사유로 직무를 수행할 수 없거나 위원장이 필요하다고 인정하는 경우에는 **상임위원**(상임으로 재직한 기간이 긴 위원 순서로, 재직기간이 같은 경우에는 연장자 순으로 한다)**이 위원장의 직무를 대행한다**(동법 제8조 제2항).**05 06 07**

기출 체크

□□□□□ **01** 예외적으로 당해 지방자치단체의 조례에서 시·도행정심판위원회의 위원장을 공무원이 아닌 위원으로 정한 경우에 그는 상임으로 직무를 수행한다. (○, ×) ★ 2018 교육행정직 9급

□□□□□ **02** (행정심판법상) 중앙행정심판위원회는 위원장 1명을 포함하여 70명 이내의 위원으로 구성한다. (○, ×) ★★ 2021 소방직 9급

□□□□□ **03** 중앙행정심판위원회는 위원장 1명을 포함하여 50명 이내의 위원으로 구성하되 위원 중 상임위원은 5명 이내로 한다. (○, ×) ★★ 2019 국회직 8급

□□□□□ **04** 중앙행정심판위원회의 위원장은 국민권익위원회의 부위원장 중 1명이 된다. (○, ×) ★★ 2019 국회직 8급

□□□□□ **05** 중앙행정심판위원회의 위원장은 그 행정심판위원회가 소속된 행정청이 되며, 위원장이 부득이한 사유로 직무를 수행할 수 없거나 위원장이 필요하다고 인정하는 경우에는 위원장이 사전에 지명한 위원이 있는 경우 그 위원이 위원장의 직무를 대행한다. (○, ×) ★★★ 2021 국회직 8급

□□□□□ **06** 중앙행정심판위원회의 위원장은 법제처장이 되고 유고시에는 법제처 차장이 그 직무를 대행한다. (○, ×) ★★★ 2018 교육행정직 9급

□□□□□ **07** 중앙행정심판위원회의 위원장은 국민권익위원회의 부위원장 중 1명이 되며 필요한 경우에는 상임위원이 그 직무를 대행한다. (○, ×) ★★★ 2011 지방직 9급

ⓐ **위원의 결격사유(행정심판법 제9조 제4항)**
대한민국 국민이 아닌 사람이나 국가공무원법 제33조 각 호의 어느 하나에 해당하는 사람은 제6조에 따른 행정심판위원회의 위원이 될 수 없으며, 위원이 이에 해당하게 된 때에는 당연히 퇴직한다.

정답 01 × 02 ○ 03 × 04 ○ 05 × 06 × 07 ○

2. 상임위원 및 비상임위원

(1) 상임위원

중앙행정심판위원회의 상임위원은 **일반직 공무원**으로서 국가공무원법 제26조의5에 따른 임기제 공무원으로 임명하되, 3급 이상 공무원 또는 고위공무원단에 속하는 일반직 공무원으로 3년 이상 근무한 사람이나 그 밖에 행정심판에 관한 지식과 경험이 풍부한 사람 중에서 **중앙행정심판위원회 위원장의 제청으로 국무총리를 거쳐** 대통령이 임명한다(동법 제8조 제3항).**01** **상임위원의 임기는 3년으로 하며, 1차에 한하여 연임할** 수 있다(동법 제9조 제2항).**02**

(2) 비상임위원

중앙행정심판위원회의 비상임위원은 행정심판위원회 위원이 될 수 있는 사람 중에서 **중앙행정심판위원회 위원장의 제청으로 국무총리가 성별을 고려하여 위촉**한다(동법 제8조 제4항).**03** **위촉된 위원의 임기는 2년으로 하되 2차에 한하여 연임할** 수 있으며(동법 제9조 제3항), 금고 이상의 형을 선고받거나 부득이한 사유로 장기간 직무를 수행할 수 없게 되는 경우 외에는 임기 중 그의 의사와 다르게 해촉되지 아니한다(동법 제9조 제5항).

3. 회 의

중앙행정심판위원회의 회의(소위원회 회의를 제외한다)는 위원장, 상임위원 및 위원장이 회의마다 지정하는 비상임위원을 포함하여 **총 9명으로 구성**한다(동법 제8조 제5항).**04** **중앙행정심판위원회**는 심판청구사건 중 **도로교통법에 따른 자동차운전면허행정처분에 관한 사건**(소위원회가 중앙행정심판위원회에서 심리 · 의결하도록 결정한 사건은 제외한다)을 **심리 · 의결**하게 하기 위하여 **4명의 위원으로 구성하는 소위원회를 둘 수 있다**(동법 제8조 제6항).**05** 중앙행정심판위원회 및 소위원회는 각각 그 구성원의 **과반수의 출석과 출석위원 과반수의 찬성으로 의결**한다(동법 제8조 제7항). 중앙행정심판위원회는 위원장이 지정하는 사건을 미리 검토하도록 필요한 경우에는 전문위원회를 둘 수 있다(동법 제8조 제8항).

기출 체크

□□□□□ **01** 중앙행정심판위원회의 상임위원은 행정심판에 관한 지식과 경험이 풍부한 사람 중에서 중앙행정심판위원회 위원장의 제청으로 국무총리를 거쳐 대통령이 임명한다. (○, ×) ★ 2019 국회직 8급

□□□□□ **02** 중앙행정심판위원회의 상임위원은 위원장의 제청으로 국무총리를 거쳐 대통령이 임명하고, 상임위원의 임기는 2년으로 하되 1차에 한하여 연임할 수 있다. (○, ×) 2024 국회직 8급

□□□□□ **03** (행정심판법상) 중앙행정심판위원회의 비상임위원은 일정한 요건을 갖춘 사람 중에서 중앙행정심판위원회 위원장의 제청으로 국무총리가 성별을 고려하여 위촉한다. (○, ×) 2021 소방직 9급

□□□□□ **04** (행정심판법상) 중앙행정심판위원회의 회의는 위원장, 상임위원 및 위원장이 회의마다 지정하는 비상임위원을 포함하여 총 15명으로 구성한다. (○, ×) ★ 2021 소방직 9급

□□□□□ **05** 도로교통법상 행정심판은 행정심판법에 따른 행정심판기관이 아닌 특별행정심판기관에 의하여 처리되는 특별행정심판에 해당한다. (○, ×) 2022 국가직 7급

ⓐ 행정심판법은 심판청구사건에 대한 심리 · 재결의 공정과 이에 대한 국민의 신뢰를 확보하기 위하여, 위원은 물론 당해 사건의 심의에 관한 사무에 관여하는 직원의 제척, 기피 및 회피에 관하여 규정하고 있다(동법 제10조).

03 | 위원 등의 제척 · 기피 · 회피ⓐ

❶ 위원의 제척 · 기피 · 회피

1. 제척 · 기피

(1) 의 의

① 행정심판위원회의 위원은 다음의 일정한 사유에 해당하는 경우에는 그 사건의 심리 · 의결에서 제척(除斥)된다. 이 경우 제척결정은 행정심판위원회의 위원장이 직권으로 또는 당사자의 신청에 의하여 한다(동법 제10조 제1항).

> ㉠ 위원 또는 그 배우자나 배우자이었던 자가 사건의 당사자이거나 당해 사건에 관하여 공동권리자 또는 의무자인 경우
> ㉡ 위원이 사건의 당사자와 친족이거나 친족이었던 경우
> ㉢ 위원이 사건에 관하여 증언이나 감정을 한 경우
> ㉣ 위원이 당사자의 대리인으로서 사전에 관여하거나 관여하였던 경우
> ㉤ 위원이 사건의 대상이 된 처분 또는 부작위에 관여한 경우

정답 01 ○ 02 × 03 ○ 04 × 05 ×

② 당사자는 위원에게 심리 · 의결의 공정을 기대하기 어려운 사정이 있는 경우에는 행정심판위원회의 위원장에게 기피신청을 할 수 있다(동법 제10조 제2항).

(2) 신 청

행정심판위원회의 위원에 대한 제척신청이나 기피신청은 그 사유를 소명(疏明)한 문서로 하여야 한다.01 다만, 불가피한 경우에는 신청한 날부터 3일 이내에 신청사유를 소명할 수 있는 자료를 제출하여야 한다(동법 제10조 제3항). 제척신청이나 기피신청이 제3항을 위반하였을 때에는 위원장은 결정으로 이를 각하한다(동법 제10조 제4항). 위원장은 제척신청이나 기피신청의 대상이 된 위원에게서 그에 대한 의견을 받을 수 있다(동법 제10조 제5항). 위원장은 제척신청이나 기피신청을 받으면 제척 또는 기피 여부에 대한 결정을 하고,02 지체 없이 신청인에게 결정서 정본(正本)을 송달하여야 한다(동법 제10조 제6항).

2. 회 피

위원이 제척 및 기피의 사유에 해당하는 때에는 스스로 그 사건의 심리 · 의결에서 회피할 수 있다. 이 경우 회피하고자 하는 위원은 위원장에게 그 사유를 소명하여야 한다(동법 제10조 제7항).

❷ 위원 아닌 직원에 대한 준용

사건의 심리 · 의결에 관한 사무에 관여하는 위원 아닌 직원에게도 제척 · 기피 · 회피에 관한 규정을 준용한다(동법 제10조 제8항).03

기출 체크

□□□□□ 01 행정심판위원회의 위원에 대한 기피신청은 그 사유를 소명한 문서로 하여야 한다. (○, ×) 2015 서울시 7급

□□□□□ 02 행정심판법 제10조에 의하면, 위원장은 제척신청이나 기피신청을 받으면 제척 또는 기피 여부에 대한 결정을 한다. (○, ×) 2021 소방직 9급

□□□□□ 03 행정심판에 있어서 사건의 심리 · 의결에 관한 사무에 관여하는 직원에게는 행정심판법 제10조의 위원의 제척 · 기피 · 회피가 적용되지 않는다. (○, ×) 2015 지방직 9급

□□□□□ 04 시 · 도행정심판위원회와 중앙행정심판위원회는 모두 행정심판의 심리권한과 재결권한을 가진다. (○, ×) ★★★ 2018 교육행정직 9급

정답 01 ○ 02 ○ 03 × 04 ○

04 | 권 한

❶ 행정심판위원회의 권한(주된 권한 : 심리 · 재결권)

1. 심리권

행정심판위원회는 심판청구사건을 심리하는 권한을 가진다. 행정심판의 심리라 함은 행정심판청구에 대한 재결을 하기 위하여 당사자 및 관계인의 주장을 듣고, 주장을 뒷받침하는 증거와 기타 자료 등을 수집 · 조사하는 절차를 말한다.

2. 심리권에 부수된 권한

행정심판위원회는 심리권을 효율적으로 행사하기 위해 여러 부수적인 권한을 가지는데, 그 예로는 증거조사권, 대표자선정권고권, 청구인의 지위승계허가권, 피청구인경정권, 대리인선임허가권, 심판참가허가 및 요구권, 청구의 변경허가권 등을 들 수 있다.

3. 재결권

행정심판위원회(시 · 도행정심판위원회, 중앙행정심판위원회 불문)는 심판청구사건에 대한 심리를 마치면 그 심판청구에 대하여 심리할 권한뿐만 아니라 재결할 권한을 갖는다.04

4. 집행정지결정권 및 집행정지취소결정권 등

행정심판위원회는 처분에 대해 집행정지를 결정할 수 있으며, 또한 집행정지결정을 취소할 수도

있다(p.728 참조).

5. 직접처분권

(1) 당사자의 신청을 거부하거나 부작위로 방치한 처분의 이행을 명하는 재결이 있으면 행정청은 지체 없이 이전의 신청에 대하여 재결의 취지에 따라 처분을 하여야 한다(동법 제49조 제3항). 이 경우 **행정심판위원회는 당해 행정청이 처분을 하지 아니하는 때에는 당사자가 신청하면 기간을 정하여 서면으로 시정을 명하고 그 기간 내에 이행하지 아니하면 직접처분을 할 수 있다.01** 다만, 그 처분의 성질이나 그 밖의 불가피한 사유로 행정심판위원회가 직접처분을 할 수 없는 경우에는 그러하지 아니하다(동법 제50조 제1항).

(2) **행정심판위원회는 직접처분을 하였을 때에는** 그 사실을 **해당 행정청에 통보**하여야 하며, 그 통보를 **받은 행정청은 행정심판위원회가 한 처분을 자기가 한 처분으로 보아** 관계법령에 따라 관리 · 감독 등 **필요한 조치를 하여야** 한다(동법 제50조 제2항).02

6. 간접강제권

(1) 행정심판위원회는 피청구인이 행정심판법 제49조 제2항(제49조 제4항에서 준용하는 경우 포함) 또는 제3항에 따른 처분을 하지 아니하면 청구인의 신청에 의하여 결정으로 상당한 기간을 정하고 피청구인이 그 기간 내에 이행하지 아니하는 경우에는 그 지연기간에 따라 일정한 배상을 하도록 명하거나 즉시 배상을 할 것을 명할 수 있다(동법 제50조의2 제1항).

(2) **행정심판위원회는 사정의 변경이 있는 경우에는 당사자의 신청에 의하여 위 (1)에 따른 결정의 내용을 변경할 수 있다**(동법 제50조의2 제2항).

(3) **행정심판위원회는 (1) 또는 (2)에 따른 결정을 하기 전에 신청 상대방의 의견을 들어야 한다**(동법 제50조의2 제3항).03

7. 중앙행정심판위원회에 있어 불합리한 법령 등의 시정조치요청권

중앙행정심판위원회는 관계행정기관에 대하여 당해 명령 등의 시정조치를 요청할 수 있다. 이와 같은 요청을 받은 관계행정기관은 **정당한 사유가 없는 한 이에 따라야** 한다(p.741 참조).❶

❷ 권한승계

1. 승 계

당사자의 심판청구 후 행정심판위원회가 법령의 개정 · 폐지 또는 피청구인의 경정결정에 따라 그 심판청구에 대하여 재결할 권한을 잃게 된 때에는 해당 행정심판위원회는 심판청구서 · 관계서류 및 그 밖의 자료를 새로 재결할 권한을 갖게 된 행정심판위원회에 보내야 한다(동법 제12조 제1항).

2. 승계 후 조치

위 **1.**의 경우 송부를 받은 행정심판위원회는 지체 없이 그 사실을 심판청구인, 심판피청구인 및 참가인에게 알려야 한다(동법 제12조 제2항).

기출 체크

□□□□□ **01** 행정심판위원회는 의무이행재결이 있는 경우에 피청구인이 처분을 하지 아니한 경우에는 당사자의 신청 또는 직권으로 기간을 정하여 시정을 명하고 그 기간에 이행하지 아니하면 직접처분을 할 수 있다. (○, ×) ★★★ 2022 군무원 9급

□□□□□ **02** 행정심판위원회는 직접처분을 하였을 때에는 그 사실을 해당 행정청에 통보하여야 하며, 그 통보를 받은 행정청은 행정심판위원회가 한 처분을 자기가 한 처분으로 보아 관계법령에 따라 관리 · 감독 등 필요한 조치를 하여야 한다. (○, ×) ★★ 2014 지방직 9급

□□□□□ **03** 행정심판위원회는 사정의 변경이 있는 경우에는 당사자의 신청에 의하여 간접강제결정의 내용을 변경할 수 있으며, 변경결정을 하기 전에 신청 상대방의 의견을 들어야 한다. (○, ×) 2022 국회직 8급

❶ 행정심판법 제59조【불합리한 법령 등의 개선】① 중앙행정심판위원회는 심판청구를 심리 · 재결할 때에 처분 또는 부작위의 근거가 되는 명령 등(대통령령 · 총리령 · 부령 · 훈령 · 예규 · 고시 · 조례 · 규칙 등을 말한다. 이하 같다)이 법령에 근거가 없거나 상위법령에 위배되거나 국민에게 과도한 부담을 주는 등 크게 불합리하면 관계행정기관에 그 명령 등의 개정 · 폐지 등 적절한 시정조치를 요청할 수 있다. 이 경우 중앙행정심판위원회는 시정조치를 요청한 사실을 법제처장에게 통보하여야 한다.
② 제1항에 따른 요청을 받은 관계행정기관은 정당한 사유가 없으면 이에 따라야 한다.

[유튜브] 33강 필수 개념 TEST
- QR코드를 스캔해 주세요.
- 필수 개념과 출제 포인트를 풀어 보세요.
- 틀린 문제는 기본서로 확인해 주세요.

정답 01 × 02 ○ 03 ○

제 34 강 행정심판절차 등

행정심판의 청구

행정심판청구의 방식

- **서면주의** : 엄격한 형식을 요하지 않으므로 진정서라는 표제하에 제출된 경우에도 처분에 대한 취소를 구하는 서면이 제출된 경우 행정심판청구로 볼 수 있음.
- 처분청 또는 행정심판위원회 선택주의(처분청 경유주의 ×)

행정심판청구의 기간

원 칙

- 처분이 있음을 알게 된 날로부터 90일(불변기간) 이내.
  처분이 있었던 날로부터 180일 이내(정당한 사유가 있는 경우 예외 인정)
- 두 기간 중 하나라도 먼저 경과하면 행정심판청구는 부적법 각하
- 취소심판과 거부처분에 대한 의무이행심판에만 기간의 제한 있음.
- **처분이 있음을 알게 된 날** : 처분이 있음을 현실적으로 알게 된 날
  - 당사자의 주소에 송달되는 등 사회통념상 처분이 있음을 당사자가 알 수 있는 상태에 놓여진 때 반증이 없는 한 처분이 있음을 알았다고 추정함.
- **처분이 있었던 날** : 처분이 통지에 의하여 외부에 표시되고 효력이 발생한 날
  - 불특정 다수인에 대해 고시 또는 공고하는 경우, 상대방이 고시 또는 공고사실을 현실적으로 알았는지와 무관하게 고시가 효력이 발생하는 날에 처분이 있음을 알았다고 보아야 함(판례).

제3자효 행정행위

- 제3자는 처분이 있었던 날로부터 180일이 지나더라도 특별한 사정이 없는 한 정당한 사유가 있는 경우에 해당하여 위와 같은 심판청구기간이 경과한 뒤에도 심판을 청구할 수 있음.
- 다만, 제3자가 어떤 경위로든 행정처분이 있음을 알았거나 쉽게 알 수 있는 등의 사정이 있는 경우에는 그때로부터 90일 이내에 행정심판을 청구하여야 함.

오고지 · 불고지 등의 경우

오고지	행정청이 착오로 긴 기간으로 잘못 고지하는 경우, 잘못 고지된 기간 내에 청구하면 청구기간을 준수한 것으로 봄.
불고지	처분이 있음을 알았다 하더라도 처분이 있었던 날부터 180일 이내에 제기하면 됨.

심판청구의 변경 · 취하

- **임의적 청구의 변경** : 청구인은 청구의 기초에 변경이 없는 범위에서 청구의 취지, 청구이유를 변경할 수 있음.
- **처분변경 등으로 인한 청구변경** : 행정심판이 청구된 후 행정청이 새로운 처분을 하거나 처분을 변경한 경우 청구인은 청구의 취지나 이유를 변경할 수 있음.

행정심판청구의 효과

집행부정지와 집행정지

- **집행부정지의 원칙**
- **집행정지의 요건**
  - 적극적 요건
    - 집행정지대상인 처분의 존재
    - 심판청구의 계속
    - 중대한 손해발생의 가능성
    - 긴급한 필요의 존재
  - 소극적 요건 – 공공복리에 중대한 영향을 미칠 우려가 없을 때
- **집행정지의 절차** : 당사자의 신청 또는 직권에 의하여 집행정지 결정
- **내용과 효력** : 처분의 효력이나 집행, 절차의 속행의 전부 또는 일부정지(다만, 처분의 집행 또는 절차의 속행을 정지함으로써 목적을 달성할 수 있는 경우에는 '처분의 효력정지'는 허용되지 않음)

임시처분(가처분)

의 의	처분 또는 부작위 때문에 당사자가 받을 우려가 있는 중대한 불이익이나 당사자에게 생길 급박한 위험을 막기 위하여 임시지위를 정해야 할 필요가 있는 경우 행정심판위원회가 발하는 가구제 수단
요 건	• 심판청구의 계속 • 처분 또는 부작위가 위법 · 부당하다고 상당히 의심되는 경우일 것 • 당사자에게 중대한 불이익이나 급박한 위험이 생길 우려가 있을 것 • 공공복리에 중대한 영향을 미칠 우려가 없을 것
절 차	당사자의 신청 또는 행정심판위원회의 직권으로 임시처분을 결정함. – 임시처분이 공공복리에 중대한 영향을 미치거나 그 처분사유가 없어진 경우에는 직권으로 또는 당사자 신청에 의하여 임시처분결정을 취소할 수 있음. – 임시처분은 집행정지로 목적을 달성할 수 있는 경우에는 허용되지 않음(보충성).

행정심판의 심리 · 재결

행정심판의 심리

심리의 내용과 범위

내 용	• 요건심리(형식적 심리) – 요건불비시 각하, 보정될 수 있으면 보정을 명하거나 경미한 경우 직권으로 보정 가능 – 행정심판위원회는 청구인이 보정기간 내 흠을 보정하지 아니한 경우 각하 가능 – 심판청구서에 타인을 비방하거나 모욕하는 내용 등이 기재되어 청구내용을 특정할 수 없고 그 흠을 보정할 수 없다고 인정되는 경우 보정요구 없이 각하 가능
범 위	불고불리 및 불이익변경금지의 원칙(행정심판법에 명문화), 재량의 당 · 부당도 심리 가능

심리의 절차

- **심리절차의 구조와 원칙**
  - 당사자주의적 구조(대심주의) : 청구인과 피청구인으로 하여금 각각 공격 · 방어방법을 제출하게 하고 이것을 기초로 심리 · 재결하는 구조
  - 처분권주의 : 절차의 개시, 심판의 대상 및 절차의 종결을 당사자의 의사에 맡김.
  - 직권심리주의의 가미 : 필요한 때에는 당사자가 주장하지 아니한 사실에 대해서도 심리할 수 있음.
  - 구술심리주의 또는 서면심리주의 : 행정심판위원회의 선택에 맡김. 다만, 당사자가 구술심리를 신청한 경우에는 서면심리만으로 결정할 수 있다고 인정되는 경우 외에는 구술심리를 하여야 함.
- **처분사유의 추가 · 변경** : 항고소송에서 처분사유의 추가 · 변경의 법리(기본적 사실관계의 동일성)는 행정심판단계에서도 적용됨(판례).
- **처분의 위법 · 부당 여부의 판단시** : 원칙적으로 처분시, 한편 행정심판기관은 처분 당시 존재한 자료와 재결 당시까지 제출된 모든 자료를 종합하여 판단할 수 있음.

행정심판의 재결

재결의 의의

- **의의** : 행정심판위원회가 행하는 판단의 표시
- **성질** : 확인행위, 준사법적 행위

재결의 절차와 형식

- **기간** : 원칙적 심판청구서를 받은 날로부터 60일 이내
- **방식** : 서면주의
- **범위** : 불고불리의 원칙, 불이익변경금지원칙, 재량의 당 · 부당도 판단 가능
- **효력 발생** : 재결서 정본의 송달이 있은 때 발생

재결의 종류

각하재결	심판청구가 요건을 갖추지 못한 부적법한 것인 때
기각재결(사정재결 포함)	• 사정재결 : 재결의 주문에 위법하거나 부당함을 명시하여야 함. – 행정심판위원회가 손해배상, 기타의 구제방법을 직접 강구할 수 있고(직접구제), 일정한 구제방법을 취하도록 처분청이나 부작위청에 명할 수 있음(구제명령). – 취소심판 및 의무이행심판에만 인정, 무효등확인심판에는 인정되지 않음.
인용재결	• 취소 · 변경 등 재결 : 처분취소 · 변경재결(형성재결), 처분변경명령재결(이행재결) • 무효등확인재결 : 처분무효 · 유효 · 실효 · 존재 · 부존재확인재결 • 의무이행재결 : 처분재결, 처분명령재결

재결의 효력

• 재결에는 불가쟁력, 불가변력, 형성력, 기속력(인용재결에만 인정)이 인정될 수 있음.

형성력

처분취소재결의 경우 처분은 재결의 형성력에 의해 별도의 처분을 기다릴 것 없이 당연히 소멸됨(판례).
– 명령재결의 경우에는 형성력이 발생하지 않음.
– 형성적 재결의 결과통보는 처분이 아님.

기속력

인용재결의 경우만 인정됨. 기각재결이 있은 뒤에도 정당한 사유가 있으면 직권으로 원처분을 취소 · 변경 또는 철회할 수 있음.
– 인용재결이 있는 경우 재결의 기속력으로 인해 처분청은 이에 불복하여 항고소송을 제기할 수 없음(판례).

반복금지의무	동일한 사정하에서 동일인에게 재결 내용에 모순되는 동일내용의 처분을 할 수 없음. 동일한 사정인지는 기본적 사실관계의 동일성 인정 여부에 따라 판단함.
변경의무 및 처분의무	당사자 신청을 거부하거나 부작위로 방치한 처분의 이행을 명하는 재결이 있는 경우 행정청은 지체 없이 이전의 신청에 대하여 재결 취지에 따라 처분을 하여야 함. – 처분의 절차적 위법사유로 인용재결이 있었으나 행정청이 절차적 위법사유를 시정한 후 종전과 같은 처분을 하는 것은 재결의 기속력에 반하지 않음(판례). – 거부처분취소재결이 행해진 경우도 재처분의무 인정, 간접강제 가능
결과제거의무	취소재결의 기속력에는 해석상 원상회복의무가 포함됨. – 기속력의 범위 : 재결의 기속력은 재결의 주문 및 그 전제가 된 요건사실의 인정과 판단, 즉 처분의 구체적인 위법사유에 관한 판단에만 미침. – 당사자의 신청을 받아들이지 않은 거부처분이 재결에서 취소된 경우에 행정청은 종전 거부처분 또는 재결 후에 발생한 새로운 사유를 내세워 다시 거부처분을 할 수 있음(판례). – 기속력 위반의 효과 : 반복금지의무를 위반하여 동일한 내용의 처분을 한 경우 그 처분은 하자가 중대하고 명백하여 무효에 해당함.

시정명령 및 직접처분

당사자의 신청을 거부하거나 부작위로 방치한 처분의 이행을 명하는 재결이 있음에도 재처분의무를 이행하지 않는 경우 당사자의 신청에 의해 서면으로 시정을 명하고 그 기간 내에 이행하지 않는 경우 직접처분을 할 수 있음.
– 의무이행재결의 경우에만 직접처분권이 인정됨.
– 행정소송법상 법원의 직접처분권은 인정되지 않음.
– 처분의 성질이나 그 밖의 불가피한 사유로 행정심판위원회가 직접처분을 할 수 없는 경우에 해당하면 직접처분을 할 수 없음.

간접강제

행정심판위원회의 재결의 실효성을 높이기 위하여, 2017년 4월 개정 행정심판법에 도입
– 절차 : 청구인의 신청 ⇨ 행정심판위원회의 결정
– 간접강제의 결정 : 불복시 행정소송 제기
– 결정의 효력 : 피청구인인 행정청이 소속된 국가 · 지방자치단체 또는 공공단체에 미침.
‣ 결정서 정본은 강제집행에 관하여는 집행권원과 같은 효력을 가짐.

조 정

• 행정심판위원회는 당사자의 권리 및 권한의 범위에서 당사자의 동의를 받아 심판청구의 신속하고 공정한 해결을 위해 조정할 수 있음. 다만, 조정이 공공복리에 적합하지 아니하거나 해당 처분의 성질에 반하는 경우는 제외됨.

기판력 ×

행정심판의 고지

고지의 조문 및 성질

• **조문** : 고지제도는 행정심판법 외에 행정절차법에도 규정. 다만, 행정절차법에는 고지의무 불이행시 제재 규정 ×
• **성질** : 비권력적 사실행위, 강행규정(다수설)

고지의 종류

• **직권에 의한 고지와 청구에 의한 고지**

구 분	직권에 의한 고지	청구에 의한 고지
대 상	처분(다른 법률에 의한 처분도 포함)	처분
내 용	심판제기 가능 여부, 심판청구절차, 청구기간	행정심판의 대상이 되는 처분인지의 여부, 소관 행정심판위원회, 청구기간
상대방	처분의 상대방	청구권자(이해관계인)

고지의무위반의 효과

고지의 하자와 처분의 효력

고지의무 불이행한 경우 처분 자체가 위법하게 되는 것은 아님(판례).

불고지의 효과

제출기관	불고지로 청구인이 심판청구서를 잘못 제출한 때 정당한 권한 있는 행정청에 송부
청구기간	처분이 있었던 날로부터 180일 내로 제기 – 개별법률상 심판청구기간이 행정심판법이 정한 기간보다 짧은 경우 : 행정청이 개별법상 청구기간을 고지하지 않았다면 행정심판법이 정한 심판청구기간 내에 청구 가능

오고지의 효과

제출기관	오고지로 심판청구서를 잘못 제출한 때에는 정당한 권한 있는 행정청에 송부
청구기간	• 길게 고지한 경우 : 그 고지된 청구기간 내 • 짧게 고지한 경우 : 법적 효과를 가질 수 없으므로 법정기간 내에 제기하면 됨.

• 심판을 거칠 필요 없다고 잘못 알린 경우는 행정심판전치 불요

제 1 절 행정심판의 청구

핵심집약 Topic 63

기출 체크

□□□□□ 01 행정심판청구는 서면으로 하여야 한다. (○, ×) ★★★
2009 국가직 9급

□□□□□ 02 행정심판청구는 엄격한 형식을 요하지 않는 서면행위로 해석된다. (○, ×) ★★★ 2018 서울시 9급

□□□□□ 03 행정심판청구서의 형식을 다 갖추지 않았다면 비록 그 문서 내용이 행정심판의 청구를 구하는 것을 내용으로 하더라도 부적법하다. (○, ×) ★★★
2012 사회복지직 9급

□□□□□ 04 '진정'이란 국민이 법정의 절차나 형식에 구애됨이 없이 행정청에 대하여 어떠한 희망을 진술하는 것을 말하며, 경우에 따라 진정서의 형식을 취하고 있더라도 행정심판청구로 볼 수 있는 경우가 있다. (○, ×) ★★★ 2024 소방직 9급

□□□□□ 05 진정이라는 표현을 사용하면 그것이 실제로 행정심판의 실체를 가지더라도 행정심판으로 다룰 수 없다. (○, ×) ★★★ 2016 국회직 8급

01 | 행정심판청구의 방식

❶ 행정심판청구서

1. 서면주의

행정심판의 청구는 일정한 사항을 기재하여 서면으로 하여야 한다〔행정심판법(이하 '동법') 제28조 제1항〕.01 행정심판은 행정쟁송의 수단으로서의 성질을 갖는 것이므로 당사자의 신청을 전제로 하여 절차가 개시되며, 직권에 의해서는 개시되지 못한다.

2. 기재사항

심판청구서의 필요적 기재사항에 대해서는 행정심판법 제28조 제2항이 규정하고 있다. 한편, 이러한 기재사항에 흠결이 있는 경우에는 행정심판위원회가 상당한 기간을 정하여 그 보정(바르게 보완)을 요구하거나 직권으로 보정할 수 있다(동법 제32조 제1항).

3. 엄격한 형식을 요하는지 여부

(1) 엄격한 형식을 요하지 않는 서면행위

판례는 행정심판청구를 엄격한 형식을 요하지 않는 서면행위02로 보아 청구서의 형식을 다 갖추지 않았더라도 권리 등을 침해당한 자로부터 처분의 취소 등을 구하는 서면이 제출된 경우, 표제 등을 불문하고 행정심판의 청구로 볼 수 있다는 입장이다.㉠

판례 | ㉠ 지방자치단체의 변상금 부과처분에 대하여 토지 점유 사실이 없어 변상금을 납부할 수 없다는 취지의 서면을 '답변서'란 표제로 제출한 경우, 행정심판청구로 보아야 한다(대판 1999. 6. 22, 99두2772).

(2) 진정서의 형식

또한 '진정서'라는 제목으로 제출되었더라도 행정심판청구로 볼 수 있다는 입장이다.

관련판례

1. **청구인과 피청구인의 표시, 심판청구취지 및 이유 등을 구분하여 기재하지 아니하고 작성자의 서명 · 날인이 없는 학사제명취소신청서를 제출한 경우라도 일정한 경우 적법한 행정심판청구로 보아야 한다.03 ★★★**
그 밖에 청구인의 주소, 대리인의 이름과 주소, 재결청, 처분이 있은 것을 안 날, 처분을 한 행정청의 고지의 유무 및 그 내용, 대리인의 날인과 그 자격을 소명하는 서면 등의 불비한 점은 있으나 행정심판청구는 엄격한 형식을 요하지 아니하는 서면행위이어서 어느 것이나 그 보정이 가능한 것이므로, 결국 위 학사제명취소신청서는 행정소송의 전치요건인 행정심판청구서로서 원고는 적법한 행정심판청구를 한 것으로 보아야 할 것이다(대판 1990. 6. 8, 90누851).

2. **처분에 대한 취소를 구하는 서면이 제출된 경우 비록 진정서라는 표제하에 제출되었다 하더라도 행정심판청구로 볼 수 있다**(대판 2000. 6. 9, 98두2621).**04 05 ★★★**

정답 01 ○ 02 ○ 03 × 04 ○ 05 ×

② 행정심판청구의 제출절차

1. 피청구인인 행정청 또는 행정심판위원회에 제출

(1) 행정심판을 청구하려는 자는 심판청구서를 작성하여 피청구인이나 행정심판위원회에 제출하여야 한다.01 이 경우 피청구인의 수만큼 심판청구서 부본을 함께 제출하여야 한다.02 과거에는 피청구인인 행정청을 거쳐 행정심판을 제기하도록 하는 처분청경유주의를 취하고 있었으나, 행정심판법의 개정으로 청구인의 선택에 따라 피청구인인 행정청 또는 행정심판위원회에 제출할 수 있도록 하였다.03 04

(2) 따라서 청구인은 본인의 선택에 따라 처분청을 경유하여 제기하거나 직접 행정심판위원회에 제기할 수 있다.

2. 피청구인인 행정청에 제출되는 경우의 처리

처분청이나 부작위청에 행정심판이 제기된 때에는 당해 행정청은 다음과 같은 조치를 취할 수 있다.

(1) **자율적 시정**ⓐ

행정심판이 제기되는 경우에 심판청구서를 받은 피청구인은 그 심판청구가 이유 있다고 인정하면 심판청구의 취지에 따라 직권으로 처분을 취소·변경하거나 확인을 하거나 신청에 따른 처분을 할 수 있고,05 이 경우 서면으로 청구인에게 알려야 한다(동법 제25조 제1항). 피청구인이 이처럼 직권취소 등을 하였을 때에는 청구인이 심판청구를 취하한 경우가 아니면 아래 (2)의 ①에 따라 심판청구서·답변서를 보내거나 아래 (2)의 ③에 따라 답변서를 보낼 때 직권취소 등의 사실을 증명하는 서류를 행정심판위원회에 함께 제출하여야 한다(동법 제25조 제2항).06

(2) **행정심판위원회에 대한 송부 등**

① 피청구인이 심판청구서를 접수하거나 송부받으면, 청구인이 심판청구를 취하한 경우가 아닌 한, 10일 이내에 심판청구서와 답변서를 행정심판위원회에 보내야 한다(동법 제24조 제1항).

② 처분의 상대방이 아닌 제3자가 심판청구를 한 경우에는 지체 없이 처분의 상대방에게 그 사실을 알려야 하며, 이 경우 심판청구서 사본을 함께 송달하여야 한다(동법 제24조 제4항).

3. 행정심판위원회에 제출된 경우의 처리

행정심판위원회는 심판청구서를 받으면 지체 없이 피청구인에게 심판청구서 부본을 보내야 하며, 피청구인으로부터 답변서가 제출된 경우 답변서 부본을 청구인에게 송달하여야 한다(동법 제26조 제1·2항).

기출 체크

□□□□□ **01** (행정심판법상) 행정심판을 청구하려는 자는 심판청구서를 작성하여 피청구인이나 (행정심판)위원회에 제출하여야 한다. (○, ×) ★★★
2019 서울시 2회 7급

□□□□□ **02** 행정심판을 청구하려는 자는 심판청구서를 작성하여 피청구인이나 (행정심판)위원회에 제출하여야 하며 피청구인의 수만큼 심판청구서 부본을 함께 제출하여야 한다. (○, ×) ★
2015 서울시 9급

□□□□□ **03** 행정심판을 청구하려는 자는 행정심판위원회뿐만 아니라 피청구인인 행정청에도 행정심판청구서를 제출할 수 있으나 행정소송을 제기하려는 자는 법원에 소장을 제출하여야 한다. (○, ×) ★★★
2018 국가직 9급

□□□□□ **04** 행정심판청구서는 피청구인인 행정청을 거쳐 행정심판위원회에 제출하여야 한다. (○, ×) ★★★
2017 국회직 8급

□□□□□ **05** 행정심판청구서가 피청구인에게 접수된 경우, 피청구인은 심판청구가 이유 있다고 인정하면 직권으로 처분을 취소할 수 있다. (○, ×)
2022 군무원 9급

□□□□□ **06** 심판청구서를 받은 행정청은 그 심판청구가 이유 있다고 인정할 때에는 심판청구의 취지에 따라 처분을 취소·변경 또는 확인을 하거나 신청에 따른 처분을 할 수 있고, 이를 청구인에게 알리고 행정심판위원회에 그 증명서류를 제출하여야 한다. (○, ×) ★ 2011 지방직 9급

ⓐ 행정심판이 제기된 때에는 행정심판위원회가 이를 심리·재결하는 것이 원칙이나, 심판청구의 대상인 처분이나 부작위를 직접 행한 행정청이 심판청구서를 받아 이를 재검토한 결과 그 심판청구가 이유 있다고 인정할 때에는 더 이상의 절차와 시간을 허비함이 없이, 그 단계에서 심판청구의 취지에 따르는 처분을 하게 하려는 것이 제도의 취지라고 할 수 있다.

정답 01 ○ 02 ○ 03 ○ 04 × 05 ○ 06 ○

02 | 행정심판청구기간

행정심판 가운데 무효등확인심판과 부작위에 대한 의무이행심판은 청구기간의 제한이 없으므로, **01 02 03** 청구기간과 관련한 논의는 취소심판과 거부처분(소극적 처분)에 대한 의무이행심판에만 해당된다. **04**

> **행정심판법 제27조【심판청구의 기간】** ① 행정심판은 처분이 있음을 알게 된 날부터 90일 이내에 청구하여야 한다.
> ② 청구인이 천재지변, 전쟁, 사변(事變), 그 밖의 불가항력으로 인하여 제1항에서 정한 기간에 심판청구를 할 수 없었을 때에는 그 사유가 소멸한 날부터 14일 이내에 행정심판을 청구할 수 있다. **05** 다만, 국외에서 행정심판을 청구하는 경우에는 그 기간을 30일로 한다.
> ③ 행정심판은 처분이 있었던 날부터 180일이 지나면 청구하지 못한다. 다만, 정당한 사유가 있는 경우에는 그러하지 아니하다.
> ④ 제1항과 제2항의 기간은 불변기간으로 한다.
> ⑤ 행정청이 심판청구기간을 제1항에 규정된 기간보다 긴 기간으로 잘못 알린 경우 그 잘못 알린 기간에 심판청구가 있으면 그 행정심판은 제1항에 규정된 기간에 청구된 것으로 본다.
> ⑥ 행정청이 심판청구기간을 알리지 아니한 경우에는 제3항에 규정된 기간에 심판청구를 할 수 있다.
> ⑦ 제1항부터 제6항까지의 규정은 무효등확인심판청구와 부작위에 대한 의무이행심판청구에는 적용하지 아니한다.

❶ 원칙적인 심판청구기간

행정심판은 원칙적으로 처분이 있음을 알게 된 날부터 90일 이내, 처분이 있었던 날부터 180일 이내에 청구하여야 하는바, **06** 전자는 불변기간이고 후자는 불변기간이 아니다. 한편, 두 기간 중 어느 하나라도 먼저 경과하면 당해 행정심판청구는 부적법한 것으로서 각하된다.

1. '처분이 있음을 알게 된 날'의 의미

(1) 의 미

'처분이 있음을 알게 된 날'이란 통지 · 공고, 기타의 방법으로 처분이 있었음을 현실적으로 알게 된 날을 의미하고 추상적으로 알 수 있었던 날을 의미하는 것은 아니라는 것이 판례의 입장이다. **07**

(2) 추 정

판례는, "다만 처분을 기재한 서류가 당사자의 주소에 송달되는 등으로 사회통념상 처분이 있음을 당사자가 알 수 있는 상태에 놓여진 때에는 반증이 없는 한 처분이 있음을 알았다고 추정할 수는 있다."라고 한다.

(3) 경비원이 수령한 경우

그러나 처분이 등기우편으로 송달된 경우 당사자가 부재중이어서 아파트 경비원이 우편물을 대신 수령하였다가 며칠 후 당사자에게 전달하였다면 아파트 경비원이 고지서를 수령한 날이 처분 상대방이 처분이 있음을 안 날은 아니라는 것이 판례의 입장이다.

관련판례

1. **처분이 있음을 안 날은 추상적으로 알 수 있었던 날이 아닌 현실적으로 안 날을 의미한다. 다만, 당사자의 주소에 송달되는 등 당사자가 알 수 있는 상태에 놓여지면 반증이 없는 한 처분이 있음을 알았다고 추정할 수 있다.★★★**

   행정심판법 제18조 제1항 소정의 '처분이 있음을 안 날'이라 함은 당사자가 통지 · 공고 기타의 방법에 의하여 당해 처분이 있었다는 사실을 현실적으로 안 날을 의미하고, **08** 추상적으로 알 수 있었던 날을 의미하는 것은 아니라 할 것이며, 다만 처분을 기재한 서류가 당사자의 주소에 송달되는 등으로 사회통념상 처분이 있음을 당사자가 알 수 있는 상태에 놓여진 때에는 반증이 없는 한 처분이 있음을 알았다고 추정할 수는 있다(대판 2002. 8. 27, 2002두3850).

기출 체크

□□□□□ **01** 심판청구기간은 부작위에 대한 의무이행심판청구에는 적용되지 아니한다. (○, ×) ★★★ 2024 국회직 8급

□□□□□ **02** 취소심판의 경우와 달리 무효등확인심판과 의무이행심판의 경우에는 심판청구의 기간에 제한이 없다. (○, ×) ★★★ 2019 경행경채 2차

□□□□□ **03** 무효등확인심판에는 심판청구기간의 제한이 없다. (○, ×) ★★★ 2013 서울시 7급

□□□□□ **04** 거부처분에 대한 의무이행심판에는 심판청구에 기간상의 제한이 없다. (○, ×) ★★★ 2013 서울시 7급

□□□□□ **05** 행정심판은 처분이 있음을 알게 된 날부터 90일 이내에 청구하여야 한다. 다만, 청구인이 불가항력으로 인하여 심판청구를 할 수 없었을 때에는 그 사유가 소멸한 날부터 14일 이내에 행정심판을 청구할 수 있다. (○, ×) ★★ 2019 경행경채 2차

□□□□□ **06** 행정심판은 원칙적으로 처분이 있음을 알게 된 날부터 90일, 처분이 있었던 날부터 1년 이내에 청구하여야 한다. (○, ×) ★★★ 2024 소방직 9급

□□□□□ **07** 판례는 처분이 있음을 안 날이라 함은 당해 처분이 있었다는 사실을 추상적으로 알 수 있었던 날을 의미한다고 한다. (○, ×) ★★★ 2007 관세사

□□□□□ **08** 심판청구기간의 기산점인 '처분이 있음을 안 날'이라 함은 당사자가 통지 · 공고 기타의 방법에 의하여 당해 처분이 있었다는 사실을 현실적으로 안 날을 의미한다. (○, ×) ★★★ 2021 지방직 · 서울시 9급

정답 01 ○ 02 × 03 ○ 04 × 05 ○ 06 × 07 × 08 ○

2. 처분상대방의 주소지에서 아르바이트 직원이 납부고지서를 수령한 경우 처분이 있음을 알았다고 추정할 수 있다(대판 1999. 12. 28, 99두9742).★★★

3-1. 아파트 경비원이 관례에 따라 부재중인 납부의무자에게 배달되는 과징금 부과처분의 납부고지서를 수령한 경우, 납부의무자가 아파트 경비원에게 우편물 등의 수령권한을 위임한 것으로 볼 수는 있더라도01 과징금 부과처분의 대상으로 된 사항에 관하여 납부의무자를 대신하여 처리할 권한까지 위임한 것으로 볼 수는 없다.

3-2. 경비원이 위 납부고지서를 수령한 때에 위 부과처분이 있음을 알았다고 하더라도 이로써 납부의무자 자신이 그 부과처분이 있음을 안 것과 동일하게 볼 수는 없다(대판 2002. 8. 27, 2002두3850). ⓐ

2. '처분이 있었던 날'의 의미

(1) 의 미

'처분이 있었던 날'이란 처분이 통지에 의하여 외부에 표시되고 효력이 발생한 날을 의미한다.

(2) 판례의 해석

판례는 불특정 다수인에 대해 고시 또는 공고에 의하여 행정처분을 하는 경우에는 상대방이 고시 또는 공고사실을 현실적으로 알았는지와 무관하게 고시가 효력이 발생하는 날에 처분이 있음을 알았다고 보아 그때로부터 청구기간을 기산하여야 한다고 본다. 이때 고시일 또는 공고일이란 고시 또는 공고의 효력발생일을 의미한다.

관련판례

(인터넷 웹사이트에 대하여 구 청소년보호법에 따른 청소년유해매체물 결정 · 고시처분을 한 사안에서, 위 결정은 이해관계인이 고시가 있었음을 알았는지 여부에 관계없이 관보에 고시됨으로써 효력이 발생하고, 그가 위 결정을 통지받지 못하였다는 것이 제소기간을 준수하지 못한 것에 대한 정당한 사유가 될 수 없다고 판시하면서) **불특정 다수인에게 고시 또는 공고하는 경우 상대방이 고시 또는 공고사실을 현실적으로 알았는지와 무관하게 고시가 효력이 발생하는 날에 처분이 있음을 알았다고 보아야 한다**(대판 2007. 6. 14, 2004두619).02 03 ★★★

❷ 예외적인 심판청구기간

1. 90일에 대한 예외

청구인이 천재지변 · 전쟁 · 사변, 그 밖의 불가항력으로 인하여 처분이 있음을 알게 된 날부터 90일 이내에 심판청구를 할 수 없었을 때에는 그 사유가 소멸한 날부터 14일(국외에서는 30일) 이내에 행정심판을 청구할 수 있다.04 이 기간은 불변기간이다.

2. 180일에 대한 예외

처분이 있었던 날로부터 180일이 경과하더라도 그 기간 내에 심판청구를 제기하지 못한 '정당한 사유'가 있는 경우에는 심판청구를 할 수 있다.05 이때 정당한 사유에 해당하는 것이 무엇인지가 문제되는데, 천재지변 · 전쟁 · 사변 등의 불가항력보다는 넓은 개념으로 보는 것이 일반적 견해이다.

3. 제3자효 행정행위와 심판청구기간

(1) 원칙적인 기간

제3자효 행정행위에 있어 처분의 상대방이 아닌 제3자가 행정심판을 제기하는 경우에도 그 기간은 원칙적으로 처분이 있음을 안 날로부터 90일 이내, 처분이 있었던 날로부터 180일 이내이다.

기출 체크

□□□□□ 01 부재시 등기우편물을 수령하여 전달해 온 주거지 아파트 경비원은 수령권한을 위임받은 것으로 볼 수 있으므로, 경비원이 처분서를 수령하였다면 적법한 송달이 있는 것으로 보게 된다. (○, ×) 2010 국회직 8급

□□□□□ 02 고시 또는 공고에 의하여 행정처분을 하는 경우에는 고시 또는 공고의 효력발생일을 처분이 있는 날로 보아 그날로부터 180일 이내에 행정심판을 청구할 수 있다. (○, ×) ★★★ 2018 서울시 1회 7급

□□□□□ 03 통상 고시 또는 공고에 의하여 행정처분을 하는 경우에 행정처분이 있었음을 안 날이란 행정처분의 이해관계를 갖는 자가 고시 또는 공고가 있었다는 사실을 현실적으로 안 날이 된다. (○, ×) ★★★ 2017 사회복지직 9급

□□□□□ 04 청구인이 천재지변, 전쟁, 사변, 그 밖의 불가항력으로 인하여 (행정심판법 제27조 제1항)의 기간에 심판청구를 할 수 없었을 때에는 그 사유가 소멸한 날부터 (   )일 이내에 행정심판을 청구할 수 있다. 다만, 국외에서 행정심판을 청구하는 경우에는 그 기간을 (   )일로 한다. ★ 2016 경행경채

□□□□□ 05 행정심판은 처분이 있었던 날부터 180일이 지나면 청구하지 못한다. 다만, 정당한 사유가 있는 경우에는 그러하지 아니하다. (○, ×) ★★★ 2014 경행특채 1차

ⓐ 아파트 경비원이 관례에 따라 부재중인 거주자를 대신하여 우편물을 수령하여 거주자들에게 전달하여 왔고 이에 대해 거주자들이 특별한 이의를 제기한 바 없다면, 우편물의 수령권한을 묵시적으로 위임한 것으로 볼 수 있으므로, 경비원을 통한 송달은 적법한 것으로 볼 수 있다. 그러나 경비원이 행정처분의 대상이 된 사항에 대해 본인을 대신하여 처리할 권한까지 위임한 것으로 볼 수는 없으므로, 심판청구기간의 기산점인 처분이 있음을 알게 된 날은 경비원이 수령한 날이 아니라는 것이 판례의 취지이다.

정답 01 ○ 02 × 03 × 04 14, 30 05 ○

(2) 정당한 사유의 문제

① 행정처분의 직접 상대방이 아닌 제3자는 일반적으로 처분이 있는 것을 바로 알 수 없는 처지에 있으므로 위와 같은 기간 내에 심판청구를 제기하지 아니하였다 하더라도 특별한 사정이 없는 한 정당한 사유가 있는 경우에 해당하여 180일이 경과한 뒤에도 심판을 청구할 수 있다.

② 다만, 제3자가 어떤 경위로든 행정처분이 있음을 알았거나 쉽게 알 수 있는 등 심판청구가 가능하였다는 사정이 있는 경우에는 그때로부터 90일 이내에 행정심판을 청구하여야 한다는 것이 판례의 취지이다.

관련판례

1. 행정처분의 직접 상대방이 아닌 제3자는 처분이 있은 날로부터 180일이 지나더라도 특별한 사정이 없는 한 정당한 사유가 있는 것으로 보아 행정심판청구가 가능하다(대판 2002. 5. 24, 2000두3641). **01** ⓖ ★★★

2. 제3자가 어떤 경위로든 처분이 있음을 알았거나 알 수 있는 등의 사정이 있으면 그때로부터 90일 내에 행정심판을 청구해야 한다(대판 1996. 9. 6, 95누16233).

3. 행정처분이 있음을 알고도 고지신청을 하지 않은 제3자에 대해서는 행정청의 고지의무가 없으므로 구 행정심판법 제18조 제6항의 청구기간 특례가 인정되지 않으며, 이는 헌법상 평등원칙에 위배되지 않는다(헌재 1999. 11. 25, 98헌바36). ⓛ ⓐ

4. 오고지 · 불고지 등의 경우

행정청은 처분을 하는 경우에는 상대방에게 심판청구기간 등 일정한 사항을 알려야 한다. 행정청이 이러한 고지의무에도 불구하고 심판청구기간을 고지하지 않거나, 착오로 소정의 기간보다 긴 기간으로 잘못 고지하는 경우가 있을 수 있는바, 이러한 경우에는 특별규정을 두고 있다.

(1) 오고지

행정청이 착오로 소정 기간보다 긴 기간으로 고지한 경우에는 그 잘못 고지된 기간 내에 청구하면 청구기간을 준수한 것으로 본다(동법 제27조 제5항). **02**

(2) 불고지

행정청이 심판청구기간을 고지하지 않은 경우에는 당사자가 처분이 있음을 알았다고 하더라도 처분이 있었던 날부터 180일 이내에 취소심판이나 의무이행심판을 제기할 수 있다(동법 제27조 제6항). **03 04 05**

03 | 심판청구의 변경 · 취하

❶ 심판청구의 변경

행정심판법은 청구인이 심판청구를 제기한 후 일정한 사유가 있는 경우에는 새로운 심판청구를 제기할 필요 없이 청구의 변경을 할 수 있도록 하여, 청구인의 편의와 심판절차의 촉진을 도모하고 있다.

1. 임의적 청구의 변경

청구인은 청구의 기초에 변경이 없는 범위에서 청구취지 또는 청구이유를 변경할 수 있다(동법 제29조 제1항). **06**

기출 체크

□□□□□ **01** 행정처분의 직접 상대방이 아닌 제3자는 특별한 사정이 없는 한 180일 기간 적용을 배제할 정당한 사유가 있는 경우에 해당한다고 보아 180일이 경과한 뒤에도 심판청구를 제기할 수 있다고 함이 대법원 판례의 태도이다. (○, ×) ★★★ 2010 국회직 8급

□□□□□ **02** 행정청이 행정심판청구기간을 실제보다 긴 기간으로 잘못 알린 경우에는 그 잘못 알린 긴 기간 내에 행정심판을 제기하면 된다. (○, ×) ★★ 2007 관세사

□□□□□ **03** 행정청이 심판청구의 기간을 알리지 아니한 경우에는 처분이 있었던 날부터 180일 이내에 행정심판을 청구할 수 있다. (○, ×) ★★ 2019 경행경채 2차

□□□□□ **04** (행정심판법상) 행정청이 심판청구기간을 알리지 아니한 경우에는 청구인은 언제든지 심판청구를 할 수 있다. (○, ×) ★★ 2019 서울시 2회 7급

□□□□□ **05** 행정청이 행정심판청구기간 등을 고지하지 아니하였다고 하여도 처분의 상대방이 처분이 있었다는 사실을 알았을 경우에는 처분이 있은 날로부터 90일 이내에 심판청구를 하여야 한다. (○, ×) ★★ 2015 지방직 9급

□□□□□ **06** 청구인은 청구의 기초에 변경이 없는 범위 안에서 청구의 취지 또는 이유를 변경할 수 있다. (○, ×) 2008 국회직 8급

판례 | ⓖ 행정처분의 직접 상대방이 아닌 제3자는 일반적으로 처분이 있는 것을 바로 알 수 없는 처지에 있으므로, 처분이 있은 날로부터 180일 내에 심판청구를 제기하지 아니하였다고 하더라도, 그 기간 내에 처분이 있은 것을 알았거나 쉽게 알 수 있었기 때문에 심판청구를 제기할 수 있었다고 볼 만한 특별한 사정이 없는 한, 위 법조항 본문의 적용을 배제할 '정당한 사유'가 있는 경우에 해당한다고 보아 위와 같은 심판청구기간이 경과한 뒤에도 심판청구를 제기할 수 있다(대판 2002. 5. 24, 2000두3641).

ⓛ 구 행정심판법 제18조 제6항은 행정청에 행정심판 고지의무를 부과하고 있는 행정심판법 제42조의 실효성을 확보하고 국민의 권리구제의 기회를 보장하려는 데에 입법취지가 있으므로, 행정처분이 있음을 알고서도 고지신청을 하지 아니한 제3자에 대하여는 행정청의 고지의무가 없기 때문에 행정청이 청구기간 등을 알릴 필요가 없어서 청구기간의 특례가 인정되지 아니한다(헌재 1999. 11. 25, 98헌바36).

ⓐ 처분의 상대방에게는 청구기간 등 일정한 사실을 알릴 의무(고지의무)가 있으나, 이해관계인에 불과한 제3자의 경우 고지신청을 하지 않은 이상 행정청은 고지의무가 없다.

정답 01 ○ 02 ○ 03 ○ 04 × 05 × 06 ○

2. 처분변경 등으로 인한 청구변경

행정심판이 청구된 후에 피청구인인 행정청이 새로운 처분을 하거나 심판청구의 대상인 처분을 변경한 경우에는 청구인은 새로운 처분이나 변경된 처분에 맞추어 청구의 취지나 이유를 변경할 수 있다(동법 제29조 제2항).01

3. 효 과

청구의 변경결정이 있으면 처음 행정심판이 청구되었을 때부터 변경된 청구의 취지나 이유로 행정심판이 청구된 것으로 본다(동법 제29조 제8항).02

❷ 심판청구의 취하

청구인은 심판청구에 대한 의결이 있을 때까지 서면으로 심판청구를 취하할 수 있고, 참가인은 심판청구에 대한 의결이 있을 때까지 서면으로 참가신청을 취하할 수 있다(동법 제42조 제1 · 2항).03 심판청구의 취하는 행정심판위원회에 대하여 심판청구를 철회하는 청구인의 일방적 의사표시이다. 심판청구의 취하로 심판청구는 소급적으로 소멸된다.

04 | 행정심판청구의 효과

❶ 행정심판위원회 등에 대한 효과

행정심판이 제기되면 심판청구서를 받은 행정청은 이를 행정심판위원회에 송부하여야 하고, 행정심판위원회는 이를 심리 · 의결 · 재결해야 할 의무가 발생하게 된다.

❷ 처분에 대한 효과 – 집행부정지와 집행정지

1. 집행부정지의 원칙

(1) 의 의

행정심판이 제기되더라도 행정처분의 효력에는 아무 영향이 없으며 그 집행 또는 절차의 속행을 정지시키지 아니하는데,04 이를 집행부정지의 원칙이라 한다.[a]

(2) 예외허용의 필요성

그러나 이때 집행부정지의 원칙만을 강조한다면 심판청구를 제기한 청구인이 나중에 그 청구가 이유 있어 청구인용재결을 받더라도 이미 집행이 완료되어 회복할 수 없는 손해를 입게 될 우려가 있다. 따라서 행정심판법은 일정한 요건이 충족되는 경우 처분에 대한 집행정지를 예외적으로 인정하고 있다.05

2. 집행정지의 의의

행정심판위원회는 처분, 처분의 집행 또는 절차의 속행 때문에 중대한 손해가 생기는 것을 예방할 필요성이 긴급하다고 인정할 때에는 직권으로 또는 당사자의 신청에 의하여 처분의 효력, 처분의 집행 또는 절차의 속행의 전부 또는 일부의 정지(이하 '집행정지'라 한다)를 결정할 수 있다(동법 제30조 제2항 전단).

기출 체크

□□□□□ 01 행정심판청구 후 피청구인인 행정청이 새로운 처분을 하거나 대상인 처분을 변경한 때에는 청구인은 새로운 처분이나 변경된 처분에 맞추어 청구의 취지 또는 이유를 변경할 수 있다. (○, ×)
2015 지방직 9급

□□□□□ 02 청구의 변경결정이 있으면 처음 행정심판이 청구되었을 때부터 변경된 청구의 취지나 이유로 행정심판이 청구된 것으로 본다. (○, ×)
2024 국회직 8급

□□□□□ 03 (甲은 단란주점영업을 하던 중 관할행정청으로부터 식품위생법 위반을 이유로 1개월의 영업정지처분을 받게 되었다. 이에 甲이 관할행정청을 피청구인으로 하여 취소심판을 제기한 경우에) 甲은 심판청구에 대하여 구두로 심판청구를 취하할 수 있다. (○, ×)
2024 소방간부

□□□□□ 04 행정심판청구는 처분의 효력이나 그 집행 또는 절차의 속행에 영향을 주지 않는다. (○, ×) ★★★
2017 국가직(하) 9급

□□□□□ 05 행정심판법은 집행부정지의 원칙을 취하면서도 예외적으로 일정한 요건하에 집행정지를 인정한다. (○, ×) ★★★
2009 국가직 9급

[a] 집행부정지원칙의 근거
집행부정지의 이론적 근거를 행정처분의 공정력 내지 자력집행력에서 구하는 견해가 있으나, 다수설은 행정의 원활한 운영과 행정심판청구의 남용을 막기 위한 입법정책적 고려에 의한 것으로 보고 있다.

정답 01 ○ 02 ○ 03 × 04 ○ 05 ○

3. 집행정지결정의 요건

(1) 적극적 요건

① 집행정지 대상인 처분의 존재

집행정지를 위하여는 처분이 존재하여야 한다. 따라서 처분의 집행이 이미 완료되었거나, 그 목적이 달성되어 처분이 존재하지 않는 경우에는 집행정지가 불가능하다.

② 심판청구의 계속

심판청구가 행정심판위원회에 계속되어 있을 것을 요한다.

③ 중대한 손해발생의 가능성

구법에서는 행정소송법 제23조 제2항과 같이 집행정지의 적극적 요건의 하나로서 '회복하기 어려운 손해의 예방'으로 규정하였으나, **개정 행정심판법은 집행정지요건을** '중대한 손해가 생기는 것을 예방'으로 **변경하여 그 요건을 완화시키고 있다.** **01 02**

④ 긴급한 필요의 존재

집행정지는 본안에 관한 재결을 기다릴 만한 시간적 여유가 없어 긴급한 필요가 있다고 인정될 때에만 허용된다.

(2) 소극적 요건

집행정지는 공공복리에 중대한 영향을 미칠 우려가 있을 때에는 허용되지 아니한다(동법 제30조 제3항).

4. 집행정지결정의 절차

(1) 행정심판위원회는 당사자의 신청 또는 직권에 의하여 **집행정지를 결정할 수 있다.** **03**

(2) 다만, 행정심판위원회의 심리 · 결정을 기다릴 경우 **중대한 손해가 생길 우려가 있다고 인정될 때에는** 행정심판위원회의 **위원장은 직권으로 행정심판위원회의 심리 · 결정을 갈음하는 결정을 할 수 있다.**

5. 집행정지결정의 취소

행정심판위원회는 집행정지를 결정한 후에 **집행정지가 공공복리에 중대한 영향을 미치거나 그 정지사유가 없어진 때에는** 당사자의 신청 또는 직권에 의하여 **집행정지결정을 취소할 수 있다**(동법 제30조 제4항).

❸ 처분에 대한 효과 – 임시처분(가처분)

1. 의 의

(1) 임시처분이란 **처분 또는 부작위 때문에 당사자가 받을 우려가 있는 중대한 불이익이나 당사자에게 생길 급박한 위험을 막기 위하여 임시지위를 정해야 할 필요가 있는 경우 행정심판위원회가 발하는 가구제수단이다.** **04 05** ⓐ

(2) 행정심판법은 "**위원회는** 처분 또는 부작위가 위법 · 부당하다고 상당히 의심되는 경우로서 처분 또는 부작위 때문에 당사자가 받을 우려가 있는 중대한 불이익이나 당사자에게 생길 급박한 위험을 막기 위하여 **임시지위를 정하여야 할 필요가 있는 경우에는 직권으로 또는 당사자의 신청에 의하여 임시처분을 결정할 수 있다.**"라고 규정하고 있다(동법 제31조 제1항). **06**

기출 체크

□□□□□ **01** 행정심판법상 집행정지에서 손해의 요건으로 중대성을 요구하지만, 행정소송법은 회복하기 어려운 손해를 그 요건으로 한다. (○, ×) ★★★
2022 서울시 지적 7급

□□□□□ **02** 행정심판법과 행정소송법은 모두 집행정지의 적극적 요건으로 '회복하기 어려운 손해를 예방하기 위하여 긴급한 필요가 있다고 인정할 때'를 요구하고 있다. (○, ×) ★★★
2016 사회복지직 9급

□□□□□ **03** 행정심판위원회는 당사자의 신청 또는 직권에 의하여 집행정지결정을 할 수 있다. (○, ×) ★★★
2013 국회속기직 9급

□□□□□ **04** 행정심판법은 행정소송법과는 달리 집행정지뿐만 아니라 임시처분도 규정하고 있다. (○, ×) ★★★
2018 국가직 9급

□□□□□ **05** 행정심판의 가구제제도에는 집행정지제도와 임시처분제도가 있다. (○, ×) ★★★
2018 서울시 9급

□□□□□ **06** 행정심판위원회는 심판청구된 행정청의 부작위가 위법 · 부당하다고 상당히 의심되는 경우로서 당사자가 받을 우려가 있는 중대한 불이익이나 당사자에게 생길 급박한 위험을 막기 위하여 임시지위를 정할 필요가 있는 경우 직권 또는 당사자의 신청에 의하여 임시처분을 결정할 수 있다. (○, ×) ★★
2018 국가직 7급

ⓐ 기존의 가구제수단인 집행정지제도는 소극적인 현상유지적 기능만 있을 뿐이므로, 원칙적으로 거부처분이나 부작위의 경우에는 집행정지대상이 되지 않는다고 보는 것이 그간의 다수설과 판례의 입장이었다.
임시처분(가처분)제도의 도입은 이러한 거부처분이나 부작위에 대한 임시적 구제의 제도적 공백을 입법적으로 해소하고 이로써 청구인의 권리를 더욱 두텁게 보호하려는 데 그 취지가 있다.

집행정지결정의 내용과 효력
집행정지결정은 처분의 효력이나 집행, 절차의 속행의 전부 또는 일부를 정지함을 그 내용으로 한다. 다만, '처분의 효력정지'는 처분의 집행 또는 절차의 속행을 정지함으로써 목적을 달성할 수 있는 경우에는 허용되지 아니한다(동법 제30조 제2항 후단).

정답 01 ○ 02 × 03 ○ 04 ○ 05 ○ 06 ○

2. 요 건

임시처분을 하기 위해서는 다음의 요건이 존재하여야 한다.

(1) 심판청구의 계속

법문에는 명시되어 있지 않지만, 집행정지의 경우와 마찬가지로 임시처분은 그 전제가 되는 심판청구가 계속되어 있어야 한다고 해석된다.

(2) 처분 또는 부작위가 위법 · 부당하다고 상당히 의심되는 경우일 것

이때의 처분에는 적극적인 처분뿐 아니라 신청에 대한 거부처분도 포함된다. 또한 집행정지와는 달리 처분으로서의 외관이 존재하지 않는 부작위의 경우도 포함된다.

(3) 당사자에게 중대한 불이익이나 급박한 위험이 생길 우려가 있을 것

여기서 말하는 중대한 불이익이나 급박한 위험의 개념은 집행정지의 요건인 '중대한 손해가 생기는 것을 예방할 필요성이 긴급하다고 인정할 때'와 유사하게 판단할 수 있다.

(4) 공공복리에 중대한 영향을 미칠 우려가 없을 것

행정심판법 제30조 제3항이 준용되는 결과(동법 제31조 제2항) 임시처분의 경우도 비록 처분 또는 부작위가 위법 · 부당하다고 상당히 의심되고 당사자가 받을 중대한 불이익이나 긴급한 위험을 인정할 수 있더라도 당사자의 임시지위를 정하는 것이 공공복리에 중대한 영향을 미칠 우려가 있을 때에는 허용되지 아니한다.

3. 절 차 [a]

(1) 임시처분은 당사자의 신청 또는 행정심판위원회의 직권으로 결정할 수 있으며(동법 제31조 제1항), **01** 행정심판위원회는 임시처분을 결정한 후에 임시처분이 공공복리에 중대한 영향을 미치거나 그 처분사유가 없어진 경우에는 직권으로 또는 당사자의 신청에 의하여 임시처분 결정을 취소할 수 있다. **02**

(2) 행정심판위원회의 심리 · 결정을 기다릴 경우 중대한 불이익이나 급박한 위험이 생길 우려가 있다고 인정되면 위원장은 직권으로 위원회의 심리 · 결정을 갈음하는 결정을 할 수 있다.

(3) 행정심판위원회는 임시처분 또는 임시처분의 취소에 관하여 심리 · 결정하면 지체 없이 당사자에게 결정서 정본을 송달하여야 한다(동법 제31조 제2항 및 제30조 제4 · 5 · 6 · 7항).

4. 집행정지와의 관계 – 임시처분의 보충성

임시처분은 집행정지로 목적을 달성할 수 있는 경우에는 허용되지 않는다(동법 제31조 제3항). **03 04 05**

기출 체크

□□□□□ **01** 행정심판위원회의 임시처분결정은 당사자의 신청이 있어야 하며 직권으로 할 수는 없다. (○, ×) ★★★ 2021 국회직 8급

□□□□□ **02** 행정심판위원회는 임시처분을 결정한 후에 임시처분이 공공복리에 중대한 영향을 미치는 경우에는 직권으로 또는 당사자의 신청에 의하여 이 결정을 취소할 수 있다. (○, ×) ★★★ 2019 지방직 · 교육행정직 9급

□□□□□ **03** 행정심판위원회는 처분 또는 부작위가 위법 · 부당하다고 상당히 의심되는 경우로서 처분 또는 부작위 때문에 당사자가 받을 우려가 있는 중대한 불이익이나 당사자에게 생길 급박한 위험을 막기 위하여 임시지위를 정하여야 할 필요가 있는 경우에는 집행정지로 목적을 달성할 수 있더라도 직권으로 또는 당사자의 신청에 의하여 임시처분을 결정할 수 있다. (○, ×) ★★ 2023 지방직 · 서울시 7급

□□□□□ **04** 임시처분제도는 행정심판법 제30조 제2항에 따른 집행정지로 목적을 달성할 수 있는 경우에는 허용되지 아니한다. (○, ×) ★★★ 2023 소방간부

□□□□□ **05** 행정심판법상 임시처분에 대한 설명으로 옳지 않은 것은? (다툼이 있는 경우 판례에 의함) 2022 국회직 8급

① 임시처분이란 행정청의 처분이나 부작위 때문에 발생할 수 있는 당사자의 중대한 불이익이나 급박한 위험을 막기 위해 당사자에게 임시지위를 부여하는 행정심판위원회의 결정을 말한다.
② 당사자의 임시지위를 정하여야 할 필요성이 인정된다면, 집행정지로 목적을 달성할 수 있는 경우에도 임시처분은 선택적으로 사용될 수 있다.
③ 행정심판위원회는 적극적 가구제수단인 임시처분을 직권으로 결정할 수 있다.
④ 행정심판위원회가 임시처분결정을 하기 위해서 행정심판청구의 계속이 요구된다.
⑤ 임시처분결정절차에는 집행정지결정의 절차에 관한 규정이 준용된다.

[a] 임시처분결정절차와 그 취소에는 집행정지에 관한 규정이 준용된다(동법 제31조 제2항).

정답 01 × 02 ○ 03 × 04 ○ 05 ②

제 2 절 행정심판의 심리 · 재결

핵심집약 Topic 64

기출 체크

□□□□□ 01 행정심판위원회는 심판청구의 대상이 되는 처분 외의 다른 처분 또는 부작위에 대하여도 재결할 수 있다. (○, ×) ★★★ 2016 교육행정직 9급

□□□□□ 02 행정심판위원회는 필요하다고 판단하는 경우에는 심판청구의 대상이 되는 처분보다 청구인에게 불리한 재결을 할 수 있다. (○, ×) ★★★ 2018 교육행정직 9급

정답 01 × 02 ×

01 | 행정심판의 심리

❶ 심리의 내용과 범위

1. 심리의 내용

행정심판의 심리는 그 내용에 따라 요건심리와 본안심리로 나눌 수 있다.

(1) 요건심리

① 이는 행정심판이 형식적 요건을 충족하고 있는지의 여부에 대한 심리를 말한다. 그 심리사항으로는 행정심판의 대상이 되는 처분인가, 올바른 행정심판위원회에 제기되고 있는가, 심판청구기간 내에 제기된 것인가 등이 있다. 요건심리의 결과 적법하지 않은 심판청구는 각하되어야 하나(동법 제43조 제1항), 그 하자가 사후 정정이 가능하다고 인정되는 경우에는 행정심판위원회는 기간을 정하여 청구인에게 그 보정을 요구할 수 있으며, 하자가 경미한 때에는 직권으로 보정할 수 있다(동법 제32조 제1항).

② 행정심판위원회는 청구인이 보정기간 내에 그 흠을 보정하지 아니한 경우에는 그 심판청구를 각하할 수 있다(동법 제32조 제6항). 또한, 행정심판위원회는 심판청구서에 타인을 비방하거나 모욕하는 내용 등이 기재되어 청구내용을 특정할 수 없고 그 흠을 보정할 수 없다고 인정되는 경우에는 보정 요구 없이 그 심판청구를 각하할 수 있다(동법 제32조의2).

(2) 본안심리

① 요건심리의 결과 심판청구가 요건을 모두 갖추어 적법한 것으로 판단되어 당해 청구의 내용, 즉 행정처분의 위법 또는 부당 여부를 심리하는 것을 말하며, 실질적 심리라고도 한다.

② 본안심리의 결과 청구인의 주장이 이유 있으면 원칙적으로 인용재결을 하고, 이유 없으면 기각재결을 한다.

2. 심리의 범위

(1) 불고불리 및 불이익변경금지의 원칙

행정심판법은 "위원회는 심판청구의 대상이 되는 처분 또는 부작위 외의 사항에 대하여는 재결하지 못한다."(불고불리의 원칙),01 "위원회는 심판청구의 대상이 되는 처분보다 청구인에게 불리한 재결을 하지 못한다."(불이익변경금지의 원칙)02라는 규정을 통해 두 원칙을 명문화하고 있다(동법 제47조).

(2) 법률문제 · 사실문제

행정심판의 심리에서는 심판청구의 대상인 처분이나 부작위에 관한 법률문제와 사실문제를 심리할 수 있다.

(3) 재량의 당 · 부당

행정심판은 재량행사의 당 · 부당의 문제도 심리할 수 있는바, 이 점에서 재량의 당 · 부당에 대해서는 판단할 수 없는 행정소송과는 구별된다.

❷ 심리의 절차

1. 심리절차의 구조와 원칙

(1) 당사자주의적 구조(대심주의)

행정심판법은 심판청구의 당사자를 청구인과 피청구인으로 하여 이들 당사자가 각각 공격 · 방어방법을 제출하게 하고, 이와 같이 제출된 공격 · 방어방법을 기초로 하여 심리 · 재결하는 대심구조를 취하고 있다.01ⓐ

(2) 처분권주의

처분권주의란 절차의 개시, 심판의 대상 및 절차의 종결을 당사자의 의사에 맡기는 것을 말하는바, 행정심판법에 따르면 행정심판은 청구인의 심판청구에 의해 개시된다는 점 등을 고려하면 행정심판법도 원칙적으로 처분권주의를 채택하고 있다고 볼 수 있다.

(3) 직권심리주의의 채택02

① 직권심리주의는 심리에 필요한 자료를 당사자가 제출한 것에만 의존하지 않고 심판기관이 직권으로 수집 · 조사할 수 있는 제도이며 주로 공익적 측면을 고려해야 하는 쟁송에서 채택되고 있다.
② 행정심판법은 당사자주의, 처분권주의를 원칙으로 하면서도, 심판청구의 심리를 위하여 필요하다고 인정되는 경우에는 행정심판위원회로 하여금 당사자가 주장하지 아니한 사실에 대하여도 심리할 수 있도록 하고(동법 제39조),03 04 증거조사를 할 수 있도록 하고 있다(동법 제36조 제1항). 즉, 행정심판에서는 당사자주의가 원칙이며 직권탐지는 예외적으로 가미되어 있다고 봄이 일반적 견해이다.

(4) 구술심리주의 또는 서면심리주의

행정심판의 심리는 구술심리 또는 서면심리로 한다고 규정하여 어느 방식을 취하는지는 행정심판위원회의 선택에 맡기고 있다.05 다만, 당사자가 구술심리를 신청한 경우에는 서면심리만으로 결정할 수 있다고 인정되는 경우 외에는 구술심리를 하여야 한다(동법 제40조 제1항).

(5) 비공개주의

비공개주의는 행정심판의 심리 · 재결과정을 일반에게 공개하지 않는다는 원칙이다. 행정심판법에는 이에 관한 명문규정은 없으나, 서면심리 등을 채택한 행정심판법의 구조로 보아 비공개주의를 채택하고 있는 것으로 봄이 일반적이다.

(6) 처분사유의 추가 · 변경

항고소송에서 처분사유의 추가 · 변경의 법리는 행정심판단계에서도 적용된다는 것이 판례의 입장이다(p.879 참조).

관련판례

항고소송에서 행정청이 처분의 근거 사유를 추가하거나 변경하기 위한 요건인 '기본적 사실관계의 동일성'은 행정심판단계에서도 적용된다.06 ★★★

행정처분의 취소를 구하는 항고소송에서 처분청은 당초 처분의 근거로 삼은 사유와 기본적 사실관계가 동일성이 있다고 인정되는 한도 내에서만 다른 사유를 추가 또는 변경할 수 있고, 이러한 기본적 사실관계의 동일성 유무는 처분사유를 법률적으로 평가하기 이전의 구체적 사실에 착안하여 그 기초인 사회적 사실관계가 기본적인 점에서 동일한지에 따라 결정되므로, 추가 또는 변경된 사유가 처분 당시에 이미 존재하고 있었다거나 당사자가 그 사실을 알고 있었다고 하여 당초의 처분사유와 동일성이 있다고 할 수 없다.

기출 체크

□□□□□ **01** 행정소송은 철저한 대심주의를 관철하여 당사자가 제출한 공격 · 방어방법에 한정하여서만 심리 판단하지만, 행정심판에서는 직권탐지주의를 원칙으로 한다. (○, ×) ★ 2015 서울시 9급

□□□□□ **02** 행정심판은 불고불리의 원칙을 채택하고 있다는 점에서 직권심리주의를 채택하고 있다고 볼 수 없다. (○, ×) ★ 2006 국가직 9급

□□□□□ **03** 행정심판위원회는 필요할 경우 당사자가 주장하지 아니한 사실에 대해서도 심리할 수 있다. (○, ×) ★★★ 2023 국회직 8급

□□□□□ **04** 행정심판의 심리에 대한 설명으로 옳은 것은? ★★★ 2013 지방직(하) 7급
① 행정심판의 심리는 원칙적으로 행정심판위원회가 주도하며, 당사자의 처분주의는 예외적으로 인정된다.
② 행정심판위원회의 심리는 당사자가 주장한 사실에 한정되지 않으며, 필요한 때에는 당사자가 주장하지 아니한 사실에 대하여도 심리할 수 있다.
③ 행정심판법은 구술심리를 원칙으로 하며, 당사자의 신청이 있는 때에는 서면심리로 할 것을 규정하고 있다.
④ 행정심판법은 원칙적으로 공개심리주의를 채택하고 있다.

□□□□□ **05** 행정심판의 심리는 당사자가 구술심리를 신청한 경우를 제외하고는 서면심리주의를 원칙으로 하고 있다. (○, ×) ★★★ 2016 서울시 7급

□□□□□ **06** 행정심판에서는 항고소송에서와 달리 처분청이 당초처분의 근거로 삼은 사유와 기본적 사실관계가 동일성이 인정되지 않는 다른 사유를 처분사유로 추가하거나 변경할 수 있다. (○, ×) ★★★ 2018 국가직 9급

ⓐ 대심주의
대심주의란 대립되는 분쟁당사자들의 공격 · 방어를 통하여 심리를 진행하는 제도를 의미한다. 즉, 심리에 있어서 당사자 쌍방에게 공격 · 방어방법을 제출할 수 있는 대등한 기회를 보장하는 제도를 말하는 것이다. 행정심판법은 행정심판절차에 사법절차가 준용되어야 한다는 헌법의 취지에 따라 심판청구인과 피청구인이 당사자임을 명시하고, 서로 대등한 입장에서 공격과 방어방법을 제출하게 하고, 원칙적으로 이와 같이 제출된 공격 · 방어방법을 심리의 기초로 하여, 행정심판위원회가 심리를 행하는 대심주의를 취하고 있다.

정답 01 × 02 × 03 ○ 04 ② 05 × 06 ×

그리고 이러한 법리는 행정심판단계에서도 그대로 적용된다(대판 2014. 5. 16, 2013두26118).01 02

비교판례

산업재해보상보험법상 심사청구에 관한 절차는 근로복지공단 내부의 시정절차로서 그 절차에서 근로복지공단이 당초처분의 근거로 삼은 사유와 기본적 사실관계의 동일성이 인정되지 않는 사유를 처분사유로 추가·변경할 수 있다.

산업재해보상보험법 규정의 내용, 형식 및 취지 등에 비추어 보면, 산업재해보상보험법상 심사청구에 관한 절차는 보험급여 등에 관한 처분을 한 근로복지공단으로 하여금 스스로의 심사를 통하여 당해 처분의 적법성과 합목적성을 확보하도록 하는 근로복지공단 내부의 시정절차에 해당한다고 보아야 한다. 따라서 처분청이 스스로 당해 처분의 적법성과 합목적성을 확보하고자 행하는 자신의 내부 시정절차에서는 당초처분의 근거로 삼은 사유와 기본적 사실관계의 동일성이 인정되지 않는 사유라고 하더라도 이를 처분의 적법성과 합목적성을 뒷받침하는 처분사유로 추가·변경할 수 있다고 보는 것이 타당하다(대판 2012. 9. 13, 2012두3859).

2. 당사자의 절차적 관여에 관한 권리

(1) 위원 등에 대한 기피신청권

당사자는 행정심판위원회의 위원에게 공정한 심리·의결을 기대하기 어려운 사정이 있으면 위원장에게 기피신청을 할 수 있다(동법 제10조 제2·8항). 위원장은 기피신청을 받으면 기피 여부에 대한 결정을 하고, 지체 없이 신청인에게 결정서 정본을 송달하여야 한다(동법 제10조 제6항).

(2) 구술심리신청권

당사자는 구술심리를 신청할 수 있고, **당사자가 구술심리를 신청한 때에는 행정심판위원회는 서면심리만으로 결정할 수 있다고 인정되는 경우 외에는 구술심리를 하여야 한다**(동법 제40조 제1항).03

(3) 증거제출권

당사자는 심판청구서·보정서·답변서·참가신청서·보충서면 등에 덧붙여 그 주장을 뒷받침하는 증거서류나 증거물을 제출할 수 있는 권리를 가진다(동법 제34조 제1항).

(4) 증거조사신청권

당사자는 자신의 주장을 뒷받침하기 위하여 필요하다고 인정할 때에는 행정심판위원회에 증거조사를 신청할 수 있다(동법 제36조 제1항).

3. 처분의 위법·부당 여부의 판단시

행정심판에 있어서 행정처분의 위법·부당 여부는 원칙적으로 **처분시를 기준으로 판단하여야 한다. 다만 행정심판기관은 처분 당시 존재하였거나 행정청에 제출되었던 자료뿐만 아니라, 재결 당시까지 제출된 모든 자료를 종합하여 처분 당시 존재하였던 객관적 사실을 확정하고 그 사실에 기초하여 처분의 위법·부당 여부를 판단할 수 있다**는 것이 판례의 입장이다.04

관련판례

행정심판에 있어서 행정처분의 위법·부당 여부는 원칙적으로 처분시를 기준으로 판단하여야 할 것이나, 재결청은 처분 당시 존재하였거나 행정청에 제출되었던 자료뿐만 아니라, 재결 당시까지 제출된 모든 자료를 종합하여 처분 당시 존재하였던 객관적 사실을 확정하고 그 사실에 기초하여 처분의 위법·부당 여부를 판단할 수 있다(대판 2001. 7. 27, 99두5092).★★★

기출 체크

□□□□□ **01** 취소심판에서도 항고소송과 마찬가지로 처분청은 당초처분의 근거로 삼은 사유와 기본적 사실관계가 동일성이 있다고 인정되는 한도 내에서만 다른 사유를 추가 또는 변경할 수 있다. (○, ×) ★★★ 2023 소방간부

□□□□□ **02** 행정처분의 취소를 구하는 항고소송에서 처분청은 당초처분의 근거로 삼은 사유와 기본적 사실관계가 동일성이 있다고 인정되는 한도 내에서만 다른 사유를 추가 또는 변경할 수 있다는 법리는 행정심판단계에서도 그대로 적용된다. (○, ×) ★★★ 2018 지방직 7급

□□□□□ **03** (甲은 단란주점영업을 하던 중 관할행정청으로부터 식품위생법 위반을 이유로 1개월의 영업정지처분을 받게 되었다. 이에 甲이 관할행정청을 피청구인으로 하여 취소심판을 제기한 경우에) 甲이 구술심리를 신청하는 경우 행정심판위원회는 구술심리를 하여야 한다. (○, ×) 2024 소방간부

□□□□□ **04** 행정심판에 있어서 행정처분의 위법·부당 여부는 원칙적으로 처분시를 기준으로 판단하여야 할 것이나, 재결 당시까지 제출된 모든 자료를 종합하여 처분 당시 존재하였던 객관적 사실을 확정하고 그 사실에 기초하여 처분의 위법·부당 여부를 판단할 수 있다. (○, ×) ★★★ 2015 지방직 9급

관련청구의 병합과 분리(행정심판법 제37조)
1. 관련청구의 병합
   행정심판위원회는 여러 개의 심판청구사건이 동일한 행정청이 행한 유사한 내용의 처분이거나, 서로 관련되는 사건일 경우에는 심리의 신속·경제성의 관점에서 이들 사건을 병합하여 함께 심리할 수 있다.
2. 관련청구의 분리
   행정심판위원회는 병합하여 심리 중인 관련청구사건이라도 분리하여 심리할 필요가 생긴 경우에는 분리하여 심리할 수 있다.

정답 01 ○ 02 ○ 03 × 04 ○

02 | 행정심판의 재결

❶ 재결의 의의

1. 의 의

재결은 행정법상 법률관계에 관한 분쟁에 대하여 **행정심판위원회**가 행하는 **판단의 표시**를 말한다.

2. 법적 성질

재결은 다툼 있는 법률관계에 대하여 행정심판위원회가 판단 · 확정하는 행위이므로 **확인행위**의 성질을 가지며, 법원의 판결과 성질이 비슷하므로 **준사법행위**에 해당한다.

3. 소송대상성

재결도 행정소송법상 처분 등에 해당하므로 재결 자체에 고유한 위법이 있는 경우에는 **취소소송의 대상**이 될 수 있다.

❷ 재결의 절차와 형식

1. 재결기간

재결은 행정심판위원회 또는 피청구인인 행정청이 심판청구서를 받은 날부터 60일 이내에 하여야 한다.01 **다만, 부득이한 사정이 있을 때에는 위원장이 직권으로 30일**(30일의 범위 내에서로 해석함)**을 연장**할 수 있다(동법 제45조 제1항). 재결기간을 연장할 때에는 재결기간이 만료되기 7일 전까지 당사자에게 이를 통지하여야 한다(동법 제45조 제2항). 심판청구가 부적법하여 보정을 명하는 경우 이러한 **보정기간은 재결기간에는 산입하지 아니한다**(동법 제32조 제5항).

2. 재결의 방식 – 서면주의

재결은 서면으로 하되, 재결서에는 사건번호와 사건명, 당사자 · 대표자 또는 대리인의 이름과 주소, 주문, 청구의 취지 · 이유, 재결한 날짜가 포함되어야 한다(동법 제46조 제1 · 2항). 재결서에 적는 이유에는 주문 내용이 정당하다는 것을 인정할 수 있는 정도의 판단을 표시하여야 한다(동법 제46조 제3항).

3. 재결의 범위

(1) 불고불리의 원칙, 불이익변경금지의 원칙

불고불리의 원칙 및 불이익변경금지의 원칙이 적용되어 **행정심판위원회는 심판청구의 대상이 되는 처분 또는 부작위 이외의 사항에 대해서는 재결할 수 없으며,02 심판청구의 대상이 되는 처분보다 청구인에게 불리한 재결을 할 수 없다.03**

(2) 재량의 당 · 부당

행정심판은 행정소송의 경우와는 달리 위법한 처분이나 부작위뿐만 아니라 부당한 처분이나 부작위에 대하여도 제기할 수 있다. 따라서 행정심판위원회는 재량행위와 관련하여 재량의 일탈 · 남용 등과 같은 재량권행사의 위법 여부뿐만 아니라 **재량권의 한계 내의 당 · 부당에 대해서도 판단할 수 있다.04**

4. 재결의 송달 등

재결을 한 때에 **행정심판위원회는 재결서의 정본**을 행정심판청구의 **당사자에게 지체 없이 송달하여야** 하며, 재결은 **청구인에게 송달되었을 때에 그 효력이 생긴다.** 행정심판청구에 대해 **참가인이 있는 경우** 행

기출 체크

□□□□□ **01** 음식점을 운영하는 甲은 미성년자인 乙에게 음주를 제공한 사실이 적발되어, 관련법령에 따라 A자치구의 구청장인 丙으로부터 영업정지 2개월의 처분을 받았다. 이에 甲은 A자치구를 관할로 하는 B광역시 산하의 행정심판위원회(이하, 'C'라 한다)에 행정심판을 제기하고자 한다. 이와 관련된 설명으로 가장 옳지 않은 것은? ★★ 2019 사회복지직 9급

① 甲은 丙의 영업정지처분에 대하여 C에 취소심판청구 및 집행정지신청을 할 수 있다.
② C는 필요하면 甲이 주장하지 아니한 사실에 대해서도 심리할 수 있다.
③ C는 甲의 취소심판청구가 이유 있다고 인정하면 2개월의 영업정지처분을 1개월의 영업정지처분으로 변경하는 재결을 할 수 있다.
④ C는 甲의 심판청구를 받은 날로부터 90일 이내에 재결을 하여야 한다.

□□□□□ **02** 행정심판위원회는 심판청구의 대상이 되는 처분 또는 부작위 외의 사항에 대하여는 재결하지 못한다. (○, ×) ★★★ 2016 국회직 8급

□□□□□ **03** 행정심판위원회는 심판청구의 대상이 되는 처분보다 청구인에게 불이익한 재결을 하지 못한다. (○, ×) ★★★ 2009 국가직 9급

□□□□□ **04**

甲은 乙군수에게 식품위생법에 의한 일반음식점 영업신고를 하고 영업을 하던 중 청소년에게 주류를 판매하였다는 이유로 적발되었다. 관할행정청인 乙군수는 식품위생법 시행규칙 [별표 23] 행정처분기준에 따라 사전통지 등 적법절차를 거쳐 1회 위반으로 영업정지 2월의 제재처분을 하였다.

(1) 영업정지 2월의 처분에 대하여 甲이 행정심판을 제기한 경우 행정심판위원회는 심리한 결과 처분청이 경미하게 처분하였다고 판단되면 영업정지 3월의 처분으로 처분을 변경하는 재결을 내릴 수 있다. (○, ×)
(2) 甲이 제기한 행정심판에서 심리한 결과 처분이 부당하다고 인정되면 행정심판위원회는 재량행위임에도 처분의 일부를 감경하는 재결을 할 수 있다. (○, ×) 2023 군무원 7급

정답 01 ④ 02 ○ 03 ○ 04 (1) × (2) ○

정심판위원회는 그 참가인에 대하여도 지체 없이 재결서의 등본을 송달하여야 하며, 처분의 상대방이 아닌 제3자가 심판청구를 한 경우 행정심판위원회는 재결서의 등본을 지체 없이 피청구인을 거쳐 처분의 상대방에게 송달하여야 한다(동법 제48조).

기출 체크

□□□□□ **01** 행정심판위원회는 심판청구가 이유가 있다고 인정하는 경우에도 이를 인용하는 것이 공공복리에 크게 위배된다고 인정하면 그 심판청구를 기각하는 재결을 할 수 있다. (○, ×) ★★★
2023 국회직 8급

□□□□□ **02** 행정심판위원회는 사정재결을 함에 있어서 청구인에 대하여 상당한 구제방법을 취하거나 피청구인에게 상당한 구제방법을 취할 것을 명할 수 있으나, 재결주문에 그 처분 등이 위법 또는 부당함을 명시할 필요는 없다. (○, ×) ★★
2015 국회직 8급

❸ 재결의 종류

재결은 그 내용에 따라 각하재결, 기각재결, 인용재결의 세 종류가 있다.

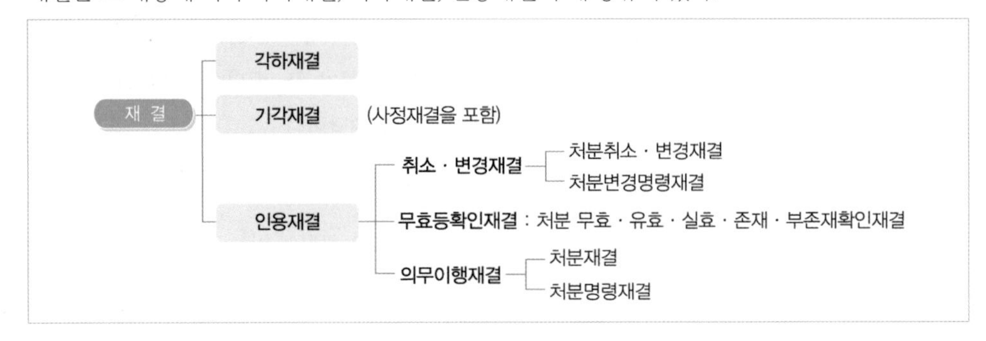

1. 각하재결

심판청구가 요건을 갖추지 못한 부적법한 것인 때에는 행정심판위원회는 그 심판청구를 각하한다.

2. 기각재결

(1) 의 의

행정심판위원회는 심판청구가 이유 없다고 인정할 때에는 그 심판청구를 기각한다. 이는 원처분이 적법 · 타당함을 인정하는 재결이다. 다만, 예외적인 것으로 심판청구가 이유 있으나 청구를 기각하는 사정재결이 있다.

(2) 사정재결

행정심판위원회는 심판청구가 이유 있다고 인정하는 경우에도 이를 인용하는 것이 공공복리에 크게 위배된다고 인정하면 그 심판청구를 기각하는 재결을 할 수 있는데,**01** 이러한 재결을 **사정재결**이라고 한다(동법 제44조).

① 요 건

㉠ 사정재결은 심판청구가 이유 있음에도 불구하고, 이를 인용하는 것이 공공복리에 크게 위배된다고 인정되는 경우이어야 가능하다.

㉡ 행정심판위원회가 사정재결을 하는 경우에는 재결의 주문(主文)에 그 처분이나 부작위가 위법하거나 부당함을 명시하여야 한다.**02** ⓐ

② 구제방법

㉠ 이 재결에 의해서도 심판청구대상인 처분이나 부작위가 적법한 것으로 인정되거나 그 하자가 치유되는 것은 아니므로, 이 재결에 따른 당사자의 불이익은 배려되어야 한다. 이에 따라 행정심판위원회가 사정재결을 함에 있어서는 청구인에 대하여 상당한 구제방법을 취하거나 상당한 구제방법을 취할 것을 피청구인에게 명할 수 있다(동법 제44조 제2항).

㉡ 따라서 행정심판위원회는 손해배상, 기타의 구제방법을 직접 강구할 수 있고(직접구제), 일정한 구제방법을 취하도록 처분청이나 부작위청에 명(구제명령)할 수 있다.

✚ 사정재결과 사정판결은 조문상 차이가 있다.❶

❶ 행정심판법 제44조【사정재결】② 위원회는 제1항에 따른 재결(편저자 주 : 사정재결을 말한다)을 할 때에는 청구인에 대하여 상당한 구제방법을 취하거나 상당한 구제방법을 취할 것을 피청구인에게 명할 수 있다.
행정소송법 제28조【사정판결】② 법원이 제1항의 규정에 의한 판결(편저자 주 : 사정판결을 말한다)을 함에 있어서는 미리 원고가 그로 인하여 입게 될 손해의 정도와 배상방법 그 밖의 사정을 조사하여야 한다.
③ 원고는 피고인 행정청이 속하는 국가 또는 공공단체를 상대로 손해배상, 제해시설의 설치 그 밖에 적당한 구제방법의 청구를 당해 취소소송 등이 계속된 법원에 병합하여 제기할 수 있다.

ⓐ 이는 사정재결을 하더라도 위법 · 부당한 처분이 적법한 처분으로 전환되는 것은 아니라는 것을 명백히 하는 동시에 국가배상청구소송을 제기하는 경우 당사자의 권리구제를 용이하게 하기 위한 의미를 갖는다.

사정재결과 사정판결 비교

사정재결	사정판결
• 행정심판위원회는 손해배상, 기타의 구제방법을 직접 강구할 수 있음(직접구제). • 일정한 구제방법을 취하도록 처분청이나 부작위청에 명할 수 있음(구제명령).	• 법원이 사정판결을 하기 위해서는 원고가 입게 될 손해의 정도, 배상방법, 그 밖의 사정을 미리 조사하여야 함. • 원고는 손해배상 및 기타 구제방법의 청구를 병합하여 제기 가능

정답 01 ○ 02 ×

③ 적용범위

사정재결은 취소심판 및 의무이행심판에만 인정되고 무효등확인심판에는 인정되지 아니한다.01 02 03 04 05

3. 인용재결

인용재결은 본안심리의 결과 심판청구가 이유 있다고(처분 또는 부작위가 위법 · 부당하다고) 인정하여 청구의 취지를 받아들이는 내용의 재결이다.

(1) 취소 · 변경 등 재결

행정심판위원회는 취소심판의 청구가 이유 있다고 인정할 때에는, 처분을 취소 · 변경하거나, 처분청에 처분을 변경할 것을 명한다. 이때 취소의 개념에는 원처분에 대한 전부취소뿐만 아니라 일부취소가 포함된다.

① 적극적 변경도 가능함

행정심판법이 취소와 함께 변경을 따로 인정한 점과 의무이행재결을 인정한 점에 비추어 변경재결에서의 변경은 소극적 변경뿐만 아니라 적극적 변경, 즉 원처분을 갈음하는 다른 처분으로 변경하는 것까지 포함한다(예 운전면허취소처분을 6개월의 운전면허정지처분으로 변경하는 것).06 07

② 변경명령재결, 취소 · 변경재결

행정심판위원회는 원처분을 직접 취소 · 변경하는 형성적 재결(취소 · 변경재결)뿐만 아니라 원처분청으로 하여금 변경할 것을 명하는 데에 그치는 이행적 재결(변경명령재결)을 할 수도 있다.08 09

(2) 무효등확인재결

행정심판위원회는 무효등확인심판의 청구가 이유 있다고 인정할 때에는 재결로 처분의 효력 유무 또는 존재 여부를 확인한다. 따라서 무효등확인재결에는 처분무효확인재결, 처분유효확인재결, 처분실효확인재결, 처분존재확인재결 및 처분부존재확인재결이 있다.

(3) 의무이행재결

① 의 의

행정심판위원회는 의무이행심판의 청구가 이유 있다고 인정할 때에는 재결로 지체 없이 신청에 따른 처분을 하거나 처분을 할 것을 피청구인인 행정청에게 명한다.10 따라서 의무이행재결에는 처분재결과 처분명령재결이 있다. 이때 신청에 따른 처분이란 반드시 청구인의 신청내용대로 한 처분만을 의미하지는 않고, 신청에 대한 거부 또는 기타의 처분도 포함된다.

② 내 용

㉠ **처분재결** : 처분재결은 행정심판위원회가 스스로 처분을 하는 것을 말한다.

㉡ **처분명령재결** : 처분명령재결은 처분청에게 처분의 이행을 명하는 재결을 말한다.

기출 체크

□□□□□ 01 (A행정청이 甲에게 한 처분에 대하여 甲이 B행정심판위원회에 행정심판을 청구한 경우에) 甲이 무효확인심판을 제기한 경우, B행정심판위원회는 심판청구가 이유 있다고 인정하면서도 이를 인용하는 것이 공공복리에 크게 위배된다고 인정하면 甲의 심판청구를 기각할 수 있다. (○, ×) ★★★ 2022 지방직 · 서울시 9급

□□□□□ 02 사정재결은 취소심판의 경우에만 인정되고, 의무이행심판과 무효확인심판의 경우에는 인정되지 않는다. (○, ×) ★★★ 2021 군무원 7급

□□□□□ 03 행정청의 부작위에 대한 의무이행심판은 심판청구기간규정의 적용을 받지 않고, 사정재결이 인정되지 아니한다. (○, ×) ★★★ 2021 지방직 · 서울시 9급

□□□□□ 04 취소심판 및 의무이행심판에 대해서는 사정재결을 할 수 없다. (○, ×) ★★★ 2019 소방직 9급

□□□□□ 05 무효등확인심판에는 사정재결이 인정되지 아니한다. (○, ×) ★★★ 2017 교육행정직 9급

□□□□□ 06 (식품접객업을 하는 甲은 청소년의 연령을 확인하지 않고 주류를 판매한 사실이 적발되어 관할행정청 乙로부터 식품위생법 위반을 이유로 영업정지 2개월을 부과받자 관할 행정심판위원회 丙에 행정심판을 청구하였다) 丙은 영업정지 2개월에 갈음하여 식품위생법 소정의 과징금으로 변경할 수 없다. (○, ×) 2023 지방직 · 서울시 9급

□□□□□ 07 행정심판에서는 변경재결과 같이 원처분을 적극적으로 변경하는 것도 가능하다. (○, ×) ★★★ 2015 서울시 9급

□□□□□ 08 (A행정청이 甲에게 한 처분에 대하여 甲이 B행정심판위원회에 행정심판을 청구한 경우에) 甲이 취소심판을 제기한 경우, B행정심판위원회는 심판청구가 이유가 있다고 인정하면 처분변경명령재결을 할 수 있다. (○, ×) 2022 지방직 · 서울시 9급

□□□□□ 09 취소심판의 심리 후 행정심판위원회는 영업허가취소처분을 영업정지처분으로 적극적으로 변경하는 변경재결 또는 변경명령재결을 할 수 있다. (○, ×) 2021 군무원 7급

□□□□□ 10 의무이행재결은 행정심판위원회가 의무이행심판의 청구가 이유 있다고 인정할 때에 지체 없이 신청에 따른 처분을 하거나 처분청에게 그 신청에 따른 처분을 할 것을 명하는 재결을 말한다. (○, ×) ★★ 2023 군무원 7급

정답 01 × 02 × 03 × 04 × 05 ○ 06 × 07 ○ 08 ○ 09 ○ 10 ○

03 | 재결의 효력

행정심판법에서는 재결의 효력에 관해 **기속력과 직접처분에 관한 규정만을 두고 있다.** 그런데 취소재결 · 변경재결과 처분재결에는 형성력이 발생한다고 보아야 하며, 또한 재결은 행정행위이므로 재결에 대해서는 행정행위의 특수한 효력인 공정력, 불가변력 등이 인정된다고 보아야 할 것이다.

❶ 불가쟁력

재결에 대해서 다시 행정심판을 청구할 수는 없고(동법 제51조), 재결에 고유한 위법이 있는 경우에 한해 재결에 대해 행정소송의 제기가 가능하지만, 이 경우에도 제소기간이 경과하면 더 이상 효력을 다툴 수 없게 되는바, 이를 재결의 불가쟁력이라 한다.**01**

❷ 불가변력(자박력)

재결은 다른 행정행위와 달리 쟁송절차를 거쳐 행하여지는 판단행위이므로, **일단 재결이 행하여진 이상** 비록 그것이 위법 · 부당하다 하더라도 **행정심판위원회 스스로 이를 취소 · 변경할 수 없는 효력**이 발생하는데, 이를 불가변력이라 한다.**02**

❸ 형성력

1. 형성력이란 처분을 취소하는 재결이 있으면 당해 **처분은 행정청의** 별도의 처분이 없더라도 처분시에 소급하여 효력이 소멸되어 처음부터 존재하지 않은 것으로 되는 효력을 의미한다.**03** 이러한 형성력에는 **대세적 효력(제3자효)이 인정된다.**
2. 모든 재결에 형성력이 인정되는 것은 아니다. **행정심판위원회**가 재결로써 직접처분의 취소 · 변경 등을 하지 않고 **처분변경명령재결 등의 '명령재결'을 한 경우에는** 형성력이 발생하는 것이 아니라 **기속력이 발생**하게 된다.**04** 또한 무효등확인심판에 있어서의 확인재결의 경우에는 단지 처분의 유효 · 무효 등을 확인하는 것이므로 형성력이 인정되지 않는다.**05**
3. 한편, 형성적 재결이 있으면 처분은 소멸되므로 **형성적 재결의 결과통보**는 법적인 의미가 없는 것으로 **항고소송의 대상이 되는 처분이 아니라는 것이 판례의 입장**이다. 또한 **형성적 취소재결이 확정된 후 처분청이 다시 원처분을 취소한 경우**에도 그러한 행위는 **항고소송의 대상이 아니다.**㉠

관련판례

1. **처분취소재결의 경우 행정처분은 재결의 형성력에 의해 별도의 처분을 기다릴 것 없이 당연히 효력이 소멸된다.06 07** ★★★

   행정심판법 제32조 제3항에 의하면 재결청은 취소심판의 청구가 이유 있다고 인정할 때에는 처분을 취소 · 변경하거나 처분청에 취소 · 변경할 것을 명한다고 규정하고 있으므로, 행정심판재결의 내용이 처분청에 처분의 취소를 명하는 것이 아니라 재결청이 스스로 처분을 취소하는 것일 때에는 그 재결의 형성력에 의하여 당해 처분은 별도의 행정처분을 기다릴 것 없이 당연히 취소되어 소멸되는 것이다(대판 1998. 4. 24, 97누17131).

2. **형성적 재결의 결과통보는 항고소송의 대상이 되는 행정처분이 아니다**(대판 1997. 5. 30, 96누14678).★★

기출 체크

□□□□□ **01** 재결의 효력으로서 행정청에 대한 불가변력이 인정되나, 불가쟁력은 인정되지 않는다. (○, ×) ★ 2008 지방직 9급

□□□□□ **02** 의무이행심판에 관한 재결이 있게 되면 재결기관은 그것이 위법 · 부당하다고 생각되는 경우에도 스스로 이를 취소 또는 변경할 수 없다. (○, ×) 2008 국회직 8급

□□□□□ **03** 형성력을 가지는 취소재결이 있는 경우 그 대상이 된 행정처분은 재결 자체에 의해 당연취소되어 소멸한다. (○, ×) ★★ 2012 사회복지직 9급

□□□□□ **04** 재결의 형성력은 행정심판위원회가 직접처분의 취소 · 변경 등을 하지 않은 처분의 변경명령재결 또는 의무이행명령재결의 경우에 발생한다. (○, ×) 2012 국회직 8급

□□□□□ **05** 형성력이 인정되는 재결로는 취소재결, 변경재결, 처분재결이 있다. (○, ×) 2023 군무원 9급

□□□□□ **06** 행정심판재결의 내용이 처분청의 처분을 스스로 취소하는 것일 때에는 그 재결의 형성력이 발생하여 당해 행정처분은 별도의 행정처분을 기다릴 것 없이 당연히 취소되어 소멸된다. (○, ×) ★★★ 2024 국가직 9급

□□□□□ **07** 행정심판에서 행정심판위원회에 의한 형성적 재결이 있은 경우에는 그 대상이 된 행정처분은 재결 자체에 의하여 당연히 취소되어 소멸된다. (○, ×) ★★★ 2018 경행경채 3차

판례 | ㉠ 원처분에 대한 형성적 취소재결이 확정된 후 처분청이 다시 원처분을 취소한 경우, 그러한 처분은 항고소송의 대상이 되는 처분이 아니다(대판 1998. 4. 24, 97누17131).

✚ 왜냐하면 취소재결이 확정되면 처분은 재결에 의해 당연히 취소되었고 그 후 다시 처분을 취소하는 행위는 법적인 의미를 가지지 못하기 때문이다.

정답 01 × 02 ○ 03 ○ 04 × 05 ○ 06 ○ 07 ○

④ 기속력

1. 의 의

(1) 재결은 피청구인인 행정청과 그 밖의 관계행정청을 기속하는데,01 재결의 기속력이라 함은 이처럼 피청구인인 행정청이나 관계행정청으로 하여금 재결의 취지에 따라 행동할 의무를 발생시키는 효력을 말한다.

(2) 이러한 재결의 기속력은 인용재결의 경우에만 인정되고 각하재결, 기각재결에는 인정되지 않는다.02 각하 · 기각재결은 청구인의 심판청구를 배척하는 데 그칠 뿐, 처분청과 그 밖의 관계행정청에 대하여 원처분을 유지시켜야 할 의무를 지우지 않으므로 처분청은 기각재결이 있은 뒤에도 정당한 사유가 있으면 직권으로 원처분을 취소 · 변경 또는 철회할 수 있다.03 한편, 인용재결이 내려진 경우라면 재결의 기속력으로 인해 처분청은 이에 불복하여 항고소송을 제기할 수 없다는 것이 판례의 입장이다.

관련판례

인용재결이 있는 경우 처분청은 그러한 재결에 기속되므로 이에 불복하여 취소소송을 제기할 수 없다(대판 1998. 5. 8, 97누15432).04 ★★

2. 내 용

(1) 반복금지의무(소극적 의무)

청구인용재결이 있게 되면 행정청은 동일한 사정하에서 동일인에게 재결의 내용에 모순되는 동일내용의 처분을 할 수 없는 의무를 가진다.05 ㉠ 이러한 반복금지의무는 일종의 부작위의무이기도 하다. 한편 반복금지의무에 위반되는지의 여부는 기본적 사실관계의 동일성 유무를 기준으로 판단한다.

관련판례

동일 사유인지 여부는 기본적 사실관계에 있어 동일성이 인정되는 사유인지 여부에 따라 판단되어야 한다(대판 2005. 12. 9, 2003두7705).★★★

(2) 변경의무 및 처분의무(적극적 의무)

① 처분변경명령재결에 따른 변경의무

취소심판에 있어서 다른 처분으로 변경을 명하는 처분이 있는 때에는 처분청은 당해 처분을 다른 처분으로 변경하여야 한다.

② 의무이행재결의 취지에 따른 처분의무

㉠ 당사자의 신청을 거부하거나 부작위로 방치한 처분의 이행을 명하는 재결이 있는 경우에는 행정청은 지체 없이 이전의 신청에 대하여 재결의 취지에 따라 처분을 하여야 한다(동법 제49조 제3항).07

㉡ 이때 기속행위 또는 재량권이 영(0)으로 수축되는 경우에는 신청한 대로 처분을 하여야 한다. 그러나 재량행위의 경우에는 청구인이 신청한 대로 처분을 할 필요는 없고, 다시 하자 없는 내용의 재량행위를 하면 족하다.

③ 절차의 하자를 이유로 한 신청에 따른 처분을 취소하는 재결에 따른 처분의무

신청에 따른 처분이 절차의 위법 또는 부당을 이유로 재결로써 취소된 경우에도 행정청은 지체 없이 이전의 신청에 대하여 재결의 취지에 따라 다시 처분을 하여야 한다(동법 제49조 제4항).

기출 체크

□□□□□ 01 (행정심판법상) 심판청구를 인용하는 재결은 청구인과 피청구인, 그 밖의 관계행정청을 기속한다. (○, ×) 2019 국회직 8급

□□□□□ 02 행정심판 재결의 기속력은 인용재결뿐만 아니라 각하재결과 기각재결에도 인정되는 효력이다. (○, ×) ★★★ 2018 서울시 9급

□□□□□ 03 (A행정청이 甲에게 한 처분에 대하여 甲이 B행정심판위원회에 행정심판을 청구한 경우에) B행정심판위원회의 기각재결이 있은 후에는 A행정청은 원처분을 직권으로 취소할 수 없다. (○, ×) ★★★ 2022 지방직 · 서울시 9급

□□□□□ 04 (甲은 단란주점영업을 하던 중 관할행정청으로부터 식품위생법 위반을 이유로 1개월의 영업정지처분을 받게 되었다. 이에 甲이 관할행정청을 피청구인으로 하여 취소심판을 제기한 경우에) 행정심판위원회가 1개월의 영업정지처분 취소재결을 내린 경우, 관할행정청은 취소재결 취소소송을 제기할 수 있다. (○, ×) 2024 소방간부

□□□□□ 05 당해 처분에 관하여 위법한 것으로 재결에서 판단된 사유와 기본적 사실관계에 있어 동일성이 인정되는 사유를 내세워 다시 동일한 내용의 처분을 하는 것은 허용되지 않는다. (○, ×) 2023 군무원 9급

□□□□□ 06 조세부과처분이 국세청장에 대한 불복심사청구에 의하여 그 불복사유가 이유 있다고 인정되어 취소되었음에도 처분청이 동일한 사실에 관하여 부과처분을 되풀이한 것이라면 설령 그 부과처분이 감사원의 시정요구에 의한 것이라 하더라도 위법하다. (○, ×) 2022 군무원 9급

□□□□□ 07 당사자의 신청을 거부하거나 부작위로 방치한 처분의 이행을 명하는 재결이 있는 경우에는 처분청은 지체 없이 그 재결의 취지에 따라 다시 이전의 신청에 대한 처분을 하여야 한다. (○, ×) ★★★ 2023 군무원 7급

판례 | ㉠ 양도소득세 및 방위세 부과처분이 국세청장에 대한 불복심사청구에 의하여 그 불복사유가 이유 있다고 인정되어 취소되었음에도 처분청이 동일한 사실에 관하여 부과처분을 되풀이한 것이라면 설령 그 부과처분이 감사원의 시정요구에 의한 것이라 하더라도 위법하다(대판 1986. 5. 27, 86누127).06

정답 01 × 02 × 03 × 04 × 05 ○ 06 ○ 07 ○

판례는 처분의 절차적 위법사유로 인용재결이 있었으나 행정청이 절차적 위법사유를 시정한 후 행정청이 종전과 같은 처분을 하는 것은 재결의 기속력에 반하지 않는다고 본다(p.901, 대판 1986. 11. 11, 85누231 참조).**01**

④ 거부처분에 대한 취소 · 무효 · 부존재 재결에 따른 처분의무

㉠ 종전에는 거부처분에 대하여 의무이행심판을 제기하지 않고, 거부처분취소심판을 제기하여 그것이 인용되어 거부처분취소재결이 행하여지는 경우에, 재처분의무를 지는지 여부에 대하여는 명문의 규정이 없어서 학설상 긍정설과 부정설의 대립이 있었으며, 판례는 긍정설의 입장이었다.

관련판례

당사자의 신청을 거부하는 처분을 취소하는 재결이 있는 경우에는 행정청은 그 재결의 취지에 따라 이전의 신청에 대한 처분을 하여야 한다(대판 1988. 12. 13, 88누7880).**02** ★★

㉡ 그러나 2017년 4월 개정 행정심판법은 거부처분에 대한 취소 · 무효 · 부존재 재결과 그 효과로서 재처분의무를 명문으로 규정(동법 제49조 제2항)함으로써 학설 논의는 무의미해졌다.**03 04**

(3) 결과제거의무(원상회복의무)

취소재결의 기속력에는 해석상 원상회복의무가 포함되는 것으로 보는 것이 타당하다. 따라서 취소재결이 확정되면 행정청은 취소된 처분에 의해 초래된 위법상태를 제거하여 원상회복할 의무가 있다.

(4) 공고 · 고시 · 통지의무

한편, 법령의 규정에 따라 공고하거나 고시한 처분이 재결로써 취소되거나 변경되면 처분을 한 행정청은 지체 없이 그 처분이 취소 또는 변경되었다는 것을 공고하거나 고시하여야 한다(동법 제49조 제5항).**05**

3. 기속력의 범위

기속력이 미치는 주관적 범위는 피청구인인 행정청뿐만 아니라 그 밖의 모든 관계행정청까지이다. 기속력이 미치는 객관적 범위는 재결의 주문 및 그 전제가 된 요건사실의 인정과 판단, 즉 처분 등의 구체적 위법사유에 관한 판단에만 미친다.

관련판례

1. **재결의 기속력은 재결의 주문 및 그 전제가 된 요건사실의 인정과 판단, 즉 처분 등의 구체적 위법사유에 관한 판단에만 미친다.06 07 ★★★**
   재결의 기속력은 재결의 주문 및 그 전제가 된 요건사실의 인정과 판단, 즉 처분 등의 구체적 위법사유에 관한 판단에만 미친다고 할 것이고, 종전 처분이 재결에 의하여 취소되었다 하더라도 종전 처분시와는 다른 사유를 들어서 처분을 하는 것은 기속력에 저촉되지 않는다고 할 것이며, …… (대판 2005. 12. 9, 2003두7705).**08**

2-1. **교원소청심사위원회의 결정은 처분청에 대하여 기속력을 가지고, 이는 그 결정의 주문에 포함된 사항뿐 아니라 그 전제가 된 요건사실의 인정과 판단, 즉 처분 등의 구체적 위법사유에 관한 판단에까지 미친다.09**

2-2. **징계처분을 받은 사립학교 교원의 소청심사청구에 대하여 교원소청심사위원회가 징계사유 자체가 인정되지 않는다는 이유로 징계처분을 취소하는 결정을 하고, 그에 대하여 학교법인 등이 제기한 행정소송절차에서**

기출 체크

□□□□□ **01** 판례에 따르면, 처분의 절차적 위법사유로 인용재결이 있었으나 행정청이 절차적 위법사유를 시정한 후 행정청이 종전과 같은 처분을 하는 것은 재결의 기속력에 반한다. (○, ×) ★★★
2017 사회복지직 9급

□□□□□ **02** 당사자의 신청을 거부하는 처분에 대한 취소심판에서 인용재결이 내려진 경우, 의무이행심판과 달리 행정청은 재처분의무를 지지 않는다.
(○, ×) ★★ 2019 지방직 · 교육행정직 9급

□□□□□ **03** 재결에 의하여 취소되거나 무효 또는 부존재로 확인되는 처분이 당사자의 신청을 거부하는 것을 내용으로 하는 경우에는 그 처분을 한 행정청은 재결의 취지에 따라 다시 이전의 신청에 대한 처분을 하여야 한다. (○, ×) ★★
2021 지방직 · 서울시 9급

□□□□□ **04** 취소재결의 기속력으로서 재처분의무가 없으므로 현행법상 거부처분에 불복할 때에는 취소심판보다 의무이행심판이 더 효과적이다. (○, ×) ★★
2019 서울시 1회 7급

□□□□□ **05** 법령의 규정에 따라 공고하거나 고시한 처분이 재결로써 취소되거나 변경되면 처분을 한 행정청은 지체 없이 그 처분이 취소 또는 변경되었다는 것을 공고하거나 고시하여야 한다.
(○, ×) ★★ 2020 지방직 · 서울시 7급

□□□□□ **06** 기속력은 재결의 주문에만 미치고, 처분 등의 구체적 위법사유에 관한 판단에는 미치지 않는다.
(○, ×) ★★★ 2021 지방직 · 서울시 9급

□□□□□ **07** 재결의 기속력은 재결의 주문 및 그 전제가 된 요건사실의 인정과 판단에 대하여만 미친다. (○, ×) ★★★
2019 국가직 7급

□□□□□ **08** 인용재결의 기속력은 재결의 주문 및 그 전제된 요건사실의 인정과 판단에 미치고, 종전처분이 재결에 의하여 취소되었다 하더라도 종전처분시와는 다른 사유를 들어서 처분을 하는 것은 기속력에 저촉되지 않는다. (○, ×) ★★★
2023 소방간부

□□□□□ **09** 교원소청심사위원회의 결정은 학교법인에 대하여 기속력을 가지지만 기속력은 그 결정의 주문에 포함된 사항에 미치는 것이지 그 전제가 된 요건사실의 인정과 불리한 처분 등의 구체적 위법사유에 관한 판단에까지 미치는 것은 아니다. (○, ×) 2024 지방직 · 서울시 9급

정답 01 × 02 × 03 ○ 04 × 05 ○ 06 × 07 ○ 08 ○ 09 ×

심리한 결과 징계사유 중 일부사유는 인정된다고 판단되는 경우, 법원으로서는 위원회의 결정을 취소하여야 한다(대판 2013. 7. 25, 2012두12297).

3. 당사자의 신청을 받아들이지 않은 거부처분이 재결에서 취소된 경우에 행정청은 종전 거부처분 또는 재결 후에 발생한 새로운 사유를 내세워 다시 거부처분을 할 수 있다.01 그 재결의 취지에 따라 이전의 신청에 대하여 다시 어떠한 처분을 하여야 할지는 처분을 할 때의 법령과 사실을 기준으로 판단하여야 하기 때문이다(대판 2017. 10. 31, 2015두45045).02 ★★

4. 부과처분을 취소하는 재결이 있는 경우 당해 처분청은 재결의 취지에 반하지 아니하는 한, 그 재결에 적시된 위법사유를 시정 · 보완하여 정당한 조세를 산출한 다음 새로이 이를 부과할 수 있는 것이고, 이러한 새로운 부과처분은 재결의 기속력에 저촉되지 아니한다(대판 2001. 9. 14, 99두3324).03

4. 기속력 위반의 효과

반복금지의무를 위반하여 동일한 내용의 처분을 다시 한 경우 그 처분은 하자가 중대하고 명백하여 무효이다. 재처분의무를 위반한 경우 그 기속력의 확보방안으로 직접처분과 간접강제를 할 수 있다.

❺ 시정명령 및 직접처분 – 기속력의 이행확보

1. 의 의

(1) 행정심판위원회는 당사자의 신청을 거부하거나 부작위로 방치한 처분의 이행을 명하는 재결이 있음에도 당해 행정청이 지체 없이 이전의 신청에 대하여 재결의 취지에 따라 처분을 하지 않는 경우에는 당사자가 신청하면 기간을 정하여 서면으로 시정을 명하고, 그 기간에 이행하지 아니하면 직접처분을 할 수 있다(동법 제50조 제1항).04 05 06

(2) 거부처분에 대해 취소재결 또는 무효등확인재결이 있는 경우에는 처분청은 재결의 기속력에 따라 재처분을 하여야 할 의무는 인정된다. 다만, 행정심판위원회의 직접처분권은 의무이행재결에만 인정되며 취소재결 또는 무효등확인재결에는 인정되지 않는다는 점에서 주의를 바란다. 의무이행재결의 경우에는 재처분의무뿐만 아니라 행정심판위원회의 직접처분권도 인정되는 점과 구별하기 바란다.

(3) 행정심판법상 행정심판위원회의 직접처분권이 인정되어 있는 것과 달리 행정소송법상 법원의 직접처분권은 인정되지 않고 있다.07

2. 요 건

① 처분명령재결이 있었을 것
② 위원회가 당사자의 신청에 따라 기간을 정하여 시정을 명하였을 것
③ 당해 행정청이 그 기간 내에 시정명령을 이행하지 아니하였을 것

따라서 해당 행정청이 어떠한 처분을 하였다면 그 처분이 재결의 내용에 따르지 아니하였다고 하더라도 행정심판위원회가 직접처분을 할 수는 없다.

기출 체크

□□□□□ 01 당사자의 신청을 받아들이지 않은 거부처분이 재결에서 취소된 경우에 행정청은 종전 거부처분 또는 재결 후에 발생한 새로운 사유를 내세워 다시 거부처분을 할 수 없다. (○, ×) ★★ 2024 국가직 9급

□□□□□ 02 당사자의 신청을 받아들이지 않은 거부처분이 재결에서 취소된 경우, 그 재결의 취지에 따라 이전의 신청에 대하여 다시 어떠한 처분을 하여야 할지는 처분을 할 때의 법령과 사실을 기준으로 판단하여야 하므로, 행정청은 종전 거부처분 또는 재결 후에 발생한 새로운 사유를 내세워 다시 거부처분을 할 수 있다. (○, ×) ★★ 2019 국가직 7급

□□□□□ 03 처분 취소재결이 있는 경우 당해 처분청은 재결의 취지에 반하지 아니하는 한 그 재결에 적시된 위법사유를 시정 · 보완하여 새로운 처분을 할 수 있는 것이고, 이러한 새로운 부과처분은 재결의 기속력에 저촉되지 아니한다. (○, ×) 2022 군무원 9급

□□□□□ 04 피청구인이 거부처분을 취소하는 재결의 취지에 따라 다시 이전의 신청에 대한 처분을 하지 아니하는 경우에 행정심판위원회는 직접처분을 할 수 있다. (○, ×) ★★★ 2021 경행경채

□□□□□ 05 처분청이 처분이행명령재결에 따른 처분을 하지 아니한 경우에는 행정심판위원회는 당사자의 신청 여부를 불문하고 직권으로 직접처분을 할 수 있다. (○, ×) ★★★ 2019 서울시 1회 7급

□□□□□ 06 피청구인이 처분의 이행을 명하는 재결에도 불구하고 처분을 하지 않는다고 해서 행정심판위원회가 직접처분을 할 수는 없다. (○, ×) ★★★ 2019 경행경채 2차

□□□□□ 07 행정심판법에서는 거부처분에 대한 이행명령재결에 따르지 않을 경우 직접처분에 관한 규정을 두고 있으나, 행정소송법에서는 이에 관한 규정을 두지 않고 있다. (○, ×) ★★★ 2021 국회직 8급

정답 01 × 02 ○ 03 ○ 04 × 05 × 06 × 07 ○

기출 체크

□□□□□ **01** 정보공개명령재결은 행정심판위원회에 의한 직접처분의 대상이 된다. (○, ×) 2021 국가직 7급

□□□□□ **02** 행정심판위원회는 피청구인이 의무이행재결 중 처분명령재결의 취지에 따른 처분을 하지 아니하는 경우에, 청구인의 신청에 의하여 결정으로 상당한 기간을 정하고 피청구인이 그 기간 내에 이행하지 아니하는 경우에는 그 지연기간에 따라 일정한 배상을 하도록 명하거나 즉시 배상을 할 것을 명할 수 있다. (○, ×) ★★ 2023 지방직 · 서울시 7급

□□□□□ **03** 행정심판 인용재결에 따른 행정청의 재처분의무에도 불구하고 행정청이 인용재결에 따른 처분을 하지 아니하는 경우에, 행정심판위원회는 청구인의 신청이 없어도 결정으로 일정한 배상을 하도록 명할 수 있다. (○, ×) ★★ 2021 지방직 · 서울시 9급

□□□□□ **04** 행정심판위원회는 재처분의무가 있는 피청구인이 재처분의무를 이행하지 아니하면 지연기간에 따라 일정한 배상을 하도록 명할 수는 있으나 즉시 배상을 할 것을 명할 수는 없다. (○, ×) ★★ 2018 서울시 2회 7급

□□□□□ **05** 청구인은 행정심판위원회의 간접강제결정에 불복하는 경우 그 결정에 대하여 행정소송을 제기할 수 있다. (○, ×) 2022 국회직 8급

□□□□□ **06** 인용재결의 기속력은 피청구인과 그 밖의 관계행정청에 미치고, 행정심판위원회의 간접강제결정의 효력은 피청구인인 행정청이 소속된 국가 · 지방자치단체 또는 공공단체에 미친다. (○, ×) 2021 국가직 7급

ⓐ '처분의 성질상 행정심판위원회가 직접처분을 할 수 없는 경우'라 함은 처분의 성질에 비추어 직접처분이 불가능한 경우를 말한다. 예컨대 정보공개를 명하는 재결의 경우 정보공개는 정보를 보유하는 기관만이 할 수 있으며 처분의 성질상 위원회는 정보공개처분을 할 수 없다.**01**

정답 01 × 02 ○ 03 × 04 × 05 ○ 06 ○

관련판례

재결청(현 행정심판위원회)이 직접처분을 하기 위해서는 당해 행정청이 아무런 처분을 하지 않는 경우이어야 하므로 당해 행정청이 처분을 한 이상 재결청이 직접처분을 할 수는 없다(대판 2002. 7. 23, 2000두9151).

3. 한 계ⓐ

처분의 성질이나 그 밖의 불가피한 사유로 행정심판위원회가 직접처분을 할 수 없는 경우에 해당하는 경우에는 직접처분을 할 수 없다(동법 제50조 제1항).

❻ 간접강제 – 기속력의 이행확보

1. 의 의

간접강제라고 함은 행정심판위원회의 재결의 실효성을 높이기 위하여, 행정심판 인용재결에 따른 **행정청의 재처분의무에도 불구하고 행정청이 인용재결에 따른 처분을 하지 아니하면 행정심판위원회가 당사자의 신청에 의하여 결정으로 상당한 기간을 정하고, 행정청이 그 기간 내에 이행하지 아니하는 경우에는 지연기간에 따라 일정한 배상을 하도록 명하거나 즉시 배상을 할 것을 명할 수 있도록 행정심판법이 규정하**고 있는 제도를 말한다(동법 제50조의2).**02 03 04** 종전에 행정소송법에서만 인정되던 간접강제제도가 2017년 4월 개정 행정심판법에 도입되었다.

2. 절 차

청구인의 신청에 의하여 행정심판위원회가 결정으로써 한다.

3. 간접강제의 결정

행정심판위원회는 청구인의 신청이 이유 있다고 인정되면 결정으로 상당한 기간을 정하고, 피청구인이 그 기간 내에 이행하지 아니하는 경우에는 그 지연기간에 따라 일정한 배상을 하도록 명하거나 즉시 배상을 할 것을 명할 수 있다(동법 제50조의2 제1항).

4. 간접강제결정에 대한 불복

청구인은 간접강제결정에 불복하는 경우 그 결정에 대하여 **행정소송을 제기할 수 있다**(동법 제50조의2 제4항).**05**

5. 간접강제결정의 효력

결정의 효력은 피청구인인 행정청이 소속된 국가 · 지방자치단체 또는 공공단체에 미치며,06 결정서 정본은 행정심판법 제50조의2 제4항에 따른 소송제기와 관계없이 민사집행법에 따른 강제집행에 관하여는 집행권원과 같은 효력을 가진다.

❼ 조 정

1. 의 의

양 당사자 간의 합의가 가능한 사건의 경우 행정심판위원회가 개입 · 조정하는 절차를 통하여 갈등을 조기에 해결하는 제도이다. 이는 행정심판을 통한 국민권익 구제 역량을 확대하려는 것이다.

2. 조정절차

(1) 행정심판위원회는 당사자의 권리 및 권한의 범위에서 당사자의 동의를 받아 심판청구의 신속하고 공정한 해결을 위하여 조정을 할 수 있다. 다만, 그 조정이 공공복리에 적합하지 아니하거나 해당 처분의 성질에 반하는 경우에는 그러하지 아니하다(동법 제43조의2 제1항).01

(2) 조정은 당사자가 합의한 사항을 조정서에 기재한 후 당사자가 서명 또는 날인하고 행정심판위원회가 이를 확인함으로써 성립한다(동법 제43조의2 제3항).02

(3) 조정에 대하여는 행정심판법 제48조(재결의 송달과 효력발생)부터 제50조(위원회의 직접처분)까지, 제50조의2(행정심판위원회의 간접강제), 제51조(행정심판 재청구의 금지)의 규정을 준용한다(동법 제43조의2 제4항).03

04 | 관련문제

❶ 법령 등의 개선

중앙행정심판위원회는 심판청구를 심리 · 재결할 때에 처분 또는 부작위의 근거가 되는 명령(대통령령 · 총리령 · 부령 · 훈령 · 예규 · 고시 · 조례 · 규칙 등을 말한다)이 법령에 근거가 없거나 상위법령에 위배되거나 국민에게 과도한 부담을 주는 등 크게 불합리하면 관계행정기관에 그 명령 등의 개정 · 폐지 등 적절한 시정조치를 요청할 수 있다.04 이 경우 중앙행정심판위원회는 시정조치를 요청한 사실을 법제처장에게 통보하여야 한다(동법 제59조 제1항). 시정조치의 요청을 받은 관계행정기관은 정당한 사유가 없으면 이에 따라야 한다(동법 제59조 제2항).

❷ 증거서류 등의 반환

행정심판위원회는 재결을 한 후 증거서류 등의 반환 신청을 받으면 신청인이 제출한 문서 · 장부 · 물건이나 그 밖의 증거자료의 원본을 지체 없이 제출자에게 반환하여야 한다(동법 제55조).05

❸ 서류의 송달

행정심판법에 따른 서류의 송달에 관하여는 민사소송법 중 송달에 관한 규정을 준용한다.❶

기출 체크

□□□□□ 01 행정심판위원회는 당사자의 권리 및 권한의 범위에서 직권으로 심판청구의 신속하고 공정한 해결을 위하여 조정을 할 수 있지만, 그 조정이 공공복리에 적합하지 아니하거나 해당 처분의 성질에 반하는 경우에는 그러하지 아니하다. (○, ×) ★★★ 2021 국회직 8급

□□□□□ 02 조정은 당사자가 합의한 사항을 조정서에 기재한 후 당사자가 서명 또는 날인함으로써 완성된다. (○, ×) ★ 2020 지방직 · 서울시 7급

□□□□□ 03 (행정심판)위원회는 당사자의 권리 및 권한의 범위에서 당사자의 동의를 받아 심판청구의 신속하고 공정한 해결을 위하여 조정을 할 수 있고, 조정은 당사자가 합의한 사항을 조정서에 기재한 후 당사자가 서명 또는 날인하고 (행정심판)위원회가 이를 확인함으로써 성립하며, 성립한 조정에는 행정심판법 제50조(위원회의 직접처분)의 규정을 준용한다. (○, ×) 2024 국회직 8급

□□□□□ 04 중앙행정심판위원회는 심판청구를 심리 · 재결할 때에 처분 또는 부작위의 근거가 되는 명령 등이 법령에 근거가 없거나 상위법령에 위배되거나 국민에게 과도한 부담을 주는 등 크게 불합리하면 관계행정기관에 그 명령 등의 개정 · 폐지 등 적절한 시정조치를 요청할 수 있다. (○, ×) ★ 2014 경행특채 2차

□□□□□ 05 행정심판위원회는 재결을 한 후 증거서류 등의 반환 신청을 받으면 청구인이 제출한 문서 · 장부 · 물건이나 그 밖의 증거자료의 원본을 지체 없이 제출자에게 반환하여야 한다. (○, ×) ★ 2012 지방직 7급

❶ 행정심판법 제57조 【서류의 송달】 이 법에 따른 서류의 송달에 관하여는 민사소송법 중 송달에 관한 규정을 준용한다.

정답 01 × 02 × 03 ○ 04 ○ 05 ○

❹ 기판력의 인정 여부

행정심판의 재결은 판결에서와 같은 기판력이 인정되는 것은 아니라는 것이 판례의 입장이다.

관련판례

행정심판의 재결은 피청구인인 행정청을 기속하는 효력을 가지므로 재결청이 취소심판의 청구가 이유 있다고 인정하여 처분청에 처분을 취소할 것을 명하면 처분청으로서는 재결의 취지에 따라 처분을 취소하여야 하지만, 나아가 재결에 판결에서와 같은 기판력이 인정되는 것은 아니어서 재결이 확정된 경우에도 처분의 기초가 된 사실관계나 법률적 판단이 확정되고 당사자들이나 법원이 이에 기속되어 모순되는 주장이나 판단을 할 수 없게 되는 것은 아니다(대판 2015. 11. 27, 2013다6759). **01 02** ★★★

기출 체크

□□□□□ **01** 행정처분이 불복기간의 경과로 인하여 불가쟁력이 발생하면 그 처분의 기초가 된 사실관계나 법률적 판단이 확정되는 것이므로 당사자는 이와 모순되는 주장을 할 수 없다. (○, ×) ★★★ 2024 소방간부

□□□□□ **02** 행정심판의 재결이 확정된 경우에도 처분의 기초가 된 사실관계나 법률적 판단이 확정되고 당사자들이나 법원이 이에 기속되어 모순되는 주장이나 판단을 할 수 없게 되는 것은 아니다. (○, ×) ★★★ 2022 군무원 9급

정답 01 × 02 ○

제 3 절 행정심판의 고지

핵심집약 Topic 64

01 | 고지의 개념

❶ 개 념

고지제도는 행정청이 처분을 함에 있어서 상대방에게 그 처분에 대하여 행정심판을 제기할 수 있는지 여부, 심판청구절차, 청구기간 등 행정심판의 제기에 필요한 사항을 미리 알려주어야 하는 것을 말한다. 고지제도는 국민에게 행정심판제도의 이용기회를 보장하고 행정청의 처분의 신중 · 적정성을 도모하는 역할을 한다.

❷ 조 문

1. 우리 현행법상 고지제도를 규정하고 있는 법으로는 행정심판법 제58조 외에도 행정절차법 제26조, 「공공기관의 정보공개에 관한 법률」 제13조 제5항을 들 수 있다.01
2. 한편, 행정절차법의 고지규정에는 고지의무를 이행하지 않은 경우에 대한 제재(효과)를 규정하고 있지 않다는 점에서 행정심판법의 고지규정과는 구별된다.02

02 | 고지의 성질

1. 고지는 불복제기의 가능 여부 및 불복청구의 요건 등 불복청구에 필요한 사항을 알려주는 비권력적 사실행위로서 그 자체로는 아무런 법적 효과를 발생시키지 않는다.03
2. 행정심판법상 고지에 관한 규정이 훈시규정ⓐ인지 강행규정 또는 의무규정인지에 관해 학설대립이 있으나, 다수설은 고지를 하지 않은 경우 일정한 효과가 발생한다는 점에서 강행규정 또는 의무규정의 성질을 갖는다고 본다.

03 | 고지의 종류

고지의 종류에는 직권에 의한 고지와 청구(신정)에 의한 고지가 있다.

> **행정심판법 제58조【행정심판의 고지】** ① 행정청이 처분을 할 때에는 처분의 상대방에게 다음 각 호의 사항을 알려야 한다.
> 1. 해당 처분에 대하여 행정심판을 청구할 수 있는지
> 2. 행정심판을 청구하는 경우의 심판청구 절차 및 심판청구기간
>
> ② 행정청은 이해관계인이 요구하면 다음 각 호의 사항을 지체 없이 알려주어야 한다. 이 경우 서면으로 알려줄 것을 요구받으면 서면으로 알려주어야 한다.04
> 1. 해당 처분이 행정심판의 대상이 되는 처분인지
> 2. 행정심판의 대상이 되는 경우 소관 위원회 및 심판청구기간

기출 체크

□□□□□ **01** 고지에 관해서는 행정심판법 외에도 규정이 있다. (○, ×) 2006 경기도 9급

□□□□□ **02** 행정절차법은 행정청이 처분을 하는 때에는 당사자에게 제소기간을 알려야 한다고 규정하고 있으나 제소기간을 알리지 아니하거나, 알렸지만 잘못 알린 경우에 관하여는 아무런 규정이 없다. (○, ×) ★ 2010 국회속기직 9급

□□□□□ **03** 고지는 행정심판법에 규정된 심판청구에 필요한 사항을 구체적으로 알려주는 비권력적 사실행위로 고지 자체는 아무런 법적 효과를 발생하지 않는다. (○, ×) ★★ 2004 국회직 8급

□□□□□ **04** 행정청은 제3자인 이해관계인이 요구하면, 해당 처분이 행정심판의 대상이 되는 처분인지와 행정심판의 대상이 되는 경우 소관 위원회 및 심판청구기간을 지체 없이 알려주어야 한다. (○, ×) 2024 소방간부

ⓐ 지키면 좋지만 지키지 않을 때에도 특별한 제재규정이 없는 권고적 규정을 말한다.

정답 01 ○ 02 ○ 03 ○ 04 ○

기출 체크

□□□□□ 01 고지제도에서 말하는 처분은 행정심판법에 의한 처분에 한하고 행정심판법 이외의 다른 법령에 의한 심판청구의 대상이 되는 처분은 포함하지 않는다는 것이 통설이다. (○, ×)
2004 국회직 8급

□□□□□ 02 행정청이 처분을 서면으로 하는 경우 상대방과 제3자에게 행정심판을 제기할 수 있는지 여부와 제기하는 경우의 행정심판절차 및 청구기간을 직접 알려야 한다. (○, ×) ★ 2018 지방직 9급

□□□□□ 03 신청에 의하여 고지하는 경우 해당 처분이 행정심판의 대상이 되는 처분인지에 대하여 고지하여야 한다. (○, ×) 2011 국회직 8급

정답 01 × 02 × 03 ○

❶ 직권에 의한 고지

행정청이 당사자의 신청을 전제로 하지 않고 고지해야 하는 경우를 말한다.

1. 고지의 대상

고지의 대상이 되는 처분은 행정심판법상의 심판청구의 대상이 되는 처분에 한정되는 것이 아니라 다른 법률에 의해 행정심판의 대상이 되는 서면에 의한 처분도 포함된다는 것이 통설이다.01

2. 고지의 주체와 상대방

고지의 주체는 국가나 지방자치단체의 행정청이며, 고지의 상대방은 당해 처분의 상대방을 의미한다.02

3. 고지의 내용

고지의무의 내용이 되는 고지사항은 처분에 관하여 행정심판을 제기할 수 있는지의 여부, 심판청구절차, 청구기간 등이다.

❷ 청구(신청)에 의한 고지

행정청은 이해관계인으로부터 당해 처분이 행정심판의 대상이 되는 처분인지의 여부와 행정심판의 대상이 되는 경우에 소관 행정심판위원회 및 심판청구기간에 관하여 알려줄 것을 요구받은 때에는 지체 없이 이를 알려주어야 한다.03 이 경우 서면으로 알려줄 것을 요구받은 때에는 서면으로 알려주어야 한다(동법 제58조 제2항).

1. 고지의 청구권자

고지를 청구할 수 있는 자는 처분의 이해관계인이다. 여기에서 이해관계인은 일반적으로는 상대방에게는 이익을 주는 동시에 제3자에게는 불이익을 주는 복효적 행정행위에 있어 제3자를 의미할 것이다.

2. 고지의 대상 및 내용

고지의 청구권자와 이해관계 있는 처분이 그 대상이 되며, 그 내용은 당해 처분이 행정심판의 대상이 되는 처분인지의 여부, 소관 행정심판위원회, 청구기간 등이다.

3. 고지의 방법 및 시기

고지의 방법에는 특별한 제한이 없으나, 고지의 청구권자가 서면에 의한 고지를 요구한 때에는 서면의 방법으로 고지를 하여야 한다(동법 제58조 제2항). 고지의 청구를 받은 때에는 지체 없이 고지하여야 한다.

04 | 고지의무위반의 효과

행정청이 고지를 하지 않거나(불고지), 잘못 고지한 경우(오고지)에는 고지의무를 위반한 것이 되며 행정심판법상 일정한 효과가 발생한다.

❶ 고지의 하자와 처분의 효력

통설 · 판례는 고지의 하자가 있다 하더라도 처분 자체가 위법하게 되는 것은 아니라고 한다.

관련판례

고지의무를 불이행한 경우 처분 자체가 위법하게 되는 것은 아니다(대판 1987. 11. 24, 87누529). **01 02 03 ★★★**

✚ 한편, 판례는 행정절차법 제26조에 따른 고지를 하지 않은 경우에도 그것만으로 처분을 취소해야 할 절차상 하자가 있다고 보기 어렵다고 판시한 바 있다.

> 피고가 이 사건 처분을 하면서 원고에게 행정절차법 제26조에 정한 바에 따라 행정심판 및 행정소송을 제기할 수 있는지 여부, 청구절차 및 청구기간을 알렸다고 인정할 증거는 없으나, 원고가 제소기간 내에 이 사건 소를 제기하여 이 사건 처분의 적법 여부를 다투고 있는 이상 그 사정만으로는 이 사건 처분을 취소해야 할 정도의 절차상 하자가 있다고 보기 어렵다(대판 2016. 10. 27, 2016두41811).

❷ 불고지의 효과

1. 제출기관

(1) 행정청이 행정심판청구에 관한 사항을 고지하지 않거나 잘못 고지하여 청구인이 다른 행정기관에 심판청구서를 제출한 때에는 당해 행정기관은 심판청구서를 지체 없이 정당한 권한 있는 피청구인에게 보내고, 그 사실을 청구인에게 알려야 한다(동법 제23조 제2 · 3항).

(2) 행정심판법 제27조에 따른 심판청구기간을 계산할 때에는 제23조 제1항에 따른 피청구인이나 위원회 또는 제2항에 따른 행정기관에 심판청구서가 제출되었을 때에 행정심판이 청구된 것으로 본다(동법 제23조 제4항).

2. 청구기간

(1) 심판청구기간을 고지하지 아니한 때에는 심판청구기간은 처분이 있었던 날로부터 180일로 된다. 이 경우 청구인이 실제로 처분이 있었음을 알았는지 여부와 심판청구기간에 관해 알았는지 여부는 묻지 아니하고 처분이 있었던 날로부터 180일이 적용된다.

(2) 판례는 개별법률에서 정한 심판청구기간이 행정심판법이 정한 심판청구기간보다 짧은 경우라도 행정청이 그 개별법률상 심판청구기간을 알려주지 아니하였다면 행정심판법이 정한 심판청구기간 내에 심판청구가 가능하다고 본다(대판 1990. 7. 10, 89누6839). **04**

❸ 오고지의 효과

1. 제출기관

행정청이 잘못 고지하여 청구인이 심판청구서를 다른 행정기관에 제출한 때에는, 불고지의 경우와 같이 그 심판청구서를 접수한 행정기관은 그 심판청구서를 지체 없이 정당한 권한 있는 피청구인에 송

기출 체크

□□□□□ **01** 행정청이 처분을 하면서 당사자에게 그 처분에 관하여 행정심판 및 행정소송을 제기할 수 있는지 여부, 그 밖에 불복을 할 수 있는지 여부, 청구절차 및 청구기간, 그 밖에 필요한 사항을 고지하지 않았다면 그 처분은 위법하다. (○, ×) ★★★ 2023 지방직 · 서울시 7급

□□□□□ **02** 행정청이 행정처분을 하면서 상대방에게 불복절차에 관한 고지의무를 이행하지 않았다면 이는 절차적 하자로서 그 행정처분은 위법하게 된다. (○, ×) ★★★ 2022 지방직 · 서울시 9급

□□□□□ **03** <보기>에서 행정심판법상의 고지제도에 관한 설명으로 옳은 것을 모두 고르면? (다툼이 있는 경우 판례에 따름) ★★★ 2011 국회직 8급

> ㉠ 직권에 의한 고지와 신청에 의한 고지가 있다.
> ㉡ 고지는 불복제기의 가능성 여부 및 불복청구의 요건 등 불복청구에 필요한 사항을 알려주는 권력적 사실행위로서 처분성이 인정된다.
> ㉢ 직권에 의하여 고지하는 경우 처분의 상대방에 대해서만 고지하면 된다.
> ㉣ 불고지나 오고지는 처분 자체의 효력에 직접 영향을 미치지 않는다.
> ㉤ 신청에 의하여 고지하는 경우 해당 처분이 행정심판의 대상이 되는 처분인지에 대하여 고지하여야 한다.

① ㉠, ㉢
② ㉠, ㉢, ㉤
③ ㉠, ㉣, ㉤
④ ㉠, ㉢, ㉣, ㉤
⑤ ㉠, ㉡, ㉢, ㉣, ㉤

□□□□□ **04** 개별법률에서 정한 심판청구기간이 행정심판법이 정한 심판청구기간보다 짧은 경우, 행정청이 행정처분을 하면서 그 개별법률상 심판청구기간을 고지하지 아니하였다면 그 개별법률에서 정한 심판청구기간 내에 한하여 심판청구가 가능하다. (○, ×) 2015 서울시 9급

정답 01 × 02 × 03 ④ 04 ×

기출 체크

□□□□□ 01 행정청이 심판청구기간을 잘못 알린 경우, 잘못 알린 기간 내에 심판청구가 있으면 적법한 행정심판 제기로 본다. (○, ×) ★★★ 2010 서울시 9급

정답 01 ○

부하고 그 사실을 청구인에게 알려야 한다.

2. 청구기간

(1) 법률에 규정된 고지기간보다 길게 고지한 경우에는 그 고지된 청구기간 내에 심판청구가 있으면, 법정의 청구기간이 경과된 때에도 적법한 기간 내에 심판청구가 있은 것으로 본다.01

(2) 한편, 법정기간보다도 짧게 고지한 경우에는 명문의 규정이 없으나, 짧게 고지한 것은 법적인 효과를 가질 수는 없으며, 법정기간 내에 제기하면 족하다는 것이 일반적 견해이다.

관련판례

1. 민원사항에 대한 행정기관의 장의 거부처분에 불복하여 「민원사무처리에 관한 법률」(현 「민원처리에 관한 법률」) 제18조 제1항에 따라 이의신청을 한 경우, 이의신청에 대한 결과를 통지받은 날부터 취소소송의 제소기간이 기산되는 것은 아니다.★
2. 이의신청 절차는 헌법 제27조에서 정한 재판청구권을 침해하는 것은 아니다.
3. 「민원사무처리에 관한 법률」 제18조 제1항에서 정한 '거부처분에 대한 이의신청'을 받아들이지 않는 취지의 기각 결정 또는 그 취지의 통지는 항고소송의 대상이 되는 것이 아니다(대판 2012. 11. 15, 2010두8676).★

❹ 행정심판전치의 불요

행정소송법은 처분을 행한 행정청이 행정심판을 거칠 필요가 없다고 잘못 알린 때에는 행정심판을 제기할 필요 없이 행정소송을 제기할 수 있다고 규정하고 있다(행정소송법 제18조 제3항 제4호).

제 4 절 행정심판의 특별절차

❶ 전자정보처리조직을 통한 행정심판절차의 수행

1. 전자정보처리조직을 통한 심판청구

행정심판절차를 밟는 자는 심판청구서와 그 밖의 서류를 전자문서화하고 이를 정보통신망을 이용하여 행정심판위원회에서 지정 · 운영하는 전자정보처리조직을 통하여 제출할 수 있다. 이 경우 부본을 제출할 의무는 면제된다. 제출된 전자문서는 그 문서를 제출한 사람이 정보통신망을 통하여 전자정보처리조직에서 제공하는 접수번호를 확인하였을 때에 접수된 것으로 보며, 접수가 되었을 때 행정심판이 청구된 것으로 본다(동법 제52조).

2. 전자정보처리조직을 이용한 송달

피청구인 또는 행정심판위원회는, 청구인이나 참가인이 동의하면 행정심판을 청구하거나 심판참가를 한 자에게 전자정보처리조직과 그와 연계된 정보통신망을 이용하여 재결서나 행정심판법에 따른 각종 서류를 송달할 수 있다.01 행정심판위원회는 송달하여야 하는 재결서 등 서류를 전자정보처리조직에 입력하여 등재한 다음 그 등재사실을 전자우편 등으로 알려야 한다. 서류의 송달은 청구인이 등재된 전자문서를 확인한 때에 전자정보처리조직에 기록된 내용으로 도달한 것으로 본다. 다만, 등재사실을 통지한 날부터 2주 이내(재결서 외의 서류는 7일 이내)에 확인하지 아니하였을 때에는 등재사실을 통지한 날부터 2주가 지난 날(재결서 외의 서류는 7일이 지난 날)에 도달한 것으로 본다(동법 제54조).

> 기출 체크
>
> □□□□□ **01** 피청구인 또는 행정심판위원회는 전자정보처리조직을 통하여 행정심판을 청구하거나 심판참가를 한 자가 동의한 경우에 전자정보처리조직과 그와 연계된 정보통신망을 이용하여 재결서나 행정심판법에 따른 각종 서류를 청구인 또는 참가인에게 송달할 수 있다. (○, ×)
>
> 2023 지방직 · 서울시 7급

❷ 행정심판에 대한 특별절차

일반적 심판절차로서의 행정심판법상의 행정심판에 대하여 개별법에서 특례규정을 두고 있는 경우가 있다. 현재 행정심판법에 대한 특례를 인정하고 있는 법률은 60여 개에 달하고 있는바, 이를 형식적 관점에서 분류하면 대체로 다음과 같다.

1. 특별행정심판절차

행정심판법에 의한 행정심판절차에 버금가는 특별한 규정을 두고 있는 절차를 말하는바, 이에 해당하는 것으로는 **공무원인사소청**(국가공무원법 제76조, 지방공무원법 제67조, 교육공무원법 제53조 등), **조세심판**(국세기본법 제7장, 관세법 제5장 제2절), **심사청구**(감사원법 제3장), **특허심판**(특허법 제7~9장, 상표법 제7~8장 등) 등이 있다.

2. 약식절차(이의신청)

행정심판법에 의한 행정심판절차보다 약식의 절차를 규정하고 있는 것을 말하는바, 이에 해당하는 것으로는 **토지거래불허가처분에 대한 이의신청**(「부동산 거래신고 등에 관한 법률」 제13조), **지방자치단체의 사용료 등의 부과처분에 대한 이의신청**(지방자치법 제157조) 등이 있다.

[유튜브] 34강 필수 개념 TEST
- QR코드를 스캔해 주세요.
- 필수 개념과 출제 포인트를 풀어 보세요.
- 틀린 문제는 기본서로 확인해 주세요.

정답 01 ○

제 35 강 행정소송 개관, 당사자소송 및 객관적 소송

행정소송의 개관

행정소송의 한계

권력분립에 따른 한계

• 행정소송법상 규정되지 않은 소송 인정 여부

의무이행소송	판례(인정 ×)
예방적 부작위소송	판례(인정 ×)
작위의무확인소송	판례(인정 ×)

종 류

주관적 소송

항고소송	공행정주체가 우월한 지위에서 갖는 공권력의 행사 · 불행사와 관련된 분쟁의 해결을 위한 소송 • 법정항고소송 –취소소송 –무효등확인소송 : 무효, 유효, 실효, 존재, 부존재 –부작위위법확인소송 • 무명항고소송 : 의무이행소송, 예방적 부작위소송, 작위의무확인소송(우리 판례는 부정함)
당사자소송	대등한 당사자 간에 다투어지는 공법상의 법률관계를 소송대상으로 함. • 처분 등을 원인으로 하는 법률관계에 관한 소송 • 그 밖에 공법상의 법률관계에 관한 소송

객관적 소송

민중소송	공직선거법상의 선거 · 당선소송, 국민투표법상의 국민투표에 관한 소송, 주민투표법상의 주민투표에 관한 소송, 지방자치법상 주민소송
기관소송	지방자치단체장이 지방의회를 상대로 소송을 제기하는 경우 등

주관적 소송

당사자소송

개 념

처분 등을 원인으로 하는 법률관계, 그 밖에 공법상의 법률관계에 관한 소송으로 대등 당사자 간에, 그 법률관계의 한쪽 당사자를 피고로 하는 소송

구 별

• 당사자소송과 항고소송의 구별

당사자소송	항고소송
–금전급부에 관한 소송에서의 구별	
권리의 존부 또는 범위가 법령에 의하여 바로 확정 • 광주민주화운동 관련 보상금 지급 • 공무원의 연가보상비청구권(행정청이 공무원에게 연가보상비를 지급하지 아니한 행위는 항고소송의 대상이 되는 처분으로 볼 수 없음) • 공무원연금관리공단이 연금지급결정 후 공무원연금법령의 개정에 따라 퇴직연금 중 일부 금액에 대하여 지급거부의 의사표시를 한 경우 • 명예퇴직한 법관이 미지급 명예퇴직수당액의 지급을 구하는 경우	권리의 존부 또는 범위가 행정청의 결정에 의하여 비로소 확정 • '민주화운동 관련자 명예회복 및 보상심의위원회'의 보상금 지급대상자 결정에 따른 보상금 지급결정 • 공무원연금관리공단의 급여결정 • 구 군인연금법령상 급여지급결정
–「도시 및 주거환경정비법」상 조합 관련 소송	
관리처분계획안에 대한 주택재건축정비사업조합 조합총회결의의 효력을 다투는 소송(당사자소송)	총회결의 후 관리처분계획에 대한 행정청의 인가 · 고시가 있은 후에 하는 관리처분계획에 대한 소송(항고소송)

• 당사자소송과 민사소송의 구별

당사자소송	민사소송
–금전급부소송	
• 지방소방공무원이 소속 지방자치단체를 상대로 초과근무수당의 지급을 구하는 소송 • 석탄가격안정지원금청구소송 • 석탄산업법에 따른 재해위로금지급청구권 • 공립유치원의 임용기간을 정한 전임강사로 임용되어 사실상 유치원 교사의 자격이 있는 자가 수령지체된 보수의 지급을 구하는 소송 • 구 토지보상법에 따른 주거용 건축물 세입자의 주거이전비 보상청구소송 • 납세의무자의 부가가치세 환급세액 지급청구 • 사업주가 당연가입자가 되는 고용보험 및 산재보험에서 보험료 납부의무 부존재확인의 소 • 산업기술혁신촉진법상 산업기술개발사업에 관하여 체결된 협약에 따라 집행된 사업비 정산금 반환채무의 존부에 대한 분쟁	• 부당이득반환청구소송 • 이미 존재와 범위가 확정된 과오납부액의 환급청구 • 환매권의 존부에 관한 확인을 구하는 소송 및 환매금액의 증감을 구하는 소송
–공법상 신분 또는 지위 등의 확인소송	
• 공무원의 지위확인소송 • 재개발조합을 상대로 조합원자격 유무 확인을 구하는 소송 • 한국전력공사가 TV방송수신료를 징수할 권한이 있는지 여부를 다투는 소송 • 지방자치단체가 보조금 지급결정을 하면서 일정 기한 내에 보조금을 반환하도록 하는 교부조건을 부가한 경우, 보조금을 교부받은 사업자에 대한 지방자치단체의 보조금반환청구 • 국토계획법상 사업시행자의 일시사용에 대하여 정당한 사유 없이 동의를 거부하는 경우, 토지의 소유자 등을 상대로 동의의 의사표시를 구하는 소송	구 「도시 및 주거환경정비법」상 재개발조합과 조합장 또는 조합임원 사이의 선임 · 해임 등을 둘러싼 법률관계에서 그 **조합장 또는 조합임원의 지위를 다투는 소송**
–**공법상 계약에 관한 소송** : 당사자소송(판례)	

종 류

실질적 당사자소송	공법상의 법률관계에 관한 일반적인 당사자소송
형식적 당사자소송	• 소송내용은 처분 또는 재결의 효력을 다투지만, 행정청이 아닌 권리주체인 당사자를 피고로 하는 소송형식을 취함. • 일반적 인정 여부 : 개별법률에 명문의 규정이 있는 경우에 한해 허용 • 실정법상 근거규정 : 토지보상법 등

당사자 및 관계인

- **원고적격 및 소의 이익**
  - 취소소송의 원고적격 및 소의 이익에 관한 규정이 준용되지 않고 일반 민사소송에 관한 규정이 준용됨.
  - 위탁운영기간 만료일까지 공립어린이집의 원장 지위에 있음의 확인을 구하는 행정소송을 제기한 후 소송계속 중 공립어린이집 위탁운영기간이 만료된 경우 당해 소송은 소의 이익이 인정되지 않음(판례).
- **피고적격**
  - 국가, 공공단체, 그 밖의 권리주체를 피고로 함.
  - 당사자소송의 피고는 권리주체를 피고로 하는 점에서 처분청을 피고로 하는 항고소송과 다름. 사인(私人)을 피고로 하는 당사자소송도 가능함(판례).
  - 소송의 대표
    - ‣ 국가를 당사자로 하는 경우 – 법무부장관
    - ‣ 지방자치단체를 당사자로 하는 경우 – 지방자치단체장

토지관할

피고 소재지 관할 행정법원(취소소송의 규정 준용). 다만, 국가나 공공단체가 피고인 때에는 당해 소송과 구체적인 관계가 있는 관계행정청의 소재지를 피고의 소재지로 봄.

제소기간 및 심판전치

- **제소기간** : 취소소송의 제소기간의 규정이 적용되지 않음.
  - 당사자소송에 관하여 개별법령에서 제소기간이 정해져 있는 때, 그 기간은 '불변기간'임(행정소송법에는 당사자소송의 제기기간에 관한 제한 없음).
- **행정심판전치** : 취소소송의 행정심판전치에 관한 규정이 적용되지 않음.

소의 변경

당사자소송을 항고소송으로 변경(사실심변론종결시까지 원고의 신청에 의해 결정) 가능(행정소송법 제21조 준용)

관련청구의 이송, 병합 등

- 당사자소송과 이와 관련된 소송이 각각 다른 법원에 계속되어 있는 경우, 법원은 당사자의 '신청' 또는 '직권'에 의하여, 이를 당사자소송이 계속되어 있는 법원으로 이송할 수 있음.
  - 본래의 당사자소송이 부적법한 경우 병합된 관련청구소송도 부적법하여 각하됨.
- 심리절차에 관한 행정심판기록제출명령, 변론주의, 직권증거조사규정, 구술심리주의 등은 당사자소송에 준용됨.

판 결

- 사정판결 제도 없음.

가집행

- 재산권의 청구를 인용판결하는 경우 가능(판례)
- "국가를 상대로 하는 당사자소송의 경우에는 가집행선고를 할 수 없다."라고 규정한 행정소송법 제43조는 피고가 국가인 경우에만 가집행선고를 제한하는 것은 피고가 공공단체인 경우에 비해 이유 없는 차별을 하는 것으로 평등원칙 위반으로 위헌(판례)

가처분

행정소송법상 집행정지에 관한 규정 준용 ×(민사집행법상 가처분에 관한 규정 준용)

취소소송의 규정 준용 여부

- 피고적격(법 제13조) ×
- 취소소송의 대상(법 제19조) ×
- 집행부정지원칙(법 제23조) ×
- 행정심판전치주의(법 제18조) ×
- 제소기간제한(법 제20조) ×
- 사정판결(법 제28조) ×

항고소송

- 취소소송
- 무효등확인소송
- 부작위위법확인소송

당사자소송과 항고소송 비교

구 분	당사자소송	항고소송
소의 대상	• 처분 등을 원인으로 하는 법률관계 • 공법상의 법률관계	행정청의 처분 등과 부작위
종 류	• 실질적 당사자소송 • 형식적 당사자소송	• 취소소송 • 무효등확인소송 • 부작위위법확인소송
원고적격	행정소송법에 규정 없음(민사소송에 관한 규정 준용됨).	법률상 이익이 있는 자
피고적격	국가·공공단체, 그 밖의 권리주체	처분청 등
제소기간	원칙적으로 제소기간의 제한 없음(특별히 정하고 있는 경우 제외).	처분 등이 있음을 안 날로부터 90일, 처분 등이 있은 날로부터 1년 이내

객관적 소송(법정주의)

민중소송

- 국가 또는 공공단체의 기관이 법률위반시 직접 자기의 법률상 이익과 관계없이 그 시정을 구하기 위한 소송
- 개별법에서 특별히 인정한 경우에 허용

(예) 공직선거법상의 선거·당선소송, 국민투표법상의 국민투표에 관한 소송, 주민투표법상의 주민투표에 관한 소송, 지방자치법상 주민소송 등

기관소송

- 국가 또는 공공단체 기관 상호 간 권한의 존부, 그 행사에 대한 다툼시 제기하는 소송(단, 헌법재판소의 관장사항은 제외)
- 개별법에서 특별히 인정한 경우에 허용

(예) 지방자치단체장과 지방의회 간 권한 다툼에 관한 소송 등

민중소송 및 기관소송 적용법규

- **일반적** : 개별법률
- **개별법에 특별한 규정이 없는 경우**
  - 처분 등의 취소를 구하는 소송에는 그 성질에 반하지 않는 한 취소소송에 관한 규정 준용
  - 처분 등의 효력 유무 또는 존재 여부나 부작위의 위법확인을 구하는 소송에는 그 성질에 반하지 않는 한 각각 무효등확인소송 또는 부작위위법확인소송에 관한 규정 준용
  - 위의 내용에 해당하지 않는 소송에는 그 성질에 반하지 않는 한 당사자소송에 관한 규정 준용

제 1 절 행정소송의 개관

초대 Topic 33 핵심집약 Topic 65

기출 체크

□□□□□ 01 단순한 사실관계의 존부 등의 문제는 행정소송의 대상이 되지 아니한다. (○, ×) 2009 지방직 9급

□□□□□ 02 국가보훈처장 등이 발행한 책자 등에서 독립운동가 등의 활동상을 잘못 기술하였다는 등의 이유로 그 사실관계의 확인을 구하거나, 국가보훈처장의 서훈추천서의 행사·불행사가 당연무효 또는 위법임의 확인을 구하는 것은 항고소송의 대상이 될 수 없다. (○, ×) 2024 국회직 8급

● 사법의 본질에 따른 한계
- 원칙적으로 법규범통제는 구체적 규범통제 방식을 취하고 있다.
- 조례가 직접 국민의 구체적인 권리·의무나 법적 이익에 영향을 미치는 등의 법률상 효과를 발생하는 경우 항고소송의 대상이 된다.
- 서훈추천권의 행사와 같은 비권력적 사실행위는 항고소송의 대상이 되지 않는다.
- 재량행위에 대해 소송이 제기된 경우 법원은 곧바로 각하할 것이 아니다.

ⓐ 개괄주의·열기주의
열기주의라 함은 법에서 나열하여 기재한 사항에 대해서만 행정소송의 대상으로 인정하는 주의를 말한다. 이에 대해 개괄주의라 함은 열기주의에 대한 상대 개념으로서 예외적인 사항을 제외하고는 권리·의무와 관계되는 일체의 사항에 대해 소송을 제기할 수 있도록 하는 주의를 말한다. 개괄주의가 국민의 권익구제 측면에서 더욱 유리하다.

ⓑ 일반적 견해는 사법(司法)을 '법률상 쟁송(구체적인 권리·의무관계에 관한 분쟁) 내지 구체적인 법적 분쟁이 발생한 경우에 당사자의 소송의 제기에 의해 독립적 지위를 가진 법원이 법을 적용하여 당해 법적 분쟁을 해결하는 작용'을 말한다고 본다.

정답 01 ○ 02 ○

01 | 행정소송의 한계

행정소송법은 개괄주의ⓐ를 채택하고 있으므로 일체의 공법상 분쟁이 소송대상이 될 수 있다. 그러나 개괄주의라 하더라도 법원이 모든 사건을 무제한 심사할 수 있는 것은 아니다. 왜냐하면 행정소송도 법원이 하는 사법작용이므로 사법본질에 따른 한계가 있고, 또한 권력분립원칙에 따라 법원의 재판작용도 일정한 한계가 있을 수밖에 없기 때문이다. 이하에서 그 한계를 검토해 본다.

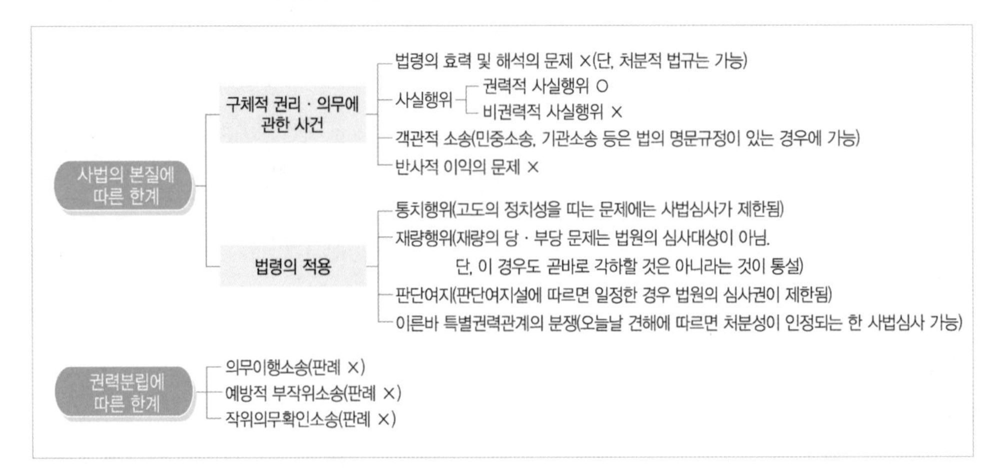

❶ 사법(司法)의 본질에 따른 한계

행정소송도 민·형사소송처럼 사법(司法)작용인 이상 법률상의 쟁송이 있는 경우에만 가능하며 단순한 사실관계의 존부 등의 문제는 행정소송의 대상이 되지 아니한다.01 이때 법률상의 쟁송이란 당사자 사이의 구체적 권리·의무, 즉 법률관계에 관한 분쟁에 대해 법을 적용함에 있어 생기는 문제에 관한 분쟁을 의미한다.ⓑ

관련판례

국가보훈처장(현 국가보훈부장관) 등이 발행한 책자에서 독립운동가 등의 활동상을 잘못 기술하였다는 등의 이유로 사실관계의 확인을 구하거나 국가보훈처장의 서훈추천권의 행사, 불행사의 당연무효 또는 부작위위법 확인을 구하는 청구는 사실관계에 관한 것이므로 항고소송의 대상이 되지 않는다(대판 1990. 11. 23, 90누3553).02

❷ 권력분립에 따른 한계

법률상 쟁송이라 하더라도 사법(司法)작용은 법원의 작용이라는 점에서 행정청의 권한과 입법부의 권한의 관계에서 일정한 한계가 인정될 수밖에 없다. 이와 관련하여 행정소송법(이하 '동법'이라 한다)

제4조❶에 규정된 항고소송 외의 다른 항고소송, 즉 비법정항고소송(소송법에 규정되어 있지 않다는 의미) 또는 무명항고소송(소송법에 이름이 없다는 의미)이 인정될 수 있는지가 논의된다(동법 제4조).

1. 의무이행소송

(1) 의무이행소송이란 사인이 일정한 행정행위를 청구한 경우에 행정청이 처분을 하여야 할 의무가 있음에도 불구하고 거부 또는 부작위로 방치한 경우 행정청에 대하여 일정한 행정행위를 해 줄 것을 청구하는 행정소송을 말한다.

(2) 독일 행정법에는 의무이행소송이 명문으로 규정되어 있으나, 우리 행정소송법에는 명문규정이 없어**01** 이의 인정 여부가 논의되는데 판례는 의무이행소송을 인정하지 않고 있다.**02**

관련판례

1. **검사에게 이행을 명하는 의무이행소송은 인정되지 않는다.★★★**
   피고에게 압수물 환부를 이행하라는 청구에 관하여는 현행 행정소송법상 행정청의 부작위에 대하여 일정한 처분을 하도록 하는 의무이행소송은 허용되지 아니한다(대판 1995. 3. 10, 94누14018).

2. **행정소송법상 이행판결을 구하는 소송이나 행정청이 한 것과 같은 효과가 있는 처분을 직접 행하도록 하는 형성판결을 구하는 소송은 허용되지 않는다.03 ★★★**
   현행 행정소송법상 행정청으로 하여금 일정한 행정처분을 하도록 명하는 이행판결을 구하는 소송이나 법원으로 하여금 행정청이 일정한 행정처분을 행한 것과 같은 효과가 있는 행정처분을 직접 행하도록 하는 형성판결을 구하는 소송은 허용되지 아니하므로 …… (대판 1997. 9. 30, 97누3200)

기출 체크

□□□□□ **01** 행정심판법에서는 의무이행심판제도를 두고 있지만, 행정소송법에서는 의무이행소송제도를 두고 있지 않다. (○, ×) 2021 국회직 8급

□□□□□ **02** 판례는 행정소송법상 행정청의 부작위에 대하여 부작위위법확인소송과 작위의무이행소송을 인정하고 있다. (○, ×) ★★★ 2021 소방직 9급

□□□□□ **03** 대법원 판례는 의무이행소송이나 적극적 형성판결을 구하는 행정소송을 인정하지 아니한다. (○, ×) ★★★ 2009 관세사

□□□□□ **04** 예방적 부작위소송(은 현행 행정소송법이 규정하고 있다) (○, ×) ★★★ 2024 소방간부

□□□□□ **05** 행정소송법상 행정청이 일정한 처분을 하지 못하도록 그 부작위를 구하는 청구는 허용되지 않는 부적법한 소송이다. (○, ×) ★★★ 2015 지방직 9급

□□□□□ **06** 신축건물의 준공처분을 하여서는 아니 된다는 내용의 부작위를 청구하는 행정소송은 예외적으로 허용된다. (○, ×) ★★★ 2018 교육행정직 9급

2. 예방적 부작위소송(예방적 금지소송, 금지청구소송)

(1) 의 의

행정청의 처분으로 장래에 개인의 법률상 이익이 침해될 경우에 대비하여 사전에 행정청이 일정한 처분을 하지 못하도록 그 부작위를 청구하는 소송을 말한다.

(2) 인정 여부

예방적 부작위소송에 대해서도 의무이행소송과 동일한 학설대립이 있으나, 판례는 의무이행소송과 동일하게 예방적 부작위소송도 인정하지 않고 있다.**04 05**

관련판례

1. **신축건물의 준공처분을 하여서는 아니 된다는 내용의 부작위를 구하는 청구는 허용되지 않는다**(대판 1987. 3. 24, 86누182).**06 ★★★**

2. **보건복지부고시를 적용하여 요양급여비용을 결정하여서는 아니 된다는 판결을 구하는 소송은 허용되지 않는다**(대판 2006. 5. 25, 2003두11988).★★★

❶ 행정소송법 제4조【항고소송】항고소송은 다음과 같이 구분한다.
1. 취소소송 : 행정청의 위법한 처분 등을 취소 또는 변경하는 소송
2. 무효등확인소송 : 행정청의 처분 등의 효력 유무 또는 존재 여부를 확인하는 소송
3. 부작위위법확인소송 : 행정청의 부작위가 위법하다는 것을 확인하는 소송

3. 작위의무확인소송

행정청에 대해 일정한 작위의무가 있음을 확인해 줄 것을 법원에 청구하는 소송을 의미하는바, 판례는 이러한 소송형태를 인정하지 않고 있다.

관련판례

국가보훈처장(현 국가보훈부장관) 등에게 독립운동가들에 대한 서훈추천을 다시 해야 할 의무가 있음의 확인을 구하는 청구는 작위의무확인소송으로서 인정되지 아니한다(대판 1990. 11. 23, 90누3553).

정답 01 ○ 02 × 03 ○ 04 × 05 ○ 06 ×

02 | 행정소송의 종류

1. 행정소송은 그 내용에 따라 개인의 권리구제를 주된 목적으로 하는 주관적 소송과 적법성 통제가 주된 목적인 객관적 소송으로 나눌 수 있다. 주관적 소송은 다시 항고소송과 당사자소송01으로, 객관적 소송은 민중소송과 기관소송으로 구분할 수 있다.02

> **행정소송법 제3조【행정소송의 종류】** 행정소송은 다음의 네 가지로 구분한다.
> 1. **항고소송** : 행정청의 처분 등이나 부작위에 대하여 제기하는 소송03
> 2. **당사자소송** : 행정청의 처분 등을 원인으로 하는 법률관계에 관한 소송, 그 밖에 공법상의 법률관계에 관한 소송으로서 그 법률관계의 한쪽 당사자를 피고로 하는 소송
> 3. **민중소송** : 국가 또는 공공단체의 기관이 법률에 위반되는 행위를 한 때에 직접 자기의 법률상 이익과 관계없이 그 시정을 구하기 위하여 제기하는 소송04
> 4. **기관소송** : 국가 또는 공공단체의 기관 상호 간에 있어서의 권한의 존부 또는 그 행사에 관한 다툼이 있을 때에 이에 대하여 제기하는 소송. 다만, 헌법재판소법 제2조의 규정에 의하여 헌법재판소의 관장사항으로 되는 소송은 제외한다.

2. 행정소송법은 제3조에서 행정소송을 항고소송, 당사자소송, 민중소송, 기관소송으로 구분하고,05 06 07 제4조에서 항고소송을 취소소송, 무효등확인소송, 부작위위법확인소송으로 구분하고 있다.08 09 10

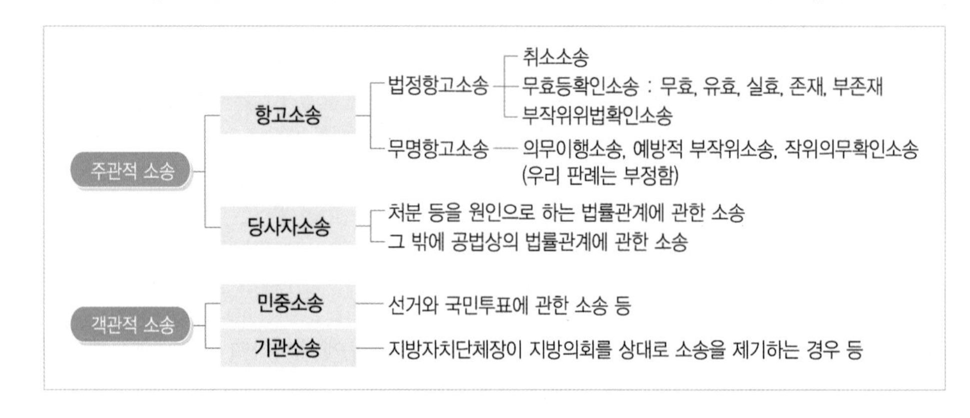

기출 체크

□□□□□ 01 (당사자소송은) 개인의 권익구제를 주된 목적으로 하는 주관적 소송이다. (○, ×) ★★★ 2013 지방직 9급

□□□□□ 02 주관적 소송에 속하지 않는 것은? ★★★ 2013 서울시 9급
① 취소소송
② 부작위위법확인소송
③ 당사자소송
④ 기관소송
⑤ 무효등확인소송

□□□□□ 03 항고소송이란 행정청의 처분 등이나 부작위에 대하여 제기하는 소송이다. (○, ×) ★★★ 2017 경행경채

□□□□□ 04 국가 또는 공공단체의 기관이 법률에 위반되는 행위를 한 때에 직접 자기의 법률상 이익과 관계없이 그 시정을 구하기 위하여 제기하는 소송을 기관소송이라 한다. (○, ×) ★★★ 2021 소방직 9급

□□□□□ 05 기관소송(은 행정소송법에서 규정하고 있는 항고소송이다) (○, ×) ★★★ 2020 지방직 · 서울시 9급

□□□□□ 06 행정소송법상 소송유형에 포함되지 않는 것은? ★★★ 2013 지방직 9급
① 민중소송 ② 기관소송
③ 예방적 금지소송 ④ 항고소송

□□□□□ 07 행정소송법 제3조에서는 행정소송을 취소소송, 당사자소송, 민중소송, 기관소송으로 구분한다. (○, ×) ★★★ 2012 지방직 9급

□□□□□ 08 행정소송법상 항고소송은 취소소송 · 무효등확인소송 · 부작위위법확인소송 · 당사자소송으로 구분한다. (○, ×) ★★★ 2021 소방직 9급

□□□□□ 09 무효등확인소송, 부작위위법확인소송, 취소소송(은 모두 행정소송법에서 규정하고 있는 항고소송이다) (○, ×) ★★★ 2020 지방직 · 서울시 9급

□□□□□ 10 행정소송법에서 규정하고 있는 항고소송은? ★★★ 2014 국가직 9급
① 기관소송
② 당사자소송
③ 예방적 금지소송
④ 부작위위법확인소송

정답 01 ○ 02 ④ 03 ○ 04 × 05 ×
06 ③ 07 × 08 × 09 ○ 10 ④

제 2 절 주관적 소송

초대 Topic 33 핵심집약 Topic 65

01 | 항고소송[a]

항고소송은 행정소송법 제4조에서 취소소송, 무효등확인소송, 부작위위법확인소송으로 정하고 있으며 그 중심에는 취소소송을 두고 있다. 제36강부터 후술한다.

02 | 당사자소송

❶ 당사자소송의 의의

1. 당사자소송의 개념과 대상

(1) 개 념

당사자소송이란 공법상의 법률관계(공권과 공의무)에 관하여 의문이나 다툼이 있는 경우에 그 법률관계의 당사자가 원고 또는 피고의 입장에서 그 법률관계에 관하여 다투는 소송을 말한다.

(2) 행정소송법 규정

행정소송법은 당사자소송을 행정청의 처분 등을 원인으로 하는 법률관계에 관한 소송, 그 밖에 공법상의 법률관계에 관한 소송으로서 그 법률관계의 한쪽 당사자를 피고로 하는 소송으로 규정하고 있다(동법 제3조 제2호).01

(3) 대 상

① '행정청의 처분 등을 원인으로 하는 법률관계'라 함은 행정청의 처분 등에 의하여 발생 · 변경 · 소멸된 공법상의 법률관계를 말한다. 예컨대, 조세채권존재확인의 소, 공무원의 지위확인을 구하는 소송은 당사자소송으로 제기하여야 한다.

관련판례

국가 등 과세주체가 당해 확정된 조세채권의 소멸시효중단을 위하여 납세의무자를 상대로 제기한 조세채권존재확인의 소의 법적 성질은 공법상 당사자소송이다(대판 2020. 3. 2, 2017두41771).

② '그 밖의 공법상의 법률관계'라 함은 처분 등을 원인으로 하지 않는 공법이 규율하는 법률관계를 말한다. 예컨대, 광주민주화운동 관련 보상금지급청구권은 공권이고, 동 보상금지급청구소송은 당사자소송으로 제기하여야 한다.

2. 항고소송과 당사자소송의 구별

(1) 행위의 성질에 따른 구분

항고소송은 공행정주체가 우월한 지위에서 갖는 공권력의 행사 · 불행사와 관련된 분쟁의 해결을 위한 소송인 데 반해, 당사자소송은 대등한 당사자 간에 다투어지는 공법상의 법률관계를 소송의 대상으로 한다는 점에서 양자는 구별된다.02

기출 체크

□□□□□ 01 당사자소송이란 행정청의 처분 등을 원인으로 하는 법률관계에 관한 소송, 그 밖에 공법상의 법률관계에 관한 소송으로서 그 법률관계의 한쪽 당사자를 피고로 하는 소송을 의미한다. (○, ×) ★★★ 2023 지방직 · 서울시 9급

□□□□□ 02 (당사자소송은) 대등 당사자 간에 다투어지는 공법상의 법률관계를 소송의 대상으로 한다. (○, ×) ★★★ 2013 지방직 9급

[a] 원래 항고란 법원이 하는 민사 · 형사의 재판 중에서 판결을 제외한 결정 · 명령 등에 대한 불복신청방법을 말한다. 행정소송법상의 항고소송이라는 개념도 민사소송법 및 형사소송법상의 개념을 빌려온 것으로, 행정청의 공권력행사에 대한 불복소송이라고 할 수 있다. 즉, 행정소송법에서 항고소송은 행정청의 처분 또는 재결의 효력을 사후에 심사하여 위법한 처분의 공정력 및 집행력을 소급하여 소멸시키는 것을 주된 목적으로 하는 소송을 의미한다. 또한 처분의 부작위와 같은 공권력의 불행사도 넓은 의미에서 결정과 유사하므로 부작위를 다투는 소송도 항고소송에 해당한다.

정답 01 ○ 02 ○

기출 체크

□□□□□ 01 시립합창단원의 위촉(은 공법관계에 해당한다) (○, ×) ★★★ 2019 소방직 9급

□□□□□ 02 전문직 공무원인 공중보건의사의 채용계약해지의 의사표시 무효확인(은 행정소송법상 당사자소송의 대상이다) (○, ×) ★★★ 2024 소방간부

□□□□□ 03 다음 중 판례상 당사자소송이 아닌 것은? 2006 국회직 8급

① 석탄가격안정지원금의 지급을 구하는 소송
② 공무원연금법령 개정으로 퇴직연금 중 일부 금액의 지급이 정지되어서 미지급된 퇴직연금의 지급을 구하는 소송
③ 진료기관의 의료보호비용청구에 대한 지급거부를 다투는 소송
④ 광주민주화운동 관련 보상금 지급과 관련한 소송
⑤ 구 도시재개발법에 의한 재개발조합에 대하여 조합원 자격을 구하는 소송

□□□□□ 04 「광주민주화운동 관련자 보상 등에 관한 법률」에 의거한 손실보상청구소송(은 판례에 따를 때 당사자소송에 해당한다) (○, ×) ★★★ 2015 서울시 9급

□□□□□ 05 「민주화운동 관련자 명예회복 및 보상 등에 관한 법률」에 의한 보상금지급신청의 기각결정(은 행정소송법상 당사자소송의 대상이다) (○, ×) ★★★ 2024 소방간부

□□□□□ 06 행정청이 공무원에게 국가공무원법령상 연가보상비를 지급하지 아니한 행위는 공무원의 연가보상비청구권을 제한하는 행위로서 항고소송의 대상이 되는 처분이다. (○, ×) ★ 2019 지방직 7급

관련판례

1. **시립합창단원의 재위촉 거부에 대해서는 공법상 당사자소송을 제기하여야 한다.01 ★★★**
광주광역시문화예술회관장의 단원 위촉은 광주광역시문화예술회관장이 행정청으로서 공권력을 행사하여 행하는 행정처분이 아니라 공법상 근무관계의 설정을 목적으로 하여 광주광역시와 단원이 되고자 하는 자 사이에 대등한 지위에서 의사가 합치되어 성립하는 공법상 근로계약에 해당한다고 보아야 할 것이므로, 광주광역시립합창단원으로서 위촉기간이 만료되는 자들의 재위촉 신청에 대하여 광주광역시문화예술회관장이 실기와 근무성적에 대한 평정을 실시하여 재위촉을 하지 아니한 것을 항고소송의 대상이 되는 불합격처분이라고 할 수는 없다(대판 2001. 12. 11, 2001두7794).

2. **지방전문직 공무원(공중보건의사)채용계약의 해지에 대해서는 당사자소송을 제기하여야 한다.02 ★★★**
지방전문직 공무원채용계약해지의 의사표시에 대하여는 대등한 당사자 간의 소송형식인 공법상 당사자소송으로 그 의사표시의 무효확인을 청구할 수 있다(대판 1993. 9. 14, 92누4611).

3. **읍 · 면장에 의한 이장의 임명 및 면직은 행정처분이 아니라 공법상 계약 및 그 계약을 해지하는 의사표시이다**(대판 2012. 10. 25, 2010두18963).

(2) 금전급부에 관한 소송

① 문제의 소재

공법관계에서 금전지급신청이 거부된 경우 항고소송으로 다투어야 하는지 당사자소송(판례에 따르면 민사소송이 되는 경우도 있음. 후술)으로 다투어야 하는지 문제가 된다.

② 구별기준

이 경우 권리의 존부 또는 범위가 **법령에 의하여 바로 확정되는지 행정청의 결정에 의하여 비로소 확정되는지**를 기준으로 하여,㉠ 전자의 경우 **당사자소송**을 제기하여야 하며, **후자**의 경우 행정청의 결정에 대해 **항고소송**을 제기하여야 한다. 다만, 행정청이 급여신청에 대해 인용결정을 하고서도 지급을 하지 않은 경우에는 직접 당사자소송을 제기할 수 있다.

관련판례

1. **광주민주화운동 관련 보상금지급에 관한 권리는 보상심의위원회의 결정에 의해 비로소 성립하는 것이 아니라 법에 의해 구체적 권리가 발생한 것이므로 당사자소송을 제기하여야 한다.04 ★★★**
「광주민주화운동 관련자 보상 등에 관한 법률」에 의거하여 관련자 및 유족들이 갖게 되는 보상 등에 관한 권리는 …… 법률이 특별히 인정하고 있는 공법상의 권리라고 하여야 할 것이므로 그에 관한 소송은 행정소송법 제3조 제2호 소정의 당사자소송에 의하여야 할 것이며 보상금 등의 지급에 관한 법률관계의 주체는 대한민국이다(대판 1992. 12. 24, 92누3335).

비교판례

'민주화운동 관련자 명예회복 및 보상심의위원회'의 보상금 등의 지급대상자에 관한 결정은 행정처분이며 「민주화운동 관련자 명예회복 및 보상 등에 관한 법률」에 따른 보상금 지급 신청을 기각하는 결정에 대한 불복을 구하는 소송은 취소소송이다.05 ★★★
「민주화운동 관련자 명예회복 및 보상 등에 관한 법률」 제2조 제1호, 제2호 본문, 제4조, 제10조, 제11조, 제13조 규정들의 취지와 내용에 비추어 보면, 같은 법 제2조 제2호 각 목은 민주화운동과 관련한 피해유형을 추상적으로 규정한 것에 불과하여 제2조 제1호에서 정의하고 있는 민주화운동의 내용을 함께 고려하더라도 그 규정들만으로는 바로 법상의 보상금 등의 지급대상자가 확정된다고 볼 수 없고, '민주화운동 관련자 명예회복 및 보상심의위원회'에서 심의 · 결정을 받아야만 비로소 보상금 등의 지급대상자로 확정될 수 있다. 따라서 그와 같은 심의위원회의 결정은 국민의 권리 · 의무에 직접 영향을 미치는 행정처분에 해당하므로 …… (대판 2008. 4. 17, 2005두16185 전합)

2. **연가보상비를 지급하지 아니한 행위는 항고소송의 대상이 되는 행정처분이 아니다.06 ★**
국가공무원법 제67조, 구 공무원복무규정 제15조, 제16조 제5항, 제17조 등의 각 규정에 비추어 보면, 공

판례 | ㉠ 구 의료보호법상 진료기관의 보호비용청구에 대해 보호기관이 심사결과 진료비지급을 거절한 경우 구체적인 진료비지급청구권은 보호기관의 심사결정에 의해 비로소 발생하는 것이므로 진료기관은 항고소송을 제기하여야 한다(대판 1999. 11. 26, 97다42250).03

정답 01 ○ 02 ○ 03 ③(①은 p.756, ②는 p.755, ⑤는 p.757 참조) 04 ○ 05 × 06 ×

무원의 연가보상비청구권은 공무원이 연가를 실시하지 아니하는 등 법령상 정해진 요건이 충족되면 그 자체만으로 지급기준일 또는 보수지급기관의 장이 정한 지급일에 구체적으로 발생하고 행정청의 지급결정에 의하여 비로소 발생하는 것은 아니라고 할 것이므로, 행정청이 공무원에게 연가보상비를 지급하지 아니한 행위로 인하여 공무원의 연가보상비청구권 등 법률상 지위에 아무런 영향을 미친다고 할 수는 없으므로 행정청의 연가보상비 부지급행위는 항고소송의 대상이 되는 처분이라고 볼 수 없다(대판 1999. 7. 23, 97누10857).

3-1. **공무원연금관리공단이 공무원연금법령의 개정사실과 퇴직연금 수급자가 퇴직연금 중 일부 금액의 지급정지대상자가 되었다는 사실을 통보한 경우, 위 통보는 항고소송의 대상이 되는 처분이 아니다.01 ★★★**

3-2. **공무원연금관리공단이 퇴직연금 중 일부 금액에 대하여 지급거부의 의사표시를 한 경우, 그 의사표시가 항고소송의 대상이 되는 행정처분이 아니며 이 경우 미지급 퇴직연금의 지급을 구하는 소송은 공법상 당사자소송이다.02 03 ★★★**

구 공무원연금법 소정의 퇴직연금 등의 급여는 급여를 받을 권리를 가진 자가 당해 공무원이 소속하였던 기관장의 확인을 얻어 신청하는 바에 따라 공무원연금관리공단이 그 지급결정을 함으로써 그 구체적인 권리가 발생하는 것이므로, 공무원연금관리공단의 급여에 관한 결정은 국민의 권리에 직접 영향을 미치는 것이어서 행정처분에 해당할 것이지만, 공무원연금관리공단의 인정에 의하여 퇴직연금을 지급받아 오던 중 구 공무원연금법령의 개정 등으로 퇴직연금 중 일부 금액의 지급이 정지된 경우에는 당연히 개정된 법령에 따라 퇴직연금이 확정되는 것이지 같은 법 제26조 제1항에 정해진 공무원연금관리공단의 퇴직연금 결정과 통지에 의하여 비로소 그 금액이 확정되는 것이 아니므로, …… (대판 2004. 7. 8, 2004두244)

비교판례

공무원연금법령상 급여를 받으려고 하는 자는 우선 관계법령에 따라 공무원연금공단에 급여지급을 신청하여 공무원연금공단이 이를 거부하거나 일부 금액만 인정하는 급여지급결정을 하는 경우 그 결정을 대상으로 항고소송을 제기하는 등으로 구체적 권리를 인정받아야 하고,**04** 구체적인 권리가 발생하지 않은 상태에서 곧바로 공무원연금공단을 상대로 한 당사자소송으로 권리의 확인이나 급여의 지급을 소구하는 것은 허용되지 아니한다.**05** 이러한 법리는 구체적인 급여를 받을 권리의 확인을 구하기 위하여 소를 제기하는 경우뿐만 아니라, 구체적인 급여수급권의 전제가 되는 지위의 확인을 구하는 경우에도 마찬가지로 적용된다(대판 2017. 2. 9, 2014두43264).★★★

4. **구 공무원연금법상의 퇴직급여는 공무원연금관리공단의 지급결정으로 구체적 권리가 발생하는 것이므로 공무원연금관리공단의 급여결정은 행정처분으로서 이에 대해서는 항고소송을 제기하여야 한다**(대판 1996. 12. 6, 96누6417).★★★

5. **공무원연금관리공단이 연금지급결정 후 공무원연금법령의 개정에 따라 퇴직연금 중 일부 금액에 대하여 지급거부의 의사표시를 한 경우, 그 의사표시는 항고소송의 대상이 되는 행정처분이 아니다**(대판 2004. 12. 24, 2003두15195).★★★

6. **퇴직연금결정 후의 퇴직연금청구소송은 당사자소송이나 구 군인연금법에 의한 퇴역연금 등의 급여를 받을 권리는 국방부장관의 인정으로 인해 비로소 구체적 권리가 발생하는 것이므로 국방부장관이 인정청구를 거부한 경우 항고소송을 제기하여야 한다**(대판 2003. 9. 5, 2002두3522).**06**

7. 구 군인연금법령상 급여를 받으려고 하는 사람은 우선 관계법령에 따라 국방부장관 등에게 급여지급을 청구하여 국방부장관 등이 이를 거부하거나 일부금액만 인정하는 급여지급결정을 하는 경우 그 결정을 대상으로 항고소송을 제기하는 등으로 구체적 권리를 인정받은 다음 비로소 당사자소송으로 그 급여의 지급을 구해야 한다. 이러한 구체적인 권리가 발생하지 않은 상태에서 곧바로 국가를 상대로 한 당사자소송으로 급여의 지급을 소구하는 것은 허용되지 않는다(대판 2021. 12. 16, 2019두45944).

8-1. **법관이 이미 수령한 명예퇴직수당액이 구 「법관 및 법원공무원 명예퇴직수당 등 지급규칙」 제4조 [별표 1]에서 정한 정당한 수당액에 미치지 못한다고 주장하며 차액의 지급을 신청한 것에 대하여 법원행정처장이 거부하는 의사를 표시한 경우, 위 의사표시를 행정처분으로 볼 수 없다.07 ★★★**

8-2. **명예퇴직한 법관이 미지급 명예퇴직수당액의 지급을 구하는 경우, 소송형태는 당사자소송이다**(대판 2016. 5. 24, 2013두14863).**08 ★★★**

기출 체크

□□□□□ **01** 구 공무원연금법상 공무원연금관리공단이 퇴직연금수급자에게 공무원연금법령이 개정되어 퇴직연금 중 일부 금액의 지급정지대상자가 되었다는 사실을 통보하는 행위는 항고소송의 대상이 되지 않는다. (○, ×) ★★★
2020 국가직 7급

□□□□□ **02** 미지급 퇴직연금에 대한 지급(은 행정소송법상 당사자소송의 대상이다) (○, ×) ★★★ 2024 소방간부

□□□□□ **03** 공무원연금공단의 인정에 의해 퇴직연금을 지급받아 오던 중 공무원연금법령 개정 등으로 퇴직연금 중 일부 금액에 대해 지급이 정지된 경우, 미지급퇴직연금에 대한 지급청구권은 공법상 권리로서 그의 지급을 구하는 소송은 항고소송이다. (○, ×) ★★★
2021 지방직 · 서울시 7급

□□□□□ **04** 공무원연금법령상 급여를 받으려고 하는 자는 우선 급여지급을 신청하여 공무원연금공단이 이를 거부하거나 일부 금액만 인정하는 급여지급결정을 하는 경우 그 결정을 대상으로 항고소송을 제기하는 등으로 구체적 권리를 인정받아야 한다. (○, ×) ★★★
2019 지방직 7급

□□□□□ **05** 공무원연금법령상 급여를 받으려고 하는 자는 구체적 권리가 발생하지 않은 상태에서 곧바로 공무원연금공단을 상대로 한 당사자소송을 제기할 수 없다. (○, ×) ★★★ 2018 서울시 2회 7급

□□□□□ **06** 군인연금법령상 급여를 받으려고 하는 사람이 국방부장관에게 급여지급을 청구하였으나 거부된 경우, 곧바로 국가를 상대로 한 당사자소송으로 급여의 지급을 청구할 수 있다. (○, ×)
2022 국가직 9급

□□□□□ **07** 법관이 이미 수령한 명예퇴직수당액이 구 「법관 및 법원공무원 명예퇴직수당 등 지급규칙」에서 정한 정당한 명예퇴직수당액에 미치지 못한다고 주장하며 차액의 지급을 신청한 것에 대하여 법원행정처장이 행한 거부의 의사표시는 행정처분에 해당한다. (○, ×) ★★★
2019 지방직 7급

□□□□□ **08** 명예퇴직한 법관이 미지급 명예퇴직수당액에 대하여 가지는 권리는 명예퇴직수당 지급대상자 결정 절차를 거쳐 명예퇴직수당규칙에 의하여 확정된 공법상 법률관계에 관한 권리로서, 그 지급을 구하는 소송은 당사자소송에 해당하며, 그 법률관계의 당사자인 국가를 상대로 제기하여야 한다. (○, ×) ★★★
2023 지방직 · 서울시 9급

정답 01 ○ 02 ○ 03 × 04 ○ 05 ○ 06 × 07 × 08 ○

3. 민사소송과 당사자소송의 구별

(1) 금전급부소송

① 일반론

당사자소송과 민사소송은 모두 대등한 당사자 간에 이루어진다는 점에서 유사하나, 당사자소송은 공법상의 법률관계를 대상으로 하는 반면 민사소송은 사법상의 법률관계를 대상으로 한다는 점에서 구분된다.

② 판례의 태도

판례는 국가배상청구소송, 공법상 부당이득반환청구소송 등 금전급부청구소송은 민사소송으로 보는 경향이 있으나, 최근 금전급부가 사회보장적 급부의 성격을 띠고 있는 경우에는 당사자소송의 대상이 되는 것으로 보는 판례가 늘고 있다. 한편 손실보상금청구소송과 관련하여서는 논의가 있으나, 이에 대해서는 앞서 살펴본 바와 같다.

관련판례

1-1. 지방소방공무원의 보수에 관한 법률관계는 공법상 법률관계에 해당한다.

1-2. 지방소방공무원이 소속 지방자치단체를 상대로 초과근무수당의 지급을 구하는 소송을 제기하는 경우, 행정소송법상 당사자소송의 절차에 따라야 한다.**01** ★★★

지방자치단체와 그 소속 경력직 공무원인 지방소방공무원 사이의 관계, 즉 지방소방공무원의 근무관계는 사법상의 근로계약관계가 아닌 공법상의 근무관계에 해당하고, 그 근무관계의 주요한 내용 중 하나인 지방소방공무원의 보수에 관한 법률관계는 공법상의 법률관계라고 보아야 한다. 나아가 지방공무원법 제44조 제4항, 제45조 제1항 …… 등을 종합하여 보면, 지방소방공무원의 초과근무수당 지급청구권은 법령의 규정에 의하여 직접 그 존부나 범위가 정하여지고 법령에 규정된 수당의 지급요건에 해당하는 경우에는 곧바로 발생한다고 할 것이므로, 지방소방공무원이 자신이 소속된 지방자치단체를 상대로 초과근무수당의 지급을 구하는 청구에 관한 소송은 행정소송법 제3조 제2호에 규정된 당사자소송의 절차에 따라야 한다(대판 2013. 3. 28, 2012다102629).

2. 석탄가격안정지원금청구소송은 공법상 당사자소송이다.**02** ★★★

석탄가격안정지원금은 석탄의 수요 감소와 열악한 사업환경 등으로 점차 경영이 어려워지고 있는 석탄광업의 안정 및 육성을 위하여 국가정책적 차원에서 지급하는 지원비의 성격을 갖는 것이고, …… (대판 1997. 5. 30, 95다28960)

3. 석탄산업법에 따른 재해위로금지급청구권은 공법상 권리로서 당사자소송을 제기해야 한다.**03** ★★

석탄산업법 제39조의3 제1항 제4호, 제4항 및 같은 법 시행령 제41조 제4항 제5호의 각 규정에 의하여 폐광대책비의 일종으로 폐광된 광산에서 업무상 재해를 입은 근로자에게 지급하는 재해위로금에 대한 지급청구권은 공법상의 권리로서 그 지급을 구하는 소송은 공법상의 법률관계에 관한 소송인 공법상 당사자소송에 해당한다(대판 1999. 1. 26, 98두12598).

4. 교육부장관(당시 문교부장관)의 권한을 재위임받은 공립교육기관의 장에 의하여 공립유치원의 임용기간을 정한 전임강사로 임용되어 지방자치단체로부터 보수를 지급받으면서 공무원복무규정을 적용받고 사실상 유치원 교사의 업무를 담당하여 온 유치원 교사의 자격이 있는 자에 대한 해임처분의 시정 및 수령지체된 보수의 지급을 구하는 소송은 행정소송의 대상이다(대판 1991. 5. 10, 90다10766).**04** ★★

5-1. 주거이전비는 당해 공익사업 시행지구 안에 거주하는 세입자들의 조기이주를 장려하여 사업추진을 원활하게 하려는 정책적인 목적과 주거이전으로 인하여 특별한 어려움을 겪게 될 세입자들을 대상으로 하는 사회보장적인 차원에서 지급되는 금원의 성격을 가지므로, 적법하게 시행된 공익사업으로 인하여 이주하게 된 주거용 건축물 세입자의 주거이전비 보상청구권은 공법상의 권리이고, 따라서 그 보상을 둘러싼 쟁송은 민사소송이 아니라 공법상의 법률관계를 대상으로 하는 행정소송에 의하여야 한다.**05**

5-2. 구 「공익사업을 위한 토지 등의 취득 및 보상에 관한 법률」에 따른 주거용 건축물 세입자의 주거이전비 보상청구소송은 당사자소송에 의하여야 한다(대판 2008. 5. 29, 2007다8129).**06** ★★★

6. 납세의무자의 부가가치세 환급세액 지급청구는 당사자소송의 절차에 따라야 한다.ⓐ ★★★

기출 체크

□□□□□ **01** 2020년 4월 1일부터 시행되는 전부개정 소방공무원법 이전의 경우, 지방소방공무원의 보수에 관한 법률관계는 사법상의 법률관계이므로 지방소방공무원이 소속 지방자치단체를 상대로 초과근무수당의 지급을 구하는 소송은 행정소송상 당사자소송이 아닌 민사소송절차에 따라야 했다. (○, ×) ★★★
2021 소방직 9급

□□□□□ **02** 석탄산업법령 및 '석탄가격안정지원금 지급요령'에 의한 석탄가격안정지원금의 지급(은 행정소송법상 당사자소송의 대상이다) (○, ×) ★★★
2024 소방간부

□□□□□ **03** 석탄산업법과 관련하여 피재근로자는 석탄산업합리화 사업단이 한 재해위로금 지급거부의 의사표시에 불복이 있는 경우 공법상의 당사자소송을 제기하여야 한다. (○, ×) ★★
2020 지방직 · 서울시 7급

□□□□□ **04** 공립유치원 전임강사에 대한 해임처분의 시정 및 수령지체된 보수의 지급을 구하는 소송(은 판례가 민사소송의 대상이라고 판단하고 있다) (○, ×) ★★
2018 서울시 9급

□□□□□ **05** 「공익사업을 위한 토지 등의 취득 및 보상에 관한 법률」상 적법하게 시행된 공익사업으로 인하여 이주하게 된 주거용 건축물 세입자의 주거이전비 보상청구권은 공법상의 권리이고, 따라서 그 보상을 둘러싼 쟁송은 민사소송이 아니라 공법상의 법률관계를 대상으로 하는 행정소송에 의하여야 한다. (○, ×)
2024 지방직 · 서울시 9급

□□□□□ **06** 「공익사업을 위한 토지 등의 취득 및 보상에 관한 법률」상 주거용 건축물 세입자의 주거이전비 보상청구권은 그 요건을 충족하는 경우에 당연히 발생하는 것이므로 주거이전비 보상청구소송은 행정소송법상 당사자소송에 의하여야 한다. (○, ×) ★★★ 2024 소방간부

ⓐ 이 판례는 공법상 부당이득반환청구를 민사소송으로 본 종전의 판례를 변경한 것이 아니다. 즉, 부가가치세 환급세액의 반환청구는 부당이득반환청구가 아니라고 하면서 당사자소송을 제기하여야 한다고 본 판결이다.

정답 01 × 02 ○ 03 ○ 04 × 05 ○ 06 ○

부가가치세법령의 내용, 형식 및 입법취지 등에 비추어 보면, 납세의무자에 대한 국가의 부가가치세 환급세액 지급의무는 그 납세의무자로부터 어느 과세기간에 과다하게 거래징수된 세액 상당을 국가가 실제로 납부받았는지와 관계없이 부가가치세법령의 규정에 의하여 직접 발생하는 것으로서, 그 법적 성질은 정의와 공평의 관념에서 수익자와 손실자 사이의 재산상태 조정을 위해 인정되는 부당이득 반환의무가 아니라 부가가치세법령에 의하여 그 존부나 범위가 구체적으로 확정되고 조세 정책적 관점에서 특별히 인정되는 공법상 의무라고 봄이 타당하다.01 그렇다면 납세의무자에 대한 국가의 부가가치세 환급세액 지급의무에 대응하는 국가에 대한 납세의무자의 부가가치세 환급세액 지급청구는 민사소송이 아니라 행정소송법 제3조 제2호에 규정된 당사자소송의 절차에 따라야 한다(대판 2013. 3. 21, 2011다95564 전합).02

비교판례

1. 국세환급금에 관한 국세기본법 및 구 국세기본법 제51조 제1항은 이미 부당이득으로서 존재와 범위가 확정되어 있는 과오납부액이 있는 때에는 국가가 납세자의 환급신청을 기다리지 않고 즉시 반환하는 것이 정의와 공평에 합당하다는 법리를 선언하고 있는 것이므로, 이미 존재와 범위가 확정되어 있는 과오납부액은 납세자가 부당이득의 반환을 구하는 민사소송으로 환급을 청구할 수 있다(대판 2015. 8. 27, 2013다212639).03 ★★★
2. **부당이득반환청구소송은 민사소송으로 제기하여야 한다**(p.91, 144 참조).★★★
   조세부과처분이 당연무효임을 전제로 하여 이미 납부한 세금의 반환을 청구하는 것은 민사상의 부당이득반환청구로서 민사소송절차에 따라야 한다(대판 1995. 4. 28, 94다55019).04

7. 구 「공익사업을 위한 토지 등의 취득 및 보상에 관한 법률」 제91조에 규정된 환매권은 상대방에 대한 의사표시를 요하는 형성권의 일종으로서 재판상이든 재판 외이든 위 규정에 따른 기간 내에 행사하면 매매의 효력이 생기는바, 이러한 환매권의 존부에 관한 확인을 구하는 소송 및 구 토지보상법 제91조 제4항에 따라 환매금액의 증감을 구하는 소송 역시 민사소송에 해당한다(대판 2013. 2. 28, 2010두22368).05 06 ★★

8. 고용산재보험료징수법 제4조, 제16조의2, 제17조, 제19조, 제23조의 각 규정에 의하면, 사업주가 당연가입자가 되는 고용보험 및 산재보험에서 보험료 납부의무 부존재확인의 소는 공법상의 법률관계 그 자체를 다투는 소송으로서 공법상 당사자소송이라 할 것이다(대판 2016. 10. 13, 2016다221658).07

9. **산업기술혁신촉진법상 산업기술개발사업에 관하여 체결된 협약에 따라 집행된 사업비 정산금 반환채무의 존부에 대한 분쟁은 공법상 당사자소송의 대상이다.**
   甲주식회사 등으로 구성된 컨소시엄과 한국에너지기술평가원은 산업기술혁신촉진법 제11조 제4항에 따라 산업기술개발사업에 관한 협약을 체결하고, 위 협약에 따라 정부출연금이 지급되었는데, 한국에너지기술평가원이 甲회사가 외부인력에 대한 인건비를 위 협약에 위반하여 집행하였다며 甲회사에 정산금 납부통보를 하자, 甲회사는 한국에너지기술평가원 등을 상대로 정산금 반환채무가 존재하지 아니한다는 확인을 구하는 소를 민사소송으로 제기한 사안에서, 위 협약은 공법상 계약에 해당하고 그에 따른 계약상 정산의무의 존부 · 범위에 관한 甲회사와 한국에너지기술평가원의 분쟁은 공법상 당사자소송의 대상이다(대판 2023. 6. 29, 2021다250025).

(2) 공법상 신분 또는 지위 등의 확인소송

공법상 신분 또는 지위 등의 확인소송이 민사소송인지 당사자소송인지 문제가 되나, 판례는 공법상 당사자소송으로 보고 있다.

관련판례

1. **공무원의 지위확인소송은 공법상 당사자소송이다**(대판 1998. 10. 23, 98두12932).08 ★
2. **재개발조합을 상대로 조합원자격 유무에 관한 확인을 구하는 소송은 공법상 당사자소송이다.09** ★★★
   구 도시재개발법(1995. 12. 29, 법률 제5116호로 전문개정되기 전의 것)에 의한 재개발조합은 조합원에 대한 법률관계에서 적어도 특수한 존립목적을 부여받은 특수한 행정주체로서 국가의 감독하에 그 존

기출 체크

□□□□□ 01 납세의무자에 대한 국가의 부가가치세 환급세액 지급의무는 부가가치세법령에 의하여 그 존부나 범위가 구체적으로 확정되고 조세정책적 관점에서 특별히 인정되는 공법상 의무라고 봄이 타당하다. (○, ×) 2024 소방간부

□□□□□ 02 국가에 대한 납세의무자의 부가가치세 환급세액 지급청구는 당사자소송이 아니라 민사소송의 절차에 따라야 한다. (○, ×) ★★★ 2021 국가직 7급

□□□□□ 03 법령상 이미 존재와 범위가 확정되어 있는 조세과오납부액의 반환을 구하는 소송은 행정소송법상 당사자소송의 절차에 따라야 한다. (○, ×) ★★★ 2016 국가직 7급

□□□□□ 04 조세부과처분의 당연무효를 전제로 하여 이미 납부한 세금의 반환을 청구하는 것은 민사상 부당이득반환청구로서 당사자소송이 아니라 민사소송절차에 따른다. (○, ×) ★★★ 2021 국가직 7급

□□□□□ 05 사업시행자가 환매권의 존부에 관한 확인을 구하는 소송은 민사소송이다. (○, ×) ★★ 2018 서울시 2회 7급

□□□□□ 06 「공익사업을 위한 토지 등의 취득 및 보상에 관한 법률」상 환매권의 존부에 관한 확인 및 환매금액의 증감을 구하는 소송(은 행정소송으로 청구할 수 있다) (○, ×) ★★ 2017 국가직 7급

□□□□□ 07 사업주가 당연가입자가 되는 고용보험 및 산업재해보상보험에서 보험료 납부의무 부존재확인은 당사자소송으로 다투어야 한다. (○, ×) 2024 국가직 9급

□□□□□ 08 공무원이나 공립학교 학생의 신분확인을 구하는 공법상 신분 · 지위 확인소송(은 판례상 당사자소송이다) (○, ×) ★ 2014 국회직 8급

□□□□□ 09 재개발조합 조합원의 자격 인정 여부에 관한 다툼(은 당사자소송의 대상이다) (○, ×) ★★★ 2019 서울시 1회 7급

정답 01 ○ 02 × 03 × 04 ○ 05 ○ 06 × 07 ○ 08 ○ 09 ○

립목적인 특정한 공공사무를 행하고 있다고 볼 수 있는 범위 내에서는 공법상의 권리 · 의무관계에 서 있다. 따라서 조합을 상대로 한 쟁송에서 강제가입제를 특색으로 한 조합원의 자격 인정 여부에 관하여 다툼이 있는 경우에는 그 단계에서는 아직 조합의 어떠한 처분 등이 개입될 여지는 없으므로 공법상의 당사자소송에 의하여 그 조합원자격의 확인을 구할 수 있고 …… (대판 1996. 2. 15, 94다31235 전합)

비교판례

구 「도시 및 주거환경정비법」상 재개발조합과 조합장 또는 조합임원 사이의 선임 · 해임 등을 둘러싼 법률관계의 성질은 사법(私法)상의 법률관계이다(대결 2009. 9. 24, 2009마168 · 169). **01** ⓐ ★★★

3. 한국전력공사가 TV방송수신료를 징수할 권한이 있는지 여부를 다투는 소송은 당사자소송에 의하여야 한다(대판 2008. 7. 24, 2007다25261). **02** ★★
4. 지방자치단체가 보조금 지급결정을 하면서 일정 기한 내에 보조금을 반환하도록 하는 교부조건을 부가한 경우, 보조금을 교부받은 사업자에 대한 지방자치단체의 보조금반환청구는 행정소송법 제3조 제2호에 규정한 당사자소송의 대상이다(대판 2011. 6. 9, 2011다2951). **03** ★★
5. 「국토의 계획 및 이용에 관한 법률」 제130조 제3항에서 정한 토지의 소유자 · 점유자 또는 관리인(이하 '소유자 등'이라 한다)이 사업시행자의 일시사용에 대하여 정당한 사유 없이 동의를 거부하는 경우, 사업시행자는 해당 토지의 소유자 등을 상대로 동의의 의사표시를 구하는 소를 제기할 수 있다. 이와 같은 토지의 일시사용에 대한 동의의 의사표시를 할 의무는 「국토의 계획 및 이용에 관한 법률」에서 특별히 인정한 공법상의 의무이므로, 그 의무의 존부를 다투는 소송은 '공법상의 법률관계에 관한 소송으로서 그 법률관계의 한쪽 당사자를 피고로 하는 소송', 즉 행정소송법 제3조 제2호에서 규정한 당사자소송이라고 보아야 한다(대판 2019. 9. 9, 2016다262550). **04** ★★

(3) 공법상 계약에 관한 소송

공법상 계약의 무효확인을 구하는 소송이 민사소송인지 당사자소송인지 문제가 되나, 최근 판례는 당사자소송으로 보고 있다(p.405 참조). 한편, 판례는 지방계약직 공무원에 대해서도 관련법상의 징계에 관한 규정에 따라 징계처분을 할 수 있다고 본다.

관련판례

1. **지방계약직 공무원에 대하여 지방공무원법의 징계에 관한 규정에 따라 징계처분을 할 수 있다.**
   지방공무원법 제73조의3과 「지방공무원 징계 및 소청규정」 제13조 제4항에 의하여 지방계약직 공무원에게도 지방공무원법 제69조 제1항 각 호의 징계사유가 있는 때에는 징계처분을 할 수 있다(대판 2008. 6. 12, 2006두16328).
   ✚ 계약직 공무원에 대해서도 공무원법에 따른 징계사유가 있는 때에는 징계처분을 할 수 있으며, 이러한 징계처분은 항고소송의 대상이 되는 처분이라고 할 수 있다(p.830 참조).
2. **민간투자사업상 실시협약은 공법상 계약이다.**
   민간투자사업 실시협약을 체결한 당사자가 공법상 당사자소송에 의하여 그 실시협약에 따른 재정지원금의 지급을 구하는 경우에, 수소법원은 단순히 주무관청이 재정지원금액을 산정한 절차 등에 위법이 있는지 여부를 심사하는 데 그쳐서는 아니 되고, 실시협약에 따른 적정한 재정지원금액이 얼마인지를 구체적으로 심리 · 판단하여야 한다(대판 2019. 1. 31, 2017두46455). **05**

(4) 주택재건축정비사업조합 조합총회결의의 효력을 다투는 소송

판례는 주택재건축정비사업조합 조합총회결의의 효력을 다투는 소송은 당사자소송ⓑ이라고 하면서도, 다만 총회결의 후 관리처분계획에 대한 행정청의 인가 · 고시가 있은 후에는 관리처분계획에 대한 항고소송을 제기하여야 한다고 본다.

기출 체크

□□□□□ **01** 재개발조합은 공법인이므로 재개발조합과 조합장 사이의 선임 · 해임 등을 둘러싼 법률관계는 공법상 법률관계이고 그 조합장의 지위를 다투는 소송은 공법상 당사자소송이다. (○, ×) ★★★ 2019 서울시 2회 7급

□□□□□ **02** TV방송수신료 통합징수권한의 부존재확인은 당사자소송으로 다툴 수 있다. (○, ×) ★★ 2016 교육행정직 9급

□□□□□ **03** 지방자치단체가 보조금 지급결정을 하면서 일정 기한 내에 보조금을 반환하도록 교부조건을 부가한 경우, 보조사업자에 대한 지방자치단체의 보조금 반환청구는 당사자소송의 대상이 된다. (○, ×) ★★ 2021 국가직 7급

□□□□□ **04** 「국토의 계획 및 이용에 관한 법률」상 토지소유자 등이 도시 · 군계획시설 사업시행자의 토지의 일시사용에 대하여 정당한 사유 없이 동의를 거부한 경우, 사업시행자가 토지소유자를 상대로 동의의 의사표시를 구하는 소송은 당사자소송으로 보아야 한다. (○, ×) ★★ 2020 국가직 7급

□□□□□ **05** 민간투자사업 실시협약을 체결한 당사자가 공법상 당사자소송에 의하여 그 실시협약에 따른 재정지원금의 지급을 구하는 경우에, 수소법원은 주무관청이 재정지원금액을 산정한 절차 등에 위법이 있는지 여부를 심사할 수는 있지만 실시협약에 따른 적정한 재정지원금액이 얼마인지를 구체적으로 심리 · 판단할 수 없다. (○, ×) 2022 국가직 7급

ⓐ 판례는 재개발조합이 공법인이라도 그것만으로 재개발조합과 조합장 또는 조합임원 사이의 선임 · 해임 등을 둘러싼 법률관계는 관련 법률 해석상 공법상 법률관계로 볼 수 없으므로 이를 다투는 소송은 민사소송에 의하여야 한다고 판시한 바 있다. 본문의 2번 판례(대판 1996. 2. 15, 94다31235 전합)와 3번 판례(대결 2009. 9. 24, 2009마168 · 169)를 구별하기 바란다.

ⓑ 판례는 관리처분계획안에 대한 조합총회결의의 효력 등을 다투는 소송(조합총회결의무효확인소송)을 당사자소송으로 본다. 그 논거로는 ① 주택재건축정비조합이 행정주체이고, ② 관할행정청의 인가가 있으면 관리처분계획은 구속적 행정계획으로 처분이 되는바, 결국 총회결의는 처분에 이르는 과정이므로 공법관계로 보며, ③ 결의 자체가 처분은 아니라는 점을 들고 있다.

정답 01 × 02 ○ 03 ○ 04 ○ 05 ×

관련판례

1. 「도시 및 주거환경정비법」상의 주택재건축정비사업조합을 상대로 관리처분계획안에 대한 조합총회결의의 효력을 다투는 소송의 법적 성질은 행정소송법상 당사자소송이다.01 02 03 ★★★
2. 「도시 및 주거환경정비법」상의 주택재건축정비사업조합이 같은 법 제48조에 따라 수립한 관리처분계획에 대하여 관할행정청의 인가 · 고시가 있은 후에는 행정처분의 효력을 다투는 항고소송의 방법으로 관리처분계획의 취소 또는 무효확인을 구하여야 하고, 그 관리처분계획안에 대한 총회결의의 무효확인을 구할 수는 없다(대판 2009. 9. 17, 2007다2428 전합).04 05 ★★★

2 당사자소송의 종류

1. 실질적 당사자소송

실질적 당사자소송이란, 공법상의 법률관계에 관한 소송으로서 그 법률관계의 한쪽 당사자를 피고로 하는 소송을 말하며, 통상의 당사자소송이 이에 해당한다.

2. 형식적 당사자소송[a]

(1) 의 의

① 개 념

형식적 당사자소송이란 실질적으로는 행정청의 처분 등을 다투는 것이나 형식적으로는 처분을 대상으로 하지 않고 또한 처분청을 피고로 하지도 않고, 그 대신 처분 등으로 인해 형성된 법률관계를 다투기 위해 관련 법률관계의 일방 당사자를 피고로 하여 제기하는 당사자소송을 말한다.06

② 형식적 당사자소송의 예

토지수용위원회의 보상금의 결정에 대한 재결에 대해 불복이 있을 때 재결취소소송을 제기하지 않고 곧바로 사업시행자를 피고로 하여 보상금액의 증액을 청구하는 경우를 예로 들 수 있다.

③ 형식적 당사자소송의 특징

이러한 소송은 실질적으로 행정청의 처분 또는 재결의 효력에 대해서 다투는 것이지만, 소송형식은 행정청이 아닌 권리주체인 당사자를 피고로 하는 당사자소송의 형식을 취한다는 점에서 형식적 당사자소송이라고 한다. 형식적 당사자소송에서는 항고소송과 달리 법원이 다툼의 대상이 되는 법률관계의 내용을 스스로 결정한다.

(2) 형식적 당사자소송의 일반적 인정 여부

개별법률에서 별도의 명문규정을 두고 있는 경우에는 형식적 당사자소송이 인정될 수 있으나, 명문의 규정이 없는 경우에도 일반적으로 인정될 수 있는지에 대해 학설이 대립하고 있다.

① 긍정설

행정소송법에 특별한 제한규정을 두고 있지 않으므로 개별법의 근거 없이도 소송의 제기가 가능하다고 본다.

② 부정설

처분 등은 그대로 둔 채 처분의 결과로써 형성된 법률관계에 관해 소송을 제기하여 법원이 심리 · 판단한다는 것은 행정행위의 공정력(구성요건적 효력)에 반한다고 볼 여지가 있다는 점을 들어, 형식적 당사자소송의 일반적 인정을 부정하는 견해로서 다수설의 입장이다. 이 설에 따르면 형식적 당사자소송은 개별법에 명문의 규정이 있는 경우에만 허용된다.

기출 체크

□□□□□ 01 주택재건축정비사업조합을 상대로 관리처분계획안에 대한 조합총회결의의 효력을 다투는 소송은 사법상 법률관계에 관한 소송이다. (○, ×) ★★★ 2024 소방간부

□□□□□ 02 관리처분계획안의 인가 전 조합총회결의의 하자를 다투고자 하는 경우 조합총회결의의 무효확인을 구하는 당사자소송을 제기할 수 있다. (○, ×) ★★★ 2023 서울시 지적 7급

□□□□□ 03 관리처분계획 그 자체를 다투고자 하는 경우 관리처분계획에 대한 조합총회결의에 대해 민사소송을 제기할 수 있다. (○, ×) ★★★ 2023 서울시 지적 7급

□□□□□ 04 관리처분계획안의 인가 후 조합총회결의의 하자를 다투고자 하는 경우 관리처분계획을 대상으로 항고소송을 제기할 수 있다. (○, ×) ★★★ 2023 서울시 지적 7급

□□□□□ 05 「도시 및 주거환경정비법」 등 관련법령에 의한 조합설립인가처분이 있은 후에 조합설립결의의 하자를 이유로 그 결의 부분만을 따로 떼어내어 무효 등 확인의 소를 제기하는 것이 허용되지 않는다. (○, ×) ★★★ 2023 군무원 9급

□□□□□ 06 형식적 당사자소송이란 실질적으로 행정청의 처분 등을 다투는 것이나 형식적으로는 처분 등의 효력을 다투지도 않고, 또한 처분청을 피고로 하지도 않고, 그 대신 처분 등으로 인해 형성된 법률관계를 다투기 위해 관련 법률관계의 일방 당사자를 피고로 하여 제기하는 소송을 말한다. (○, ×) ★★ 2017 서울시 7급

[a] 형식적 당사자소송의 필요성
1. 인정취지
행정청을 배제하고 실질적인 이해관계자를 소송당사자로 함으로써 신속한 권리구제 및 소송절차의 최소화라는 취지에서 필요하다.
2. 만약 형식적 당사자소송을 인정하지 않는다면 토지수용위원회가 보상금액을 정한 재결에 대해서 토지소유자가 불복이 있는 경우에 행정청인 토지수용위원회를 상대로 재결취소소송을 제기한 후에 다시 사업시행자를 상대로 보상금증액청구소송을 제기해야 한다는 불편함이 있다.

정답 01 × 02 ○ 03 × 04 ○ 05 ○ 06 ○

기출 체크

□□□□□ 01 소송형태는 당사자소송의 형식을 취하지만 실질적으로는 처분 등의 효력을 다투는 항고소송의 성질을 가지는 소송은 현행법상 인정되지 아니한다. (○, ×) ★★ 2020 지방직 · 서울시 7급

□□□□□ 02 행정소송법은 당사자소송의 원고적격을 당사자소송을 제기할 법률상 이익이 있는 자로 규정하고 있다. (○, ×) ★ 2016 교육행정직 9급

□□□□□ 03 과거의 법률관계라 할지라도 현재의 권리 또는 법률상 지위에 영향을 미치고 있고 현재의 권리 또는 법률상 지위에 대한 위험이나 불안을 제거하기 위하여 그 법률관계에 관한 확인판결을 받는 것이 유효적절한 수단이라고 인정될 때에는 확인의 이익이 있다. (○, ×) 2023 서울시 지적 7급

□□□□□ 04 공법상 계약의 무효확인을 구하는 당사자소송의 청구는 당해 소송에서 추구하는 권리구제를 위한 다른 직접적인 구제방법이 있는 이상 소송요건을 구비하지 못한 위법한 청구이다. (○, ×) 2017 국가직 7급

● 형식적 당사자소송
- 형식적 당사자소송은 개별법률에 명문규정이 있는 경우에 허용된다는 것이 통설의 입장이다.
- 토지수용위원회의 보상금 결정에 관한 재결에 대해 토지소유자가 보상금 증액을 구하는 소송을 제기하는 경우 소송의 피고는 행정청인 토지수용위원회가 아니라 사업시행자이다.
- 특허법, 실용신안법, 「공익사업을 위한 토지 등의 취득 및 보상에 관한 법률」은 형식적 당사자소송에 관한 근거를 두고 있다.

ⓐ 당사자소송의 원고는 권리 · 의무의 주체가 된다.

정답 01 × 02 × 03 ○ 04 ○

(3) 실정법상의 근거규정01

① 특허법, 실용신안법

특허법 제191조는 보상금 등에 대한 불복의 소에 있어서는 행정청인 특허청장이 아니라 보상금을 지급할 관서 · 특허권자 등을 피고로 하여야 한다고 규정하여 형식적 당사자소송을 인정하고 있다. 실용신안법에서도 특허법의 규정을 준용하여 형식적 당사자소송을 인정하고 있다.

② 「공익사업을 위한 토지 등의 취득 및 보상에 관한 법률」

㉠ 토지보상법 제85조에서는 토지수용재결에 대한 행정소송이 보상금증감소송인 경우에 원고가 토지소유자 또는 관계인인 때에는 행정청인 토지수용위원회를 피고로 하지 아니하고 사업시행자를 피고로 하고 있다.

㉡ 또한 원고가 사업시행자인 때에는 토지소유자 또는 관계인을 각각 피고로 하여 소송을 제기하도록 함으로써 당해 소송이 형식적 당사자소송임을 규정하고 있다.

❸ 당사자 및 관계인

당사자소송의 당사자에는 국가 · 공공단체 · 사인이 있으며, 관계인으로는 소송참가인이 있다.

1. 원고적격 및 소의 이익

행정소송법에는 당사자소송의 원고적격에 관해 별도의 규정을 두고 있지 않다.02 다만, 당사자소송은 민사소송과 유사한 형태의 소송이므로, 당사자소송의 원고적격 및 소의 이익에는 취소소송의 원고적격 및 소의 이익에 관한 규정이 준용되지 아니하고 일반 민사소송에 관한 규정이 준용된다.ⓐ 한편, 판례는 당사자소송으로서 법률관계 확인청구소송(해지의사표시 무효확인을 구하는 소송)을 제기하는 경우 확인의 이익(즉시확정의 이익)이 요구된다고 한다(확인의 이익개념에 대해서는 p.913 참조).

관련판례

1-1. 과거의 법률관계라 할지라도 현재의 권리 또는 법률상 지위에 영향을 미치고 있고 현재의 권리 또는 법률상 지위에 대한 위험이나 불안을 제거하기 위하여 그 법률관계에 관한 확인판결을 받는 것이 유효적절한 수단이라고 인정될 때에는 그 법률관계의 확인소송은 즉시확정의 이익이 있다.03

1-2. 당사자소송으로서 법률관계 확인청구소송을 제기하는 경우 확인의 이익이 필요하다.

지방자치단체와 채용계약에 의하여 채용된 계약직 공무원이 그 계약기간 만료 이전에 채용계약해지 등의 불이익을 받은 후 그 계약기간이 만료된 때에는 그 채용계약해지의 의사표시가 무효라고 하더라도 …… 이 사건과 같이 이미 채용기간이 만료되어 소송결과에 의해 법률상 그 직위가 회복되지 않는 이상 채용계약해지의 의사표시의 무효확인만으로는 당해 소송에서 추구하는 권리구제의 기능이 있다고 할 수 없고, 침해된 급료지급청구권이나 사실상의 명예를 회복하는 수단은 바로 급료의 지급을 구하거나 명예훼손을 전제로 한 손해배상을 구하는 등의 이행청구소송으로 직접적인 권리구제방법이 있는 이상 무효확인소송은 적절한 권리구제수단이라 할 수 없어 확인소송의 또 다른 소송요건을 구비하지 못하고 있다 할 것이며, 위와 같이 직접적인 권리구제의 방법이 있는 이상 무효확인소송을 허용하지 않는다고 해서 당사자의 권리구제를 봉쇄하는 것도 아니다(대판 2008. 6. 12, 2006두16328).04

2. 원고가 위탁운영기간 만료일까지 공립어린이집의 원장 지위에 있음의 확인을 구하고 있는 사안에서, 공립어린이집 위탁운영기간이 만료된 경우라면 이 사건 소의 이익은 없다.

관할 지방자치단체로부터 위탁을 받아 공립어린이집을 운영하는 공립어린이집 원장이, 구 영유아보육법 제24조 제2항에 근거하여 그 정년을 만 60세로 정한 조례 규정에 따라 원장의 지위를 더 이상 유지할 수 없게 되자, 관할 지방자치단체를 상대로 하여 위탁운영기간이 만료하는 때까지 각 해당 공립어린이집 원장 지위에 있다는 확인을 구하는 행정소송을 제기한 후 소송계속 중 그 공립어린이집의 위탁운영기간까지 만료된 경우에는, 설령 원장 지위에 관한 원고들의 주장이 받아들여진다고 하여도 공립어린이집 원장으로서의 지위를 회복하는 것은 불가능하고, 특별한 사정이 없는 한 그에 관한 행정소송은 소의 이익이 없어 부적법하다(대판 2019. 2. 14, 2016두49501).

2. 피고적격

(1) 권리주체

당사자소송은 항고소송과 달리 행정청을 피고로 하지 않고 국가 · 공공단체, 그 밖의 권리주체를 피고로 한다.01 02 03 당사자소송의 피고는 권리주체를 피고로 하는 점에서 처분청을 피고로 하는 항고소송과 다르다. 사인(私人)을 피고로 하는 당사자소송도 가능하다(대판 2019. 9. 9, 2016다262550).

관련판례

1. 행정소송법 제39조는, "당사자소송은 국가 · 공공단체 그 밖의 권리주체를 피고로 한다."라고 규정하고 있다. 이것은 당사자소송의 경우 항고소송과 달리 '행정청'이 아닌 '권리주체'에게 피고적격이 있음을 규정하는 것일 뿐, 피고적격이 인정되는 권리주체를 행정주체로 한정한다는 취지가 아니므로, 이 규정을 들어 사인(私人)을 피고로 하는 당사자소송을 제기할 수 없다고 볼 것은 아니다(대판 2019. 9. 9, 2016다262550).
2. 납세의무부존재확인의 소는 공법상의 법률관계 그 자체를 다투는 소송으로서 당사자소송이라 할 것이므로04 그 법률관계의 한쪽 당사자인 국가 · 공공단체 그 밖의 권리주체가 피고적격을 가진다(대판 2000. 9. 8, 99두2765).05 ★★★

(2) 대 표

국가를 당사자로 하는 소송의 경우에는 「국가를 당사자로 하는 소송에 관한 법률」에 의거하여 법무부장관이 국가를 대표한다. 지방자치단체를 당사자로 하는 소송의 경우에는 지방자치단체장이 당해 지방자치단체를 대표한다.06

(3) 피고경정

당사자소송에도 피고경정에 관한 규정이 적용되므로 원고가 피고를 잘못 지정한 때에는 법원은 원고의 신청에 의해 결정으로써 피고의 경정을 허가할 수 있다.07

3. 소송참가 및 공동소송

취소소송의 규정이 준용되어 당사자소송에서도 제3자의 소송참가와 행정청의 소송참가가 인정되고 있다. 공동소송에 관한 규정도 당사자소송에 준용된다.

4 토지관할

당사자소송의 토지관할에 관해서는 취소소송의 규정이 준용된다. 따라서 피고의 소재지를 관할하는 행정법원이 관할법원이 된다. 다만, 행정소송법 제40조는 국가나 공공단체가 피고인 때에는 당해 소송과 구체적인 관계가 있는 '관계행정청의 소재지'를 피고의 소재지로 보아 그 행정청의 소재지를 관할하는 행정법원을 관할법원으로 보는 특칙을 두고 있다.08[a]

5 제소기간 및 심판전치

1. 제소기간

당사자소송에 관하여 법령(개별법을 의미)에 제소기간이 정하여져 있는 때에는 그 기간은 불변기간으로 한다(동법 제41조). 다만, 행정소송법에는 당사자소송의 제기기간에 관한 제한이 없으며 취소소송의 제소기간도 적용되지 않는다.09 따라서 당사자소송의 제기기간에는 원칙적으로 제한이 없고, 이 경우에는 공법상 권리가 시효 등에 의해 소멸되지 않는 한 당사자소송을 제기할 수 있다.

기출 체크

□□□□□ 01 취소소송은 다른 법률에 특별한 규정이 없는 한 그 처분 등을 행한 행정청을 피고로 하며, 당사자소송은 국가 · 공공단체 그 밖의 권리주체를 피고로 한다. (○, ×) ★★★ 2018 서울시 9급

□□□□□ 02 국가나 지방자치단체는 행정청과는 달리 당사자소송의 당사자가 될 수 있고 국가배상책임의 주체가 될 수 있다. (○, ×) ★★★ 2017 서울시 9급

□□□□□ 03 당사자소송의 피고는 원칙적으로 당해 처분을 행한 처분청이 된다. (○, ×) ★★★ 2015 교육행정직 9급

□□□□□ 04 납세의무부존재확인의 소는 공법상 법률관계 그 자체를 다투는 소송으로서 당사자소송이다. (○, ×) ★★★ 2019 지방직 · 교육행정직 9급

□□□□□ 05 공법상 당사자소송으로서 납세의무부존재확인의 소는 과세처분을 한 과세관청이 아니라 행정소송법 제3조 제2호, 제39조에 의하여 그 법률관계의 한쪽 당사자인 국가 · 공공단체, 그 밖의 권리주체가 피고적격을 가진다. (○, ×) ★★★ 2020 지방직 · 서울시 9급

□□□□□ 06 국가를 당사자 또는 참가인으로 하는 소송에서는 법무부장관이 국가를 대표하고, 지방자치단체를 당사자로 하는 소송에서는 지방자치단체의 장이 해당 지방자치단체를 대표한다. (○, ×) ★ 2017 서울시 7급

□□□□□ 07 당사자소송에서도 피고경정이 인정된다. (○, ×) 2009 세무사

□□□□□ 08 국가가 당사자소송의 피고인 경우에는 관계행정청의 소재지를 피고의 소재지로 본다. (○, ×) ★ 2018 교육행정직 9급

□□□□□ 09 당사자소송은 취소소송의 제소기간이 적용되지 않으나, 법령에 제소기간이 정해져 있는 경우에 그 기간은 불변기간이다. (○, ×) ★★ 2016 국회직 8급

[a] 여기에서 '관계행정청'이란 형식적 당사자소송의 경우에는 당해 법률관계의 원인이 되는 처분을 한 행정청(토지수용위원회 등)을 말하고, 실질적 당사자소송에서는 당해 공법상 법률관계에 대하여 직접적인 관계가 있는 행정청을 말한다.

정답 01 ○ 02 ○ 03 × 04 ○ 05 ○ 06 ○ 07 ○ 08 ○ 09 ○

기출 체크

□□□□□ 01 행정소송법상 당사자소송을 항고소송으로 변경하는 것은 허용되지 않는다. (○, ×) ★★ 2016 교육행정직 9급

□□□□□ 02 법원은 당사자소송을 취소소송으로 변경하는 것이 상당하다고 인정할 때에는 청구의 기초에 변경이 없는 한 사실심의 변론종결시까지 원고의 신청에 의하여 결정으로써 소의 변경을 허가할 수 있다. (○, ×) ★★ 2021 군무원 9급

□□□□□ 03 당사자소송이 부적법하여 각하되는 경우 그에 병합된 관련청구소송 역시 부적법 각하되어야 하는 것은 아니다. (○, ×) ★★ 2013 지방직 9급

□□□□□ 04 당사자소송은 행정소송법상 직권증거조사규정이 적용될 수 없다. (○, ×) 2012 지방직 7급

□□□□□ 05 당사자소송의 경우 법원은 필요하다고 인정할 때에는 직권으로 증거조사를 할 수 있으나, 당사자가 주장하지 아니한 사실에 대하여는 판단하여서는 안 된다. (○, ×) 2021 군무원 9급

□□□□□ 06 당사자소송에는 취소소송과 달리 사정판결의 제도가 없다. (○, ×) ★★★ '99 국가직 7급

□□□□□ 07 취소소송에는 대세효(제3자효)가 있으나 당사자소송에는 인정되지 않는다. (○, ×) 2017 교육행정직 9급

판례 | ⓣ 행정소송법 제44조, 제10조에 의한 관련청구소송 병합은 본래의 당사자소송이 적법할 것을 요건으로 하는 것이어서 본래의 당사자소송이 부적법하여 각하되면 그에 병합된 관련청구소송도 소송요건을 흠결하여 부적합하므로 각하되어야 한다(대판 2011. 9. 29, 2009두10963).

정답 01 × 02 ○ 03 × 04 × 05 × 06 ○ 07 ○

2. 행정심판전치

행정심판은 항고쟁송이므로 당사자소송의 경우에는 행정심판전치의 적용이 없다. 그러나 주위적 청구가 전심절차를 요하지 않는 당사자소송이라 하여도 병합 제기된 예비적 청구가 항고소송이라면 이에 대한 전심절차 등 제소의 적법요건을 갖추어야 한다(대판 1989. 10. 27, 89누39).

❻ 소의 변경 및 관련청구의 이송 · 병합 등

1. 소의 변경

소의 변경에 관한 행정소송법 제21조는 **당사자소송을 항고소송으로 변경하는 경우에도 준용된다.01** 따라서 **법원은 당사자소송을 취소소송으로 변경하는 것이 상당하다고 인정할 때에는, 청구의 기초에 변경이 없는 한 사실심변론종결시까지 원고의 신청에 의하여 결정으로써 소의 변경을 허가할 수 있다.02**

관련판례

원고가 고의 또는 중대한 과실 없이 당사자소송으로 제기하여야 할 것을 항고소송으로 잘못 제기한 경우에, 당사자소송으로서의 소송요건을 결하고 있음이 명백하여 당사자소송으로 제기되었더라도 어차피 부적법하게 되는 경우가 아닌 이상, 법원으로서는 원고가 당사자소송으로 소 변경을 하도록 하여 심리 · 판단하여야 한다(대판 2016. 5. 24, 2013두14863).

2. 관련청구의 이송 · 병합 등

(1) 당사자소송과 이와 관련된 소송이 각각 다른 법원에 계속되어 있는 경우에는 법원은 당사자의 신청 또는 직권에 의하여 이를 **당사자소송이 계속되어 있는 법원으로 이송**할 수 있다. 또한, 당사자소송에는 사실심변론종결시까지 관련청구소송을 병합하거나 피고 외의 자를 상대로 한 관련청구소송을 당사자소송이 계속된 법원에 병합하여 제기할 수 있다. 한편, **병합된 후 본래의 당사자소송이 각하되는 경우라면 관련청구소송도 각하되어야 한다는 것이 판례의 입장**이다.

관련판례

본래의 당사자소송이 부적법하여 각하되는 경우, 행정소송법 제44조, 제10조에 따라 병합된 관련청구소송도 소송요건 흠결로 부적합하여 각하되어야 한다(대판 2011. 9. 29, 2009두10963).**03** ⓣ★★

(2) 심리절차에 관한 행정심판기록제출명령, 변론주의, 처분권주의, 직권증거조사규정, 구술심리주의, 쌍방심문주의 등도 **당사자소송에 적용**된다고 보아야 할 것이다.**04** 따라서 **당사자소송의 경우 법원은 필요하다고 인정할 때 직권으로 증거조사를 할 수 있고 당사자가 주장하지 아니한 사실에 대하여도 판단할 수 있다.05**

❼ 판 결

1. 판결의 종류

판결의 종류는 기본적으로 취소소송의 경우와 동일하다. 다만, **사정판결의 제도가 없다**는 점에서 취소소송과 구별된다.**06**

2. 판결의 효력

당사자소송도 판결이 확정되면 자박력, 기판력, 기속력을 가지며 기속력은 당사자인 행정청과 관계 행정청을 기속한다. 그러나 **취소판결에서 인정되는 효력 중 취소판결의 제3자효, 재처분의무, 간접강제 등은 성질상 당사자소송에는 적용되지 않는다.07**

❽ 가집행

1. 문제의 소재

가집행이란 확정되지 아니한 판결에 대하여 확정판결과 같이 집행력을 부여하는 법원의 재판을 의미한다. 그런데 행정소송법 제43조는 "국가를 상대로 하는 당사자소송의 경우에는 가집행선고를 할 수 없다."라고 규정하고 있는바, 이 규정의 효력이 문제되었다.

2. 행정소송법 제43조의 효력

(1) 행정소송법 제43조와 관련하여서는, 「소송촉진 등에 관한 특례법」(이하 '소촉법')이 위헌판결을 받은 이상 이와 동일한 내용의 행정소송법 규정도 효력이 없으므로 국가를 상대로 하는 당사자소송의 경우에도 가집행이 가능하다는 견해와, 소촉법에 대한 위헌결정만으로 행정소송법 규정이 당연히 효력을 상실하는 것으로는 볼 수 없다는 견해가 대립하고 있었다.

(2) 이와 관련하여 대법원은 **공법상 당사자소송에서 재산권의 청구를 인용하는 판결을 한 경우에** 가집행선고가 가능**하다고 판시**한 바 있다. 또한 최근 헌법재판소도 국가를 상대로 하는 당사자소송의 경우에는 가집행선고를 할 수 없다고 규정한 행정소송법 제43조가 평등원칙에 위배된다고 보아 위헌결정ⓐ을 내렸으므로 이제는 더 이상 가집행선고가 가능한지 여부에 대해 논란의 여지 없이 가능하다고 본다.

관련판례

공법상 당사자소송에서 재산권의 청구를 인용하는 판결을 하는 경우, 가집행선고를 할 수 있다.01 ★★★

행정소송법 제8조 제2항에 의하면 행정소송에도 민사소송법의 규정이 일반적으로 준용되므로 법원으로서는 공법상 당사자소송에서 재산권의 청구를 인용하는 판결을 하는 경우 가집행선고를 할 수 있다(대판 2000. 11. 28, 99두3416).

❾ 가처분

당사자소송의 경우 민사집행법상 가처분에 관한 규정이 준용되는지에 대해 판례는 이를 긍정하고 있다. 즉, 당사자소송에 대하여는 행정소송법 제23조 제2항의 집행정지에 관한 규정이 준용되지 아니하므로, 행정소송법 제8조 제2항에 따라 민사집행법상 가처분에 관한 규정이 준용된다는 입장이다.

관련판례

당사자소송에 대하여는 행정소송법 제23조 제2항의 집행정지에 관한 규정이 준용되지 아니하므로, 이를 본안으로 하는 가처분에 대하여는 행정소송법 제8조 제2항에 따라 민사집행법상 가처분에 관한 규정이 준용되어야 한다.02

「도시 및 주거환경정비법」상 행정주체인 주택재건축정비사업조합을 상대로 관리처분계획안에 대한 조합총회결의의 효력을 다투는 소송은 행정처분에 이르는 절차적 요건의 존부나 효력 유무에 관한 소송으로서 소송결과에 따라 행정처분의 위법 여부에 직접 영향을 미치는 공법상 법률관계에 관한 것이므로, 이는 행정소송법상 당사자소송에 해당한다. 그리고 이러한 당사자소송에 대하여는 행정소송법 제23조 제2항의 집행정지에 관한 규정이 준용되지 아니하므로(행정소송법 제44조 제1항 참조), 이를 본안으로 하는 가처분에 대하여는 행정소송법 제8조 제2항에 따라 민사집행법상 가처분에 관한 규정이 준용되어야 한다(대결 2015. 8. 21, 2015무26).**03 04 ★★★**

기출 체크

□□□□□ **01** 공법상 당사자소송에서 재산권의 청구를 인용하는 판결을 하는 경우 가집행선고를 할 수 있다. (○, ×) ★★★ 2020 지방직 · 서울시 7급

□□□□□ **02** 당사자소송은 공법상 법률관계에 관한 소송이므로 이를 본안으로 하는 가처분에 대하여는 민사집행법상 가처분에 관한 규정이 준용되지 않는다. (○, ×) 2023 지방직 · 서울시 9급

□□□□□ **03** 「도시 및 주거환경정비법」상 주택재건축정비사업조합을 상대로 관리처분계획안에 대한 조합총회결의의 효력을 다투는 소송은 당사자소송에 해당하므로 당해 소송에서 민사집행법상 가처분에 관한 규정이 준용되지 않는다. (○, ×) ★★★ 2022 지방직 · 서울시 7급

□□□□□ **04** 당사자소송에는 항고소송에서의 집행정지규정은 적용되지 않고 민사집행법상의 가처분규정은 준용된다. (○, ×) ★★★ 2021 국가직 7급

ⓐ 심판대상조항은 재산권의 청구에 관한 당사자소송 중에서도 피고가 공공단체 그 밖의 권리주체인 경우와 국가인 경우를 다르게 취급한다. …… 동일한 성격인 공법상 금전지급청구소송임에도 피고가 누구인지에 따라 가집행선고를 할 수 있는지 여부가 달라진다면 상대방 소송당사자인 원고로 하여금 불합리한 차별을 받도록 하는 결과가 된다. 재산권의 청구가 공법상 법률관계를 전제로 한다는 점만으로 국가를 상대로 하는 당사자소송에서 국가를 우대할 합리적인 이유가 있다고 할 수 없고, 집행가능성 여부에 있어서도 국가와 지방자치단체 등이 실질적인 차이가 있다고 보기 어렵다는 점에서, 심판대상조항은 국가가 당사자소송의 피고인 경우 가집행의 선고를 제한하여, 국가가 아닌 공공단체 그 밖의 권리주체가 피고인 경우에 비하여 합리적인 이유 없이 차별하고 있으므로 평등원칙에 반한다(헌재 2022. 2. 24, 2020헌가12).

정답 01 ○ 02 × 03 × 04 ○

기출 체크

□□□□□ **01** 파면처분을 당한 공무원은 그 처분에 취소사유인 하자가 존재하는 경우 파면처분취소소송을 제기하여야 하고 곧바로 공무원지위확인소송을 제기할 수 없다. (○, ×) 2019 서울시 9급

□□□□□ **02** 민사소송인 소가 서울행정법원에 제기되었는데도 피고가 제1심법원에서 관할위반이라고 항변하지 않고 본안에서 변론을 한 경우에는 제1심법원에 변론관할이 생긴다. (○, ×) 2023 국가직 9급

정답 01 ○ 02 ○

⑩ 취소소송과 당사자소송의 관계

행정행위의 공정력으로 인해 단순위법의 하자 있는 행정행위는 취소소송 이외의 소송으로 그 효력을 부인할 수 없다. 따라서 파면처분을 받은 공무원은 그 파면처분이 단순위법의 처분이라면 파면처분취소소송을 제기하여야 하고, 당사자소송으로 공무원지위확인소송을 제기할 수는 없다.**01**

⑪ 관할위반의 효력

민사소송으로 제기할 사안을 당사자소송으로 제기한 경우, 판례는 민사소송으로 제기할 것을 당사자소송으로 서울행정법원에 제기하여 관할위반이 되었더라도 피고가 관할위반이라고 항변하지 아니하고 본안에 대하여 변론을 한 경우에는 법원에 변론관할이 생겼다고 본다.**02**

관련판례

1. 민사소송인 이 사건 소(환매대금증감청구소송)가 서울행정법원에 제기되었는데도 피고가 제1심법원에서 관할위반이라고 항변하지 아니하고 본안에 대하여 변론을 한 경우, 행정소송법 제8조 제2항, 민사소송법 제30조에 의하여 제1심법원에 변론관할이 생겼다고 봄이 상당하다(대판 2013. 2. 28, 2010두22368).

2. 행정사건의 심리절차는 행정소송의 특수성을 감안하여 행정소송법이 정하고 있는 특칙이 적용될 수 있는 점을 제외하면 심리절차 면에서 민사소송절차와 큰 차이가 없으므로, 특별한 사정이 없는 한 민사사건을 행정소송절차로 진행한 것 자체가 위법하다고 볼 수 없다(대판 2018. 2. 13, 2014두11328).

제 3 절 객관적 소송

초대 Topic 33 핵심집약 Topic 65

01 | 객관적 소송의 의의

❶ 개 념

객관적 소송이란 행정법규의 적정한 적용, 즉 행정작용의 적법성 보장을 목적으로 하는 소송을 의미하는 것으로 민중소송과 기관소송이 이에 해당한다.

❷ 주관적 소송과 객관적 소송의 구별

1. 주관적 소송은 개인의 권리구제(권익보호)와 행정의 적법성 보장이라는 두 가지 목적을 추구하는 반면, 객관적 소송은 행정작용의 적법성 보장만을 추구한다는 점에서 서로 구별된다.
2. 따라서 주관적 소송은 개인이 소송을 제기할 소의 이익이 있으면 소송을 제기할 수 있는 데 반해, 객관적 소송은 **특별히 법이 정하는 경우에 한하여 소의 제기가 가능하며**(열기주의), **01 그 법률에 정한 자만이 제기할 수 있다.❶**

02 | 객관적 소송의 종류

❶ 민중소송

1. 의 의

민중소송이란 **국가 또는 공공단체의 기관이 법률에 위반되는 행위를 한 때에** 직접 자기의 법률상 이익과 관계없이 **그 시정을 구하기 위하여 제기하는 소송**을 의미한다(동법 제3조 제3호). **03 04**

2. 성 질

민중소송은 개인의 권리구제를 직접 목적으로 하는 것이 아니고, 행정의 적법성 보장을 목적으로 한다는 점에서 기관소송과 함께 객관적 소송에 포함된다.

3. 종 류

민중소송은 법률상의 쟁송이 아니기 때문에 이를 제기하기 위해서는 **법률에 명문규정이 있어야 하는데**, **05 06** 판례는 행정청이 주민의 여론을 조사한 행위에 대하여 행정소송법상 소로써 그 시정을 구할 수 있는 아무런 규정이 없으므로 이러한 소를 각하한 것은 정당하다고 판시하였다.

관련판례

행정청이 한 여론조사의 무효확인을 구하는 소송을 각하한 것은 정당하다.

행정소송법 제45조는 민중소송 및 기관소송은 법률이 정한 경우에 법률이 정한 자에 한하여 제기할 수 있다고 규정하고 있고, 행정청이 주민의 여론을 조사한 행위에 대하여는 법상 소로써 그 시정을 구할 수 있는 아무런 규정이 없으며, 행정소송법 제46조는 법률에서 민중소송을 허용하고 있는 경우에 그 재판절차를 규정한 것에 불과하므로, 원심이 여론조사의 무효확인을 구하는 소송을 각하한 것은 정당하다(대판 1996. 1. 23, 95누12736).

기출 체크

□□□□□ **01** 객관적 소송은 객관적인 적법성의 확보를 구하는 공익적 소송이므로 법률상 명문의 규정 없이도 제기할 수 있다. (○, ×) ★★ 2009 세무사

□□□□□ **02** 민중소송 및 기관소송은 법률이 정한 자에 한하여 제기할 수 있다. (○, ×) ★★ 2021 소방직 9급

□□□□□ **03** 국가 또는 공공단체의 기관이 법률에 위반되는 행위를 한 때에 직접 자기의 법률상 이익과 관계없이 그 시정을 구하기 위하여 제기하는 소송은 기관소송이다. (○, ×) ★★ 2019 소방직 9급

□□□□□ **04** 민중소송이란 국가 또는 공공단체의 기관이 법률에 위반되는 행위를 한 때에 직접 자기의 법률상 이익과 관계없이 그 시정을 구하기 위하여 제기하는 소송이다. (○, ×) ★★ 2017 경행경채

□□□□□ **05** 민중소송은 특별히 법률의 규정이 있을 때에 한하여 예외적으로 인정된다. (○, ×) ★★★ 2016 국회직 8급

□□□□□ **06** 판례는 민중소송은 법률이 규정하고 있는 경우에 한하여 제기할 수 있다고 한다. (○, ×) ★★ 2007 관세사

❶ 행정소송법 제45조【소의 제기】민중소송 및 기관소송은 법률이 정한 경우에 법률에 정한 자에 한하여 제기할 수 있다.02

정답 01 × 02 ○ 03 × 04 ○ 05 ○ 06 ○

현행법상 인정되는 민중소송으로는 다음의 경우를 들 수 있다.

(1) 공직선거법상의 선거 · 당선소송

① 선거소송

대통령선거 또는 국회의원선거의 효력에 관하여 이의가 있는 선거인, 정당(후보자를 추천한 정당) 또는 후보자는 선거일로부터 30일 이내에 당해 선거구 선거관리위원회위원장을 피고로 하여 대법원에 소를 제기할 수 있다(공직선거법 제222조).

관련판례

공직선거법 제222조와 제224조에서 규정하고 있는 선거소송은 집합적 행위로서의 선거에 관한 쟁송으로서 선거라는 일련의 과정에서 선거에 관한 규정을 위반한 사실이 있고, 그로써 선거의 결과에 영향을 미쳤다고 인정하는 때에 선거의 전부나 일부를 무효로 하는 소송이다. 이는 선거를 적법하게 시행하고 그 결과를 적정하게 결정하도록 함을 목적으로 하므로, 행정소송법 제3조 제3호에서 규정한 민중소송, 즉 국가 또는 공공단체의 기관이 법률을 위반한 행위를 한 때에 직접 자기의 법률상 이익과 관계없이 그 시정을 구하기 위하여 제기하는 소송에 해당한다(대판 2016. 11. 24, 2016수64).

② 당선소송

당선의 효력에 이의가 있는 정당(후보자를 추천한 정당) 또는 후보자는 30일 이내에 대통령선거의 경우에는 당선인, 중앙선거관리위원회위원장 또는 국회의장을, 국회의원선거의 경우에는 당선인, 당해 선거구 선거관리위원회위원장을 각각 피고로 하여 대법원에 소를 제기할 수 있다(동법 제223조 제1항).

(2) 국민투표법상의 국민투표에 관한 소송01

국민투표의 효력에 관하여 이의가 있는 투표인은 투표인 10만인 이상의 찬성을 얻어 중앙선거관리위원회위원장을 피고로 하여 투표일로부터 20일 이내에 대법원에 제소할 수 있도록 규정하고 있다(국민투표법 제92조).

(3) 주민투표법상의 주민투표에 관한 소송02

주민투표의 효력에 관하여 이의가 있는 주민투표권자는 주민투표권자 총수의 100분의 1 이상의 서명으로 주민투표결과가 공표된 날부터 14일 이내에 관할 선거관리위원회위원장을 피소청인으로 하여 시 · 군 · 구의 경우에는 시 · 도 선거관리위원회에, 시 · 도의 경우에는 중앙선거관리위원회에 소청할 수 있다.

(4) 지방자치법상 주민소송03

주민소송이라 함은 주민이 지방자치단체의 위법한 재무회계행위를 시정하기 위하여 법원에 제기하는 소송을 말한다. 이는 지방행정에 대한 주민의 참여, 감시 및 통제의 기능을 하는 것으로서 구체적인 권익의 침해 없이도 제기할 수 있고 적법성 통제를 목적으로 하는 소송으로서 객관적 소송 중 민중소송에 해당한다.04ⓐⓑ

❷ 기관소송

1. 의 의

(1) 개 념

기관소송이란 국가 또는 공공단체의 기관 상호 간에 있어서 권한의 존부 또는 그 행사에 대한 다툼이 있을 때 제기하는 소송을 의미한다(행정소송법 제3조 제4호).05

기출 체크

□□□□□ **01** 국민투표법상 국민투표 무효소송은 기관소송의 예에 속한다. (○, ×) 2007 관세사

□□□□□ **02** 다음 중 행정소송법상 행정소송의 유형이 다른 하나는? ★★★ 2012 사회복지직 9급

① 구 「광주민주화운동 관련자 보상 등에 관한 법률」에 따른 보상금지급청구소송
② 주민투표법에 따른 주민투표의 효력에 관한 소송
③ 구 석탄산업법상의 석탄가격안정지원금 지급청구에 관한 소송
④ 구 방송법에 근거한 수신료부과행위를 다투는 소송

□□□□□ **03** 주민소송은 행정소송법 제3조에서 규정하고 있는 민중소송에 해당한다. (○, ×) ★★★ 2013 국가직 7급

□□□□□ **04** 지방자치단체인 A광역시가 부과하는 지방세의 징수를 담당하는 소속 공무원인 B는 납세의무자인 D의 허위신고를 묵인하고 해당 지방세를 징수하지 않았다. 이에 감사청구를 한 주민 C가 60일이 경과해도 감사가 종료되지 않았을 때 제기할 수 있는 소송의 유형은? ★★★ 2011 국가직 9급

① 민법상 손해배상청구소송
② 공법상 당사자소송
③ 항고소송
④ 민중소송으로서의 주민소송

□□□□□ **05** (행정소송법상 기관소송은) 국가 또는 공공단체의 기관 상호 간에 있어서의 권한의 존부 또는 그 행사에 관한 다툼이 있을 때에 이에 대하여 제기하는 소송을 말한다. (○, ×) ★★ 2019 경행경채 2차

ⓐ 지방자치법 제22조에 따르면 상급기관에 감사청구한 사항 중 '공금의 지출에 관한 사항, 재산의 취득 · 관리 · 처분에 관한 사항, 해당 지방자치단체를 당사자로 하는 매매 · 임차 · 도급 계약이나 그 밖의 계약의 체결 · 이행에 관한 사항 또는 지방세 · 사용료 · 수수료 · 과태료 등 공금의 부과 · 징수를 게을리한 사항'과 관련이 있는 위법한 행위나 업무를 게을리한 사실이 주민소송의 대상이 된다.

ⓑ A시에 사는 주민 甲 등은 시장 乙이 재선을 위한 사전선거운동에 시장의 업무추진비를 위법하게 지출하였다고 판단하고 있다. 이 경우 주민 甲 등이 시장 乙의 위법행위에 대하여 취할 수 있는 지방자치법상의 수단으로서는 먼저 상급기관에 감사를 청구한 다음(총론 범위 아님) 乙을 피고로 하여 관할법원에 행정소송을 제기할 수 있는바, 이러한 소송이 지방자치법상 주민소송이다.

정답 01 × 02 ②(② 객관적 소송, ①③④ 주관적 소송) 03 ○ 04 ④ 05 ○

(2) 권한쟁의심판과 기관소송의 관계

① 헌법재판소법 제2조의 규정에 의하여 헌법재판소에서 관장하는 권한쟁의심판은 행정소송의 기관소송에서 제외되고 있다(행정소송법 제3조 제4호 단서).01

② 따라서 국가기관 상호 간, 국가기관과 지방자치단체 간 및 지방자치단체 상호 간의 권한쟁의심판은 헌법재판소의 관장사항으로서, 행정소송으로서의 기관소송에서 제외된다.02 03

2. 성 질

기관소송은 개인의 권리구제를 목적으로 하는 소송이 아니고 객관적 소송의 일종이므로 민중소송과 동일하게 개별법에서 특별히 인정하는 경우에 한하여 허용된다(기관소송법정주의).

3. 종 류

(1) 지방자치법상의 기관소송

지방자치단체의 장이 지방의회의 의결에 대해 재의결을 요구하고 이에 지방의회가 재의결한 사항이 또한 법령에 위반된다고 판단되는 때에는 지방자치단체장은 지방의회의 재의결에 대해 재의결된 날로부터 20일 이내에 대법원에 소를 제기할 수 있다.04ⓐ

(2) 「지방교육자치에 관한 법률」상의 기관소송

① 교육감은 교육 · 학예에 관한 시 · 도의회의 의결에 대해 재의를 요구하고 이에 따라 재의결된 사항이 법령에 위반된다고 판단될 때에는 재의결된 날부터 20일 이내에 대법원에 제소할 수 있다.ⓑ

② 한편, 재의결된 사항이 법령에 위반된다고 판단됨에도 불구하고 해당 교육감이 소를 제기하지 않은 때에는 교육부장관은 해당 교육감에게 제소를 지시하거나 직접 제소할 수 있다.

4. 소송요건

(1) 당사자적격

기관소송은 객관적 소송이므로 법률이 특별히 규정한 자(예 지방자치단체장)에 한하여 소송을 제기할 수 있으며(원고적격),05 06 법률이 규정한 자(예 지방의회, 시 · 도의회, 교육위원회)가 피고가 된다(피고적격).

(2) 재판관할

기관소송의 재판관할은 대법원이 제1심법원이면서 종심법원(최종적 법원)이 된다.

03 | 적용법규

민중소송 또는 기관소송에 적용될 법규는 민중소송 · 기관소송을 규정하는 각 개별법률이 정하는 것이 일반적이다. 그러나 개별법에 특별한 규정이 없는 경우 ① 처분 등의 취소를 구하는 소송에는 그 성질에 반하지 않는 한 취소소송에 관한 규정을 준용하고,07 08 ② 처분 등의 효력 유무 또는 존재 여부나 부작위의 위법확인을 구하는 소송에는 그 성질에 반하지 않는 한 각각 무효등확인소송 또는 부작위위법확인소송에 관한 규정을 준용하며, 위의 ①과 ②에 해당하지 않는 소송에는 그 성질에 반하지 않는 한 당사자소송에 관한 규정을 준용한다.

기출 체크

□□□□□ 01 (행정소송법상 기관소송이) 헌법재판소법에 따라 헌법재판소의 관장사항으로 되는 소송은 제외한다. (○, ×) ★★ 2019 경행경채 2차

□□□□□ 02 기관소송이란 국가 또는 공공단체의 기관 상호 간에 있어서의 권한의 존부 또는 그 행사에 관한 다툼이 있는 때에 이에 대하여 제기하는 소송이다. 다만, 헌법재판소법 제2조의 규정에 의하여 헌법재판소의 관장사항으로 되는 소송은 제외한다. (○, ×) ★★ 2017 경행경채

□□□□□ 03 지방자치단체 상호 간의 권한쟁의는 행정법원의 관할에 속한다. (○, ×) ★★ 2009 국가직 7급

□□□□□ 04 지방자치단체의 장의 재의요구에도 불구하고 지방의회가 조례안을 재의결한 경우 단체장이 지방의회를 상대로 제기하는 소송은 기관소송이다. (○, ×) ★★ 2018 교육행정직 9급

□□□□□ 05 (행정소송법상 기관소송은) 헌법 또는 법률에 의하여 부여받은 권한이 침해되었거나 침해될 현저한 위험이 있는 자가 제기할 수 있다. (○, ×) ★★ 2019 경행경채 2차

□□□□□ 06 (기관소송은) 개별법률에 특별한 규정이 있는 경우에 인정되고 그 법률에 정한 자만이 제기할 수 있다. (○, ×) ★★ 2009 국가직 7급

□□□□□ 07 행정소송법에서는 민중소송으로써 처분 등의 취소를 구하는 소송에는 그 성질에 반하지 아니하는 한 취소소송에 관한 규정을 준용한다. (○, ×) ★ 2018 교육행정직 9급

□□□□□ 08 기관소송으로서 처분 등의 취소를 구하는 소송에는 그 성질에 반하지 아니하는 한 취소소송에 관한 규정이 적용된다. (○, ×) ★ 2009 국가직 7급

ⓐ 동작구의회가 공장설립과 관련하여 법률에 정해진 기준보다 훨씬 더 엄격한 기준을 정한 조례를 의결한 경우, 동작구청장이 동 조례가 법률우위원칙을 위반한 것이라고 주장하면서 재의결을 요구하였는데 동작구의회가 재의결을 통해 조례를 확정하자 이러한 조례가 법률에 위반된다는 이유로 대법원에 제소하는 경우를 들 수 있다.

ⓑ 전라북도의회가 학교급식을 위해 국내산 우수 농산물을 사용하는 자에게 급식비의 일부를 지원하는 내용의 조례를 의결하자 전라북도 교육감이 동 조례가 GATT협정에 위반된다는 이유로 재의결을 요구하였는데 전라북도의회가 재의결을 통해 조례를 확정하자 이러한 조례가 GATT협정에 위반된다는 이유로 대법원에 제소하는 경우를 들 수 있다.

[유튜브] 35강 필수 개념 TEST
- QR코드를 스캔해 주세요.
- 필수 개념과 출제 포인트를 풀어 보세요.
- 틀린 문제는 기본서로 확인해 주세요.

정답 01 ○ 02 ○ 03 × 04 ○ 05 × 06 ○ 07 ○ 08 ○

제 36 강 항고소송 1 (취소소송의 의의 등)

취소소송의 일반론

취소소송의 의의

개 념	행정청의 위법한 처분 등을 취소 또는 변경하는 소송
소송물	처분의 위법성 일반(판례)

재판관할

심급관할

1심은 원칙적 지방법원급인 행정법원(단, 행정법원이 없는 지역은 지방법원 본원)

토지관할(소재지를 기준으로 하여 재판권 분배)

보통관할	피고인 행정청의 소재지 ※중앙행정기관, 중앙행정기관의 부속기관과 합의제 행정기관 또는 그 장이 피고인 경우 또는 국가의 사무를 위임 또는 위탁받은 공공단체 또는 그 장이 피고인 경우 - 대법원 소재지를 관할하는 행정법원에도 제기할 수 있음.
특별관할	그 부동산 또는 장소의 소재지

- **성질** : 임의관할이므로 민사소송법상 합의관할 또는 변론관할에 관한 규정 적용 가능

관할위반을 이유로 한 이송

- 관할 또는 심급상의 문제인 경우
- 원고의 고의 또는 중대한 과실 없이 행정사건을 민사소송으로 제기한 경우 관할법원에 이송하여야 함(판례).

관련청구의 이송과 병합

관련청구의 이송

의 의	• 관련청구소송계속법원 ⇨ 취소소송계속법원 • 다른 항고소송은 물론 당사자소송, 민중소송, 기관소송에도 준용
요 건	• 취소소송과 관련청구소송이 각각 다른 법원에 계속 중일 것 • 법원이 상당하다고 인정하는 경우 • 당사자의 신청 또는 직권
효 과	• 이송결정이 확정된 때에는 당해 관련청구소송은 처음부터 이송을 받은 법원에 계속된 것으로 봄. • 이송의 결정은 이송받는 법원을 기속함.

관련청구의 병합

- 하나의 행정처분에 대한 무효확인청구와 취소청구는 서로 양립할 수 없으므로 주위적 · 예비적 청구로서만 병합 가능
- **요건**
  - 취소 · 관련 소송의 적법성
  - 병합시기 : 사실심변론종결 전
  - 관할법원 : 취소소송이 계속된 법원
- 행정처분의 취소를 구하는 취소소송에 당해 처분의 취소를 선결문제로 하는 부당이득반환청구가 병합된 경우, 그 청구의 인용을 위하여는 그 소송절차에서 판결에 의해 당해 처분이 취소되면 충분하고 그 처분의 취소가 확정되어야 할 필요는 없음(판례).
- 본래소송이 소송요건을 구비하지 못하여 각하된 경우라면 병합된 관련청구소송도 부적법하여 각하되어야 함.

관련청구의 범위

- **취소소송의 대상인 처분 등과 관련되는**
  - 손해배상 · 부당이득반환 · 원상회복 등 청구소송
  - 취소소송

취소소송의 당사자 등

당사자능력

- 자연물인 도룡뇽 : 당사자능력 ×
- 국가는 기관위임사무의 처리에 관하여 지방자치단체의 장을 상대로 취소소송을 제기할 수 없음.

원 고

원고적격

- **행정소송법상 규정**
  - 처분 등의 취소를 구할 법률상 이익이 있는 자가 원고적격을 가짐.
  - 원고적격은 사실심변론종결시는 물론 상고심에서도 존속해야 함.
- **법률상 이익이 있는 '자'**
  - 자연인, 법인
  - 법인격 없는 단체는 단체의 대표자를 통해 단체의 이름으로 소송을 제기할 수 있음.
  - 국민권익위원회가 소속직원에 대한 중징계요구를 취소하라는 등의 조치요구를 한 것에 대해, 국가기관인 시 · 도선거관리위원회 위원장은 원고적격을 가짐.
  - 국민권익위원회의 조치요구에 불복하고자 하는 소방청장은 원고적격이 인정됨.
- **법률상 이익구제설(통설)** : 고유한 의미의 권리뿐 아니라 법률에서 보호되고 있는 이익(사실상 · 경제상 · 반사적 이익 ×)을 가진 자가 그러한 이익을 침해받은 경우 원고적격 O
- **판단기준** : 근거가 되는 법률의 규정 및 취지, 관계법률의 규정 및 취지뿐 아니라 헌법상 기본권규정까지 고려
- **구체적인 경우의 원고적격 여부 검토**

수익적 처분의 상대방	신청대로 이루어진 처분의 경우, 처분상대방은 원고적격 ×
침익적 처분의 상대방 등	• 밀접한 이해관계를 갖는 자(법률상 직접적 · 구체적 이해관계의 경우) : 원고적격 O - 과세관청이 체납자가 점유하고 있는 제3자 소유의 동산을 압류한 경우, 그 압류처분의 취소나 무효확인을 구하는 체납자 - 채석허가를 받은 자에 대한 관할행정청의 채석허가취소처분에 대하여, 수허가자의 지위를 양수한 양수인 - 영업자지위 승계신고 수리처분에 대하여 종전 영업자 - 「도시 및 주거환경정비법」상 조합설립추진위원회의 구성에 동의하지 아니한 정비구역 내의 토지 등 소유자 - 골프장운영자가 사업계획의 승인을 받을 때 정한 예정인원을 초과하여 회원을 모집하는 내용의 회원모집계획서에 대한 시 · 도지사의 검토결과 통보의 취소를 구하는 예탁금회원제 골프장의 기존회원 - 주택건설사업의 양수인이 사업주체 변경승인신청을 한 이후에 행정청이 양도인에 대하여 그 사업계획변경승인의 전제로 되는 사업계획승인을 취소하는 처분을 한 경우 그 양수인
경업자소송	• 법률상 이익인 경우 : 원고적격 O(특허업자) - 수익적 행정처분의 근거법률이 해당 업자들 사이의 과당경쟁으로 인한 경영의 불합리를 방지하는 것도 목적으로 하고 있는 경우 기존업자의 원고적격이 인정됨. - 일반면허 시외버스운송사업자에 대한 사업계획변경인가처분의 취소를 구하는 기존의 한정면허를 받은 시외버스운송사업자 • 반사적 · 사실적 이익인 경우 : 원고적격 ×(허가업자. 단, 허가의 경우에도 예외 있음) - 숙박업구조변경허가처분을 받은 건물의 인근에서 여관을 경영하는 기존업자 • 경업자에 대한 행정처분이 경업자에게 불리한 내용이라면 기존업자가 그 행정처분의 무효확인 또는 취소를 구할 이익은 없음(판례).
경원자소송	원고적격 O • 명백한 법적 장애로 인해 원고 자신의 신청이 인용될 가능성이 처음부터 배제되어 있는 경우에는 취소를 구할 이익이 없음. • 경원관계에서 경원자에 대한 수익적 처분의 취소를 구하지 않고 자신에 대한 거부처분만의 취소를 구하는 것도 허용됨.
주민소송(인근주민)	환경영향평가대상지역 ┌ 안의 주민 : 원고적격 O └ 밖의 주민 : 환경상 이익에 대한 침해 또는 침해우려를 입증함으로써 인정 환경상 이익 ┌ 현실적 향유 : 원고적격 O(예 농작물 경작) └ 일시적 향유 : 원고적격 ×
단체소송	사단법인 대한의사협회가 보건복지부 고시인 「건강보험요양급여행위 및 그 상대가치점수」 개정의 취소를 구하는 경우 : 원고적격 ×

기 타	• 학교법인에 의하여 임원으로 선임된 자는 자신에 대한 관할청의 임원 취임승인신청 반려처분 취소소송을 제기할 원고적격이 있음. • 지방법무사회가 법무사의 사무원 채용승인 신청을 거부하거나 채용승인을 얻어 채용 중인 사람에 대한 채용승인을 취소한 경우, 그 때문에 사무원이 될 수 없게 된 사람에게 항고소송을 제기할 원고적격이 인정됨(판례). • 도시계획사업의 시행으로 인한 토지수용에 의하여 토지에 대한 소유권을 상실한 자는 원칙적으로 도시계획결정의 취소를 구할 법률상 이익이 없음. • 자연인이 아닌 甲 수녀원은 쾌적한 환경에서 생활할 수 있는 이익을 향수할 수 있는 주체가 아니므로 공유수면매립목적 변경승인처분을 다툴 원고적격이 없음. • 甲 대학교 교수협의회와 총학생회는 이사선임처분을 다툴 법률상 이익을 가지지만, 전국대학노동조합 甲 대학교지부는 원고적격이 없음. • 체류자격변경불허가처분, 강제퇴거명령 등을 다투는 외국인의 경우 법률상 이익이 인정됨. 다만, 사증발급 거부처분을 다투는 중국인의 경우에는 그 거부처분의 취소를 구할 법률상 이익이 원칙적으로 인정되지 않음. • 대한민국에서 출생하여 오랜 기간 대한민국 국적을 보유하면서 거주한 재외동포는 사증발급 거부처분의 취소를 구할 법률상 이익이 있음. • 도시환경정비사업에 대한 사업시행계획에 당연무효인 하자가 있는 경우 분양신청기간 내에 분양신청을 하지 않거나 분양신청을 철회함으로 인해 조합원의 지위를 상실한 토지 등 소유자도 관리처분계획의 무효확인 또는 취소를 구할 법률상 이익 있음(판례).

협의의 소익

- 소의 이익은 소송요건(소의 이익이 없으면 법원은 각하판결)－상고심에서도 존속해야 함.
- **권리보호의 필요** : 소송에 의해 분쟁을 해결할 현실적 필요성이 있어야 함.
- 기본적 권리회복이 불가능하더라도 부수적 이익이 있으면 소제기 가능. 이때 부수적 이익도 법률상 이익이어야 함.
- **처분이 기간 등의 경과로 인해 소멸된 경우**

원 칙	취소소송을 제기할 소의 이익 없음.
예 외	• 제재적 처분이 장래 처분의 가중요건인 경우 : 소의 이익 있음(가중사유가 행정규칙에 규정된 경우도 인정함). 다만, 가중된 제재처분을 받을 우려가 없어지면 소의 이익 없음. • 집행정지결정이 있는 경우 : 소의 이익 있음. • 반복 위험이 있는 경우 : 소의 이익 있음. －학교법인의 임시이사선임처분에 대한 취소소송 제기 후 소송계속 중 새로운 임시이사로 교체된 경우 당초 임시이사 선임처분의 취소를 구할 이익이 있음. －'동일한 사유로 위법한 처분이 반복될 위험성이 있는 경우' : 반드시 '해당 사건의 동일한 소송당사자 사이에서' 반복될 위험이 있는 경우만을 의미하는 것이 아님(판례).

- **원상회복이 불가능한 경우**

원 칙	소의 이익 ×
예 외	소의 이익 O • 한국방송공사 사장에 대한 해임처분의 무효확인 또는 취소소송계속 중, 임기가 만료되어 그 지위를 회복할 수는 없더라도 해임처분일부터 임기만료일까지 기간에 대한 보수지급을 구할 수 있는 경우 : 소의 이익 O • 이주대책업무가 종결되고 공공사업을 완료하여 사업지구 내에 더 이상 분양할 이주대책용 단독택지가 없는 경우에도 이주대책대상자 선정신청 거부의 취소를 구할 이익 있음(판례).

- **사정변경**
  - 권익침해가 해소된 경우 : 소의 이익 ×
  - 권익침해가 해소되지 않은 경우 : 소의 이익 O
- 명예 · 신용 등 이익의 경우 원칙적으로 소의 이익 ×
  - 예외적 판례 : 고등학교에서 퇴학처분을 당한 후 고등학교 졸업학력 검정고시에 합격한 경우 퇴학처분의 취소를 구할 소의 이익 있음.
- 동일한 내용의 후행거부처분이 존재하더라도 선행거부처분 취소소송의 소의 이익 O
- 취소되어 더 이상 존재하지 않는 행정처분을 대상으로 한 취소소송의 소의 이익 ×

피 고

피고적격

원 칙	처분청(공무수탁사인이 자신의 이름으로 처분을 한 경우 공무수탁사인이 피고가 됨)
예 외	• 소속장관 등 －공무원 등 징계, 기타 불이익처분의 처분청이 대통령인 경우 ⇨ 피고 : 소속장관 • 대법원장, 헌법재판소장, 국회의장이 한 처분 ⇨ 피고 : 각각 법원행정처장, 헌법재판소사무처장, 국회사무총장이 됨. • 승계청 : 권한이 다른 행정청에 승계된 때 승계한 행정청이 피고 • 국가 등 : 처분 후 처분을 행한 행정청이 없게 된 때 그 처분 등에 관한 사무가 귀속되는 국가 또는 공공단체가 피고
구체적 검토	• 합의제 행정청 －공정거래위원회, 토지수용위원회의 처분 ⇨ 피고 : 공정거래위원회, 토지수용위원회 －중앙노동위원회의 처분 ⇨ 피고 : 중앙노동위원회의 위원장 • 권한의 위임 · 위탁 ⇨ 피고 : 수임청, 수탁청 • 내부위임과 대리 ⇨ 피고 : 위임청, 피대리청(다만, 대리 또는 내부위임을 받은 자가 자신의 명의로 권한행사한 경우 ⇨ 피고 : 실제로 처분을 한 하급행정청) • 처분청과 통지한 자가 다른 경우 ⇨ 피고 : 처분청 • 처분적 조례인 경우 ⇨ 피고 : 지방자치단체의 장(교육 · 학예에 관한 조례인 경우 ⇨ 피고 : 교육감) • 지방의회의원에 대한 징계의결, 지방의회의장 불신임결의, 지방의회의장선거 ⇨ 피고 : 지방의회

피고경정

- **의의** : 피고 지정이 잘못되어 소송이 각하되는 경우 원고가 입을 손해를 막기 위한 것으로 사실심변론종결시까지 허용
- **피고경정이 허용되는 경우**
  - 피고를 잘못 지정한 때 : 피고의 잘못 지정에 대한 원고의 고의 · 과실 유무는 불문
  - 권한승계 등의 경우
  - 소의 변경이 있는 때
- **절차** : 피고를 잘못 지정한 경우 ⇨ 원고의 신청에 의해
- **효과** : 새로운 피고에 대한 소송은 처음에 소의 제기시 제기된 것으로 보며, 종전의 피고에 대한 소송은 취하된 것으로 봄.
- 원고가 피고를 잘못 지정하여 소송을 제기한 경우 바로 각하할 것이 아니라 법원은 석명권을 행사하여야 함.

공동소송인, 소송참가, 소송대리인

소송참가

소송참가제도는 취소소송 이외의 항고소송, 당사자소송, 민중소송 및 기관소송에도 준용됨.

구 분	참가의 절차	참가인지위
제3자의 소송참가	소송의 결과에 따라 권리 또는 이익(법률상 이익)의 침해를 받을 제3자가 있는 경우, 당사자 또는 제3자의 신청 및 법원의 직권	공동소송적 보조참가인, 피참가인의 소송행위와 저촉되는 행위도 가능 －현실적으로 소송행위를 하였는지 여부에 관계없이 참가한 소송의 판결의 효력을 받음. －참가인이 상소를 할 경우 소송당사자 본인인 피참가인은 상소취하나 상소포기를 할 수 없음(판례).
다른 행정청의 소송참가	다른 행정청을 소송에 참가시킬 필요가 있다고 인정할 경우, 당사자 또는 당해 행정청의 신청 및 법원의 직권	보조참가인, 피참가인의 소송행위와 저촉되는 행위는 불가

보조참가

- 당해 소송의 결과에 대하여 이해관계가 있어야 함.
- **이해관계** : 법률상의 이해관계(사실상 · 경제상 또는 감정상의 이해관계 ×)

제 1 절 취소소송의 일반론

초대 Topic 34, 41 핵심집약 Topic 66

기출 체크

□□□□□ 01 행정소송법 제4조 제1호에서 취소소송을 행정청의 위법한 처분 등을 취소 또는 변경하는 소송으로 정의하고 있는데, 여기에서 '변경'은 소극적 변경뿐만 아니라 적극적 변경까지 포함하는 의미로 본다. (○, ×) ★★★ 2021 국회직 8급

□□□□□ 02 취소소송이란 행정청의 위법한 처분 등을 취소 또는 변경하는 소송을 말한다. (○, ×) ★★★ 2012 지방직 9급

□□□□□ 03 항고소송은 주관소송으로 보는 것이 통설이며, 취소소송의 소송물은 당해 처분의 개개의 위법사유이다. (○, ×) ★★ 2016 국회직 8급

ⓐ 소송물 논의의 예
예컨대, 행정청이 甲에게 건축허가신청을 거부하면서 그 사유로 관련서류를 구비하지 못하였다는 점을 들어 거부처분을 한 경우를 생각해 보자. 그런데 행정청의 甲에 대한 처분은 내용상으로도 위법하고, 이유제시가 충분하지 않아서 절차상 또는 형식상으로도 위법한 처분이라고 전제하자. 이에 甲이 건축허가거부처분이 위법하다는 이유로 취소소송을 제기한다면 비록 처분의 위법사유는 두 개라 하더라도 다수설 및 판례에 따르면 처분의 위법성 일반이 소송물이 되므로 하나의 소송물만이 존재한다. 따라서 甲이 처분의 내용(관련서류를 구비하지 못하였다는 점)상 위법성이 있다는 이유로 건축허가거부처분에 대한 취소소송을 제기한 후, 처분의 형식 또는 절차(이유제시가 충분하지 못하다)상 위법성이 있다는 이유로 또다시 건축허가거부처분에 대한 취소소송을 제기한다면 이는 중복소송이 된다.

정답 01 × 02 ○ 03 ×

01 | 취소소송의 의의

❶ 개 념

취소소송이란 행정청의 위법한 처분 등을 취소 또는 변경하는 소송을 말한다.**01 02** 취소소송은 항고소송의 중심을 이루는 소송으로서 행정소송법은 취소소송에 대하여 상세한 규정을 두고, 다른 소송에 대해서는 취소소송에 관한 규정을 준용하는 방식으로 규율하고 있다.

❷ 소송물 논의ⓐ

1. 논의의 필요성

일반적으로 행정소송에 있어 소송물이란 소송상 분쟁의 대상물, 즉 소송에서 다툼이 되는 사항을 말한다. 이러한 소송물의 개념은 관할법원, 소의 병합과 소의 변경, 소송계속의 범위(예컨대, 소송을 제기한 후 동일한 소송물에 대해 또 소송을 제기하면 중복소송이 된다), 기판력(p.896 참조)의 범위 등을 정하는 기준이 되는바, 행정소송법상 소송물의 개념에 대해 명문규정이 없으므로 소송물의 개념과 그 범위에 대해서는 학설이 대립한다.

2. 학 설

(1) 처분의 위법성 일반을 소송물로 보는 견해(다수설의 입장)

처분의 위법성 또는 위법성 일반을 소송물로 보는 입장으로 이 설에 따르면 하나의 행정행위에 대해서 위법사유가 여러 개 있더라도 소송물은 하나가 된다. 이 설은 개개의 위법사유에 관한 주장은 소송에서 이기기 위한 단순한 공격 · 방어방법에 불과하다고 보며 취소소송에서 판결의 기판력은 처분의 위법 또는 적법일반에 대하여 미친다고 본다.

(2) 처분 개개의 위법사유를 소송물로 보는 견해

처분 개개의 위법사유가 취소소송의 소송물이라고 보는 입장으로 이 설에 따르면 하나의 행정행위에 대해 위법사유가 여러 개 있으면 소송물은 여러 개가 된다.

(3) 대상이 되는 처분을 통해 자신의 권리가 침해되었다는 원고의 '법적 주장'을 소송물로 보는 견해

이 견해는 소송물은 소송법적 관점에서 고찰해야 하므로, 취소소송의 소송물은 처분을 통하여 자신의 권리가 침해되었다는 원고의 법적 주장이라고 본다.

3. 판례의 태도

판례는 "과세처분취소소송의 소송물은 그 취소원인이 되는 위법성 일반이다."라고 판시하여 처분의 위법성 일반(처분의 위법성 그 자체)을 소송물로 본다.**03** 판례에 따르면 하나의 처분에 대해서 여러 개의

위법사유가 있더라도 소송물 자체는 하나가 된다. 또한 판례는 처분사유의 추가 · 변경과 관련하여 "처분의 동일성이 유지되는 범위 내에서 그 사유를 교환 · 변경할 수 있다(대판 1998. 4. 24, 96누13286)." 라고 하여 기본적 사실관계의 동일성을 소송물의 범위를 확정하는 기준으로 삼고 있다(p.879 참조).

관련판례

1. **과세처분취소소송의 소송물은 그 취소원인인 위법성 일반이다.01 ★★**
   원래 과세처분이란 법률에 규정된 과세요건이 충족됨으로써 객관적 · 추상적으로 성립한 조세채권의 내용을 구체적으로 확인하여 확정하는 절차로서, 과세처분취소소송의 소송물은 그 취소원인이 되는 위법성 일반이고 …… (대판 1990. 3. 23, 89누5386)
2. **전소와 후소가 소송물을 달리하는 경우, 전소 확정판결의 기판력이 후소에 미치지 않는다.★★**
   취소판결의 기판력은 소송물로 된 행정처분의 위법성 존부에 관한 판단 그 자체에만 미치는 것이므로 전소와 후소가 그 소송물을 달리하는 경우에는 전소 확정판결의 기판력이 후소에 미치지 아니한다(대판 1996. 4. 26, 95누5820)(p.897 참조).
3. 행정처분의 무효확인을 구하는 소에는 특단의 사정이 없는 한 취소를 구하는 취지도 포함되어 있다고 보아야 하므로, 해당 행정처분의 취소를 구할 수 있는 경우라면 무효사유가 증명되지 아니한 때에 법원으로서는 취소사유에 해당하는 위법이 있는지 여부까지 심리하여야 한다. 나아가 과세처분에 대한 취소소송과 무효확인소송은 모두 소송물이 객관적인 조세채무의 존부확인으로 동일하다(대판 2023. 6. 29, 2020두46073).

기출 체크

□□□□□ **01** 판례는 취소소송의 소송물을 처분의 위법성과 그로 인해 원고의 권리가 침해되었다는 원고의 '법적 주장'이라고 보고 있다. (○, ×) ★★
2010 국가직 9급

02 | 재판관할

취소소송을 심판함에 있어서 어느 법원이 정당한 재판권을 행사할 수 있는가의 문제이다.

❶ 재판의 관할

1. 심급관할 ⓐ

(1) 취소소송은 지방법원급인 행정법원을 제1심 법원으로 하며, 그 항소심을 고등법원, 상고심을 대법원이 담당하는 3심제를 채택하고 있다.

(2) 행정법원이 설치되지 않은 지역에서는 해당 지방법원의 본원이 행정법원이 설치될 때까지 행정법원의 권한에 속하는 사건을 관할한다.

(3) 그런데 현재 서울에만 행정법원이 설치되어 있을 뿐이다. 따라서 행정법원이 설치된 지역인 서울에서는 행정법원이, 행정법원이 설치되지 않은 서울 이외의 지역에서는 해당 지방법원 본원이 제1심 관할법원이 된다.

ⓐ 심급관할의 특수한 경우
일정한 행정사건의 경우 제1심이 고등법원 또는 대법원이 되는바, 주로 민중소송 · 기관소송의 경우가 그러하다. 한편 주관적 소송 중 특허에 관한 소송은 특허법원의 관할인바, 현행 법원조직법과 특허법에 따르면 특허에 관한 소송은 고등법원급인 특허법원과 대법원의 2심제를 취하고 있다. 또한 「독점규제 및 공정거래에 관한 법률」 제100조는 서울고등법원을 전속관할법원으로 규정하고 있다.

2. 사물관할

(1) 지방법원 단독판사와 합의부 사이의 제1심 소송사건의 분담을 정하는 것이다.

(2) 현행 법원조직법은 원칙적으로 행정법원의 심판권은 판사 3인으로 구성된 합의부에서 한다고 규정하고 있다. 다만, 행정법원에 있어서 단독판사가 심판할 것으로 행정법원합의부가 결정한 사건의 심판권은 단독판사가 행한다. 단독부는 주로 자주 발생하면서도 경미한 사건, 예컨대 운전면허사건 등을 담당한다.

정답 01 ×

3. 토지관할

(1) 토지관할이란 **소재지**를 기준으로 하여 재판권을 분배하는 것으로서 다음과 같은 경우가 있다.

① **보통관할**

㉠ 취소소송의 관할법원은 피고인 행정청의 **소재지**를 관할하는 행정법원으로 한다.**01 02** 다만, **중앙행정기관, 중앙행정기관의 부속기관과 합의제 행정기관 또는 그 장이 피고인 경우 또는 국가의 사무를 위임 또는 위탁받은 공공단체 또는 그 장이 피고인 경우**에는 대법원소재지를 관할하는 **행정법원에 제기할 수도 있다**〔행정소송법(이하 '동법') 제9조 제1항 및 제2항〕.**03 04 05**

㉡ 국가의 사무를 위임 또는 위탁받은 공공단체 또는 그 장에 대하여 그 지사나 지역본부 등 종된 사무소의 업무와 관련이 있는 소를 제기하는 경우에는 **그 종된 사무소의 소재지를 관할하는 행정법원에** 제기할 수 있다(행정소송규칙 제5조 제1항).

② **특별관할**

토지의 수용 기타 부동산 또는 특정의 장소에 관계되는 처분 등에 대한 취소소송은 그 부동산 또는 장소의 소재지를 관할하는 행정법원에 이를 제기할 수 있다(동법 제9조 제3항).**06**

(2) **토지관할의 성질**

행정소송법은 토지관할에 관하여 전속관할(특정법원만이 배타적으로 관할권을 가지는 것)을 규정하고 있지 않으므로 토지관할은 그 성격상 임의관할이 된다. 따라서 민사소송법상의 **합의관할ⓐ** 또는 **변론관할 ⓑ에 관한 규정이 적용될 수 있다**.**07**

❷ 관할위반을 이유로 한 이송

1. 관할 또는 심급상의 문제인 경우

법원은 소송의 전부 또는 일부가 **그 관할에 속하지 아니함을 인정할 때에는 결정으로 관할법원에 이송**한다. 또한 **원고의 고의 또는 중대한 과실 없이 행정소송이 심급**(예 지방법원과 고등법원)을 달리하는 법원에 **잘못 제기된 경우에도 법원은 관할법원에 이송**하도록 규정하고 있다(동법 제7조).

2. 행정사건을 민사소송으로 제기한 경우

판례는 **원고의 고의 또는 중대한 과실 없이 행정사건을** 민사사건으로 오해하여 민사소송으로 제기한 경우에 수소(受訴)법원(소가 제기되어 사건을 담당하고 있는 법원)이 행정소송에 대한 관할을 가지고 있지 아니하면 **관할법원에 이송하여야 한다**고 판시한 바 있다.

관련판례

1. **원고의 고의 또는 중대한 과실 없이 행정사건을 민사소송으로 제기한 경우 수소법원이 행정소송에 대한 관할을 가지고 있다면 이를 행정소송으로 심리 · 판단하여야 하고, 행정소송에 대한 관할을 가지고 있지 아니하다면 각하할 것이 아니라 관할법원으로 이송해야 한다.08**

원고가 고의 또는 중대한 과실 없이 행정소송으로 제기하여야 할 사건을 민사소송으로 잘못 제기한 경우, 수소법원으로서는 만약 그 행정소송에 대한 관할도 동시에 가지고 있다면 이를 행정소송으로 심리 · 판단하여야 하고, 그 행정소송에 대한 관할을 가지고 있지 아니하다면 당해 소송이 이미 행정소송의 전심절차 및 제소기간을 도과하였거나 행정소송의 대상이 되는 처분 등이 존재하지도 아니한 상태에 있는 등 행정소송의 소송요건을 결하고 있음이 명백하여 행정소송으로 제기되었더라도 어차피 부적법하게 되는 경우가 아닌 이상 이를 부적법한 소라고 하여 각하할 것이 아니라 관할법원에 이송하여야

기출 체크

□□□□□ **01** 취소소송의 제1심 관할법원은 원고의 소재지를 관할하는 행정법원으로 한다. (○, ×) ★★★ 2015 서울시 7급

□□□□□ **02** 피고의 소재지가 서울특별시인 취소소송의 제1심 관할법원은 서울행정법원이다. (○, ×) ★★★ 2009 세무사

□□□□□ **03** 경찰청장을 피고로 하여 취소소송을 제기하는 경우, 대법원소재지를 관할하는 행정법원이 제1심관할법원으로 될 수 있다. (○, ×) ★★★ 2018 경행경채 3차

□□□□□ **04** 중앙행정기관의 부속기관과 합의제 행정기관 또는 그 장에 대하여 취소소송을 제기하는 경우에는 대법원소재지를 관할하는 행정법원에 제기할 수 있다. (○, ×) ★★★ 2015 서울시 7급

□□□□□ **05** 국가의 사무를 위임 또는 위탁받은 공공단체 또는 그 장에 대하여 취소소송을 제기하는 경우에는 대법원소재지를 관할하는 행정법원에 제기할 수 있다. (○, ×) ★★★ 2015 서울시 7급

□□□□□ **06** 토지의 수용에 대한 취소소송은 그 부동산 소재지를 관할하는 행정법원에 이를 제기할 수 있다. (○, ×) ★★★ 2023 군무원 7급

□□□□□ **07** 토지의 수용 및 기타 부동산 또는 특정의 장소에 관계되는 처분 등에 대한 취소소송은 그 부동산 또는 장소의 소재지를 관할하는 행정법원에 제기해야 하므로, 민사소송법상의 합의관할 및 변론관할에 관한 규정은 적용하지 않는다. (○, ×) ★★★ 2010 국가직 7급

□□□□□ **08** 원고가 고의 또는 중대한 과실 없이 행정소송으로 제기하여야 할 사건을 민사소송으로 잘못 제기한 경우, 수소법원으로서는 만약 그 행정소송에 대한 관할도 동시에 가지고 있다면 이를 행정소송으로 심리 · 판단하여야 하고, 그 행정소송에 대한 관할을 가지고 있지 아니하다면 관할법원에 이송하여야 한다. (○, ×) 2021 군무원 9급

ⓐ 당사자의 합의에 의해 정해지는 관할을 말한다.

ⓑ 관할권이 없는 법원에 제기된 소(訴)에 대하여 피고가 본안(本案)에 관하여 변론을 하는 등의 경우에 생기는 관할권을 말한다.

정답 01 × 02 ○ 03 ○ 04 ○ 05 ○ 06 ○ 07 × 08 ○

한다(대판 1997. 5. 30, 95다28960 ; 대판 2017. 11. 9, 2015다215526).

2. 행정소송법상 항고소송으로 제기하여야 할 사건을 민사소송으로 잘못 제기한 경우에 수소법원이 항고소송에 대한 관할도 동시에 가지고 있다면, 전심절차를 거치지 않았거나 제소기간을 도과하는 등 항고소송으로서의 소송요건을 갖추지 못했음이 명백하여 항고소송으로 제기되었더라도 어차피 부적법하게 되는 경우가 아닌 이상, 원고로 하여금 항고소송으로 소변경을 하도록 석명권을 행사하여 행정소송법이 정하는 절차에 따라 심리 · 판단하여야 한다(대판 2020. 4. 9, 2015다34444).01

3-1. 행정소송법상 당사자소송에 해당하는 소송을 민사소송으로 제기한 경우 그러한 소송은 행정법원의 전속관할에 속하므로 관할법원에 이송하여야 한다.02

3-2. 「도시 및 주거환경정비법」상의 주택재건축정비사업조합을 상대로 관리처분계획안에 대한 총회결의의 무효확인을 구하는 소는 당사자소송이다(대판 2009. 9. 17, 2007다2428 전합).

기출 체크

□□□□□ **01** 원고가 고의 또는 중대한 과실 없이 행정소송으로 제기하여야 할 사건을 민사소송으로 잘못 제기한 경우, 행정소송에 대한 관할을 가지고 있지 아니한 수소법원은 당해 소송이 행정소송으로서의 제소기간을 도과한 것이 명백하더라도 관할법원에 이송하여야 한다. (○, ×)
2022 지방직 · 서울시 7급

□□□□□ **02** 당사자소송으로 서울행정법원에 제기할 것을 민사소송으로 지방법원에 제기하여 판결이 내려진 경우, 그 판결은 관할위반에 해당한다. (○, ×)
2023 국가직 9급

03 | 관련청구의 이송과 병합

● 관련청구의 이송과 병합
- 관련청구의 이송은 신청 또는 직권에 의한다.
- 관련청구소송을 취소소송이 계속된 법원으로 이송할 수 있다.
- 이송결정이 확정된 때에는 당해 관련청구소송은 처음부터 이송을 받은 법원에 계속된 것으로 본다.
- 이송받은 법원은 당해 소송을 다시 다른 법원에 이송하지 못한다.
- 무효확인청구와 취소청구는 주위적 · 예비적 청구로서만 병합이 가능하다.
- 관련청구의 병합은 사실심변론종결시까지 가능하다.
- 행정처분의 취소를 구하는 취소소송에 당해 처분의 취소를 선결문제로 하는 부당이득반환청구가 병합된 경우, 그 청구의 인용을 위하여는 그 소송절차에서 판결에 의해 당해 처분이 취소되면 충분하고 그 처분의 취소가 확정되어야 할 필요는 없다.

❶ 일반론

1. 의 의

처분의 취소소송과 이와 관련된 다른 소송이 각각 다른 법원에 계속된 때 법원은 당사자의 신청 또는 직권에 의해 취소소송이 계속된 법원으로 이송할 수 있고 병합심리할 수 있는바, 이를 관련청구의 이송과 병합❶이라고 한다.

2. 취 지

(1) 위법한 처분으로 인해 권익을 침해받은 자는 취소소송이나 손해배상청구소송 등을 제기할 수 있다. 이 경우 취소소송과 손해배상청구소송 등에 대해 별도로 재판이 진행된다면 소송경제상 문제점이 발생하고 동일한 처분에 대한 판결이 모순될 우려가 있다.

(2) 따라서 이러한 경우 서로 관련이 있는 수개의 청구를 하나의 절차에서 심판하게 되면, 당사자나 법원의 부담을 덜고, 심리의 중복, 재판의 저촉을 피할 수 있다는 점에서 관련청구의 이송 · 병합 제도가 인정되고 있다.

❷ 관련청구의 범위

1. 당해 처분 등과 관련되는 손해배상, 부당이득반환, 원상회복 등 청구소송(동법 제10조 제1항 제1호)

당해 처분 등과 관련되었다고 하는 것은 ① 그 처분이나 재결이 원인이 되어 발생한 청구 및 ② 그 처분의 취소를 선결문제로 하는 청구 등을 말한다. 전자의 예로는 면허정지처분에서 면허정지처분취소소송과 손해배상청구소송을, 후자의 예로는 과세처분에서 과세처분취소소송과 부당이득반환청구소송을 들 수 있다.

관련판례

손해배상청구 등의 민사소송이 행정소송에 관련청구로 병합되기 위해서는 그 청구의 내용 또는 발생원인이 행정소송의 대상인 처분 등과 법률상 또는 사실상 공통되거나, 그 처분의 효력이나 존부 유무가 선결문제로 되는 등의 관계에 있어야 함이 원칙이다(대판 2000. 10. 27, 99두561).

❶ **행정소송법 제10조【관련청구소송의 이송 및 병합】** ① 취소소송과 다음 각 호의 1에 해당하는 소송(이하 '관련청구소송'이라 한다)이 각각 다른 법원에 계속되고 있는 경우에 관련청구소송이 계속된 법원이 상당하다고 인정하는 때에는 당사자의 신청 또는 직권에 의하여 이를 취소소송이 계속된 법원으로 이송할 수 있다.
1. 당해 처분 등과 관련되는 손해배상 · 부당이득반환 · 원상회복 등 청구소송
2. 당해 처분 등과 관련되는 취소소송
② 취소소송에는 사실심의 변론종결시까지 관련청구소송을 병합하거나 피고 외의 자를 상대로 한 관련청구소송을 취소소송이 계속된 법원에 병합하여 제기할 수 있다.

정답 01 × 02 ○

기출 체크

□□□□□ **01** 관련청구소송의 이송은 그 소송이 계속되어 있는 법원이 당해 소송을 취소소송이 계속되어 있는 법원에 이송하는 것이 상당하다고 인정하는 때에 당사자의 신청 또는 직권에 의하여 할 수 있다. (○, ×)★★ 2009 국가직 7급

□□□□□ **02** 관련청구소송은 이송결정이 확정된 때부터 이송받은 법원에 계속된 것으로 본다. (○, ×) 2009 세무사

□□□□□ **03** 이송결정은 이송받은 법원을 기속하며 이송받은 법원은 다른 법원으로 다시 이송하지 못한다. (○, ×) 2009 세무사

ⓐ 관련청구의 이송제도
행정청이 어느 지역을 토지거래허가구역으로 지정하였는데 이러한 지정처분이 위법하다고 가정하자. 이 경우 토지거래허가구역에 토지를 소유하고 있는 자는 법원에 취소소송을 제기할 수 있다. 또한 토지거래허가구역지정으로 손해가 발생한 경우 취소소송과는 별개로 손해배상청구소송도 법원에 제기할 수 있다. 이 경우 두 소송의 관할법원이 달라질 수 있는데 두 소송이 서로 실질적 관련성이 있다는 점에서 하나의 법원이 재판하는 것이 소송경제상 바람직하다고 할 수 있다. 이를 위한 제도가 관련청구의 이송제도이다.

ⓑ 관련청구의 병합제도
토지거래허가구역지정이 있는 경우 이러한 구역 내에 토지를 소유하고 있는 자는 통상 다수(甲, 乙, 丙 등)가 될 것이다. 그런데 이 경우 甲이 취소소송을 제기한 후 乙, 丙도 각각 소송을 제기한다면 비록 관할법원은 같더라도 다른 재판부에서 재판을 하는 경우가 발생한다. 이때 하나의 재판부에서 재판하는 것이 소송경제상 바람직하므로(관련청구의 이송과 동일한 취지) 이를 위한 것이 관련청구의 병합제도이다.

정답 01 ○ 02 × 03 ○

2. 당해 처분이나 재결과 관련되는 취소소송(동법 제10조 제1항 제2호)

이의 예로는 대집행절차에서 계고처분과 통지처분취소소송, 일반처분에서 다수인이 각각 별개의 취소소송을 제기하는 경우 등을 들 수 있다.

❸ 관련청구의 이송

1. 의 의

(1) 관련청구소송계속법원 ⇨ 취소소송계속법원

취소소송과 관련청구소송이 각각 다른 법원에 계속되고 있는 경우 **관련청구소송이 계속된 법원은** 당사자의 신청 또는 직권으로 이를 **취소소송이 계속된 법원으로 이송할 수 있는바,01** 이를 관련청구소송의 이송이라고 한다(동법 제10조 제1항).ⓐ 한편 이러한 이송은 법원 간의 이전이므로 동일 법원 내에서 담당재판부를 달리하는 것은 이송에 속하지 않고 사무분담의 문제일 뿐이다.

(2) 조항의 준용

이 조항은 **다른 항고소송은 물론 당사자소송, 민중소송, 기관소송에도 준용된다.**

2. 이송의 요건

(1) 취소소송과 관련청구소송이 각각 다른 법원에 계속 중일 것

관련청구소송의 이송은 취소소송과 내용적으로 관련된 다른 청구가 다른 법원에 계속된 경우 이를 취소소송과 병합하여 심리하도록 하려는 것이므로 취소소송과 관련청구소송이 **서로 다른 법원에 계속**되고 있어야 한다.

(2) 이송의 상당성

관련청구소송의 경우 당연히 이송되는 것이 아니고 관련청구소송이 계속 중인 **법원이** 이를 취소소송이 계속 중인 법원에 이송하여 심리하는 것이 상당하다고 **인정하는 경우에 이송된다.**

(3) 당사자의 신청 또는 직권

관련청구소송의 이송은 당사자의 **신청**에 의하거나 신청이 없더라도 **법원의 직권**으로 행해질 수 있다.

3. 이송의 효과

이송결정이 확정된 때에는 당해 관련청구소송은 **처음부터 이송을 받은 법원에 계속된** 것으로 본다.**02** 이송의 결정은 당해 관련청구소송을 **이송받는 법원을 기속하여** 그 법원은 당해 소송을 **다시 다른 법원에 이송하지 못한다.03**

❹ 관련청구의 병합ⓑ

1. 의의 및 취지

하나의 소송절차에서 수개의 청구에 대하여 일괄하여 심판이 이루어지는 것을 관련청구의 병합이

라고 한다. 행정소송에서 관련청구의 병합은 같은 종류의 소송절차뿐 아니라 다른 종류의 소송절차(행정소송과 민사소송)에도 인정된다는 점에서 민사소송과 구별된다.

2. 병합의 종류와 형태

소의 병합은 크게 객관적 병합과 주관적 병합으로 나눌 수 있다.

(1) 객관적 병합 ⓐ

① 객관적 병합은 1명의 원고가 1명의 피고에 대하여 하나의 절차에서 수개의 청구를 하는 경우를 말한다. 행정소송법상으로는 관련청구의 병합인 객관적 병합(동법 제10조 제2항 전단)을 인정하고 있는바, 관련청구인 이상 같은 종류의 소송절차뿐만 아니라 다른 종류의 소송절차, 예컨대 행정소송과 민사소송 간에도 병합이 인정된다.

② 하나의 행정처분에 대한 **무효확인청구와 취소청구**는 서로 양립할 수 없는 관계에 있으므로 이러한 청구는 주위적 · 예비적 청구로서만 병합이 가능하고 선택적 청구의 병합 또는 단순병합은 허용되지 않는다는 것이 판례의 입장이다(중대 · 명백설에 따르면 무효이면서 취소사유에 해당하는 처분은 개념상 생각하기 어렵다).

관련판례

행정처분에 대한 무효확인과 취소청구의 선택적 병합 또는 단순병합은 허용되지 않는다.01 ★★★

행정처분에 대한 무효확인과 취소청구는 서로 양립할 수 없는 청구로서 주위적 · 예비적 청구로서만 병합이 가능하고 선택적 청구의 병합이나 단순병합은 허용되지 아니한다(대판 1999. 8. 20, 97누6889).02

(2) 주관적 병합

주관적 병합은 원고 · 피고의 어느 일방 또는 쌍방당사자가 다수인 경우를 말한다.

3. 병합의 요건

(1) 취소 · 관련소송의 적법성

관련청구소송의 병합은 그 본체인 **취소소송**이 그 자체로서 소송요건을 갖춘 **적법한 것임을 전제**로 한다. 또한, 관련청구소송은 요구되는 소송요건을 갖추어야 한다.

(2) 관련청구의 범위

① 취소소송에 병합할 수 있는 청구는 본체인 취소소송의 대상인 처분 등과 관련되는 **손해배상 · 부당이득반환 · 원상회복 등의 청구소송** 또는 본체인 취소소송의 대상인 처분 등과 관련되는 **취소소송**이다.03 04

② 예컨대, 처분에 대한 취소소송에 당해 처분으로 인한 손해에 대한 국가배상청구소송을,05 조세부과처분취소소송에 처분의 취소를 전제로 하는 조세과오납금환급청구소송(부당이득반환청구소송)을,06 압류처분취소소송에 압류등기말소청구소송을 병합하는 것을 들 수 있다.

기출 체크

□□□□□ **01** 행정처분에 대한 무효확인과 취소청구는 서로 양립할 수 없는 청구로서 선택적 청구로서의 병합만이 가능하고 단순병합은 허용되지 아니한다. (○, ×) ★★★ 2019 서울시 2회 7급

□□□□□ **02** (A행정청은 미성년자에게 주류를 판매하였다는 이유로 甲에게 영업정지처분에 갈음하는 과징금 부과처분을 하였다. 甲은 이에 대하여 행정소송을 제기할 것을 고려하고 있다) 甲이 제기하는 무효확인과 취소청구의 소는 주위적 · 예비적 청구로서만 병합이 가능하고 선택적 청구로서의 병합이나 단순병합은 허용되지 아니한다. (○, ×) 2021 변호사

□□□□□ **03** 원고는 취소소송이 계속된 법원에 당해 행정청에 대한 손해배상청구 등을 병합하여 제기할 수 없으므로, 손해배상청구를 담당하는 민사법원의 판결이 먼저 내려진 경우라 할지라도 이 판결의 내용은 취소소송에 영향을 미치지 아니한다. (○, ×) ★★★ 2020 소방직 9급

□□□□□ **04** 당해 처분 등과 관련되는 손해배상 · 부당이득반환 · 원상회복 등 청구소송은 관련청구소송에 해당된다. (○, ×) ★ 2009 세무사

□□□□□ **05** (甲은 A시장의 영업허가취소처분이 위법함을 이유로 국가배상청구소송을 제기하였다) 甲이 국가배상청구소송을 제기한 이후에 영업허가취소처분에 대한 취소소송을 제기한 경우 그 취소소송은 국가배상청구소송에 병합할 수 있다. (○, ×) ★ 2017 국회직 8급

□□□□□ **06** 취소소송에 병합할 수 있는 당해 처분과 관련된 부당이득반환소송은 당해 처분의 취소를 선결문제로 하는 부당이득반환청구가 포함된다. (○, ×) ★ 2014 국회직 8급

ⓐ 객관적 병합의 형태

1. 단순병합
   서로 아무런 관련 없이 양립하는 여러 개의 청구를 병합하여 하나의 청구의 인용 여부와 상관없이 각 청구에 대해 심판을 구하는 것
   예 자신의 토지를 점유한 자에 대해 토지인도청구와 부당이득반환청구
2. 선택적 병합
   양립하는 여러 개의 청구를 택일적으로 병합하여 그중 어느 하나의 청구가 인용되면 다른 청구의 심판을 구하지 않는 것
   예 적법한 권한 없이 자신의 토지를 점유한 자에 대해 부당이득반환청구 또는 손해배상청구
3. 예비적 병합
   ① 서로 양립할 수 없는, 즉 배척관계에 있는 여러 개의 청구를 순차적으로 병합하여 제1차 청구(주위적 청구)가 인용되는 것을 해제조건으로 제2차 청구(예비적 청구)에 대해 심판을 구하는 것
   ② 예비적 병합의 경우 먼저 주위적 청구에 대해 심리를 하고 이에 대해 원고승소판결을 내릴 수 있으면 예비적 청구에 대해 심리를 하지 않고 판결하지만, 주위적 청구에 대해 기각을 해야 할 경우에는 예비적 청구에 대해서도 심리를 하여 판결한다.

정답 01 × 02 ○ 03 × 04 ○ 05 × 06 ○

기출 체크

□□□□□ **01** 관련청구소송의 병합에 있어서는 취소소송의 적법성이 전제되어야 하며, 사실심변론종결 전에 관련청구가 병합되어야 한다. (○, ×) ★
2010 국회직 8급

□□□□□ **02** 처분에 대한 취소소송에 당해 처분의 취소를 선결문제로 하는 부당이득반환청구가 병합된 경우, 부당이득반환청구가 인용되기 위해서는 당해 처분이 그 소송절차에서 판결에 의해 취소되면 충분하고 당해 처분의 취소가 확정되어야 하는 것은 아니다. (○, ×) ★★★
2022 지방직 · 서울시 7급

□□□□□ **03** 관련청구소송의 병합은 본래의 항고소송이 적법할 것을 요건으로 하는 것이어서 본래의 항고소송이 부적법하여 각하되면 그에 병합된 관련청구도 소송요건을 흠결한 부적법한 것으로 각하되어야 한다. (○, ×)
2009 지방직(하) 7급

ⓐ 사실심변론종결시
재판기일에 법원의 공개법정에서 당사자 양쪽이 구두로 판결의 기초가 될 소송자료, 즉 사실과 증거를 제출하는 방법으로 소송을 심리하는 절차를 변론이라고 한다. 한편 법원이 사건에 대하여 재판하는 경우 사실인정에 관한 점을 심리하는 재판을 사실심이라고 하며 법률상의 평가에 대한 것만을 심리하는 재판을 법률심이라고 한다. 일반적으로 상고심(대법원을 의미)은 법률심이 되며 1심과 2심(항소심)은 사실심이 된다.

행정소송법상 병합의 특색
민사소송에 있어서는 같은 원고가 같은 피고를 상대로 동종의 소송절차에 의하는 소송만을 병합할 수 있게 하고 있지만(민사소송법 제253조), 행정소송법은 관련청구에 해당하는 것이면 소송절차의 동종 · 이종을 불문하며, 나아가 피고를 달리하는 소송까지 병합할 수 있게 하는 것이 특징이다. 이는 취소소송과 관련청구소송(예 손해배상청구는 판례에 따르면 민사소송이며, 피고는 주체인 국가 또는 지방자치단체가 됨)은 서로 피고 및 소송절차를 달리하는 경우가 대부분임을 고려한 것이다.

정답 01 ○ 02 ○ 03 ○

(3) 병합의 시기

관련청구의 병합은 사실심변론종결 전에 하여야 한다.**01**ⓐ 한편 사실심변론종결 전이면 원시적 병합이든 추가적 병합이든 가릴 것 없이 인정된다.

(4) 관할법원 등

병합되는 소송의 관할법원은 취소소송이 계속된 법원이며, 법원의 피고경정결정을 받을 필요가 없다는 것이 판례의 입장이다.

4. 병합된 관련청구소송의 판결

행정처분이 있음으로 인해 일정 금액을 납부한 후 납부한 금액에 대한 부당이득반환청구소송을 제기하는 경우 부당이득반환청구소송에서 인용판결이 내려지기 위해서는 법률상 원인이 없어져야, 즉 처분이 무효이거나 처분이 취소되어야 한다. 그런데 취소소송과 부당이득반환청구소송이 병합된 경우 취소판결이 확정되어야 하는지가 문제되나 판례는 그 소송절차(1심인 행정법원이든 고등법원이든)에서 판결에 의해 당해 처분이 취소되면 충분하고 그 처분의 취소가 확정될 필요는 없다는 입장이다.

관련판례

행정처분의 취소를 구하는 취소소송에 당해 처분의 취소를 선결문제로 하는 부당이득반환청구가 병합된 경우, 그 청구의 인용을 위하여는 그 소송절차에서 판결에 의해 당해 처분이 취소되면 충분하고 그 처분의 취소가 확정되어야 할 필요는 없다.02 ★★★

행정소송법 제10조는 처분의 취소를 구하는 취소소송에 당해 처분과 관련되는 부당이득반환소송을 관련청구로 병합할 수 있다고 규정하고 있는바, 이 조항을 둔 취지에 비추어 보면, 취소소송에 병합할 수 있는 당해처분과 관련되는 부당이득반환소송에는 당해 처분의 취소를 선결문제로 하는 부당이득반환청구가 포함되고, 이러한 부당이득반환청구가 인용되기 위해서는 그 소송절차에서 판결에 의해 당해 처분이 취소되면 충분하고 그 처분의 취소가 확정되어야 하는 것은 아니라고 보아야 한다(대판 2009. 4. 9, 2008두23153).

+ 판결의 확정
법원의 판결에 대해 당사자의 상소로도 판결을 취소할 수 없게 된 상태를 판결이 형식적으로 확정되었다고 한다. 이러한 판결의 확정시기는 소송법상 여러 가지 경우의 수가 있으나 주요한 것을 살펴보면 다음과 같다.
① 먼저 상소할 수 없는 판결, 예컨대 대법원판결(상고심판결)은 판결선고와 동시에 확정이 된다.
② 상소기간 내에 상소를 제기하지 않아 상소기간(통상 2주)이 경과된 경우에는 상소기간의 만료시에 확정이 된다.

5. 본래의 소송이 각하된 경우 관련청구소송의 처리

판례는 관련청구소송의 병합은 본래의 항고소송이 적법할 것을 요건으로 하는 것이어서 본래의 항고소송이 부적법하여 각하되면 그에 병합된 관련청구도 소송요건을 흠결한 부적합한 것으로 각하되어야 한다는 입장이다(대판 2001. 11. 27, 2000두697).**03**

제 2 절 취소소송의 당사자 등

초대 Topic 35, 36, 37 핵심집약 Topic 67

01 | 당사자능력

❶ 취소소송의 당사자 : 원고와 피고

취소소송의 당사자란 원고와 피고를 말한다. 원고는 행정청의 위법한 처분 등으로 권리 · 이익이 침해되었음을 이유로 처분의 취소 등을 주장하는 자이고, 피고는 행정법규의 적용에 위법이 없음(적법함)을 주장하는 자이다.

❷ 당사자능력

1. 의 의

(1) 취소소송의 당사자가 될 수 있는 능력(당사자능력)은 민사소송과 마찬가지로 자연인, 법인뿐만 아니라 법인격 없는 사단 · 재단도 대표자 또는 관리인이 있으면 그 단체이름으로 당사자가 될 수 있다.

(2) 국가도 지방자치단체장의 자치사무에 관한 처분을 다투는 경우에는 원고가 될 수 있으나, 기관위임사무의 경우에는 그러하지 않다는 것이 판례의 입장이다. 한편 국가의 기관은 당사자능력이 없으므로 원칙적으로 항고소송의 원고가 되지 못한다는 것이 판례의 입장이다.

관련판례

1. **자연물인 도롱뇽은 당사자능력이 인정될 수 없다.01 02 ★**
도롱뇽은 천성산 일원에 서식하고 있는 도롱뇽목 도롱뇽과에 속하는 양서류로서 자연물인 도롱뇽 또는 그를 포함한 자연 그 자체로서는 이 사건을 수행할 당사자능력을 인정할 수 없다고 판단한 것은 정당하고, 위 신청인의 당사자능력에 관한 법리오해 등의 위법이 없다(대결 2006. 6. 2, 2004마1148 · 1149).

2-1. **국가는 국토이용계획과 관련한 기관위임사무의 처리에 관하여 지방자치단체의 장을 상대로 취소소송을 제기할 수 없다.03ⓐ ★**

2-2. **지방자치단체의 장을 피고로 한 취소소송에서 충북대학교 총장은 원고가 될 수 있는 당사자능력이 없다.04 ★**
충북대학교 총장의 소는, 원고 충북대학교 총장이 원고 대한민국이 설치한 충북대학교의 대표자일 뿐 항고소송의 원고가 될 수 있는 당사자능력이 없어 부적법하다(대판 2007. 9. 20, 2005두6935).

2. 당사자적격과 당사자능력의 구별

당사자능력은, 구체적 사건에서 누가 원고와 피고로서 소송을 수행하고 본안판결을 받을 수 있는지에 관한 당사자적격과는 구별되는 개념이다. 당사자적격은 당사자능력이 있음을 전제로 논의되는 것(당사자능력이 없으면 당사자적격도 없다)으로, 이하에서 당사자적격을 가지는 자에 대해 검토해 본다.

기출 체크

□□□□□ 01 자연물인 도롱뇽 또는 그를 포함한 자연 그 자체로서는 소송을 수행할 당사자능력을 인정할 수 없다. (○, ×) ★
2015 국가직 9급

□□□□□ 02 자연물의 일부인 동 · 식물에게는 행정소송을 청구할 법률상 이익이 인정되지 않는다. (○, ×) ★
2008 국회직 8급

□□□□□ 03 국가가 국토이용계획과 관련한 지방자치단체의 장의 기관위임사무의 처리에 관하여 지방자치단체의 장을 상대로 취소소송을 제기하는 것은 허용되지 않는다. (○, ×) ★
2024 지방직 · 서울시 9급

□□□□□ 04 판례는 항고소송에 있어서 국가기관인 충북대학교 총장의 원고가 될 수 있는 당사자능력을 인정하였다. (○, ×) ★
2018 소방직 9급 변형

ⓐ 기관위임사무의 경우 위임청은 수임청이 위법 또는 부당하게 직무를 행사할 경우 스스로 직권취소할 수 있으며(p.362 참조), 또한 위임사무의 집행을 게을리할 경우 지방자치법 제189조에 의해 직무이행명령을 한 후 대집행을 할 수 있다. 따라서 별도의 절차가 있으므로 소송제기는 허용되지 않는다는 취지이다.

정답 01 ○ 02 ○ 03 ○ 04 ×

02 | 원 고

❶ 원고적격(제6강 참조)❶

1. 원고적격의 의의

(1) 의 의

원고적격이란 구체적 소송사건에서 원고가 될 수 있는 정당한 자격을 의미하는 것으로, 우리 행정소송법은 처분 등의 취소를 구할 법률상 이익이 있는 자가 원고적격을 가진다고 규정하고 있다.01 한편 이러한 원고적격은 소송요건의 하나로서 사실심변론종결시는 물론 상고심에서도 존속하여야 하고 이를 흠결하면 부적법한 소가 된다(대판 2007. 4. 12, 2004두7924).02 03 04 05 06

(2) 자연인과 법인

법률상 이익이 있는 '자'에게는 권리주체로서 자연인과 법인이 있다. 법인에는 공법인과 사법인이 있고, 지방자치단체 또한 이에 포함된다. 이 밖에 법인격 없는 단체도 구체적인 분쟁대상과 관련하여 권리(법률상 이익)를 가질 수 있는 범위 안에서 법률상 이익이 있는 자, 즉 원고가 될 수 있다. 법인격 없는 단체의 경우 단체의 대표자를 통해 '단체'의 이름으로 소송을 제기할 수 있다(동법 제8조 제2항, 민사소송법 제52조).07

(3) 국가 등의 기관의 경우

국가 등의 기관은 처분청의 경우 피고능력이 있지만, 원고가 될 수 있는 능력은 원칙적으로 없다. 다만, 다른 기관의 처분에 의해 국가기관이 권리를 침해받거나 의무를 부과받는 등 중대한 불이익을 받았음에도 그 처분을 다툴 별다른 방법이 없고, 그 처분의 취소를 구하는 항고소송을 제기하는 것이 유효 · 적절한 권익구제수단인 경우에는 국가기관에게 당사자능력과 원고적격을 인정하여야 한다는 것이 판례의 입장이다.

관련판례

1. **국가기관인 시 · 도선거관리위원회 위원장은 국민권익위원회가 그에게 소속직원에 대한 중징계요구를 취소하라는 등의 조치요구를 한 것에 대해서 취소소송을 제기할 원고적격을 가진다.08 ★★★**

   국가기관 일방의 조치요구에 불응한 상대방 국가기관에 국민권익위원회법상의 제재규정과 같은 중대한 불이익을 직접적으로 규정한 다른 법령의 사례를 찾아보기 어려운 점, 그럼에도 乙(경기도선거관리위원회 위원장)이 국민권익위원회의 조치요구를 다툴 별다른 방법이 없는 점 등에 비추어 보면, 처분성이 인정되는 위 조치요구에 불복하고자 하는 乙로서는 조치요구의 취소를 구하는 항고소송을 제기하는 것이 유효 · 적절한 수단이므로 비록 乙(경기도선거관리위원회 위원장)이 국가기관이더라도 당사자능력 및 원고적격을 가진다고 보는 것이 타당하고, 乙이 위 조치요구 후 甲을 파면하였다고 하더라도 조치요구가 곧바로 실효된다고 할 수 없고 乙은 여전히 조치요구를 따라야 할 의무를 부담하므로 乙에게는 위 조치요구의 취소를 구할 법률상 이익(협의의 소의 이익)도 있다고 본 원심판단은 정당하다(대판 2013. 7. 25, 2011두1214).

2-1. 국가기관 등 행정기관(이하 '행정기관 등'이라 한다) 사이에 권한의 존부와 범위에 관하여 다툼이 있는 경우에 이는 통상 내부적 분쟁이라는 성격을 띠고 있어 상급관청의 결정에 따라 해결되거나 법령이 정하는 바에 따라 '기관소송'이나 '권한쟁의심판'으로 다루어진다. 그런데 법령이 특정한 행정기관 등으로 하여금 다른 행정기관을 상대로 제재적 조치를 취할 수 있도록 하면서, 그에 따르지 않으면 그 행정기관에 대하여 과태료를 부과하거나 형사처벌을 할 수 있도록 정하는 경우가 있다. 이러한 경우에는 단순히 국가기관이나 행정기관의 내부적 문제라거나 권한분장에 관한 분쟁으로만 볼 수 없다. 행정기관의 제재적 조치의 내용에 따라 '구체적 사실에 대한 법집행으로서 공권력의 행사'에 해당할 수

기출 체크

□□□□□ 01 취소소송은 처분 등의 취소를 구할 법률상 이익이 있는 자가 제기할 수 있다. (○, ×) ★★★ 2010 지방직 9급

□□□□□ 02 무효등확인소송의 제기 당시에 원고적격을 갖추었다면 상고심 계속 중에 원고적격을 상실하더라도 그 소는 적법하다. (○, ×) 2024 지방직 · 서울시 9급

□□□□□ 03 무효확인소송의 제1심 판결시까지 원고적격을 구비하였는데 제2심 단계에서 원고적격을 흠결하게 된 경우, 제2심 수소법원은 각하판결을 하여야 한다. (○, ×) ★★★ 2019 국가직 9급

□□□□□ 04 (甲은 단순위법인 취소사유가 있는 A처분에 대하여 행정소송법상 무효확인소송을 제기하였다) 甲이 무효확인소송의 제기 당시에 원고적격을 갖추었더라도 상고심 중에 원고적격을 상실하면 그 소는 부적법한 것이 된다. (○, ×) ★★★ 2019 지방직 7급

□□□□□ 05 사실심 단계에서는 원고적격을 구비하였으나 상고심에서 원고적격이 흠결된 취소소송(은 행정소송에서 소송이 각하되는 경우에 해당한다) (○, ×) ★★ 2017 국가직 7급

□□□□□ 06 취소소송의 원고적격은 소송요건의 하나이므로 사실심변론종결시는 물론 상고심에서도 존속하여야 하고 이를 흠결하면 부적법한 소가 된다. (○, ×) ★★ 2015 사회복지직 9급

□□□□□ 07 법인격 없는 단체도 대표자를 통해서 단체의 이름으로 소를 제기할 수 있다. (○, ×) 2007 세무사

□□□□□ 08 경기도선거관리위원회 소속 공무원인 甲이 「부패방지 및 국민권익위원회의 설치와 운영에 관한 법률」에 따라 국민권익위원회에 신고를 하면서 신분보장조치를 요구하였고, 이에 국민권익위원회가 경기도선거관리위원회 위원장에게 甲에 대한 중징계요구를 취소하고 향후 신고로 인한 신분상 불이익 등을 주지 말 것을 요구하는 조치요구를 한 사안에서 이에 불복하는 경기도선거관리위원회 위원장(은 항고소송의 원고적격이 인정된다) (○, ×) ★★★ 2022 국회직 8급

❶ 행정소송법 제12조【원고적격】 취소소송은 처분 등의 취소를 구할 법률상 이익이 있는 자가 제기할 수 있다.

정답 01 ○ 02 × 03 ○ 04 ○ 05 ○ 06 ○ 07 ○ 08 ○

있고, 그러한 조치의 상대방인 행정기관이 입게 될 불이익도 명확하다. 그런데도 그러한 제재적 조치를 기관소송이나 권한쟁의심판을 통하여 다툴 수 없다면, 제재적 조치는 그 성격상 단순히 행정기관 등 내부의 권한행사에 머무는 것이 아니라 상대방에 대한 공권력 행사로서 항고소송을 통한 주관적 구제대상이 될 수 있다고 보아야 한다. 기관소송법정주의를 취하면서 제한적으로만 이를 인정하고 있는 현행 법령의 체계에 비추어 보면, 이 경우 항고소송을 통한 구제의 길을 열어주는 것이 법치국가원리에도 부합한다. 따라서 이러한 권리구제나 권리보호의 필요성이 인정된다면 예외적으로 그 제재적 조치의 상대방인 행정기관 등에게 항고소송 원고로서의 당사자능력과 원고적격을 인정할 수 있다.01

2-2. (국민권익위원회가 소방청장에게 인사와 관련하여 부당한 지시를 한 사실이 인정된다며 이를 취소할 것을 요구하기로 의결하고 그 내용을 통지하자 소방청장이 국민권익위원회 조치요구의 취소를 구하는 소송을 제기한 사안에서) **처분성이 인정되는 국민권익위원회의 조치요구에 불복하고자 하는 소방청장으로서는 조치요구의 취소를 구하는 항고소송을 제기하는 것이 유효·적절한 수단으로 볼 수 있으므로 소방청장이 예외적으로 당사자능력과 원고적격을 가진다**(대판 2018. 8. 1, 2014두35379).02 ★★★

(4) 국가 또는 지방자치단체의 경우

국가나 지방자치단체가 행정처분의 상대방인 경우에는 해당 처분을 다툴 원고적격이 있다는 것이 판례의 입장이다.

관련판례

1. 구 건축법 제29조 제1항에서 정한 건축협의의 취소는 처분에 해당한다.★★★
2. 지방자치단체인 원고가 건축물 소재지 관할 허가권자인 지방자치단체의 장을 상대로 건축협의 취소의 취소를 구할 수 있다(대판 2014. 2. 27, 2012두22980).03 04 ★★★

(5) 법률상 이익의 의미

행정소송법 제12조에서는 원고적격은 처분 등의 취소를 구할 법률상 이익이 있는 자에게 인정되는 것으로 규정하고 있는데, 그 의미가 무엇인지에 대해서는 취소소송의 기능과 본질을 어떻게 볼 것인가와 관련하여 학설이 대립한다.

① 학 설

학설은 대립하는데 법률상 이익구제설이 통설의 입장이다. 법률상 이익구제설(법률상 보호된 이익구제설)에 따르면 취소소송의 기능을 법에 의하여 보호되는 이익을 구제하는 데 있는 것으로 보아 위법한 처분에 의해 침해되고 있는 이익이 고유한 의미의 권리(예 광업권)뿐만 아니라 법률에서 보호되고 있는 이익인 경우에도 그러한 이익을 가진 자는 소송을 제기할 수 있는 원고적격을 가진다고 본다. 이 설이 통설의 입장이다.05 ⓐ

② 판 례

판례는 법률상 이익구제설을 취하고 있는데, 다만 국민의 재판청구권의 확보를 위해 법률상 이익의 개념을 확대하고 있다.

2. 원고적격 일반론

(1) 법률상 이익(개별적·직접적·구체적 이익)

① 법률상 이익이라 함은 처분의 근거법규 내지 관계법규에 의해 보호되는 이익을 말하는바, 이러한 이익이 침해된 자는 원고적격이 있으나 사실상·경제상 이익 내지 반사적 이익의 침해만으로는

기출 체크

□□□□□ 01 법령이 특정한 행정기관 등으로 하여금 다른 행정기관을 상대로 제재적 조치를 취할 수 있도록 하면서, 그에 따르지 않으면 그 행정기관에 대하여 과태료를 부과하거나 형사처벌을 할 수 있도록 정하는 경우, 제재적 조치의 상대방인 행정기관 등에게 항고소송 원고로서의 당사자능력과 원고적격을 인정할 수 없다. (○, ×) ★★★ 2023 군무원 9급

□□□□□ 02 국민권익위원회의 조치요구의 취소를 구하는 소송을 제기한 소방청장(은 판례상 취소소송에서 원고적격이 인정된다) (○, ×) ★★★ 2023 군무원 7급

□□□□□ 03 건축법상 지방자치단체를 상대방으로 하는 건축협의의 취소는 행정처분에 해당한다고 볼 수 없으므로 지방자치단체가 건축물 소재지 관할 건축허가권자를 상대로 항고소송을 통해 건축협의 취소의 취소를 구할 수 없다. (○, ×) ★★★ 2022 지방직·서울시 7급

□□□□□ 04 지방자치단체가 건축물 소재지 관할 허가권자인 지방자치단체의 장을 상대로 건축협의 취소의 취소를 구하는 사안에서의 지방자치단체(는 행정소송의 원고적격을 가지는 자에 해당한다) (○, ×) ★★★ 2019 국회직 8급

□□□□□ 05 법률상 이익의 의미에 관하여 법률상 보호이익설(법률상 이익구제설)은 위법한 처분에 의하여 침해되고 있는 이익이 근거법률에 의하여 보호되고 있는 이익인 경우에는 그러한 이익이 침해된 자에게 당해 처분의 취소를 구할 원고적격이 인정된다고 한다. (○, ×) ★★ 2011 국가직 9급

ⓐ 전통적 견해는 '법률상 이익 = 전통적 의미의 권리(예 광업권) + 법률상 보호이익'으로 이해하는 데 반해, 새로운 견해는 '법률상 이익 = 전통적 의미의 권리 = 법률상 보호이익'으로 이해한다. 새로운 견해에 따르면 권리구제설은 법률상 이익구제설과 동일한 것으로 본다.

정답 01 × 02 ○ 03 × 04 ○ 05 ○

원고적격이 인정되지 않는다.01 법률상 이익이 침해된 자라면 처분의 상대방뿐만 아니라 상대방이 아닌 제3자라도 처분의 취소를 구할 원고적격이 인정된다.

② 또한 법률상 이익이라 함은 당해 처분의 직접적 근거법규 및 관련법규에 의하여 보호되는 개별적 · 직접적 · 구체적 이익이 있는 경우를 말한다. 즉, 법에 의해 보호되는 개별적 이익(사익)이 있는 자만이 원고적격이 있으며 공익침해만으로는 원고적격이 인정될 수 없다.

관련판례

1. 불이익처분의 상대방은 직접 개인적 이익의 침해를 받은 자로서 원고적격이 인정된다(대판 2018. 3. 27, 2015두47492).02

2-1. 행정처분의 직접 상대방이 아닌 제3자라 하더라도 당해 행정처분으로 인하여 법률상 보호되는 이익을 침해당한 경우에는 취소소송을 제기하여 그 당부의 판단을 받을 자격이 있다.03 ★★★

2-2. 여기에서 말하는 법률상 보호되는 이익은 당해 처분의 근거법규 및 관련법규에 의하여 보호되는 개별적 · 직접적 · 구체적 이익이 있는 경우를 말한다.04 ★★★

2-3. 이때 당해 처분의 근거법규 및 관련법규에 의하여 보호되는 법률상 이익이라 함은 당해 처분의 근거법규의 명문 규정에 의하여 보호받는 법률상 이익, 당해 처분의 근거법규에 의하여 보호되지는 아니하나 당해 처분의 행정목적을 달성하기 위한 일련의 단계적인 관련 처분들의 근거법규에 의하여 명시적으로 보호받는 법률상 이익을 말한다.

2-4. 더 나아가 당해 처분의 근거법규 또는 관련법규에서 명시적으로 당해 이익을 보호하는 명문의 규정이 없더라도 근거법규 및 관련법규의 합리적 해석상 그 법규에서 행정청을 제약하는 이유가 순수한 공익의 보호만이 아닌 개별적 · 직접적 · 구체적 이익을 보호하는 취지가 포함되어 있다고 해석되는 경우까지도 법률상 이익에 포함된다.

2-5. 다만, 공익보호의 결과로 국민 일반이 공통적으로 가지는 일반적 · 간접적 · 추상적 이익과 같이 사실적 · 경제적 이해관계를 갖는 데 불과한 경우는 여기에 포함되지 아니한다(대판 2013. 9. 12, 2011두33044).05 ★★★

3. 주거지역 내의 도시계획법과 건축법상의 제한면적을 초과한 연탄공장건축허가 처분으로 불이익을 받고 있는 제3거주자는 당해 행정처분의 취소를 소구할 법률상 자격이 있다.06 ★★★

   주거지역 안에서는 구 도시계획법 제19조 제1항과 개정 전 건축법 제32조 제1항에 의하여 공익상 부득이하다고 인정될 경우를 제외하고는 거주의 안녕과 건전한 생활환경의 보호를 해치는 모든 건축이 금지되고 있을 뿐 아니라 주거지역 내에 거주하는 사람이 받는 위와 같은 보호이익은 법률에 의하여 보호되는 이익이라고 할 것이므로 주거지역 내에 위 법조 소정 제한면적을 초과한 연탄공장 건축허가처분으로 불이익을 받고 있는 제3거주자는 비록 당해 행정처분의 상대자가 아니라 하더라도 그 행정처분으로 말미암아 위와 같은 법률에 의하여 보호되는 이익을 침해받고 있다면 당해 행정처분의 취소를 소구하여 그 당부의 판단을 받을 법률상의 자격이 있다(대판 1975. 5. 13, 73누96 · 97).

4. 제주 강정마을 일대가 절대보전지역으로 유지됨으로써 주민들인 원고들이 가지는 주거 및 생활환경상 이익은 그 지역의 경관 등이 보호됨으로써 반사적으로 누리는 것일 뿐 근거법규 또는 관련법규에 의하여 보호되는 개별적 · 직접적 · 구체적 이익이라고 할 수 없다(대판 2012. 7. 5, 2011두13187 · 13914 병합).07

5-1. 구 문화재보호법상의 도지정문화재 지정처분으로 인하여 침해될 수 있는 특정 개인의 명예 내지 명예감정이 그 지정처분의 취소를 구할 법률상의 이익에 해당하지 않는다.

5-2. 구 문화재보호법상의 도지정문화재 지정처분으로 인하여 불이익을 입거나 입을 우려가 있더라도 지정처분의 상대방이 아닌 제3자는 지정처분의 취소 또는 해제를 구할 조리상 신청권이 있다고 할 수 없다(부정).

   도지사의 도지정문화재 지정처분은, 문화재를 보존하여 이를 활용함으로써 국민의 문화적 향상을 도모함과 아울러 인류문화의 발전에 기여할 목적에서(동법 제1조), 도지사가 그 관할구역 안에 있는 문화재로서 국가지정문화재로 지정되지 아니한 문화재 중 보존가치가 있다고 인정되는 것을 도지정문화재로 지정하는 행위이므로, 그 입법목적이나 취지는 지역주민이나 국민 일반의 문화재 향유에 대한 이

기출 체크

□□□□□ 01 행정소송법 제12조의 법률상 이익은 직접적이고 구체적 · 개인적인 이익을 말하며 행정의 적법성 보장을 위해 간접적이거나 사실적 · 경제적 이익이라도 보호가치가 있는 경우에는 원고적격을 인정한다. (○, ×) 2023 소방간부

□□□□□ 02 불이익한 행정처분의 상대방은 직접 개인적 이익을 침해당한 것으로 볼 수 없으므로 처분취소소송에서 원고적격을 바로 인정받지 못한다. (○, ×) 2021 군무원 7급

□□□□□ 03 행정처분의 직접 상대방이 아닌 제3자라도 당해 처분에 관하여 법률상 직접적이고 구체적인 이해관계를 가지는 경우에는 당해 처분 취소소송의 원고적격이 인정된다. (○, ×) ★★★ 2023 군무원 9급

□□□□□ 04 법률상 보호되는 이익이라 함은 당해 처분의 근거법규에 의하여 보호되는 개별적 · 구체적 이익을 의미하며, 관련법규에 의하여 보호되는 개별적 · 구체적 이익까지 포함하는 것은 아니라는 것이 판례의 입장이다. (○, ×) ★★★ 2017 국회직 8급

□□□□□ 05 원고적격의 요건으로서 법률상 이익에는 당해 처분의 근거법률에 의하여 보호되는 직접적이고 구체적인 이익뿐만 아니라 간접적이거나 사실적 · 경제적 이해관계를 가지는 경우도 여기에 포함된다. (○, ×) ★★★ 2024 국가직 9급

□□□□□ 06 주거지역 내에서 법령상의 제한면적을 초과하는 연탄공장의 건축허가처분으로 불이익을 받고 있는 인근주민은 당해 처분의 취소를 소구할 법률상 자격이 없다. (○, ×) ★★★ 2018 교육행정직 9급

□□□□□ 07 절대보전지역 변경처분에 대해 지역주민회와 주민들이 항고소송을 제기한 경우에는 절대보전지역 유지로 지역주민회 · 주민들이 가지는 주거 및 생활환경상 이익은 지역의 경관 등이 보호됨으로써 누리는 법률상 이익이다. (○, ×) 2017 서울시 7급

정답 01 × 02 × 03 ○ 04 × 05 × 06 × 07 ×

익을 공익으로서 보호함에 있는 것이지, 특정 개인의 문화재 향유에 대한 이익을 직접적 · 구체적으로 보호함에 있는 것으로 해석되지 아니하고 …… 설령 위 지정처분으로 인하여 어느 개인이나 그 선조의 명예 내지 명예감정이 손상되었다고 하더라도, 그러한 명예 내지 명예감정은 위 지정처분의 근거법규에 의하여 직접적 · 구체적으로 보호되는 이익이라고 할 수 없으므로 그 처분의 취소를 구할 법률상의 이익에 해당하지 아니한다(대판 2001. 9. 28, 99두8565).

6. **환경부장관이 생태 · 자연도 1등급으로 지정되었던 지역을 2등급 또는 3등급으로 변경하는 내용의 생태 · 자연도 수정 · 보완을 고시하자, 인근주민 甲이 생태 · 자연도 등급변경처분의 무효확인을 청구한 사안에서, 甲은 무효확인을 구할 원고적격이 없다.01**

   1등급 권역의 인근주민들이 가지는 이익은 환경보호라는 공공의 이익이 달성됨에 따라 반사적으로 얻게 되는 이익에 불과하므로,**02** 인근주민에 불과한 甲은 생태 · 자연도 등급권역을 1등급에서 일부는 2등급으로, 일부는 3등급으로 변경한 결정의 무효확인을 구할 원고적격이 없다고 본 원심판단을 수긍한 사례(대판 2014. 2. 21, 2011두29052)

7. **구 주택법상 입주자나 입주예정자가 사용검사처분의 취소를 구할 법률상 이익은 없다**(대판 2014. 7. 24, 2011두30465).**03 04** ㉠★★

(2) 법률상 이익이 침해되거나 침해될 우려가 있을 것

처분 등에 의해 법률상 이익이 현실적으로 침해된 경우(예 영업허가취소)뿐만 아니라 침해가 예상되는 경우(예 건축허가로 인한 일조권침해우려의 경우)에도 원고적격이 인정된다.**05**

❷ 구체적인 경우의 원고적격 여부 검토

수익적 처분의 상대방, 침익적 처분의 상대방 등, 복효적 처분으로서 경업자소송 · 경원자소송 · 인근주민소송, 단체 자체가 다투는 경우, 기타의 순으로 원고적격 여부를 검토한다.

1. 수익적 처분의 상대방

수익적 처분의 경우 상대방은 그러한 처분으로부터 법률상 이익이 침해되었다고 볼 수 없으므로 특별한 사정이 없는 한 원고적격이 없다.

관련판례

수익적 처분 또는 신청대로 이루어진 처분의 경우 처분상대방은 취소를 제기할 이익이 없다.06 07 ★★★

행정처분이 수익적인 처분이거나 신청에 의하여 신청내용대로 이루어진 처분인 경우에는 처분상대방의 권리나 법률상 보호되는 이익이 침해되었다고 볼 수 없으므로 달리 특별한 사정이 없는 한 처분의 상대방은 그 취소를 구할 이익이 없다고 할 것이다(대판 1995. 5. 26, 94누7324).

2. 침익적 처분의 상대방 등

(1) 공동이해관계를 갖는 자

침익적 처분의 직접 상대방과 동일한 이해관계를 갖는 자 또는 불특정 다수를 상대로 행하여지는 일반처분의 상대방은 원고적격을 갖는다고 볼 수 있다.

관련판례

제약회사는 보건복지부 고시인 「약제급여 · 비급여목록 및 급여상한금액표」의 취소를 구할 원고적격이 있다.★★★

어떠한 고시가 일반적 · 추상적 성격을 가질 때에는 법규명령 또는 행정규칙에 해당할 것이지만, 다른 집행행위의 매개 없이 그 자체로서 직접 국민의 구체적인 권리 · 의무나 법률관계를 규율하는 성격을 가질

기출 체크

□□□□□ **01** 환경부장관이 생태 · 자연도 1등급으로 지정되었던 지역을 2등급으로 변경하는 내용의 생태 · 자연도 수정 · 보완을 고시하는 경우, 1등급지역에 거주하던 인근주민은 생태 · 자연도 등급변경처분의 무효확인을 구할 원고적격이 없다. (○, ×) 2023 국가직 9급

□□□□□ **02** 환경부장관의 생태 · 자연도 등급결정으로 1등급 권역의 인근주민들이 가지는 환경상 이익은 법률상 이익이다. (○, ×) 2023 군무원 9급

□□□□□ **03** 건축물의 하자를 다투는 입주예정자들은 건물의 사용검사처분에 대해 제3자효 행정행위의 차원에서 행정소송을 통해 다툴 수 있다. (○, ×) ★★ 2023 국가직 9급

□□□□□ **04** 구 주택법상 건축물의 입주예정자는 그 건축물에 대한 사용검사처분의 무효확인이나 취소를 통해 건축물의 하자상태 등을 제거하거나 법률적 지위가 달라진다 할 것이므로 사용검사처분의 취소를 구할 법률상 이익이 인정된다. (○, ×) ★★ 2023 소방간부

□□□□□ **05** 처분 등에 의해 법률상 이익이 현저히 침해되는 경우뿐만 아니라 침해가 우려되는 경우에도 원고적격이 인정된다. (○, ×) 2023 군무원 9급

□□□□□ **06** 행정처분에 있어서 수익처분의 상대방은 그의 권리나 법률상 보호되는 이익이 침해되었다고 볼 수 없으므로 달리 특별한 사정이 없는 한 그 수익처분의 취소를 구할 이익이 없다. (○, ×) 2024 지방직 · 서울시 9급

□□□□□ **07** 행정처분에 있어서 불이익처분의 상대방은 직접 개인적 이익의 침해를 받은 자로서 취소소송의 원고적격이 인정되지만 수익처분의 상대방은 그의 권리나 법률상 보호되는 이익이 침해되었다고 볼 수 없으므로 달리 특별한 사정이 없는 한 취소를 구할 이익이 없다. (○, ×) ★★★ 2017 국가직 9급

판례 | ㉠ 건축물에 대한 사용검사처분이 취소된다고 하더라도 사용검사 이전의 상태로 돌아가 건축물을 사용할 수 없게 되는 것에 그칠 뿐 곧바로 건축물의 하자 상태 등이 제거되거나 보완되는 것도 아니다.
그리고 입주자나 입주예정자들은 사용검사처분을 취소하지 않고서도 민사소송 등을 통하여 분양계약에 따른 법률관계 및 하자 등을 주장 · 증명함으로써 사업주체 등으로부터 하자제거 · 보완 등에 관한 권리구제를 받을 수 있으므로, 사용검사처분의 취소 여부에 의하여 법률적인 지위가 달라진다고 할 수 없다(대판 2014. 7. 24, 2011두30465).

정답 01 ○ 02 × 03 × 04 × 05 ○ 06 ○ 07 ○

때에는 행정처분에 해당한다.01 02 보건복지부 고시인 「약제급여 · 비급여목록 및 급여상한금액표」(보건복지부 고시 제2002-46호로 개정된 것)는 다른 집행행위의 매개 없이 그 자체로서 국민건강보험가입자, 국민건강보험공단, 요양기관 등의 법률관계를 직접 규율하는 성격을 가지므로 항고소송의 대상이 되는 행정처분에 해당한다. 제약회사가 자신이 공급하는 약제에 관하여 국민건강보험법, 같은 법 시행령, 「국민건강보험 요양급여의 기준에 관한 규칙」(2001. 12. 31, 보건복지부령 제207호) 등 약제상한금액고시의 근거 법령에 의하여 보호되는 직접적이고 구체적인 이익을 향유하는데, 보건복지부 고시인 「약제급여 · 비급여목록 및 급여상한금액표」(보건복지부 고시 제2002-46호로 개정된 것)로 인하여 자신이 제조 · 공급하는 약제의 상한금액이 인하됨에 따라 위와 같이 보호되는 법률상 이익이 침해당할 경우, 제약회사는 위 고시의 취소를 구할 원고적격이 있다(대판 2006. 9. 22, 2005두2506).03

(2) 밀접한 이해관계를 갖는 제3자

침익적 처분의 효력이 제3자에게 미치는 경우 제3자가 법률상 직접적 · 구체적인 이해관계를 갖는다면 원고적격이 인정될 수 있고, 간접적 · 사실상의 이해관계를 갖는 것에 불과하다면 원고적격이 인정될 수 없다.

관련판례

1. (재산압류는 체납자의 재산에 대해 행해져야 함에도 불구하고 체납자가 가지고 있을 뿐 체납자 아닌 제3자의 물건을 압류한 것과 관련하여) **과세관청이 체납자가 점유하고 있는 제3자 소유의 동산을 압류한 경우, 체납자는 그 압류처분의 취소나 무효확인을 구할 원고적격이 있다**(대판 2006. 4. 13, 2005두15151).04 ★

2. **채석허가를 받은 자에 대한 관할행정청의 채석허가취소처분에 대하여, 수허가자의 지위를 양수한 양수인에게 그 취소처분의 취소를 구할 법률상 이익이 있다.**05 06 ★★★
   산림법 제90조의2 제1항, 제118조 제1항, 같은 법 시행규칙 제95조의2 등 산림법령이 수허가자의 명의변경제도를 두고 있는 취지는, …… 수허가자의 지위를 사실상 양수한 양수인의 이익을 보호하고자 하는 데 있는 것으로 해석되므로, 수허가자의 지위를 양수받아 명의변경신고를 할 수 있는 양수인의 지위는 단순한 반사적 이익이나 사실상의 이익이 아니라 산림법령에 의하여 보호되는 직접적이고 구체적인 이익으로서 법률상 이익이라고 할 것이고, 채석허가가 유효하게 존속하고 있다는 것이 양수인의 명의변경신고의 전제가 된다는 의미에서 관할행정청이 양도인에 대하여 채석허가를 취소하는 처분을 하였다면 이는 양수인의 지위에 대한 직접적 침해가 된다고 할 것이므로 양수인은 채석허가를 취소하는 처분의 취소를 구할 법률상 이익을 가진다(대판 2003. 7. 11, 2001두6289).

3. **공매 등의 절차에 따라 문화체육관광부령으로 정하는 주요한 유원시설업 시설의 전부 또는 체육시설업의 시설기준에 따른 필수시설을 인수함으로써 그 유원시설업자 또는 체육시설업자의 지위를 승계한 자가 관계행정청에 이를 신고하여 행정청이 이를 수리하는 경우에는 종전의 유원시설업자에 대한 허가는 그 효력을 잃고, 종전의 체육시설업자는 적법한 신고를 마친 체육시설업자로서의 지위를 부인당할 불안정한 상태에 놓이게 되므로 수리처분의 취소를 구할 법률상 이익이 있다**(대판 2012. 12. 13, 2011두29144).07 ★★★

4. **주택건설사업의 양수인이 사업주체의 변경승인신청을 한 이후에 행정청이 양도인에 대하여 그 사업계획변경승인의 전제로 되는 사업계획승인을 취소하는 처분을 한 경우, 양수인은 위 처분의 취소를 구할 법률상의 이익을 가진다.**
   주택건설촉진법 제33조 제1항, 구 같은 법 시행규칙 제20조의 각 규정에 의하면 주택건설 사업주체의 변경승인신청은 양수인이 단독으로 할 수 있고 위 변경승인은 실질적으로 양수인에 대하여 종전에 승인된 사업계획과 동일한 사업계획을 새로이 승인해주는 행위라 할 것이므로, 사업주체의 변경승인신청이 된 이후에 행정청이 양도인에 대하여 그 사업계획변경승인의 전제로 되는 사업계획승인을 취소하는 처분을 하였다면 양수인은 그 처분 이전에 양도인으로부터 토지와 사업승인권을 사실상 양수받아 사업주체의 변경승인신청을 한 자로서 그 취소를 구할 법률상의 이익을 가진다(대판 2000. 9. 26, 99두646).

기출 체크

□□□□□ 01 보건복지부 고시인 「약제급여 · 비급여목록 및 급여상한금액표」는 다른 집행행위의 매개 없이 그 자체로서 국민건강보험가입자, 국민건강보험공단, 요양기관 등의 법률관계를 직접 규율하는 행정처분의 성격을 가진다. (○, ×) ★★★ 2024 소방간부

□□□□□ 02 어떠한 고시가 다른 집행행위의 매개 없이 그 자체로서 직접 국민의 구체적인 권리 · 의무나 법률관계를 규율하는 성격을 가질 때에는 행정처분에 해당한다. (○, ×) ★★★ 2021 국가직 7급

□□□□□ 03 제약회사가 보건복지부 고시인 「약제급여 · 비급여목록 및 급여상한금액표」로 인하여 자신이 제조 · 공급하는 약제의 상한금액이 인하됨에 따라 약제에 관한 법률상 이익이 침해당할 경우, 제약회사는 위 고시의 취소를 구할 원고적격이 있다. (○, ×) ★★★ 2022 서울시 지적 7급

□□□□□ 04 체납자는 자신이 점유하는 제3자 소유의 동산에 대한 압류처분의 취소나 무효확인을 구할 원고적격이 있다. (○, ×) ★ 2020 국회직 8급

□□□□□ 05 〔A구청장으로부터 허가를 받아 유흥주점영업을 해오던 갑(甲)은 해당 영업을 을(乙)에게 양도하기로 하였다. 갑(甲)과 을(乙)은 사업을 양도하기로 하는 계약을 체결하였고, 법령에 따라 을(乙)은 A구청장에게 영업자지위승계신고를 하였다〕 A구청장이 영업자지위승계신고를 수리하기 전에 갑(甲)의 영업허가를 취소하였다면 을(乙)은 이를 다툴 원고적격이 없다. (○, ×) ★★★ 2023 서울시 지적 7급

□□□□□ 06 채석허가를 받은 자로부터 영업양수 후 명의변경신고 이전에 양도인의 법위반사유를 이유로 채석허가가 취소된 경우, 양수인은 수허가자의 지위를 사실상 양수받았다고 하더라도 그 처분의 취소를 구할 법률상 이익을 가지지 않는다. (○, ×) ★★★ 2017 국가직(하) 7급

□□□□□ 07 공매 등의 절차로 영업시설의 전부를 인수함으로써 영업자의 지위를 승계한 자가 관계행정청에 이를 신고하여 관계행정청이 그 신고를 수리하는 처분에 대해 종전 영업자는 제3자로서 그 처분의 취소를 구할 법률상 이익이 인정되지 않는다. (○, ×) ★★★ 2013 국가직 7급

정답 01 ○ 02 ○ 03 ○ 04 ○ 05 × 06 × 07 ×

5. 「도시 및 주거환경정비법」상 조합설립추진위원회의 구성에 동의하지 아니한 정비구역 내의 토지 등 소유자에게 조합설립추진위원회 설립승인처분의 취소를 구할 원고적격이 인정된다(대판 2007. 1. 25, 2006두12289). 01 ㉠ ★★

6. 예탁금회원제 골프장의 기존회원은 골프장운영자가 사업계획의 승인을 받을 때 정한 예정인원을 초과하여 회원을 모집하는 내용의 회원모집계획서에 대한 시 · 도지사의 검토결과 통보의 취소를 구할 법률상의 이익이 있다고 보아야 한다(대판 2009. 2. 26, 2006두16243). 02 ★★

7-1. 신문을 발행하려는 자는 신문의 명칭 등을 주사무소 소재지를 관할하는 시 · 도지사에게 등록하여야 하고, 등록을 하지 않고 신문을 발행한 자에게는 2천만 원 이하의 과태료가 부과된다(「신문 등의 진흥에 관한 법률」 제9조 제1항, 제39조 제1항 제1호). 따라서 등록관청이 하는 신문의 등록은 신문을 적법하게 발행할 수 있도록 하는 행정처분에 해당한다.

7-2. (주)제주일보사로부터 명칭 사용을 허용받아 「신문 등의 진흥에 관한 법률」상 등록을 하고 제주일보를 발행하고 있던 원고가 피고보조참가인의 (주)제주일보사 사업양수가 무효임을 주장한 사안에서, 이 사건 처분[피고가 피고보조참가인(양수인)에 대하여 한 신문사업자 지위승계신고 수리 및 신문사업변경등록처분]은 원고의 신문법상 지위를 불안정하게 만드는 것이므로 그 처분의 무효확인 또는 취소를 구할 원고적격이 인정된다(대판 2019. 8. 30, 2018두47189).

3. 법인 및 단체에 대한 처분을 그 구성원이 다투는 경우

(1) 법인 또는 단체에 대한 침익적 처분의 경우 법인 또는 단체 스스로 소송을 제기하면 되는 것이고, 이 경우 법인 및 단체의 구성원은 직접적 · 구체적 이해관계를 인정할 수 없어 원고적격이 부정됨이 원칙이다.㉡

(2) 그러나 법인에 대한 처분이 당해 법인의 존속 자체를 직접 좌우하거나, 그 처분으로 인하여 궁극적으로 주식이 소각되거나 주주의 법인에 대한 권리가 소멸하는 등 주주의 지위에 중대한 영향을 초래하게 되는데도 그 처분의 성질상 당해 법인이 이를 다툴 것을 기대할 수 없고 달리 주주의 지위를 보전할 구제방법이 없는 경우에는 주주도 그 처분에 관하여 직접적이고 구체적인 법률상 이해관계를 가진다고 보이므로 그 취소를 구할 원고적격이 있다(대판 2004. 12. 23, 2000두2648). 03

관련판례

1-1. 법인의 주주는 법인에 대한 처분에 대해 원칙적으로 원고적격이 없다.

1-2. 은행업무정지처분 등의 효력이 유지되는 한 은행이 종전에 행하던 영업을 다시 행할 수는 없는 경우, 은행의 주주에게 당해 은행의 업무정지처분 등을 다툴 원고적격이 인정된다.★

법인의 주주는 법인에 대한 행정처분에 관하여 사실상이나 간접적인 이해관계를 가질 뿐이어서 스스로 그 처분의 취소를 구할 원고적격이 없는 것이 원칙이라고 할 것이지만, 그 처분으로 인하여 법인이 더 이상 영업 전부를 행할 수 없게 되고, 영업에 대한 인 · 허가의 취소 등을 거쳐 해산 · 청산되는 절차 또한 처분 당시 이미 예정되어 있으며, 그 후속절차가 취소되더라도 그 처분의 효력이 유지되는 한 당해 법인이 종전에 행하던 영업을 다시 행할 수 없는 예외적인 경우에는 주주도 그 처분에 관하여 직접적이고 구체적인 법률상 이해관계를 가진다고 보아 그 효력을 다툴 원고적격이 있다.
부실금융기관의 정비를 목적으로 은행의 영업 관련 자산 중 재산적 가치가 있는 자산 대부분과 부채 등이 타에 이전됨으로써 더 이상 그 영업 전부를 행할 수 없게 되고, 은행업무정지처분 등의 효력이 유지되는 한 은행이 종전에 행하던 영업을 다시 행할 수는 없는 경우, 은행의 주주에게 당해 은행의 업무정지처분 등을 다툴 원고적격이 인정된다(대판 2005. 1. 27, 2002두5313).

2. 법인에 대한 행정처분이 법인의 존속 자체를 좌우하는 처분일 경우에는 주주나 임원도 그 처분에 관해 직접적 · 구체적 이해관계를 가지므로 원고적격이 있다(대판 1997. 12. 12, 96누4602).

기출 체크

□□□□□ 01 「도시 및 주거환경정비법」상 조합설립추진위원회의 구성에 동의하지 아니한 정비구역 내의 토지 등 소유자는 조합설립추진위원회 설립승인처분의 취소를 구할 원고적격이 있다. (○, ×) ★★ 2011 국가직 7급

□□□□□ 02 이른바 예탁금회원제 골프장에 있어서, 체육시설업자가 회원모집계획서를 제출하면서 사업계획의 승인을 받을 때 정한 예정인원을 초과하여 회원을 모집하는 내용의 회원모집계획서를 제출하여 그에 대한 시 · 도지사 등의 검토결과 통보를 받은 경우, 기존회원이 회원모집계획서에 대한 시 · 도지사의 검토결과통보에 대한 취소소송(에서 원고에게 법률상 이익이 인정된다) (○, ×) ★★ 2022 군무원 7급

□□□□□ 03 법인의 주주가 그 처분으로 인하여 궁극적으로 주식이 소각되거나 주주의 법인에 대한 권리가 소멸하는 등 주주의 지위에 중대한 영향을 초래하게 되는데도 그 처분의 성질상 당해 법인이 이를 다툴 것을 기대할 수 없고 달리 주주의 지위를 보전할 구제방법이 없는 경우에는 주주도 그 처분에 관하여 직접적이고 구체적인 법률상 이해관계를 가진다고 보이므로 그 취소를 구할 원고적격이 있다. (○, ×) 2021 군무원 9급

판례 | ㉠ 「도시 및 주거환경정비법」 제13조 제1항 및 제2항의 입법경위와 취지에 비추어 하나의 정비구역 안에서 복수의 조합설립추진위원회에 대한 승인은 허용되지 않는 점 …… 등에 비추어 보면, 조합설립추진위원회의 구성에 동의하지 아니한 정비구역 내의 토지 등 소유자도 조합설립추진위원회 설립승인처분에 대하여 같은 법에 의하여 보호되는 직접적이고 구체적인 이익을 향유하므로 그 설립승인처분의 취소소송을 제기할 원고적격이 있다(대판 2007. 1. 25, 2006두12289).

㉡ 법인의 주주가 법인에 대한 행정처분(운송사업양도 · 양수신고수리처분) 이후의 주식양수인인 경우에는 특별한 사정이 없는 한 그 처분에 대하여 간접적 · 경제적 이해관계를 가질 뿐 법률상 직접적 · 구체적 이익을 가지는 것은 아니므로 그 처분의 취소를 구할 원고적격이 인정되지 않는다(대판 2010. 5. 13, 2010두2043).

정답 01 ○ 02 ○ 03 ○

4. 경업자소송 – 복효적 처분 1

(1) 의 의

경업자소송이란 여러 영업자가 경쟁관계에 있는 경우, 경쟁관계에 있는 영업자에 대한 처분을 다른 경쟁업자가 다투는 소송을 말한다. 이와 관련하여 대표적인 예로 기존업자가 신규업자에 대한 인 · 허가처분의 취소소송을 제기하는 것을 들 수 있다.

(2) 판단기준

통설과 판례는 기본적으로 기존업자가 특허업자인지 허가업자인지를 구분하여, 기존업자가 특허업자인 경우에는 특허로 받은 이익을 법률상 이익으로 보아 원고적격을 인정하고, 허가업자인 경우에는 반사적 이익 또는 사실상 이익에 불과한 것으로 보아 원고적격을 부정하고 있다.01 다만, 허가의 경우에도 법이 기존업자의 이익도 보호하고 있는 것으로 해석되는 경우에는 기존업자도 원고적격을 가질 수 있다고 본다.

① 기존업자가 특허업자일 때 법률상 이익으로 본 경우㉠

관련판례

1-1. 면허나 인 · 허가 등의 수익적 행정처분의 근거가 되는 법률이 해당 업자들 사이의 과당경쟁으로 인한 경영의 불합리를 방지하는 것도 목적으로 하고 있는 경우, 기존의 업자는 경업자에 대하여 이루어진 면허나 인 · 허가 등 행정처분의 취소를 구할 당사자적격이 있다.02 ★★★

1-2. 기존의 고속형 시외버스운송사업자에게 직행형 시외버스운송사업자에 대한 사업계획변경인가처분의 취소를 구할 법률상의 이익이 있다(대판 2010. 11. 11, 2010두4179).★★★

2. 한정면허를 받은 시외버스운송사업자라고 하더라도 다 같이 운행계통을 정하고 여객을 운송하는 노선여객자동차운송사업을 한다는 점에서 일반면허를 받은 시외버스운송사업자와 본질적인 차이가 없으므로, 일반면허를 받은 시외버스운송사업자에 대한 사업계획변경인가처분으로 인하여 기존에 한정면허를 받은 시외버스운송사업자의 노선 및 운행계통과 일반면허를 받은 시외버스운송사업자의 그것이 일부 중복되게 되고 기존업자의 수익감소가 예상된다면, 기존의 한정면허를 받은 시외버스운송사업자와 일반면허를 받은 시외버스운송사업자는 경업관계에 있는 것으로 보는 것이 타당하고, 따라서 기존의 한정면허를 받은 시외버스운송사업자는 일반면허 시외버스운송사업자에 대한 사업계획변경인가처분의 취소를 구할 법률상의 이익이 있다(대판 2018. 4. 26, 2015두53824).03 04 ★★★

3. 노선연장인가처분에 대하여 당해 노선에 관한 기존의 자동차운송사업자는 그 취소를 구할 소의 이익이 있다(대판 1974. 4. 9, 73누173).★★★

4. 동일한 사업구역 내의 동종의 사업용 화물자동차면허대수를 늘리는 보충인가처분에 대하여 기존업자는 그 취소를 구할 법률상 이익이 있다(대판 1992. 7. 10, 91누9107).05 ★★★

② 기존업자가 허가업자일 때 반사적 이익 또는 사실상 이익으로 본 경우㉡

관련판례

1. 숙박업구조변경허가처분을 받은 건물의 인근에서 여관을 경영하는 자들에게 그 처분의 무효확인 또는 취소를 구할 소의 이익이 없다(대판 1990. 8. 14, 89누7900).★★★

2. 「석탄수급조정에 관한 임시조치법」 소정의 석탄가공업에 관한 허가는 사업경영의 권리를 설정하는 형성적 행정행위가 아니라 질서유지와 공공복리를 위한 금지를 해제하는 명령적 행정행위여서 그 허가를 받은 자는 영업자유를 회복하는 데 불과하고 독점적 영업권을 부여받은 것이 아니기 때문에 기존허가를 받은 원고들이 신규허가로 인하여 영업상 이익이 감소된다 하더라도 이는 원고들의 반사적 이익을 침해하는 것에 지나지 아니

기출 체크

□□□□□ 01 기존업자가 특허기업인 경우에는 그 특허로 인하여 받는 영업상 이익은 반사적 이익 내지 사실상 이익에 불과한 것으로 보는 것이 일반적이나, 허가기업인 경우에는 기존업자가 그 허가로 인하여 받은 영업상 이익은 법률상 이익으로 본다. (○, ×) ★★★ 2017 국회직 8급

□□□□□ 02 일반적으로 면허 등의 수익적 행정처분의 근거가 되는 법률이 해당업자들 사이의 과당경쟁으로 인한 경영의 불합리를 방지하는 것도 목적으로 하는 경우 이미 같은 종류의 면허 등을 받아 영업을 하고 있는 기존의 업자는 경업자에 대하여 이루어진 면허 등 행정처분의 상대방이 아니라 하더라도 당해 행정처분의 취소를 구할 법률상 이익이 있다. (○, ×) ★★★ 2023 국회직 8급

□□□□□ 03 한정면허를 받은 시외버스운송사업자가 일반면허를 받은 시외버스운송사업자에 대한 사업계획변경인가처분으로 수익감소가 예상되는 경우 일반면허 시외버스운송사업자에 대한 사업계획변경인가처분의 취소를 구할 법률상 이익이 있다. (○, ×) ★★★ 2023 국회직 8급

□□□□□ 04 일반면허를 받은 시외버스운송사업자에 대한 사업계획변경인가처분으로 인하여 노선 및 운행계통의 일부 중복으로 기존에 한정면허를 받은 시외버스운송사업자의 수익감소가 예상된다면, 기존의 한정면허를 받은 시외버스운송사업자는 일반면허 시외버스운송사업자에 대한 사업계획변경인가처분의 취소를 구할 법률상의 이익이 있다. (○, ×) ★★★ 2019 국가직 7급

□□□□□ 05 동일한 사업구역 내의 동종의 사업용 화물자동차면허대수를 늘리는 보충인가처분에 대하여 기존업자는 그 취소를 구할 법률상 이익이 없다. (○, ×) ★★★ 2010 경행특채

판례 | ㉠ 광업권자가 누리는 거리상 이익은 법에 의하여 보호되는 이익이다(대판 1982. 7. 27, 81누271).

㉡ 제3자에 대한 새로운 양곡가공업허가처분으로 인하여 불이익을 당하게 된 기존의 양곡가공업자는 그 처분의 취소를 구할 원고적격이 없다(대판 1990. 11. 13, 89누756).

정답 01 × 02 ○ 03 ○ 04 ○ 05 ×

하므로 원고들은 신규허가 처분에 대하여 행정소송을 제기할 법률상 이익이 없다(대판 1980. 7. 22, 80누33 · 34). 01 ★★

3. 한의사면허는 경찰금지를 해제하는 강학상 허가로서 한약조제시험을 통하여 약사에게 한약조제권을 인정함으로써 한의사들의 영업상 이익이 감소되었더라도 이러한 이익은 사실상의 이익에 불과하므로, 한의사에게 한약조제시험을 통해 한약조제권을 인정받은 약사에 대한 합격처분의 효력을 다툴 원고적격이 없다(대판 1998. 3. 10, 97누4289). 02 ★★★

4. 국내산업의 보호육성도 무역거래법이 보호하고 있는 목적의 하나가 된다는 것만으로써 원고가 제조 · 판매하는 것과 같은 품종의 수입을 다른 사람에게 허가하는 것이 곧 원고에 대한 법률상의 이익이 침해된다고는 할 수 없다(대판 1971. 6. 29, 69누91).

5. 의원으로서의 인근생활시설로 용도변경된 건물과 가까운 곳에서 치과의원을 경영하는 자가 그 용도변경처분의 취소를 구할 원고적격이 없다.

의료법상 의료인은 신고만으로 의원이나 치과의원을 개설할 수 있고 건축법 기타 건축관계법령상 의원 상호 간의 거리나 개소에 아무런 제한을 두고 있지 아니하므로 치과의원을 경영하는 원고로서는 그 치과의원과 같은 아파트단지 내에서 30미터 정도의 거리에 있는 건물에 대하여 당초에 상품매도점포로서의 근린생활시설로 되어 있던 용도를 원고와 경합관계에 있는 치과의원을 개설할 수 있도록 의원으로서의 근린생활시설로 변경한 서울특별시장의 용도변경처분으로 인하여 받게 될 불이익은 간접적이거나 사실적, 경제적인 불이익에 지나지 아니하여 그것만으로는 원고에게 위 용도변경처분의 취소를 구할 소익이 있다고 할 수 없다(대판 1990. 5. 22, 90누813). 03

③ 예외적으로 기존 허가업자의 이익을 보호하는 경우

관련판례

기존 약종상업자는 다른 약종상업자의 영업소이전허가처분에 대해 소송을 제기할 원고적격이 있다(대판 1988. 6. 14, 87누873). ⓐ ★★

④ 기타

관련판례

경업자에 대한 행정처분이 경업자에게 불리한 내용이라면 그와 경쟁관계에 있는 기존의 업자에게는 특별한 사정이 없는 한 유리할 것이므로 기존의 업자가 그 행정처분의 무효확인 또는 취소를 구할 이익은 없다고 보아야 한다(대판 2020. 4. 9, 2019두49953). 04

5. 경원자소송 – 복효적 처분 2

(1) 의 의

경원자소송이란 수인의 신청을 받아 일부에 대하여만 인 · 허가 등의 수익적 행정처분을 하는 경우에 인 · 허가 등의 처분을 받지 못한 자가 타인에 대한 인 · 허가처분을 대상으로 제기하는 항고소송을 말한다.

(2) 원고적격 인정 여부

① 경원자관계에 있는 경우에는 각 경원자에 대한 인 · 허가 등이 배타적인 관계에 있으므로 자신의 권익을 구제하기 위해서는 타인에 대한 인 · 허가 등을 취소할 법률상 이익이 있다고 보아야 한다.

② 판례도 경원관계에서 경원자에 대하여 이루어진 허가에 대해 처분의 상대방이 아닌 자가 그 처분의 취소를 구할 당사자적격이 있다고 보고 있다. 05 06 다만, 명백한 법적 장애로 인하여 원고 자신의 신청

기출 체크

□□□□□ 01 구 「석탄수급조정에 관한 임시조치법」 소정의 석탄가공업에 관한 허가는 사업경영의 권리를 설정하는 형성적 행정행위이므로 기존에 허가를 받은 원고들이 신규허가로 인하여 영업상 이익이 감소될 수 있다는 이유로 기존의 업자에 대해 처분의 취소를 구할 법률상 이익이 있다. (○, ×) ★★ 2013 국회직 8급

□□□□□ 02 한의사면허는 강학상 특허에 해당하고, 한약조제시험을 통하여 약사에게 한약조제권을 인정함으로써 한의사들의 영업상 이익이 감소되었다면 이러한 이익은 약사법이나 의료법 등의 법률에 의하여 보호되는 법률상 이익이라 볼 수 있다. (○, ×) ★★★ 2024 소방간부

□□□□□ 03 당초 병원설치가 불가능한 용도에서 병원설치가 가능한 용도로 건축물 용도를 변경하여 준 처분에 대하여 인근의 기존 병원경영자(는 판례가 취소소송의 원고적격을 부정한다) (○, ×) 2018 소방직 9급

□□□□□ 04 경업자에 대한 행정처분이 경업자에게 불리한 내용이라면 그와 경쟁관계에 있는 기존의 업자에게는 특별한 사정이 없는 한 유리할 것이므로 기존의 업자가 그 행정처분의 무효확인 또는 취소를 구할 이익은 없다고 보아야 한다. (○, ×) 2023 서울시 지적 7급

□□□□□ 05 인 · 허가 등 수익적 처분을 신청한 여러 사람이 상호 경쟁관계에 있다면, 그 처분이 타방에 대한 불허가 등으로 될 수밖에 없는 때에도 수익적 처분을 받지 못한 사람은 처분의 직접 상대방이 아니므로 원칙적으로 당해 수익적 처분의 취소를 구할 수 없다. (○, ×) ★★★ 2017 지방직 9급

□□□□□ 06 甲에 대한 허가가 乙에 대한 불허가로 귀결될 수밖에 없는 관계에 있는 경우, 乙은 甲이 받은 허가처분의 취소를 구할 원고적격이 있다. (○, ×) ★★★ 2014 경행특채 2차

ⓐ 약종상업을 특허로 보아 원고적격을 인정하는 견해와 약종상업을 허가로 보지만 예외적으로 원고적격이 있다는 견해의 대립이 있는바, 두 견해는 기존 약종상업자의 이익을 법률상 이익으로 보는 점에서는 동일하다.

정답 01 × 02 × 03 ○ 04 ○ 05 × 06 ○

이 인용될 가능성이 처음부터 배제되어 있는 경우에는 당해 처분의 취소를 구할 이익이 없다(대판 2009. 12. 10, 2009두8359)(제6강 p.110 참조).01

③ 한편 경원관계에서 경원자에 대한 수익적 처분의 취소를 구하지 않고 자신에 대한 거부처분만의 취소를 구하는 것도 허용된다는 것이 판례의 입장이다.

관련판례

1. 노선버스 한정면허 기준에 관한 구 자동차운수사업법 시행규칙의 규정상 기존의 농어촌버스운송사업계획변경신청을 인가하면 신규의 마을버스운송사업면허를 할 수 없게 되는 경우, 마을버스운송사업면허 신청자에게 농어촌버스운송사업계획변경인가처분의 취소를 구할 당사자적격이 있다(대판 1999. 10. 12, 99두6026).

2. 인가 · 허가 등 수익적 행정처분을 신청한 여러 사람이 서로 경원관계에 있는 경우, 허가 등 처분을 받지 못한 사람은 원칙적으로 자신에 대한 거부처분의 취소를 구할 원고적격과 소의 이익이 있다.02 ★★★
   인가 · 허가 등 수익적 행정처분을 신청한 여러 사람이 서로 경원관계에 있어서 한 사람에 대한 허가 등 처분이 다른 사람에 대한 불허가 등으로 귀결될 수밖에 없을 때 허가 등 처분을 받지 못한 사람은 신청에 대한 거부처분의 직접 상대방으로서 원칙적으로 자신에 대한 거부처분의 취소를 구할 원고적격이 있고, 취소판결이 확정되는 경우 판결의 직접적인 효과로 경원자에 대한 허가 등 처분이 취소되거나 효력이 소멸되는 것은 아니더라도 행정청은 취소판결의 기속력에 따라 판결에서 확인된 위법사유를 배제한 상태에서 취소판결의 원고와 경원자의 각 신청에 관하여 처분요건의 구비 여부와 우열을 다시 심사하여야 할 의무가 있으며, 재심사결과 경원자에 대한 수익적 처분이 직권취소되고 취소판결의 원고에게 수익적 처분이 이루어질 가능성을 완전히 배제할 수는 없으므로, 특별한 사정이 없는 한 경원관계에서 허가 등 처분을 받지 못한 사람은 자신에 대한 거부처분의 취소를 구할 소의 이익이 있다(대판 2015. 10. 29, 2013두27517).

6. 주민소송(인근주민의 경우) – 복효적 처분 3

(1) 의 의

주민소송이라 함은 어떠한 시설의 설치를 허가하는 처분 등에 대하여 당해 시설의 인근주민이 다투는 소송을 말한다.

(2) 판단기준

판례에 의하면 인근주민에게 시설설치허가를 다툴 원고적격이 있는지는 당해 허가처분의 근거법규 및 관계법규의 보호목적에 따라 결정된다. 즉, 당해 근거법규 및 관계법규가 공익뿐만 아니라 인근주민의 개인적 이익도 보호하고 있다라고 해석되는 경우에 인근주민에게 원고적격이 인정된다.
대법원은 시설을 설치함에 있어 환경영향평가를 실시하여야 하는 경우라면 환경영향평가법도 시설허가처분의 근거법규 내지 관계법규로 보아 일정한 자에 대해 원고적격을 인정하고 있다.

① 처분의 근거규정의 해석에 의해 원고적격을 판단하는 경우

㉠ 원고적격이 있는 경우

관련판례

1. 원자로시설부지 인근주민들에게 방사성 물질 등에 의한 생명 · 신체의 안전침해가 예상되므로 부지 사전승인처분의 취소를 구할 원고적격이 있다(대판 1998. 9. 4, 97누19588).03 ★★★

2. 공설화장장 설치와 관련하여 인근주민에게는 처분의 취소를 구할 원고적격이 있다.
   도시계획의 내용이 화장장의 설치에 관한 것일 때에는 도시계획법(현 「국토의 계획 및 이용에 관한 법률」) 제12조뿐만 아니라 「매장 및 묘지 등에 관한 법률」(현 「장사 등에 관한 법률」) 및 같은 법 시행령

기출 체크

□□□□□ 01 경원자소송(競願者訴訟)에서는 법적 자격의 흠결로 신청이 인용될 가능성이 없는 경우를 제외하고는 경원관계의 존재만으로 거부된 처분의 취소를 구할 법률상 이익이 있다. (○, ×) ★★★
2008 국회직 8급

□□□□□ 02 인가 · 허가 등 수익적 행정처분을 신청한 여러 사람이 서로 경원관계에 있어서 한 사람에 대한 허가 등 처분이 다른 사람에 대한 불허가 등으로 귀결될 수밖에 없을 때 허가 등 처분을 받지 못한 사람은 신청에 대한 거부처분의 직접 상대방으로서 원칙적으로 자신에 대한 거부처분의 취소를 구할 법률상 이익이 있다. (○, ×) ★★★
2023 국회직 8급

□□□□□ 03 원자로시설부지 인근주민들이 방사성 물질 등에 의한 생명 · 신체의 안전침해를 이유로 부지사전승인처분의 취소를 구할 때(에는 판례가 원고적격을 인정하고 있다) (○, ×) ★★★
2015 경행특채 1차

정답 01 ○ 02 ○ 03 ○

역시 그 근거법률이 된다고 보아야 할 것이므로, 같은 법 시행령 제4조 제2호가 공설화장장은 20호 이상의 인가가 밀집한 지역, 학교 또는 공중이 수시 집합하는 시설 또는 장소로부터 1,000m 이상 떨어진 곳에 설치하도록 제한을 가하고, 같은 법 시행령 제9조가 국민보건상 위해를 끼칠 우려가 있는 지역, 도시계획법 제17조의 규정에 의한 주거지역, 상업지역, 공업지역 및 녹지지역 안의 풍치지구 등의 공설화장장 설치를 금지함에 의하여 보호되는 부근 주민들의 이익은 위 도시계획결정처분의 근거법률에 의하여 보호되는 법률상 이익이다(대판 1995. 9. 26, 94누14544).

3. **토사채취 허가지의 인근주민들에게 토사채취허가의 취소를 구할 법률상 이익이 있다.**
   구 산림법(2002. 12. 30, 법률 제6841호로 개정되기 전의 것) 및 그 시행령, 시행규칙들의 규정취지는 산림의 보호 · 육성, 임업생산력의 향상 및 산림의 공익기능의 증진을 도모함으로써 그와 관련된 공익을 보호하려는 데에 그치는 것이 아니라 그로 인하여 직접적이고 중대한 생활환경의 피해를 입으리라고 예상되는 토사채취 허가 등 인근 지역의 주민들이 주거 · 생활환경을 유지할 수 있는 개별적 이익까지도 보호하고 있다고 할 것이므로, 인근주민들이 토사채취허가와 관련하여 가지게 되는 이익은 위와 같은 추상적 · 평균적 · 일반적인 이익에 그치는 것이 아니라 처분의 근거법규 등에 의하여 보호되는 직접적 · 구체적인 법률상 이익이라고 할 것이다(대판 2007. 6. 15, 2005두9736).**01**

4-1. **공장설립승인처분의 근거법규 및 관련법규 등을 고려할 때 수돗물을 공급받아 이를 마시거나 이용하는 주민들로서는 위 근거법규 및 관련법규가 환경상 이익의 침해를 받지 않은 채 깨끗한 수돗물을 마시거나 이용할 수 있는 자신들의 생활환경상의 개별적 이익을 직접적 · 구체적으로 보호하고 있음을 증명하여 원고적격을 인정받을 수 있다.**

4-2. (김해시장이 낙동강에 합류하는 하천수 주변의 토지에 구 「**산업집적활성화 및 공장설립에 관한 법률**」 **제13조에 따라** 공장설립을 승인하는 처분을 한 사안에서) **공장설립으로 수질오염 등이 발생할 우려가 있는 취수장에서 물을 공급받는 부산광역시 또는 양산시에 거주하는 주민들도 위 처분의 근거법규 및 관련법규에 의하여 법률상 보호되는 이익이 침해되거나 침해될 우려가 있는 주민으로서 원고적격이 인정된다**(대판 2010. 4. 15, 2007두16127).★★★

> 이 사건에서 원고인 수돗물을 공급받는 자는 영향권 밖의 주민이지만, 상수원인 취수장이 영향권 내에 있는 점, 수돗물은 수도관 등 급수시설에 의해 공급되는 것이어서 거주지역이 물금취수장으로부터 다소 떨어진 곳이라고 하더라도 수돗물의 수질악화 등으로 주민들이 갖게 되는 환경상 이익의 침해나 그 우려는 그 수돗물을 공급하는 취수시설이 입게 되는 수질오염 등의 피해나 그 우려와 동일하게 평가될 수 있는 점 등을 고려하여 원고가 갖는 법률상 이익인 환경상 이익의 침해우려가 있다고 본 사례이다(박균성, <행정법강의>, p.833).

㉡ 원고적격이 없는 경우

관련판례

1. **상수원보호구역의 인근주민은 상수원보호구역지정해제를 다툴 원고적격이 없다.02 ★★★**
   상수원보호구역 설정의 근거가 되는 수도법 제5조 제1항 및 동 시행령 제7조 제1항이 보호하고자 하는 것은 상수원의 확보와 수질보전일 뿐이고, 그 상수원에서 급수를 받고 있는 지역주민들이 가지는 상수원의 오염을 막아 양질의 급수를 받을 이익은 직접적이고 구체적으로는 보호하고 있지 않음이 명백하여 위 지역주민들이 가지는 이익은 상수원의 확보와 수질보호라는 공공의 이익이 달성됨에 따라 반사적으로 얻게 되는 이익에 불과하므로**03** 지역주민들에 불과한 원고들에게는 위 상수원보호구역변경처분의 취소를 구할 법률상의 이익이 없다(대판 1995. 9. 26, 94누14544).

2. **甲이 乙 소유의 도로를 공로에 이르는 유일한 통로로 이용하였으나 甲 소유의 대지에 연접하여 새로운 공로가 개설되어 그쪽으로 출입문을 내어 바로 새로운 공로에 이를 수 있게 된 경우, 甲이 乙 소유의 도로에 대한 도로폐지허가처분의 취소를 구할 법률상 이익은 없다**(대판 1999. 12. 7, 97누12556).

기출 체크

□□□□□ **01** 토사채취로 인하여 생활환경의 피해를 입으리라고 예상되는 인근 지역 주민들의 주거 · 생활환경상의 이익은 토사채취허가의 근거법률에 의하여 보호되는 직접적이고 구체적인 법률상 이익이라고 할 수 있다. (○, ×) 2022 소방간부

□□□□□ **02** 행정청의 상수원보호구역변경처분에 대해 그 상수원으로부터 급수를 받는 인근 지역주민은 해당 처분에 대한 취소를 구할 법률상 이익이 인정된다. (○, ×) ★★★ 2023 소방간부

□□□□□ **03** 상수원보호구역 설정의 근거가 되는 규정이 보호하고자 하는 것은 상수원의 확보와 수질보전일 뿐이고, 그 상수원에서 급수를 받고 있는 지역주민들이 가지는 상수원의 오염을 막아 양질의 급수를 받을 이익은 상수원의 확보와 수질보호라는 공공의 이익이 달성됨에 따라 반사적으로 얻게 되는 이익에 불과하다. (○, ×) ★★★ 2018 경행경채

정답 01 ○ 02 × 03 ○

② 환경영향평가법령 등을 처분의 근거법규 내지 관계법규로 보아 원고적격을 판단하는 경우

㉠ **환경영향평가법** : 판례는 속리산국립공원 용화집단시설지구의 개발을 위한 공원사업시행허가에 대한 취소소송에서 자연공원법령뿐만 아니라 허가와 불가분적 관계가 있는 환경영향평가법령도 공원사업시행허가처분의 근거법률이 된다고 판시한 이래로 **환경영향평가법령도 처분의 근거법률로 보아 근거법률의 범위를 확대하고 있다.01**

관련판례

1. (국립공원의 관리청인 장관이 속리산국립공원 용화집단시설지구 내 시설물기본설계를 승인하는 처분을 한 것과 관련하여) **환경영향평가대상사업에 해당하는 국립공원 집단시설지구개발사업에 있어 그 시설물기본설계 변경승인처분 등과 관련하여 '환경영향평가대상지역 안의 주민들이 갖고 있는 환경상의 이익'은 법률상 이익으로서 대상지역 안의 주민은 소송을 제기할 원고적격이 있다**(대판 2001. 7. 27, 99두2970).**02** ★★★

2. **환경정책기본법령상 사전환경성검토협의 대상지역 내에 포함될 개연성이 충분하다고 보이는 주민들에게 그 협의대상에 해당하는 창업사업계획승인처분과 공장설립승인처분의 취소를 구할 원고적격이 인정된다.** ★★★

   그 행정처분의 근거법규 또는 관련법규에 그 처분으로써 이루어지는 행위 등 사업으로 인하여 환경상 침해를 받으리라고 예상되는 영향권의 범위가 구체적으로 규정되어 있는 경우에는, 그 영향권 내의 주민들에 대하여는 당해 처분으로 인하여 직접적이고 중대한 환경피해를 입으리라고 예상할 수 있고, 이와 같은 환경상의 이익은 주민 개개인에 대하여 개별적으로 보호되는 직접적 · 구체적 이익으로서 그들에 대하여는 특단의 사정이 없는 한 환경상 이익에 대한 침해 또는 침해우려가 있는 것으로 사실상 추정되어 법률상 보호되는 이익으로 인정됨으로써 원고적격이 인정된다고 할 것이며 …… (대판 2006. 12. 22, 2006두14001)**03 04**

㉡ **환경영향평가구역(영향권) 안의 주민**

ⓐ 뒤에서 살펴볼 바와 같이 원고적격 여부가 소송에서 문제되는 경우 원고가 **법률상 이익을 증명해야 할** 입증책임이 있는바, 이는 처분의 상대방이 아닌 제3자가 환경상 이익침해를 이유로 소송을 제기하는 경우도 동일하다.

ⓑ 따라서 **제3자는** 자신의 환경상 이익이 처분의 근거법규 또는 관련법규에 의하여 개별적 · 직접적 · 구체적으로 보호되는 이익, 즉 법률상 보호되는 이익임을 **입증하여야 원고적격이 인정된다.**

ⓒ 다만 행정처분을 받아 행해지는 사업으로 인하여 환경상 침해를 받으리라고 예상되는 **영향권의 범위가 구체적으로 규정되어 있는 경우**에는, 그 **영향권 내의 주민**들에 대하여는 당해 처분으로 인하여 **직접적이고 중대한 환경피해를 입으리라고 예상**할 수 있다.

ⓓ 그리고 **이와 같은 환경상의 이익**은 주민 개개인에 대하여 개별적으로 보호되는 **직접적 · 구체적 이익**이므로 영향권 내의 주민들에 대하여는 특단의 사정이 없는 한 **환경상 이익에 대한 침해 또는 침해우려가 있는 것으로 사실상 추정되어 법률상 보호되는 이익**으로 인정됨으로써 **특별한 입증이 없더라도** 원고적격이 인정된다.**05**

㉢ **환경상 이익을 현실적으로 향유하는 자** : 비록 환경영향평가구역 안의 주민이 아니더라도 그 영향권 내에서 **농작물을 경작하는 등** 현실적으로 환경상 이익을 향유하는 사람도 환경상 이익에 대한 침해 또는 침해우려가 있는 것으로 사실상 추정되어 원고적격이 인정된다. 그러나 단지 **그 영향권 내의 건물 · 토지를 소유하거나 환경상 이익을** 일시적으로 향유하는 데 그치는 사람은 원고적격이 인정되지 않는다(대판 2009. 9. 24, 2009두2825).**06**

㉣ **환경영향평가대상지역(영향권) 밖의 주민** : 환경영향평가대상지역 밖의 주민의 경우 처분

기출 체크

□□□□□ **01** 대법원은 속리산국립공원 용화집단시설지구의 개발을 위한 공원사업시행허가에 대한 취소소송사건에서 자연공원법령뿐만 아니라 허가와 불가분적으로 관계가 있는 환경영향평가법령도 공원사업시행허가처분의 근거법령이 된다고 판시하여 근거법률의 범위를 확대하였다. (○, ×) ★★★ 2011 국가직 9급

□□□□□ **02** 환경영향평가대상지역 안의 주민들이 전원개발사업실시 계획승인처분의 취소를 구할 경우 (원고적격이 있다) (○, ×) ★★★ 2014 서울시 9급

□□□□□ **03** 처분의 근거법규 또는 관련법규에 그 처분으로써 이루어지는 행위 등 사업으로 인하여 환경상 침해를 받으리라고 예상되는 영향권의 범위가 구체적으로 규정되어 있는 경우, 그 영향권 내의 주민들에 대하여는 특단의 사정이 없는 한 환경상 이익에 대한 침해 또는 침해우려가 있는 것으로 사실상 추정된다. (○, ×) ★★★ 2019 국가직 7급

□□□□□ **04** 행정처분의 근거법규 등에 그 처분으로써 이루어지는 행위 등 사업으로 인하여 환경상 침해를 받으리라고 예상되는 영향권의 범위가 구체적으로 규정되어 있는 경우에는, 그 영향권 내의 주민들의 환경상의 이익은 주민 개개인에 대하여 개별적으로 보호되는 직접적 · 구체적 이익이다. (○, ×) ★★★ 2012 지방직 7급

□□□□□ **05** 환경영향평가대상지역 안의 주민들에 대하여는 특단의 사정이 없는 한 환경상의 이익에 대한 침해 또는 침해우려가 있는 것으로 사실상 추정되어 공유수면매립면허처분 등의 무효확인을 구할 원고적격이 인정된다. (○, ×) 2022 서울시 지적 7급

□□□□□ **06** 환경상 이익에 대한 침해 또는 침해우려가 있는 것으로 사실상 추정되어 원고적격이 인정되는 사람에게는 환경상 침해를 받으리라고 예상되는 영향권 내의 주민들을 비롯하여 단지 그 영향권 내의 건물 · 토지를 소유하거나 환경상 이익을 일시적으로 향유하는 데 그치는 사람도 포함된다. (○, ×) ★★★ 2012 지방직 9급

정답 01 ○ 02 ○ 03 ○ 04 ○ 05 ○ 06 ×

등으로 인하여 그 처분 전과 비교하여 수인한도를 넘는 환경피해를 받거나 받을 우려가 있는 경우에는, 처분 등으로 인하여 환경상 이익에 대한 침해 또는 침해우려가 있다는 것을 입증함으로써 그 처분 등의 무효확인을 구할 원고적격을 인정받을 수 있다.

관련판례

1-1. 행정처분의 직접 상대방이 아닌 자로서 그 처분에 의하여 자신의 환경상 이익이 침해받거나 침해받을 우려가 있다는 이유로 취소나 무효확인을 구하는 제3자는, 자신의 환경상 이익이 처분의 근거법규 또는 관련법규에 의하여 개별적 · 직접적 · 구체적으로 보호되는 이익, 즉 법률상 보호되는 이익임을 입증하여야 원고적격이 인정된다.★★★

1-2. 행정처분의 근거법규 또는 관련법규에 그 처분으로써 이루어지는 행위 등 사업으로 인하여 환경상 침해를 받으리라고 예상되는 영향권의 범위가 구체적으로 규정되어 있는 경우에는, 그 영향권 내의 주민들은 특단의 사정이 없는 한 환경상 이익에 대한 침해 또는 침해우려가 있는 것으로 사실상 추정되어 원고적격이 인정된다.★★★

1-3. 영향권 밖의 주민들은 당해 처분으로 인하여 그 처분 전과 비교하여 수인한도를 넘는 환경피해를 받거나 받을 우려가 있다는 자신의 환경상 이익에 대한 침해 또는 침해우려가 있음을 입증하여야만 법률상 보호되는 이익으로 인정되어 원고적격이 인정된다(대판 2009. 9. 24, 2009두2825).★★★

2. 환경영향평가대상지역 밖의 주민이라 할지라도 공유수면매립면허처분 등으로 인하여 그 처분 전과 비교하여 수인한도를 넘는 환경피해를 받거나 받을 우려가 있는 경우에는, 공유수면매립면허처분 등으로 인하여 환경상 이익에 대한 침해 또는 침해우려가 있다는 것을 입증함으로써 그 처분 등의 무효확인을 구할 원고적격을 인정받을 수 있다(대판 2006. 3. 16, 2006두330 전합).**01 02** ★★★

3. 광업권설정허가처분과 그에 따른 광산 개발로 인하여 재산상 · 환경상 이익의 침해를 받거나 받을 우려가 있는 토지 등의 소유자 등은 그 처분 전과 비교하여 수인한도를 넘는 재산상 · 환경상 이익의 침해를 받거나 받을 우려가 있다는 것을 증명함으로써 그 처분의 취소를 구할 원고적격을 인정받을 수 있다(대판 2008. 9. 11, 2006두7577).

4. 구 폐기물처리시설 설치촉진 및 주변지역지원 등에 관한 법령의 취지는 처리능력이 1일 50t인 폐기물소각시설의 부지경계선으로부터 300m 이내의 간접영향권 내에 있는 주민들이 사업시행 전과 비교하여 수인한도를 넘는 환경피해를 받지 아니하고 쾌적한 환경에서 생활할 수 있는 개별적인 이익까지도 이를 보호하려는 데에 있다 할 것이다(대판 2005. 3. 11, 2003두13489).㉠

③ 거리제한규정이 있는 경우 인근주민의 원고적격

관련판례

1. 납골당 설치장소에서 500m 내에 20호 이상의 인가가 밀집한 지역에 거주하는 주민들의 경우, 납골당이 누구에 의하여 설치되는지와 관계없이 납골당 설치에 대하여 환경이익 침해 또는 침해우려가 있는 것으로 사실상 추정되어 원고적격이 인정된다(대판 2011. 9. 8, 2009두6766).**03**

2. 폐기물매립시설 경계로부터 2km 이내인 간접영향권 지정 가능 범위 내에 거주하는 원고들에게 주변영향지역 결정을 다툴 원고적격이 인정된다.

   「폐기물처리시설 설치촉진 및 주변지역지원 등에 관한 법률 시행령」 제18조 제1항 별표2 제2호 나. 목의 취지는, 폐기물매립시설의 부지경계선으로부터 2킬로미터 이내, 폐기물소각시설의 부지 경계선으로부터 300미터 이내에는 폐기물처리시설의 설치 · 운영으로 환경상 영향을 미칠 가능성이 있으므로, 그 범위 안에서 거주하는 주민들 중에서 선정한 주민대표로 하여금 지원협의체의 구성원이 되어 환경상 영향조사, 주변영향지역 결정, 주민지원사업의 결정에 참여할 수 있도록 함으로써, 그 주민들이 폐기물처리시설 설치 · 운영으로 인한 환경상 불이익을 보상받을 수 있도록 하려는 데 있다. 위 범위 안에서 거주하는 주민들이 폐기물처리시설의 주변영향지역 결정과 관련하여 갖는 이익은 주민 개개인에 대하여 개별적으로 보호되는 직접적 · 구체적 이익으로서 그들에 대하여는 특단의 사정이 없는 한 환경상 이익에 대한 침해 또는 침해 우려가 있는 것으로 사실상 추정되어 원고적격이 인정된다(대판 2018. 8. 1, 2014두42520).

기출 체크

□□□□□ **01** 환경영향평가대상지역 밖의 주민이라 할지라도 공유수면매립면허처분 등으로 인하여 그 처분 전과 비교하여 수인한도를 넘는 환경피해를 받거나 받을 우려가 있는 경우에는, 공유수면매립면허처분 등으로 인하여 환경상 이익에 대한 침해 또는 침해우려가 있다는 것을 입증함으로써 그 처분 등의 무효확인을 구할 원고적격을 인정받을 수 있다. (○, ×) 2024 지방직 · 서울시 9급

□□□□□ **02** 환경영향평가대상지역 밖의 주민이라 할지라도 공유수면매립면허처분 등으로 인하여 그 처분 전과 비교하여 수인한도를 넘는 환경피해를 받거나 받을 우려가 있는 경우에는 헌법 제35조 제1항에서 정하고 있는 환경권에 관한 규정에 근거하여 그 처분 등의 무효확인을 구할 원고적격을 인정받을 수 있다. (○, ×) ★★★ 2022 서울시 지적 7급

□□□□□ **03** 납골당 설치장소로부터 500m 내에 20호 이상의 인가가 밀집한 지역에 거주하는 주민들의 경우, 납골당이 누구에 의하여 설치되는지와 관계없이 납골당 설치에 대하여 환경이익 침해 또는 침해우려가 있는 것으로 사실상 추정되어 원고적격이 인정된다. (○, ×) 2012 지방직 7급

판례 | ㉠ 구 폐기물처리시설 설치촉진 및 주변지역지원 등에 관한 법령 및 관계규정의 취지는 처리능력이 1일 50t인 소각시설을 설치하는 사업으로 인하여 직접적이고 중대한 환경상의 침해를 받으리라고 예상되는 직접영향권 내에 있는 주민들이나 폐기물소각시설의 부지경계선으로부터 300m 이내의 간접영향권 내에 있는 주민들이 사업시행 전과 비교하여 수인한도를 넘는 환경피해를 받지 아니하고 쾌적한 환경에서 생활할 수 있는 개별적인 이익까지도 이를 보호하려는 데에 있다 할 것이므로 …… 폐기물소각시설의 입지지역을 결정 · 고시한 처분의 무효확인을 구할 원고적격이 인정된다고 할 것이다(대판 2005. 3. 11, 2003두13489).

정답 01 ○ 02 × 03 ○

7. 단체소송

단체소송이란 환경단체나 소비자단체 등 당해 단체가, 그 목적으로 하는 일반적 이익 또는 집단적 이익의 보호를 위하여 제기하는 소송을 말한다.❶

관련판례

사단법인 대한의사협회는 보건복지부 고시인 「건강보험요양급여행위 및 그 상대가치점수」 개정의 취소를 구할 원고적격이 없다.01 ★★

사단법인 대한의사협회는 의료법에 의하여 의사들을 회원으로 하여 설립된 사단법인으로서, 국민건강보험법상 요양급여행위, 요양급여비용의 청구 및 지급과 관련하여 직접적인 법률관계를 갖지 않고 있으므로, …… (대판 2006. 5. 25, 2003두11988)

8. 기 타

(1) 원고적격이 있는 경우㉠

관련판례

1-1. 관할청의 임원취임승인행위는 학교법인의 임원선임행위의 법률상 효력을 완성케 하는 보충적 법률행위이다.

1-2. 관할청이 학교법인의 임원취임승인신청에 대하여 이를 반려하거나 거부하는 경우 학교법인에 의하여 임원으로 선임된 사람은 관할청의 임원취임승인신청 반려처분을 다툴 수 있는 원고적격이 있다.02 ★★

관할청의 임원취임승인행위는 학교법인의 임원선임행위의 법률상 효력을 완성케 하는 보충적 법률행위이다. 따라서 관할청이 학교법인의 임원취임승인신청에 대하여 이를 반려하거나 거부하는 경우 학교법인에 의하여 임원으로 선임된 사람은 학교법인의 임원으로 취임할 수 없게 되는 불이익을 입게 되는바, 이와 같은 불이익은 간접적이거나 사실상의 불이익이 아니라 직접적이고도 구체적인 법률상의 불이익이라 할 것이므로 학교법인에 의하여 임원으로 선임된 사람에게는 관할청의 임원취임승인신청 반려처분을 다툴 수 있는 원고적격이 있다(대판 2007. 12. 27, 2005두9651).

2. 지방법무사회가 법무사의 사무원 채용승인신청을 거부하거나 채용승인을 얻어 채용 중인 사람에 대한 채용승인을 취소한 경우(편저자 주 : 처분에 해당함), 처분 상대방인 법무사뿐만 아니라 그 때문에 사무원이 될 수 없게 된 사람에게 항고소송을 제기할 원고적격이 인정된다(대판 2020. 4. 9, 2015다34444).**03 ★★**

3. 도시환경정비사업에 대한 사업시행계획이 당연무효인 경우, 분양신청기간 내에 분양신청을 하지 않거나 분양신청을 철회하여 「도시 및 주거환경정비법」 제47조 등에 의하여 조합원의 지위를 상실한 토지 등 소유자에게도 관리처분계획의 무효확인 또는 취소를 구할 법률상 이익이 있다.04

도시환경정비사업에 대한 사업시행계획에 당연무효인 하자가 있는 경우에는 도시환경정비사업조합은 그 사업시행계획을 새로이 수립하여 관할관청으로부터 인가를 받은 후 다시 분양신청을 받아 관리처분계획을 수립하여야 할 것인바, 분양신청기간 내에 분양신청을 하지 않거나 분양신청을 철회함으로 인해 「도시 및 주거환경정비법」 제47조 및 조합 정관 규정에 의하여 조합원의 지위를 상실한 토지 등 소유자도 그때 분양신청을 함으로써 건축물 등을 분양받을 수 있으므로 관리처분계획의 무효확인 또는 취소를 구할 법률상 이익이 있다고 할 것이다(대판 2011. 12. 8, 2008두18342).

4. 토지소유자는 도시계획사업실시계획인가처분에 대한 취소소송을 제기할 이익이 있다.05 ★

도시계획사업 시행지역에 포함된 토지의 소유자는 도시계획사업 실시계획의 인가로 인하여 자기의 토지가 수용당하게 되고 또 자기의 토지가 수용되지 않는 경우에도 도시계획사업이 시행되어 도시계획시설이 어떻게 설치되느냐에 따라 토지의 이용관계가 달라질 수 있으므로, 도시계획사업 시행지역에 포함된 토지의 소유자는 도시계획사업실시계획인가처분의 효력을 다툴 이익이 있다(대판 1995. 12. 8, 93누9927).

5. 공매 등의 절차로 영업시설의 전부를 인수함으로써 영업자의 지위를 승계한 자가 관계행정청에 이를 신고하여 관계행정청이 그 신고를 수리하는 처분에 대해 종전 영업자는 그 처분의 취소를 구할 법률상 이익이 인정된다.★★★

기출 체크

□□□□□ 01 대법원은 대한의사협회는 국민건강보험법상 요양급여행위, 요양급여비용의 청구 및 지급과 관련하여 직접적인 법률관계를 갖지 않고 있으므로, 보건복지부 고시인 「건강보험요양급여행위 및 그 상대가치점수」 개정으로 인하여 자신의 법률상 이익을 침해당하였다고 할 수 없다는 이유로 위 고시의 취소를 구할 원고적격이 없다고 보고 있다. (○, ×) ★★
2013 국회직 8급

□□□□□ 02 학교법인에 의하여 임원으로 선임된 B는 자신에 대한 관할청의 임원취임승인신청 반려처분 취소소송의 원고적격이 있다. (○, ×) ★★
2016 지방직 9급

□□□□□ 03 지방법무사회가 법무사의 사무원 채용승인신청을 거부하거나 채용승인을 얻어 채용 중인 사람에 대한 채용승인을 취소하는 것은 처분에 해당하고, 이러한 처분에 대해서는 처분 상대방인 법무사뿐 아니라 그 때문에 사무원이 될 수 없게 된 사람도 이를 다툴 원고적격이 인정된다. (○, ×) ★★ 2021 국회직 8급

□□□□□ 04 조합원 지위를 상실한 토지 등 소유자는 주택재개발사업에 대한 사업시행계획에 당연무효의 하자가 있는 경우, 사업시행계획의 무효확인 또는 취소를 구할 법률상 이익이 있다. (○, ×)
2023 소방직 9급

□□□□□ 05 도시계획사업 시행지역에 포함된 토지의 소유자에게 도시계획사업실시계획인가처분에 대한 취소소송을 제기할 법률상 이익이 있다. (○, ×) ★
2012 국가직 7급

❶ 개인정보보호법 제51조【단체소송의 대상 등】다음 각 호의 어느 하나에 해당하는 단체는 개인정보처리자가 제49조에 따른 집단분쟁조정을 거부하거나 집단분쟁조정의 결과를 수락하지 아니한 경우에는 법원에 권리침해행위의 금지·중지를 구하는 소송(이하 '단체소송'이라 한다)을 제기할 수 있다. (이하 각 호 생략)

판례 | ㉠ 교원소청심사위원회 결정에 대하여 학교의 장도 행정소송을 제기할 수 있다(대판 2011. 6. 24, 2008두9317).

정답 01 ○ 02 ○ 03 ○ 04 ○ 05 ○

구 관광진흥법 제8조 제4항에 의한 지위승계신고를 수리하는 허가관청의 행위는 단순히 양도·양수인 사이에 이미 발생한 사법상 사업양도의 법률효과에 의하여 양수인이 그 영업을 승계하였다는 사실의 신고를 접수하는 행위에 그치는 것이 아니라, 영업허가자의 변경이라는 법률효과를 발생시키는 행위이다(대판 2012. 12. 13, 2011두29144).

6. 행정처분의 상대방이 아닌 제3자도 그 행정처분의 취소에 관하여 법률상 구체적 이익이 있으면 행정소송법 제12조에 의하여 그 처분의 취소를 구하는 행정소송을 제기할 수 있는바, 구속된 피고인은 형사소송법 제89조의 규정에 따라 타인과 접견할 권리를 가지며 행형법 제62조, 제18조 제1항의 규정에 의하면 교도소에 미결수용된 자는 소장의 허가를 받아 타인과 접견할 수 있으므로(이와 같은 접견권은 헌법상 기본권의 범주에 속하는 것이다) 구속된 피고인이 사전에 접견신청한 자와의 접견을 원하지 않는다는 의사표시를 하였다는 등의 특별한 사정이 없는 한 구속된 피고인은 교도소장의 접견허가거부처분으로 인하여 자신의 접견권이 침해되었음을 주장하여 위 거부처분의 취소를 구할 원고적격을 가진다(대판 1992. 5. 8, 91누7552).01 02 ★

7. (미얀마 국적의 甲이 위명(僞名)인 '乙' 명의의 여권으로 대한민국에 입국한 뒤 乙 명의로 난민 신청을 하였으나 법무부장관이 乙 명의를 사용한 甲을 직접 면담하여 조사한 후 甲에 대하여 난민불인정 처분을 한 사안에서) **처분의 상대방은 허무인이 아니라 '乙'이라는 위명을 사용한 甲이라는 이유로, 甲이 처분의 취소를 구할 법률상 이익이 있다**(대판 2017. 3. 9, 2013두16852).03 ★

8. **개발제한구역 안에서의 공장설립을 승인한 처분이 위법하다는 이유로 쟁송취소되었으나 그 승인처분에 기초한 공장건축허가처분이 잔존하는 경우, 인근주민들에게 공장건축허가처분의 취소를 구할 법률상 이익이 있다.**04 05 ★

   개발제한구역 안에서의 공장설립을 승인한 처분이 위법하다는 이유로 쟁송취소되었다고 하더라도 그 승인처분에 기초한 공장건축허가처분이 잔존하는 이상, 공장설립승인처분이 취소되었다는 사정만으로 인근주민들의 환경상 이익이 침해되는 상태나 침해될 위험이 종료되었다거나 이를 시정할 수 있는 단계가 지나버렸다고 단정할 수는 없고, 인근주민들은 여전히 공장건축허가처분의 취소를 구할 법률상 이익이 있다고 보아야 한다(대판 2018. 7. 12, 2015두3485).

9. (재단법인 한국연구재단이 甲대학교 총장에게 연구개발비의 부당집행을 이유로 '해양생물유래 고부가식품·향장·한약 기초소재 개발 인력양성사업에 대한 2단계 두뇌한국(BK)21 사업' 협약을 해지하고 연구팀장 乙에 대한 국가연구개발사업의 3년간 참여제한 등을 명하는 통보를 하자 乙이 통보의 취소를 청구한 사안에서) 「학술진흥 및 학자금대출 신용보증 등에 관한 법률」 등의 입법취지 및 규정내용 등과 아울러 위 법 등 해석상 국가가 두뇌한국(BK)21 사업의 주관연구기관인 대학에 연구개발비를 출연하는 것은 '연구 중심 대학'의 육성은 물론 그와 별도로 대학에 소속된 연구인력의 역량 강화에도 목적이 있다고 보이는 점, 기본적으로 국가연구개발사업에 대한 연구개발비의 지원은 대학에 소속된 일정한 연구단위별로 신청한 연구개발과제에 대한 것이지, 그 소속 대학을 기준으로 한 것은 아닌 점 등 제반 사정에 비추어 보면, 乙은 위 사업에 관한 협약의 해지통보의 효력을 다툴 법률상 이익이 있다(대판 2014. 12. 11, 2012두28704).06

(2) 원고적격이 없는 경우

관련판례

1. **운전기사의 합승행위를 이유로 소속 운수회사에 대하여 과징금 부과처분이 있는 경우 당해 운전기사는 그 과징금 부과처분의 취소를 구할 이익이 없다**(대판 1994. 4. 12, 93누24247).07 ★

2. **식품접객업소에서 합성수지 도시락용기의 '사용을 금지'하는 것의 직접적 수범자는 식품접객업주이므로 이로 인해 합성수지 도시락용기의 생산업자들이 침해당하는 영업상의 이익은 반사적 이익에 불과하다**(헌재 2007. 2. 22, 2003헌마428·600 병합).

3. **영어 과목의 2종 교과용 도서에 대하여 검정신청을 하였다가 불합격결정처분을 받은 자가 자신이 검정신청한 교과서의 과목과 전혀 관계가 없는 수학 과목의 교과용 도서에 대한 합격결정처분에 대하여는 그 취소를 구할 법률상의 이익이 없다**(대판 1992. 4. 24, 91누6634).08

기출 체크

□□□□□ **01** 제3자의 접견허가신청에 대한 교도소장의 거부처분에 있어서 접견권이 침해되었다고 주장하는 구속된 피고인(은 행정소송의 원고적격을 가지는 자에 해당한다) (○, ×) ★ 2019 국회직 8급

□□□□□ **02** 교도소장의 접견허가거부처분에 대하여 그 접견신청의 대상자였던 미결수에 대해 판례는 취소소송의 원고적격을 부정하였다. (○, ×) ★ 2018 소방직 9급

□□□□□ **03** 외국 국적의 甲이 위명(僞名)인 乙 명의의 여권으로 대한민국에 입국한 뒤 乙 명의로 난민신청을 하였고 법무부장관이 乙 명의를 사용한 甲을 직접 면담하여 조사한 후에 甲에 대하여 난민불인정처분을 한 경우, 甲은 난민불인정처분의 취소를 구할 법률상 이익이 없다. (○, ×) ★ 2023 국가직 7급

□□□□□ **04** 개발제한구역 안에서의 공장설립을 승인한 처분이 위법하다는 이유로 쟁송취소되었다면 인근주민들의 환경상 이익이 침해될 위험이 종료되었다고 할 것이므로 인근주민들이 더 나아가 그 승인처분에 기초한 공장건축허가처분에 대하여 취소를 구할 법률상 이익은 없다. (○, ×) ★ 2022 소방간부

□□□□□ **05** 공장설립승인처분이 위법하다는 이유로 쟁송취소되었다고 하더라도 그 승인처분에 기초한 공장건축허가처분이 잔존하는 이상, 인근주민들은 여전히 공장건축허가처분의 취소를 구할 법률상 이익이 있다. (○, ×) ★ 2019 서울시 2회 7급

□□□□□ **06** 대학에 대한 국가연구개발사업의 협약해지통보에 불복하여 협약해지통보의 효력을 다투는 그 연구개발사업의 연구팀장인 교수(는 항고소송의 원고적격이 인정된다) (○, ×) 2022 국회직 8급

□□□□□ **07** 운수회사에 대한 과징금부과처분에 대한 취소소송에서 그 부과처분이 자신의 잘못으로 인한 것으로 사후 사실상 변상하여 줄 관계에 있는 운전기사는 원고적격이 있다. (○, ×) ★ 2012 국회직 8급

□□□□□ **08** 영어 과목의 2종 교과용 도서에 대하여 검정신청을 하였다가 불합격결정처분을 받은 자는 자신들이 검정신청한 교과서의 과목과 전혀 관계가 없는 수학 과목의 교과용 도서에 대한 합격결정처분에 대하여 그 취소를 구할 법률상 이익이 없다. (○, ×) 2024 국가직 9급

정답 01 ○ 02 × 03 × 04 × 05 ○ 06 ○ 07 × 08 ○

4. **개발제한구역 중 일부취락을 개발제한구역에서 해제하는 내용의 도시관리계획변경결정에 대하여, 개발제한구역 해제대상에서 누락된 토지의 소유자는 위 결정의 취소를 구할 법률상 이익이 없다**(대판 2008. 7. 10, 2007두10242).**01** ★★

5. (A에 대한 과징금 부과처분에 대해 A가 취소심판을 제기하여 인용재결을 받자 A와 경쟁관계에 있는 B가 과징금부과취소재결에 대하여 취소소송을 제기한 사안에서) **경쟁업자에 대한 과징금 부과처분에 의해 동종업자가 가지는 이익은 반사적 이익에 불과하므로 원고적격이 없다.02**
면허받은 장의자동차운송사업구역에 위반하였음을 이유로 한 행정청의 과징금 부과처분에 의하여 동종업자의 영업이 보호되는 결과는 사업구역제도의 반사적 이익에 불과하기 때문에 그 과징금 부과처분을 취소한 재결에 대하여 처분의 상대방 아닌 제3자는 그 취소를 구할 법률상 이익이 없다(대판 1992. 12. 8, 91누13700).

6. **도시계획사업의 시행으로 인한 토지수용에 의하여 토지에 대한 소유권을 상실한 자는 도시계획결정이 당연무효라고 볼 만한 특별한 사정이 없는 한 도시계획결정의 취소를 청구할 법률상의 이익이 없다**(헌재 2002. 5. 30, 2000헌바58).**03** ★★★

7. **대학생들은 전공이 다른 교수의 임용으로 인해 학습권을 침해당하였다는 이유를 들어 교수(전임강사)임용처분의 취소를 구할 원고적격이 없다.04** ★
원고들은 ○○대학교 세무학과에 재학 중인 학생들로서 조세정책과목을 수강하고 있는데 피고가 경제학적으로 접근하여야 하는 조세정책과목의 담당교수를 행정학을 전공한 소외 ○○○로 임용함으로써 원고들의 학습권을 침해하였다는 것이나 설령 피고의 이 사건 임용처분으로 말미암아 원고들이 그 주장과 같은 불이익을 받더라도 그 불이익은 간접적 · 사실적인 불이익에 지나지 아니하여 그것만으로는 원고들에게 이 사건 임용처분의 취소를 구할 소의 이익이 없다(대판 1993. 7. 27, 93누8139).

8. **과세권자의 원천징수의무자에 대한 납세고지에 대하여 원천납세의무자가 항고소송을 제기할 수 없다.05** ★★
원천징수에 있어서 원천납세의무자는 과세권자가 직접 그에게 원천세액을 부과한 경우가 아닌 한 과세권자의 원천징수의무자에 대한 납세고지로 인하여 자기의 원천세납세의무의 존부나 범위에 아무런 영향을 받지 아니하므로 이에 대하여 항고소송을 제기할 수 없다(대판 1994. 9. 9, 93누22234).

9. 원천징수의무자에 대한 소득금액변동통지는 원천납세의무의 존부나 범위와 같은 원천납세의무자의 권리나 법률상 지위에 어떠한 영향을 준다고 할 수 없으므로 소득처분에 따른 소득의 귀속자는 법인에 대한 소득금액변동통지의 취소를 구할 법률상 이익이 없다(대판 2015. 3. 26, 2013두9267).**06** ★★

10. (재단법인 甲 수녀원이, 매립목적을 택지조성에서 조선시설용지로 변경하는 내용의 공유수면매립목적 변경승인처분으로 인하여 법률상 보호되는 환경상 이익을 침해받았다면서 행정청을 상대로 처분의 무효확인을 구하는 소송을 제기한 사안에서) **자연인이 아닌 재단법인인 甲 수녀원은 쾌적한 환경에서 생활할 수 있는 이익을 향수할 수 있는 주체가 아니므로 매립목적을 택지조성에서 조선시설용지로 변경하는 내용의 공유수면매립목적 변경승인처분의 무효확인을 구할 원고적격이 없다.07** ★★
공유수면매립목적 변경승인처분으로 甲 수녀원에 소속된 수녀 등이 쾌적한 환경에서 생활할 수 있는 환경상 이익을 침해받는다고 하더라도 이를 가리켜 곧바로 甲 수녀원의 법률상 이익이 침해된다고 볼 수 없고, 자연인이 아닌 甲 수녀원은 쾌적한 환경에서 생활할 수 있는 이익을 향수할 수 있는 주체가 아니므로 …… 따라서 甲수녀원에게는 이 사건 처분의 무효확인을 구할 원고적격이 있다고 할 수 없다. 원심이 환경상 이익은 그 본질상 자연인에게 귀속된다는 이유로 법인인 甲수녀원은 이 사건 처분으로 인하여 침해되거나 침해우려가 있는 법률상 보호되는 환경상 이익이 있다고 볼 수 없다고 판단한 것은 적절하지 않은 점이 있으나, 甲수녀원의 원고적격을 부인한 결론은 정당하므로, 이 부분 상고이유 주장은 이유 없다(대판 2012. 6. 28, 2010두2005)**08**

11. (교육부장관이 사학분쟁조정위원회의 심의를 거쳐 甲 대학교를 설치 · 운영하는 乙 학교법인의 이사 8인과 임시이사 1인을 선임한 데 대하여 甲 대학교 교수협의회와 총학생회 등이 이사선임처분의 취소를 구하는 소송을 제기한 사안에서) **甲 대학교 교수협의회와 총학생회는 이사선임처분을 다툴 법률상 이익을 가지지만, 전국대학노동조합 甲 대학교지부는 법률상 이익이 없다**(대판 2015. 7. 23, 2012두19496).**09** ★★★

기출 체크

□□□□□ **01** 개발제한구역 중 일부취락을 개발제한구역에서 해제하는 내용의 도시관리계획변경결정에 대하여 개발제한구역 해제대상에서 누락된 토지의 소유자가 위 결정의 취소를 구하는 경우(에는 판례상 항고소송의 원고적격이 인정된다) (○, ×) ★★ 2021 국가직 9급

□□□□□ **02** 면허받은 장의자동차운송사업구역을 위반하였음을 이유로 한 행정청의 과징금 부과처분에 의하여 동종업자의 영업이 보호되는 결과는 사업구역제도의 반사적 이익에 불과하기 때문에 그 과징금 부과처분을 취소한 재결에 대하여 처분의 상대방이 아닌 제3자는 그 취소를 구할 법률상 이익이 없다. (○, ×) 2013 국회직 8급

□□□□□ **03** 헌법재판소에 의하면 도시계획사업의 시행으로 토지를 수용당한 사람은 도시계획결정과 토지수용이 당연무효가 아닌 한 도시계획결정 자체의 취소를 청구할 법률상의 이익이 없다. (○, ×) ★★★ 2012 지방직 9급

□□□□□ **04** 학과에 재학 중인 대학생들이 전공이 다른 교수의 임용으로 인해 학습권을 침해당하였다는 이유를 들어 교수임용처분의 취소를 구할 때(에는 판례가 원고적격을 인정하고 있다) (○, ×) ★ 2015 경행특채 1차

□□□□□ **05** 원천납세의무자는 원천징수의무자에 대한 납세고지를 다툴 수 있는 원고적격이 없다. (○, ×) ★★ 2015 국가직 9급

□□□□□ **06** 원천징수의무자에 대한 소득금액변동통지는 원천납세의무의 존부나 범위와 같은 원천납세의무자의 권리나 법률상 지위에 어떠한 영향을 준다고 할 수 없으므로 소득처분에 따른 소득의 귀속자는 법인에 대한 소득금액변동통지의 취소를 구할 법률상 이익이 없다. (○, ×) ★★ 2017 국가직(하) 7급

□□□□□ **07** 공유수면매립목적 변경승인처분의 취소를 구하는 재단법인 수녀원(은 판례상 취소소송에서 원고적격이 인정된다) (○, ×) ★★ 2023 군무원 7급

□□□□□ **08** 환경상 이익은 본질적으로 자연인에게 귀속되는 것으로서 단체는 환경상 이익의 침해를 이유로 행정소송을 제기할 수 없다. (○, ×) 2023 군무원 9급

□□□□□ **09** 교육부장관이 사학분쟁조정위원회의 심의를 거쳐 학교법인의 이사와 임시이사를 선임한 데 대하여 그 대학교의 교수협의회와 총학생회는 이사선임처분을 다툴 법률상 이익을 가지지만, 직원으로 구성된 노동조합은 법률상 이익을 가지지 않는다. (○, ×) ★★★ 2017 국가직(하) 7급

정답 01 × 02 ○ 03 ○ 04 × 05 ○ 06 ○ 07 × 08 ○ 09 ○

12. 국립대학 교수에게 타인을 같은 학과 부교수로 임용한 처분의 취소를 구할 법률상 이익이 없다(대판 1995. 12. 12, 95누11856).**01**

13. 사증발급 거부처분을 다투는 외국인은, 아직 대한민국에 입국하지 않은 상태에서 대한민국에 입국하게 해달라고 주장하는 것으로, 대한민국과의 실질적 관련성 내지 대한민국에서 법적으로 보호가치 있는 이해관계를 형성한 경우는 아니어서, 해당 처분의 취소를 구할 법률상 이익을 인정하여야 할 법정책적 필요성도 크지 않다. 반면, 국적법상 귀화불허가처분이나 출입국관리법상 체류자격변경불허가처분, 강제퇴거명령 등을 다투는 외국인은 대한민국에 적법하게 입국하여 상당한 기간을 체류한 사람이므로, 이미 대한민국과의 실질적 관련성 내지 대한민국에서 법적으로 보호가치 있는 이해관계를 형성한 경우이어서, 해당 처분의 취소를 구할 법률상 이익이 인정된다고 보아야 한다.**02 03** …… 한편 사증발급의 법적 성질, 출입국관리법의 입법목적, 사증발급 신청인의 대한민국과의 실질적 관련성, 상호주의원칙 등을 고려하면, 우리 출입국관리법의 해석상 외국인에게는 사증발급 거부처분의 취소를 구할 법률상 이익이 인정되지 않는다(대판 2018. 5. 15, 2014두42506).**04** ★★★

✚ 체류자격변경불허가처분, 강제퇴거명령 등을 다투는 외국인의 경우에는 해당 처분의 취소를 구할 법률상 이익이 인정된다는 것이 판례의 입장이다.

비교판례

원고(편저자 주 : 가수 유○○)는 대한민국에서 출생하여 오랜 기간 대한민국 국적을 보유하면서 거주한 사람이므로 이미 대한민국과 실질적 관련성이 있거나 대한민국에서 법적으로 보호가치 있는 이해관계를 형성하였다고 볼 수 있다. 또한 재외동포의 대한민국 출입국과 대한민국 안에서의 법적 지위를 보장함을 목적으로 「재외동포의 출입국과 법적 지위에 관한 법률」(이하 '재외동포법'이라 한다)이 특별히 제정되어 시행 중이다. 따라서 원고는 이 사건 사증발급 거부처분의 취소를 구할 법률상 이익이 인정되므로, 원고적격 또는 소의 이익이 없어 이 사건 소가 부적법하다는 피고의 주장은 이유 없다(대판 2019. 7. 11, 2017두38874).**05**

❸ 협의의 소익(권리보호의 필요)

최광의의 소의 이익 개념에는 ① 소송의 대상, ② 원고적격, ③ 권리보호의 필요가 모두 포함되고, 광의의 소의 이익 개념에는 ②와 ③의 개념이 포함되는데, 여기서 말하는 협의의 소의 이익은 ①, ②를 제외한 ③을 의미한다.

1. 의 의

원고적격을 가진 자라도 항상 소송을 제기할 수 있는 것은 아니고 분쟁을 소송에 의해 해결할 현실적 필요성이 있어야 하는바, 이를 '협의의 소익' 또는 '권리보호의 필요'라고 한다. 한편, 이러한 소의 이익은 소송요건으로서 소의 이익이 없으면 법원은 각하판결을 한다. 그리고 이러한 소의 이익은 상고심에서도 존속해야 한다.**06**

관련판례

위법한 행정처분의 취소를 구하는 소는 위법한 처분에 의하여 발생한 위법상태를 배제하여 원상으로 회복시키고 그 처분으로 침해되거나 방해받은 권리와 이익을 보호 · 구제하고자 하는 소송이므로, 비록 그 위법한 처분을 취소하더라도 원상회복이나 권리구제가 불가능한 경우에는 그 취소를 구할 이익이 없다고 할 것이지만, 그 취소판결로 인한 권리구제의 가능성이 확실한 경우에만 소의 이익이 인정된다고 볼 것은 아니다(대판 2015. 10. 29, 2013두27517).

기출 체크

□□□□□ **01** 부교수임용처분에 대하여 같은 학과의 기존교수(는 판례가 취소소송의 원고적격을 부정한다) (○, ×)
2018 소방직 9급

□□□□□ **02** 외국인이라고 하더라도 대한민국과의 실질적 관련성 내지 법적으로 보호가치가 있는 이해관계를 형성한 경우에는 사증발급 거부처분의 취소를 구할 원고적격이 인정된다. (○, ×) ★★★
2021 국회직 8급

□□□□□ **03** 출입국관리법상의 체류자격 및 사증발급의 기준과 절차에 관한 규정들은 대한민국의 출입국 질서와 국경관리라는 공익을 보호하려는 취지로 해석될 뿐이므로, 동법상 체류자격변경불허가처분, 강제퇴거명령 등을 다투는 외국인에게는 해당처분의 취소를 구할 법률상 이익이 인정되지 않는다. (○, ×) ★★★
2019 국가직 7급

□□□□□ **04** 사증발급의 법적 성질, 출입국관리법의 입법목적, 사증발급 신청인의 대한민국과의 실질적 관련성, 상호주의원칙 등을 고려하면, 우리 출입국관리법의 해석상 외국인에게는 사증발급 거부처분의 취소를 구할 법률상 이익이 인정되지 않는다. (○, ×) ★★★
2023 서울시 지적 7급

□□□□□ **05** 대한민국에서 출생하여 오랜 기간 대한민국 국적을 보유하면서 거주한 재외동포는 사증발급 거부처분의 취소를 구할 법률상 이익이 있다. (○, ×)
2022 국가직 9급

□□□□□ **06** 협의의 소익은 상고심 계속 중에도 존속해야 한다. (○, ×) ★★★
2014 서울시 7급

정답 01 ○ 02 ○ 03 × 04 ○ 05 ○ 06 ○

기출 체크

□□□□□ 01 법인세 과세표준과 관련하여 과세관청이 법인의 소득처분 상대방에 대한 소득처분을 경정하면서 증액과 감액을 동시에 한 결과 전체로서 소득처분금액이 감소된 경우, 법인이 소득금액변동통지의 취소를 구할 소의 이익이 없다.
(○, ×) ★ 2017 지방직 9급

□□□□□ 02 행정처분에 그 효력기간이 정하여져 있는 경우, 그 처분의 효력 또는 집행이 정지된 바 없다면 위 기간의 경과로 그 행정처분의 효력은 상실되므로 그 기간 경과 후에는 그 처분이 외형상 잔존함으로 인하여 어떠한 법률상 이익이 침해되고 있다고 볼 만한 별다른 사정이 없는 한 그 처분의 취소를 구할 법률상 이익이 없다. (○, ×) ★★★
2023 지방직 · 서울시 7급

❶ 행정소송법 제12조【원고적격】취소소송은 처분 등의 취소를 구할 법률상 이익이 있는 자가 제기할 수 있다. 처분 등의 효과가 기간의 경과, 처분 등의 집행, 그 밖의 사유로 인하여 소멸된 뒤에도 그 처분 등의 취소로 인하여 회복되는 법률상 이익이 있는 자의 경우에는 또한 같다.
✚ 다수설은 제12조 전문(앞문장)은 원고적격규정으로, 후문(뒷문장)은 협의의 소의 이익에 관한 규정으로 본다.

정답 01 ○ 02 ○

2. 행정소송법 규정 및 의미❶

행정소송법 제12조 후단의 의미에 대해서는 비록 처분 등으로 인해 기본적 권리가 회복불가능하더라도 부수적 이익이 있으면 소송제기가 가능하도록 한 규정이라고 해석함이 일반적이다. 이때 부수적 이익도 법률상 이익이어야 하며, 단순한 사실상 · 경제상 이익이어서는 안 된다는 것이 통설이다. 한편 원고가 추구하는 목적을 소송보다 간이한 방법으로 달성할 수 있는 경우, 또는 원고가 오로지 부당한 목적으로 소송을 제기하는 경우에는 소의 이익이 없다는 것이 판례의 취지이며, 또한 유리한 결과를 가져오는 처분의 경우에도 그 취소를 구할 소의 이익은 없다.

관련판례

1. **판결이유 중에 명백한 계산상 착오가 있는 경우 상고사유가 되지 않는다.**
   피고 수원시가 원고들에게 지급할 금액은 원심 인정의 정당보상가액에서 원고들이 수령하였음을 자인하는 이의재결시의 보상가액을 공제한 나머지 금액이라고 판시하고서도, 위 피고가 지적하는 것처럼 그 금액을 산출함에 있어서는 이의재결시의 보상가액이 아닌 수용재결 보상가액을 공제하는 잘못을 저지른 것이 명백하다. 그러나 이러한 잘못은 명백한 계산상의 착오로서 판결경정절차를 통하여 시정될 일이며 상고로 다툴 성질의 것이 아니다(대판 1993. 4. 23, 92누17297).

2. **토지를 수용당한 후 20년이 넘도록 수용재결의 실효를 주장하지 아니한 채 보상요구를 한 적도 있다가 수용보상금 중 극히 일부가 미지급되었음을 이유로 수용재결의 실효를 주장하는 것은 신의칙에 비추어 허용될 수 없다**(대판 1993. 5. 14, 92다51433).

3. **법인세 과세표준과 관련하여 과세관청이 법인의 소득처분 상대방에 대한 소득처분을 경정하면서 증액과 감액을 동시에 한 결과 전체로서 소득처분금액이 감소된 경우, 법인이 소득금액변동통지의 취소를 구할 소의 이익은 없다.** 01 ★
   과세관청이 직권으로 상대방에 대한 소득처분을 경정하면서 일부 항목에 대한 증액과 다른 항목에 대한 감액을 동시에 한 결과 전체로서 소득처분금액이 감소된 경우에는 그에 따른 소득금액변동통지가 납세자인 당해 법인에 불이익을 미치는 처분이 아니므로 당해 법인은 그 소득금액변동통지의 취소를 구할 이익이 없다(대판 2012. 4. 13, 2009두5510).

4 구체적인 경우의 소익에 대한 판단

1. 처분이 효력기간 등의 경과로 인해 소멸된 경우

(1) 원 칙

영업정지처분의 기간이 경과한 경우처럼, 처분의 효력이 소멸한 경우에는 통상 취소소송을 제기할 소의 이익이 없다.

관련판례

1. **행정처분에 그 효력기간이 정하여져 있는 경우, 기간의 경과로 그 행정처분의 효력은 상실되므로 그 기간 경과 후에는 그 처분이 외형상 잔존함으로 인하여 어떠한 법률상 이익이 침해되고 있다고 볼 만한 별다른 사정이 없는 한 그 처분의 취소를 구할 법률상의 이익이 없다.** 02 ★★★
   행정처분에 그 효력기간이 정하여져 있는 경우, 그 처분의 효력 또는 집행이 정지된 바 없다면 위 기간의 경과로 그 행정처분의 효력은 상실되므로 그 기간경과 후에는 그 처분이 외형상 잔존함으로 인하여 어떠한 법률상 이익이 침해되고 있다고 볼 만한 별다른 사정이 없는 한 그 처분의 취소를 구할 법률상 이익이 없다고 할 것이다(대판 2002. 7. 26, 2000두7254).

2. **사실심변론종결일 현재 토석채취허가기간이 경과한 경우 토석채취허가취소처분의 취소를 구할 소의 이익은 없다.**

사실심변론종결일 현재 토석채취허가기간이 경과하였다면 그 허가는 이미 실효되었다고 할 것이어서 새로 토석채취허가를 받지 아니하고는 채석을 계속할 수 없고, 나아가 토석채취허가취소처분이 외형상 잔존함으로 말미암아 어떠한 법률상 불이익이 있다고 볼 만한 특별한 사정도 없다면 위 취소처분의 취소를 구하는 소는 소의 이익이 없다(대판 1993. 7. 27, 93누3899).

(2) 예 외

① 일반론

비록 처분의 효력기간의 경과 등으로 그 행정처분의 효력이 상실된 경우에도 당해 처분을 취소할 현실적 이익이 있는 경우, 즉 그 처분이 외형상 잔존함으로 인하여 어떠한 법률상 이익이 침해되고 있다고 볼 만한 특별한 사정이 있는 경우 등에는 그 처분의 취소를 구할 소의 이익이 있다는 것이 판례의 입장이다.01

② 제재적 처분이 장래 처분의 가중요건인 경우

㉠ 비록 처분의 기간이 경과하여 처분이 소멸하였다 하더라도 그 처분이 후행처분의 가중요건으로 규정된 경우에는 가중처분을 받을 불이익이 있으므로 제재처분의 취소를 구할 소의 이익이 있다.02 다만, 실제로 가중된 제재처분을 받을 우려가 없어졌다면 특별한 사정이 없는 한 소의 이익이 없다.

㉡ 과거 판례는 처분을 받은 것이 장래 처분의 가중사유로 규정되어 있다고 하더라도 그 규정이 법률 또는 법규명령인 경우에만 소의 이익을 긍정했었다. 그러나 2006년 판례를 변경하여 부령형식의 제재적 처분기준에서 가중사유로 규정한 경우, 그 기준의 성격이 법규명령인지와 상관없이 소의 이익을 긍정하는 것으로 판시한 바 있다.

㉢ 한편, 판례는 가중사유가 행정규칙에 규정된 경우에도 소의 이익을 긍정하고 있다.03 04

③ 집행정지결정이 있는 경우

예컨대, 영업정지처분에 대해 집행정지결정이 있는 경우에는 제재기간의 진행이 정지되어 집행정지된 기간만큼 영업정지의 제재가 연기되므로 처분시 표시된 처분의 기간이 경과하였다고 하더라도 처분의 취소를 구할 소의 이익이 있다.

④ 반복 위험이 있는 경우

동일한 소송당사자 사이에서 그 행정처분과 동일한 사유로 위법한 처분이 반복될 위험성이 있어 행정처분의 위법성 확인 내지 불분명한 법률문제에 대한 해명이 필요한 경우 행정의 적법성 확보와 그에 대한 사법통제, 국민의 권리구제의 확대 등의 측면에서 예외적으로 그 처분의 취소를 구할 소의 이익을 인정할 수 있다(대판 2020. 4. 9, 2019두49953).05 여기에서 '그 행정처분과 동일한 사유로 위법한 처분이 반복될 위험성이 있는 경우'란 불분명한 법률문제에 대한 해명이 필요한 상황에 대한 대표적인 예시일 뿐이며, 반드시 '해당 사건의 동일한 소송당사자 사이에서' 반복될 위험이 있는 경우만을 의미하는 것은 아니다(대판 2020. 12. 24, 2020두30450).

관련판례

1. **제재적 행정처분이 그 처분에서 정한 제재기간의 경과로 인하여 그 효과가 소멸되었다 하더라도 그 처분이 후행처분의 가중적 요건사실이 되는 경우 선행처분의 취소를 구할 소의 이익이 있다.06 ★★★**

제재적 행정처분이 그 처분에서 정한 제재기간의 경과로 인하여 그 효과가 소멸되었으나, 부령인 시행규칙 또는 지방자치단체의 규칙(이하 이들을 '규칙'이라고 한다)의 형식으로 정한 처분기준에서 제재적 행정처분(이하 '선행처분'이라고 한다)을 받은 것을 가중사유나 전제요건으로 삼아 장래의 제재적 행정처분(이하 '후행처분'이라고 한다)을 하도록 정하고 있는 경우, 제재적 행정처분의 가중사유나 전

기출 체크

□□□□□ 01 처분 등의 효과가 처분등의 집행, 그 밖의 사유로 인하여 소멸된 후에도 처분의 취소를 구할 법률상 이익이 인정될 수 있다. (○, ×)
2022 서울시 지적 7급

□□□□□ 02 제재적 행정처분의 효력이 제재기간 경과로 소멸하였더라도 관련법규에서 제재적 행정처분을 받은 사실을 가중사유나 전제요건으로 삼아 장래의 제재적 행정처분을 하도록 정하고 있다면, 선행처분의 취소를 구할 법률상 이익이 있다. (○, ×) 2022 군무원 9급

□□□□□ 03 시행규칙에 법 위반 횟수에 따라 가중처분하게 되어 있는 제재적 처분기준이 규정되어 있다 하더라도, 기간의 경과로 효력이 소멸한 제재적 처분을 취소소송으로 다툴 법률상 이익은 없다. (○, ×) ★★★ 2017 사회복지직 9급

□□□□□ 04 제재적 행정처분의 효력이 소멸한 경우에도 행정규칙에 의해 당해 처분의 존재가 가중처분의 전제가 되는 경우 처분의 취소를 구할 이익이 있다. (○, ×) ★★★ 2010 지방직 9급

□□□□□ 05 취소소송계속 중에 처분청이 계쟁처분을 직권으로 취소하더라도, 동일한 소송당사자 사이에서 그 처분과 동일한 사유로 위법한 처분이 반복될 위험성이 있어 그 처분에 대한 위법성의 확인이 필요한 경우에는 그 처분의 취소를 구할 소의 이익이 있다. (○, ×)
2023 국가직 7급

□□□□□ 06 장래의 제재적 가중처분 기준을 대통령령이 아닌 부령의 형식으로 정한 경우에는 이미 제재기간이 경과한 제재적 처분의 취소를 구할 법률상 이익이 인정되지 않는다. (○, ×) ★★★
2016 국가직 9급

정답 01 ○ 02 ○ 03 × 04 ○ 05 ○ 06 ×

제요건에 관한 규정이 법령이 아니라 규칙의 형식으로 되어 있다고 하더라도, 그러한 규칙이 법령에 근거를 두고 있는 이상 그 법적 성질이 대외적 · 일반적 구속력을 갖는 법규명령인지 여부와는 상관없이, 관할 행정청이나 담당공무원은 이를 준수할 의무가 있으므로**01** 이들이 그 규칙에 정해진 바에 따라 행정작용을 할 것이 당연히 예견되고, 그 결과 행정작용의 상대방인 국민으로서는 그 규칙의 영향을 받을 수밖에 없다. …… 그러므로 이와는 달리 규칙에서 제재적 행정처분을 장래에 다시 제재적 행정처분을 받을 경우의 가중사유로 규정하고 있고 그 규정에 따라 가중된 제재적 행정처분을 받게 될 우려가 있다고 하더라도 그 제재기간이 경과한 제재적 행정처분의 취소를 구할 법률상 이익이 없다는 취지로 판시한 대판 1995. 10. 17, 94누14148 전합 ; 대판 1988. 5. 24, 87누944 ; 대판 1992. 7. 10, 92누3625 ; 대판 1997. 9. 30, 97누7790 ; 대판 2003. 10. 10, 2003두6443 등은 이 판결의 견해에 배치되는 범위 내에서 이를 모두 변경하기로 한다(대판 2006. 6. 22, 2003두1684 전합).

2. **건축사 업무정지처분을 받은 후 새로운 업무정지처분을 받음이 없이 1년이 경과하여 실제로 가중된 제재처분을 받을 우려가 없게 된 경우(건축사법에는 업무정지처분을 연 2회 이상 받는 경우 가중처분하도록 되어 있다), 업무정지처분에서 정한 정지기간이 경과한 후에 업무정지처분의 취소를 구할 법률상 이익은 없다**(대판 2000. 4. 21, 98두10080).**02 03** ★★

3. **처분시 표시한 제재기간이 경과하였더라도 중간에 집행정지결정이 있었으면 소의 이익이 있다.**
기간을 정한 제재적 처분에 대해 집행정지결정이 있는 경우에는 제재기간의 진행이 정지되어 집행정지된 기간만큼 제재기간이 순연되는 데 불과하고 제재적 처분의 효력이 소멸된 것이 아니므로 처분시 표시된 제재적 처분의 기간이 경과하였어도 그 처분의 취소를 구할 소의 이익이 있다(대판 1974. 1. 29, 73누202).★★

4. **수형자의 영치품에 대한 사용신청 불허처분 후 수형자가 다른 교도소로 이송되었다 하더라도 수형자의 권리와 이익의 침해 등이 해소되지 않은 점 등에 비추어, 위 영치품 사용신청 불허처분의 취소를 구할 이익이 있다.04**
원고의 형기가 만료되기까지는 아직 상당한 기간이 남아 있을 뿐만 아니라, 진주교도소가 전국 교정시설의 결핵 및 정신질환 수형자들을 수용 · 관리하는 의료교도소인 사정을 감안할 때 원고의 진주교도소로의 재이송 가능성이 소멸하였다고 단정하기 어려운 점 등을 종합하면, 원고로서는 이 사건 처분의 취소를 구할 이익이 있다고 봄이 상당하다(대판 2008. 2. 14, 2007두13203).

5-1. **학교법인의 임시이사선임처분에 대한 취소소송 제기 후 소송계속 중 임시이사가 교체되어 새로운 임시이사가 선임된 경우, 당초의 임시이사선임처분의 취소를 구할 소의 이익이 있다(위법한 처분이 반복될 가능성이 있어서 소의 이익을 인정한 판결이다).** ★★★

5-2. **취임승인이 취소된 학교법인의 정식이사들에 대해 원래 정해져 있던 임기가 만료되었다 하더라도 후임이사 선임시까지 직무수행에 관한 긴급처리권을 인정받을 수 있는 경우에는 그 임원취임승인취소처분의 취소를 구할 소의 이익이 있다.05 06** ★★★
비록 취임승인이 취소된 학교법인의 정식이사들에 대하여 원래 정해져 있던 임기가 만료되고 구 사립학교법(2005. 12. 29, 법률 제7802호로 개정되기 전의 것) 제22조 제2호 소정의 임원결격사유기간마저 경과하였다 하더라도, 그 임원취임승인취소처분이 위법하다고 판명되고 나아가 임시이사들의 지위가 부정되어 직무권한이 상실되면, 그 정식이사들은 후임이사 선임시까지 민법 제691조의 유추적용에 의하여 직무수행에 관한 긴급처리권을 가지게 되고 이에 터잡아 후임 정식이사들을 선임할 수 있게 되는바, 이는 감사의 경우에도 마찬가지이다. …… 임시이사선임처분에 대하여 취소를 구하는 소송의 계속 중 임기만료 등의 사유로 새로운 임시이사들로 교체된 경우, 선행 임시이사선임처분의 효과가 소멸하였다는 이유로 그 취소를 구할 법률상 이익이 없다고 보게 되면, 원래의 정식이사들로서는 계속 중인 소를 취하하고 후행 임시이사선임처분을 별개의 소로 다툴 수밖에 없게 되며, 그 별소 진행 도중 다시 임시이사가 교체되면 또 새로운 별소를 제기하여야 하는 등 무익한 처분과 소송이 반복될 가능성이 있으므로, …… 나아가 선행 임시이사선임처분의 취소를 구하는 소송 도중에 선행 임시이사가 후행 임시이사로 교체되었더라도 여전히 선행 임시이사선임처분의 취소를 구할 법률상 이익이 있다(대판 2007. 7. 19, 2006두19297 전합).

기출 체크

□□□□□ **01** 제재적 행정처분의 가중사유나 전제요건에 관한 규정이 법령이 아닌 행정규칙의 형식으로 되어 있다면 이는 행정청 내부의 재량준칙을 규정한 것에 불과하므로 관할행정청이나 담당공무원은 이를 준수할 의무가 없다. (○, ×) ★★★ 2016 국가직 7급

□□□□□ **02** 가중요건이 법령에 규정되어 있는 경우, 업무정지처분을 받은 후 새로운 제재처분을 받음이 없이 법률이 정한 기간이 경과하여 실제로 가중된 제재처분을 받을 우려가 없어졌다면 특별한 사정이 없는 한 업무정지처분의 취소를 구할 법률상 이익이 인정되지 않는다. (○, ×) ★★★ 2019 국가직 9급

□□□□□ **03** 건축사 업무정지처분을 받은 후 새로운 업무정지처분을 받음이 없이 1년이 경과하여 실제로 가중된 제재처분을 받을 우려가 없게 된 경우, 그 처분에서 정한 정지기간이 경과한 이상 특별한 사정이 없는 한 업무정지처분의 취소를 구할 법률상 이익이 없다. (○, ×) ★★ 2017 지방직 9급

□□□□□ **04** 수형자의 영치품에 대한 사용신청 불허처분 후 수형자가 다른 교도소로 이송된 경우 원래 교도소로의 재이송 가능성이 소멸되었으므로 그 불허처분의 취소를 구할 소의 이익이 없다. (○, ×) 2017 지방직 9급

□□□□□ **05** 학교법인 임원취임승인의 취소처분 후 그 임원의 임기가 만료되고 구 사립학교법 소정의 임원결격사유기간마저 경과한 경우에 취임승인이 취소된 임원은 취임승인취소처분의 취소를 구할 소의 이익이 없다. (○, ×) ★★★ 2018 지방직 9급

□□□□□ **06** 임원취임승인의 취소처분과 임시이사선임처분의 취소소송을 동시에 제기하여 소송계속 중 임시이사의 임기가 만료되고 새로운 임시이사가 선임된 경우(는 적법한 소로 볼 수 없다) (○, ×) ★★★ 2012 국회직 8급

정답 01 × 02 ○ 03 ○ 04 × 05 × 06 ×

2. 원상회복이 불가능한 경우

처분이 취소되어도 원상회복이 불가능한 경우에는 원칙적으로 그 처분의 취소를 구할 소의 이익이 없다. 그러나 이 경우에도 회복될 수 있는 부수적 이익이 있는 경우에는 소의 이익이 인정된다고 할 것이다.

관련판례

행정처분의 무효확인 또는 취소를 구하는 소에서, 비록 행정처분의 위법을 이유로 무효확인 또는 취소판결을 받더라도 그 처분에 의하여 발생한 위법상태를 원상으로 회복시키는 것이 불가능한 경우에는 원칙적으로 그 무효확인 또는 취소를 구할 법률상 이익이 없고, **01** 다만 원상회복이 불가능하더라도 그 무효확인 또는 취소로써 회복할 수 있는 다른 권리나 이익(부수적 이익)이 남아 있는 경우 예외적으로 법률상 이익이 인정될 수 있다(대판 2016. 6. 10, 2013두1638). ★★★

(1) 소의 이익이 없는 경우

관련판례

1. **행정대집행이 실행완료된 경우 대집행계고처분의 취소를 구할 법률상 이익은 없다.**
   대집행계고처분 취소소송의 변론종결 전에 대집행영장에 의한 통지절차를 거쳐 사실행위로서 대집행의 실행이 완료된 경우에는 행위가 위법한 것이라는 이유로 손해배상이나 원상회복 등을 청구하는 것은 별론으로 하고 처분의 취소를 구할 법률상 이익은 없다(대판 1993. 6. 8, 93누6164). **02**

2. **건축허가가 건축법 소정의 이격거리(건물 외벽부터 대지 경계까지 거리)를 두지 아니하고 건축물을 건축하도록 되어 있어 위법하다 하더라도 이미 건축공사가 완료되었다면 인접한 대지의 소유자가 건축허가처분의 취소를 구할 소의 이익은 없다**(대판 1992. 4. 24, 91누11131). **03 04 ★★**

3. **인접건물이 건축공사완료 후 준공검사를 받은 경우 인접건물 소유자가 건물준공처분의 무효확인이나 취소를 구할 법률상 이익은 없다**(대판 1993. 11. 9, 93누13988). **05 ★★**

(2) 소의 이익이 있는 경우 ㉠

관련판례

1. **파면처분이 있은 후 금고 이상의 형을 선고받아 당연퇴직되는 등의 사정으로 공무원의 지위를 회복할 여지가 없게 된 경우라도 급여청구의 관계에서 이익이 있는 이상 위 파면처분의 취소를 구할 이익이 있다**(대판 1985. 6. 25, 85누39). **06 ★★**

2. **국가공무원법상 직위해제처분의 무효확인 또는 취소소송계속 중 정년을 초과하여 직위해제처분의 무효확인 또는 취소로 공무원 신분을 회복할 수는 없다고 할지라도, 그 무효확인 또는 취소로 직위해제일부터 직권면직일까지 기간에 대한 감액된 봉급 등의 지급을 구할 수 있는 경우에는 직위해제처분의 무효확인 또는 취소를 구할 법률상 이익이 있다**(대판 2014. 5. 16, 2012두26180).

3. (지방의회의원에 대한 제명의결 취소소송계속 중 의원의 임기가 만료된 사안에서) **제명의결의 취소로 의원의 지위를 회복할 수는 없다 하더라도 제명의결시부터 임기만료일까지의 기간에 대한 월정수당의 지급을 구할 수 있는 등 여전히 그 제명의결의 취소를 구할 법률상 이익이 있다. 07 ★★★**
   지방의회의원에게 지급되는 비용 중 적어도 월정수당(제3호)은 지방의회의원의 직무활동에 대한 대가로 지급되는 보수의 일종으로 봄이 상당하다. 따라서 원고가 이 사건 제명의결 취소소송계속 중 임기가 만료되어 제명의결의 취소로 지방의회의원으로서의 지위를 회복할 수는 없다 할지라도, 그 취소로 인하여 최소한 제명의결시부터 임기만료일까지의 기간에 대해 월정수당의 지급을 구할 수 있는 등 여전히 그 제명의결의 취소를 구할 법률상 이익은 남아 있다고 보아야 한다(대판 2009. 1. 30, 2007두13487).

기출 체크

□□□□□ **01** 행정처분의 무효확인 또는 취소를 구하는 소에서, 비록 행정처분의 위법을 이유로 무효확인 또는 취소판결을 받더라도 그 처분에 의하여 발생한 위법상태를 원상으로 회복시키는 것이 불가능한 경우에는 원칙적으로 그 무효확인 또는 취소를 구할 법률상 이익이 없다. (○, ×) ★★★ 2023 소방직 9급

□□□□□ **02** 대집행계고처분의 취소소송의 사실심변론종결 전에 대집행영장에 의한 통지절차를 거쳐 대집행 실행이 완료된 경우 계고처분에 대한 취소소송의 법률상 이익이 인정된다. (○, ×) 2023 군무원 7급

□□□□□ **03** 건축허가처분의 취소를 구하는 소를 제기하기 전에 건축공사가 완료된 경우에는 소의 이익이 없으나, 소를 제기한 후 사실심변론종결일 전에 건축공사가 완료된 경우에는 소의 이익이 있다. (○, ×) ★★ 2018 서울시 1회 7급

□□□□□ **04** 건축허가가 건축법에 따른 이격거리를 두지 아니하고 건축물을 건축하도록 되어 있어 위법하다 하더라도 건축이 완료되어 위법한 처분을 취소한다 하더라도 원상회복이 불가능한 경우에는 그 취소를 구할 법률상 이익이 없다. (○, ×) ★★ 2016 국가직 9급

□□□□□ **05** 건축공사 완료 후에는 건물준공처분의 취소를 구할 협의의 소익이 없다. (○, ×) ★★ 2014 서울시 7급

□□□□□ **06** 파면처분취소소송의 사실심 변론종결 전에 금고 이상의 형을 선고받아 당연퇴직된 경우에도 해당 공무원은 파면처분의 취소를 구할 이익이 있다. (○, ×) ★★ 2021 지방직 · 서울시 9급

□□□□□ **07** 지방의회의원에 대한 제명의결 취소소송계속 중 의원의 임기가 만료되었다면, 제명의결시부터 임기만료일까지의 기간에 대한 월정수당의 지급을 구할 수 있다고 하더라도 그 제명의결의 취소를 구할 법률상 이익이 없다. (○, ×) ★★★ 2023 소방직 9급

판례 | ㉠ 1. 공무원이 징계사유에 해당하여 감봉처분을 받고 자진사퇴한 후 감봉처분에 대한 취소소송을 제기할 소의 이익이 있다(대판 1977. 7. 12, 74누147).
2. 「공공용지의 취득 및 손실보상에 관한 특례법」 제8조 제1항 소정의 이주대책업무가 종결되고 그 공공사업을 완료하여 사업지구 내에 더 이상 분양할 이주대책용 단독택지가 없는 경우에도 이주대책대상자 선정신청을 거부한 행정처분의 취소를 구할 법률상 이익이 있다(대판 1999. 8. 20, 98두17043).

정답 01 ○ 02 × 03 × 04 ○ 05 ○ 06 ○ 07 ×

기출 체크

□□□□□ **01** 서울대학교 불합격처분의 취소를 구하는 소송계속 중 당해 연도의 입학시기가 지난 경우에도 불합격처분의 취소를 구할 법률상의 이익이 있다. (○, ×) ★★★ 2014 지방직 7급

□□□□□ **02** 도시개발사업의 공사 등이 완료되고 원상회복이 사회통념상 불가능하게 된 경우 도시개발사업의 시행에 따른 도시계획변경결정처분과 도시개발구역지정처분 및 도시개발사업실시계획인가처분의 취소를 구하는 경우(에는 협의의 소의 이익(권리보호의 필요)이 인정된다) (○, ×) ★ 2017 서울시 9급

□□□□□ **03** 해임처분 취소소송계속 중 임기가 만료되어 해임처분의 취소로 지위를 회복할 수는 없다고 할지라도, 그 취소로 해임처분일부터 임기만료일까지 기간에 대한 보수지급을 구할 수 있는 경우에는 해임처분의 취소를 구할 법률상 이익이 있으므로, 수소법원은 본안에 대하여 판단하여야 한다. (○, ×) ★★ 2022 국가직 9급

□□□□□ **04** 인사규정 등에서 직위해제처분에 따른 효과로 승진·승급에 제한을 가하는 등의 법률상 불이익을 규정하고 있는 경우에는 직위해제처분을 받은 근로자는 이러한 법률상 불이익을 제거하기 위하여 그 실효된 직위해제처분에 대한 구제를 신청할 이익이 있다. (○, ×) ★★ 2015 지방직 7급

□□□□□ **05** 공장등록이 취소된 후 그 공장시설물이 철거되었고 다시 복구를 통하여 공장을 운영할 수 없는 상태라 하더라도 대도시 안의 공장을 지방으로 이전할 경우 조세감면 및 우선입주 등의 혜택이 관계법률에 보장되어 있다면, 공장등록취소처분의 취소를 구할 법률상 이익이 인정된다. (○, ×) 2019 국가직 9급

□□□□□ **06** 건축허가취소처분을 받은 건축물 소유자는 그 건축물이 완공된 후에도 여전히 취소처분의 취소를 구할 법률상 이익을 가진다. (○, ×) 2022 서울시 지적 7급

정답 01 ○ 02 ○ 03 ○ 04 ○ 05 ○ 06 ○

4. 근로자가 부당해고 구제신청을 하여 해고의 효력을 다투던 중 정년에 이르거나 근로계약기간이 만료하는 등의 사유로 부당해고구제재심판정의 취소를 구하는 소를 제기한 후 정년이 된 경우 원직에 복직하는 것이 불가능하게 된 경우에도 해고기간 중의 임금 상당액을 지급받을 필요가 있다면 임금 상당액 지급의 구제명령을 받을 이익이 유지되므로 구제신청을 기각한 중앙노동위원회의 재심판정을 다툴 소의 이익이 있다(대판 2020. 2. 20, 2019두52386 전합).

5. 아파트 관리소장으로 근무하던 원고가 공동주택 위·수탁관리계약의 상대방이 변경되는 과정에서 고용승계가 거부되자 아파트입주자대표회의, 변경 전·후의 위·수탁관리업체를 상대로 부당해고 구제신청을 제기하고 그 구제신청이 기각되자 중앙노동위원회의 재심판정의 취소를 구하는 소를 제기한 경우, 근로계약관계의 종료로 인하여 원직복직이 불가능하게 되었더라도 해고기간 동안의 임금 상당액을 지급받을 필요가 있는 한도에서 재심판정을 다툴 소의 이익이 있다(대판 2022. 5. 12, 2020두35592).

6. **대학입학고사 불합격처분의 취소를 구하는 소송계속 중 당해 연도의 입학시기가 지났다 하더라도 다음 연도의 입학시기에 입학할 수 있으므로 소의 이익이 있다**(대판 1990. 8. 28, 89누8255). **01** ★★★

7. **도시개발사업의 공사 등이 완료되고 원상회복이 사회통념상 불가능하게 되었더라도, 도시개발사업의 시행에 따른 도시계획변경결정처분과 도시개발구역지정처분 및 도시개발사업실시계획인가처분의 취소를 구할 법률상 이익이 있다. 02** ★

   도시계획변경결정처분과 도시개발구역지정처분 및 도시개발사업실시계획인가처분은 도시개발사업시행자에게 단순히 도시개발에 관련된 공사의 시공권한을 부여하는 데 그치지 않고 당해 도시개발사업을 시행할 수 있는 권한을 설정하여 주는 처분으로서 위 각 처분 자체로 그 처분의 목적이 종료되는 것이 아니고 위 각 처분이 유효하게 존재하는 것을 전제로 하여 당해 도시개발사업에 따른 일련의 절차 및 처분이 행해지기 때문에 위 각 처분이 취소된다면 그것이 유효하게 존재하는 것을 전제로 하여 이루어진 토지수용이나 환지 등에 따른 각종의 처분이나 공공시설의 귀속 등에 관한 법적 효력은 영향을 받게 되므로, 도시개발사업의 공사 등이 완료되고 원상회복이 사회통념상 불가능하더라도 위 각 처분의 취소를 구할 법률상 이익은 소멸한다고 할 수 없다(대판 2005. 9. 9, 2003두5402·5419).

8. **한국방송공사 사장에 대한 해임처분 무효확인 또는 취소소송계속 중 임기가 만료되어 해임처분의 무효확인 또는 취소로 지위를 회복할 수는 없다고 할지라도, 그 무효확인 또는 취소로 해임처분일부터 임기만료일까지 기간에 대한 보수지급을 구할 수 있는 경우에는 해임처분의 무효확인 또는 취소를 구할 법률상 이익이 있다**(대판 2012. 2. 23, 2011두5001). **03** ★★

9-1. **근로자를 직위해제한 후 동일한 사유를 이유로 징계처분을 한 경우, 직위해제처분은 효력을 상실한다.** ★★

9-2. **다만, 인사규정 등에서 직위해제처분에 따른 효과로 승진·승급에 제한을 가하는 등의 법률상 불이익을 규정하고 있는 경우에는 직위해제처분을 받은 근로자는 이러한 법률상 불이익을 제거하기 위하여 그 실효된 직위해제처분에 대한 구제를 신청할 이익이 있다**(대판 2010. 7. 29, 2007두18406). **04** ★★

10. (공장등록이 취소된 후 그 공장시설물이 철거되었더라도 대도시 안의 공장을 지방으로 이전할 경우 조세특례제한법상 세액공제 및 소득세 등의 감면혜택이 있고, 「공업배치 및 공장설립에 관한 법률」 상의 간이한 이전절차 및 우선 입주의 혜택이 있는 경우, 그 공장등록취소처분의 취소를 구할 법률상 이익이 있다면서) **공장건물의 멸실 여부에 불구하고 공장등록에 관한 당해 법률이나 다른 법률에 의해 보호되는 직접적·구체적인 이익이 있다면 그 공장등록취소처분의 취소를 구할 법률상 이익이 있다**(대판 2002. 1. 11, 2000두3306). **05**

11. 건축허가를 받아 건축물을 완공하였더라도 건축허가가 취소되면 그 건축물은 철거 등 시정명령의 대상이 되고 이를 이행하지 않은 건축주 등은 건축법 제80조에 따른 이행강제금 부과처분이나 행정대집행법 제2조에 따른 행정대집행을 받게 되며, 나아가 건축법 제79조 제2항에 의하여 다른 법령상의 인·허가 등을 받지 못하게 되는 등의 불이익을 입게 된다. 따라서 건축허가취소처분을 받은 건축물 소유자는 그 건축물이 완공된 후에도 여전히 위 취소처분의 취소를 구할 법률상 이익을 가진다고 보아야 한다(대판 2015. 11. 12, 2015두47195). **06**

3. 사정변경

(1) 권익침해가 해소된 경우

처분 후의 사정변경에 의하여 권익침해가 해소된 경우에는 처분의 취소를 구할 소의 이익이 없다고 할 것이다.㉠ 예컨대 동일한 처분에 대해 행정심판과 행정소송이 동시에 제기되어 쟁송 진행 중 행정심판의 인용재결이 행해지면 동일한 처분을 다투는 행정소송은 소의 이익이 없어 각하된다.

관련판례

1. **사법시험 제1차 시험 불합격처분 이후에 새로이 실시된 사법시험 제1차 시험에 합격하였을 경우, 그 불합격처분의 취소를 구할 법률상 이익이 없다**(대판 1996. 2. 23, 95누2685).
2. **사법시험 제2차 시험 불합격처분 이후에 새로이 실시된 제2차와 제3차 시험에 합격한 사람은 불합격처분의 취소를 구할 법률상 이익이 없다**(대판 2007. 9. 21, 2007두12057).**01** ★★★
3. **불합격처분 이후 새로 실시된 치과의사국가시험에 합격한 경우 불합격처분의 취소를 구할 법률상 이익이 없다**(대판 1993. 11. 9, 93누6867).**02** ★★★
4. **공익근무요원 소집해제신청을 거부한 후 복무기간이 만료되어 소집해제처분이 이루어진 경우라면 소집해제신청거부처분의 취소를 구할 소의 이익이 없다.03** ★★

   공익근무요원 소집해제신청을 거부한 후에 원고가 계속하여 공익근무요원으로 복무함에 따라 복무기간만료를 이유로 소집해제처분을 한 경우, 원고가 입게 되는 권리와 이익의 침해는 소집해제처분으로 해소되었으므로 위 거부처분의 취소를 구할 소의 이익이 없다(대판 2005. 5. 13, 2004두4369).
5. **현역병입영대상자로 병역처분을 받은 자가 그 취소소송 중 모병에 응하여 현역병으로 자진입대한 경우, 소의 이익이 없다.04** ★★★

   현역병입영대상자로 병역처분을 받은 자가 그 취소소송 중 모병에 응하여 현역병으로 자진입대한 경우, 그 처분의 위법을 다툴 실제적 효용 내지 이익이 없다는 이유로 소의 이익이 없다(대판 1998. 9. 8, 98두9165).

   ✚ 5번 판례와 다음의 판례를 구별하기 바란다. 위의 사건의 경우 병역처분취소소송은 현역병의 복무가 강제되는 징집을 면하기 위한 데에 있었다고 할 것이나, 소송 도중 원고가 지원에 의하여 현역병으로 채용되었고 이에 따라서 현역병입영처분이 취소된다고 하더라도 현역병으로 채용된 효력이 상실되지 아니하여 계속 현역병으로 복무할 수밖에 없으므로 소의 이익을 부정하였다. 그러나 다음의 판례에서는 소의 이익을 긍정하고 있다.

   현역병입영대상자의 경우 현역병으로 입영한 후에라도 현역병입영통지처분의 취소를 구할 소송상의 이익이 있다.05 ★★★

   입영으로 그 처분의 목적이 달성되어 실효되었다는 이유로 다툴 수 없도록 한다면, 병역법상 현역입영대상자로서는 현역병입영통지처분이 위법하다 하더라도 법원에 의하여 그 처분의 집행이 정지되지 아니하는 이상 현실적으로 입영을 할 수밖에 없으므로 현역병입영통지처분에 대하여는 불복을 사실상 원천적으로 봉쇄하는 것이 되고, …… 현역병입영통지처분이 적법함을 전제로 하는 것으로서 그 처분이 위법한 경우까지를 포함하는 의미는 아니라고 할 것이므로, 현역입영대상자로서는 현실적으로 입영을 하였다고 하더라도, 입영 이후의 법률관계에 영향을 미치고 있는 현역병입영통지처분 등을 한 관할 지방병무청장을 상대로 위법을 주장하여 그 취소를 구할 소송상의 이익이 있다(대판 2003. 12. 26, 2003두1875).

(2) 권익침해가 해소되지 않은 경우

사정변경이 있더라도 권익침해가 해소되지 않은 경우에는 처분의 취소를 구할 소의 이익이 있다.

관련판례

징계에 관한 일반사면이 있었더라도 징계처분의 취소를 구할 소송상 이익이 있다.

징계에 관한 일반사면이 있었다고 할지라도 사면의 효과는 소급하지 아니하므로 파면처분으로 이미 상실된 원고의 공무원지위가 회복될 수 없는 것이니 원고로서는 동 파면처분의 위법을 주장하여 그 취소를 구할 소송상 이익이 있다고 할 것이다(대판 1981. 7. 14, 80누536 전합).

기출 체크

□□□□□ **01** 사법시험 제2차 시험 불합격처분 이후 새로 실시된 제2차 및 제3차 시험에 합격한 자는 불합격처분의 취소를 구할 협의의 소익이 없다. (○, ×) ★★★ 2015 국가직 9급

□□□□□ **02** 의사국가시험에 불합격한 자가 새로 실시된 의사국가시험에 합격한 후 그 불합격처분의 취소를 구하는 경우에는 협의의 소익이 있다. (○, ×) ★★★ 2007 세무사

□□□□□ **03** 공익근무요원 소집해제신청을 거부한 후에 원고가 계속하여 공익근무요원으로 복무함에 따라 복무기간 만료를 이유로 소집해제처분을 한 경우, 원고는 거부처분의 취소를 구할 소의 이익이 있다. (○, ×) ★★ 2021 지방직 · 서울시 9급

□□□□□ **04** 현역병입영대상자로 병역처분을 받은 자가 그 취소소송 도중에 모병에 응하여 현역병으로 자진입대한 경우에는 권리보호의 필요가 없는 경우로서 소의 이익을 인정할 수 없다. (○, ×) ★★★ 2018 경행경채

□□□□□ **05** 현역입영대상자는 현역병입영통지처분에 따라 현실적으로 입영을 하였다 할지라도, 입영 이후의 법률관계에 영향을 미치고 있는 현역병입영통지처분을 한 관할 지방병무청장을 상대로 위법을 주장하여 그 취소를 구할 수 있다. (○, ×) ★★★ 2021 소방직 9급

판례 | ㉠ 보충역편입처분 및 공익근무요원소집처분의 취소를 구하는 소의 계속 중 병역처분변경신청에 따라 제2국민역편입처분으로 병역처분이 변경된 경우, 종전 보충역편입처분 및 공익근무요원소집처분의 취소를 구할 소의 이익이 없다(대판 2005. 12. 9, 2004두6563).

정답 01 ○ 02 × 03 × 04 ○ 05 ○

4. 명예 · 신용 등 이익의 경우

원칙적으로 처분의 기간이 경과하여 소멸한 후에는 명예 · 신용 등 인격적 이익을 회복하기 위한 소송은 허용되지 않는다는 것이 판례의 입장이다. 다만, 판례 중에는 명예 · 신용 등의 인격적 이익 등을 고려하여 소의 이익을 인정한 경우도 있다.

관련판례

1. **자격정지처분의 취소청구에 있어 그 정지기간이 경과되었다면 명예 · 신용 등 인격적인 이익침해만으로는 소송을 제기할 소의 이익이 없다(원칙적으로 명예 · 신용 등 인격적 이익을 회복하기 위한 소송을 허용하지 않는 판례)**(대판 1978. 5. 23, 78누72).

2. **고등학교에서 퇴학처분을 당한 후 고등학교 졸업학력 검정고시에 합격한 경우라 하더라도 퇴학처분의 취소를 구할 소의 이익이 있다(예외적으로 명예 등의 이익을 고려한 듯한 판례).01 ★★★**
   퇴학처분을 받은 후 고등학교 졸업학력 검정고시에 합격하였다 하더라도 고등학교 졸업이 대학입학자격이나 학력인정의 의미밖에 없다고는 할 수 없고, 고등학교 졸업학력 검정고시에 합격하였다 하여 고등학교 학생의 신분과 명예가 회복될 수 없는 것이므로 퇴학처분을 받은 자는 퇴학처분의 위법을 주장하여 퇴학처분의 취소를 구할 소송상의 이익이 있다(대판 1992. 7. 14, 91누4737).

5. 동일한 내용의 후행거부처분이 존재하는 경우

관련판례

1. **동일한 내용의 후행거부처분이 존재하더라도 선행거부처분 취소소송의 소의 이익은 있다.**
   행정청의 후행거부처분은 소극적 행정행위로서 현존하는 법률관계에 아무런 변동도 가져오는 것이 아니므로, 그 거부처분이 공정력이 있는 행정행위로서 취소되지 아니하였다고 하더라도, 원고가 그 거부처분의 효력을 직접 부정하는 것이 아닌 한 선행거부처분보다 뒤에 된 동일한 내용의 후행거부처분 때문에 선행거부처분의 취소를 구할 법률상 이익이 없다고 할 수는 없다.

2. 행정청이 토지형질변경허가거부처분을 할 당시는 광업권의 존속기간이 만료되지 아니하였을 뿐만 아니라, 광업권자는 상공자원부(현 산업통상자원부)장관의 허가를 받아 광업권의 존속기간을 연장할 수도 있는 것이므로, 행정청이 위 거부처분을 한 뒤에 광업권의 존속기간이 만료되었다고 하여 위 거부처분의 취소를 구할 법률상 이익이 없다고 할 수 없다(대판 1994. 4. 12, 93누21088).

6. 기 타

관련판례

1. **취소되어 더 이상 존재하지 않는 행정처분을 대상으로 한 취소소송은 소의 이익이 없다.★★★**
   행정청이 당초의 분뇨 등 관련 영업허가신청 반려처분의 취소를 구하는 소의 계속 중, 사정변경을 이유로 위 반려처분을 직권취소함과 동시에 위 신청을 재반려하는 내용의 재처분을 한 경우, 당초의 반려처분의 취소를 구하는 소는 더 이상 소의 이익이 없다(대판 2006. 9. 28, 2004두5317).**02**

2. 소송계속 중 처분청이 다툼의 대상이 되는 행정처분을 직권으로 취소하면 그 처분은 효력을 상실하여 더 이상 존재하지 않는 것이므로, 존재하지 않는 처분을 대상으로 한 항고소송은 원칙적으로 소의 이익이 소멸하여 부적법하다고 보아야 한다. 다만 처분청의 직권취소에도 완전한 원상회복이 이루어지지 않아 무효확인 또는 취소로써 회복할 수 있는 다른 권리나 이익이 남아 있거나 또는 동일한 소송당사자 사이에서 그 행정처분과 동일한 사유로 위법한 처분이 반복될 위험성이 있어 행정처분의 위법성 확인 내지 불분명한 법률문제에 대한 해명이 필요한 경우 행정의 적법성 확보와 그에 대한 사법통제, 국민의 권리구제의 확대 등의 측면에서 예외적으로 그 처분의 취소를 구할 소의 이익을 인정할 수 있다(대판 2020. 4. 9, 2019두49953).**03**

기출 체크

□□□□□ **01** 고등학교 졸업이 대학입학자격이나 학력인정으로서의 의미밖에 없다고 할 수 없으므로 고등학교 졸업학력 검정고시에 합격하였다 하여 고등학교 학생으로서의 신분과 명예가 회복될 수 없는 것이니 퇴학처분을 받은 자로서는 퇴학처분의 위법을 주장하여 그 취소를 구할 소송상의 이익이 있다. (○, ×) ★★★
2022 군무원 9급

□□□□□ **02** 행정청이 영업허가신청 반려처분의 취소를 구하는 소의 계속 중 사정변경을 이유로 위 반려처분을 직권취소함과 동시에 위 신청을 재반려하는 내용의 재처분을 한 경우 당초의 반려처분의 취소를 구하는 경우(에는 협의의 소의 이익(권리보호의 필요)이 인정된다)
(○, ×) ★★★ 2017 서울시 9급

□□□□□ **03** 처분청의 직권취소에도 완전한 원상회복이 이루어지지 않아 무효확인 또는 취소로써 회복할 수 있는 다른 권리나 이익이 남아 있는 경우, 예외적으로 그 처분의 취소를 구할 소의 이익이 있다. (○, ×) 2022 서울시 지적 7급

판례 | 주택건설사업계획 사전결정반려처분 취소청구소송의 계속 중 구 주택건설촉진법의 개정으로 주택건설사업계획 사전결정제도가 폐지된 경우, 소의 이익은 없다(대판 1999. 6. 11, 97누379).

정답 01 ○ 02 × 03 ○

3. 행정처분의 무효확인 또는 취소를 구하는 소가 제소 당시에는 소의 이익이 있어 적법하였는데, 소송계속 중 해당 행정처분이 기간의 경과 등으로 그 효과가 소멸한 때에 처분이 취소되어도 원상회복이 불가능하다고 보이는 경우라도, 무효확인 또는 취소로써 회복할 수 있는 다른 권리나 이익이 남아 있거나 또는 그 행정처분과 동일한 사유로 위법한 처분이 반복될 위험성이 있어 행정처분의 위법성 확인 내지 불분명한 법률문제에 대한 해명이 필요한 경우에는 행정의 적법성 확보와 그에 대한 사법통제, 국민의 권리구제 확대 등의 측면에서 예외적으로 그 처분의 취소를 구할 소의 이익을 인정할 수 있다. 여기에서 '그 행정처분과 동일한 사유로 위법한 처분이 반복될 위험성이 있는 경우'란 불분명한 법률문제에 대한 해명이 필요한 상황에 대한 대표적인 예시일 뿐이며, 반드시 '해당 사건의 동일한 소송당사자 사이에서' 반복될 위험이 있는 경우만을 의미하는 것은 아니다(대판 2020. 12. 24, 2020두30450).01

4. **행정청이 공무원에 대하여 새로운 직위해제사유에 기한 직위해제처분을 한 경우, 그 이전에 한 직위해제처분의 취소를 구할 소의 이익이 없다.02 ★★★**
   행정청이 공무원에 대하여 새로운 직위해제사유에 기한 직위해제처분을 한 경우 그 이전에 한 직위해제처분은 이를 묵시적으로 철회하였다고 봄이 상당하므로, 그 이전 처분의 취소를 구하는 부분은 존재하지 않는 행정처분을 대상으로 한 것으로서 그 소의 이익이 없어 부적법하다(대판 2003. 10. 10, 2003두5945).

5. **환지처분 공고 후에 환지예정지지정처분의 취소를 구할 법률상 이익은 없다.★**
   토지구획정리사업법에 의한 토지구획정리는 환지처분을 기본적 요소로 하는 것으로서 환지예정지지정처분은 사업시행자가 사업시행지구 내의 종전 토지소유자로 하여금 환지예정지지정처분의 효력발생일로부터 환지처분의 공고가 있는 날까지 당해 환지예정지를 사용 · 수익할 수 있게 하는 한편 종전의 토지에 대하여는 사용 · 수익을 할 수 없게 하는 처분에 불과하고 환지처분이 일단 공고되어 효력을 발생하게 되면 환지예정지지정처분은 그 효력이 소멸되는 것이므로, 환지처분이 공고된 후에는 환지예정지지정처분에 대하여 그 취소를 구할 법률상 이익은 없다(대판 1999. 10. 8, 99두6873).

6-1. **절차상 또는 형식상 하자로 무효인 행정처분에 대하여 행정청이 적법한 절차 또는 형식을 갖추어 다시 동일한 행정처분을 하였다면, 종전의 무효인 행정처분에 대한 무효확인청구는 과거의 법률관계의 효력을 다투는 것에 불과하므로 무효확인을 구할 법률상 이익이 없다.03**

6-2. **병역감면신청서 회송처분과 공익근무요원 소집처분이 직권으로 취소되었는데도, 이에 대한 무효확인과 취소를 구하는 소는 더 이상 존재하지 않는 행정처분을 대상으로 하거나 과거의 법률관계의 효력을 다투는 것에 불과하므로 소의 이익이 없어 부적법하다**(대판 2010. 4. 29, 2009두16879).

7. **상등병에서 병장으로의 진급요건을 갖춘 자에 대하여 그 진급처분을 행하지 아니한 상태에서 예비역으로 편입하는 처분을 한 경우, 진급처분부작위위법을 이유로 예비역편입처분취소를 구할 소의 이익은 없다.**
   예비역편입처분은 병역법 시행령 제27조 제3항에 따라 헌법상 부담하고 있는 국방의 의무의 정도를 현역에서 예비역으로 변경하는 것으로 병의 진급처분과 그 요건을 달리하는 별개의 처분으로서 그 자에게 유리한 것임이 분명하므로 …… (대판 2000. 5. 16, 99두7111)

8. **「도시 및 주거환경정비법」상 이전고시가 효력을 발생한 후 조합원 등이 관리처분계획에 대한 인가처분의 취소 또는 무효확인을 구할 법률상 이익은 없다.04 ★★**
   이전고시의 효력발생으로 이미 대다수 조합원 등에 대하여 획일적 · 일률적으로 처리된 권리귀속관계를 모두 무효화하고 다시 처음부터 관리처분계획을 수립하여 이전고시절차를 거치도록 하는 것은 정비사업의 공익적 · 단체법적 성격에 배치되므로, 이전고시가 효력을 발생한 후에는 조합원 등이 관리처분계획의 취소 또는 무효확인을 구할 법률상 이익이 없다고 보는 것이 타당하고, 이는 관리처분계획에 대한 인가처분의 취소 또는 무효확인을 구하는 경우에도 마찬가지이다(대판 2012. 5. 24, 2009두22140).

9. **「도시 및 주거환경정비법」상 이전고시가 효력을 발생한 후에는 조합원 등이 정비사업을 위하여 이루어진 수용재결이나 이의재결의 취소 또는 무효확인을 구할 법률상 이익이 없다.05**
   정비사업의 공익적 · 단체법적 성격과 이전고시에 따라 이미 형성된 법률관계를 유지하여 법적 안정성을 보호할 필요성이 현저한 점 등을 고려할 때, 이전고시의 효력이 발생한 이후에는 조합원 등이 해당 정비사업을 위하여 이루어진 수용재결이나 이의재결의 취소 또는 무효확인을 구할 법률상 이익이 없다고 해석함이 타당하다(대판 2017. 3. 16, 2013두11536).

10. (소음 · 진동배출시설에 대한 설치허가가 취소된 후 그 배출시설이 철거된 경우, 허가취소처분의 취소

기출 체크

□□□□□ **01** 소송계속 중 해당 처분이 기간의 경과로 그 효과가 소멸하더라도 예외적으로 그 처분의 취소를 구할 소의 이익을 인정할 수 있는 '행정처분과 동일한 사유로 위법한 처분이 반복될 위험성이 있는 경우'란 해당 사건의 동일한 소송당사자 사이에서 반복될 위험이 있는 경우만을 의미한다. (○, ×) 2022 군무원 9급

□□□□□ **02** 이미 직위해제처분을 받아 직위해제된 공무원에 대하여 행정청이 새로운 사유에 기하여 직위해제처분을 하였다면, 이전 직위해제처분의 취소를 구하는 소송을 제기하는 것은 부적법하다. (○, ×) ★★★ 2023 국가직 7급

□□□□□ **03** 절차상 또는 형식상 하자로 무효인 행정처분에 대하여 행정청이 적법한 절차 또는 형식을 갖추어 다시 동일한 행정처분을 하였다면, 종전의 무효인 행정처분에 대한 무효확인청구는 과거의 법률관계의 효력을 다투는 것에 불과하므로 무효확인을 구할 법률상 이익이 없다. (○, ×) 2023 군무원 9급

□□□□□ **04** (「도시 및 주거환경정비법」상) 이전고시가 효력을 발생하게 된 이후에는 조합원 등이 관리처분계획의 취소 또는 무효확인을 구할 법률상 이익이 없다. (○, ×) ★★ 2016 국가직 7급

□□□□□ **05** 이전고시의 효력이 발생한 이후에는 조합원 등이 해당 정비사업을 위하여 이루어진 수용재결이나 이의재결의 취소 또는 무효확인을 구할 법률상 이익이 없다. (○, ×) 2023 군무원 9급

정답 01 × 02 ○ 03 ○ 04 ○ 05 ○

기출 체크

□□□□□ **01** 배출시설에 대한 설치허가가 취소된 후 그 배출시설이 철거되어 다시 가동할 수 없는 상태라도 그 취소처분이 위법하다는 판결을 받아 손해배상청구소송에서 이를 원용할 수 있다면 배출시설의 소유자는 당해 처분의 취소를 구할 법률상 이익이 있다. (○, ×) ★★ 2018 지방직 9급

□□□□□ **02** 「도시 및 주거환경정비법」상 조합설립추진위원회 구성승인처분을 다투는 소송계속 중 조합설립인가처분이 이루어진 경우에도 조합설립추진위원회 구성승인처분에 대하여 취소 또는 무효확인을 구할 법률상 이익이 있다. (○, ×) ★★★ 2023 군무원 9급

□□□□□ **03** 도지사가 도에서 설치·운영하는 지방의료원을 폐업하겠다는 결정을 발표하고 그에 따라 폐업을 위한 일련의 조치를 한 경우, 폐업결정은 공권력의 행사로서 행정처분에 해당한다. (○, ×) ★★ 2023 소방직 9급

□□□□□ **04** 거부처분이 재결에서 취소된 경우 재결에 따른 후속처분이 아니라 그 재결의 취소를 구하는 것은 실효적이고 직접적인 권리구제수단이 될 수 없어 분쟁해결의 유효적절한 수단이라고 할 수 없으므로 법률상 이익이 없다. (○, ×) ★★★ 2022 서울시 지적 7급

□□□□□ **05** 행정청의 감액처분에 의하여 감액된 부분에 대한 부과처분 취소청구는 이미 소멸하고 없는 부분에 대한 것이라 하여도 소의 이익은 존재한다. (○, ×) ★ 2018 경행경채 3차

판례 | ㉠ 구 토지구획정리사업법 제61조에 의한 환지처분은 사업시행자가 환지계획구역의 전부에 대하여 구획정리사업에 관한 공사를 완료한 후 환지계획에 따라 환지교부 등을 하는 처분으로서, 일단 공고되어 효력을 발생하게 된 이후에는 환지 전체의 절차를 처음부터 다시 밟지 않는 한 그 일부만을 따로 떼어 환지처분을 변경할 길이 없으므로, 그 환지확정처분의 일부에 대하여 취소나 무효확인을 구할 법률상 이익은 없다(대판 2013. 3. 28, 2010두2289).

정답 01 × 02 × 03 ○ 04 ○ 05 ×

를 구하는 소송에서 소의 이익을 부정하면서) **원고가 처분이 위법하다는 점에 대한 판결을 받아 피고에 대한 손해배상청구소송에서 이를 원용할 수 있는 이익은 사실적·경제적 이익에 불과하여 소의 이익에 해당하지 않는다고 본다**(대판 2002. 1. 11, 2000두2457).**01** ★★

11. **구 「도시 및 주거환경정비법」상 조합설립추진위원회 구성승인처분을 다투는 소송계속 중 조합설립인가처분이 이루어진 경우 조합설립추진위원회 구성승인처분에 대하여 취소 또는 무효확인을 구할 법률상 이익은 없다**(대판 2013. 1. 31, 2011두11112 · 2011두11129).**02** ★★★

12. **구 토지구획정리사업법 제61조에 의한 환지확정처분의 일부에 대하여 취소나 무효확인을 구할 법률상 이익은 없다**(대판 2013. 3. 28, 2010두2289).㉠ ★★

13. **甲 도지사가 도에서 설치·운영하는 乙 지방의료원을 폐업하겠다는 결정을 발표하고 그에 따라 폐업을 위한 일련의 조치가 이루어진 후 乙 지방의료원을 해산한다는 내용의 조례를 공포하고 乙 지방의료원의 청산절차가 마쳐진 사안에서, 甲 도지사의 폐업결정은 항고소송의 대상에 해당03하지만 취소를 구할 소의 이익을 인정하기 어렵다.** ★★
   (1) 지방의료원의 설립·통합·해산은 지방자치단체의 조례로 결정할 사항이다.
   (2) 피고 경상남도지사의 OO의료원 폐업결정은 행정청이 행하는 구체적 사실에 관한 법집행으로서의 공권력의 행사로서 입원환자들과 소속 직원들의 권리·의무에 직접 영향을 미치는 것이므로 항고소송의 대상에 해당한다.
   (3) 이 사건 폐업결정 후 OO의료원을 해산한다는 내용의 이 사건 조례가 제정·시행되었고, 이 사건 조례가 무효라고 볼 사정도 없으므로, OO의료원을 폐업 전의 상태로 되돌리는 원상회복은 불가능하다고 판단된다. 따라서 법원이 피고 경상남도지사의 이 사건 폐업결정을 취소하더라도 그것은 단지 이 사건 폐업결정이 위법함을 확인하는 의미밖에 없고, 그것만으로는 원고들이 희망하는 OO 의료원 재개원이라는 목적을 달성할 수 없으며, 뒤에서 살펴보는 바와 같이 (발생한 손해가 없으므로) 원고들의 국가배상청구도 이유 없다고 판단되므로, 결국 원고들에게 이 사건 폐업결정의 취소로 회복할 수 있는 다른 권리나 이익이 남아 있다고 보기도 어렵다. 따라서 피고 경상남도지사의 이 사건 폐업결정은 법적으로 권한 없는 자에 의하여 이루어진 것으로서 위법하다고 하더라도, 그 취소를 구할 소의 이익을 인정하기는 어렵다(대판 2016. 8. 30, 2015두60617).

14. 상소는 자기에게 불이익한 재판에 대하여 자기에게 유리하도록 그 취소·변경을 구하는 것이므로 전부 승소한 원심판결에 대한 불복 상고는 상고를 제기할 이익이 없어 허용될 수 없고, 한편 재판이 상소인에게 불이익한지 여부는 원칙적으로 재판의 주문을 표준으로 판단하여야 하며, 상소인의 주장이 받아들여져 승소하였다면 그 판결이유에 불만이 있더라도 상소의 이익이 없다(대판 2017. 1. 12, 2015두2352).

15. **당사자의 신청을 받아들이지 않은 거부처분이 재결에서 취소된 경우, 재결의 취소를 구할 법률상 이익은 없다.** ★★★
   거부처분이 재결에서 취소된 경우 재결에 따른 후속처분이 아니라 그 재결의 취소를 구하는 것은 실효적이고 직접적인 권리구제수단이 될 수 없어 분쟁해결의 유효적절한 수단이라고 할 수 없으므로 법률상 이익이 없다(대판 2017. 10. 31, 2015두45045).**04**

16. **행정청이 과징금 부과처분을 한 후 부과처분의 하자를 이유로 감액처분을 한 경우, 감액된 부분에 대한 부과처분취소청구는 이미 소멸하고 없는 부분에 대한 것으로서 소의 이익이 없어 부적법하다**(대판 2017. 1. 12, 2015두2352).**05** ★

17. **집회 및 시위 금지 통고가 기간의 경과로 그 효과가 소멸하였음에도 원고가 위 금지 통고의 취소를 구할 법률상 이익은 없다**(대판 2018. 4. 12, 2017두67834).

18-1. **공정거래위원회가 부당한 공동행위의 시정명령 및 과징금 부과와 자진신고자 또는 조사협조자에 대한 감면 여부를 분리 심리하여 별개로 의결한 후 과징금 등 처분과 별도의 처분서로 감면기각처분을 한 경우, 각 처분에 대하여 함께 또는 별도로 불복할 수 있다.**

18-2. **과징금 등 처분과 감면기각처분의 취소를 구하는 소를 함께 제기한 경우, 감면기각처분의 취소를 구할 소의 이익은 원칙적으로 인정된다**(대판 2016. 12. 27, 2016두43282).

03 | 피 고

❶ 피고적격

1. 처분청

(1) 의 의

피고적격을 가진 자는 처분 등을 행한 행정청, 즉 처분청이 됨이 원칙이다(동법 제13조).01 이때 처분청이라 함은 국가 또는 공공단체 등의 의사를 결정하여 외부적으로 표시할 수 있는 기관을 의미한다.㉠ 따라서 대외적으로 의사를 표시할 수 있는 기관이 아닌 내부기관은 실질적인 의사가 그 기관에 의하여 결정되더라도 피고적격을 갖지 못한다(예 징계위원회).03 '행정청'에는 법령에 의하여 행정권한의 위임 또는 위탁을 받은 행정기관, 공공단체 및 그 기관 또는 사인이 포함되므로 공무수탁사인이 자신의 이름으로 처분을 한 경우 공무수탁사인이 피고가 된다.04

(2) 취 지

취소소송의 피고는 이론상 그 권리 · 의무의 귀속주체인 행정주체가 되어야 하지만 행정소송법은 국민의 소송수행상의 편의를 위하여 처분을 행한 행정청에 피고적격을 인정하고 있다.

2. 예 외

(1) 소속장관 등

① 법률에 특별한 규정이 있는 경우에는 처분청 외에도 피고가 될 수 있는바 공무원 등에 대한 징계, 기타 불이익처분의 처분청이 대통령인 경우에는 소속장관이 피고가 된다.05 예컨대, 대통령의 검사 임용거부와 관련된 취소소송의 피고적격을 가지는 자는 소속장관인 법무부장관이다(대결 1990. 3. 14, 90두4).

② 또한 대법원장이 행한 처분에 대한 행정소송의 피고는 법원행정처장으로 하고,06 헌법재판소장이 행한 처분에 대한 행정소송의 피고는 헌법재판소사무처장으로 하며,07 국회의장이 행한 처분에 대한 피고는 국회사무총장이 된다.08

(2) 승계청

① 처분 등이 있은 후에 그 처분 등에 관계되는 권한이 다른 행정청에 승계된 때에는 이를 승계한 행정청이 피고가 된다(동법 제13조 제1항).09

② 이때, '그 처분 등에 관계되는 권한이 다른 행정청에 승계된 때'라고 함은 처분 등이 있은 뒤에 행정기구의 개혁, 행정주체의 합병 · 분리 등에 의하여 처분청의 당해 권한이 다른 행정청에 승계된 경우뿐만 아니라 처분 등의 상대방인 사인의 지위나 주소의 변경 등에 의하여 변경 전의 처분 등에 관한 행정청의 관할이 이전된 경우 등을 말한다는 것이 판례의 입장이다(대판 2000. 11. 14, 99두5481).

③ 한편 그 승계가 취소소송제기 후에 발생한 것이면, 법원은 당사자의 신청 또는 직권에 의해 피고를 경정한다.

(3) 국가 등

① 처분 등이 있은 후에 처분이나 재결을 한 행정청이 없게 된 때에는 그 처분 등에 관한 사무가 귀속되는 국가 또는 공공단체가 피고가 된다(동법 제13조 제2항).10

② 다만, 그 승계가 취소소송제기 후에 발생한 것이면, 법원은 당사자의 신청 또는 직권에 의해 피고를 경정한다.

기출 체크

□□□□□ 01 취소소송의 피고는 원칙적으로 당해 처분을 한 행정청이 소속하는 국가 또는 공공단체이다. (○, ×) ★★★ 2012 지방직 9급

□□□□□ 02 항고소송은 원칙적으로 소송의 대상인 처분 등을 외부적으로 그의 명의로 행한 행정청을 피고로 하여야 하는 것이다. (○, ×) 2023 소방직 9급

□□□□□ 03 취소소송에서 피고가 될 수 있는 행정청에는 대외적으로 의사를 표시할 수 있는 기관이 아니더라도 국가나 공공단체의 의사를 실질적으로 결정하는 기관이 포함된다. (○, ×) 2020 국가직 9급

□□□□□ 04 행정권한을 위탁받은 공공단체 또는 사인이 자신의 이름으로 처분을 한 경우에는 그 공공단체 또는 사인이 항고소송의 피고가 된다. (○, ×) ★★★ 2017 국가직(하) 9급

□□□□□ 05 국가공무원법에 따른 처분, 그 밖에 본인의 의사에 반한 불리한 처분이나 부작위에 관한 행정소송을 제기할 때에 대통령의 처분 또는 부작위의 경우에는 소속장관을 피고로 한다. (○, ×) ★★★ 2019 지방직 · 교육행정직 9급

□□□□□ 06 대법원장이 한 처분에 대한 행정소송의 피고는 대법원장이다. (○, ×) 2017 경행경채

□□□□□ 07 헌법재판소장이 한 처분에 대한 행정소송의 피고는 헌법재판소 사무처장으로 한다. (○, ×) 2017 경행경채

□□□□□ 08 국회의장이 행한 처분에 대한 행정소송의 피고는 국회부의장이 된다. (○, ×) 2017 경행경채

□□□□□ 09 취소소송은 다른 법률에 특별한 규정이 없는 한 그 처분 등을 행한 행정청을 피고로 하지만, 처분 등이 있은 뒤에 그 처분 등에 관계되는 권한이 다른 행정청에 승계된 때에는 이를 승계한 행정청을 피고로 한다. (○, ×) ★★ 2024 지방직 · 서울시 9급

□□□□□ 10 처분 후 처분을 한 행정청이 폐지된 경우에는 당해 처분청의 직근 상급행정청이 피고가 된다. (○, ×) ★ 2008 지방직 7급

판례 | ㉠ 행정처분의 취소 또는 무효확인을 구하는 행정소송은 다른 법률에 특별한 규정이 없는 한 소송의 대상인 행정처분 등을 외부적으로 그의 명의로 행한 행정청을 피고로 하여야 하는 것02으로서 그 행정처분을 하게 된 연유가 상급행정청이나 타행정청의 지시나 통보에 의한 것이라 하여 다르지 않다고 할 것이다(대판 1995. 12. 22, 95누14688).

정답 01 × 02 ○ 03 × 04 ○ 05 ○ 06 × 07 ○ 08 × 09 ○ 10 ×

3. 구체적 검토

(1) 합의제 행정청

합의제 행정청의 처분에 대해서는 합의제 행정청이 피고가 된다. 예컨대 공정거래위원회, 토지수용위원회의 처분에 대해서는 각각 **공정거래위원회, 토지수용위원회**가 취소소송의 **피고**가 된다.**01 02** 그러나 중앙노동위원회의 경우 법률의 규정에 의해 중앙노동위원회가 아닌 중앙노동위원회의 위원장,**03**❶ 중앙해양안전심판원의 경우 중앙해양안전심판원장이 취소소송의 피고가 된다.

(2) 권한의 위임 · 위탁

① 사무처리권한의 일부를 다른 행정청에 실질적으로 이전한 것으로는 위임과 위탁을 들 수 있는데, 이때 '위임'은 주로 하급관청에 이전하는 것, '위탁'은 대등관청에 이전하는 것을 말한다.

② 권한이 위임 · **위탁된** 때에는 위임을 받은 수임청, 위탁을 받은 **수탁청**이 **자신의 명의로 처분**을 하게 되므로 취소소송의 **피고도 수임청 · 수탁청**이 된다.**04** 한편, 국가나 지방자치단체의 사무가 공법인, 예컨대 공무원연금관리공단 · 국민연금관리공단 · 한국자산관리공사에 위임된 경우에는 그 대표자가 아니라 공법인 그 자체가 피고가 된다.㉠

관련판례

1. **저작권등록처분에 대한 무효확인소송에서 피고적격자는 저작권심의조정위원회이다**(대판 2009. 7. 9, 2007두16608).
2. **성업공사(현 한국자산관리공사)가 세무서장으로부터 공매권한을 위임받았다면 처분에 대한 취소소송의 피고적격은 위임청인 세무서장이 아니라 수임청인 성업공사가 된다**(대판 1997. 2. 28, 96누1757). ★★
3. **공법인인 사업시행자가 행한 이주대책은 항고소송의 대상이 되는 처분이며 이 경우 항고소송의 피고는 공법인인 사업시행자가 된다**(대판 1994. 5. 24, 92다35783 전합).

(3) 내부위임과 대리

① 개 념

㉠ **내부위임** : 내부위임이란 조직 내부에서 수임자가 위임자의 권한을 위임자의 명의와 책임으로 행사하는 것을 말한다. 내부위임에는 위임전결과 대결이 있다.

ⓐ 위임전결이란 행정청이 내부적으로 행정청의 보조기관 등에게 일정한 경미한 사항의 결정권을 위임하여 보조기관 등이 사실상 그 권한을 행사하는 것을 의미한다.

ⓑ 대결(代決)이란 결재권자가 휴가 · 출장 기타의 사유로 결재할 수 없는 때에 결재권자 아닌 자가 대신 결재하는 것을 말한다. 대결의 경우 외부적인 권한행사는 원행정청의 이름으로 하며, 다만 일시적이라는 점에서 위임전결과 구별된다.

㉡ **대리** : 대리란 행정청이 자신의 권한을 다른 기관으로 하여금 행사하게 하는 것을 의미하는데, 이때 대리청은 원래의 행정청, 즉 피대리청을 위한 것임을 표시하면서 행위를 하여야 한다. 예컨대, 서울특별시장이 동작구청장에게 권한을 대리하였다면 동작구청장의 처분방식은 '서울특별시장 직무대리 동작구청장 ○○○'와 같이 하는 것이 원칙이다.

② **피고적격자**

내부위임과 대리에서는 권한이 수임자와 대리청에 이전되지 않으며 처분명의도 위임자와 피대리청(원래의 행정청)의 명의로 하게 되므로 **각각 위임청과 피대리청**이 피고가 된다.**05** 즉, **대리기관이 대리관계를 표시하고 피대리 행정청을 대리하여 행정처분을 한 때에는 피대리 행정청이 피고로06 되어야 한다**(대결 2006. 2. 23, 2005부4).

기출 체크

□□□□□ **01** 개별법령에 합의제 행정청의 장을 피고로 한다는 명문규정이 없는 한 합의제 행정청 명의로 한 행정처분의 취소소송의 피고적격자는 당해 합의제 행정청이 아닌 합의제 행정청의 장이다. (○, ×) ★★ 2021 군무원 9급

□□□□□ **02** 공정거래위원회의 처분에 대한 소는 공정거래위원회를 피고로 하여 제기하여야 한다. (○, ×) ★★ 2006 국회직 8급

□□□□□ **03** 중앙노동위원회의 처분에 대한 행정소송은 중앙노동위원회 위원장을 피고로 한다. (○, ×) ★★★ 2022 국회직 8급

□□□□□ **04** 행정권한의 위임 또는 위탁이 있는 때 취소소송에서의 피고는 위임청이 된다. (○, ×) ★★★ 2019 서울시 1회 7급

□□□□□ **05** 항고소송의 경우 권한을 내부위임한 경우로서 위임청의 명의로 처분을 발하면 위임청이 피고가 된다. (○, ×) ★★★ 2013 서울시 9급

□□□□□ **06** 대리기관이 대리관계를 표시하고 피대리 행정청을 대리하여 행정처분을 한 때에는 피대리 행정청이 피고가 되어야 한다. (○, ×) ★★★ 2023 소방직 9급

❶ **노동위원회법 제27조【중앙노동위원회의 처분에 대한 소송】** ① 중앙노동위원회의 처분에 대한 소송은 중앙노동위원회 위원장을 피고(被告)로 하여 처분의 송달을 받은 날부터 15일 이내에 제기하여야 한다.

판례 | ㉠ 1. SH공사가 택지개발사업시행자인 서울특별시장으로부터 이주대책 수립권한을 포함한 택지개발사업에 따른 권한을 위임 또는 위탁받은 경우, 이주대책대상자들이 SH공사 명의로 이루어진 이주대책에 관한 처분에 대한 취소소송을 제기함에 있어 정당한 피고는 SH공사가 된다(대판 2007. 8. 23, 2005두3776).

2. **고속국도 통행료징수권 및 체납통행료 부과를 다투는 소의 피고적격을 가지는 자는 한국도로공사이다.**
양재~판교 간 경부고속국도 구간의 통행료징수권을 행사할 권한이 국가로부터 유료도로 통행료징수권이 포함된 유료도로 관리권을 출자받은 한국도로공사에 있다(대판 2005. 6. 24, 2003두6641).

정답 01 × 02 ○ 03 ○ 04 × 05 ○ 06 ○

③ 대리 또는 내부위임을 받은 자가 자신의 명의로 권한을 행사한 경우

내부위임을 받은 기관이 위임자의 명의가 아닌 자신의 이름으로 권한을 행사한 경우, 이는 권한 없이 행정처분을 한 것으로서 위법하며, 이때 **피고는 실제로 처분을 한 하급행정청(수임청 등)이 된다**는 것이 판례의 입장이다.

관련판례

1. **상급행정청으로부터 내부위임을 받은 데 불과한 하급행정청이 권한 없이 한 행정처분에 대한 행정소송의 피고적격이 있는 자는 처분을 행할 적법한 권한 있는 상급행정청이 아닌 실제로 처분을 행한 하급행정청이다**(대판 1991. 2. 22, 90누5641).**01** ★★★
2. 대리권을 수여받은 데 불과하여 그 자신의 명의로는 행정처분을 할 권한이 없는 행정청의 경우 대리관계를 밝힘이 없이 그 자신의 명의로 행정처분을 하였다면 그에 대하여는 처분명의자인 당해 행정청이 항고소송의 피고가 되어야 하는 것이 원칙이지만,**02** 비록 대리관계를 명시적으로 밝히지는 아니하였다 하더라도 처분명의자가 피대리 행정청 산하의 행정기관으로서 실제로 피대리 행정청으로부터 대리권한을 수여받아 피대리 행정청을 대리한다는 의사로 행정처분을 하였고 처분명의자는 물론 그 상대방도 그 행정처분이 피대리 행정청을 대리하여 한 것임을 알고서 이를 받아들인 예외적인 경우에는 피대리 행정청이 피고가 되어야 한다(대결 2006. 2. 23, 2005부4).**03**★★★

(4) 처분청과 통지한 자가 다른 경우

처분을 행한 행정청(처분청)과 처분을 통보한 자(통지한 자)가 다른 경우 피고는 처분청이 된다는 것이 판례의 입장이다.**04** 따라서 **독립유공자서훈취소결정을 한 대통령을 피고로 하지 않고 그 처분을 통보한 자에 불과한 국가보훈처장(현 국가보훈부장관)을 피고로 한 소송은 피고를 잘못 지정한 경우에 해당**한다는 것이 판례의 입장이다.ⓐ

관련판례

국무회의에서 건국훈장 독립장이 수여된 망인에 대한 서훈취소를 의결하고 대통령이 결재함으로써 서훈취소가 결정된 후 국가보훈처장(현 국가보훈부장관)이 망인의 유족 甲에게 '독립유공자서훈취소결정통보'를 하자 甲이 국가보훈처장을 상대로 서훈취소결정의 무효확인 등의 소를 제기한 사안에서, 甲이 서훈취소 처분을 행한 행정청(대통령)이 아니라 국가보훈처장을 상대로 제기한 위 소는 피고를 잘못 지정한 경우에 해당하므로,**05** 법원으로서는 석명권을 행사하여 정당한 피고로 경정하게 하여 소송을 진행해야 한다(대판 2014. 9. 26, 2013두2518).

(5) 처분적 조례인 경우

조례는 원칙적으로 소송대상이 아니나 조례가 직접 국민의 권리 · 의무에 영향을 미치는 경우에는 소송대상이 될 수 있으며, 이때 **피고는 지방의회가 아니라 공포권자인 지방자치단체의 장**이라는 것이 판례의 입장이다.**06** 또한 **조례가 교육 · 학예에 관한 조례**인 경우 공포권자인 **교육감**이 피고가 된다는 것이 판례의 입장이다.

관련판례

조례가 항고소송의 대상이 되는 행정처분에 해당되는 경우 피고적격은 공포권자인 지방자치단체의 장에게 있으며, 특히 그 조례가 교육 · 학예에 관한 조례인 경우 공포권자인 교육감이 피고가 된다.★★★

조례가 집행행위의 개입 없이도 그 자체로서 직접 국민의 구체적인 권리 · 의무나 법적 이익에 영향을 미치는 등의 법률상 효과를 발생하는 경우 그 조례는 항고소송의 대상이 되는 행정처분에 해당하고, 이러한 조례에 대한 무효확인소송을 제기함에 있어서 행정소송법 제38조 제1항, 제13조에 의하여 피고적격이 있는 처분 등을 행한 행정청은, 행정주체인 지방자치단체 또는 지방자치단체의 내부적 의결기관으로서 지방자치단체의 의사를 외부에 표시할 권한이 없는 지방의회가 아니라 구 지방자치법(1994. 3. 16, 법률 제4741호로 개정되기 전의 것) 제19조 제2항, 제92조에 의하여 지방자치단체의 집행기관으로서 조례의 효

기출 체크

□□□□□ **01** 행정처분을 행할 적법한 권한 있는 상급행정청으로부터 내부위임을 받은 데 불과한 하급행정청이 권한없이 행정처분을 한 경우 실제로 그 처분을 행한 하급행정청을 피고로 하여야 할 것이지 그 처분을 행할 적법한 권한 있는 상급행정청을 피고로 할 것은 아니다. (○, ×) ★★★ 2024 지방직 · 서울시 9급

□□□□□ **02** 대리권을 수여받은 데 불과하여 그 자신의 명의로는 행정처분을 할 권한이 없는 행정청의 경우 대리관계를 밝힘이 없이 그 자신의 명의로 행정처분을 하였다면 그에 대하여는 처분명의자인 당해 행정청이 항고소송의 피고가 되어야 하는 것이 원칙이다. (○, ×) ★★★ 2018 서울시 9급

□□□□□ **03** 대리권을 수여받은 행정기관이 대리관계를 명시적으로 밝히지 않고 자신의 명의로 처분을 하였다면, 비록 처분명의자가 피대리 행정청 산하의 행정기관으로서 실제로 피대리 행정청으로부터 대리권한을 수여받아 피대리 행정청을 대리한다는 의사로 행정처분을 하였고 처분명의자는 물론 그 상대방도 그 행정처분이 피대리 행정청을 대리하여 한 것임을 알고서 이를 받아들였다 하더라도 그 처분의 취소소송에서의 피고는 처분명의자인 대리 행정기관이 되어야 한다. (○, ×) ★★★ 2022 지방직 · 서울시 7급

□□□□□ **04** 대법원은 처분청과 통지한 자가 다른 경우에는 통지한 자가 피고가 된다고 보았다. (○, ×) ★★ 2008 국가직 9급

□□□□□ **05** 건국훈장 독립장이 수여된 망인에 대한 서훈취소를 국무회의에서 의결하고 대통령이 결재함으로써 서훈취소가 결정된 후에 국가보훈처장(현 국가보훈부장관)이 망인의 유족에게 독립유공자 서훈취소결정통보를 하였다면 서훈취소처분 취소소송에서의 피고적격은 국가보훈처장에 있다. (○, ×) 2023 국가직 9급

□□□□□ **06** 지방의회가 의결한 조례가 그 자체로서 직접 주민의 권리 · 의무에 영향을 미쳐 항고소송의 대상이 되는 경우에도 그 피고는 조례를 공포한 지방자치단체의 장이 된다. (○, ×) ★★★ 2018 소방직 9급

ⓐ 대통령은 언제나 피고적격을 가지지 못하는 것은 아니다. 앞서 본 바와 같이 공무원에 대한 징계 등 본인의 의사에 반한 불리한 처분이나 부작위(不作爲)에 관한 행정소송을 제기하는 경우 처분청 또는 부작위청이 대통령인 경우에는 소속장관이 되지만 그 외의 경우는 대통령도 행정청으로서 항고소송의 피고가 될 수 있다.

정답 01 ○ 02 ○ 03 × 04 × 05 × 06 ○

력을 발생시키는 공포권이 있는 지방자치단체의 장이다.01 02

구 「지방교육자치에 관한 법률」(1995. 7. 26. 법률 제4951호로 개정되기 전의 것) 제14조 제5항, 제25조에 의하면 시·도의 교육·학예에 관한 사무의 집행기관은 시·도 교육감이고 시·도 교육감에게 지방교육에 관한 조례안의 공포권이 있다고 규정되어 있으므로, 교육에 관한 조례의 무효확인소송을 제기함에 있어서는 그 집행기관인 시·도 교육감을 피고로 하여야 한다(대판 1996. 9. 20, 95누8003).

(6) 지방의회의원의 제명 등 의결의 경우

지방의회는 원칙적으로 강학상의 행정청이 아니므로 취소소송의 피고가 될 수 없으나 의원에 대한 징계의결, 의장불신임 결의, 지방의회의장 선거와 같은 행위를 하는 경우에는 지방의회도 행정청으로서 피고가 될 수 있다.03

(7) 재결이 취소소송의 대상이 되는 경우

재결을 행한 행정심판위원회가 피고가 된다.

피고적격의 특수한 경우

구 분	피고적격을 가진 자
공무원 등에 대한 징계, 기타 불이익처분의 처분청이 대통령인 경우	소속장관04
대법원장, 국회의장, 헌법재판소장의 처분	각각 법원행정처장, 국회사무총장,05 헌법재판소사무처장
처분 후 그 권한이 승계된 경우	승계한 행정청
처분 후 처분청이 없게 된 경우	그 사무가 귀속되는 국가 또는 공공단체
합의제 행정청의 경우	합의제 행정청. 단, 중앙노동위원회의 경우 중앙노동위원회 위원장
권한이 위임·위탁된 경우	수임청·수탁청
내부위임과 대리의 경우	각각 위임청·피대리청 단, 자신의 단독명의로 권한을 행사한 경우는 실제로 처분을 한 하급행정청
처분청과 통지한 자가 다른 경우	처분청
처분적 조례의 경우	지방자치단체의 장. 단, 교육·학예에 관한 조례의 경우는 교육감
지방의회의원의 제명 등 의결의 경우	지방의회

관련문제

01 행정소송과 그 피고에 대한 연결이 옳은 것만을 모두 고르면? ★★★ 2018 지방직 9급

㉠ 대통령의 검사임용처분에 대한 취소소송 – 법무부장관
㉡ 국토교통부장관으로부터 권한을 내부위임받은 국토교통부차관이 처분을 한 경우에 그에 대한 취소소송 – 국토교통부차관
㉢ 헌법재판소장이 소속직원에게 내린 징계처분에 대한 취소소송 – 헌법재판소사무처장
㉣ 환경부장관의 권한을 위임받은 서울특별시장이 내린 처분에 대한 취소소송 – 서울특별시장

① ㉠, ㉡ ② ㉢, ㉣ ③ ㉠, ㉢, ㉣ ④ ㉠, ㉡, ㉢, ㉣

정답 ③(㉡-국토교통부장관)

02 항고소송에서 처분과 피고가 옳게 연결된 것은? ★★★ 2015 국가직 9급

① 교육·학예에 관한 도의회의 조례 – 도의회
② 지방의회의 지방의회의원에 대한 징계의결 – 지방의회의장
③ 내부위임을 받은 경찰서장의 권한 없는 자동차운전면허정지처분 – 시·도경찰청장
④ 중앙노동위원회의 처분 – 중앙노동위원회위원장

정답 ④(① – 도교육감, ② – 지방의회, ③ – 경찰서장)

기출 체크

□□□□□ **01** 조례가 집행행위의 개입 없이도 그 자체로서 직접 국민의 구체적인 권리·의무나 법적 이익에 영향을 미치는 등의 법률상 효과를 발생하는 경우 무효확인소송의 피고는 당해 조례를 통과시킨 지방의회가 된다. (○, ×) ★★★ 2024 지방직·서울시 9급

□□□□□ **02** 조례가 항고소송의 대상이 되는 경우 피고는 지방자치단체의 의결기관으로서 조례를 제정한 지방의회이다. (○, ×) ★★★ 2018 서울시 9급

□□□□□ **03** 지방의회의원에 대한 지방의회의 제명징계의결에 대하여 항고소송을 제기하는 경우 지방의회가 피고가 된다. (○, ×) ★★★ 2006 국회직 8급

□□□□□ **04** 대통령이 행한 처분의 경우 국무총리가 피고가 된다. (○, ×) ★★★ 2014 지방직 7급

□□□□□ **05** 국회의장이 행한 처분의 경우 국회사무총장이 피고가 된다. (○, ×) ★★★ 2014 지방직 7급

정답 01 × 02 × 03 ○ 04 × 05 ○

② 피고경정

1. 의 의

피고의 경정이란 소송의 계속 중에 피고로 지정된 자를 다른 자로 변경하는 것을 말한다. 행정소송법이 피고경정제도를 마련한 취지는 피고의 지정이 잘못되어 소송이 각하되는 경우 원고가 입게 될 손해를 막기 위한 것이다. 한편 이러한 피고의 경정은 사실심변론종결시까지 허용된다는 것이 판례의 입장이다.

관련판례

행정소송법 제14조에 의한 피고경정❶은 사실심변론종결시까지 허용된다.02 03★★★

행정소송법 제14조에 의한 피고경정은 사실심변론종결에 이르기까지 허용되는 것으로 해석하여야 할 것이고, 굳이 제1심 단계에서만 허용되는 것으로 해석할 근거는 없다(대결 2006. 2. 23, 2005부4).

2. 피고경정이 허용되는 경우

(1) 피고를 잘못 지정한 때

피고를 잘못 지정한 때는 당해 취소소송에 피고로 지정된 자가 행정소송법 등의 규정에 의한 피고적격을 가지지 아니한 자라는 것이 객관적으로 인식되는 경우를 말한다. 피고의 잘못 지정에 대한 원고의 고의 · 과실 유무는 불문한다.

(2) 권한승계 등의 경우

소를 제기한 후 행정청의 권한변경 등으로 권한이 다른 기관에 승계된 경우에는 당해 처분의 권한을 승계한 행정청으로 피고를 변경하고, 행정조직상의 개편으로 행정청이 없어지게 된 때에는 처분 등에 관한 사무가 귀속되는 국가나 공공단체로 피고를 변경한다.

(3) 소의 변경이 있는 때

행정소송법은 소의 변경이 있는 경우에도 피고의 변경을 긍정한다.

3. 피고경정의 절차

(1) 원고가 피고를 잘못 지정한 때에는 법원은 원고의 신청에 의하여 결정으로써 피고의 경정을 허가할 수 있다(동법 제14조 제1항).04 다만, 취소소송이 제기된 후에 행정청의 권한의 승계 등의 사유가 생긴 때에는 법원은 당사자의 신청 또는 직권에 의하여 피고를 경정한다(동법 제14조 제6항).

(2) 피고변경의 결정은 서면으로 하여야 하며, 법원은 결정의 정본을 피고에게 송달하여야 한다. 피고경정신청을 각하하는 결정에 대해서는 즉시항고할 수 있다(동법 제14조 제3항).05

4. 피고경정의 효과

(1) 피고를 경정하는 것에 대한 허가결정이 있을 때에는 새로운 피고에 대한 소송은 처음에 소를 제기한 때에 제기된 것으로 본다.06 따라서 허가결정 당시(경정시)에 이미 제소기간이 경과한 경우에도 처음에 소를 제기할 때 제소기간을 지켰으면 제소기간은 준수된 것이 된다.07

(2) 피고경정의 허가결정이 있을 때에는 종전의 피고에 대한 소송은 취하된 것으로 본다(동법 제14조 제5항).

기출 체크

□□□□□ 01 피고경정은 사실심변론종결까지만 허용되므로 상고심에서는 피고경정이 허용되지 않는다. (○, ×) 2023 서울시 지적 7급

□□□□□ 02 피고경정(은 현행 행정소송법이 규정하고 있다) (○, ×) 2024 소방간부

□□□□□ 03 행정소송법 제14조에 의한 피고경정은 사실심변론종결에 이르기까지 허용된다. (○, ×) ★★★ 2023 소방직 9급

□□□□□ 04 행정소송법상 원고가 피고를 잘못 지정한 때에는 법원은 원고의 신청에 의하여 결정으로써 피고의 경정을 허가할 수 있다. (○, ×) ★★ 2024 지방직 · 서울시 9급

□□□□□ 05 피고경정의 신청을 각하한 결정에 대하여는 불복할 수 없다. (○, ×) 2008 지방직 7급

□□□□□ 06 피고경정의 결정이 있은 때에는 새로운 피고에 대한 소송은 처음에 소를 제기한 때에 제기된 것으로 본다. (○, ×) ★★ 2008 지방직 7급

□□□□□ 07 취소소송이 제기된 후에 피고를 경정하는 경우 제소기간의 준수 여부는 피고를 경정한 때를 기준으로 판단한다. (○, ×) ★★ 2017 지방직(하) 9급

❶ 행정소송규칙 제6조【피고경정】법 제14조 제1항에 따른 피고경정은 사실심 변론을 종결할 때까지 할 수 있다.01

정답 01 ○ 02 ○ 03 ○ 04 ○ 05 × 06 ○ 07 ×

기출 체크

□□□□□ 01 취소소송에서 원고가 처분청 아닌 행정관청을 피고로 잘못 지정한 경우, 법원은 석명권의 행사 없이 소송요건의 불비를 이유로 소를 각하할 수 있다. (○, ×) ★★★ 2020 국가직 9급

□□□□□ 02 항고소송에서 원고가 피고를 잘못 지정하였다면 법원은 석명권을 행사하여 피고를 경정하게 하여 소송을 진행하여야 한다. (○, ×) ★★★ 2016 서울시 7급

□□□□□ 03 제3자에 의해 항고소송이 제기된 경우에 제3자효 행정행위의 상대방은 소송참가를 할 수 있다. (○, ×) ★ 2014 국가직 7급

□□□□□ 04 취소소송의 제3자 소송참가에 관한 규정은 무효등확인소송, 부작위위법확인소송, 당사자소송에도 준용된다. (○, ×) ★ 2012 국가직 9급

□□□□□ 05 법원은 소송의 결과에 따라 권리 또는 이익의 침해를 받을 제3자가 있는 경우에는 당사자 또는 제3자의 신청 또는 직권에 의하여 결정으로써 그 제3자를 소송에 참가시킬 수 있다. (○, ×) ★★ 2024 소방간부

정답 01 × 02 ○ 03 ○ 04 ○ 05 ○

5. 원고가 피고를 잘못 지정한 경우의 법원의 조치

행정소송에서 원고가 피고를 잘못 지정하여 소송을 제기한 경우 법원은 소를 곧바로 각하할 것이 아니라 석명권을 행사하여 피고를 경정하게 한 후 소송을 진행하여야 한다는 것이 판례의 입장이다.

관련판례

행정소송에서 피고 지정이 잘못된 경우, 법원이 석명권을 행사하여 원고로 하여금 피고를 경정하게 하지 않고 바로 소를 각하한 것은 위법하다.01 02 ★★★

원고가 피고를 잘못 지정하였다면 법원으로서는 당연히 석명권을 행사하여 원고로 하여금 피고를 경정하게 하여 소송을 진행하게 하였어야 할 것임에도 불구하고 이러한 조치를 취하지 아니한 채 피고의 지정이 잘못되었다는 이유로 소를 각하한 것은 위법하다(대판 2004. 7. 8, 2002두7852).

04 | 공동소송인, 소송참가, 소송대리인

❶ 공동소송인

1. 의 의

수인의 청구 또는 수인에 대한 청구가 처분 등의 취소청구와 관련되는 청구인 경우에 한하여 그 수인은 공동소송인이 될 수 있다. 이는 관련청구소송에 관하여 주관적 병합을 인정한 것이다(동법 제15조).

2. 요 건

동조의 병합이 허용되려면, ① 기본으로 되는 취소소송 및 관련청구에 관한 소송이 다 같이 적법할 것, ② 병합하는 청구가 관련청구에 해당할 것이 필요하다.

❷ 소송참가

1. 의 의

소송참가란, 소송의 계속 중에 자기의 법률상 지위를 보호하기 위하여 제3자 또는 행정청이 자기의 이익을 위하여 그 소송절차에 참가하는 것을 말한다.ⓐ 행정소송법은 제3자의 소송참가와 행정청의 소송참가를 규정하고 있다. 이와 같은 소송참가제도는 취소소송 이외의 항고소송, 당사자소송, 민중소송 및 기관소송에도 준용된다.04

ⓐ 행정청이 甲 등이 살고 있는 주거지역 내에, 乙에 대한 연탄공장허가를 발급하였다면 그 처분은 乙에 대해서는 수익적이지만 동네주민인 甲 등에게는 침익적인 처분이 되는데 이를 제3자효 행정행위라고 한다는 것은 앞서 살펴보았다(제12강 참조). 이 경우 처분의 상대방이 아닌 제3자인 甲은 취소소송을 제기할 수 있는 원고적격이 있으며 피고는 당연히 처분청이 된다. 그런데 이 소송에서 乙은 당사자가 아니라 제3자에 불과하지만 취소판결의 효력을 받는 입장에 있으므로 소송에 참가하여 자신의 권익보호를 주장할 수 있어야 되는데 이때 행정행위의 상대방이자 소송에서는 제3자인 乙이 소송에 참가하는 제도가 제3자의 소송참가이다.03

2. 소송참가의 시기

소송참가는 판결선고 전까지 가능하며, 소송의 취하가 있거나 재판상 화해가 있은 후에는 참가시킬 수 없다.

3. 제3자의 소송참가

(1) 의 의

법원은 소송의 결과에 따라 권리 또는 이익의 침해를 받을 제3자가 있는 경우에는 당사자, 제3자의 신청 또는 직권에 의하여 결정으로써 제3자를 소송에 참가시킬 수 있다.05

(2) 취 지

이는 판결의 효력을 받는 제3자에 대해 일정한 지위를 인정함으로써 소송에 있어 공격 · 방어방법을 제출할 기회를 제공하여 심리의 적정성을 도모함과 동시에 제3자에 의한 재심청구를 사전에 방지하기 위해 마련된 제도라고 할 것이다.

(3) 요 건

① 타인 간의 취소소송의 계속

적법한 소송이 계속 중이라면 소송이 어느 심급에 있는지는 불문한다.

② 소송의 결과에 따라 권리 또는 이익의 침해를 받을 자01

㉠ 이때 소송결과에 따라 침해될 권리 또는 이익은 **법률상 이익**을 의미하며, 사실상 · 경제상 이익은 해당되지 않는다.

㉡ '소송의 결과'에 따라 권리 또는 이익의 침해를 받는다는 것은 취소판결의 결과 직접 자기의 권리 또는 이익을 침해받는 것을 말한다. 구체적으로 보면 **형성력 자체에 의하여 직접 자신의 권리 또는 이익의 침해를 받는 경우뿐만 아니라 취소판결의 기속력 때문에 이루어지는 행정청의 새로운 처분에 의해서 권리 또는 이익을 침해받는 경우도 역시 여기서 말하는 권리 또는 이익을 침해받는 경우에 해당한다.**02ⓐ

관련판례

1. **특정 소송사건에서 당사자 일방을 보조하기 위하여 보조참가를 하려면 당해 소송의 결과에 대하여 이해관계가 있어야 하고, 여기서 말하는 이해관계라 함은 사실상 · 경제상 또는 감정상의 이해관계가 아니라 법률상의 이해관계를 가리킨다**(대판 2014. 8. 28, 2011두17899).03 ★★

2. **학교법인의 이사 겸 이사장에 대한 임원취임승인취소처분 취소소송에 대하여 관할청인 피고를 돕기 위하여 이사장직무대행자가 학교법인의 이름으로 보조참가를 하는 경우, 이는 보조참가의 요건인 법률상 이해관계에 해당한다.**

   학교법인의 이사장직무대행자가 학교법인의 이름으로 관할청인 피고를 돕기 위하여 임원취임승인취소처분의 취소를 구하는 소송에 보조참가를 함에 있어 이사회의 특별수권결의를 거칠 필요는 없다고 할 것이고, 한편 임원취임승인취소처분이 취소되어 원고가 학교법인의 이사 및 이사장의 지위를 회복하게 되면 학교법인으로서는 결과적으로 그 의사와 관계없이 이사회의 구성원이나 대표자가 변경되는 관계에 있다고 할 것이고, 이는 위 취소소송의 결과에 의하여 그 법률상의 지위가 결정되는 관계로서 보조참가의 요건인 법률상 이해관계에 해당한다(대판 2003. 5. 30, 2002두11073).

(4) 참가의 절차

제3자의 소송참가는 **당사자 또는 제3자의 신청 또는 직권에 의한다.**04 참가신청이 있으면 법원은 결정으로써 허가 또는 각하의 재판을 하고, 직권소송참가의 경우에는 법원이 결정으로써 제3자에게 참가를 명한다. **법원이 제3자의 소송참가를 결정하고자 할 때에는 미리 당사자 및 제3자의 의견을 들어야 한다**(동법 제16조 제2항).

(5) 참가인의 지위

제3자를 소송에 참가시키는 결정이 있으면 제3자는 참가인의 지위를 획득한다. 이러한 참가인의 지위에 대해서는 행정소송법 제16조 제4항에 따라 **민사소송법 제67조의 규정이 준용**되어 참가인은 피참가인과의 관계에서 필수적 공동소송에서의 공동소송인에 준하는 지위에 서게 되지만, 당사자에 대

기출 체크

□□□□□ **01** 제3자의 소송참가는 소송의 결과에 따라 권리 또는 이익의 침해를 받을 제3자에게 인정될 수 있다. (○, ×) ★★ 2007 세무사

□□□□□ **02** 제3자는 판결의 형성력에 의해 권리 또는 이익의 침해를 받을 자를 말하며, 판결의 기속력에 의해 권리 또는 이익의 침해를 받는 경우는 포함되지 않는다. (○, ×) 2012 국가직 9급

□□□□□ **03** 특정 소송사건에서 당사자 일방을 보조하기 위하여 보조참가를 하려면 당해 소송의 결과에 대하여 사실상 · 경제상 또는 감정상의 이해관계가 있으면 충분하며 법률상의 이해관계가 요구되는 것은 아니다. (○, ×) ★★ 2015 국가직 9급

□□□□□ **04** 제3자의 소송참가에는 신청에 의한 경우와 직권에 의한 경우가 있다. (○, ×) 2012 국가직 9급

ⓐ 예컨대, 동일한 구역에 2인이 하천점용허가를 신청한 경우, 즉 경원관계를 생각해 보자. 이 경우에 허가를 받지 못한 신청인이 허가처분의 취소를 청구한 경우에 이 소송에서 허가처분이 취소되면 허가를 받은 제3자는 판결의 형성력에 의해 허가처분의 효력을 상실하게 되므로 제3자로서 소송참가를 할 수 있다. 또 다른 경우, 허가를 받지 못한 자가 자신에 대한 거부처분의 취소소송을 제기하여 승소하면 다른 신청인에 대한 허가처분이 당연히 효력을 상실하게 되지는 않지만 판결의 기속력에 의해 처분청은 다른 신청에 대한 허가처분을 취소할 수 있기 때문에 허가처분을 받은 자는 소송참가를 할 수 있는 제3자가 된다.

제3자의 소송참가와 행정청의 소송참가의 비교

구 분	제3자의 소송참가 (동법 제16조)	행정청의 소송참가 (동법 제17조)
참가방법	당사자 또는 제3자의 신청 및 법원 직권	당사자 또는 행정청의 신청 및 법원 직권
참가인의 지위	공동소송적 보조참가인	보조참가인
소송행위	피참가인의 소송행위와 저촉되는 행위도 가능	피참가인의 소송행위와 저촉되는 행위는 불가

정답 01 ○ 02 × 03 × 04 ○

하여 독자적인 청구를 하는 것이 아니므로 강학상 공동소송적 보조참가인의 지위에 있다고 보는 것이 통설이다.01ⓐ 참가인은 현실적으로 소송행위를 하였는지 여부에 관계없이 참가한 소송의 판결의 효력을 받는다.02ⓑ

관련판례

행정소송사건에서 참가인이 한 보조참가가 행정소송법 제16조가 규정한 제3자의 소송참가에 해당하지 않는 경우에도, 판결의 효력이 참가인에게까지 미치는 점 등 행정소송의 성질에 비추어 보면 그 참가는 민사소송법 제78조에 규정된 공동소송적 보조참가라고 볼 수 있다. 민사소송법 제78조의 공동소송적 보조참가에는 필수적 공동소송에 관한 민사소송법 제67조 제1항, 즉 "소송목적이 공동소송인 모두에게 합일적으로 확정되어야 할 공동소송의 경우에 공동소송인 가운데 한 사람의 소송행위는 모두의 이익을 위하여서만 효력을 가진다."라고 한 규정이 준용되므로, 피참가인의 소송행위는 모두의 이익을 위하여서만 효력을 가지고, 공동소송적 보조참가인에게 불이익이 되는 것은 효력이 없으므로, 참가인이 상소를 할 경우에 피참가인이 상소취하나 상소포기를 할 수는 없다(대판 2017. 10. 12, 2015두36836).03

4. 다른 행정청의 소송참가

(1) 의 의

법원은 다른 행정청을 소송에 참가시킬 필요가 있다고 인정할 때에는 당사자 또는 당해 행정청의 신청 또는 직권에 의하여 결정으로써 그 행정청을 소송에 참가시킬 수가 있다(동법 제17조 제1항).04

(2) 참가의 요건

① 타인 간의 취소소송의 계속

행정청의 소송참가 역시 타인 간의 취소소송이 계속되고 있어야 하며, 그 소송이 어느 심급에 있는지는 불문한다.

② 다른 행정청이 피고행정청을 위한 참가

이때 다른 행정청이란 피고행정청 이외의 행정청으로, 다툼이 있는 처분이나 재결에 관계있는 행정청을 말한다. 한편 행정소송법 제17조의 참가는 피고행정청을 위한 참가이어야 한다.

③ 참가의 필요성

행정청의 소송참가는 사건의 적정한 심리 · 재판을 실현하기 위하여 필요하다고 법원이 인정하는 경우에 법원의 결정으로써 하게 된다.

(3) 참가의 절차

당사자나 당해 행정청의 신청 또는 직권에 의한다. 한편 다른 행정청은 피고인 행정청에만 참가할 수 있고 원고 측에는 참가할 수 없다. 행정청의 소송참가를 결정하고자 할 때에는 당사자 및 당해 행정청의 의견을 들어야 한다(동법 제17조 제2항).

(4) 참가행정청의 지위

이 경우 참가행정청은 제3자의 소송참가의 경우와 달리 민사소송법 제76조가 준용되어 단순한 보조참가인의 지위를 가지게 되므로 소송에 관하여 공격, 방어, 이의, 상소 기타 일체의 소송행위를 할 수 있지만 피참가인의 소송행위와 저촉되는 소송행위를 할 수 없다. 만약 참가인의 소송행위가 피참가인의 소송행위와 어긋나는 때에는 그 효력이 없다(동법 제8조 제2항, 민사소송법 제76조).

기출 체크

□□□□□ 01 소송참가인의 지위의 성질에 대해서는 공동소송적 보조참가와 비슷하다는 것이 통설이다. (○, ×)
2010 국회직 8급

□□□□□ 02 행정소송의 결과에 따라 권리 또는 이익의 침해우려가 있는 제3자는 당해 행정소송에 참가할 수 있으며, 이때 참가인인 제3자는 실제로 소송에 참가하여 소송행위를 하였는지 여부를 불문하고 판결의 효력을 받는다. (○, ×)
2018 지방직 9급

□□□□□ 03 행정소송법상 제3자 소송참가의 경우 참가인이 상소를 하였더라도, 소송당사자 본인인 피참가인은 참가인의 의사에 반하여 상소취하나 상소포기를 할 수 있다. (○, ×)
2020 지방직 · 서울시 9급

□□□□□ 04 법원은 다른 행정청을 소송에 참가시킬 필요가 있다고 인정할 때에는 당사자 또는 당해 행정청의 신청 또는 직권에 의하여 결정으로써 그 행정청을 소송에 참가시킬 수 있다. (○, ×) ★★
2022 군무원 9급

ⓐ 공동소송적 보조참가인의 지위를 가지므로 참가인은 피참가인의 소송행위와 저촉되는 행위, 예컨대 집행정지결정의 취소를 청구할 수 있고 독립하여 상소할 수 있다. 그러나 참가인은 소송당사자는 아니므로 소송을 종결시키는 행위, 예컨대 소의 취하, 포기 등은 할 수 없다.

ⓑ 소송행위 중 참가인과 피참가인에게 유리한 행위는 1인이 하여도 전원에 대하여 효력이 생기는 반면 불리한 행위는 전원이 함께하지 않는 한 효력이 없다. 즉, 한 사람이라도 상대방의 주장을 다투었으면 다른 사람도 다툰 것이 되며, 한 사람이 상대방의 주장을 그대로 인정하는 취지의 발언을 했더라도 전원이 하지 않는 한 효력이 없다. 참가인 등 공동소송인 1인에 대한 상대방의 소송행위는 이익 · 불이익을 불문하고 전원에 대하여 효력이 있다.

정답 01 ○ 02 ○ 03 × 04 ○

5. 민사소송법에 의한 소송참가

(1) 행정소송법은 소송참가에 관하여 제3자 및 행정청의 소송참가에 대하여 규정하고 있는데, 이외에도 민사소송법에 의한 소송참가규정이 준용될 수 있는지 문제가 된다. 이에 대해 판례는 행정소송에서도 행정소송법 제16조의 요건을 갖추지 못한 경우 민사소송법상 보조참가가 가능하다고 본다. 행정소송 사건에서 참가인이 한 보조참가가 행정소송법 제16조가 규정한 제3자의 소송참가에 해당하지 않는 경우에도 그 참가는 민사소송법 제78조에 규정된 공동소송적 보조참가로 볼 수 있다.

관련판례

행정소송에서도 민사소송법상의 보조참가는 허용된다(대판 2013. 3. 28, 2011두13729).**01**㉠★

(2) 다만, 행정청이 민사소송법상의 보조참가를 할 수 있는지와 관련하여서, 판례는 민사소송법상의 보조참가를 하기 위해서는 당사자능력이 있어야 하는데 행정청은 행정주체와 달리 당사자능력이 없으므로 민사소송법상의 보조참가를 할 수는 없다고 한다.㉡

❸ 소송대리인

1. 일반론

본인을 대신하여 소송을 수행하는 자를 소송대리인이라고 하는데, 행정소송법에는 특별한 규정이 없으므로 민사소송법상의 소송대리인에 대한 규정이 준용된다고 볼 것이다.

2. 국가를 당사자로 하는 소송의 경우

국가를 당사자 또는 참가인으로 하는 행정소송에서는 **법무부장관이 국가를 대표하며**, 법무부장관은 법무부의 직원, 검사 또는 공익법무관을 지정하여 소송을 수행하게 할 수 있다.

기출 체크

□□□□□ **01** 행정소송 사건에서 민사소송법상 보조참가가 허용된다. (○, ×) ★ 2017 사회복지직 9급

□□□□□ **02** 행정청은 민사소송법상의 보조참가를 할 수 있을 뿐만 아니라 행정소송법에 의한 소송참가를 할 수 있고 공법상 당사자소송의 원고가 된다. (○, ×) 2024 지방직 · 서울시 9급

□□□□□ **03** 타인 사이의 항고소송에서 행정청은 민사소송법상의 보조참가를 할 수는 없고 다만 행정소송법에 의한 소송참가를 할 수 있을 뿐이다. (○, ×) 2023 서울시 지적 7급

판례 | ㉠ 행정소송 사건에서 참가인이 한 보조참가가 행정소송법 제16조가 규정한 제3자의 소송참가에 해당하지 않는 경우에도, 판결의 효력이 참가인에게까지 미치는 점 등 행정소송의 성질에 비추어 보면 그 참가는 민사소송법 제78조에 규정된 공동소송적 보조참가이다(대판 2013. 3. 28, 2011두13729).

㉡ 행정청이 민사소송법상의 보조참가를 할 수는 없다.
타인 사이의 항고소송에서 소송의 결과에 관하여 이해관계가 있다고 주장하면서 민사소송법 제71조에 의한 보조참가를 할 수 있는 제3자는 민사소송법상의 당사자능력 및 소송능력을 갖춘 자이어야 하므로 그러한 당사자능력 및 소송능력이 없는 행정청으로서는 민사소송법상의 보조참가를 할 수는 없고, 다만 행정소송법 제17조 제1항에 의한 소송참가를 할 수 있을 뿐이다(대판 2002. 9. 24, 99두1519).**02 03**

[유튜브] 36강 필수 개념 TEST
- QR코드를 스캔해 주세요.
- 필수 개념과 출제 포인트를 풀어 보세요.
- 틀린 문제는 기본서로 확인해 주세요.

정답 01 ○ 02 × 03 ○

제 37 강 항고소송 2 (처분 등)

제기요건(소송요건)의 일반론

의 의

- **소송요건** : 본안판단의 전제요건
- 법원의 직권조사사항, 소송요건이 결여되면 법원은 소 각하판결을 함.

소송요건

① 소를 제기할 원고적격이 있는 자가
② 소송을 제기할 현실적 필요가 있는 경우(협의의 소익)
③ 행정청의 처분 등을 대상으로
④ 피고적격이 있는 행정청을 상대로
⑤ 관할법원에
⑥ 소장이라는 형식을 갖추어
⑦ 일정한 제소기간 내에
⑧ 행정심판이 필요한 경우 행정심판을 거쳐 제기할 것
※취소소송의 처분의 위법성은 소송요건이 아님.

처분 등의 존재(대상적격의 문제)

처분(취소소송의 제1대상)

행정행위와 처분의 구별

- **이원설(다수설)** : 처분 개념이 행정행위 개념보다 더 넓은 개념
- 행정청의 행위가 '처분'에 해당하는지가 불분명한 경우에는 그에 대한 불복방법 선택에 중대한 이해관계를 가지는 상대방의 인식가능성과 예측가능성을 중요하게 고려하여 규범적으로 판단하여야 하고, 불복(쟁송)의 기회를 부여할 필요성이 있다고 보이면 처분성을 인정하여야 함(판례).
- 처분성의 인정에 법률의 근거는 필요 없음(판례).

처분 등 개념요소

- 행정청 내부에서의 행위나 알선, 권유, 사실상의 통지 등과 같은 행위는 항고소송의 대상이 될 수 없음(판례).
- **행정청의 행위일 것**
  - 행정청은 기능상 개념
  - 위임 · 위탁받은 공공단체 및 사인도 포함됨.
  - 상대방의 권리를 제한하는 행위라 하더라도 행정청 또는 소속기관이나 권한을 위임받은 공공단체 등의 행위가 아닌 경우 : 행정처분 ×
  - 지방의회 의원제명의결, 의장에 대한 불신임의결 : 처분성 O
  - 세무서장이 성업공사에 공매권한을 위임하여 성업공사가 한 공매처분 : 처분성 O
  - 입찰참가자격제한조치의 경우
    - 「국가를 당사자로 하는 계약에 관한 법률」에 따라 각 중앙관서의 장이 행하는 입찰참가자격제한조치 : 처분성 O
  - 국방전력발전업무훈령에 따른 연구개발확인서 발급 및 그 거부 : 처분성 O
- **구체적 사실에 관한 행위일 것** : 처분법규, 일반처분 모두 처분에 해당함.
  - 고시도 집행행위의 매개 없이 직접 국민의 권리 · 의무를 규율하는 경우 : 처분성 O
  - 항정신병 치료제의 요양급여 인정기준에 관한 보건복지부 고시가 다른 집행행위의 매개 없이 그 자체로서 직접 국민의 구체적인 권리 · 의무와 법률관계를 규율하는 때에는 행정처분임(판례).
- **법집행행위일 것**
  - 공정거래위원회의 고발조치 및 고발의결 : 처분성 ×
  - 감사원이 심사청구에 의하여 관계기관에 통지하는 시정결정, 이유 없다고 기각하는 결정 : 처분성 ×
  - 국세환급결정이나 환급신청에 대한 거부결정 : 처분성 ×
  - 병역법상 신체등위판정 : 처분성 ×
  - 운전면허 행정처분처리대장상 벌점의 배점 : 처분성 ×
  - 하도급법상 벌점 부과행위 : 처분성 ×
  - 상급행정기관의 하급행정기관에 대한 승인 · 동의 · 지시 등 : 처분성 ×
  - 교육부장관의 대학입시기본계획 내의 내신성적산정지침 : 처분성 ×
- **공권력의 행사일 것**
- **공권력행사의 거부처분**(소극적 처분)
  - 법규상 또는 조리상 신청권이 있을 것
    - 신청권은 신청의 인용이라는 만족적 결과를 얻을 권리를 의미하는 것이 아니라 관계법규의 해석상 일반국민에게 그러한 신청권을 인정하고 있는가를 살펴 추상적으로 판단해야 함.
  - **구체적 검토**
    - 대학 교원의 신규채용에 있어서 유일한 면접심사대상자로 선정되어 심사단계 중 대부분의 단계를 통과한 자에 대한 임용거부조치 : 처분성 O
    - 임용기간이 만료된 조교수에 대하여 재임용을 거부하는 취지로 한 임용기간만료의 통지 : 처분성 O
      - 대학의 상근강사로서 근무를 마친 자가 정규교원에 임용하여 줄 것을 요청하는 내용의 탄원서에 대하여 학장이 민원서류처리결과통보의 형식으로 인사위원회에서 임용동의가 부결되어 임용하지 못한다는 설명을 담은 서신을 보낸 경우를 임용거부처분으로 볼 수 있음(판례).
    - 자신의 의사와 무관하게 주민등록번호가 유출된 경우 주민등록번호 변경신청거부 : 처분성 O
    - 과거에 법률에 의하여 당연퇴직된 공무원의 복직 또는 재임용신청에 대한 행정청의 거부행위 : 처분성 ×
    - 교사특별채용신청에 대한 거부행위 : 처분성 ×
    - 수익적 행정행위 신청에 대한 거부처분이 있은 후 당사자가 다시 신청하고 행정청이 이를 다시 거절한 것 : 처분성 O
- **그 밖에 이에 준하는 행정작용**

개별적 검토

- 확약 : 처분성 ×
- 표준공시지가결정, 개별공시지가결정 : 처분성 O
- 대집행법상 2차 · 3차 계고처분, 국세징수법상 2차 독촉 : 처분성 ×
- 반복된 거부처분 : 처분성 O
- 토지분할신청거부행위, 지목변경신청거부행위 : 처분성 O
- 국가인권위원회의 성희롱결정과 시정조치의 권고 : 처분성 O
- 감액경정처분 : 감액되고 남은 당초처분이 취소소송 대상이 됨.
- 증액경정처분 : 증액경정처분만이 취소소송 대상이 됨.
- 통고처분, 과태료처분, 검사의 공소제기 : 처분성 ×
- 금융기관의 '임원'에 대한 금융감독원장의 문책경고 : 처분성 O

- 공무원징계양정규칙(행정규칙)에 의한 불문경고조치 : 처분성 O
- 공무원이 소속장관으로부터 받은 '서면에 의한 경고' : 처분성 ×
- 검찰총장이 검사에 대하여 하는 경고조치 : 처분성 O
- 재량행위 : 처분에 해당하여 취소소송의 대상이 됨(재량행위가 부당함에 그치는 경우에는 법원이 취소할 수 없음).
- **처분성 인정 여부**

처분성 긍정	처분성 부정
– 변상금 부과처분 – 어떠한 처분의 근거가 행정규칙에 규정되어 있으나, 그 처분이 상대방의 권리 · 의무에 직접 영향을 미치는 행위의 경우 – 정부 간 항공노선의 개설에 관한 잠정협정 및 비밀양해각서와 건설교통부(현 국토교통부) 내부지침에 의한 항공노선에 대한 운수권배분처분 – 과세관청의 원천징수의무자인 법인에 대한 소득금액변동통지 – 토지거래허가구역의 지정 – 청소년유해매체물 결정 – 친일반민족행위자 재산조사위원회의 재산조사개시결정 – 공정거래위원회의 '표준약관 사용권장행위' – 건축물대장 직권말소 – 토지대장 직권말소 – 토지면적 등록신청 반려처분 – 세무조사결정 – 「표시 · 광고의 공정화에 관한 법률」 위반으로 인한 공정거래위원회의 경고의결 – 부당한 공동행위 자진신고자 감면신청에 대한 감면불인정 통지 – 진실 · 화해를 위한 과거사정리위원회의 진실규명결정 – 지방계약직 공무원에 대한 보수의 삭감 – 민간투자사업의 사업시행자 지정처분 – 교도소장이 특정 수형자를 '접견내용 녹음 · 녹화 및 접견시 교도관 참여대상자'로 지정한 행위 – 공법인인 총포 · 화약안전기술협회의 회비납부통지(부담금 부과처분) – 공정거래위원회가 구 「하도급거래 공정화에 관한 법률」에 따라 관계행정기관의 장에게 한 입찰참가자격의 제한을 요청한 결정 – 택시회사의 자발적 감차조치 불이행에 따른 행정청의 직권감차명령 – 한국환경산업기술원장의 연구개발 중단조치 및 연구비 집행중지조치 – 산업단지관리공단의 입주변경계약의 취소 – 과학기술기본법령상 사업협약의 해지 통보 – 교육부장관의 대학총장 후보자 임용제청 제외행위 – 지방자치단체의 장의 「공유재산 및 물품관리법」에 근거한 우선협상대상자를 선정하는 행위와 이미 선정된 우선협상대상자의 지위배제행위 – 소속 지방법무사회의 '(법무사의 사무원) 채용승인을 거부'하는 조치 또는 '채용승인을 취소'하는 조치	– 해양수산부장관의 항만 명칭결정 – 혁신도시 최종입지로 선정한 행위 – 한국마사회의 조교사 및 기수 면허 부여 또는 취소 – 과세관청이 사업자등록을 관리하는 과정에서 위장사업자의 사업자명의를 직권으로 실사업자의 명의로 정정하는 행위 – 토지대장상의 소유자명의 변경신청을 거부한 행위 – 국가보훈처장(현 국가보훈부장관)이 유족에게 한 '망인에 대한 서훈취소 통지' – 대학교 총장에게 연구팀장에 대한 대학 자체 징계를 요구한 한국연구재단의 통보 – 감사원의 징계요구와 재심의결정 – 지방공무원법상의 고충심사결정 – 국세환급금의 충당 – 한국전력공사가 전기공급의 적법 여부를 조회한 데 대한 관할구청장의 회신

재결(취소소송의 제2대상)

원처분주의

- **원처분주의와 재결주의**

원처분주의	• 원처분과 재결을 모두 소송대상으로 하지만, 원칙적으로 원처분에 대해서만 소송을 제기할 수 있음. • 재결은 재결 자체에 고유한 위법이 있는 경우에 한해 소송제기가 가능함.
재결주의	재결에 대해서만 취소소송을 제기할 수 있음.

- **행정소송법 규정 – 원처분주의를 규정**
  - 원처분의 위법을 이유로 행정심판재결에 대한 취소소송을 제기할 수 없음.
  - 재결의 고유한 위법의 의미
    - 원처분에는 없고 재결 자체에만 존재하는 위법을 의미함.
    - 재결의 주체, 형식, 절차상의 위법뿐만 아니라 내용에 관한 위법도 포함됨.
- **구체적 검토**
  - 적법한 행정심판청구를 부적법하다고 보아 각하한 재결 : 재결에 고유한 하자 O, 재결이 행정소송의 대상이 됨.
  - 청구기각재결을 한 경우 : 원칙적으로 재결에 고유한 하자 ×, 원처분이 행정소송의 대상이 됨.
  - 제3자효 행정행위에 대한 인용재결의 경우 : 재결이 취소소송의 대상이 됨.
  - 수정재결(적극적 변경)의 경우 : 수정된 원처분이 행정소송의 대상이 됨.
  - 일부인용(취소)재결의 경우 : 일부인용(취소)되고 남은 원처분이 행정소송의 대상이 됨.
  - 처분변경명령재결에 따른 변경처분의 경우 변경된 당초처분이 취소소송의 대상이고 제소기간은 재결서의 정본을 송달받은 날로부터 90일 이내임.
  - 행정청이 식품위생법령에 따라 영업자에게 행정제재처분을 한 후 당초처분을 영업자에게 유리하게 변경하는 처분을 한 경우, 취소소송의 대상 및 제소기간 판단기준이 되는 처분 : 변경된 내용의 '당초처분'
- **재결 자체에 고유한 위법이 없음에도 재결 자체에 대해 소송이 제기된 경우** : 기각해야 함(다수설, 판례).

개별법상 재결주의를 취하고 있는 경우

- **재결주의를 채택한 경우** : 재결취소소송에서 재결 고유의 위법뿐만 아니라 원처분의 위법도 주장할 수 있음.
  - 감사원의 재심판정
  - 중앙노동위원회의 재심판정
  - 특허심판원의 심결
- 한편 중앙토지수용위원회의 재결에 대한 불복은 원처분주의

교원의 경우

사립학교 교원	① 민사소송을 제기하거나, ② 교원소청심사위원회에 소청심사를 거친 후 그 결정에 대해 교원소청심사위원회를 피고로 하여 취소소송 제기할 수 있음(민사소송절차와 특별법에 따른 구제절차는 임의적 · 선택적).
국 · 공립 교원	소청심사위원회의 결정을 거쳐(예외적 행정심판 전치주의), 원래의 징계처분(원처분)을 대상으로 원처분청을 피고로 하여 취소소송 제기해야 함.

제 1 절 제기요건(소송요건)의 일반론

핵심집약 Topic 68

기출 체크

□□□□□ 01 기각판결은 소송요건의 불비를 이유로 본안의 심리를 거부하는 판결이다. (○, ×) ★★★ 2013 서울시 7급

□□□□□ 02 행정처분의 존부 및 원고적격은 법원의 직권조사사항이다. (○, ×) ★★★ 2006 국가직 7급

□□□□□ 03 제소기간의 도과 여부는 법원의 직권조사사항이다. (○, ×) ★★★ 2012 국회(속기 · 경위직) 9급

□□□□□ 04 필요적 행정심판전치주의가 적용되는 경우 그 요건을 구비하였는지 여부는 법원의 직권조사사항이다. (○, ×) ★★★ 2014 사회복지직 9급

ⓐ 직권조사사항, 항변사항
직권조사사항이란 법원이 알아서 직권으로 조사하는 사항을 말한다. 한편, 항변사항이란 당사자의 이의제기를 기다려 비로소 조사하는 사항을 말한다.

01 | 의 의

본안판단을 받기 위해서는 본안판단의 전제요건을 갖추어야 하는바, 이를 소송요건이라고 한다. 이러한 소송요건은 법원에 의한 직권조사사항ⓐ으로서 소송요건이 결여되면 법원은 소각하판결을 한다.01

02 | 소송요건

소송요건으로서는 ① 소를 제기할 원고적격이 있는 자가 ② 소송을 제기할 현실적 필요가 있는 경우(협의의 소익) ③ 행정청의 처분 등을 대상으로02 ④ 피고적격이 있는 행정청을 상대로 ⑤ 관할법원에 ⑥ 소장이라는 형식을 갖추어 ⑦ 일정한 제소기간 내에03 ⑧ 행정심판이 필요한 경우 행정심판을 거쳐 제기할 것이 요구된다.04 아울러 당사자 사이의 소송대상에 대하여 기판력 있는 판결이 없어야 하고 또한 중복제소도 아니어야 한다.

이러한 소송요건과 관련하여 ①②④⑤는 제36강에서 이미 살펴보았고, 나머지 요건에 대해서 검토하는데 ⑥ 소장에 대해서는 특별히 살펴볼 것이 없고, 제37강에서 ③ 대상적격에 대해서 살펴본 후 제38강에서 나머지 소송요건에 대해서 살펴본다.

정답 01 × 02 ○ 03 ○ 04 ○

제 2 절 처분 등의 존재(대상적격의 문제)

초대 Topic 38 핵심집약 Topic 68, 69

행정소송법상 처분 등ⓐ의 개념은 행정청이 행하는 구체적 사실에 관한 법집행으로서 공권력의 행사 또는 그 거부와 그 밖에 이에 준하는 행정작용(처분)01 및 행정심판에 대한 재결로 정의되고 있다. 따라서 취소소송의 대상은 처분과 재결로 크게 구분할 수 있는바,02 이하에서 양자를 나누어 검토해 본다.

01 | 처분(취소소송의 제1대상)

❶ 행정행위와 처분의 구별

1. 소송법상의 처분 개념과 학문상의 행정행위 개념이 동일한 것인지에 관해 양자를 동일한 것으로 보는 일원설, 양자를 다르게 이해하는 이원설의 대립이 있으나, 다수설은 이원설을 취하고 있다. 이에 따르면 처분 개념이 행정행위 개념보다 더 넓은 개념이라고 본다.

2. 행정청의 행위가 '처분'에 해당하는지가 불분명한 경우에는 그에 대한 불복방법 선택에 중대한 이해관계를 가지는 상대방의 인식가능성과 예측가능성을 중요하게 고려하여 규범적으로 판단하여야 한다. 그러한 고려에 따라 그 불복(쟁송)의 기회를 부여할 필요성이 있다고 보이면 처분성을 인정하여야 한다는 것이 판례의 입장이다(대판 2022. 9. 7, 2022두42365 ; 대판 2020. 4. 9, 2019두61137 ; 대판 2021. 1. 14, 2020두50324).㉠

3. 한편, 판례는 처분성의 인정에 법률의 근거는 필요하지 않은 것으로 본다(대판 2012. 9. 27, 2010두3541 ; 대판 2018. 11. 29, 2015두52395).

관련판례

1. **어떤 행위가 행정처분인지를 판정함에 있어서는 개별적으로 결정하여야 하는바, 상대방이 입는 불이익 내지 불안 그리고 행정청의 태도까지 고려하여 판단하여야 한다.★★★**
   행정청의 어떤 행위를 행정처분으로 볼 것이냐의 문제는 추상적 · 일반적으로 결정할 수 없고, 구체적인 경우 행정처분은 행정청이 공권력의 주체로서 행하는 구체적 사실에 관한 법집행으로서 국민의 권리 · 의무에 직접 영향을 미치는 행위라는 점을 고려하고 행정처분이 그 주체 · 내용 · 형식 · 절차에 있어서 어느 정도 성립 내지 효력요건을 충족하느냐에 따라 개별적으로 결정하여야 할 것이며, 행정청의 어떤 행위가 법적 근거도 없이 객관적으로 국민에게 불이익을 주는 행정처분과 같은 외형을 갖추고 있고, 그 행위의 상대방이 이를 행정처분으로 인식할 정도라면 그로 인하여 파생되는 국민의 불이익 내지 불안감을 제거시켜 주기 위한 구제수단이 필요한 점에 비추어 볼 때 행정청의 행위로 인하여 그 상대방이 입는 불이익 내지 불안이 있는지 여부도 그 당시 법치행정의 원리와 국민의 권리의식 수준 등은 물론 행위에 관련한 당해 행정청의 태도도 고려하여 판단하여야 한다(대판 1992. 1. 17, 91누1714).

2. **행정청의 행위가 '처분'에 해당하는지가 불분명한 경우에는 그에 대한 불복방법 선택에 중대한 이해관계를 가지는 상대방의 인식가능성과 예측가능성을 중요하게 고려하여 규범적으로 판단하여야 한다**(대판 2020. 4. 9, 2019두61137).03

기출 체크

□□□□□ 01 행정소송법상 '처분'이라 함은 행정청이 행하는 구체적 사실에 관한 법집행으로서의 공권력의 행사 또는 그 거부와 그 밖에 이에 준하는 행정작용을 말한다. (○, ×) ★★★ 2013 국가직 9급

□□□□□ 02 취소소송의 대상은 행정청의 '처분 등', 즉 처분과 재결이다. (○, ×) ★★★ 2013 국회속기직 9급

□□□□□ 03 행정청의 행위가 '처분'에 해당하는지가 불분명한 경우에는 그에 대한 불복방법 선택에 중대한 이해관계를 가지는 상대방의 인식가능성과 예측가능성을 중요하게 고려하여 규범적으로 판단하여야 한다. (○, ×) 2023 국가직 9급

판례 | ㉠ 피고가 2019. 1. 31. 원고에게 「공공감사에 관한 법률」 제23조에 따라 감사결과 및 조치사항을 통보한 뒤, 그와 동일한 내용으로 2020. 10. 22. 원고에게 시정명령을 내리면서 그 근거법령으로 유아교육법 제30조를 명시하였다면, 비록 위 시정명령이 원고에게 부과하는 의무의 내용은 같을지라도, 「공공감사에 관한 법률」 제23조에 따라 통보된 조치사항을 이행하지 않은 경우와 유아교육법 제30조에 따른 시정명령을 이행하지 않은 경우에 당사자가 입는 불이익이 다르므로, 위 시정명령에 대하여도 처분성을 인정하여야 한다(대판 2022. 9. 7, 2022두42365).

ⓐ 처분 등 ─ 처분(p.815) / 재결(p.840)

정답 01 ○ 02 ○ 03 ○

기출 체크

□□□□□ 01 항고소송의 대상이 되는 행정처분이라 함은 원칙적으로 행정청의 공법상 행위로서 특정 사항에 대하여 법규에 의한 권리의 설정 또는 의무의 부담을 명하거나 기타 법률상 효과를 발생하게 하는 등으로 일반국민의 권리 · 의무에 직접 영향을 미치는 행위를 가리킨다. (○, ×) ★★★ 2013 국가직 9급

□□□□□ 02 공무수탁사인의 공무를 수행하는 공권력행사도 처분에 해당한다. (○, ×) ★★★ 2018 소방직 9급

□□□□□ 03 법령에 의하여 행정권한을 위탁받은 사인도 처분을 행할 수 있다. (○, ×) ★★★ 2010 세무사

□□□□□ 04 행정청 또는 그 소속기관이나 권한을 위임받은 공공기관의 행위가 아니더라도 상대방의 권리를 제한하는 행위라면 이를 행정처분이라고 할 수 있다. (○, ×) ★★★ 2023 서울시 지적 7급

□□□□□ 05 지방의회의장에 대한 불신임의결은 행정처분으로 볼 수 없으므로 항고소송의 대상이 되지 아니한다. (○, ×) ★★★ 2018 경행경채

판례 | ㉠ 행정청 또는 소속기관이나 권한을 위임받은 공공단체 등의 행위가 아닌 한 이를 행정처분이라고 할 수 없다(대판 2008. 1. 31, 2005두8269).

❷ 처분 등 개념요소의 분석

판례는 "행정처분은 행정청의 공법상 행위로서 특정사항에 대하여 법규에 의한 권리의 설정 또는 의무의 부담을 명하거나, 기타 법률상 효과를 발생하게 하는 등 국민의 권리 · 의무에 직접 관계가 있는 행위를 가리키는 것이고,01 상대방 또는 기타 관계자들의 법률상 지위에 직접적인 영향을 미치지 않는 행위는 항고소송의 대상이 되는 행정처분이 아니다."라고 판시하고 있다. 이러한 개념요소를 나누어 살펴보면 다음과 같다.

관련판례

항고소송의 대상이 되는 행정처분이란 행정청의 공법상 행위로서 특정사항에 대하여 법규에 의한 권리의 설정 또는 의무의 부담을 명하며 기타 법률상 효과를 발생하게 하는 등 국민의 구체적 권리 · 의무에 직접적 변동을 초래하는 행위를 말하고, 행정청 내부에서의 행위나 알선, 권유, 사실상의 통지 등과 같이 상대방 또는 기타 관계자들의 법률상 지위에 직접적인 법률적 변동을 일으키지 아니하는 행위는 항고소송의 대상이 될 수 없다(대판 2019. 2. 14, 2016두41729).

1. 행정청의 행위일 것

(1) 행정청의 개념

① 행정청은 조직법상 개념이 아닌 기능상 개념으로 국가 및 지방자치단체의 기관 이외에 행정권한의 위임 또는 위탁을 받은 공공단체 또는 사인도 포함된다〔행정소송법(이하 '동법') 제2조 제2항〕.02 03

② 처분은 행정청이 하는 작용을 말하므로 상대방의 권리를 제한하는 행위라 하더라도 행정청 또는 소속기관이나 권한을 위임받은 공공단체 등의 행위가 아닌 한 이를 행정처분이라고 할 수 없다는 것이 판례의 입장이다.04 ㉠

(2) 구체적 검토

판례는 세무서장의 공매권한을 위임받은 성업공사(현 한국자산관리공사)의 공매처분, 지방의회의 지방의회의장선거, 지방의회의장에 대한 불신임의결, 지방의회의원 징계의결에 대하여 처분성을 긍정하고 있다.

관련판례

1. **지방의회 의원제명의결은 행정처분으로서 행정소송의 대상이 된다.★★**
   지방자치법 제78조 내지 제81조의 규정에 의거한 지방의회의 의원징계의결은 그로 인해 의원의 권리에 직접 법률효과를 미치는 행정처분의 일종으로서 행정소송의 대상이 되고 …… (대판 1993. 11. 26, 93누7341)
2. **지방의회의장에 대한 불신임의결은 행정처분으로서 행정소송의 대상이 된다.05 ★★★**
   지방의회를 대표하고 의사를 정리하며 회의장 내의 질서를 유지하고 의회의 사무를 감독하며 위원회에 출석하여 발언할 수 있는 등의 직무권한을 가지는 지방의회의장에 대한 불신임의결은 의장의 권한을 박탈하는 행정처분의 일종으로서 항고소송의 대상이 된다(대결 1994. 10. 11, 94두23).
3. **지방의회의 의장선임의결은 행정처분으로서 행정소송의 대상이 된다.★★★**
   지방의회의 의사를 결정 · 공표하여 그 당선자에게 이와 같은 의장의 직무권한을 부여하는 지방의회의 의장선거는 행정처분의 일종으로서 항고소송의 대상이 된다고 할 것이다(대판 1995. 1. 12, 94누2602).
4. **세무서장이 성업공사(현 한국자산관리공사)에 공매권한을 위임하여 성업공사가 한 공매처분은 취소소송대상이 되는 처분이다.★★**
   성업공사가 체납압류된 재산을 공매하는 것은 세무서장의 공매권한위임에 의한 것으로 보아야 할 것이므로, 성업공사가 한 그 공매처분에 대한 취소 등의 항고소송을 제기함에 있어서는 수임청으로서 실제로 공매를 행한 성업공사를 피고로 하여야 하고, 위임청인 세무서장은 피고적격이 없다(대판 1997. 2. 28, 96누1757).

정답 01 ○ 02 ○ 03 ○ 04 × 05 ×

(3) 입찰참가자격제한조치의 경우

① 개 념

입찰참가자격제한이라 함은 계약을 체결함에 있어서 공정한 경쟁 또는 계약의 적정한 이행을 해칠 것이 명백하다고 판단되는 자가 입찰에 참가할 수 있는 자격을 일정한 기간 제한하는 것을 의미한다.

② 판례의 태도

㉠ 이러한 입찰참가자격제한조치에는 행정청이 행하는 것과 정부투자기관이 행하는 것이 있는바, 「국가를 당사자로 하는 계약에 관한 법률」에 따라 각 중앙관서의 장이 행하는 입찰참가자격제한조치는 처분성이 인정된다.01 02 대법원도 국가나 지방자치단체 등의 행정청이 행하는 입찰참가자격제한조치에는 처분성을 긍정하고 있다(대판 1983. 7. 12, 83누127).03

㉡ 한편 과거 판례는 한국토지주택공사, 한국전력공사 등의 정부투자기관(현 공공기관)이 정부투자기관회계규정에 의하여 행한 입찰참가자격제한조치에 대해서는 처분성을 부정하고 있었다(대결 1999. 11. 26, 99부3 등). 그 이유로 정부투자기관은 행정권한의 위임을 받았다고 할 만한 법적 근거가 없으므로 정부투자기관의 입찰참가자격제한조치는 행정청의 처분이라고 볼 수 없다는 점 등을 들고 있었다.

㉢ 그런데 최근 판례는 「공공기관의 운영에 관한 법률」 제39조 제2·3항에 근거한 공기업·준정부기관이 행하는 입찰참가자격제한처분을 처분으로 보고 있는바,04 한국전력공사의 입찰참가자격제한처분의 처분성을 인정하고 본안판결을 한 바 있다(대판 2014. 11. 27, 2013두18964).

관련판례

공기업·준정부기관이 입찰을 거쳐 계약을 체결한 상대방에 대해 「공공기관의 운영에 관한 법률」 제39조 제2항 등에 따라 계약조건 위반을 이유로 입찰참가자격제한처분을 하기 위해서는 입찰공고와 계약서에 미리 계약조건과 그 계약조건을 위반할 경우 입찰참가자격제한을 받을 수 있다는 사실을 모두 명시해야 한다.05 계약상대방이 입찰공고와 계약서에 기재되어 있는 계약조건을 위반한 경우에도 공기업·준정부기관이 입찰공고와 계약서에 미리 계약조건을 위반할 경우 입찰참가자격이 제한될 수 있음을 명시해 두지 않았다면, 위 규정들을 근거로 입찰참가자격제한처분을 할 수 없다(대판 2021. 11. 11, 2021두43491).

읽기자료

입찰참가자격제한이 법적 근거에 따른 경우 처분에 해당한다. 다만, 입찰참가자격제한조치가 계약상의 의사표시인 경우에는 항고소송의 대상이 되는 처분이 아니다.06

공공기관의 입찰참가자격제한조치가 법령에 따른 행정처분인지 아니면 계약상 의사표시인지 모호할 경우에 이를 구별하는 기준

공기업·준정부기관이 법령 또는 계약에 근거하여 선택적으로 입찰참가자격제한조치를 할 수 있는 경우, 계약상대방에 대한 입찰참가자격제한조치가 법령에 근거한 행정처분인지 아니면 계약에 근거한 권리행사인지는 원칙적으로 의사표시의 해석 문제이다. 이때에는 공기업·준정부기관이 계약상대방에게 통지한 문서의 내용과 해당 조치에 이르기까지의 과정을 객관적·종합적으로 고찰하여 판단하여야 한다. 그럼에도 불구하고 공기업·준정부기관이 법령에 근거를 둔 행정처분으로서의 입찰참가자격제한조치를 한 것인지 아니면 계약에 근거한 권리행사로서의 입찰참가자격제한조치를 한 것인지가 여전히 불분명한 경우에는, 그에 대한 불복방법 선택에 중대한 이해관계를 가지는 그 조치 상대방의 인식가능성 내지 예측가능성을 중요하게 고려하여 규범적으로 이를 확정함이 타당하다. …… 피고는 행정절차법에 따라 입찰참가자격제한에 관한 절차를 진행하였고, 원고에게 입찰참가자격제한조치에 대한 불복방법으로 일정한 기간 내에 행정심판법 또는 행정소송법에 따라 행정심판을 청구하거나 행정소송을 제기하여야 한다고 안내하였던 점 등을 고려할 때 …… 피고가 한 입찰참가자격제한조치는 계약에 근거한 권리행사가 아니라 「공공기관의 운영에 관한 법률」 제39조 제2항에 근거한 행정처분으로 봄이 타당하다(대판 2018. 10. 25, 2016두33537).

✚ 조달계약 및 공법상 계약에 관한 입찰참가자격제한이 법적 근거에 따른 경우 처분에 해당한다. 이에 반해 입찰참가자격제한조치가 계약상의 의사표시인 경우에는 항고소송의 대상이 되는 처분이 아니라는 것이 판례의 취지이다.

기출 체크

□□□□□ 01 조달청장이 법령에 근거하여 입찰참가자격을 제한하는 것은 사법관계에 해당한다. (○, ×) ★★★
2023 국가직 9급

□□□□□ 02 「국가를 당사자로 하는 계약에 관한 법률」상 국가기관에 의한 입찰참가자격제한행위는 사법상 관념의 통지에 해당한다. (○, ×) ★★★
2021 국회직 8급

□□□□□ 03 대법원은 지방자치단체가 공공조달계약 입찰을 일정기간 동안 제한하는 부정당업자제재는 사법상의 통지행위에 불과하다고 본다. (○, ×) ★★★
2017 국회직 8급

□□□□□ 04 「공공기관의 운영에 관한 법률」에 따른 입찰참가자격제한조치는 행정처분에 해당한다. (○, ×) ★★★
2023 소방직 9급

□□□□□ 05 공기업·준정부기관이 입찰을 거쳐 계약을 체결한 상대방에 대해 「공공기관의 운영에 관한 법률」 등에 따라 계약조건 위반을 이유로 입찰참가자격제한처분을 하기 위해서는 입찰공고와 계약서에 미리 계약조건과 그 계약조건을 위반할 경우 입찰참가자격제한을 받을 수 있다는 사실을 모두 명시해야 한다. (○, ×)
2024 국회직 8급

□□□□□ 06 공기업·준정부기관이 계약에 근거한 권리행사로서 입찰참가자격제한조치를 하였더라도 입찰참가자격제한조치는 행정처분이다. (○, ×)
2023 군무원 9급

정답 01 × 02 × 03 × 04 ○ 05 ○ 06 ×

2. 구체적 사실에 관한 행위일 것

구체적 사실에 관한 행위이어야 하므로 일반적 · 추상적 법령 그 자체로서 국민의 구체적인 권리 · 의무에 직접적인 변동을 초래하는 것이 아닌 것은 취소소송의 대상이 될 수 없다.**01** 단, 법규명령이지만 구체적 성질을 가지는 처분법규(두밀분교폐지조례)는 처분에 해당하며, 일반처분의 수범자는 불특정 다수인이나 구체적 사건성을 띤다는 점에서 처분에 해당한다.

관련판례

1. 의료기관의 명칭표시판에 진료과목을 함께 표시하는 경우 글자크기를 제한하고 있는 구 의료법 시행규칙 제31조는 법규명령으로서 그 자체가 국민의 구체적인 권리 · 의무나 법률관계에 직접적인 변동을 초래하지 아니하므로 항고소송의 대상이 되는 행정처분이라고 할 수 없다(대판 2007. 4. 12, 2005두15168).**02**

2-1. 고시도 집행행위의 매개 없이 직접 국민의 권리 · 의무를 규율하는 경우 처분이 된다.**03** ★★★

2-2. 보건복지부 고시인 「약제급여 · 비급여목록 및 급여상한금액표」는 다른 집행행위의 매개 없이 그 자체로서 국민건강보험가입자, 국민건강보험공단, 요양기관 등의 법률관계를 직접 규율하는 성격을 가지므로 항고소송의 대상이 되는 행정처분에 해당한다.**04** ★★★

어떠한 고시가 일반적 · 추상적 성격을 가질 때에는 법규명령 또는 행정규칙에 해당할 것이지만, 다른 집행행위의 매개 없이 그 자체로서 직접 국민의 구체적인 권리 · 의무나 법률관계를 규율하는 성격을 가질 때에는 행정처분에 해당한다(대판 2006. 9. 22, 2005두2506).

3. 항정신병 치료제의 요양급여 인정기준에 관한 보건복지부 고시는 다른 집행행위의 매개 없이 그 자체로서 제약회사, 요양기관, 환자 및 국민건강보험공단 사이의 법률관계를 직접 규율하므로 항고소송의 대상이 되는 행정처분에 해당한다(대결 2003. 10. 9, 2003무23).**05**

3. 법집행행위일 것

법집행행위란 국민의 권리 · 의무에 외부적 · 직접적 효과를 가져오는 행위를 의미하므로 단순한 사실행위나 행정기관 내부의 행위(예 상급관청의 지시, 상관의 명령)는 처분성이 부정된다.㉠

관련판례

1. 공정거래위원회의 고발조치 및 고발의결은 행정기관 상호 간의 행위에 불과하므로 항고소송의 대상이 되는 행정처분이 아니다.**06** ★★★

이른바 고발은 수사의 단서에 불과할 뿐 그 자체 국민의 권리 · 의무에 어떤 영향을 미치는 것이 아니고, 특히 (구) 「독점규제 및 공정거래에 관한 법률」 제71조는 공정거래위원회의 고발을 위 법률위반죄의 소추요건으로 규정하고 있어 공정거래위원회의 고발조치는 사직 당국에 대하여 형벌권행사를 요구하는 행정기관 상호 간의 행위에 불과하여 항고소송의 대상이 되는 행정처분이라 할 수 없으며, 더욱이 공정거래위원회의 고발의결은 행정청 내부의 의사결정에 불과할 뿐 최종적인 처분은 아닌 것이므로 이 역시 항고소송의 대상이 되는 행정처분이 되지 못한다(대판 1995. 5. 12, 94누13794).

2. 감사원이 심사청구에 의하여 관계기관에 통지하는 시정결정이나 이유 없다고 기각하는 결정은 항고소송의 대상이 되는 처분이 아니다(대판 1967. 6. 27, 67누44). ★★★

3. 국세환급결정이나 환급신청에 대한 거부결정은 내부적 사무절차로서 항고소송의 대상이 되는 처분이 아니다(대판 1994. 12. 2, 92누14250).**07 08** ★★★

4. 지방병무청장의 병역처분은 항고소송의 대상이 되는 처분이지만 군의관이 행한 징병검사시의 신체등위판정은 아직 국민에게 구체적 의무를 부과하는 것이 아니므로 행정처분이 아니다.**09** ★★★

병역법상 신체등위판정은 행정청이라고 볼 수 없는 군의관이 하도록 되어 있으며, 그 자체만으로 바로 병역법상의 권리 · 의무가 정하여지는 것이 아니라 그에 따라 지방병무청장이 병역처분을 함으로써

기출 체크

□□□□□ **01** 취소소송의 대상인 처분은 행정청이 행하는 구체적 사실에 관한 법집행행위이므로 불특정 다수인을 대상으로 하여 반복적으로 적용되는 일반적 · 추상적 규율은 원칙적으로 처분이 아니다. (○, ×) ★★★ 2017 국가직(하) 7급

□□□□□ **02** 의료기관의 명칭표시판에 진료과목을 함께 표시하는 경우 글자크기를 제한하고 있는 구 의료법 시행규칙 제31조는 그 자체로 국민의 구체적 권리 · 의무나 법률관계에 직접적 변동을 초래하므로 항고소송의 대상이 될 수 있다. (○, ×) 2020 지방직 · 서울시 7급

□□□□□ **03** 행정규칙인 고시가 집행행위의 개입 없이도 그 자체로서 국민의 구체적인 권리 · 의무에 직접적인 변동을 초래하는 경우에는 항고소송의 대상이 된다. (○, ×) ★★★ 2017 국회직 8급

□□□□□ **04** 보건복지부 고시인 구 「약제급여 · 비급여목록 및 급여상한금액표」는 그 자체로서 국민건강보험가입자, 국민건강보험공단, 요양기관 등의 법률관계를 직접 규율하는 성격을 가지므로 항고소송의 대상이 되는 행정처분에 해당한다. (○, ×) ★★★ 2018 국가직 9급

□□□□□ **05** 항정신병 치료제의 요양급여 인정기준에 관한 보건복지부 고시가 다른 집행행위의 매개 없이 그 자체로서 직접 국민의 구체적인 권리 · 의무와 법률관계를 규율하는 성격을 가질 때에는 항고소송의 대상이 되는 행정처분에 해당한다. (○, ×) 2022 국가직 9급

□□□□□ **06** 공정거래위원회의 고발조치(는 행정소송법상 '처분'에 해당한다) (○, ×) ★★★ 2019 서울시 1회 7급

□□□□□ **07** 국세기본법에 따른 과세관청의 국세환급금결정(은 항고소송의 대상이 되는 처분에 해당한다) (○, ×) ★★★ 2019 서울시 9급

□□□□□ **08** 국세환급금결정신청에 대한 환급거부결정(은 항고소송의 대상이 되는 행정처분이다) (○, ×) ★★★ 2016 서울시 9급

□□□□□ **09** 병역법상 신체등위판정은 항고소송의 대상이 되는 행정처분이라 보기 어렵다. (○, ×) ★★★ 2023 군무원 7급

판례 | ㉠ 건설부(현 국토교통부)장관이 행한 국립공원지정처분에 따라 공원관리청이 행한 경계측량 및 표지의 설치 등은 행정처분이 아니다(대판 1992. 10. 13, 92누2325).

정답 01 ○ 02 × 03 ○ 04 ○ 05 ○ 06 × 07 × 08 × 09 ○

비로소 병역의무의 종류가 정하여지는 것이므로 항고소송의 대상이 되는 행정처분이라 보기 어렵다(대판 1993. 8. 27, 93누3356).

5. 운전면허 행정처분처리대장상 벌점의 배점은 그 자체만으로는 국민에 대해 권리제한 또는 의무부과의 효과가 없으므로 행정처분이 아니다(대판 1994. 8. 12, 94누2190).★★★

6. 하도급법상 벌점 부과행위는 입찰참가자격의 제한 요청 등의 기초자료로 사용하기 위한 것이고 사업자의 권리 · 의무에 직접 영향을 미치는 행위라고 볼 수 없으므로 항고소송의 대상이 되는 행정처분에 해당하지 아니한다(대판 2023. 1. 12, 2020두50683).

7. 상급행정청이나 타행정청의 지시나 통보, 권한의 위임이나 위탁은 항고소송의 대상이 되는 행정처분이 아니다(대판 2013. 2. 28, 2012두22904).

8. 상급행정기관의 하급행정기관에 대한 승인 · 동의 · 지시 등은 행정기관 상호 간의 내부행위로서 국민의 권리 · 의무에 직접 영향을 미치는 것이 아니므로 항고소송의 대상이 되는 행정처분에 해당한다고 볼 수 없다(대판 1997. 9. 26, 97누8540).01 ★★★

9. 방송통신위원회가 jtbc에 대해 행한 고지방송명령 부분은 행정처분이 아니다.
행정청 내부에서의 행위나 알선, 권유, 사실상의 통지 등과 같이 상대방 또는 기타 관계자들의 법률상 지위에 직접적인 법률적 변동을 일으키지 아니하는 행위는 항고소송의 대상이 아니다(대판 2023. 7. 13, 2016두34257).

10. 교육부장관이 시 · 도 교육감에게 통보한 대학입시기본계획 내의 내신성적산정지침은 항고소송의 대상인 행정처분이 아니다(대판 1994. 9. 10, 94두33).02 ★★★

11. 금융감독위원회(현 금융위원회)의 부실금융기관에 대한 파산신청은 행정소송법상 취소소송의 대상이 되는 행정처분이 아니다(대판 2006. 7. 28, 2004두13219).

12. 경찰공무원시험승진후보자명부에 등재된 자가 승진임용되기 전에 감봉 이상의 징계처분을 받은 경우, 임용권자가 당해인을 시험승진후보자명부에서 삭제한 행위는 행정처분이 아니다.03 ★★
시험승진후보자명부에 등재된 자가 승진임용되기 전에 감봉 이상의 징계처분을 받은 경우에는 임용권자 또는 임용제청권자가 위 징계처분을 받은 자를 시험승진후보자명부에서 삭제하도록 되어 있는바, 이처럼 시험승진후보자명부에 등재되어 있던 자가 그 명부에서 삭제됨으로써 승진임용의 대상에서 제외되었다 하더라도, 그와 같은 시험승진후보자명부에서의 삭제행위는 결국 그 명부에 등재된 자에 대한 승진 여부를 결정하기 위한 행정청 내부의 준비과정에 불과하고, 그 자체가 어떠한 권리나 의무를 설정하거나 법률상 이익에 직접적인 변동을 초래하는 별도의 행정처분이 된다고 할 수 없다(대판 1997. 11. 14, 97누7325).

13. 각 군 참모총장이 '군인 명예전역수당 지급대상자 결정절차'에서 국방부장관에게 수당지급대상자를 추천하거나 신청자 중 일부를 추천하지 않는 행위는 항고소송의 대상이 되는 처분이 아니다(대판 2009. 12. 10, 2009두14231).04 ★

기출 체크

□□□□□ 01 상급행정기관의 하급행정기관에 대한 승인 · 동의 · 지시 등은 행정기관 상호 간의 내부행위로서 항고소송의 대상이 되는 행정처분이라 볼 수 없다. (○, ×) ★★★ 2017 사회복지직 9급

□□□□□ 02 교육부장관이 대학입시 기본계획에서 내신성적 산정기준에 관한 시행지침을 마련하여 시 · 도교육감에게 통보한 경우, 각 고등학교에서 위 지침에 일률적으로 기속되어 내신성적을 산정할 수밖에 없고 대학에서도 이를 그대로 내신성적으로 인정하여 입학생을 선발할 수밖에 없으므로 내신성적 산정지침은 항고소송의 대상이 되는 행정처분에 해당한다. (○, ×) ★★★ 2024 지방직 · 서울시 9급

□□□□□ 03 공무원시험승진후보자 명부에 등재된 자에 대하여 이전의 징계처분을 이유로 시험승진후보자명부에서 삭제하는 행위(는 행정소송의 대상인 행정처분에 해당한다) (○, ×) ★★ 2017 국가직(하) 9급

□□□□□ 04 각 군 참모총장이 군인 명예전역수당 지급대상자 결정절차에서 국방부장관에게 수당지급대상자를 추천하는 행위(는 항고소송의 대상이 되는 행정처분에 해당한다) (○, ×) ★ 2019 국회직 8급

판례 | 기타 처분성이 부정된 것

1. '외환은행장'이 수입허가의 유효기간연장을 승인하고자 할 때에 무역거래법 시행규칙 제10조 제3항에 의하여 상공부(현 산업통상자원부)장관과 하는 협의는 행정청의 내부행위로서 항고소송의 대상이 되는 행정처분이라고 할 수 없다(대판 1971. 9. 14, 71누99).
2. 구 하수도법 제5조의2에 의한 하수도정비기본계획은 항고소송의 대상이 되는 행정처분이 아니다(대판 2002. 5. 17, 2001두10578).
3. 행정청의 정부투자기관에 대한 예산편성지침통보는 내부행위로서 행정처분이 아니다(대판 1993. 9. 14, 93누9163).

4. 공권력의 행사일 것

처분은 공권력행사작용일 것이 요구되는바, 이때 공권력행사작용이란 행정청이 공권력의 소지자 입장에서 국민에 대해 일방적으로 명령 · 강제하는 권력적 단독행위를 의미한다. 따라서 공법상 계약, 공법상 합동행위는 공권력행사작용이 아니므로 처분성이 부정된다.

5. 공권력행사의 거부처분 – 소극적 처분

거부처분이란 소극적 처분으로서 일정한 처분의 신청이 있는 경우 그 신청에 따른 처분을 하지 않겠다는 행정청의 의사표시를 말한다. 이러한 거부처분은 부작위와 구별되는 것으로 대법원은 행정청

정답 01 ○ 02 × 03 × 04 ×

기출 체크

□□□□□ 01 거부행위가 항고소송의 대상인 처분이 되기 위해서는 그 거부행위가 신청인의 실체상의 권리관계에 직접적인 변동을 일으키는 것이어야 하며, 신청인이 실체상의 권리자로서 권리를 행사함에 중대한 지장을 초래하는 것만으로는 부족하다. (○, ×) ★★

2022 지방직 · 서울시 9급

□□□□□ 02 국민의 적극적 행위신청에 대한 행정청의 거부행위가 항고소송의 대상이 되는 행정처분에 해당하기 위하여는 국민이 행정청에 대하여 그 행위발동을 요구할 법규상 또는 조리상의 신청권이 있어야 한다. (○, ×) ★★★

2023 군무원 7급

□□□□□ 03 신청권이 없는 신청에 대한 거부행위에 대하여 제기된 거부처분 취소소송(은 행정소송에서 소송이 각하되는 경우에 해당한다) (○, ×) ★★★

2017 국가직 7급

정답 01 × 02 ○ 03 ○

의 어떠한 조치가 신청에 대한 거부처분에 해당한다고 보기 위해서는 행정청의 종국적이고 실질적인 거부의 의사결정이 권한 있는 기관에 의하여 외부로 표시되어 신청인이 이를 알 수 있는 상태에 다다른 것으로 볼 수 있어야 한다고 판시한 바 있다(대판 2008. 10. 23, 2007두6212). 한편, 거부가 처분이 되기 위해서는 다음의 요건을 갖추어야 한다.

(1) 공권력행사의 거부일 것

신청한 행위가 공권력행사에 해당하여야 하므로 공권력행사의 거부가 아닌 일반재산(개정 전 잡종재산) 임대 · 매각신청 거부는 행정소송법상의 처분이 아니다.

관련판례

지방자치단체장이 국유 잡종재산(현 일반재산) 대부신청을 거부한 것은 항고소송의 대상이 되는 행정처분이 아니다.

지방자치단체장이 국유 잡종재산(현 일반재산)을 대부하여 달라는 신청을 거부한 것은 항고소송의 대상이 되는 행정처분이 아니므로 행정소송으로 그 취소를 구할 수 없다(대판 1998. 9. 22, 98두7602).

(2) 거부가 신청인의 법률관계에 영향을 줄 것

거부가 처분이 되기 위해서는 신청인의 법률관계에 어떤 변동을 일으키는 것이어야 하므로 단순한 사실증명의 신청에 대한 거부는 처분으로 볼 수 없다. 한편, 판례는 '신청인의 법률관계에 어떤 변동을 일으키는 것'의 의미에 대해 신청인이 실체상의 권리자로서 권리를 행사함에 중대한 지장을 초래하는 것도 포함한다고 본다.

관련판례

(건축계획심의신청에 대한 반려처분에 대해 처분성을 긍정하면서) **거부가 처분이 되기 위한 요건으로 '신청인의 법률관계에 어떤 변동을 일으키는 것'의 의미는 신청인의 실체상의 권리관계에 직접적인 변동을 일으키는 것은 물론, 그렇지 않다 하더라도 신청인이 실체상의 권리자로서 권리를 행사함에 중대한 지장을 초래하는 것도 포함한다**(대판 2007. 10. 11, 2007두1316). **01** ★★

(3) 법규상 또는 조리상 신청권이 있을 것

거부가 처분이 되기 위해서는 신청인에게 법규상 또는 조리상의 신청권이 있어야 한다.

① 신청권의 체계적 지위

학설은 원고적격으로 보는 견해와 처분성, 즉 대상적격의 문제로 보는 견해, 소송요건이 아닌 본안문제로 보는 견해가 대립하고 있으나, 판례는 처분성의 문제, 즉 대상적격의 문제로 파악하고 있다.

관련판례

국민의 적극적 행위신청에 대한 행정청의 거부행위가 항고소송의 대상이 되는 행정처분이 되기 위해서는 국민에게 법규상 또는 조리상의 신청권이 있어야 한다(대판 2005. 2. 25, 2004두4031). **02 03** ★★★

② 신청권의 존부 판단기준

거부가 처분이 되기 위한 신청권은 신청의 인용이라는 만족적 결과를 얻을 권리를 의미하는 것이 아니라 관계법규의 해석상 일반국민에게 그러한 신청권을 인정하고 있는가를 살펴 추상적으로 판단해야 한다는 것이 판례의 입장이다.

관련판례

거부처분의 처분성을 인정하기 위한 전제요건이 되는 신청권의 존부는 신청인이 누구인가를 고려하지 않고 관계법규 해석에 의해 일반국민에게 신청권을 인정하고 있는가를 살펴 추상적으로 결정되는 것이고 신청의 인용이라는 만족적 결과를 얻을 권리를 의미하는 것은 아니다.01 ★★★

거부처분의 처분성을 인정하기 위한 전제요건이 되는 신청권의 존부는 구체적 사건에서 신청인이 누구인가를 고려하지 않고 관계법규의 해석에 의하여 일반국민에게 그러한 신청권을 인정하고 있는가를 살펴 추상적으로 결정되는 것이고, 신청인이 그 신청에 따른 단순한 응답을 받을 권리를 넘어서 신청의 인용이라는 만족적 결과를 얻을 권리를 의미하는 것은 아니다.02 따라서 국민이 어떤 신청을 한 경우에 그 신청의 근거가 된 조항의 해석상 행정발동에 대한 개인의 신청권을 인정하고 있다고 보여지면 그 거부행위는 항고소송의 대상이 되는 처분으로 보아야 할 것이고, 구체적으로 그 신청이 인용될 수 있는가 하는 점은 본안에서 판단하여야 할 사항인 것이다(대판 1996. 6. 11, 95누12460).

(4) 구체적 검토

판례는 교수재임용 거부처분, 평생교육법상 학력인정시설의 설치자 변경신청에 대한 거부처분, 문화재보호구역 내 토지소유자의 문화재보호구역 지정해제신청에 대한 행정청의 거부처분에 대해 처분성을 긍정하고 있다.

① 거부의 처분성을 긍정한 경우㉠

관련판례

1. 대학 교원의 신규채용에 있어서 유일한 면접심사 대상자로 선정되어 심사단계 중 대부분의 단계를 통과한 경우 이러한 자는 임용신청권이 있으므로 임용거부조치는 행정처분에 해당한다.★★★

   임용지원자가 당해 대학의 교원임용규정 등에 정한 심사단계 중 중요한 대부분의 단계를 통과하여 다수의 임용지원자 중 유일한 면접심사 대상자로 선정되는 등으로 장차 나머지 일부의 심사단계를 거쳐 대학 교원으로 임용될 것을 상당한 정도로 기대할 수 있는 지위에 이르렀다면, 그러한 임용지원자는 임용에 관한 법률상 이익을 가진 자로서 임용권자에 대하여 나머지 심사를 공정하게 진행하여 그 심사에서 통과되면 대학 교원으로 임용해 줄 것을 신청할 조리상의 권리가 있다고 보아야 할 것이고, …… 항고소송의 대상이 되는 처분 등에 해당한다(대판 2004. 6. 11, 2001두7053).

2. 대학 교원의 임용권자가 임용기간이 만료된 조교수에 대하여 재임용을 거부하는 취지로 한 임용기간 만료의 통지는 행정소송의 대상이 되는 처분에 해당한다.03 04 ★★★

   기간제로 임용되어 임용기간이 만료된 국·공립대학의 조교수는 교원으로서의 능력과 자질에 관하여 합리적인 기준에 의한 공정한 심사를 받아 위 기준에 부합되면 특별한 사정이 없는 한 재임용되리라는 기대를 가지고 재임용 여부에 관하여 합리적인 기준에 의한 공정한 심사를 요구할 법규상 또는 조리상 신청권을 가진다고 할 것이니, 임용권자가 임용기간이 만료된 조교수에 대하여 재임용을 거부하는 취지로 한 임용기간 만료의 통지는 위와 같은 대학 교원의 법률관계에 영향을 주는 것으로서 행정소송의 대상이 되는 처분에 해당한다(대판 2004. 4. 22, 2000두7735 전합).

   ✚ 위 1·2번 판례와 후술할 처분성 부정 3번 판례를 구별하기 바란다.

3-1. 대학의 상근강사로서 근무를 마친 자가 정규교원에 임용하여 줄 것을 요청하는 내용의 탄원서에 대하여 교장이 민원서류 처리 결과통보의 형식으로 인사위원회에서 임용동의가 부결되어 임용하지 못한다는 설명을 담은 서신을 보낸 경우는 임용거부처분이다.

3-2. 대학의 정규교원으로 임용되기 전에 1년간 상근강사로 근무하여 적격판정을 받은 자만을 임용하는 제도하에서 상근강사로 채용된 자는 임용신청권이 있다.

   거부처분이 있었다고 하기 위하여는 그 처분을 위한 의사결정이 어떠한 형식으로든 행정청의 권한 있는 자에 의하여 외부로 표시되고 그 신청이 거부 내지 각하되었다는 취지가 신청자에게 오해 없이 정확하게 전달되어 이를 알 수 있는 상태에 놓여진 경우에 한하는 것인바, 이 사건에서 상근강사로서의 직무를 마친 원고가 정규교원에 임용하여 줄 것을 요청하는 내용으로 문교부에 낸 탄원서를 이첩받은

기출 체크

□□□□□ 01 거부행위의 처분성을 인정하기 위한 전제요건이 되는 신청권의 존부는 구체적 사건에서 신청인이 누구인가를 고려하지 말고 관계법규에서 일반국민에게 그러한 신청권을 인정하고 있는가를 살펴 추상적으로 결정하여야 한다. (○, ×) ★★★ 2019 사회복지직 9급

□□□□□ 02 거부처분의 처분성을 인정하기 위한 전제요건이 되는 신청권의 존부는 구체적 사건에서 관계법규의 해석에 의하여 구체적으로 결정되는 것이고, 신청인이 그 신청에 따른 단순한 응답을 받을 권리를 넘어서 신청의 인용이라는 만족적 결과를 얻을 권리를 의미한다. (○, ×) ★★★ 2023 소방간부

□□□□□ 03 임용기간이 만료된 국립대학 조교수에 대하여 재임용을 거부하는 취지로 한 임용기간 만료의 통지(는 취소소송의 대상이 된다) (○, ×) ★★★ 2021 지방직·서울시 7급

□□□□□ 04 기간제로 임용된 국·공립대학의 조교수에 대해 임용기간 만료로 한 재임용거부에 대하여 제기된 거부처분 취소소송(은 취소소송의 소송요건을 충족하지 않은 경우에 해당한다) (○, ×) ★★★ 2018 지방직 7급

판례 | ㉠ 개발사업시행자가 납부한 개발부담금 중 부과처분 후에 납부한 학교용지부담금에 대하여 조리상 환급에 필요한 처분을 신청할 권리가 인정되므로 부과처분 후에 납부된 학교용지부담금에 해당하는 개발부담금의 환급을 거절한 부분은 항고소송의 대상이 되는 행정처분에 해당한다(대판 2016. 1. 28, 2013두2938).

정답 01 ○ 02 × 03 ○ 04 ×

기출 체크

□□□□□ **01** 건축계획심의신청에 대한 반려처분(은 항고소송의 대상이 되는 행정처분이다) (○, ×) ★★★
2015 지방직 9급

□□□□□ **02** 기간제로 임용되어 임용기간이 만료된 공립대학의 교원은 재임용 여부에 관하여 심사를 요구할 법규상 또는 조리상의 신청권을 가진다.
(○, ×) ★★★ 2014 서울시 7급

□□□□□ **03** 피해자의 의사와 무관하게 주민등록번호가 유출된 경우, 조리상 주민등록번호의 변경을 요구할 신청권을 인정함이 타당하다. (○, ×) ★★★
2022 국가직 9급

□□□□□ **04** 방위사업법령 및 '국방전력발전업무훈령'에 따른 연구개발확인서발급은 사업관리기관이 개발업체에게 해당 품목의 양산과 관련하여 수의계약의 방식으로 국방조달계약을 체결할 수 있는 지위가 있음을 인정해 주는 확인적 행정행위로서 처분에 해당한다. (○, ×)
2021 국회직 8급

□□□□□ **05** 공사중지명령의 원인사유가 해소되었다면 중지명령의 상대방은 공사중지명령의 해제를 신청할 수 있고, 이에 대한 거부는 처분성이 인정된다.
(○, ×) ★ 2021 국가직 9급

□□□□□ **06** 법률에 의하여 당연퇴직된 공무원의 복직 또는 재임용신청에 대한 행정청의 거부행위는 항고소송의 대상이 되는 행정처분에 해당한다. (○, ×) ★★★
2015 국회직 8급

판례 | ㉠ 1. 학교법인 설립자라고 주장하는 자가 한 학교법인설립자 명의정정신청을 거부한 행정청의 행위는 항고소송의 대상이 되는 처분이 아니다(대판 1998. 7. 10, 96누14036).
2. 산림훼손허가를 얻은 자에게는 법규상 또는 조리상 산림훼손 용도변경신청권이 없으므로 산림훼손 용도변경신청을 반려한 행위는 항고소송의 대상이 되는 행정처분이 아니다(대판 1998. 10. 13, 97누13764).

피고가 이에 대한 민원서류 처리 결과통보의 형식으로 원고에 대한 상근강사 근무성적평가 결과는 특별한 결격사유가 없었으나 인사위원회에서 임용동의가 부결됨으로써 정규교원으로 임용하지 못한다는 내용의 설명을 담은 서신을 보냈다면, 피고가 위 민원서류 처리 결과통보라는 형식으로 그 임용거절의 의사를 명백히 함으로써 적어도 이 무렵에는 원고에 대하여 거부처분을 하였다고 보아야 한다(대판 1990. 9. 25, 89누4758).★

4. **주민등록전입신고에 따른 등록거부처분은 항고소송의 대상이 되는 처분이다**(대판 1992. 4. 28, 91누8753).

5. **건축계획심의신청에 대한 반려처분은 항고소송의 대상이 되는 행정처분에 해당한다**(대판 2007. 10. 11, 2007두1316). **01** ★★★

6. **금강수계 중 상수원 수질보전을 위하여 필요한 지역의 토지 등의 소유자가 국가에 그 토지 등을 매도하기 위하여 매수신청을 하였으나 유역환경청장이 이를 거절한 경우, 그러한 매수 거부행위는 항고소송의 대상이 되는 행정처분에 해당한다**(대판 2009. 9. 10, 2007두20638).★

7. **구 교육공무원법에 의하여 기간제로 임용되어 임용기간이 만료된 국·공립대학의 교원은 재임용 여부에 관하여 심사를 요구할 신청권을 갖는다**(대판 2011. 1. 27, 2009다30946). **02** ★★★

8. (甲 등이 인터넷 포털사이트 등의 개인정보 유출사고로 자신들의 주민등록번호 등 개인정보가 불법 유출되자 이를 이유로 관할 구청장에게 주민등록번호를 변경해 줄 것을 신청하였으나 구청장이 '주민등록번호가 불법 유출된 경우 주민등록법상 변경이 허용되지 않는다.'는 이유로 주민등록번호 변경을 거부하는 취지의 통지를 한 사안에서) 피해자의 의사와 무관하게 주민등록번호가 유출된 경우에는 조리상 주민등록번호의 변경을 요구할 신청권을 인정함이 타당하고, 구청장의 주민등록번호 변경신청 거부행위는 항고소송의 대상이 되는 행정처분에 해당한다(대판 2017. 6. 15, 2013두2945). **03** ★★★

9. **방위사업법령 및 국방전력발전업무훈령에 따른 연구개발확인서 발급 및 그 거부는 행정처분이다.**
국방전력발전업무훈령 제113조의5 제1항에 의한 연구개발확인서 발급은 개발업체가 '업체투자연구개발' 방식 또는 '정부·업체공동투자연구개발' 방식으로 전력지원체계 연구개발사업을 성공적으로 수행하여 군사용 적합판정을 받고 국방규격이 제·개정된 경우에 사업관리기관이 개발업체에게 해당 품목의 양산과 관련하여 경쟁입찰에 부치지 않고 수의계약의 방식으로 국방조달계약을 체결할 수 있는 지위(경쟁입찰의 예외사유)가 있음을 인정해 주는 '확인적 행정행위'로서 공권력의 행사인 '처분'에 해당하고, **04** 연구개발확인서 발급 거부는 신청에 따른 처분 발급을 거부하는 '거부처분'에 해당한다(대판 2020. 1. 16, 2019다264700).

10. 공사중지명령에 있어서는 그 명령의 내용 자체로 또는 그 성질상으로 명령 이후에 그 원인사유가 해소되는 경우에는 잠정적으로 내린 당해 공사중지명령의 해제를 요구할 수 있는 권리를 위 명령의 상대방에게 인정하고 있다고 할 것이므로, 위 회사에게는 조리상으로 그 해제를 요구할 수 있는 권리가 인정된다(편저자 주 : 해제신청 거부의 처분성 인정)(대판 1997. 12. 26, 96누17745). **05** ★

② 거부의 처분성을 부정한 경우㉠

관련판례

1. **과거에 법률에 의하여 당연퇴직된 공무원의 복직 또는 재임용신청에 대한 행정청의 거부행위는 항고소송의 대상이 되는 행정처분에 해당하지 아니한다**(대판 2005. 11. 25, 2004두12421). **06** ★★★

2. **서울특별시의 '철거민에 대한 시영아파트 특별분양개선지침'의 법적 성질은 행정지침에 불과하므로 일반국민에게 신청권을 부여하는 것이 아니어서 서울특별시의 분양불허의 의사표시는 행정처분이 아니다.**
서울특별시의 '철거민에 대한 시영아파트 특별분양개선지침'은 서울특별시 내부의 행정지침에 불과하고 지침 소정의 사람에게 공법상의 분양신청권이 부여되는 것이 아니라 할 것이므로 서울특별시의 시영아파트에 대한 분양불허의 의사표시는 항고소송의 대상이 되는 행정처분으로 볼 수 없다(대판 1993. 5. 11, 93누2247).

정답 01 ○ 02 ○ 03 ○ 04 ○ 05 ○ 06 ×

3. **국 · 공립대학 교원 임용지원자에게는 임용 여부에 대한 응답신청권이 없으므로 임용거부통보는 행정처분이 아니다.01 ★**

국 · 공립대학 교원 임용지원자는 임용권자에게 임용 여부에 대한 응답을 신청할 법규상 또는 조리상 권리가 없다(대판 2003. 10. 23, 2002두12489).

4. **전통사찰의 등록말소신청을 거부한 행정청의 회신은 항고소송의 대상이 되는 거부처분에 해당하지 않는다**(대판 1999. 9. 3, 97누13641).

5. (경기도의 초등학교병설유치원에 임시강사로 채용되어 3년 이상 근무하여 온 자가 정규강사로 특별채용신청을 한 데 대해 경기도교육감이 이를 거부하자 거부처분취소소송을 제기한 사건에서) **교사특별채용신청에 대한 거부행위는 처분이 아니다.**

특별채용 대상자로서의 자격을 갖추고 있고, 원고 등과 유사한 지위에 있는 전임강사에 대하여는 피고가 정규교사로 특별채용한 전례가 있다 하더라도 그러한 사정만으로 임용지원자에 불과한 원고 등에게 피고에 대하여 교사로의 특별채용을 요구할 법규상 또는 조리상의 권리가 있다고 할 수는 없으므로,**02** 피고가 원고 등의 특별채용 신청을 거부하였다고 하여도 그 거부로 인하여 원고 등의 권리나 법적 이익에 어떤 영향을 주는 것이 아니어서 그 거부행위가 항고소송의 대상이 되는 행정처분에 해당한다고 할 수 없다(대판 2005. 4. 15, 2004두11626).

6. **전수교육 조교인 원고에게 중요무형문화재 보유자 추가인정에 관한 법규상 또는 조리상 신청권은 없다**(대판 2015. 12. 10, 2013두20585).

7. **업무상 재해를 당한 甲의 요양급여신청에 대하여 근로복지공단이 요양승인처분을 하면서 사업주를 乙 주식회사로 보아 요양승인 사실을 통지하자, 乙 회사가 甲이 자신의 근로자가 아니라고 주장하면서 사업주변경신청을 하였으나 근로복지공단이 거부통지를 한 사안에서, 위 통지는 항고소송의 대상이 되는 행정처분이 되지 않는다**(대판 2016. 7. 14, 2014두47426).

(5) 반복된 거부의 경우

판례는 신청에 대한 거부처분이 있은 후 동일한 내용의 새로운 신청에 대해 다시 거부의 의사표시를 한 경우에는 새로운 거부처분이 있은 것으로 보아 반복된 거부처분의 경우에도 처분성을 긍정하고 있다.

관련판례

1. **거부처분 이후 동일한 내용의 새로운 신청에 대하여 다시 거부한 경우, 새로운 거부처분이 있는 것으로 볼 수 있다.03 04 05 ★★**

거부처분은 관할행정청이 국민의 처분신청에 대하여 거절의 의사표시를 함으로써 성립되고, 그 이후 동일한 내용의 새로운 신청에 대하여 다시 거절의 의사표시를 한 경우에는 새로운 거부처분이 있는 것으로 보아야 할 것이다(대판 2002. 3. 29, 2000두6084).

2. 수익적 행정행위 신청에 대한 거부처분은 당사자의 신청에 대하여 관할행정청이 거절하는 의사를 대외적으로 명백히 표시함으로써 성립되고, 거부처분이 있은 후 당사자가 다시 신청을 한 경우에는 신청의 제목 여하에 불구하고 그 내용이 새로운 신청을 하는 취지라면 관할행정청이 이를 다시 거절하는 것은 새로운 거부처분으로 봄이 원칙이다(대판 2019. 4. 3, 2017두52764).

3. **수익적 행정처분을 구하는 신청에 대한 거부처분이 있은 후 당사자가 새로운 신청을 하는 취지로 다시 신청을 하였으나 행정청이 이를 다시 거절하는 것은 새로운 거부처분이라고 보아야 한다.**

(1) 甲의 공익사업시행자인 한국토지주택공사에 대한 이주자택지 공급대상자 선정 신청에 대한 이주대책대상에서 제외하는 결정 · 통보(이하 '1차 결정'이라고 한다)에 대해 甲이 증빙자료를 추가하여 한 이의신청은 새로운 신청이며, 이의신청을 받아들이지 않고 여전히 원고를 이주대책대상에서 제외한다고 한 이의신청 불수용결정 · 통보(이하 '2차 결정'이라고 한다)는 1차 결정과 별도로 행정심판 및 취소소송의 대상이 되는 '처분'(거부처분)으로 보아야 한다.

(2) 이 사건에서 피고 공사가 원고에게 2차 결정을 통보하면서 "2차 결정에 대하여 이의가 있는 경우 2차 결정 통보일부터 90일 이내에 행정심판이나 취소소송을 제기할 수 있다."라는 취지의 불복방법 안

기출 체크

□□□□□ **01** 국 · 공립대학 교원 임용지원자가 임용권자로부터 임용거부를 당하였다면 이는 거부처분으로서 항고소송의 대상이 된다. (○, ×) ★ 2016 국회직 8급

□□□□□ **02** 임용지원자가 특별채용 대상자로서 자격을 갖추고 있고 유사한 지위에 있는 자에 대하여 정규교사로 특별채용한 전례가 있다 하더라도, 교사로의 특별채용을 요구할 법규상 또는 조리상의 권리가 있다고 할 수 없다. (○, ×) 2022 국가직 9급

□□□□□ **03** (자영업에 종사하는 甲은 일정요건의 자영업자에게는 보조금을 지급하도록 한 법령에 근거하여 관할행정청에 보조금 지급을 신청하였으나 1차 거부되었고, 이후 다시 동일한 보조금을 신청하였다) 관할행정청이 다시 2차의 거부처분을 하더라도 甲은 2차 거부처분에 대해서는 취소소송으로 다툴 수 없다. (○, ×) ★★ 2020 지방직 · 서울시 7급

□□□□□ **04** 제1차 계고처분 이후 고지된 제2차, 제3차의 계고처분은 처분이 아니나, 거부처분이 있은 후 동일한 내용의 신청에 대하여 다시 거절의 의사표시를 한 경우에는 새로운 처분으로 본다. (○, ×) ★★ 2017 지방직(하) 9급

□□□□□ **05** 판례에 의할 때 거부처분 이후 동일한 내용의 새로운 신청에 대한 반복된 거부행위는 처분에 해당하지 않는다. (○, ×) ★★ 2010 세무사

정답 01 × 02 ○ 03 × 04 ○ 05 ×

기출 체크

□□□□□ 01 구 청소년보호법에 따른 청소년유해매체물 결정 및 고시처분은 일반 불특정 다수인을 상대방으로 하는 행정처분이다. (○, ×) ★★★ 2024 소방간부

□□□□□ 02 통설과 판례는 비권력적 사실행위를 처분개념에 포함시켜 항고소송의 대상으로 본다. (○, ×) 2008 세무사

□□□□□ 03 어업권면허에 선행하는 우선순위결정은 강학상의 확약에 불과하고 행정처분은 아니다. (○, ×) ★★★ 2009 지방직 9급

□□□□□ 04 (甲은 자신의 토지에 대한 개별공시지가결정을 통지받은 후 90일이 넘어 과세처분을 받았는데, 과세처분이 위법한 개별공시지가결정에 기초하였다는 이유로 과세처분의 취소를 구하고자 한다) 甲은 과세처분이 있기 전에는 개별공시지가결정에 대해서 취소소송을 제기할 수 없다. (○, ×) ★★★ 2021 국가직 9급

□□□□□ 05 표준지공시지가의 결정은 처분성을 가지지 않는다. (○, ×) ★★★ 2009 국회직 8급

□□□□□ 06 개발부담금 산정을 위한 개별공시지가결정(은 행정소송법상 '처분'에 해당한다) (○, ×) ★★★ 2019 서울시 1회 7급

정답 01 ○ 02 × 03 ○ 04 × 05 × 06 ○

내를 하였던 점을 보면, 피고 공사 스스로도 2차 결정이 행정절차법과 행정소송법이 적용되는 처분에 해당한다고 인식하고 있었음을 알 수 있고, 그 상대방인 원고로서도 2차 결정이 행정쟁송의 대상인 처분에 해당한다고 인식하였을 수밖에 없다고 보인다. 이와 같이 불복방법을 안내한 피고 공사가 이 사건 소가 제기되자 '처분성'이 인정되지 않는다는 본안전항변을 하는 것은 신의성실원칙(행정절차법 제4조)에도 어긋난다(대판 2021. 1. 14, 2020두50324).

4-1. 수익적 행정처분을 구하는 신청에 대한 거부처분이 있은 후 당사자가 다시 신청을 한 경우에는 신청의 제목 여하에 불구하고 그 내용이 새로운 신청을 하는 취지라면 관할행정청이 이를 다시 거절하는 것은 새로운 거부처분이라고 보아야 한다.

4-2. 나아가 어떠한 처분이 수익적 행정처분을 구하는 신청에 대한 거부처분이 아니라고 하더라도, 해당 처분에 대한 이의신청의 내용이 새로운 신청을 하는 취지로 볼 수 있는 경우에는, 그 이의신청에 대한 결정(기각결정 포함)의 통보를 새로운 처분으로 볼 수 있다(대판 2022. 3. 17, 2021두53894).

6. 그 밖에 이에 준하는 행정작용

그 밖에 이에 준하는 행정작용이란 전형적인 처분개념에는 해당하지 않더라도 행정소송의 대상이 될 수 있는 작용으로서, 어떤 작용이 이에 해당하는지는 학설 · 판례에 맡겨져 있다.

❸ 개별적 검토

개념요소와 관련하여 처분성이 인정되는 것을 살펴보았는데, 기타 처분성 인정 여부와 관련하여 주요한 것을 검토하면 다음과 같다.

1. 일반처분

일반처분은 행정행위로서 소송법상의 처분에 해당한다.

관련판례

구 청소년보호법에 따른 청소년유해매체물 결정 · 고시처분은 행정처분이다.01 ★★★

구 청소년보호법에 따른 청소년유해매체물 결정 및 고시처분은 당해 유해매체물의 소유자 등 특정인만을 대상으로 한 행정처분이 아니라 일반 불특정 다수인을 상대방으로 하여 일률적으로 표시의무, 포장의무, 청소년에 대한 판매 · 대여 등의 금지의무 등 각종 의무를 발생시키는 행정처분으로, …… (대판 2007. 6. 14, 2004두619)

2. 사실행위

권력적 사실행위의 경우에는 처분성을 긍정하나 비권력적 사실행위의 경우에는 처분성을 부정함이 통설의 입장이다.02 예컨대, 경찰관의 교통사고조사서는 행정처분이 아니다.

3. 확 약

어업권면허에 선행하는 우선순위결정과 같은 확약에 대해서는 처분성을 부정함이 판례의 입장이다.03

4. 공시지가결정

표준공시지가결정(대판 1994. 3. 8, 93누10828)과 개별공시지가결정(대판 1994. 2. 8, 93누111)에 대해 처분성을 긍정함이 판례의 입장이다.04 05 06

5. 반복된 행위

대집행법상 2차 · 3차의 계고처분, 국세징수법상 2차 독촉과 같은 반복된 행위의 경우에는 처분성을 부정하나,01 반복된 거부처분의 경우에는 처분성을 긍정하는 것이 판례의 입장이다.

6. 공부의 기재행위

자동차운전면허대장, 임야대장 등의 기재행위에 대해서는 처분성을 부정하고 있으나, 토지분할신청 거부행위, 지목변경신청반려(거부)행위 등에 대해서는 처분성을 긍정함이 판례의 입장이다.02

7. 국가인권위원회의 성희롱결정과 시정조치의 권고

국가인권위원회의 성희롱결정과 이에 따른 시정조치의 권고에 대해서는 처분성을 긍정함이 판례의 입장이다.

8. 경정처분

경정처분이란 과세처분 등을 한 뒤 그 처분을 증액 또는 감액하는 내용의 처분을 말한다. 이때 당초의 처분과 경정처분 중 어느 것이 항고소송의 대상이 되는지가 문제된다.

(1) 감액경정처분

감액경정처분은 일부취소로서 행정법상 허용된다. 이 경우 소송대상은 경정처분인지 당초처분인지가 문제되는데, 감액경정처분의 경우에는 감액되고 남은 당초처분이 취소소송의 대상이 되며 제소기간의 준수 여부도 당초처분을 기준으로 판단하여야 한다는 것이 판례의 입장이다.

관련판례

1. **당초 과세처분에 취소사유인 하자가 있는 경우, 특별한 사정이 없는 한 과세관청이 하자가 있는 부분의 세액을 감액하는 경정처분은 일부취소로서 허용된다**(대판 2006. 3. 9, 2003두2861).

2. **행정청이 과징금 부과처분을 하였다가 감액처분을 한 것에 대하여 그 감액처분으로도 아직 취소되지 않고 남아 있는 부분이 위법하다고 하여 다투는 경우 항고소송의 대상은 처음의 부과처분 중 감액처분에 의하여 취소되지 않고 남은 부분이고 감액처분이 항고소송의 대상이 되는 것은 아니다.03 04 05 ★★★**

   과징금 부과처분에서 행정청이 납부의무자에 대하여 부과처분을 한 후 그 부과처분의 하자를 이유로 과징금의 액수를 감액하는 경우에 그 감액처분은 감액된 과징금 부분에 관하여만 법적 효과가 미치는 것으로서 처음의 부과처분과 별개 독립의 과징금 부과처분이 아니라 그 실질은 당초 부과처분의 변경이고, 그에 의하여 과징금의 일부취소라는 납부의무자에게 유리한 결과를 가져오는 처분이므로 처음의 부과처분이 전부 실효되는 것은 아니며, 그 감액처분으로도 아직 취소되지 않고 남아 있는 부분이 위법하다고 하여 다투는 경우 항고소송의 대상은 처음의 부과처분 중 감액처분에 의하여 취소되지 않고 남은 부분이고 감액처분이 항고소송의 대상이 되는 것은 아니다(대판 2008. 2. 15, 2006두3957).

3. 과세표준과 세액을 감액하는 경정처분은 당초의 부과처분과 별개 독립의 과세처분이 아니라 그 실질은 당초의 부과처분의 변경이고, 그에 의하여 세액의 일부취소라는 납세자에게 유리한 효과를 가져오는 처분이므로, 그 경정처분으로도 아직 취소되지 아니하고 남아 있는 부분이 위법하다 하여 다투는 경우, 항고소송의 대상은 당초의 부과처분 중 경정처분에 의하여 아직 취소되지 않고 남은 부분이고, 그 경정처분이 항고소송의 대상이 되는 것은 아니며, 이 경우 적법한 전심절차를 거쳤는지 여부도 당초처분을 기준으로 판단하여야 한다(대판 2009. 5. 28, 2006두16403).06

4. **행정청이 산업재해보상보험법에 의한 보험급여 수급자에 대하여 부당이득 징수결정을 한 후 그 하자를 이유로 징수금 액수를 감액하는 경우, 감액처분으로도 아직 취소되지 않고 남은 부분을 다투고자 하는 경우 항고소송의 대상은 감액처분이 아니라 감액되고 남아 있는 당초처분이다.07 ★★★**

기출 체크

□□□□□ **01** 반복된 제2차 대집행계고(는 항고소송의 대상이 되는 행정처분이다) (○, ×) ★★★ 2016 서울시 9급

□□□□□ **02** 지적공부 소관청의 지목변경신청반려행위는 국민의 권리관계에 영향을 미치는 것으로서 항고소송의 대상이 되는 행정처분에 해당한다. (○, ×) ★★★ 2017 국가직(하) 9급

□□□□□ **03** 행정청이 금전부과처분을 한 후 감액처분을 한 경우에 감액되고 남은 부분이 위법하다고 다투고자 할 때에는 감액처분 자체를 항고소송의 대상으로 삼아야 한다. (○, ×) ★★★ 2017 국가직(하) 7급

□□□□□ **04** 이미 확정된 과세처분에 대해 감액경정한 경우 행정소송의 대상은 감액처분이다. (○, ×) ★★★ 2008 관세사

□□□□□ **05** 甲은 관할 A행정청으로부터 2011년 10월 1일 300만원의 과징금 부과처분을 받았고, 동년 10월 15일 200만원으로 감액되었다. 이후 동년 10월 20일 甲에 대한 과징금 부과권한이 A행정청에서 B행정청으로 승계가 되었고, 甲은 과징금 부과처분에 대하여 동년 10월 30일에 취소소송을 제기하려 한다. 판례에 의할 때, 취소소송의 대상과 피고는? ★★★ 2011 국회속기직 9급

① 10월 1일자 과징금 300만원 처분에 대하여 A행정청을 피고로
② 10월 15일자 과징금 200만원 처분에 대하여 A행정청을 피고로
③ 10월 1일자 과징금 200만원 처분에 대하여 B행정청을 피고로
④ 10월 15일자 과징금 200만원 처분에 대하여 B행정청을 피고로
⑤ 10월 15일자 100만원 감액처분에 대하여 B행정청을 피고로

□□□□□ **06** 감액경정처분이 있는 경우, 항고소송의 대상은 당초의 부과처분 중 경정처분에 의하여 아직 취소되지 않고 남은 부분이고, 적법한 전심절차를 거쳤는지 여부도 당초처분을 기준으로 판단하여야 한다. (○, ×) 2019 지방직 7급

□□□□□ **07** 산업재해보상보험법상 보험급여의 부당이득 징수결정의 하자를 이유로 징수금을 감액하는 경우 감액처분으로도 아직 취소되지 않고 남아 있는 부분이 위법하다 하여 다툴 때에는, 제소기간의 준수 여부는 감액처분을 기준으로 판단해야 한다. (○, ×) ★★★ 2017 지방직 9급

정답 01 × 02 ○ 03 × 04 × 05 ③(피고는 승계한 행정청인 B, 대상은 감액되고 남은 당초처분인 10월 1일자 과징금 200만원 처분) 06 ○ 07 ×

기출 체크

□□□□□ 01 이미 확정된 과세처분에 대해 증액경정한 경우 행정소송의 대상은 원처분이다. (○, ×) ★★★ 2008 관세사

□□□□□ 02 취소사유인 절차적 하자가 있는 당초 과세처분에 대하여 증액경정처분이 있는 경우, 소멸한 당초처분의 절차적 하자는 존속하는 증액경정처분에 승계되지 않는다. (○, ×) ★★ 2023 국회직 8급

□□□□□ 03 부가가치세 증액경정처분의 취소를 구하는 항고소송에서 납세의무자는 과세관청의 증액경정사유만 다툴 수 있을 뿐이지 당초신고에 관한 과다신고 사유는 함께 주장하여 다툴 수 없다. (○, ×) ★★ 2018 지방직 9급

□□□□□ 04 판례는 통고처분을 행정소송의 대상이 되는 행정처분이 아니라고 보고 있다. (○, ×) ★★★ 2018 소방직 9급

□□□□□ 05 검사의 공소제기가 적법절차에 따라 정당하게 이루어진 것인지 여부에 관계없이 검사의 공소에 대하여는 형사소송절차에 의하여서만 다툴 수 있고, 행정소송의 방법으로 공소의 취소를 구할 수 없다. (○, ×) ★★★ 2020 국회직 8급

□□□□□ 06 행정소송법 제2조 소정의 행정처분이라고 하더라도 그 처분의 근거 법률에서 행정소송 이외의 다른 절차에 의하여 불복할 것을 예정하고 있는 처분은 항고소송의 대상이 될 수 없다. (○, ×) ★★★ 2019 서울시 2회 7급

□□□□□ 07 검사의 불기소결정은 공권력의 행사에 포함되므로, 검사의 자의적인 수사에 의하여 불기소결정이 이루어진 경우 그 불기소결정은 처분에 해당한다. (○, ×) ★★★ 2019 국가직 9급

정답 01 × 02 ○ 03 × 04 ○ 05 ○ 06 ○ 07 ×

행정청이 산업재해보상보험법에 의한 보험급여 수급자에 대하여 부당이득 징수결정을 한 후 징수결정의 하자를 이유로 징수금 액수를 감액하는 경우에 감액처분은 감액된 징수금 부분에 관해서만 법적 효과가 미치는 것으로서 당초 징수결정과 별개 독립의 징수금 결정처분이 아니라 그 실질은 처음 징수결정의 변경이고, 그에 의하여 징수금의 일부취소라는 징수의무자에게 유리한 결과를 가져오는 처분이므로 징수의무자에게는 그 취소를 구할 소의 이익이 없다. 이에 따라 감액처분으로도 아직 취소되지 않고 남아 있는 부분이 위법하다 하여 다투고자 하는 경우, 감액처분을 항고소송의 대상으로 할 수는 없고, 당초 징수결정 중 감액처분에 의하여 취소되지 않고 남은 부분을 항고소송의 대상으로 할 수 있을 뿐이며, 그 결과 제소기간의 준수 여부도 감액처분이 아닌 당초처분을 기준으로 판단해야 한다(대판 2012. 9. 27, 2011두27247).

5. 구 국세기본법은 "국세의 과세표준 및 세액의 결정을 받은 자는 각 호의 어느 하나에 해당하는 사유가 발생하였을 때에는 그 사유가 발생한 것을 안 날부터 2개월 이내에 경정을 청구할 수 있다."고 규정하고 있는바, 경정청구기간이 도과한 후에 제기된 경정청구는 부적법하여 과세관청이 과세표준 및 세액을 결정 또는 경정하거나 거부처분을 할 의무가 없으므로, 과세관청이 경정을 거절하였다고 하더라도 이를 항고소송의 대상이 되는 거부처분으로 볼 수 없다(대판 2017. 8. 23, 2017두38812).

(2) 증액경정처분

판례는 증액경정처분의 경우에는 당초처분은 증액경정처분에 흡수되므로 증액경정처분만이 취소소송의 대상이 된다고 보았다.01

관련판례

1. **당초처분의 절차적 하자가, 존속하는 증액경정처분에 승계되는 것은 아니다.**
   증액경정처분이 있는 경우 당초처분은 증액경정처분에 흡수되어 소멸하고, 소멸한 당초처분의 절차적 하자는 존속하는 증액경정처분에 승계되지 아니한다(대판 2010. 6. 24, 2007두16493).02 ★★

2. 납세의무자는 증액경정처분의 취소를 구하는 항고소송에서 과세관청의 증액경정사유뿐만 아니라 당초신고에 관한 과다신고사유도 함께 주장하여 다툴 수 있다고 할 것이다(대판 2013. 4. 18, 2010두11733 전합).03 ★★

9. 특별한 불복제도를 두고 있는 경우

통고처분,04 과태료처분, 검사의 공소제기, 불기소처분 등 특별한 불복절차를 규정하고 있는 경우에는 행정소송의 대상이 되는 처분이 아니다.

관련판례

1. **검사의 공소는 행정소송의 대상이 되는 처분이 아니다.★★★**
   검사의 공소제기가 적법절차에 의하여 정당하게 이루어진 것이냐의 여부에 관계없이 검사의 공소에 대하여는 형사소송절차에 의하여서만 이를 다툴 수 있고 행정소송의 방법으로 공소의 취소를 구할 수는 없다(대판 2000. 3. 28, 99두11264).05

2. 행정소송법 제2조의 처분의 개념 정의에는 해당한다고 하더라도 그 처분의 근거 법률에서 행정소송 이외의 다른 절차에 의하여 불복할 것을 예정하고 있는 처분은 항고소송의 대상이 될 수 없다.06 검사의 불기소결정에 대해서는 검찰청법에 의한 항고와 재항고, 형사소송법에 의한 재정신청에 의해서만 불복할 수 있는 것이므로, 이에 대해서는 행정소송법상 항고소송을 제기할 수 없다(대판 2018. 9. 28, 2017두47465).07 ★★★

10. 경 고

경고가 상대방의 권리 · 의무에 직접 영향을 미치는 경우 항고소송의 대상이 되는 행정처분이 되며, 직접 영향을 미치지 않는 경우라면 행정처분이 아니다.㉠

관련판례

1. **금융기관의 '임원'에 대한 금융감독원장의 문책경고는 항고소송의 대상이 되는 행정처분에 해당한다.01 ★★★**
   금융기관의 임원에 대한 금융감독원장의 문책경고는 그 상대방에 대한 직업선택의 자유를 직접 제한하는 효과를 발생하게 하는 등 상대방의 권리 · 의무에 직접 영향을 미치는 행위로서 항고소송의 대상이 되는 행정처분에 해당한다(대판 2005. 2. 17, 2003두14765).

2. **공무원징계양정규칙(행정규칙)에 의한 불문경고조치는 항고소송의 대상이 되는 행정처분에 해당한다.02 ★★★**
   행정규칙에 의한 '불문경고조치'가 비록 법률상의 징계처분은 아니지만 위 처분을 받지 아니하였다면 차후 다른 징계처분이나 경고를 받게 될 경우 징계감경사유로 사용될 수 있었던 표창공적의 사용가능성을 소멸시키는 효과와 1년 동안 인사기록카드에 등재됨으로써 그동안은 장관표창이나 도지사표창 대상자에서 제외시키는 효과 등이 있다는 이유로 항고소송의 대상이 되는 행정처분에 해당한다(대판 2002. 7. 26, 2001두3532).

3. 검찰총장이 사무검사 및 사건평정을 기초로 대검찰청 자체감사규정 제23조 제3항, 「검찰공무원의 범죄 및 비위 처리지침」 제4조 제2항 제2호 등에 근거하여 검사에 대하여 하는 '경고조치'는 일정한 서식에 따라 검사에게 개별 통지를 하고 이의신청을 할 수 있으며, 검사가 검찰총장의 경고를 받으면 1년 이상 감찰관리 대상자로 선정되어 특별관리를 받을 수 있고, 경고를 받은 사실이 인사자료로 활용되어 복무평정, 직무성과금 지급, 승진 · 전보인사에서도 불이익을 받게 될 가능성이 높아지며, 향후 다른 징계사유로 징계처분을 받게 될 경우에 징계양정에서 불이익을 받게 될 가능성이 높아지므로, 검사의 권리 · 의무에 영향을 미치는 행위로서 항고소송의 대상이 되는 처분이라고 보아야 한다(대판 2021. 2. 10, 2020두47564).

4. **공무원이 소속장관으로부터 받은 '서면에 의한 경고'는 국가공무원법상의 징계처분이나 행정소송의 대상이 되는 행정처분이라고 할 수 없다.**
   공무원이 소속장관으로부터 받은 "직상급자와 다투고 폭언하는 행위 등에 대하여 엄중 경고하니 차후 이러한 사례가 없도록 각별히 유념하기 바람."이라는 내용의 서면에 의한 경고가 공무원의 신분에 영향을 미치는 국가공무원법상 징계의 종류에 해당하지 아니하고, 근무충실에 관한 권고행위 내지 지도행위로서 그 때문에 공무원의 신분에 불이익을 초래하는 법률상 효과가 발생하는 것도 아니므로, 경고가 국가공무원법상의 징계처분이나 행정소송의 대상이 되는 행정처분이라고 할 수 없어 그 취소를 구할 법률상의 이익이 없다(대판 1991. 11. 12, 91누2700).

5. **금융감독원장이 종합금융주식회사의 '전 대표이사'에게 '문책경고장(상당)'을 보낸 행위는 항고소송의 대상이 되는 행정처분이 아니다.**
   금융감독원장이 종합금융주식회사의 전 대표이사에게 재직 중 위법 · 부당행위 사례를 첨부하여 금융관련법규를 위반하고 신용질서를 심히 문란하게 한 사실이 있다는 내용으로 '문책경고장(상당)'을 보낸 행위가 항고소송의 대상이 되는 행정처분에 해당하지 아니한다(대판 2005. 2. 17, 2003두10312).03

11. 재량행위의 경우

재량행위도 행정행위로서 소송법상 처분에 해당하므로 취소소송의 대상이 된다.04 다만, 재량행위가 부당함에 그치는 경우라면 위법하다고 볼 수 없으므로 법원이 취소할 수는 없다(p.229 참조).

기출 체크

□□□□□ **01** 금융기관 임원에 대한 금융감독원장의 문책경고는 상대방의 권리 · 의무에 직접 영향을 미치지 않으므로 행정소송의 대상이 되는 처분에 해당하지 않는다. (○, ×) ★★★ 2018 지방직 9급

□□□□□ **02** 판례에 의하면, 행정규칙에 의한 불문경고조치는 차후 징계감경사유로 작용할 수 있는 표창대상자에서 제외되는 등의 인사상 불이익을 줄 수 있다 하여도 이는 간접적 효과에 불과하므로 항고소송의 대상인 행정처분에 해당하지 않는다. (○, ×) ★★★ 2018 서울시 1회 7급

□□□□□ **03** 금융감독원장이 종합금융주식회사의 전 대표이사에게 재직 중 위법 · 부당행위 사례를 첨부하여 금융 관련 법규를 위반하고 신용질서를 심히 문란하게 한 사실이 있다는 내용으로 '문책경고장(상당)'을 보낸 행위(는 판례가 처분성을 인정한다) (○, ×) 2024 국회직 8급

□□□□□ **04** 행정청의 재량행위에 속하는 처분은 취소소송의 대상이 되지 않는다. (○, ×) ★★ 2012 지방직 9급

판례 | ㉠ 구 「서울특별시 교육 · 학예에 관한 감사규칙」 제11조 '서울특별시교육청 감사결과 지적사항 및 법률위반 공무원 처분기준'에 정해진 경고는 항고소송의 대상이 되는 행정처분에 해당하지 않는다(대판 2004. 4. 23, 2003두13687).

✚ 위 판례는 p.827의 2번 판례(대판 2002. 7. 26, 2001두3532)와 구별을 요한다. 공무원징계양정규칙(교육공무원징계양정규칙 포함)에 의한 경고는 인사기록카드에 등재되며, 포상추천제한사유에 해당되는 등 구체적인 불이익이 가해지므로 행정처분이나, 감사규칙 등에 정해진 경고는 구체적인 불이익이 없으므로 행정처분이 아니라는 것이 판례의 입장이다.

정답 01 × 02 × 03 × 04 ×

12. 기 타

기타 처분성과 관련하여 주요한 판례를 검토하면 다음과 같다.

(1) 처분성을 긍정한 판례의 구체적 검토

관련판례

1. **산업재해보상보험법상 장해보상금결정의 기준이 되는 장해등급결정은 처분이다**(대판 2002. 4. 26, 2001두8155).**02** ★

2. **변상금 부과처분은 행정처분이다**(대판 2000. 1. 14, 99두9735).

3-1. **어떠한 처분의 근거가 행정규칙에 규정되어 있다고 하더라도, 그 처분이 상대방에게 권리의 설정 또는 의무의 부담을 명하거나 기타 법적인 효과를 발생하게 하는 등으로 그 상대방의 권리 · 의무에 직접 영향을 미치는 행위라면, 이 경우에도 항고소송의 대상이 되는 행정처분에 해당한다.03** ★★★

3-2. **정부 간 항공노선의 개설에 관한 잠정협정 및 비밀양해각서와 건설교통부(현 국토교통부) 내부지침에 의한 항공노선에 대한 운수권배분처분은 항고소송의 대상이 되는 행정처분에 해당한다.04** ★★★

항고소송의 대상이 되는 행정처분이라 함은 원칙적으로 행정청의 공법상 행위로서 특정사항에 대하여 법규에 의한 권리의 설정 또는 의무의 부담을 명하거나 기타 법률상 효과를 발생하게 하는 등으로 일반국민의 권리 · 의무에 직접 영향을 미치는 행위를 가리키는 것이지만, 어떠한 처분의 근거가 행정규칙에 규정되어 있다고 하더라도, 그 처분이 상대방에게 권리의 설정 또는 의무의 부담을 명하거나 기타 법적인 효과를 발생하게 하는 등으로 그 상대방의 권리 · 의무에 직접 영향을 미치는 행위라면, 이 경우에도 항고소송의 대상이 되는 행정처분에 해당한다(대판 2004. 11. 26, 2003두10251 · 10268).

4. **과세관청의 원천징수의무자인 법인에 대한 소득금액변동통지는 항고소송의 대상이 되는 행정처분이다.05** ★★

과세관청의 소득처분과 그에 따른 소득금액변동통지가 있는 경우 원천징수의무자인 법인은 소득금액변동통지서를 받은 날에 그 통지서에 기재된 소득의 귀속자에게 당해 소득금액을 지급한 것으로 의제되어 그때 원천징수하는 소득세의 납세의무가 성립함과 동시에 확정되고, 원천징수의무자인 법인으로서는 소득금액변동통지서에 기재된 소득처분의 내용에 따라 원천징수세액을 그 다음 달 10일까지 관할세무서장 등에게 납부하여야 할 의무를 부담하며, …… (대판 2006. 4. 20, 2002두1878 전합)

5. **토지보상법상 사업인정은 수용권을 설정해 주는 행정처분이다.** ★★

토지수용법(현 토지보상법) 제14조의 규정에 의한 사업인정은 그 후 일정한 절차를 거칠 것을 조건으로 하여 일정한 내용의 수용권을 설정해 주는 행정처분의 성격을 띠는 것으로서 …… (대판 1994. 11. 11, 93누19375)**06 07**

6. **「국토의 계획 및 이용에 관한 법률」(현 「부동산 거래신고 등에 관한 법률」)상 토지거래허가구역의 지정은 소송대상인 행정처분이다.** ★

토지거래계약에 관한 허가구역의 지정은 개인의 권리 내지 법률상의 이익을 구체적으로 규제하는 효과를 가져오게 하는 행정청의 처분에 해당하고, 이에 대하여는 원칙적으로 항고소송을 제기할 수 있다(대판 2006. 12. 22, 2006두12883).

7. **구 「남녀차별금지 및 구제에 관한 법률」상 국가인권위원회의 성희롱결정 및 시정조치권고는 행정소송의 대상이 되는 행정처분에 해당한다.08** ★★★

국가인권위원회의 성희롱결정과 이에 따른 시정조치의 권고는 불가분의 일체로 행하여지는 것인데 국가인권위원회의 이러한 결정과 시정조치의 권고는 성희롱 행위자로 결정된 자의 인격권에 영향을 미침과 동시에 공공기관의 장 또는 사용자에게 일정한 법률상의 의무를 부담시키는 것이므로 국가인권위원회의 성희롱결정 및 시정조치권고는 행정소송의 대상이 되는 행정처분에 해당한다고 보지 않을 수 없다(대판 2005. 7. 8, 2005두487).

8. **노동조합법 제16조에 따른 노동조합규약의 변경보완시정명령은 행정처분에 해당한다**(대판 1993. 5. 11, 91누10787).

기출 체크

□□□□□ **01** 농지처분의무통지는 단순한 관념의 통지에 불과하다고 볼 수 없고, 상대방인 농지소유자의 의무에 직접 관계되는 독립한 행정처분으로서 항고소송의 대상이 된다. (○, ×) 2021 소방직 9급

□□□□□ **02** 병역처분의 자료로 군의관이 하는 병역법상의 신체등급판정은 처분이나, 산업재해보상보험법상 장해보상금 결정의 기준이 되는 장해등급결정은 처분이 아니다. (○, ×) ★ 2017 지방직(하) 9급

□□□□□ **03** 행정규칙에 근거한 처분이라도 상대방의 권리 · 의무에 직접 영향을 미치는 행위라면 항고소송의 대상이 되는 행정처분에 해당한다. (○, ×) ★★★ 2024 국회직 8급

□□□□□ **04** 항공노선에 대한 운수권배분은 항고소송의 대상이 되는 행정처분에 해당한다. (○, ×) ★★★ 2012 지방직 9급

□□□□□ **05** 원천징수의무자인 법인에 대한 소득금액변동통지는 법인의 납세의무에 직접 영향을 미치므로 항고소송의 대상이 되는 처분이다. (○, ×) ★★ 2020 국회직 8급

□□□□□ **06** 사업인정은 공익사업의 시행자에게 그 후 일정한 절차를 거칠 것을 조건으로 일정한 내용의 수용권을 설정하여 주는 형성행위이다. (○, ×) ★★ 2023 지방직 · 서울시 9급

□□□□□ **07** 사업인정은 공익사업의 시행자에게 그 후 일정한 절차를 거칠 것을 조건으로 일정한 내용의 수용권을 설정하여 주는 행정처분이다. (○, ×) ★★ 2021 경행경채 변형

□□□□□ **08** 국가인권위원회의 성희롱결정과 이에 따른 시정조치의 권고는 불가분의 일체로 행하여지는 것인데, 이는 비권력적 사실행위로서 행정소송의 대상이 되는 행정처분이 아니다. (○, ×) ★★★ 2018 소방직 9급

판례 | ㉠ 구 농지법상 농지처분의무의 통지는 통지를 전제로 농지처분명령 및 이행강제금 부과 등의 일련의 절차가 진행되는 점에서 독립한 행정처분이다.
시장 등 행정청은 구 농지법 제10조 제1항 제7호에 정한 사유의 유무, 즉 농지의 소유자가 위 농업경영계획서의 내용을 이행하였는지 여부 및 그 불이행에 정당한 사유가 있는지 여부를 판단하여 그 사유를 인정한 때에는 반드시 농지처분의무통지를 하여야 하는 점, 위 통지를 전제로 농지처분명령, 같은 법 제65조에 의한 이행강제금부과 등의 일련의 절차가 진행되는 점 등을 종합하여 보면, 농지처분의무통지는 단순한 관념의 통지에 불과하다고 볼 수는 없고, 상대방인 농지소유자의 의무에 직접 관계되는 독립한 행정처분으로서 항고소송의 대상이 된다(대판 2003. 11. 14, 2001두8742).**01**

정답 01 ○ 02 ×(p.818 참조) 03 ○ 04 ○ 05 ○ 06 ○ 07 ○ 08 ×

9. **재건축조합이 행하는 도시재개발법(현 「도시 및 주거환경정비법」)상의 관리처분계획은 항고소송의 대상이 되는 행정처분으로 이를 다투는 경우 조합을 피고로 하여 항고소송을 제기하여야 한다**(대판 2002. 12. 10, 2001두6333). **01** ★★★

10. **정보통신윤리위원회(현 방송통신심의위원회)가 특정 인터넷사이트를 청소년유해매체물로 결정한 행위는 항고소송의 대상이 되는 행정처분에 해당한다. 02** ★★

피고의 결정에 이은 고시 요청에 기하여 청소년보호위원회는 실질적 심사 없이 청소년유해매체물로 고시하여야 하고 이에 따라 당해 매체물에 관하여 구 청소년보호법상의 각종 의무가 발생하는 점 …… (대판 2007. 6. 14, 2005두4397)

11. **친일반민족행위자재산조사위원회의 재산조사개시결정은 행정처분으로서 항고소송의 대상이 된다.** ★

친일반민족행위자재산조사위원회의 재산조사개시결정이 있는 경우 조사대상자는 위 위원회의 보전처분 신청을 통하여 재산권행사에 실질적인 제한을 받게 되고, 위 위원회의 자료제출요구나 출석요구 등의 조사행위에 응하여야 하는 법적 의무를 부담하게 되는 점 …… (대판 2009. 10. 15, 2009두6513)

12. **공정거래위원회의 '표준약관 사용권장행위'는 항고소송의 대상이 되는 처분이다. 03** ★★★

공정거래위원회의 '표준약관 사용권장행위'는 그 통지를 받은 해당 사업자 등에게 표준약관과 다른 약관을 사용할 경우 표준약관과 다르게 정한 주요 내용을 고객이 알기 쉽게 표시하여야 할 의무를 부과하고, 그 불이행에 대해서는 과태료에 처하도록 되어 있으므로, 이는 사업자 등의 권리 · 의무에 직접 영향을 미치는 행정처분으로서 항고소송의 대상이 된다(대판 2010. 10. 14, 2008두23184).

13. **방산물자 지정취소는 항고소송의 대상이 되는 행정처분에 해당한다.**

방산물자 지정이 취소되는 경우 당해 물자에 대한 방산업체 지정도 취소될 수밖에 없다고 보아야 한다. …… 결국 방산물자 지정취소는 당해 방산물자에 대하여 방산업체로 지정되어 이를 생산하는 자의 권리 · 의무에 직접 영향을 미치는 행위로서 항고소송의 대상이 되는 행정처분에 해당한다(대판 2009. 12. 24, 2009두12853).

14. **수급자에게 퇴직연금이 잘못 지급된 경우, 과다하게 지급된 급여의 환수를 위한 행정청의 환수통지는 행정처분에 해당한다.**

공무원연금법(1995. 12. 29, 법률 제5117호로 개정되기 전의 것, 이하 같다) 제47조 각 호 소정의 급여제한사유가 있음에도 불구하고 수급자에게 퇴직연금이 잘못 지급되었으면 이는 공무원연금법 제31조 제1항 제3호의 '기타 급여가 과오급된 경우'에 해당하고, 이때 과다하게 지급된 급여의 환수를 위한 행정청의 환수통지는 당사자에게 새로운 의무를 과하거나 권익을 제한하는 것으로서 행정처분에 해당한다(대판 2009. 5. 14, 2007두16202).

15. **행정청이 건축물에 관한 건축물대장을 직권말소한 행위는 항고소송의 대상이 되는 행정처분에 해당한다.** ★

건축물대장은 건축물에 대한 공법상의 규제, 지방세의 과세대상, 손실보상가액의 산정 등 건축행정의 기초자료로서 공법상의 법률관계에 영향을 미칠 뿐만 아니라, 건축물에 관한 소유권보존등기 또는 소유권이전등기를 신청하려면 이를 등기소에 제출하여야 하는 점 등을 종합해 보면, 건축물대장은 건축물의 소유권을 제대로 행사하기 위한 전제요건으로서 건축물 소유자의 실체적 권리관계에 밀접하게 관련되어 있으므로, 이러한 건축물대장을 직권말소한 행위는 국민의 권리관계에 영향을 미치는 것으로서 항고소송의 대상이 되는 행정처분에 해당한다(대판 2010. 5. 27, 2008두22655).

16. **지적공부 소관청이 토지대장을 직권으로 말소한 행위는 항고소송의 대상이 되는 행정처분에 해당한다**(대판 2013. 10. 24, 2011두13286). **04 05** ★★

17. (평택~시흥 간 고속도로 건설공사 사업시행자인 한국도로공사가 구 지적법 제24조 제1항, 제28조 제1호에 따라 고속도로 건설공사에 편입되는 토지소유자들을 대위하여 토지면적등록 정정신청을 하였으나 화성시장이 이를 반려한 사안에서) **토지면적등록 정정신청 반려처분은 항고소송 대상이 되는 행정처분에 해당한다. 06** ★★

토지면적등록 정정신청을 하였으나 화성시장이 이를 반려한 사안에서, 반려처분은 공공사업의 원활

기출 체크

□□□□□ **01** 재건축조합이 행하는 관리처분계획은 일종의 행정처분으로서 이를 다투고자 하면 재건축조합을 피고로 하여 항고소송으로 이를 다투어야 한다. (○, ×) ★★★ 2016 국회직 8급

□□□□□ **02** 정보통신윤리위원회(행위 당시)가 특정 인터넷 웹사이트를 청소년유해매체물로 결정하고 청소년보호위원회(행위 당시)가 효력발생시기를 명시하여 고시하는 행위는 행정소송법상의 처분에 해당한다. (○, ×) ★★ 2010 지방직 9급

□□□□□ **03** 구 「약관의 규제에 관한 법률」에 따른 공정거래위원회의 표준약관 사용권장행위(는 항고소송의 대상이 되는 처분에 해당한다) (○, ×) ★★★ 2019 서울시 9급

□□□□□ **04** 지적공부 소관청이 토지대장을 직권으로 말소하는 행위는 항고소송의 대상이 되는 행정처분에 해당한다. (○, ×) ★★ 2019 지방직 7급

□□□□□ **05** 다음 중 판례에 의해 항고소송의 대상으로 인정되는 것만을 모두 고른 것은? ★★ 2014 지방직 7급

㉠ 시험승진후보자명부에서의 등재자 성명 삭제행위
㉡ 도시계획구역 내 토지소유자의 도시계획입안신청에 대한 입안권자의 거부행위
㉢ 지적공부 소관청의 토지대장 직권 말소행위
㉣ 공정거래위원회의 표준약관 사용권장행위
㉤ 세무서장의 법인세 과세표준결정행위

① ㉠, ㉡, ㉢ ② ㉡, ㉢, ㉣
③ ㉢, ㉣, ㉤ ④ ㉠, ㉣, ㉤

□□□□□ **06** 사업시행자인 한국도로공사가 구 지적법에 따라 고속도로건설공사에 편입되는 토지소유자들을 대위하여 토지면적등록 정정신청을 하였으나 관할 행정청이 이를 반려하였다면, 이러한 반려행위는 항고소송 대상이 되는 행정처분에 해당한다. (○, ×) ★★ 2019 지방직 · 교육행정직 9급

정답 01 ○ 02 ○ 03 ○ 04 ○ 05 ② 06 ○

한 수행을 위하여 부여된 사업시행자의 관계법령상 권리 또는 이익에 영향을 미치는 공권력의 행사 또는 그 거부에 해당하는 것으로서 항고소송 대상이 되는 행정처분에 해당한다(대판 2011. 8. 25, 2011두3371).

18. 세무조사결정은 항고소송의 대상이 되는 행정처분에 해당한다.★★★

부과처분을 위한 과세관청의 질문조사권이 행해지는 세무조사결정이 있는 경우 납세의무자는 세무공무원의 과세자료 수집을 위한 질문에 대답하고 검사를 수인하여야 할 법적 의무를 부담하게 되는 점,**01** …… 납세의무자로 하여금 개개의 과태료처분에 대하여 불복하거나 조사 종료 후의 과세처분에 대하여만 다툴 수 있도록 하는 것보다는 그에 앞서 세무조사결정에 대하여 다툼으로써 분쟁을 조기에 근본적으로 해결할 수 있는 점 등을 종합하면, 세무조사결정은 납세의무자의 권리·의무에 직접 영향을 미치는 공권력의 행사에 따른 행정작용으로서 항고소송의 대상이 된다.**02** …… 그럼에도 불구하고 원심이 이 사건 세무조사결정 자체는 상대방 또는 관계자들의 법률상 지위에 직접적으로 법률적 변동을 일으키지 아니하는 행위로서 항고소송의 대상이 되는 행정처분에 해당하지 않는 것으로 보아야 한다고 판단하여 이 부분 소를 각하한 것은 항고소송의 대상이 되는 행정처분에 관한 법리를 오해하여 판결에 영향을 미친 위법이 있다고 할 것이다(대판 2011. 3. 10, 2009두23617·23624).

19. 자동차운송사업양도·양수인가신청에 대하여 행정청이 내인가를 한 후 그 본인가신청이 있음에도 내인가를 취소한 경우 내인가취소는 인가신청을 거부하는 처분이다.★★

위 내인가의 법적 성질이 행정행위의 일종으로 볼 수 있든 아니든 그것이 행정청의 상대방에 대한 의사표시임이 분명하고, 피고가 위 내인가를 취소함으로써 다시 본인가에 대하여 따로이 인가 여부의 처분을 한다는 사정이 보이지 않는다면 위 내인가취소를 인가신청을 거부하는 처분으로 보아야 할 것이다(대판 1991. 6. 28, 90누4402).**03**

20. 구 「표시·광고의 공정화에 관한 법률」 위반을 이유로 한 공정거래위원회의 경고의결은 당해 표시·광고의 위법을 확인하되 구체적인 조치까지는 명하지 않는 것으로 사업자가 장래 다시 「표시·광고의 공정화에 관한 법률」 위반행위를 할 경우 과징금 부과 여부나 그 정도에 영향을 주는 고려사항이 되어 사업자의 자유와 권리를 제한하는 행정처분에 해당한다(대판 2013. 12. 26, 2011두4930).**04 ★**

21. 구 「부당한 공동행위 자진신고자 등에 대한 시정조치 등 감면제도 운영고시」 제14조 제1항에 따른 시정조치 등 감면신청에 대한 감면불인정 통지는 항고소송의 대상이 되는 행정처분에 해당한다(대판 2012. 9. 27, 2010두3541).**05 ★★**

22. 「진실·화해를 위한 과거사정리 기본법」 제26조에 따른 진실·화해를 위한 과거사정리위원회의 진실규명결정은 항고소송의 대상이 되는 행정처분이다.06 ★

진실규명결정이 이루어지면 그 결정에서 규명된 진실에 따라 국가가 피해자 등에 대하여 피해 및 명예회복 조치를 취할 법률상 의무를 부담하게 되는 점, 진실·화해를 위한 과거사정리위원회가 위와 같은 법률상 의무를 부담하는 국가에 대하여 피해자 등의 피해 및 명예 회복을 위한 조치로 권고한 사항에 대한 이행의 실효성이 법적·제도적으로 확보되고 있는 점 등 여러 사정을 종합하여 보면, 법이 규정하는 진실규명결정은 국민의 권리·의무에 직접적으로 영향을 미치는 행위로서 항고소송의 대상이 되는 행정처분이라고 보는 것이 타당하다(대판 2013. 1. 16, 2010두22856).

23. 지방계약직 공무원에 대한 보수의 삭감은 이를 당하는 공무원의 입장에서는 징계처분의 일종인 감봉처분으로 항고소송의 대상인 행정처분이다(대판 2008. 6. 12, 2006두16328).**07**

24. 「사회기반시설에 대한 민간투자법」에 근거한 서울-춘천 간 고속도로 민간투자시설사업의 사업시행자 지정처분은 항고소송의 대상이 되는 행정처분이다(대판 2009. 4. 23, 2007두13159).**08**

25. 택지개발촉진법상의 택지개발예정지구지정 및 택지개발사업시행자에 대한 택지개발계획승인은 행정처분이다(대판 1992. 8. 14, 91누11582).

기출 체크

□□□□□ **01** 부과처분을 위한 과세관청의 질문조사권이 행하여지는 세무조사의 경우 납세자 또는 그 납세자와 거래가 있다고 인정되는 자 등은 세무공무원의 과세자료수집을 위한 질문에 대답하고 검사를 수인하여야 할 법적 의무를 부담한다. (○, ×) ★★★ 2023 소방간부

□□□□□ **02** 세무조사결정은 납세자의 권리·의무에 직접 영향을 미치는 공권력의 행사에 따른 행정작용으로서 항고소송의 대상이 된다. (○, ×) ★★★ 2024 지방직·서울시 9급

□□□□□ **03** 자동차운송사업양도·양수인가신청에 대하여 행정청이 내인가를 한 후 그 본인가신청이 있음에도 내인가를 취소한 경우, 다시 본인가에 대하여 별도로 인가 여부의 처분을 한다는 사정이 보이지 않는다면 내인가취소는 행정처분에 해당한다. (○, ×) ★★ 2022 국가직 9급

□□□□□ **04** 「표시·광고의 공정화에 관한 법률」 위반으로 인한 공정거래위원회의 경고의결은 당해 표시·광고의 위법을 확인하되 구체적인 조치까지는 명하지 아니하는 것으로 사업자의 자유와 권리를 제한하는 행정처분에 해당하지 아니한다. (○, ×) ★ 2022 소방간부

□□□□□ **05** 부당한 공동행위의 자진신고자가 한 감면신청에 대해 공정거래위원회가 감면불인정 통지를 한 것은 항고소송의 대상인 행정처분으로 볼 수 없다. (○, ×) ★★ 2014 국가직 9급

□□□□□ **06** 「진실·화해를 위한 과거사정리 기본법」에 따른 과거사정리위원회의 진실규명결정은 피해자 등에게 진실규명 신청권 및 그 결정에 대한 이의신청권 등이 부여되고, 그 결정에서 규명된 진실에 따라 국가가 법률상 의무를 부담하게 된다는 점 등에서 항고소송의 대상이 된다. (○, ×) ★ 2022 소방간부

□□□□□ **07** 지방계약직 공무원의 보수삭감행위는 대등한 당사자 간의 계약관계와 관련된 것이므로 처분성은 인정되지 아니하며, 공법상 당사자소송의 대상이 된다. (○, ×) 2017 국회직 8급

□□□□□ **08** 구 「사회간접자본시설에 대한 민간투자법」에 근거한 서울-춘천 간 고속도로 민간투자시설사업의 사업시행자 지정은 공법상 계약에 해당한다. (○, ×) 2020 지방직·서울시 7급

정답 01 ○ 02 ○ 03 ○ 04 × 05 × 06 ○ 07 × 08 ×

26. 교도소장이 수형자 甲을 '접견내용 녹음 · 녹화 및 접견시 교도관 참여대상자'로 지정한 사안에서, 위 지정행위는 수형자의 구체적 권리 · 의무에 직접적 변동을 가져오는 행정청의 공법상 행위로서 항고소송의 대상이 되는 '처분'에 해당한다.01 ★★★

피고가 위와 같은 지정행위를 함으로써 원고의 접견시마다 사생활의 비밀 등 권리에 제한을 가하는 교도관의 참여, 접견내용의 청취 · 기록 · 녹음 · 녹화가 이루어졌으므로 이는 피고가 그 우월적 지위에서 수형자인 원고에게 일방적으로 강제하는 성격을 가진 공권력적 사실행위의 성격을 갖고 있는 점 …… 등을 종합하면, 위와 같은 지정행위는 수형자의 구체적 권리 · 의무에 직접적 변동을 초래하는 행정청의 공법상 행위로서 항고소송의 대상이 되는 '처분'에 해당한다고 판단하였다. 앞서 본 법리와 법 규정 및 기록에 비추어 살펴보면, 원심의 위와 같은 판단은 정당한 것이다(대판 2014. 2. 13, 2013두20899).

27. 국가인권위원회의 각하 및 기각결정은 법률상 신청권이 있는 피해자인 진정인의 권리행사에 중대한 지장을 초래하는 것으로서 항고소송의 대상이 되는 행정처분에 해당하므로,02 헌법소원의 보충성에 따라 그에 대한 다툼은 우선 행정심판이나 행정소송에 의하여야 할 것이다(헌재 2015. 3. 26, 2013헌마214 등).★★

28-1. 기존의 행정처분을 변경하는 내용의 행정처분이 뒤따르는 경우, 후속처분이 종전 처분을 완전히 대체하는 것이거나 그 주요 부분을 실질적으로 변경하는 내용인 경우에는 특별한 사정이 없는 한 종전 처분은 그 효력을 상실하고 후속처분만이 항고소송의 대상이 된다.03

28-2. 그러나 후속처분의 내용이 종전 처분의 유효를 전제로 그 내용 중 일부만을 추가 · 철회 · 변경하는 것이고 그 추가 · 철회 · 변경된 부분이 그 내용과 성질상 나머지 부분과 불가분적인 것이 아닌 경우에는, 후속처분에도 불구하고 종전 처분이 여전히 항고소송의 대상이 된다고 보아야 한다(대판 2015. 11. 19, 2015두295 전합).

29-1. 항고소송의 대상인 '처분'이란 행정청이 행하는 구체적 사실에 관한 법집행으로서의 공권력의 행사 또는 그 거부와 그 밖에 이에 준하는 행정작용(행정소송법 제2조 제1항 제1호)을 말한다. 행정청의 행위가 항고소송의 대상이 될 수 있는지는 추상적 · 일반적으로 결정할 수 없고, 구체적인 경우에 관련법령의 내용과 취지, 그 행위의 주체 · 내용 · 형식 · 절차, 그 행위와 상대방 등 이해관계인이 입는 불이익 사이의 실질적 견련성, 법치행정의 원리와 그 행위에 관련된 행정청이나 이해관계인의 태도 등을 고려하여 개별적으로 결정하여야 한다. 행정청의 행위가 '처분'에 해당하는지가 불분명한 경우에는 그에 대한 불복방법 선택에 중대한 이해관계를 가지는 상대방의 인식가능성과 예측가능성을 중요하게 고려하여 규범적으로 판단하여야 한다.

29-2. 선행처분의 내용 중 일부만을 소폭 변경하는 후행처분이 있는 경우 선행처분도 후행처분에 의하여 변경되지 아니한 범위 내에서 존속하고, 후행처분은 선행처분의 내용 중 일부를 변경하는 범위 내에서 효력을 가지지만, 선행처분의 주요 부분을 실질적으로 변경하는 내용으로 후행처분을 한 경우에는 선행처분은 특별한 사정이 없는 한 그 효력을 상실한다(편저자 주 : 2차 통지의 처분성을 긍정한 판례).

(1) 피고는 중소기업기술개발사업 제재조치위원회를 개최하여 원고들에 대한 제재를 심의한 다음, 원고들이 연구개발 자료나 결과를 위조 또는 변조하거나 표절하는 등의 연구부정행위를 하였다는 이유로, 2019. 7. 2. 구 중소기업기술혁신촉진법 제31조 제1항, 제32조 제1항에 따라 원고들에 대하여는 각 3년간(2019. 7. 19.부터 2022. 7. 18.까지) 기술혁신 촉진 지원사업에의 참여를 제한하고, 원고 주식회사 ○○(이하 '원고 회사'라 한다)에 대하여는 정부출연금을 전부 환수(납부기한 : 2019. 8. 2.까지)한다고 통지하였다(이하 '이 사건 1차 통지'라 한다). 위 통지서에는 "위 처분에 대하여 이의가 있는 경우, 귀하는 우리 원 이의신청절차에 따라 이의신청을 할 수 있으며, 이의신청시 명기된 제재기간은 변경될 수 있습니다. 이의신청절차 이외에도 중앙행정심판위원회에 행정심판을, 관할법원에 행정소송을 제기할 수 있습니다. 행정심판청구기간은 처분이 있음을 알게 된 날로부터 90일, 있은 날로부터 180일이며(행정심판법 제27조 제1항, 제3항), 행정소송청구기간은 처분이 있음을 알게 된 날로부터 90일, 있은 날로부터 1년입니다(행정소송법 제20조 제1항, 제2항)."라는 내용이 기재되어 있다. 원고들은 2019. 7. 15.경 이 사건 1차 통지에 대하여 피고에게 이의를 신청하면서 이의신청서에 구체적인 이의신청사유를 기재하였고, 연구개발과정의 정당성을 소명하기 위한 자료 등을 제출하였다. 제재조치위원회는 원고들의 이의신청에 따라 원고들에 대한 제재를 다시 심의한 다음, 종전과 같이 원고들에 대하여 각 3년간 기술혁신 촉진 지원사업에의 참여를 제한하고 원고 회사에 대하여 정부출연금을 전부 환수함이 타당하다고 보았다. 피고는, 원고들이 연구개발 자료나 결과를 위조 또는 변조하거나 표절하는 등의 연구부정행위를 하였다는 이유로, 2019. 10. 18. 중소기업기술혁신법 제31조 제1항, 제32조 제1항에 따라 원고들에 대하여는 각 3년간(2019. 11. 8.부터 2022. 11. 7.까지) 기술혁신 촉진 지원사업에의 참여를 제한하고 원고 회사에 대하여는 정부출연금을 전부 환수(납

기출 체크

□□□□□ 01 교도소장이 수형자를 '접견내용 녹음 · 녹화 및 접견시 교도관 참여대상자'로 지정한 행위는 수형자의 구체적 권리 · 의무에 직접적 변동을 가져오는 행정청의 공법상 행위로서 항고소송의 대상이 되는 처분에 해당한다. (○, ×) ★★★
2022 지방직 · 서울시 7급

□□□□□ 02 국가인권위원회가 진정에 대하여 각하 및 기각결정을 할 경우 피해자인 진정인은 인권침해 등에 대한 구제조치를 받을 권리를 박탈당하게 되므로, 국가인권위원회의 진정에 대한 각하 및 기각결정은 처분에 해당한다. (○, ×) ★★
2019 국가직 9급

□□□□□ 03 선행처분의 주요 부분을 실질적으로 변경하는 내용으로 후행처분을 한 경우에 선행처분은 특별한 사정이 없는 한 그 효력을 상실하지만, 후행처분이 있었다고 하여 일률적으로 선행처분이 존재하지 않게 되는 것은 아니다. (○, ×)
2019 경행경채 2차

정답 01 ○ 02 ○ 03 ○

기출 체크

□□□□□ **01** 구 예산회계법에 따라 체결되는 계약에 있어서 입찰보증금의 국고귀속조치에 관한 분쟁은 민사소송의 대상이 되지만, 입찰자격정지에 대해서는 항고소송으로 다투어야 한다. (○, ×) ★★★
2016 지방직 7급

□□□□□ **02** 택시회사들의 자발적 감차와 그에 따른 감차보상금의 지급 및 자발적 감차 조치의 불이행에 따른 행정청의 직권감차명령을 내용으로 하는 택시회사들과 행정청 간의 합의는 대등한 당사자 사이에서 체결한 공법상 계약에 해당하므로, 그에 따른 감차명령은 행정청이 우월한 지위에서 행하는 공권력의 행사로 볼 수 없다.
(○, ×) ★★★ 2017 국가직 7급

□□□□□ **03** 한국환경산업기술원장이 환경기술개발사업 협약을 체결한 甲 주식회사 등에게 연차평가 실시 결과 절대평가 60점 미만으로 평가되었다는 이유로 연구개발 중단조치 및 연구비 집행중지조치를 한 사안에서, 연구개발 중단조치 및 연구비 집행중지조치는 항고소송의 대상이 되는 행정처분에 해당한다.
(○, ×) ★★★ 2020 국회직 8급

정답 01 ○ 02 × 03 ○

부기한 : 2019. 11. 18.까지)한다고 통지하였다(이하 '이 사건 2차 통지'라 한다). 위 통지서에는 "이의신청 심의결과에 대하여 재이의신청을 할 수 없습니다. 행정심판청구기간은 처분이 있음을 알게 된 날로부터 90일, 있은 날로부터 180일이며(행정심판법 제27조 제1항, 제3항), 행정소송청구기간은 처분이 있음을 알게 된 날로부터 90일, 있은 날로부터 1년입니다(행정소송법 제20조 제1항, 제2항)."라는 내용이 기재되어 있다. 원고들은 2019. 12. 27. 이 사건 2차 통지의 취소를 구하는 이 사건 소를 제기하였다.

(2) 또한 위와 같이 이 사건 1차 통지와 이 사건 2차 통지 각각에 대하여 행정소송 등 불복방법에 관한 고지를 받은 당사자로서는 당초의 이 사건 1차 통지에 대해서는 이의신청을 하여 재심의를 받거나 곧바로 행정소송 등을 제기하는 방법 중에서 선택할 수 있다고 이해하게 될 것이고, 그중 이의신청을 한 당사자가 그에 따른 재심의결과에 대하여 따로 행정소송 등을 제기하여 다툴 수 있을 것으로 기대한다고 하여 이를 잘못이라고 할 수는 없다. 그러므로 피고가 이 사건 2차 통지를 하면서 그에 대한 행정소송 등을 처분이 있음을 알게 된 날부터 90일 내에 제기할 수 있다고 명시적으로 안내한 것은 그 상대가 된 원고들에 대하여 신뢰의 대상이 되는 공적인 견해를 표명한 것에 해당한다 할 것인데, 원고들이 그 안내를 신뢰하고 90일의 기간 내에 이 사건 행정소송을 제기하였음에도 이 사건 2차 통지가 행정소송의 대상으로서의 처분성이 없다고 한다면, 원고들로서는 피고의 견해표명을 신뢰한 데 따른 이익을 침해받게 될 것임이 명백하다. 그러므로 행정상 법률관계에서의 신뢰보호의 원칙에 비추어 보더라도 이 사건 2차 통지는 항고소송의 대상이 되는 처분이라고 봄이 상당하다 (대판 2022. 7. 28, 2021두60748).

30. **행정청에 의한 입찰참가자격정지처분은 항고소송의 대상이 되는 처분이다**(대판 1983. 12. 27, 81누366).**01** ★★★

31. **공정거래위원회가 구 「하도급거래 공정화에 관한 법률」 제26조 제2항 후단에 따라 관계행정기관의 장에게 한 원사업자 또는 수급사업자에 대한 입찰참가자격의 제한을 요청한 결정은 항고소송의 대상이 되는 처분이다.**
요건을 충족하는 경우 공정거래위원회는 법 제26조 제2항 후단에 따라 관계행정기관의 장에게 해당 사업자에 대한 입찰참가자격제한 요청 결정을 하게 되며, 이를 요청받은 관계행정기관의 장은 특별한 사정이 없는 한 그 사업자에 대하여 입찰참가자격을 제한하는 처분을 해야 하므로, 사업자로서는 입찰참가자격제한 요청 결정이 있으면 장차 후속처분으로 입찰참가자격이 제한될 수 있는 법률상 불이익이 존재한다. 이때 입찰참가자격제한 요청 결정이 있음을 알고 있는 사업자로 하여금 입찰참가자격제한처분에 대하여만 다툴 수 있도록 하는 것보다는 그에 앞서 직접 입찰참가자격제한 요청 결정의 적법성을 다툴 수 있도록 함으로써 분쟁을 조기에 근본적으로 해결하도록 하는 것이 법치행정의 원리에도 부합한다. 따라서 공정거래위원회의 입찰참가자격제한 요청 결정은 항고소송의 대상이 되는 처분에 해당한다(대판 2023. 2. 2, 2020두48260).

32-1. 피고 행정청과 관내 11개 택시회사들 사이에서 택시공급과잉문제를 해결하고자 3년에 걸쳐 업체별로 일정 대수를 감차하기로 약정한 합의는 여객자동차법 제4조 제3항이 정한 '면허조건'을 원고들의 동의하에 사후적으로 부가한 것이다.★★★

32-2. 일부 택시회사들이 위와 같은 합의를 이행하지 않는다는 이유로 피고 행정청이 그 택시회사들에 대하여 한 직권감차명령은 피고가 우월적 지위에서 여객자동차법 제85조 제1항 제38호에 따라 원고들에게 일정한 법적 효과를 발생하게 하는 것이므로 항고소송의 대상이 되는 처분에 해당한다고 보아야 하고, 단순히 대등한 당사자의 지위에서 형성된 공법상 계약에 근거한 의사표시에 불과한 것으로는 볼 수 없다(대판 2016. 11. 24, 2016두45028 '감차처분취소').**02** ★★★

33. **한국환경산업기술원장의 연구개발 중단조치 및 연구비 집행중지조치는 처분이다.03** ★★★
한국환경산업기술원장이 환경기술개발사업 협약을 체결한 甲 주식회사 등에게 연차평가 실시 결과 절대평가 60점 미만으로 평가되었다는 이유로 연구개발 중단조치 및 연구비 집행중지조치(이하 '각 조치'라 한다)를 한 사안에서, 각 조치는 甲 회사 등에게 연구개발을 중단하고 이미 지급된 연구비를 더 이상 사용하지 말아야 할 공법상 의무를 부과하는 것이고, 연구개발 중단조치는 협약의 해약 요건에도 해당하며, 조치가 있은 후에는 주관연구기관이 연구개발을 계속하더라도 그에 사용된 연구비는 환수 또는 반환 대상이 되므로, 각 조치는 甲 회사 등의 권리 · 의무에 직접적인 영향을 미치는 행위로서 항고소송의 대상이 되는 행정처분에 해당한다(대판 2015. 12. 24, 2015두264).

34. **산업단지관리공단이 구 「산업집적활성화 및 공장설립에 관한 법률」 제38조 제2항에 따른 입주변경계약의 취소는 항고소송의 대상이 되는 행정처분에 해당한다.★★★**

구 「산업집적활성화 및 공장설립에 관한 법률」 …… 규정들에서 알 수 있는 산업단지관리공단의 지위, 입주계약 및 변경계약의 효과, 입주계약 및 변경계약 체결 의무와 그 의무를 불이행한 경우의 형사적 내지 행정적 제재, 입주계약해지의 절차, 해지통보에 수반되는 법적 의무 및 그 의무를 불이행한 경우의 형사적 내지 행정적 제재 등을 종합적으로 고려하면, 입주변경계약 취소는 행정청인 관리권자로부터 관리업무를 위탁받은 산업단지관리공단이 우월적 지위에서 입주기업체들에게 일정한 법률상 효과를 발생하게 하는 것으로서 항고소송의 대상이 되는 행정처분에 해당한다(대판 2017. 6. 15, 2014두46843).**01**

35. 〔재단법인 한국연구재단이 甲 대학교 총장에게 연구개발비의 부당집행을 이유로 '두뇌한국(BK)21 사업' 협약의 해지를 통보한 사안에서〕 **과학기술기본법령상 사업 협약의 해지통보는 단순히 대등 당사자의 지위에서 형성된 공법상 계약을 계약당사자의 지위에서 종료시키는 의사표시에 불과한 것이 아니라 행정청이 우월적 지위에서 연구개발비의 회수 및 관련자에 대한 국가연구개발사업 참여제한 등의 법률상 효과를 발생시키는 행정처분에 해당한다**(대판 2014. 12. 11, 2012두28704).**02 03 ★★★**

✚ p.838 24번 판례와 비교하여 볼 것

36. **구청장이 사회복지법인에 특별감사 결과 지적사항에 대한 시정지시와 그 결과를 관계서류와 함께 보고하도록 지시한 경우, 그 시정지시는 비권력적 사실행위가 아니라 항고소송의 대상이 되는 행정처분에 해당한다**(대판 2008. 4. 24, 2008두3500).**04**

37. **교육공무원법상 승진후보자 명부에 의한 승진심사 방식으로 행해지는 승진임용에서 승진후보자 명부에 포함되어 있던 후보자를 승진임용인사발령에서 제외하는 행위는 불이익처분으로서 항고소송의 대상인 처분에 해당한다**(대판 2018. 3. 27, 2015두47492).**05 ★★★**

38. 피고가 사법상 계약인 물품구매(제조)계약 추가특수조건에 근거하여 한 나라장터 종합쇼핑몰 거래정지 조치는 비록 추가특수조건이라는 사법상 계약에 근거한 것이기는 하지만 행정청인 피고가 행하는 구체적 사실에 관한 법집행으로서의 공권력의 행사로서 그 상대방인 원고의 권리 · 의무에 직접 영향을 미치므로 항고소송의 대상에 해당한다(대판 2018. 11. 29, 2015두52395).**06 ★**

39-1. (공기업인 한국수력원자력 주식회사가 거래상대방인 원고의 입찰담합행위를 이유로 「공공기관의 운영에 관한 법률」에 따른 2년의 입찰참가자격제한처분을 하였음에도, 이와 별도로 피고의 내부규정(행정규칙)에 근거하여 10년의 거래제한조치를 한 사건에서) 한국수력원자력 주식회사는 공공기관운영법 제5조 제3항 제1호에 따라 '시장형 공기업'으로 지정 · 고시된 '공공기관'인데 공공기관운영법 제39조 제2항에 따라 입찰참가자격제한처분을 할 수 있는 권한을 부여받았으므로 제2조 제2항의 '법령에 따라 행정처분권한을 위임받은 공공기관'으로서 행정청에 해당한다.

39-2. 공기업인 한국수력원자력 주식회사의 내부규정 '공급자관리지침'에 근거한 '공급자등록취소 및 거래제한조치'는 항고소송의 대상인 '처분'에 해당한다.

39-3. **계약에 따른 제재조치는 처분이 아니다.** 계약당사자 사이에서 계약의 적정한 이행을 위하여 일정한 계약상 의무를 위반하는 경우 계약해지, 위약벌이나 손해배상액 약정, 장래 일정 기간의 거래제한 등의 제재조치를 약정하는 것은 상위법령과 법의 일반원칙에 위배되지 않는 범위에서 허용되며, 그러한 계약에 따른 제재조치는 법령에 근거한 공권력의 행사로서의 제재처분과는 법적 성질을 달리한다. 그러나 공공기관의 어떤 제재조치가 계약에 따른 제재조치에 해당하려면 일정한 사유가 있을 때 그러한 제재조치를 할 수 있다는 점을 공공기관과 그 거래상대방이 미리 구체적으로 약정하였어야 한다. 공공기관이 여러 거래업체들과의 계약에 적용하기 위하여 거래업체가 일정한 계약상 의무를 위반하는 경우 장래 일정 기간의 거래제한 등의 제재조치를 할 수 있다는 내용을 계약특수조건 등의 일정한 형식으로 미리 마련하였다고 하더라도, 「약관의 규제에 관한 법률」 제3조에서 정한 바와 같이 계약상대방에게 그 중요 내용을 미리 설명하여 계약내용으로 편입하는 절차를 거치지 않았다면 계약의 내용으로 주장할 수 없다.

기출 체크

□□□□□ **01** 구 「산업집적활성화 및 공장설립에 관한 법률」에 따른 산업단지 입주계약의 해지통보는 대등한 당사자의 지위에서 형성된 공법상 계약을 계약당사자의 지위에서 종료시키는 의사표시이므로 당사자소송의 대상이 된다. (○, ×) ★★★ 2024 국회직 8급

□□□□□ **02** 재단법인 한국연구재단이 과학기술기본법령에 따라 체결한 연구개발비 지원사업 협약의 해지통보에 대한 불복의 소(는 항고소송에 해당한다) (○, ×) ★★★ 2023 국회직 8급

□□□□□ **03** 재단법인 한국연구재단이 A대학교 총장에게 연구개발비의 부당집행을 이유로 과학기술기본법령에 따라 '두뇌한국(BK)21 사업' 협약의 해지를 통보한 것은 공법상 계약을 계약당사자의 지위에서 종료시키는 의사표시에 해당한다. (○, ×) ★★★ 2019 국가직 7급

□□□□□ **04** 구청장이 사회복지법인에 특별감사 결과 지적사항에 대한 시정지시와 그 결과를 관계서류와 함께 보고하도록 지시한 경우, 그 시정지시(는 항고소송의 대상이 되는 처분에 해당하는 사실행위이다) (○, ×) 2017 지방직(하) 9급

□□□□□ **05** 교육공무원법상 승진후보자 명부에 의한 승진심사방식으로 행해지는 승진임용에서 승진후보자 명부에 있던 후보자를 승진임용인사발령에서 제외하는 행위는 행정처분에 해당한다. (○, ×) ★★★ 2022 소방간부

□□□□□ **06** 국가종합전자조달시스템인 '나라장터' 종합쇼핑몰을 통한 물품구매계약체결시, 구매계약에 계약위반시 거래를 정지한다는 등의 '추가특수조건'을 포함시킨 후, 이 '추가특수조건'에 근거하여 조달청이 거래정지를 한 조치는 행정처분에 해당한다. (○, ×) ★ 2024 국회직 8급

정답 01 × 02 ○ 03 × 04 ○ 05 ○ 06 ○

기출 체크

□□□□□ **01** 교육부장관이 대학에서 추천한 복수의 총장후보자들 전부 또는 일부를 임용제청에서 제외하는 행위는 제외된 후보자들에 대한 불이익처분으로서 항고소송의 대상이 되는 처분에 해당한다고 보아야 한다. (○, ×) ★★★
2023 군무원 9급

□□□□□ **02** 대학이 복수의 후보자에 대하여 순위를 정하여 추천한 경우 교육부장관이 후순위 후보자를 임용제청했더라도 이로 인하여 헌법과 법률이 보장하는 대학의 자율성이 제한된다고는 볼 수 없다. (○, ×)
2023 군무원 9급

□□□□□ **03** 지방자치단체의 장이 「공유재산 및 물품관리법」에 근거하여 기부채납 및 사용ㆍ수익허가 방식으로 민간투자사업을 추진하는 과정에서 사업시행자를 지정하기 위한 전 단계에서 공모 제안을 받아 일정한 심사를 거쳐 우선협상대상자를 선정하는 행위는 항고소송의 대상이 되는 행정처분에 해당하지 않는다. (○, ×)
2024 국가직 9급

□□□□□ **04** 법무사가 사무원을 채용할 때 소속 지방법무사회로부터 승인을 받아야 할 의무는 공법상 의무이다. (○, ×)
2022 국가직 9급

□□□□□ **05** 공법상 재단법인인 총포ㆍ화약안전기술협회가 자신의 공행정활동에 필요한 재원을 마련하기 위하여 회비납부의무자에 대하여 한 회비납부통지(는 판례가 처분성을 인정한다) (○, ×)
2024 국회직 8급

□□□□□ **06** 「도시 및 주거환경정비법」에 따른 이전고시는 공법상 처분이다. (○, ×)
2023 군무원 9급

정답 01 ○ 02 ○ 03 × 04 ○ 05 ○ 06 ○

39-4. 피고(한국수력원자력 주식회사)의 내부규정(행정규칙)에 근거한 10년간의 거래제한조치가 항고소송의 대상인 '처분'에 해당하며, 나아가 행정청인 피고가 이미 공공기관운영법 제39조 제2항에 따라 2년의 입찰참가자격제한처분을 받은 원고에 대하여 다시 법률상 근거 없이 자신이 만든 행정규칙에 근거하여 공공기관운영법 제39조 제2항에서 정한 입찰참가자격제한처분의 상한인 2년을 훨씬 초과하여 10년간 거래제한조치를 추가로 하는 것은 제재처분의 상한을 규정한 공공기관운영법에 정면으로 반하는 것이어서 그 하자가 중대ㆍ명백하다(대판 2020. 5. 28, 2017두66541).

40-1. **교육부장관이 대학에서 추천한 복수의 총장 후보자들 전부 또는 일부를 임용제청에서 제외하는 행위는 항고소송의 대상이 되는 처분에 해당한다.01** ★★★

40-2. **교육부장관이 특정 후보자를 임용제청에서 제외하고 다른 후보자를 임용제청함으로써 대통령이 임용제청된 다른 후보자를 총장으로 임용한 경우, 임용제청에서 제외된 후보자가 행정소송으로 다툴 처분은 대통령의 임용 제외처분이다.**

40-3. 교육공무원법령은 대학이 대학의 장 후보자를 복수로 추천하도록 정하고 있을 뿐이고, 교육부장관이나 대통령이 대학이 정한 순위에 구속된다고 볼 만한 규정을 두고 있지 않다. 대학이 복수의 후보자에 대하여 순위를 정하여 추천한 경우 교육부장관이 후순위 후보자를 임용제청하더라도 단순히 그것만으로 헌법과 법률이 보장하는 대학의 자율성이 제한된다고 볼 수는 없다(대판 2018. 6. 15, 2016두57564).**02** ★★

41. 국립공주대학교 학칙의 [별표 2] 모집단위별 입학정원을 개정한 학칙개정행위는 처분이다(대판 2009. 1. 30, 2008두19550ㆍ2008두19567 병합).

42. 구 문화재관리법하의 지방문화재에 대한 보호구역 지정처분도 보호구역 내에 있는 토지소유자에 대하여 권리행사의 제한 또는 의무부담을 주는 행정처분에 해당한다(대판 1993. 6. 29, 91누6986).

43. 지방자치단체의 장이 「공유재산 및 물품관리법」에 근거하여 기부채납 및 사용ㆍ수익허가 방식으로 민간투자사업을 추진하는 과정에서 사업시행자를 지정하기 위한 전 단계에서 공모제안을 받아 일정한 심사를 거쳐 우선협상대상자를 선정하는 행위와 이미 선정된 우선협상대상자를 그 지위에서 배제하는 행위는 항고소송의 대상이 되는 행정처분이다(대판 2020. 4. 29, 2017두31064).**03**

44. 법무사의 사무원 채용승인신청에 대하여 소속 지방법무사회가 '채용승인을 거부'하는 조치 또는 일단 채용승인을 하였으나 법무사규칙 제37조 제6항을 근거로 '채용승인을 취소'하는 조치는 항고소송의 대상인 '처분'에 해당한다. 구체적인 이유는 다음과 같다. …… 법무사가 사무원 채용에 관하여 법무사법이나 법무사규칙을 위반하는 경우에는 소관 지방법원장으로부터 징계를 받을 수 있으므로, 법무사에 대하여 지방법무사회로부터 채용승인을 얻어 사무원을 채용할 의무는 법무사법에 의하여 강제되는 공법적 의무이다(대판 2020. 4. 9, 2015다34444).**04**

45. 급수공사비 부과는 처분이다(대판 2019. 6. 13, 2017두33985).

46. **공법인인 총포ㆍ화약안전기술협회의 '회비납부통지'는 '부담금 부과처분'으로서 항고소송의 대상이 된다.05**
「총포ㆍ도검ㆍ화약류 등의 안전관리에 관한 법률 시행령」 제78조 제1항 제3호, 제79조 및 총포ㆍ화약안전기술협회(이하 '협회'라 한다) 정관의 관련규정의 내용을 위 법리에 비추어 살펴보면, 공법인인 협회가 자신의 공행정활동에 필요한 재원을 마련하기 위하여 회비납부의무자에 대하여 한 '회비납부통지'는 납부의무자의 구체적인 부담금액을 산정ㆍ고지하는 '부담금 부과처분'으로서 항고소송의 대상이 된다고 보아야 한다(대판 2021. 12. 30, 2018다241458).

47. 「도시 및 주거환경정비법」에 따른 이전고시는 준공인가의 고시로 사업시행이 완료된 이후에 관리처분계획에서 정한 바에 따라 종전의 토지 또는 건축물에 대하여 정비사업으로 조성된 대지 또는 건축물의 위치 및 범위 등을 정하여 소유권을 분양받을 자에게 이전하고 가격의 차액에 상당하는 금액을 청산하거나 대지 또는 건축물을 정하지 않고 금전적으로 청산하는 공법상 처분이다(대판 2016. 12. 29, 2013다73551).**06**

48. 코로나바이러스감염증-19의 예방을 위하여 음식점 및 PC방 운영자 등에게 영업시간을 제한하거나 이용자 간 거리를 둘 의무를 부여하는 심판대상고시는 관내 음식점 및 PC방의 관리자 · 운영자들에게 일정한 방역수칙을 준수할 의무를 부과하는 것으로서, 항고소송의 대상인 행정처분에 해당한다.01

(1) 코로나바이러스감염증-19의 예방을 위하여 음식점 및 PC방 운영자 등에게 영업시간을 제한하거나 이용자 간 거리를 둘 의무를 부여하는 심판대상고시는 관내 음식점 및 PC방의 관리자 · 운영자들에게 일정한 방역수칙을 준수할 의무를 부과하는 것으로서, 항고소송의 대상인 행정처분에 해당한다. 대법원도 심판대상고시와 동일한 규정형식을 가진 피청구인의 대면예배 제한 고시(서울특별시고시 제2021-414호)가 항고소송의 대상인 행정처분에 해당함을 전제로 판단한 바 있다(대결 2022. 10. 27, 2022두48646 참조).

(2) 심판대상고시의 효력기간이 경과하여 그 효력이 소멸하였으므로, 이를 취소하더라도 그 원상회복은 불가능하다. 그러나 피청구인은 심판대상고시의 효력이 소멸한 이후에도 2022. 4.경 코로나19 방역조치가 종료될 때까지 심판대상고시와 동일 · 유사한 방역조치를 시행하여 왔고, 향후 다른 종류의 감염병이 발생할 경우 피청구인은 그 감염병의 확산을 방지하기 위하여 심판대상고시와 동일 · 유사한 방역조치를 취할 가능성도 있다. 그렇다면 심판대상고시와 동일 · 유사한 방역조치가 앞으로도 반복될 가능성이 있고 이에 대한 법률적 해명이 필요한 경우에 해당하므로 예외적으로 그 처분의 취소를 구할 소의 이익이 인정되는 경우에 해당한다(헌재 2023. 5. 25, 2021헌마21).

기출 체크

□□□□□ 01 코로나바이러스감염증-19의 예방을 위해 음식점 및 PC방 운영자 등에게 영업시간을 제한하거나 이용자 간 거리를 둘 의무를 부여하는 서울특별시고시(는 판례가 처분성을 인정한다) (○, ×)
2024 국회직 8급

□□□□□ 02 국가균형발전특별법에 따른 시 · 도지사의 혁신도시최종입지 선정행위(는 항고소송의 대상이 되는 처분에 해당한다) (○, ×) ★★★
2019 서울시 9급

□□□□□ 03 한국마사회가 조교사 또는 기수의 면허를 취소하는 것은 국가 기타 행정기관으로부터 위탁받은 행정권한의 행사가 아니라 일반 사법상의 법률관계에서 이루어지는 단체 내부에서의 징계 내지 제재처분이다. (○, ×) ★★★
2022 국가직 7급

(2) 처분성을 부정한 판례의 구체적 검토

관련판례

1. 해양수산부장관의 항만 명칭결정은 국민의 권리 · 의무나 법률상 지위에 직접적인 법률적 변동을 일으키는 행위가 아니므로 항고소송의 대상이 되는 행정처분이 아니다.★★★
피고 해양수산부장관은 2005. 12. 19. 그 소속 중앙항만정책심의회의 심의결과 이 사건 항만을 지정항만인 부산항의 하위항만으로 두되 무역항인 '부산항'의 명칭은 그대로 유지하면서, 이 사건 항만의 공식명칭을 '신항(영문명칭 : Busan New Port)'으로 정하였다고 공표하였는바, 이러한 피고 해양수산부장관의 이 사건 항만 명칭결정으로 인하여 원고들이 속한 지방자치단체의 관할구역이 변경되는 것이 아닐 뿐만 아니라, 원고들의 권리 · 의무나 법률상 지위에 직접적인 법률적 변동이 생기지도 아니하므로, 피고 해양수산부장관의 이 사건 항만 명칭결정을 항고소송의 대상이 되는 행정처분이라 할 수는 없다(대판 2008. 5. 29, 2007두34873).

2. 정부의 수도권 소재 공공기관의 지방이전시책을 추진하는 과정에서 도지사가 도내 특정시를 공공기관이 이전할 혁신도시 최종입지로 선정한 행위는 항고소송의 대상이 되는 행정처분이 아니다.02 ★★★
법과 법 시행령 및 이 사건 지침에는 공공기관의 지방이전을 위한 정부 등의 조치와 공공기관이 이전할 혁신도시 입지선정을 위한 사항 등을 규정하고 있을 뿐 혁신도시입지 후보지에 관련된 지역주민 등의 권리 · 의무에 직접 영향을 미치는 규정을 두고 있지 않으므로, 피고가 원주시를 혁신도시 최종입지로 선정한 행위는 항고소송의 대상이 되는 행정처분으로 볼 수 없다(대판 2007. 11. 15, 2007두10198).

3. 법인세 과세표준결정이나 손금불산입처분이 항고소송의 대상이 되는 행정처분이 아니다.★★
법인세 과세표준결정이나 손금불산입처분은 법인세 과세처분에 앞선 결정으로서 그로 인하여 바로 과세처분의 효력이 발생하는 것이 아니고 또 후일에 이에 의한 법인세 과세처분이 있을 때에 그 부과처분을 다툴 수 있는 방법이 없는 것도 아니므로, 법인세 과세표준결정이나 손금불산입처분은 항고소송의 대상이 되는 행정처분이라고는 할 수 없다(대판 1996. 9. 24, 95누12842).

4. 한국마사회의 조교사 및 기수 면허 부여 또는 취소는 행정처분이 아니다.03 ★★★
한국마사회가 조교사 또는 기수의 면허를 부여하거나 취소하는 것은 경마를 독점적으로 개최할 수 있

정답 01 ○ 02 × 03 ○

기출 체크

□□□□□ **01** 과세관청이 사업자등록을 관리하는 과정에서 위장사업자의 사업자명의를 직권으로 실사업자의 명의로 정정하는 행위는 항고소송의 대상이 되는 행정처분이 아니다. (○, ×) 2015 국회직 8급

□□□□□ **02** 이행통지는 납골당 설치 신고에 대하여 납골당 설치 요건을 구비하였음을 확인하고, 구 장사법령상의 납골당 설치 기준, 관계법령상의 허가 또는 신고 내용을 고지하면서 신고한 대로 납골당 시설을 설치하도록 한 것이므로, 이 사건 이행통지를 함으로써 납골당 설치 신고에 대한 수리를 하였다고 봄이 타당하다. (○, ×) 2012 지방직 7급

□□□□□ **03** 이행통지는 납골당 설치 신고에 대하여 납골당을 설치하는 데 필요한 각종 인·허가 사항, 향후 절차 등에 관한 사항을 알려주게 되어 새로이 참가인 또는 관계자들의 법률상 지위에 변동을 일으키므로, 수리처분과는 별도로 이행통지를 항고소송의 대상이 되는 다른 처분으로 볼 수 있다. (○, ×) 2012 지방직 7급

정답 01 ○ 02 ○ 03 ×

는 지위에서 우수한 능력을 갖추었다고 인정되는 사람에게 경마에서의 일정한 기능과 역할을 수행할 수 있는 자격을 부여하거나 이를 박탈하는 것에 지나지 아니하므로, 이는 국가 기타 행정기관으로부터 위탁받은 행정권한의 행사가 아니라 일반사법상의 법률관계에서 이루어지는 단체 내부에서의 징계 내지 제재처분이다(대판 2008. 1. 31, 2005두8269).

5. **과세관청이 사업자등록을 관리하는 과정에서 위장사업자의 사업자명의를 직권으로 실사업자의 명의로 정정하는 행위는 항고소송의 대상이 되는 행정처분이 아니다.01**
   부가가치세법상의 사업자등록은 과세관청으로 하여금 부가가치세의 납세의무자를 파악하고 그 과세자료를 확보하게 하려는 데 제도의 취지가 있는바, 이는 단순한 사업사실의 신고로서 사업자가 관할세무서장에게 소정의 사업자등록신청서를 제출함으로써 성립하는 것이고, 사업자등록증의 교부는 이와 같은 등록사실을 증명하는 증서의 교부행위에 불과한 것이다. 나아가 구 부가가치세법 제5조 제5항에 의한 과세관청의 사업자등록 직권말소행위도 폐업사실의 기재일 뿐 그에 의하여 사업자로서의 지위에 변동을 가져오는 것이 아니라는 점에서 항고소송의 대상이 되는 행정처분으로 볼 수 없다. 이러한 점에 비추어 볼 때, 과세관청이 사업자등록을 관리하는 과정에서 위장사업자의 사업자명의를 직권으로 실사업자의 명의로 정정하는 행위 또한 당해 사업사실 중 주체에 관한 정정기재일 뿐 그에 의하여 사업자로서의 지위에 변동을 가져오는 것이 아니므로 항고소송의 대상이 되는 행정처분으로 볼 수 없다(대판 2011. 1. 27, 2008두2200).

6. **지방병무청장이 복무기관을 정하여 공익근무요원 소집통지를 한 후 소집대상자의 원에 의하여 또는 직권으로 그 기일을 연기한 다음 다시 한 공익근무요원 소집통지는 반복된 행위로서 독립된 행정처분이 아니다**(대판 2005. 10. 28, 2003두14550).

7-1. **신고납부하는 취득세와 등록세의 수납행위는 행정처분이 아니다.**

7-2. **과세관청이 신고납부하는 취득세와 등록세를 수령한 후 이를 확인하는 통지를 하면서 납세자의 면제신청을 거부하는 취지의 회신을 보낸 경우 그 확인통지나 거부회신은 항고소송의 대상인 행정처분이 아니다.**
   지방세법에 있어서는 취득세와 등록세는 모두 신고납부방식의 조세이고 납세의무자가 취득세와 등록세를 신고납부하는 과정에서 과세관청이 이를 수납하는 행위는 단순한 사무적 행위에 불과할 뿐, 행정처분이라고 볼 수 없다. …… 위 규정들에 따른 취득세 및 등록세의 면제에 관하여는 감면신청 및 이에 대한 통지에 관한 절차규정이 없으므로 이와 같은 취득세 및 등록세는 법률상 당연히 면제되는 것이지 과세관청의 조세면제처분에 의하여 비로소 면제되는 것은 아니라 할 것이고, 따라서 면제신청을 거부하는 취지의 회신을 가리켜 항고소송의 대상이 되는 행정처분이라고 할 수 없다(대판 1990. 3. 27, 88누4591).

8. **징계위원회의 결정은 내부적 결정에 불과하며 행정처분이 아니다**(대판 1983. 2. 8, 81누35).

9. **「국가유공자예우 등에 관한 법률 시행령」 제15조 소정의 재심신체검사시 행하는 등외판정은 행정처분이 아니다**(대판 1993. 5. 11, 91누9206).

10. (파주시장이 종교단체 납골당 설치신고를 한 甲 교회에, '구 「장사 등에 관한 법률」에 따라 필요한 시설을 설치하고 유골을 안전하게 보관할 수 있는 설비를 갖추어야 하며 관계법령에 따른 허가 및 준수 사항을 이행하여야 한다.'는 취지의 납골당 설치 신고사항 이행통지를 한 사안에서) **파주시장이 甲 교회에 이행통지를 함으로써 납골당 설치 신고수리를 하였다고 보는 것이 타당하고, 이 행통지를 수리처분과 별도로 항고소송 대상이 되는 다른 처분으로 볼 수 없다**(대판 2011. 9. 8, 2009두6766).**02 03**

11-1. **구 상표법상 특허청장의 상표사용권설정등록행위의 성질은 준법률행위적 행정행위이다.**

11-2. **특허청장이 불수리사유가 있는 등록신청을 수리하여 상표사용권설정등록을 완료한 경우, 상표권자가 행정소송절차를 통하여 그 등록처분의 취소를 청구할 수는 없다**(대판 1991. 8. 13, 90누9414).

12. **구 「민원사무처리에 관한 법률」 제18조 제1항에서 정한 '거부처분에 대한 이의신청'을 받아들이지 않는 취지의 기각결정 또는 그 취지의 통지는 항고소송의 대상이 되는 것이 아니다.★★**

이의신청을 받아들이지 않는 취지의 기각결정 내지는 그 취지의 통지는, 종전의 거부처분을 유지함을 전제로 한 것에 불과하고 또한 거부처분에 대한 행정심판이나 행정소송의 제기에도 영향을 주지 못하므로, 결국 민원 이의신청인의 권리·의무에 새로운 변동을 가져오는 공권력의 행사나 이에 준하는 행정작용이라고 할 수 없어, 독자적인 항고소송의 대상이 된다고 볼 수 없다고 봄이 타당하다(대판 2012. 11. 15, 2010두8676).

13. **법무법인의 공정증서 작성행위는 항고소송의 대상이 되는 행정처분이 아니다.★**

행정소송 제도는 행정청의 위법한 처분, 그 밖에 공권력의 행사·불행사 등으로 인한 국민의 권리 또는 이익의 침해를 구제하고 공법상 권리관계 또는 법률 적용에 관한 다툼을 적정하게 해결함을 목적으로 하는 것이므로, 항고소송의 대상이 되는 행정처분에 해당하는지는 행위의 성질·효과 이외에 행정소송 제도의 목적이나 사법권에 의한 국민의 권익보호 기능도 충분히 고려하여 합목적적으로 판단해야 한다.**01** 이러한 행정소송 제도의 목적 및 기능 등에 비추어 볼 때, 행정청이 한 행위가 단지 사인 간 법률관계의 존부를 공적으로 증명하는 공증행위에 불과하여 그 효력을 둘러싼 분쟁의 해결이 사법원리에 맡겨져 있거나 행위의 근거 법률에서 행정소송 이외의 다른 절차에 의하여 불복할 것을 예정하고 있는 경우에는 항고소송의 대상이 될 수 없다고 보는 것이 타당하다(대판 2012. 6. 14, 2010두19720).**02**

14. 인감증명행위는 인감증명청이 적법한 신청이 있는 경우에 인감대장에 이미 신고된 인감을 기준으로 출원자의 현재 사용하는 인감을 증명하는 것으로서 구체적인 사실을 증명하는 것일 뿐, 나아가 출원자에게 어떠한 권리가 부여되거나 변동 또는 상실되는 효력을 발생하는 것이 아니고, 인감증명의 무효확인을 받아들인다 하더라도 이로써 이미 침해된 당사자의 권리가 회복되거나 또는 곧바로 이와 관련된 새로운 권리가 발생하는 것도 아니므로 무효확인을 구할 법률상 이익이 없어 부적법하다(대판 2001. 7. 10, 2000두2136).**03**

15. **행정청이 토지대장의 소유자명의변경신청을 거부한 행위는 항고소송의 대상이 되는 행정처분이 아니다.04 ★★**

토지대장에 기재된 일정한 사항을 변경하는 행위는, 그것이 지목의 변경이나 정정 등과 같이 토지소유권 행사의 전제요건으로서 토지소유자의 실체적 권리관계에 영향을 미치는 사항에 관한 것이 아닌 한 행정사무집행의 편의와 사실증명의 자료로 삼기 위한 것일 뿐이어서, 그 소유자 명의가 변경된다고 하여도 이로 인하여 당해 토지에 대한 실체상의 권리관계에 변동을 가져올 수 없고 토지소유권이 지적공부의 기재만에 의하여 증명되는 것도 아니다(대판 2002. 4. 26, 2000두7612 등 참조). 따라서 소관청이 토지대장상의 소유자명의변경신청을 거부한 행위는 이를 항고소송의 대상이 되는 행정처분이라고 할 수 없다(대판 2012. 1. 12, 2010두12354).

16. **법령상 신고사항이 아닌 사항의 신고의 수리는 행정처분이 아니다.05 ★★**

신고사항이 아닌 사항을 신고한 것에 대해 행정청이 신고를 수리하였다 하더라도 그러한 수리는 항고소송의 대상이 되는 행정처분이 아니다(대판 2005. 2. 25, 2004두4031).

17. **자동차운전면허대장상의 등재행위는 행정처분이 아니다.06 ★**

자동차운전면허대장상 일정한 사항의 등재행위는 운전면허행정사무집행의 편의와 사실증명의 자료로 삼기 위한 것일 뿐 그 등재행위로 인하여 당해 운전면허 취득자에게 새로이 어떠한 권리가 부여되거나 변동 또는 상실되는 효력이 발생하는 것은 아니므로 이는 행정소송의 대상이 되는 독립한 행정처분으로 볼 수 없고, …… (대판 1991. 9. 24, 91누1400)

18. **주택건설사업이 양도되었으나 그 변경승인을 받기 이전에 행정청이 양수인에 대하여 양도인에 대한 사업계획승인을 취소하였다는 사실을 통지한 경우, 위 통지는 항고소송의 대상이 되는 행정처분이 아니다.07 ★**

주택건설촉진법 제33조 제1항, 구 같은 법 시행규칙(1996. 2. 13, 건설교통부령 제54호로 개정되기 전의 것) 제20조의 각 규정에 의한 주택건설사업계획에 있어서 사업주체변경의 승인은 그로 인하여 사업주체의 변경이라는 공법상의 효과가 발생하는 것이므로, 사실상 내지 사법상으로 주택건설사업 등이 양도·양수되었을지라도 아직 변경승인을 받기 이전에는 그 사업계획의 피승인자는 여전히 종전의 사업주체인 양도인이고 양수인이 아니라 할 것이어서, 사업계획승인취소처분 등의 사유가 있는지의 여부와 취소사유가 있다고 하여 행하는 취소처분은 피승인자인 양도인을 기준으로 판단하여 그 양도인에 대하

기출 체크

□□□□□ **01** 항고소송의 대상적격 여부는 행위의 성질·효과 이외에 행정소송 제도의 목적이나 사법권(司法權)에 의한 국민의 권익보호기능도 충분히 고려하여 합목적적으로 판단해야 한다. (○, ×) ★ 2017 서울시 7급

□□□□□ **02** 행정청이 한 행위가 단지 사인 간 법률관계의 존부를 공적으로 증명하는 공증행위에 불과하더라도 그 효력을 둘러싼 분쟁의 해결이 사법원리(私法原理)에 맡겨져 있는 경우에는 항고소송의 대상이 된다. (○, ×) ★ 2017 서울시 7급

□□□□□ **03** 인감증명행위는 출원자의 현재 사용하는 인감에 대하여 구체적인 사실을 증명하는 것일 뿐이므로 무효확인을 구할 법률상 이익이 없다. (○, ×) 2023 소방직 9급

□□□□□ **04** (乙은 甲의 토지가 사실은 자신 소유라고 주장하면서 토지대장상의 소유자명의변경을 신청하였으나 거부되었다) 乙에 대한 토지대장상의 소유자명의변경신청 거부는 처분성이 인정된다. (○, ×) ★★ 2021 국가직 9급

□□□□□ **05** 신고사항이 아닌 신고를 수리한 경우, 그 수리는 항고소송의 대상이 되는 행정처분에 해당하지 않는다. (○, ×) ★★ 2014 경행특채 2차

□□□□□ **06** 자동차운전면허대장에 일정한 사항을 등재하는 행위와 운전경력증명서상의 기재행위는 행정소송의 대상이 되는 독립한 행정처분으로 볼 수 없다. (○, ×) ★ 2022 국가직 7급

□□□□□ **07** 주택건설사업이 양도되었으나 그 변경승인을 받기 이전에 행정청이 양수인에 대하여 양도인에 대한 사업계획승인을 취소하였다는 사실을 통지한 경우 이러한 통지는 양수인의 법률상 지위에 변동을 일으키므로 행정처분이다. (○, ×) ★ 2017 서울시 9급

정답 01 ○ 02 × 03 ○ 04 × 05 ○ 06 ○ 07 ×

기출 체크

□□□□□ **01** 구 소득세법 시행령에 따른 소득귀속자에 대한 소득금액변동통지는 원천납세의무자인 소득귀속자의 법률상 지위에 직접적인 법률적 변동을 가져오므로 행정처분이다. (○, ×) ★
2017 국회직 8급

□□□□□ **02** 상표권자인 법인에 대한 청산종결등기가 되었음을 이유로 특허청장이 행한 상표권 말소등록행위(는 판례상 항고소송의 대상으로 인정된다) (○, ×) 2020 지방직 · 서울시 9급

□□□□□ **03** 재단법인 한국연구재단이 甲 대학교 총장에게 연구개발비의 부당집행을 이유로 연구팀장 乙에 대한 대학 자체 징계를 요구한 것은 항고소송의 대상인 행정처분에 해당하지 않는다. (○, ×) ★★ 2017 지방직 9급 변형

□□□□□ **04** 감사원의 감사원법에 따른 징계요구는 징계요구대상 공무원의 권리 · 의무에 직접적인 변동을 초래하지 아니하므로, 감사원의 징계요구는 항고소송의 대상이 되는 행정처분이라고 할 수 없다. (○, ×) ★★ 2023 서울시 지적 7급

정답 01 × 02 × 03 ○ 04 ○

여 행하여져야 할 것이므로 행정청이 주택건설사업의 양수인에 대하여 양도인에 대한 사업계획승인을 취소하였다는 사실을 통지한 것만으로는 양수인의 법률상 지위에 어떠한 변동을 일으키는 것은 아니므로 위 통지는 항고소송의 대상이 되는 행정처분이라고 할 수는 없다(대판 2000. 9. 26, 99두646).

19. **의료보호진료기관이 보호기관에 제출한 진료비청구명세서에 대한 의료보험연합회의 심사결과통지는 행정처분이 아니다**(대판 1999. 6. 25, 98두15863).

20. **소득의 귀속자에 대한 소득금액변동통지는 원천납세의무자인 소득귀속자의 법률상 지위에 직접적인 법률적 변동을 가져오는 것이 아니므로, 항고소송의 대상이 되는 행정처분이라고 볼 수 없다**(대판 2015. 3. 26, 2013두9267).**01** ★

✚ 원천징수의무자에 대한 소득금액변동통지는 행정처분이라는 판례[p.828 **12.**의 (1) 관련판례 4번(대판 2006. 4. 20, 2002두1878 전합)]와 비교 구별하기 바란다.

21. **읍 · 면장에 의한 이장의 임명 및 면직은 행정처분이 아니라 공법상 계약 및 그 계약을 해지하는 의사표시이다**(대판 2012. 10. 25, 2010두18963).

22. **상표권자인 법인에 대한 청산종결등기가 되었음을 이유로 한 상표권의 말소등록행위는 항고소송의 대상이 될 수 없다**(대판 2015. 10. 29, 2014두2362).**02**

23. **국가보훈처장(현 국가보훈부장관)이 유족에게 한 '망인에 대한 서훈취소 통지'는 항고소송의 대상이 되는 처분이 아니다**(대판 2015. 4. 23, 2012두26920).

24. [재단법인 한국연구재단이 甲 대학교 총장에게 연구개발비의 부당집행을 이유로 '해양생물유래 고부가식품 · 향장 · 한약 기초소재 개발 인력양성사업에 대한 2단계 두뇌한국(BK)21 사업' 협약을 해지하고 연구팀장 乙에 대한 대학 자체 징계요구 등을 통보한 사안에서] **乙에 대한 대학 자체 징계요구는 항고소송의 대상이 되는 행정처분에 해당하지 않는다.03** ★★

재단법인 한국연구재단이 甲 대학교 총장에게 乙에 대한 대학 자체 징계를 요구한 것은 법률상 구속력이 없는 권유 또는 사실상의 통지로서 乙의 권리 · 의무 등 법률상 지위에 직접적인 법률적 변동을 일으키지 않는 행위에 해당하므로, 항고소송의 대상인 행정처분에 해당하지 않는다고 본 원심판단은 정당하다(대판 2014. 12. 11, 2012두28704).

25. (甲 시장이 감사원으로부터 감사원법 제32조에 따라 乙에 대하여 징계의 종류를 정직으로 정한 징계요구를 받게 되자 감사원에 징계요구에 대한 재심의를 청구하였고, 감사원이 재심의청구를 기각하자 乙이 감사원의 징계요구와 그에 대한 재심의결정의 취소를 구하고 甲 시장이 감사원의 재심의 결정 취소를 구하는 소를 제기한 사안에서) **감사원의 징계요구와 재심의결정은 항고소송의 대상이 되는 행정처분이라고 할 수 없다.04** ★★

징계요구는 징계요구를 받은 기관의 장이 요구받은 내용대로 처분하지 않더라도 불이익을 받는 규정도 없고, 징계요구 내용대로 효과가 발생하는 것도 아니며, 징계요구에 의하여 행정청이 일정한 행정처분을 하였을 때 비로소 이해관계인의 권리관계에 영향을 미칠 뿐, 징계요구 자체만으로는 징계요구 대상 공무원의 권리 · 의무에 직접적인 변동을 초래하지도 아니하므로, 행정청 사이의 내부적인 의사결정의 경로로서 '징계요구, 징계절차회부, 징계'로 이어지는 과정에서의 중간처분에 불과하여, 감사원의 징계요구와 재심의결정이 항고소송의 대상이 되는 행정처분이라고 할 수 없고, 감사원법 제40조 제2항을 甲 시장에게 감사원을 상대로 한 기관소송을 허용하는 규정으로 볼 수는 없고 그 밖에 행정소송법을 비롯한 어떠한 법률에도 甲 시장에게 '감사원의 재심의 판결'에 대하여 기관소송을 허용하는 규정을 두고 있지 않으므로, 甲 시장이 제기한 소송이 기관소송으로서 감사원법 제40조 제2항에 따라 허용된다고 볼 수 없다(대판 2016. 12. 27, 2014두5637).

26. **국가유공자법상 이의신청에 대한 기각결정은 항고소송의 대상인 '처분 등'에 해당하지 않는다.**★

이의신청을 받아들이는 것을 내용으로 하는 결정은 당초 국가유공자 등록신청을 받아들이는 새로운 처분(직권취소)으로 볼 수 있으나, 이의신청을 받아들이지 아니하는 결정은 종전의 결정 내용을 그대로 유지하는 것에 불과한 것으로서 이의신청인의 권리 · 의무에 새로운 변동을 가져오는 공권력의 행사나 이에 준하는 행정작용이라고 할 수 없으므로 원결정과 별개로 항고소송의 대상이 되지는 않는다(처분이 아니다)고 봄이 타당하다(대판 2016. 7. 27, 2015두45953).

27. 피고의 행위, 즉 부산시 서구청장이 원고 소유의 밭에 측백나무 300주를 식재한 것은 공법상의 법률행위가 아니라 사실행위에 불과하므로 행정소송의 대상이 아니다(대판 1979. 7. 24, 79누173).**01**

28. 한국철도시설공단이 甲 주식회사에 대하여 시설공사 입찰참가 당시 허위 실적증명서를 제출하였다는 이유로 향후 2년간 공사낙찰적격심사시 종합취득점수의 10/100을 감점한다는 내용의 통보를 한 사안에서, 위 통보는 행정소송의 대상이 되는 행정처분이라고 할 수 없다.

(1) 원심판결 이유와 기록에 의하면, 피고가 2008. 12. 31. 원고에 대하여 한 공사낙찰적격심사 감점처분(이하 '이 사건 감점조치'라 한다)의 근거로 내세운 규정은 피고의 공사낙찰적격심사세부기준(이하 '이 사건 세부기준'이라 한다) 제4조 제2항인 사실, 이 사건 세부기준은 「공공기관의 운영에 관한 법률」 제39조 제1항, 제3항, 구 공기업 · 준정부기관 계약사무규칙 제12조에 근거하고 있으나, 이러한 규정은 공공기관이 사인과 사이의 계약관계를 공정하고 합리적 · 효율적으로 처리할 수 있도록 관계공무원이 지켜야 할 계약사무처리에 관한 필요한 사항을 규정한 것으로서 공공기관의 내부규정에 불과하여 대외적 구속력이 없는 것임을 알 수 있다.**02**

(2) 이러한 사실을 위 법리에 비추어보면, 피고가 원고에 대하여 한 이 사건 감점조치는 행정청이나 그 소속기관 또는 그 위임을 받은 공공단체의 공법상의 행위가 아니라 장차 그 대상자인 원고가 피고가 시행하는 입찰에 참가하는 경우에 그 낙찰적격자 심사 등 계약사무를 처리함에 있어 피고 내부규정인 이 사건 세부기준에 의하여 종합취득점수의 10/100을 감점하게 된다는 뜻의 사법상의 효력을 가지는 통지행위에 불과하다 할 것이고, 또한 피고의 이와 같은 통지행위가 있다고 하여 원고에게 「공공기관의 운영에 관한 법률」 제39조 제2항, 제3항, 구 「공기업 · 준정부기관 계약사무규칙」 제15조에 의한 국가, 지방자치단체 또는 다른 공공기관에서 시행하는 모든 입찰에의 참가자격을 제한하는 효력이 발생한다고 볼 수도 없으므로, 피고의 이 사건 감점조치는 행정소송의 대상이 되는 행정처분이라고 할 수 없다(대판 2014. 12. 24, 2010두6700).

29. 구 「민원사무처리에 관한 법률」(민원사무처리법) 제19조 제1항에서 정한 사전심사결과 통보는 항고소송의 대상이 되는 행정처분에 해당하지 않는다.03 ★

구 「민원사무처리에 관한 법률」에 따른 사전심사청구제도는 민원인이 대규모의 경제적 비용이 수반되는 민원사항에 대하여 간편한 절차로써 미리 행정청의 공적 견해를 받아볼 수 있도록 하여 민원행정의 예측 가능성을 확보하게 하는 데에 취지가 있다고 보이고, 민원인이 희망하는 특정한 견해의 표명까지 요구할 수 있는 권리를 부여한 것으로 보기는 어려운 점, 행정청은 사전심사결과 가능하다는 통보를 한 때에도 구 민원사무처리법 제19조 제3항에 의한 제약이 따르기는 하나 반드시 민원사항을 인용하는 처분을 해야 하는 것은 아닌 점, 행정청은 사전심사결과 불가능하다고 통보하였더라도 사전심사결과에 구애되지 않고 민원사항을 처리할 수 있으므로 불가능하다는 통보가 민원인의 권리 · 의무에 직접적 영향을 미친다고 볼 수 없고, 통보로 인하여 민원인에게 어떠한 법적 불이익이 발생할 가능성도 없는 점 등 여러 사정을 종합해 보면, 구 민원사무처리법이 규정하는 사전심사결과 통보는 항고소송의 대상이 되는 행정처분에 해당하지 아니한다(대판 2014. 4. 24, 2013두7834).

30. 1996. 12. 30. 법률 제5189호로 국세기본법 제26조 제1호가 개정되어 '결손처분'이 납세의무 소멸사유에서 제외되고, …… '결손처분' 또는 '결손처분의 취소'는 항고소송의 대상이 되는 행정처분이 아니다(대판 2011. 3. 24, 2010두25527).

31. 구 국세징수법상 가산금 또는 중가산금의 고지는 항고소송의 대상이 되는 처분이 아니다.04 ★

구 국세징수법 제21조, 제22조(현행 삭제)가 규정하는 가산금 또는 중가산금은 국세를 납부기한까지 납부하지 아니하면 과세청의 확정절차 없이도 법률규정에 의하여 당연히 발생하는 것이므로 가산금 또는 중가산금의 고지가 항고소송의 대상이 되는 처분이라고 볼 수 없다(대판 2005. 6. 10, 2005다15482).**05**

32. 지방공무원법 제67조의2 소정의 고충심사결정은 행정상 쟁송의 대상이 되는 행정처분이라고 할 수 없다.

지방공무원법 제67조의2에서 규정하고 있는 고충심사제도는 공무원으로서의 권익을 보장하고 적정

기출 체크

□□□□□ **01** 지방자치단체의 장이 그 지방자치단체 소유의 밭에 측백나무 300그루를 식재하는 행위(는 항고소송의 대상이 될 수 있다) (○, ×) 2018 국회직 8급

□□□□□ **02** 한국철도시설공단(현 국가철도공단)이 공사낙찰적격심사 감점처분의 근거로 내세운 규정은 공사낙찰적격심사세부기준이고, 이러한 규정은 공공기관이 사인과의 계약관계를 공정하고 합리적 · 효율적으로 처리할 수 있도록 관계 공무원이 지켜야 할 계약사무처리에 관한 필요한 사항을 규정한 것으로서 공공기관의 내부규정에 불과하여 대외적 구속력이 없다. (○, ×) 2024 국가직 9급

□□□□□ **03** 구 「민원사무처리에 관한 법률」에서 정한 사전심사결과 통보는 항고소송의 대상이 되는 행정처분에 해당하지 않는다. (○, ×) ★ 2019 지방직 · 교육행정직 9급

□□□□□ **04** 구 국세징수법상 가산금 또는 중가산금의 고지는 항고소송의 대상이 되는 처분이 아니다. (○, ×) ★ 2023 지방직 · 서울시 9급

□□□□□ **05** 구 국세징수법상 가산금은 국세를 납부기한까지 납부하지 아니하면 과세청의 확정절차 없이도 법률에 의하여 당연히 발생하는 것이므로 가산금의 고지는 항고소송의 대상이 되는 처분이라고 볼 수 없다. (○, ×) ★ 2019 국가직 9급

정답 01 × 02 ○ 03 ○ 04 ○ 05 ○

기출 체크

□□□□□ 01 국세환급금 충당의 법적 성격과 관련하여 국세환급금의 충당은 납세의무자가 갖는 환급청구권의 존부나 범위 또는 소멸에 구체적이고 직접적인 영향을 미치는 처분이라기보다는 국가의 환급금 채무와 조세채권이 대등액에서 소멸되는 점에서 오히려 민법상의 상계와 비슷한 것이다. (○, ×) ★
2020 지방직 · 서울시 7급

□□□□□ 02 취소소송은 처분 등을 대상으로 하나, 재결취소소송은 처분 및 재결 자체에 고유한 위법이 있음을 이유로 하는 경우에 한한다. (○, ×) ★★★
2020 소방직 9급

□□□□□ 03 행정심판의 재결은 행정심판 및 행정소송의 대상이 될 수 없다. (○, ×) ★★ 2007 국회직 8급

□□□□□ 04 원처분의 위법을 이유로 행정심판재결에 대한 취소소송을 제기할 수 없다. (○, ×) ★★ 2013 국가직 9급

한 근무환경을 조성하여 주기 위하여 근무조건 또는 인사관리 기타 신상문제에 대하여 법률적인 쟁송의 절차에 의하여서가 아니라 사실상의 절차에 의하여 그 시정과 개선책을 청구하여 줄 것을 임용권자에게 청구할 수 있도록 한 제도로서, 고충심사결정 자체에 의하여는 어떠한 법률관계의 변동이나 이익의 침해가 직접적으로 생기는 것은 아니므로 고충심사의 결정은 행정상 쟁송의 대상이 되는 행정처분이라고 할 수 없다(대판 1987. 12. 8, 87누657 · 87누658).

33. 국세환급금의 충당은 납세의무자가 갖는 환급청구권의 존부나 범위 또는 소멸에 구체적이고 직접적인 영향을 미치는 처분이라기보다는 국가의 환급금 채무와 조세채권이 대등액에서 소멸되는 점에서 오히려 민법상의 상계와 비슷하다.**01** 만약 소멸대상인 조세채권이 존재하지 아니하거나 당연무효 또는 취소되는 경우에는 충당의 효력이 없는 것으로서 이러한 사유가 있는 경우에 납세의무자로서는 충당의 효력이 없음을 주장하여 언제든지 이미 결정된 국세환급금의 반환을 청구할 수 있다(대판 2019. 6. 13, 2016다239888).★

34. **한국전력공사가 전기공급의 적법 여부를 조회한 데 대한 관할구청장의 회신은 권고적 성격의 행위에 불과한 것으로서 항고소송의 대상이 되는 행정처분이라고 볼 수 없다**(대판 1995. 11. 21, 95누9099).

02 | 재결(취소소송의 제2대상)

❶ 의 의

1. 재결이란 행정심판의 청구에 대해 행정심판위원회가 행하는 판단과 같은 행정심판에 의한 재결이 주가 되지만 「공익사업을 위한 토지 등의 취득 및 보상에 관한 법률」상 토지수용위원회의 이의재결과 같은 개별법상의 재결도 포함된다.

2. 행정소송법 제2조는 처분과 재결이 모두 취소소송의 대상이 될 수 있다고 규정하고 있는데, 이때 원처분과 재결의 관계가 문제된다.

❷ 원처분주의

1. 원처분주의와 재결주의

(1) 원처분주의란 원처분과 재결을 모두 소송대상으로 하되, **원칙적으로 원처분에 대해서만 소송을 제기할 수 있고, 재결은 재결 자체에 고유한 위법이 있는 경우에 한해 소송을 제기할 수 있는 주의**를 말한다.

(2) 이에 반해 재결주의란 재결에 대해서만 취소소송을 제기할 수 있도록 한 주의를 말한다.

2. 행정소송법의 규정 – 원처분주의를 규정❶ⓐ

(1) 원처분주의

행정소송법은 원처분주의와 재결주의 중 원처분주의를 채택하고 있으므로 **재결에 대한 취소소송은 재결 자체에 '고유한 위법'이 있는 경우에 한해 제기할 수 있고,02 03** 그렇지 않은 경우에는 원처분을 대상으로 소송을 제기하여야 한다. **따라서 원처분의 위법을 이유로 행정심판재결에 대한 취소소송을 제기할 수는 없다.04**

❶ 행정소송법 제19조 【취소소송의 대상】 취소소송은 처분 등을 대상으로 한다. 다만, 재결취소소송의 경우에는 재결 자체에 고유한 위법이 있음을 이유로 하는 경우에 한한다.

ⓐ 취소소송의 대상
행정심판을 거치지 않고 직접 취소소송을 제기하는 경우 처분이 항고소송의 대상이 된다. 행정심판을 거친 후 취소소송을 제기하는 경우 원처분주의에 따라 원칙적으로 원처분을 대상으로 취소소송을 제기하여야 한다. 다만, 재결 자체에 고유한 위법을 다투는 경우와 후술(p.843 참조)하는 바와 같이 개별법률에서 재결주의를 규정하고 있는 경우에는 재결이 항고소송의 대상이 된다.

정답 01 ○ 02 × 03 × 04 ○

(2) 고유한 위법의 의미

① 이때 고유한 위법이란 원처분에는 없고 재결 자체에만 존재하는 위법을 의미하는 것으로 재결의 주체(예 권한이 없는 행정심판위원회가 행한 재결), 형식(예 문서에 의하지 않은 재결),**01** 절차상의 위법뿐만 아니라 내용에 관한 위법도 포함된다는 것이 다수설 및 판례의 태도이다.**02 03** ⓐ 내용의 위법에는 위법 · 부당하게 인용재결을 한 경우도 포함된다. 예컨대, 판례는 처분이 아닌 행위에 대한 심판청구의 경우 부적법하여 각하하여야 함에도 불구하고 인용재결을 한 것은 재결 자체에 고유한 하자가 있다고 보았다.

② 한편, 판례는 재결에 고유한 하자가 있다는 것은 재결취소소송에서 주장할 수 있으나 원처분의 취소를 구하는 소송에서는 주장할 수 없다고 본다.

관련판례

1. **행정소송법 제19조 소정의 '재결 자체에 고유한 위법'이란 원처분에는 없고 재결에만 있는 위법을 의미하며 위법 · 부당하게 인용재결을 한 경우도 포함된다.**
행정소송법 제19조에서 말하는 '재결 자체에 고유한 위법'이란 원처분에는 없고 재결에만 있는 재결청의 권한 또는 구성의 위법, 재결의 절차나 형식의 위법, 내용의 위법 등을 뜻하고, 그중 내용의 위법에는 위법 · 부당하게 인용재결을 한 경우가 해당한다(대판 1997. 9. 12, 96누14661).

2-1. **징계혐의자에 대한 감봉 1월의 징계처분을 견책으로 변경한 소청결정이 재량남용으로 위법하다는 주장은 소청결정 자체에 고유한 위법을 주장하는 것으로 볼 수는 없다.★**

2-2. **소청결정이 재량권남용 또는 일탈로서 위법하다는 주장은 소청결정 취소사유가 되지 않는다.**
항고소송은 원칙적으로 당해 처분을 대상으로 하나, 당해 처분에 대한 재결 자체에 고유한 주체, 절차, 형식 또는 내용상의 위법이 있는 경우에 한하여 그 재결을 대상으로 할 수 있다고 해석되므로, 징계혐의자에 대한 감봉 1월의 징계처분을 견책으로 변경한 소청결정 중 그를 견책에 처한 조치는 재량권의 남용 또는 일탈로서 위법하다는 사유는 소청결정 자체에 고유한 위법을 주장하는 것으로 볼 수 없어 소청결정의 취소사유가 될 수 없다(대판 1993. 8. 24, 93누5673).**04**

3. **원처분의 취소를 구하는 소송에서 재결 자체의 고유한 위법사유를 주장할 수는 없다.**
행정처분에 대한 행정심판의 재결에 이유모순의 위법이 있다는 사유는 재결처분 자체에 고유한 하자로서 재결처분의 취소를 구하는 소송에서는 그 위법사유로서 주장할 수 있으나, 원처분의 취소를 구하는 소송에서는 그 취소를 구할 위법사유로서 주장할 수 없다(대판 1996. 2. 13, 95누8027).

3. 구체적 검토

(1) 각하재결

적법한 행정심판청구를 부적법하다고 보아 본안심리를 하지 않고 각하한 재결은 청구인의 본안심리를 받을 권리를 박탈한 재결로서, 이는 원처분에는 없는 재결에 고유한 하자가 있는 것이므로 이러한 경우에는 재결이 행정소송의 대상이 된다(대판 2001. 7. 27, 99두2970).**05** 판례는 처분이 아닌 자기완결적 신고의 수리(사업시설의 착공계획서의 수리)에 대한 심판청구와 같이 부적법하여 각하하여야 함에도 인용재결을 한 것은 재결 자체에 고유한 하자가 있다고 보았다(대판 2001. 5. 29, 99두10292).

(2) 기각재결

원처분이 정당하다고 판단하여 원처분을 유지하는 재결, 즉 청구기각재결을 한 경우에는 원칙적으로 재결 자체에 고유한 하자가 있는 것이 아니어서 원처분을 대상으로 행정소송을 제기해야 한다.

기출 체크

□□□□□ **01** 서면에 의하지 않은 재결의 경우 형식상 하자가 있으므로 재결에 대해서 항고소송을 제기할 수 있다. (○, ×) ★ 2015 서울시 7급

□□□□□ **02** 항고소송은 원칙적으로 당해 처분을 대상으로 하나, 당해 처분에 대한 재결 자체에 고유한 주체, 절차, 형식 또는 내용상의 위법이 있는 경우에 한하여 그 재결을 대상으로 할 수 있다. (○, ×) ★★★ 2023 군무원 7급

□□□□□ **03** 재결취소소송에 있어서 재결 자체의 고유한 위법은 재결의 주체, 절차 및 형식상의 위법만을 의미하고, 내용상의 위법은 이에 포함되지 않는다. (○, ×) ★★★ 2016 지방직 9급

□□□□□ **04** 징계혐의자에 대한 감봉 1월의 징계처분을 견책으로 변경한 소청결정 중 그를 견책에 처한 조치가 재량권의 남용 또는 일탈로서 위법하다는 사유는 소청결정 자체에 고유한 위법을 주장하는 것으로 볼 수 없어 소청결정의 취소사유가 될 수 없다. (○, ×) ★ 2019 경행경채 2차

□□□□□ **05** 행정심판청구가 부적법하지 않음에도 각하한 재결은 심판청구인의 실체심리를 받을 권리를 박탈한 것으로서 재결에 고유한 하자가 있는 경우에 해당하여 재결 자체가 취소소송의 대상이 된다. (○, ×) ★★★ 2023 군무원 7급

ⓐ 재결의 고유한 위법
1. 재결의 주체에 관한 위법
행정심판위원회의 구성상에 하자가 있거나 의사 및 의결정족수가 흠결된 경우에 주체에 관한 위법이 있게 된다.
2. 재결의 절차에 관한 위법
행정심판법상의 심판절차를 준수하지 않은 경우를 그 예로 들 수 있다.
3. 재결의 형식에 관한 위법
재결서에 기명날인을 하지 않은 경우 등을 그 예로 들 수 있다.
4. 재결의 내용에 관한 위법
재결의 내용상의 위법은 내용상 문제 있는 각하재결, 기각재결, 인용재결을 들 수 있다.

정답 01 ○ 02 ○ 03 × 04 ○ 05 ○

(3) 인용재결

인용재결이 내려진 경우 심판청구인은 이미 목적을 달성한 상태이므로 원칙적으로 또다시 소송을 제기할 필요는 없다. 다만, **제3자효 행정행위**의 경우 **제3자의 심판청구에 대해 인용재결이 있는 경우**의 **처분 상대방** 또는 **인용재결이 있었더라도** 전부 인용이 되지 않은 경우와 관련하여 **수정재결**(적극적 변경재결)과 **일부인용재결, 적극적 변경명령재결**ⓐ의 경우에는 재결이 있은 후에도 소송을 제기할 필요성이 있을 수 있으므로 이 경우 소송의 대상이 무엇인지가 문제된다.

① **제3자효 행정행위에 대한 인용재결**

인용재결로 인해 비로소 불이익을 얻는 자, 예컨대 건축허가에 있어 이웃주민이 행정심판을 청구하여 건축허가처분 취소심판에 대한 인용재결이 있는 경우에는, 건축허가를 받은 자는 재결 자체에 대한 취소소송을 제기할 수밖에 없으므로 **재결이 취소소송의 대상이 된다**. 다만, 인용재결로 새로이 어떠한 권리 · 이익도 침해받지 아니하는 자인 경우에는 그 재결의 취소를 구할 원고적격이 없다.ⓑ

관련판례

1. **제3자효를 수반하는 행정행위에 대한 행정심판청구의 인용재결로 권익을 침해받은 제3자는 재결취소를 구할 소의 이익이 있다.★★**
   이른바 복효적 행정행위, 특히 제3자효를 수반하는 행정행위에 대한 행정심판청구에 있어서 그 청구를 인용하는 내용의 재결로 인하여 비로소 권리이익을 침해받게 되는 자(예컨대, 제3자가 행정심판청구인인 경우의 행정처분 상대방 또는 행정처분 상대방이 행정심판청구인인 경우의 제3자)는 재결의 당사자가 아니라고 하더라도 그 인용재결의 취소를 구하는 소를 제기할 수 있으나,**01** 그 인용재결로 인하여 새로이 어떠한 권리이익도 침해받지 아니하는 자인 경우에는 그 재결의 취소를 구할 소의 이익이 없다(대판 1995. 6. 13, 94누15592).

2. 이른바 복효적 행정행위, 특히 제3자효를 수반하는 행정행위에 대한 행정심판청구에 있어서 그 청구를 인용하는 내용의 재결로 인하여 비로소 권리이익을 침해받게 되는 자(예컨대, 제3자가 행정심판청구인인 경우의 행정처분의 상대방 또는 행정처분의 상대방이 행정심판청구인인 경우의 제3자)는 그 인용재결에 대하여 다툴 필요가 있고, 그 인용재결은 원처분과 내용을 달리하는 것이므로 그 인용재결의 취소를 구하는 것은 원처분에는 없는 재결에 고유한 하자를 주장하는 셈이어서 당연히 항고소송의 대상이 된다고 할 것이고, 더구나 이 사건 재결과 같이 그 인용재결청인 피고 스스로가 직접 이 사건 사업계획승인처분을 취소하는 형성적 재결을 한 경우에는 그 재결 외에 그에 따른 행정청의 별도의 처분이 있지 않기 때문에 재결 자체를 쟁송의 대상으로 할 수밖에 없다고 할 것이다(대판 1997. 12. 23, 96누10911).**02 ★★**

② **수정(적극적 변경)재결 · 일부인용(취소)재결**

㉠ 예컨대, 공무원에 대한 3개월의 정직처분이 행정심판기관인 소청심사위원회에서 감봉처분으로 변경된 경우와 같은 수정재결 또는 3개월의 정직처분이 행정심판기관인 소청심사위원회에서 1개월의 정직처분으로 변경된 경우와 같은 일부인용재결이 있는 경우, 당사자가 여전히 다투고자 한다면 무엇이 소송대상이 되는지가 문제가 된다.

㉡ 이에 대해 통설과 판례는 **원처분주의원칙**을 관철하여 **피고를 행정심판기관인 '소청심사위원회'가 아니라 '처분청'으로 하여** 수정재결의 경우 **수정된 원처분**(감봉처분), 일부인용재결의 경우 **일부인용되고 남은 원처분**(1개월의 정직처분)을 **대상으로** 소송을 제기하여야 한다고 한다.**03**

기출 체크

□□□□□ **01** 제3자효를 수반하는 행정행위에 대한 행정심판청구에 있어서 그 청구를 인용하는 내용의 재결로 인하여 비로소 권리이익을 침해받게 되는 자는 그 인용재결에 대하여 취소소송을 제기할 수 있다. (○, ×) ★★ 2024 소방간부

□□□□□ **02** 처분청의 처분에 대한 행정심판위원회의 형성재결(수익적 처분의 취소재결)에 대해서는 그 재결 외에 그에 따른 별도의 처분이 있지 않기 때문에 재결 자체를 쟁송의 대상으로 할 수 있다. (○, ×) ★★ 2024 국회직 8급

□□□□□ **03** 3월의 영업정지처분을 2월의 영업정지처분에 갈음하는 과징금 부과처분으로 변경하는 재결의 경우 취소소송의 대상이 되는 것은 변경된 내용의 당초처분이지 변경처분은 아니다. (○, ×) ★★★ 2017 국회직 8급

● 원처분주의
- 행정소송법은 원칙적으로 원처분주의를 규정하고 있다.
- 재결은 재결 자체에 고유한 하자가 있는 경우에 소송대상이 된다.
- 행정심판청구를 인용하는 내용의 재결로 인하여 비로소 불이익을 받는 자는 재결의 당사자가 아니라고 하더라도 인용재결의 취소를 구하는 소를 제기할 수 있다.
- 수정재결과 일부인용재결의 경우에도 원처분주의가 적용되므로 원칙적으로 재결이 소송대상이 되는 것은 아니다.

ⓐ 이 경우는 재결이 있은 후 재결에 따른 처분이 행해지므로 위원회가 스스로 처분을 변경한 것과는 다른 문제가 있다.

ⓑ **제3자가 재결의 취소를 구할 이익이 없다고 본 사안**
처분상대방이 아닌 제3자가 당초의 양식어업면허처분에 대하여는 아무런 불복조치를 취하지 않고 있다가, 도지사가 그 어업면허를 취소하여 면허권자가 그 어업면허취소처분의 취소를 구하는 행정심판을 제기하고 이에 재결기관인 행정청이 그 심판청구를 인용하는 재결을 하자 비로소 그 제3자가 행정소송으로 그 인용재결을 다투고 있는 경우, 제3자는 새롭게 권리이익을 침해받는 것이 아니므로 인용재결에 대한 소의 이익이 없다는 것이 판례의 입장이다.

정답 01 ○ 02 ○ 03 ○

③ 적극적 변경'명령'재결에 따른 변경처분의 경우

적극적 변경재결의 경우는 위의 ②에서 본 바와 같으나 명령재결에 따라 처분이 행해진 경우 소송의 대상이 무엇인지가 문제된다.

판례는 일부인용의 처분명령재결에 따라 당초처분을 영업자에게 유리하게 변경하는 처분을 한 경우, 그 **취소소송의 대상은 변경된 내용의 당초처분이지 변경처분은 아니며, 제소기간의 준수 여부도 변경처분이 아닌 변경된 내용의 당초처분(단, 행정심판을 거친 경우이므로 재결서의 정본을 송달받은 날부터 90일, 재결이 있은 날부터 1년이 됨)**을 기준으로 판단하여야 한다고 본다.

관련판례

1. 처분변경명령재결에 따른 변경처분의 경우 취소소송의 대상은 변경된 내용의 당초처분이며 제소기간은 재결서의 정본을 송달받은 날로부터 90일 이내이다.★★★
2. 행정청이 식품위생법령에 따라 영업자에게 행정제재처분을 한 후 당초처분을 영업자에게 유리하게 변경하는 처분을 한 경우, 취소소송의 대상 및 제소기간의 판단기준이 되는 처분은 변경된 내용의 당초처분이다(대판 2007. 4. 27, 2004두9302).01 ★★★

4. 재결 자체에 고유한 위법이 없음에도 재결 자체에 대해 소송이 제기된 경우의 문제

(1) 이 경우 법원은 각하판결을 하여야 한다는 견해가 있으나, 다수설은 청구를 기각해야 한다는 입장이다.

(2) 판례 역시 기각설을 취하고 있다고 봄이 일반적이다.

관련판례

재결취소소송에 있어 재결 자체에 고유한 위법이 없는 경우 법원은 재결취소소송을 기각하여야 한다.02 ★★★

재결취소소송의 경우 재결 자체에 고유한 위법이 있는지 여부를 심리할 것이고, 재결 자체에 고유한 위법이 없는 경우에는 원처분의 당부와는 상관없이 당해 재결취소소송은 이를 기각하여야 한다(대판 1994. 1. 25, 93누16901).

❸ 개별법상 재결주의를 취하고 있는 경우

1. 일반론

개별법률에서 원처분이 아닌 재결을 취소소송의 대상으로 규정하고 있는 경우가 있는바, 이를 재결주의03 라고 부른다. 한편, **재결주의를 채택한 경우에는 취소소송의 대상은 재결이지만 행정소송법 제19조 단서와 같은 제한이 없으므로 재결취소소송에서 재결 고유의 위법뿐만 아니라 원처분의 위법도 주장할 수 있다는 것이 판례의 입장이다**(대판 1991. 2. 12, 90누288). 재결주의를 취하고 있는지가 문제되는 법률로는 다음과 같은 것이 있다.

(1) 감사원의 재심의(再審議) 판정(재결주의)

① 감사원의 변상판정(원처분)이 아닌 재심의 판정(재결)에 대해서 소송을 제기할 수 있도록 감사원법에 규정되어 있으므로 재결주의를 취하고 있다고 봄이 통설과 판례의 태도이다.

관련판례

감사원의 변상판정처분에 대하여서는 행정소송을 제기할 수 없고, 재결에 해당하는 재심의 판정에 대하여서만 감사원을 피고로 하여 행정소송을 제기할 수 있다(대판 1984. 4. 10, 84누91).04❶ ★★

기출 체크

□□□□□ 01 행정청이 영업자에게 행정제재를 한 후 그 처분을 영업자에게 유리하게 변경하였고 그 변경처분에 의해 유리하게 변경된 내용의 행정제재가 위법하다고 소를 제기한 경우 제소기간의 준수 여부는 변경처분을 기준으로 판단한다. (○, ×) ★★★ 2023 소방간부

□□□□□ 02 행정심판을 청구하여 기각재결을 받은 후 재결 자체에 고유한 위법이 있음을 주장하며 그 기각재결에 대하여 취소소송을 제기한 경우, 수소법원은 심리 결과 재결 자체에 고유한 위법이 없다면 각하판결을 하여야 한다. (○, ×) ★★★ 2019 국가직 9급

□□□□□ 03 현행 행정소송법은 원처분주의를 채택하고 있으나, 개별법률이 원처분주의에 대한 예외로서 재결주의를 택하는 경우가 있다. (○, ×) ★★ 2008 세무사

□□□□□ 04 감사원의 변상판정처분에 대하여 위법 또는 부당하다고 인정하는 본인 등은 이 처분에 대하여 행정소송을 제기할 수 없고, 재결에 해당하는 재심의 판정에 대하여서만 감사원을 피고로 행정소송을 제기할 수 있다. (○, ×) ★★ 2020 지방직·서울시 7급

❶ 감사원법 제36조【재심의 청구】① 제31조에 따른 변상판정에 대하여 위법 또는 부당하다고 인정하는 본인, 소속장관, 감독기관의 장 또는 해당 기관의 장은 변상판정서가 도달한 날부터 3개월 이내에 감사원에 재심의를 청구할 수 있다.

제40조【재심의의 효력】② 감사원의 재심의 판결에 대하여는 감사원을 당사자로 하여 행정소송을 제기할 수 있다.

정답 01 × 02 × 03 ○ 04 ○

기출 체크

□□□□□ **01** 재결에 해당하는 중앙노동위원회의 재심판정에 대하여는 취소소송을 제기할 수 없고 원처분인 지방노동위원회의 중재회부결정만이 소송의 대상이 된다. (○, ×) 2006 세무사

□□□□□ **02** 특허출원에 대한 심사관의 거절사정에 대하여 행정소송을 제기할 수 없고, 특허심판원에 심판청구를 한 후 그 심결을 소송대상으로 하여 특허법원에 심결취소를 요구하는 소를 제기하여야 한다. (○, ×) 2013 서울시 7급

□□□□□ **03** 사립학교 교원에 대한 징계는 사법관계이나 그에 대한 교원소청심사가 제기되어 그에 대한 결정이 있으면 그 결정은 공법의 문제가 된다. (○, ×) 2020 국회직 8급

□□□□□ **04** 사립학교 교원의 경우 교원소청심사위원회의 결정에 불복하는 경우 교원소청심사위원회를 피고로 하여 항고소송을 제기할 수 있다. (○, ×) ★ 2013 국회직 8급

판례 | ㉠ 원처분이 당연무효인 경우에는 재결취소의 소뿐만 아니라 원처분무효확인소송도 제기할 수 있다(대판 1993. 1. 19, 91누8050 전합).

② 다만, 원처분이 무효인 경우 그 효력은 처음부터 당연히 발생하지 않는 것이어서 행정심판절차를 거칠 필요도 없으므로 개별법률이 재결주의를 취하고 있는 경우라도 재결을 거칠 필요 없이 원처분 무효확인의 소를 제기할 수 있다(대판 1993. 1. 19, 91누8050 전합).

(2) 중앙노동위원회의 재심판정(재결주의)

노동위원회법에서도 원처분이 아닌 재심판정(재결)을 대상으로 소송을 제기할 수 있도록 규정하고 있는바, 재결주의를 취하고 있다고 봄이 통설과 판례의 태도이다.**01**

(3) 특허심판원의 심결(재결주의)

특허출원에 대한 심사관의 거절결정에 대하여 행정소송을 제기할 수 없고, 특허심판원에 심판청구를 한 후 그 심결(**심리하여 결정하는 것. 재결과 같은 의미로 생각하면 됨**)을 **소송대상**으로 하여 특허법원에 심결취소를 구하는 소를 제기하여야 한다.**02**

(4) 중앙토지수용위원회의 재결에 대한 불복(원처분주의)

① 구 토지수용법하에서 판례는 중앙토지수용위원회의 재결에 대해 재결주의를 취하고 있다고 판시한 바 있다.

② 그러나 현행 「공익사업을 위한 토지 등의 취득 및 보상에 관한 법률」상 토지수용위원회의 재결에 대해서는 **원처분주의**를 취하고 있다고 봄이 일반적 견해이며, 판례의 입장이다(p.682 참조).

2. 재결주의에서의 청구

재결주의가 적용되는 경우라 하더라도 원처분이 당연무효인 경우에는 재결취소의 소뿐만 아니라 원처분무효확인소송도 제기할 수 있다는 것이 판례의 입장이다.㉠ 한편, 개별법률에서 재결주의를 정하는 경우에는 재결에 대해서만 제소하는 것이 허용되므로 그 논리적인 전제로서 취소소송을 제기하기 전에는 행정심판을 필요적으로 경유할 것이 요구된다(헌재 2001. 6. 28, 2000헌바77).

❹ 관련문제 - 교원의 경우

교원이 해임 등 징계처분을 받은 경우 이의 구제가 문제되는바, 사립학교 교원과 국·공립학교 교원을 나누어 검토해 본다.

1. 사립학교 교원의 경우

(1) 징계의 성질

사립학교 교원이 학교법인으로부터 해임처분을 받은 경우 사립학교 교원과 학교법인의 관계는 **사법관계**에 해당하므로 민사소송을 제기할 수 있다.

(2) 소청심사를 거친 경우

「교원의 지위 향상 및 교육활동 보호를 위한 특별법」에 의하면 사립학교 교원은 교육부 내에 설치된 교원소청심사위원회(개정 전 교원징계재심위원회)에 소청심사청구를 할 수 있다. 이 경우 **소청심사결정은 항고소송의 대상이 되는 처분**이 되므로**03** 취소소송 제기가 가능한데, **이때 피고는 교원소청심사위원회**가 된다는 것이 판례의 입장이다.**04** 한편, **민사소송절차와 특별법에 따른 구제절차는 임의적·선택적**이라는 것이 판례의 입장이다.

정답 01 × 02 ○ 03 ○ 04 ○

관련판례

1. 사립학교 교원이 학교법인의 해임처분에 대하여 「교원지위향상을 위한 특별법」(현 「교원의 지위 향상 및 교육활동 보호를 위한 특별법」)에 따라 교육부 내의 교원징계재심위원회(현 교원소청심사위원회)에 재심청구를 한 경우 재심위원회의 결정은 행정소송의 대상인 행정처분이다(대판 1993. 2. 12, 92누13707).★

2. 학교법인에 의하여 징계처분 등을 받은 사립학교 교원은 「교원지위향상을 위한 특별법」(현 「교원의 지위 향상 및 교육활동 보호를 위한 특별법」)에 따른 재심위원회의 재심절차와 행정소송절차를 밟을 수 있을 뿐만 아니라 종래와 같이 민사소송을 제기하여 권리구제를 받을 수도 있는데, 이 두 구제절차는 임의적 · 선택적이다(헌재 2003. 12. 18, 2002헌바14 · 32 병합). ⓐ★

2. 국 · 공립학교 교원의 경우

(1) 징계의 성질

국 · 공립학교 교원이 해임 등 징계처분을 받은 경우 이는 **행정처분**으로서 공법관계에 해당하므로 민사소송이 아닌 **항고소송을 제기**해야 한다. 그런데 이는 후술할 **예외적 행정심판전치주의가 적용**되므로 소청심사위원회의 행정심판을 먼저 거쳐야 한다.

(2) 소청심사위원회의 결정

소청심사위원회의 결정을 거쳐 행정소송을 제기하는 경우 무엇이 소송대상인지가 문제되나, 행정소송법상 원처분주의가 적용되므로 **원래의 징계처분(원처분)**을 대상으로 **원처분청을 피고로 하여 취소소송**을 제기해야 한다.

관련판례

국 · 공립학교 교원에 대한 징계처분에 대해 행정심판을 거친 경우 취소소송의 대상은 원처분이 된다.01 ★★

국 · 공립학교 교원에 대한 징계 등 불리한 처분은 행정처분이므로 국 · 공립학교 교원이 징계 등 불리한 처분에 대하여 불복이 있으면 교원징계재심위원회에 재심청구를 하고 위 재심위원회의 재심결정에 불복이 있으면 항고소송으로 이를 다투어야 할 것인데, 이 경우 그 소송의 대상이 되는 처분은 원칙적으로 원처분청의 처분이고, …… 재결에 대한 항고소송은 원처분의 하자를 이유로 주장할 수는 없고 그 재결 자체에 고유한 주체 · 절차 · 형식 또는 내용상의 위법이 있는 경우에 한한다(대판 1994. 2. 8, 93누17874).

기출 체크

□□□□□ 01 공립학교 교원에 대한 징계에 있어 교원소청심사위원회의 결정에 불복이 있는 경우에 취소소송을 할 수 있고, 이때 원처분을 소송의 대상으로, 원처분청을 상대로 하는 것이 원칙이다. (○, ×) ★★ 2012 국회직 8급

ⓐ 한편 「교원지위향상을 위한 특별법」(현 「교원의 지위 향상 및 교육활동 보호를 위한 특별법」)에는 재심결정에 대하여 교원에게만 행정소송을 제기할 수 있도록 하고 학교법인에는 이를 금지하는 규정이 있었으나, 이 규정은 2006년 헌법재판소에 의해 위헌결정을 받아서 지금은 법이 개정되었으므로 재심결정에 불복이 있으면 사립학교법인 · 경영자 · 교원 모두 행정소송을 제기할 수 있다(헌재 2006. 2. 23, 2005헌가7 · 2005헌마1163 병합). 한편 이 경우 제소기간은 소청심사위원회의 결정서를 송달받은 날부터 90일 이내에 행정소송을 제기할 수 있다.

[유튜브] 37강 필수 개념 TEST
- QR코드를 스캔해 주세요.
- 필수 개념과 출제 포인트를 풀어 보세요.
- 틀린 문제는 기본서로 확인해 주세요.

정답 01 ○

제 38 강 항고소송 3 (그 밖의 소송요건 및 소변경 등)

그 밖의 소송요건

제소기간

행정심판을 거치지 않은 경우

• 처분 등이 있음을 안 경우(안 날로부터 90일)

처분이 송달된 경우	• 처분 등이 있음을 안 날로부터 90일 이내 • 처분이 있음을 안 날 : 처분이 있었음을 현실적으로 안 날(처분의 통지가 상대방에게 도달한 때에는 처분이 있음을 알았다고 추정)
고시 또는 공고의 경우	• 불특정 다수인에게 공고하는 경우 : 고시 또는 공고가 효력을 발생하는 날에 처분이 있음을 알았다고 봄. • 특정인에 대한 처분을 주소불명 등의 이유로 송달할 수 없어 관보 등에 공고한 경우 : 공고가 효력을 발생하는 날에 처분이 있음을 알았다고 볼 수 없음.
법률의 위헌결정으로 소제기가 가능해진 경우	처분 당시에는 취소소송의 제기가 법제상 허용되지 않아 소송을 제기할 수 없다가 위헌결정으로 인하여 비로소 취소소송을 제기할 수 있게 된 경우 객관적으로는 '위헌결정이 있은 날', 주관적으로는 '위헌결정이 있음을 안 날' 비로소 취소소송을 제기할 수 있게 되어 이때를 제소기간의 기산점으로 삼아야 함.
불변기간	제소기간(처분 등이 있음을 안 날로부터 90일 이내)은 불변기간임.
불고지 · 오고지의 경우	행정심판법상 오고지에 관한 규정은 행정소송에 적용되지 않음.

• 처분이 있음을 알지 못한 경우(있은 날로부터 1년)

원 칙	• 처분이 있은 날로부터 1년 내에 취소소송을 제기해야 함. • 처분이 있은 날 : 행정처분이 상대방에게 도달되어 효력이 발생한 날을 의미함.
예 외	• 정당한 사유가 있는 경우에는 1년이 경과하더라도 소송을 제기할 수 있음. • 제3자효적 행정행위의 경우 : 정당한 사유가 있는 경우에 해당 ⇨ 1년이 경과하더라도 소제기가 가능함. 다만, 어떠한 경위로든 행정처분이 있음을 알았다면 처분이 있음을 안 날로부터 90일 이내 소송을 제기해야 함.

• **90일과 1년의 관계** : 두 기간 중 어느 하나의 기간이라도 먼저 경과하면 취소소송을 제기할 수 없음.

행정심판을 거친 경우

정본을 송달받은 경우	재결서의 정본을 송달받은 날로부터 90일 이내(불변기간)
정본을 송달받지 못한 경우	재결이 있은 날부터 1년

제소기간 준수 여부의 기준시점

• **소변경**
 – 소 종류변경의 경우(행정소송법에 따른 소변경) : 처음의 소를 제기한 때
 – 청구취지변경의 경우(민사소송법에 따른 소변경) : 소의 변경이 있은 때

• **처분변경명령재결에 따른 변경처분의 경우**
 – 소송의 대상 : 변경된 당초처분
 – 제소기간 : 행정심판재결서 정본을 송달받은 날로부터 90일 이내

• **소의 추가적 병합의 경우** : 원칙상 추가병합신청이 있은 때

• **재조사결정** : 행정심판기관의 '재조사결정'에 따른 심사청구기간이나 심판청구기간 또는 행정소송의 제소기간의 기산점은 후속처분의 통지를 받은 날이 됨.

• **기타** : 항고소송으로 제기해야 할 사건을 민사소송으로 잘못 제기한 경우에 수소법원이 그 항소소송에 대한 관할을 가지고 있지 아니하여 관할법원에 이송하는 결정을 하였고 그 이송결정이 확정된 후 원고가 항고소송으로 소변경을 하였다면, 그 항소소송에 대한 제소기간의 준수 여부는 원칙적으로 처음에 소를 제기한 때(민사소송을 제기한 때)를 기준으로 판단

다른 주관적 소송의 경우

무효등확인 소송의 경우	• 제소기간의 적용 × • 다만, 무효선언적 의미의 취소소송에는 취소소송의 경우와 동일하게 제소기간의 제한 O
부작위위법확인 소송의 경우	• 행정심판을 거쳐 소송을 제기하는 경우 : 제소기간의 제한 O • 행정심판을 거치지 않고 소송을 제기하는 경우 : 제소기간의 제한 ×
당사자소송	• 취소소송의 제소기간에 관한 규정은 적용 × • 행정소송법에는 당사자소송의 제소기간에 대해 별도의 제한 × • 다만, 당사자소송에 관하여 개별법령에 제소기간이 정하여져 있는 때 : 그 기간은 불변기간

행정심판과 취소소송의 관계

행정심판임의주의의 채택 – 원칙

필요적(예외적) 행정심판전치주의 – 예외

• **의의** : 다른 법률에 당해 처분에 대한 행정심판의 재결을 거치지 아니하면 취소소송을 제기할 수 없다는 규정이 있는 경우

• **필요적 전치주의가 규정된 다른 법률의 예** : 국가공무원법, 지방공무원법, 교육공무원법, 관세법, 국세기본법, 지방세기본법, 도로교통법, 특허법 등

• **심판청구의 적법성**
 – 부적법한 심판청구를 각하하지 않고 본안에 대한 재결을 한 경우 : 행정심판전치의 요건을 충족 못함.
 – 적법한 심판청구를 부적법한 것으로 각하한 경우 : 행정심판전치의 요건을 충족하였다고 봄.

• **전치요건 충족의 시기 및 판단**
 – 사실심변론종결시까지 행정심판절차를 거친 경우에는 요건의 흠결은 치유됨.
 – 행정심판을 거친 것인지의 여부 : 직권조사사항

• **예외적 전치제도의 완화**

행정심판제기는 하되 재결을 거칠 필요가 없는 경우	행정심판을 제기함이 없이 취소소송을 제기할 수 있는 경우
① 행정심판청구가 있은 날로부터 60일이 지나도 재결이 없는 때 ② 처분의 집행 또는 절차의 속행으로 생길 중대한 손해를 예방하여야 할 긴급한 필요가 있는 때 ③ 법령의 규정에 의한 행정심판기관이 의결 또는 재결을 하지 못할 사유가 있는 때 ④ 그 밖의 정당한 사유가 있는 때	① 동종사건에 관하여 이미 행정심판의 기각재결이 있은 때 ② 서로 내용상 관련되는 처분 또는 같은 목적을 위하여 단계적으로 진행되는 처분 중 어느 하나가 이미 행정심판의 재결을 거친 때 ③ 행정청이 사실심의 변론종결 후 소송의 대상인 처분을 변경하여 당해 변경된 처분에 관하여 소를 제기하는 때 ④ 처분을 행한 행정청이 행정심판을 거칠 필요가 없다고 잘못 알린 때(처분청이 아닌 행정심판업무담당 공무원이 잘못 알린 경우도 포함)

• **예외적 행정심판전치주의의 적용범위**
 – 적용되는 소송형태 : 취소소송 O, 부작위위법확인소송 O, 무효선언을 구하는 의미의 취소소송 O, 무효확인소송 ×

• **처분의 상대방이 아닌 제3자가 제소하는 경우** : 행정심판전치주의 적용됨.

심판과 소송에서 공격 · 방어방법의 동일성 여부

심판절차에서 절차상 위법이 있다는 것을 주장하지 않았더라도 소송절차에서 이를 주장할 수 있음(판례).

소의 변경과 소제기의 효과

소의 변경

행정소송법에 의한 소의 변경

• 소의 종류의 변경

의 의	• 청구의 기초에 변경이 없는 한 사실심변론종결시까지 당사자소송 또는 취소소송 외의 항고소송으로 변경하는 것 • 피고변경 수반하는 경우에도 가능
요 건	• 취소소송의 계속 • 사실심변론종결시까지 원고의 신청이 있을 것 • 당사자소송, 취소소송 외의 항고소송으로 변경하는 경우일 것 • 청구의 기초에 변경이 없을 것 • 법원이 상당하다고 인정하여 허가결정을 할 것
절 차	소변경을 허가할 때, 피고를 변경하는 경우에는 새로이 피고가 될 자의 의견을 들어야 함.
효 과	새로운 소는 변경시가 아닌 변경된 구소를 제기한 때에 제기된 것으로 보며, 변경된 구소는 취하된 것으로 봄.
다른 소송의 경우	무효등확인소송, 부작위위법확인소송을 다른 항고소송이나 당사자소송으로 변경하거나, 당사자소송을 항고소송으로 변경하는 경우도 가능

• 처분변경으로 인한 소의 변경

요 건	• 처분의 변경이 있을 것 • 처분의 변경이 있음을 안 날로부터 60일 이내일 것 • 원고의 신청이 있을 것 • 법원의 허가결정이 있을 것 • 취소소송이 계속 중이고 사실심변론종결 전이어야 하며, 변경된 새로운 소는 적법하여야 함. • 변경 전의 처분에 대하여 행정심판전치절차를 거쳤으면 새로운 처분에 대하여 별도의 행정심판을 거치지 않아도 됨.
효 과	새로운 소는 구소가 제기된 때에 제기된 것으로 보며, 구소는 취하된 것으로 봄.
다른 소송의 경우	무효등확인소송과 당사자소송의 경우는 준용이 되나, 부작위위법확인소송의 경우에는 준용되지 않음.

민사소송법에 의한 소의 변경

행정소송법에 규정이 없는 것은 민사소송법의 규정이 준용되므로 민사소송법에 의한 소변경도 가능함.

행정소송과 민사소송 간의 변경 여부

행정소송과 민사소송 간의 소변경도 가능

소제기의 효과

중복제소금지, 집행부정지

집행정지제도

• **집행부정지원칙** : 취소소송을 제기하더라도 처분이 정지되지 않는 원칙

집행정지의 요건	• **적극적 요건** – **적법한 본안소송의 계속** : 본안소송의 제기와 동시에 집행정지신청은 가능. 본안소송이 취하되면 집행정지 결정은 당연히 소멸 – **처분 등의 존재** ‣ 본안소송이 취소소송이나 무효등확인소송인 경우에만 집행정지 허용됨(부작위위법확인소송은 집행정지 허용 ×). ‣ 처분의 일부에 대한 집행정지 가능 – **회복하기 어려운 손해예방의 필요** ‣ 금전보상이 불가능한 경우뿐만 아니라 금전보상으로는 사회관념상 행정처분을 받은 당사자가 참고 견딜 수 없거나, 참고 견디기 현저히 곤란한 경우의 유형 · 무형의 손해(손해의 규모가 현저히 클 필요 없음) ‣ 기업의 경우에는 중대한 경영상의 위기를 기준의 하나로 봄. – **긴급한 필요**(본안판결을 기다릴 여유가 없는 경우) • **소극적 요건** – 공공복리(처분의 집행과 관련된 개별적 · 구체적인 공익)에 중대한 영향을 줄 우려가 없을 것 – 본안청구가 이유 없음이 명백하지 않을 것
집행정지의 절차	• 당사자의 신청 또는 법원의 직권 • 관할 : 본안이 계속된 법원(상고심 포함) • 심리 : 집행정지의 적극적 요건은 신청인이, 소극적 요건은 피신청인인 행정청이 주장 · 소명책임을 짐.
신청인적격	• 본안소송의 당사자로서 법률상 이익이 있는 자 • 제3자효 행정행위의 경우에는 제3자에게 원고적격이 있는 한 소송을 제기하고 원고의 입장에서 집행정지를 신청할 수 있다고 봄.
집행정지의 대상	• 거부처분 : 집행정지의 대상 × • 유효기간 만료 후 허가갱신신청을 거부한 투전기업소갱신허가 불허처분 : 집행정지 대상 ×
집행정지결정의 내용	• 처분의 효력정지 : 당해 처분이 잠정적으로 존재하지 아니하는 상태로 두는 것 • 처분의 집행정지 • 절차의 속행정지 • 단, 처분의 집행정지, 절차의 속행정지만으로 목적을 달성할 수 있는 경우에는 처분의 효력정지는 허용 안 됨.
집행정지결정의 효력	• 형성력 : 집행정지결정에 위반된 후속행위는 무효, 복효적 행정행위의 경우 집행정지의 결정은 제3자에 대하여도 효력이 있음. • 기속력 – 당사자인 행정청과 그 밖의 관계행정청도 기속함. – 집행정지결정을 위반한 행정처분은 무효임. • 시간적 효력 – 집행정지결정의 효력은 결정주문에서 정한 시기까지 존속하다가 그 시기의 도래와 동시에 효력이 소멸함. – 정지결정대상인 처분의 발령시점에 소급하는 것이 아니라 집행정지결정시점부터 장래에 향하여 효력 발생
집행정지결정의 취소	• 집행정지의 결정이 확정된 후, 집행정지가 공공복리에 중대한 영향을 미치거나 그 정지사유가 없어진 때에는 당해 집행결정을 한 법원은 당사자의 신청 또는 직권에 의하여 결정 • 제재처분에 대해 집행정지결정이 이루어졌더라도 본안에서 해당 처분이 최종적으로 적법한 것으로 확정된 경우, 처분청으로서는 당초 집행정지결정이 없었던 경우와 동등한 수준으로 해당 제재처분이 집행되도록 필요한 조치를 취하여야 함(판례).
집행정지결정에 대한 불복	집행정지결정에 대한 즉시항고는 결정의 집행을 정지하는 효력이 없음. – 집행정지신청 기각결정 후 본안소송이 취하되었다면 그 기각결정에 대한 재항고는 그 실익이 없어 각하됨(판례).

민사집행법상 가처분의 준용 여부

행정소송법상 명문규정 ×. 민사집행법상의 가처분은 항고소송에는 적용 안 됨(통설 및 판례).

제 1 절 그 밖의 소송요건

초대 Topic 39, 40 핵심집약 Topic 70

기출 체크

□□□□□ 01 제소기간의 준수 여부는 법원의 직권조사사항에 해당하지 않는다. (○, ×) ★★★ 2017 교육행정직 9급

□□□□□ 02 행정심판을 거친 후에 원처분에 대하여 취소소송을 제기할 경우 재결서의 정본을 송달받은 날부터 60일 이내에 제기하여야 한다. (○, ×) ★★★ 2021 군무원 7급

□□□□□ 03 행정청이 행정심판청구를 할 수 있다고 잘못 알려 행정심판을 청구한 경우에는 재결서 정본을 송달받은 날이 아닌 처분이 있음을 안 날로부터 제소기간이 기산된다. (○, ×) ★★★ 2021 국가직 9급

□□□□□ 04 취소소송은 처분 등이 있음을 안 날부터 90일 이내에, 처분 등이 있은 날부터 1년 이내에 제기할 수 있고, 다만 처분 등이 있은 날부터 1년이 경과하여도 정당한 사유가 있다면 취소소송을 제기할 수 있다. (○, ×) ★★★ 2020 소방직 9급

□□□□□ 05 제소기간의 적용에 있어 '처분이 있음을 안 날'이란 처분의 존재를 현실적으로 안 날을 의미하는 것이 아니라 처분의 위법 여부를 인식한 날을 말한다. (○, ×) ★★ 2015 사회복지직 9급

ⓐ 정본 · 부본
'정본'은 법률에 특별히 규정된 권한이 있는 사람이 원본 전부를 그대로 복사한 후 인증한 문서로서 원본과 동일한 효력이 있는 것을 말한다. '부본'은 원본과 동일한 내용의 문서로, 원본의 훼손에 대비하여 예비로 보관하거나 사무처리에 사용하기 위하여 만드는 것을 말한다.

ⓑ 취소소송 제기기간의 계산의 예
2024년 5월 11일에 처분이 있음을 알았다면 기간계산의 원칙의 하나인 초일불산입원칙에 따라 5월 12일부터 기산하여 90일(20일+30일+31일+9일)째가 되는 날인 8월 9일의 밤 12시까지 취소소송을 제기할 수 있다.

정답 01 × 02 × 03 × 04 ○ 05 ×

01 | 제소기간

❶ 행정심판을 거치지 않은 경우

취소소송은 제소기간을 준수하여야 하는데, 이러한 제소기간의 도과(제소기간이 지났는지) 여부는 소송요건에 해당하므로 법원의 직권조사사항이 되는바,01 제소기간이 도과하여 제기된 소송에 대해서는 부적법 각하판결을 하게 된다. 제소기간은 행정심판을 거치지 않고 소송을 제기하는 경우와 행정심판을 거친 후 소송을 제기하는 경우의 기산점이 다른바, 이에 대해서는 아래에서 검토해 본다.

> **행정소송법 제20조【제소기간】** ① 취소소송은 처분 등이 있음을 안 날부터 90일 이내에 제기하여야 한다. 다만, 제18조 제1항 단서에 규정한 경우와 그 밖에 행정심판청구를 할 수 있는 경우 또는 행정청이 행정심판청구를 할 수 있다고 잘못 알린 경우에 행정심판청구가 있은 때의 기간은 재결서의 정본ⓐ을 송달받은 날부터 기산한다.02 03
> ② 취소소송은 처분 등이 있은 날부터 1년(제1항 단서의 경우는 재결이 있은 날부터 1년)을 경과하면 이를 제기하지 못한다. 다만, 정당한 사유가 있는 때에는 그러하지 아니하다.04
> ③ 제1항의 규정에 의한 기간은 불변기간으로 한다.

관련문제

다음은 행정소송법상 제소기간에 대한 설명이다. ㉠~㉤에 들어갈 내용은? ★★★ 2020 지방직 · 서울시 9급

> 취소소송은 처분 등이 (㉠)부터 (㉡) 이내에 제기하여야 한다. 다만, 행정심판청구를 할 수 있는 경우 또는 행정청이 행정심판청구를 할 수 있다고 잘못 알린 경우에 행정심판청구가 있은 때의 기간은 (㉢)을 (㉣)부터 기산한다. 한편 취소소송은 처분 등이 있은 날부터 (㉤)을 경과하면 이를 제기하지 못한다. 다만, 정당한 사유가 있는 때에는 그러하지 아니하다.

	㉠	㉡	㉢	㉣	㉤
①	있은 날	30일	결정서의 정본	통지받은 날	180일
②	있음을 안 날	90일	결정서의 정본	송달받은 날	1년
③	있은 날	1년	결정서의 부본	통지받은 날	2년
④	있음을 안 날	1년	결정서의 부본	송달받은 날	3년

정답 ②

1. 처분 등이 있음을 안 경우(안 날로부터 90일 – 불변기간)ⓑ

(1) 처분이 송달된 경우

처분 등이 있음을 안 날로부터 90일 이내인바, 처분 등이 있음을 안 날의 의미에 대해 판례는 처분이 있었음을 현실적으로 안 날로 보며, 처분의 통지가 상대방에게 도달한 때에는 처분이 있었음을 알았다고 추정할 수 있을 뿐이라고 보고 있다. 따라서 당사자는 통지가 도달한 때에 도달된 통지를 볼 수 없었다는 반증(反證)을 제기할 수 있다. 한편 '처분이 있음을 안 날'이란 말 그대로 처분이 있음을 안 날이고 구체적으로 그 행정처분의 위법 여부를 판단한 날을 가리키는 것은 아니라고 봄이 판례의 입장이다(대판 1991. 6. 28, 90누6521).05

관련판례

1. **처분이 있음을 안 날이란 처분이 있었다는 사실을 현실적으로 안 날을 의미하나, 주소지에 송달되는 등의 사정이 있으면 처분이 있음을 알았다고 추정할 수 있다.★★**

   행정심판법 제18조 제1항 소정의 심판청구기간 기산점인 '처분이 있음을 안 날'이라 함은 당사자가 통지 · 공고 기타의 방법에 의하여 당해 처분이 있었다는 사실을 현실적으로 안 날을 의미하고, 추상적으로 알 수 있었던 날을 의미하는 것은 아니지만, 처분에 관한 서류가 당사자의 주소지에 송달되는 등 사회통념상 처분이 있음을 당사자가 알 수 있는 상태에 놓여진 때에는 반증이 없는 한 그 처분이 있음을 알았다고 추정할 수 있다(대판 1999. 12. 28, 99두9742).**01**

2-1. **행정소송법 제20조 제1항이 정한 제소기간의 기산점인 '처분 등이 있음을 안 날'이란 통지, 공고, 기타의 방법에 의하여 당해 처분 등이 있었다는 사실을 현실적으로 안 날을 의미하고, 상대방이 있는 행정처분의 경우 위 제소기간의 기산점은 행정처분이 상대방에게 고지되어 상대방이 이러한 사실을 인식함으로써 행정처분이 있다는 사실을 현실적으로 알았을 때를 의미한다.02 ★★★**

2-2. **처분의 상대방인 甲이 통보서를 송달받기 전에 정보공개를 청구하여 위 처분을 하는 내용의 통보서를 비롯한 일체의 서류를 교부받음으로써 적어도 그 무렵에는 처분이 있음을 알았더라도, 동 처분이 원고에게 고지되어 원고가 이러한 사실을 인식함으로써 처분이 있다는 사실을 현실적으로 알았을 때 행정소송법 제20조 제1항이 정한 제소기간이 진행된다**(대판 2014. 9. 25, 2014두8254).**03 ★★★**

3. 취소소송의 제소기간 기산점으로 행정소송법 제20조 제1항이 정한 '처분 등이 있음을 안 날'은 유효한 행정처분이 있음을 안 날을, 같은 조 제2항이 정한 '처분 등이 있은 날'은 그 행정처분의 효력이 발생한 날을 각 의미한다. 이러한 법리는 행정심판의 청구기간에 관해서도 마찬가지로 적용된다(대판 2019. 8. 9, 2019두38656).

(2) 고시 또는 공고의 경우

불특정 다수인에 대한 고시 또는 공고와, 특정인에 대한 고시 또는 공고로 나누어 검토해 본다.

① 불특정 다수인에게 공고하는 경우

고시 또는 공고에 의해 행정처분을 한 경우에 이해관계를 가진 자가 현실적으로 고시 또는 공고 사실을 알았는지와 상관없이 고시 또는 공고가 효력을 발생하는 날에 처분이 있음을 알았다고 보아 그 날부터 90일 이내에 취소소송을 제기하여야 한다.

관련판례

(인터넷 웹사이트에 대하여 구 청소년보호법에 따른 청소년유해매체물 결정 및 고시처분을 한 사안에서, 위 결정은 이해관계인이 고시가 있었음을 알았는지 여부에 관계없이 관보에 고시됨으로써 효력이 발생하고, 그가 위 결정을 통지받지 못하였다는 것이 제소기간을 준수하지 못한 것에 대한 정당한 사유가 될 수 없다고 하면서) **통상 고시 또는 공고에 의하여 행정처분을 하는 경우에는 고시가 효력을 발생하는 날에 처분이 있음을 알았다고 보아야 한다.★★★**

통상 고시 또는 공고에 의하여 행정처분을 하는 경우에는 그 처분의 상대방이 불특정 다수인이고 그 처분의 효력이 불특정 다수인에게 일률적으로 적용되는 것이므로, 그 행정처분에 이해관계를 갖는 자가 고시 또는 공고가 있었다는 사실을 현실적으로 알았는지 여부에 관계없이 고시가 효력을 발생하는 날 행정처분이 있음을 알았다고 보아야 한다(대판 2007. 6. 14, 2004두619).**04**

✚ 다만, 개별토지가격결정처럼 비록 처분을 공고에 의해 하는 경우라 하더라도 처분의 효력이 각 상대방에게 개별적으로 발생하는 경우(토지소유자마다 개별토지가격은 다르게 결정이 된다)에 그 처분은 실질에 있어서 개별처분이라고 볼 수 있다. 따라서 공고 또는 고시가 효력을 발생하여도 통지 등으로 실제로 알았거나 알 수 있었던 경우를 제외하고는 처분이 있음을 알았다고 할 수는 없다는 것이 판례의 입장이다.

비교판례

개별토지가격결정의 공고는 공고일로부터 그 효력을 발생하지만 처분상대방인 토지소유자 및 이해관계인이 공고일에 개별토지가격결정처분이 있음을 알았다고까지 의제할 수는 없다.

개별토지가격결정에서는 그 처분의 고지방법에 있어 개별토지가격합동조사지침(국무총리훈령

기출 체크

□□□□□ **01** 처분이 있음을 안 날이라 함은 처분에 관한 서류가 당사자의 주소에 송달되는 등 사회통념상 처분이 있음을 당사자가 알 수 있는 상태에 놓여진 때에는 반증이 없는 한 그 처분이 있음을 알았다고 추정할 수 있다. (○, ×) ★★
2013 국회속기직 9급

□□□□□ **02** 상대방이 있는 행정처분에 대하여 행정심판을 거치지 아니하고 바로 취소소송을 제기하는 경우 처분이 있음을 안 날이란 통지, 공고 기타의 방법에 의해 당해 행정처분이 있었다는 사실을 현실적으로 안 날을 의미한다. (○, ×) ★★★
2017 국가직(하) 7급

□□□□□ **03** '처분이 있음을 안 날'은 처분이 있었다는 사실을 현실적으로 안 날을 의미하므로, 처분서를 송달받기 전 정보공개청구를 통하여 처분을 하는 내용의 일체의 서류를 교부받았다면 그 서류를 교부받은 날부터 제소기간이 기산된다. (○, ×) ★★★
2021 국가직 9급

□□□□□ **04** 고시 또는 공고에 의하여 행정처분을 하는 경우 그 행정처분에 이해관계를 갖는 사람이 고시 또는 공고가 있었다는 사실을 현실적으로 알았는지 여부에 관계없이 고시 또는 공고가 효력을 발생한 날에 행정처분이 있음을 알았다고 보아야 한다. (○, ×) ★★★
2020 지방직 · 서울시 9급

정답 01 ○ 02 ○ 03 × 04 ○

기출 체크

□□□□□ **01** 특정인에 대한 처분을 주소불명 등의 이유로 송달할 수 없어 관보 · 공보 · 게시판 · 일간신문 등에 공고(공시송달)한 경우에는 당해 공고가 효력을 발생하는 날이 제소기간의 기산일이 된다. (○, ×) ★ 2010 국회속기직 9급

□□□□□ **02** 처분 당시에는 취소소송의 제기가 법제상 허용되지 않아 소송을 제기할 수 없다가 위헌결정으로 인하여 비로소 취소소송을 제기할 수 있게 된 경우에는 객관적으로는 '위헌결정이 있은 날', 주관적으로는 '위헌결정이 있음을 안 날' 비로소 취소소송을 제기할 수 있게 되어 이때를 제소기간의 기산점으로 삼아야 한다. (○, ×) ★★ 2020 경행경채

□□□□□ **03** 법원은 취소소송의 제소기간을 확장하거나 단축할 수 없으나 주소 또는 거소가 멀리 떨어진 곳에 있는 자를 위하여 부가기간을 정할 수 있다. (○, ×) 2013 지방직 9급

정답 01 × 02 ○ 03 ○

제248호)의 규정에 의하여 행정편의상 일단의 각 개별토지에 대한 가격결정을 일괄하여 읍 · 면 · 동의 게시판에 공고하는 것일 뿐 그 처분의 효력은 각각의 토지 또는 각각의 소유자에 대하여 각별로 효력을 발생하는 것이므로 개별토지가격결정의 공고는 공고일로부터 그 효력을 발생하지만 처분상대방인 토지소유자 및 이해관계인이 공고일에 개별토지가격결정처분이 있음을 알았다고까지 의제할 수는 없어 결국 개별토지가격결정에 대한 재조사청구 또는 행정심판의 청구기간은 처분상대방이 실제로 처분이 있음을 안 날로부터 기산하여야 할 것이다(대판 1993. 12. 24, 92누17204).

② 특정인에 대한 처분을 주소불명 등의 이유로 송달할 수 없어 관보 등에 공고한 경우

판례는 공고가 효력을 발생하는 날이 아니라 상대방이 처분이 있었다는 사실을 현실적으로 안 날에 처분이 있음을 알았다고 보아야 한다는 입장이다.

관련판례

특정인에 대한 행정처분을 주소불명 등의 이유로 송달할 수 없어 관보 등에 공고한 경우, 상대방이 그 처분이 있음을 안 날은 공고가 효력을 발생하는 날이 아닌 상대방이 처분이 있었다는 사실을 현실적으로 안 날이라고 보아야 한다.01 ★

특정인에 대한 행정처분을 주소불명 등의 이유로 송달할 수 없어 관보 · 공보 · 게시판 · 일간신문 등에 공고한 경우에는, 공고가 효력을 발생하는 날에 상대방이 그 행정처분이 있음을 알았다고 볼 수는 없고, 상대방이 당해 처분이 있었다는 사실을 현실적으로 안 날에 그 처분이 있음을 알았다고 보아야 한다(대판 2006. 4. 28, 2005두14851).

(3) 법률의 위헌결정

법률상 소제기가 불가능하다가 법률의 위헌결정으로 소제기가 가능해진 경우, 소송의 기산점에 대해 판례는 객관적으로는 '위헌결정이 있은 날', 주관적으로는 '위헌결정이 있음을 안 날'을 기산점으로 삼아야 한다고 본다.

관련판례

처분 당시에는 취소소송의 제기가 법제상 허용되지 않아 소송을 제기할 수 없다가 위헌결정으로 인하여 비로소 취소소송을 제기할 수 있게 된 경우 객관적으로는 '위헌결정이 있은 날', 주관적으로는 '위헌결정이 있음을 안 날' 비로소 취소소송을 제기할 수 있게 되어 이때를 제소기간의 기산점으로 삼아야 한다(대판 2008. 2. 1, 2007두20997).**02 ★★**

(4) 불변기간

① 처분 등이 있음을 안 날로부터 90일 이내에 제기하여야 한다는 제소기간은 법원이 늘리거나 줄일 수 없는 불변기간(不變期間)이다. 다만, 행정소송법 제8조에 의해 준용되는 민사소송법 제172조와 제173조에 따르면 주소 또는 거소가 멀리 떨어진 곳에 있는 사람을 위하여 부가기간을 정할 수 있고,**03** 당사자가 그 책임을 질 수 없는 사유로 말미암아 불변기간을 지킬 수 없었던 경우에는 그 사유가 없어진 날부터 2주 내에 게을리한 소송행위를 추완(추후에 보완하는 것)할 수 있다.

② 여기서 당사자가 책임질 수 없는 사유란 당사자가 그 소송행위를 하기 위하여 일반적으로 하여야 할 주의를 다하였음에도 불구하고 그 기간을 준수할 수 없었던 사유를 말한다(대판 2005. 1. 13, 2004두9951).

(5) 불고지 · 오고지의 경우

행정심판법에는 불고지 · 오고지의 효과에 관한 규정이 있으나(p.726 참조), 행정소송법에는 그와 관련한 규정이 없으므로, 불고지 · 오고지 효과에 관한 행정심판법 규정은 행정소송에 적용되지 않는다는 것이 판례의 입장이다.

관련판례

행정심판법상 오고지에 관한 규정(행정심판법 제27조 제5항)은 행정소송에는 적용되지 아니한다.★★
행정처분시나 그 이후 행정청으로부터 행정심판 제기기간에 관하여 법정심판청구기간보다 긴 기간으로 잘못 통지받은 경우에 보호할 신뢰이익은 그 통지받은 기간 내에 행정심판을 제기한 경우에 한하는 것이지 행정소송을 제기한 경우까지 확대된다고 할 수 없으므로,**01** 당사자가 행정처분시나 그 이후 행정청으로부터 행정심판 제기기간에 관하여 법정심판청구기간보다 긴 기간으로 잘못 통지받아 행정소송법상 법정제소기간을 도과하였다고 하더라도, 그것이 당사자가 책임질 수 없는 사유로 인한 것이라고 할 수는 없다(대판 2001. 5. 8, 2000두6916).

2. 처분이 있음을 알지 못한 경우(있은 날로부터 1년)

(1) 원 칙

처분이 있은 날로부터 1년 내에 취소소송을 제기하여야 하는바,**02** 이때 처분이 있은 날이란 상대방 있는 행정처분의 경우 행정처분이 상대방에게 도달되어 효력이 발생한 날이라는 것이 통설과 판례의 입장이다.**03**

(2) 예 외

① 일반론

정당한 사유가 있는 경우에는 1년이 경과하더라도 소송을 제기할 수 있는바,**04** 이때 정당한 사유란 제소기간 내에 소를 제기하지 못함을 정당화할 만한 객관적인 사유를 의미한다.

② 제3자효적 행정행위의 경우

㉠ 제3자효적 행정행위에도 취소소송의 제소기간에 관한 요건은 적용된다.**05** 다만, 제3자는 일반적으로 처분이 있음을 바로 알 수 없는 처지에 있으므로 이 경우에는 특별한 사정이 없는 한 정당한 사유가 있는 경우에 해당하여 1년이 경과하더라도 취소소송을 제기할 수 있다.

㉡ 다만, 제3자가 어떠한 경위로든 행정처분이 있음을 안 이상 그 처분이 있음을 안 날로부터 90일 이내에 취소소송을 제기하여야 한다는 것이 판례의 취지이다(대판 1996. 9. 6, 95누16233).**06**

관련판례

처분의 상대방이 아닌 제3자는 특별한 사정이 없는 한 정당한 사유가 있는 경우에 해당하여 심판청구기간이 경과한 후에도 심판청구를 제기할 수 있다(소송의 경우에도 동일한 취지이다).★★
행정처분의 직접상대방이 아닌 제3자는 일반적으로 처분이 있는 것을 바로 알 수 없는 처지에 있으므로, 처분이 있은 날로부터 180일 내에 심판청구를 제기하지 아니하였다고 하더라도, 그 기간 내에 처분이 있은 것을 알았거나 쉽게 알 수 있었기 때문에 심판청구를 제기할 수 있었다고 볼 만한 특별한 사정이 없는 한, 위 법조항 본문의 적용을 배제할 '정당한 사유'가 있는 경우에 해당한다고 보아 위와 같은 심판청구기간이 경과한 뒤에도 심판청구를 제기할 수 있다(대판 1992. 7. 28, 91누12844).

3. 90일과 1년의 관계

두 기간 중 어느 하나의 기간이라도 먼저 경과하면 취소소송을 제기할 수 없다.**07** 따라서 비록 처분이 있

기출 체크

□□□□□ **01** 처분시에 행정청으로부터 행정심판 제기기간에 관하여 법정심판청구기간보다 긴 기간으로 잘못 통지받은 경우에 보호할 신뢰이익은 그 통지받은 기간 내에 행정소송을 제기한 경우에까지 확대되지 않는다. (○, ×) ★★
2022 지방직 · 서울시 9급

□□□□□ **02** 취소소송은 처분 등이 있음을 안 날부터 90일, 처분 등이 있은 날부터 180일이 경과하면 이를 제기하지 못한다. (○, ×) ★★★ 2013 경행특채

□□□□□ **03** 행정처분이 있은 날이란 상대방이 있는 행정처분의 경우는 특별한 규정이 없는 한 의사표시의 일반적 법리에 따라 그 행정처분이 상대방에게 고지되어 효력이 발생한 날을 말한다. (○, ×) ★★
2012 국회(속기 · 경위직) 9급

□□□□□ **04** 취소소송은 처분 등이 있은 날부터 1년을 경과하면 이를 제기하지 못한다. 다만, 정당한 사유가 있는 때에는 그러하지 아니하다. (○, ×)
2019 소방직 9급

□□□□□ **05** 제소기간의 요건은 처분의 상대방이 소송을 제기하는 경우는 물론이고 법률상 이익이 침해된 제3자가 소송을 제기하는 경우에도 적용된다.
(○, ×) 2019 국회직 8급

□□□□□ **06** 제3자효 행정행위의 경우, 제3자가 어떠한 방법에 의하든지 행정처분이 있었음을 안 경우에는 안 날로부터 90일 이내에 행정심판이나 행정소송을 제기하여야 한다. (○, ×) ★★
2019 서울시 9급

□□□□□ **07** 처분이 있음을 안 날 기준과 처분이 있은 날 기준이 모두 경과하여야 제소기간이 종료된다. (○, ×) ★★
2012 국회(속기 · 경위직) 9급

정답 01 ○(행정심판에 대해서는 p.726 참조) 02 × 03 ○ 04 ○ 05 ○ 06 ○ 07 ×

기출 체크

□□□□□ **01** 처분이 있음을 안 날부터 90일이 경과하였으나, 아직 처분이 있은 날부터 1년이 경과되지 않은 시점에서 제기된 취소소송(은 취소소송의 소송요건을 충족하지 않은 경우에 해당한다) (○, ×) ★★ 2018 지방직 7급

□□□□□ **02** (A시장으로부터 3월의 영업정지처분을 받은 숙박업자 甲은 이에 불복하여 행정쟁송을 제기하고자 한다) 甲이 2022. 1. 5. 영업정지처분을 통지받았고, 행정심판을 제기하여 2022. 3. 29. 1월의 영업정지처분으로 변경하는 재결이 있었고 그 재결서정본을 2022. 4. 2. 송달받은 경우 취소소송의 기산점은 2022. 1. 5.이다. (○, ×) ★★★ 2022 지방직 · 서울시 9급

□□□□□ **03** 행정심판을 거친 경우에 취소소송의 제소기간은 재결서의 정본을 송달받은 날부터 90일 이내이다. (○, ×) ★★★ 2020 소방직 9급

□□□□□ **04** 취소소송은 처분 등이 있음을 안 날부터 90일 이내에 제기하여야 하는데, 행정심판청구를 할 수 있는 경우에 행정심판청구가 있은 때의 기간은 재결서의 정본을 송달받은 날부터 기산하며, 여기서 말하는 '행정심판'은 행정심판법에 따른 일반행정심판만을 의미한다. (○, ×) ★ 2020 경행경채

□□□□□ **05** 개별공시지가의 결정에 이의가 있는 자가 행정심판을 거쳐 취소소송을 제기하는 경우 취소소송의 제소기간은 그 행정심판재결서 정본을 송달받은 날부터 또는 재결이 있은 날부터 기산한다. (○, ×) 2018 지방직 7급

□□□□□ **06** 처분의 불가쟁력이 발생하였고 그 이후에 행정청이 당해 처분에 대해 행정심판청구를 할 수 있다고 잘못 알렸다면, 그 처분의 취소소송의 제소기간은 행정심판의 재결서를 받은 날부터 기산한다. (○, ×) ★★ 2017 지방직 9급

□□□□□ **07** 행정심판을 청구하였으나 심판청구기간을 도과하여 각하된 후 제기하는 취소소송은 재결서를 송달받은 날부터 90일 이내에 제기하면 된다. (○, ×) ★★ 2021 국가직 9급

□□□□□ **08** 처분이 있음을 안 날부터 90일을 넘겨 청구한 부적법한 행정심판청구에 대한 재결이 있은 후 재결서를 송달받은 날부터 90일 이내에 원래의 처분에 대하여 취소소송을 제기하면 취소소송은 제소기간을 준수한 것으로 본다. (○, ×) ★★ 2020 경행경채

정답 01 ○ 02 × 03 ○ 04 × 05 ○ 06 × 07 × 08 ×

은 날로부터 1년이 경과하지 않은 경우라 하더라도 처분이 있음을 안 날로부터 90일이 경과하였다면 취소소송을 제기할 수 없다.**01**

❷ 행정심판을 거친 경우

1. 정본을 송달받은 경우

(1) 행정심판을 거쳐 취소소송을 제기하는 경우 취소소송은 재결서의 정본을 송달받은 날로부터 90일 이내에 제기하여야 한다.**02 03** 이 기간은 불변기간이다. 여기서 말하는 행정심판은 행정심판법에 따른 일반행정심판과 이에 대한 특례로서 다른 법률에서 사안의 전문성과 특수성을 살리기 위하여 특히 필요하여 일반행정심판을 갈음하는 특별한 행정불복절차를 정한 경우의 특별행정심판을 포함한다(대판 2014. 4. 24, 2013두10809).**04**

관련판례

개별공시지가에 대하여 이의가 있는 자가 행정심판을 거쳐 행정소송을 제기하는 경우 제소기간의 기산점은 행정심판재결서 정본을 송달받은 날부터 기산한다(대판 2010. 1. 28, 2008두19987).**05**

(2) 이때 행정심판을 거쳐 취소소송을 제기하는 경우라 함은 행정심판을 거쳐야 하는 경우와 그 밖에 행정심판청구를 할 수 있는 경우 또는 행정청이 행정심판청구를 할 수 있다고 잘못 알린 경우에 행정심판청구를 한 경우를 포함한다. 다만, 이미 처분에 대해 불가쟁력이 발생한 후에 행정청이 행정심판청구를 할 수 있다고 잘못 알린 경우, 그 안내에 따라 청구된 행정심판 재결서 정본을 송달받은 날부터 다시 취소소송의 제소기간이 기산되는 것은 아니라는 것이 판례의 입장이다.**06**

관련판례

이미 제소기간이 지남으로써 불가쟁력이 발생하여 불복청구를 할 수 없었던 경우라면 그 이후에 행정청이 행정심판청구를 할 수 있다고 잘못 알렸다고 하더라도 그 때문에 처분 상대방이 적법한 제소기간 내에 취소소송을 제기할 수 있는 기회를 상실하게 된 것은 아니므로 이러한 경우에 잘못된 안내에 따라 청구된 행정심판 재결서 정본을 송달받은 날부터 다시 취소소송의 제소기간이 기산되는 것은 아니다. 불가쟁력이 발생하여 더 이상 불복청구를 할 수 없는 처분에 대하여 행정청의 잘못된 안내가 있었다고 하여 처분상대방의 불복청구 권리가 새로이 생겨나거나 부활한다고 볼 수는 없기 때문이다(대판 2012. 9. 27, 2011두27247).★★

(3) 한편, 행정심판제기기간을 넘긴 것을 이유로 한 각하재결이 있은 후 취소소송을 제기하는 경우라면 재결서를 받은 날로부터 90일 이내에 소송을 제기한 경우라도 제소기간을 준수한 것으로 볼 수는 없다.

관련판례

행정처분이 있음을 안 날부터 90일을 넘겨 행정심판을 청구하였다가 부적법하다는 이유로 각하재결을 받은 후 재결서를 송달받은 날부터 90일 내에 원래의 처분에 대하여 취소소송을 제기한 경우, 취소소송의 제소기간을 준수한 것으로 볼 수는 없다(대판 2011. 11. 24, 2011두18786).**07 08** ★★

2. 정본을 송달받지 못한 경우

재결서의 정본을 송달받지 못한 경우에는 재결이 있은 날부터 1년이 경과하면 취소소송을 제기하지 못한다.

❸ 제소기간 준수 여부의 기준시점

1. 소변경의 경우

제소기간 준수 여부는 원칙적으로 소제기시를 기준으로 판단하는데 소의 변경이 있는 경우에는 다음과 같다.

(1) 소 종류변경의 경우(행정소송법에 따른 소변경)

소 종류변경의 경우 새로운 소에 대한 제소기간을 준수하였는지는 처음의 소를 제기한 때를 기준으로 판단해야 한다.01

(2) 청구취지변경의 경우(민사소송법에 따른 소변경)

청구취지를 변경하여 종전의 소가 취하되고 새로운 소가 제기된 것으로 변경되었을 때에 새로운 소에 대한 제소기간을 준수하였는지는 원칙적으로 소의 변경이 있은 때를 기준으로 판단해야 한다.02

관련판례

1-1. 행정소송법상 취소소송은 처분 등이 있음을 안 날부터 90일 이내에 제기하여야 하고, 처분 등이 있은 날부터 1년을 경과하면 제기하지 못한다(행정소송법 제20조 제1항, 제2항).

1-2. 그리고 청구취지를 변경하여 구소가 취하되고 새로운 소가 제기된 것으로 변경되었을 때에 새로운 소에 대한 제소기간의 준수 등은 원칙적으로 소의 변경이 있은 때를 기준으로 하여야 한다.

1-3. 그러나 선행처분에 대하여 제소기간 내에 취소소송이 적법하게 제기되어 계속 중에 행정청이 선행처분서 문언에 일부 오기가 있어 이를 정정할 수 있음에도 선행처분을 직권으로 취소하고 실질적으로 동일한 내용의 후행처분을 함으로써 선행처분과 후행처분 사이에 밀접한 관련성이 있고 선행처분에 존재한다고 주장되는 위법사유가 후행처분에도 마찬가지로 존재할 수 있는 관계인 경우에는 후행처분의 취소를 구하는 소변경의 제소기간 준수 여부는 따로 따질 필요가 없다(대판 2019. 7. 4, 2018두58431).

2. 청구취지의 변경이 있는 경우, 새로운 소에 대한 제소기간 준수 여부의 기준시점은 소변경시이다(대판 2004. 11. 25, 2004두7023).★

2. 처분변경명령재결에 따른 변경처분의 경우

취소소송의 대상은 변경된 당초처분이며 제소기간은 행정심판재결서 정본을 송달받은 날로부터 90일 이내라는 것이 판례의 입장이다.

관련판례

처분변경명령재결에 따른 변경처분의 경우 취소소송의 대상은 당초처분이며 제소기간은 재결서의 정본을 송달받은 날로부터 90일 이내이다(대판 2007. 4. 27, 2004두9302).

3. 추가적 병합의 경우

소의 추가적 병합의 경우에 추가적으로 병합된 소의 제소기간은 원칙상 추가 · 병합신청이 있은 때를 기준으로 하여야 한다.

관련판례

보충역편입처분취소처분의 효력을 다투는 소에 공익근무요원복무중단처분, 현역병입영대상편입처분 및 현역병입영통지처분의 취소를 구하는 청구를 추가적으로 병합한 경우, 공익근무요원복무중단처분, 현역병입영대상편입처분 및 현역병입영통지처분의 취소를 구하는 소의 제소기간의 준수 여부는 각 그 청구취지의 추가 · 변경신청이 있은 때를 기준으로 개별적으로 판단하여야 한다(대판 2004. 12. 10, 2003두12257).03 ★★

기출 체크

□□□□□ 01 (甲에 대한 과세처분 이후 조세부과의 근거가 되었던 법률에 대해 헌법재판소의 위헌결정이 있었고, 위헌결정 이후에 그 조세채권의 집행을 위해 甲의 재산에 대해 압류처분이 있었다) 甲이 압류처분에 대해 무효확인소송을 제기하였다가 취소소송으로 소의 종류를 변경하는 경우, 제소기간의 준수 여부는 취소소송으로 변경되는 때를 기준으로 한다. (○, ×) 2019 국가직 7급

□□□□□ 02 청구취지를 변경하여 종전의 소가 취하되고 새로운 소가 제기된 것으로 변경되었다면 새로운 소에 대한 제소기간 준수 여부는 원칙적으로 소의 변경이 있은 때를 기준으로 한다. (○, ×) ★ 2017 지방직 9급

□□□□□ 03 어느 하나의 처분의 취소를 구하는 소에 당해 처분과 관련되는 처분의 취소를 구하는 청구를 추가적으로 병합한 경우, 추가적으로 병합된 소의 소제기기간의 준수 여부는 그 청구취지의 추가신청이 있은 때를 기준으로 한다. (○, ×) ★★ 2022 지방직 · 서울시 7급

정답 01 × 02 ○ 03 ○

기출 체크

□□□□□ 01 납세자의 이의신청에 의한 재조사결정에 따른 행정소송의 제소기간은 이의신청인 등이 재결청으로부터 재조사결정의 통지를 받은 날부터 기산한다. (○, ×) ★★★ 2017 지방직 9급

□□□□□ 02 원고가 행정소송법상 항고소송으로 제기해야 할 사건을 민사소송으로 잘못 제기한 경우에 수소법원이 그 항고소송에 대한 관할을 가지고 있지 아니하여 관할법원에 이송하는 결정을 하였고, 그 이송결정이 확정된 후 원고가 항고소송으로 소변경을 하였다면, 그 항고소송에 대한 제소기간의 준수 여부는 원칙적으로 처음에 소를 제기한 때를 기준으로 판단하여야 한다. (○, ×) 2023 군무원 9급

□□□□□ 03 무효인 처분에 대해 무효선언을 구하는 취소소송을 제기하는 경우에는 제소기간의 제한이 없다. (○, ×) ★★★ 2022 지방직 · 서울시 9급

□□□□□ 04 당사자소송에 관하여 법령에 제소기간이 정하여져 있는 경우 그 기간은 불변기간으로 한다. (○, ×) ★★ 2019 소방직 9급

4. 재조사결정

조세심판에서의 재결청의 재조사결정에 따른 심사청구기간이나 심판청구기간 또는 행정소송의 제소기간의 기산점은 후속처분의 통지를 받은 날이라는 것이 판례의 입장이다.

관련판례

재결청(행정심판위원회)의 '재조사결정'에 따른 심사청구기간이나 심판청구기간 또는 행정소송의 제소기간의 기산점은 후속처분의 통지를 받은 날이 된다(대판 2010. 6. 25, 2007두12514 전합).01 ★★★

5. 기 타

관련판례

원고가 행정소송법상 항고소송으로 제기해야 할 사건을 민사소송으로 잘못 제기한 경우에 수소법원이 그 항고소송에 대한 관할을 가지고 있지 아니하여 관할법원에 이송하는 결정을 하였고, 그 이송결정이 확정된 후 원고가 항고소송으로 소변경을 하였다면, 그 항고소송에 대한 제소기간의 준수 여부는 원칙적으로 처음에 소를 제기한 때를 기준으로 판단하여야 한다(대판 2022. 11. 17, 2021두44425).02

④ 다른 주관적 소송의 경우

1. 무효등확인소송의 경우

제소기간의 적용을 받지 않는다. 다만, 무효선언적 의미의 취소소송에는 취소소송의 경우와 동일하게 제소기간의 제한이 있다(p.918 참조).

관련판례

당연무효를 선언하는 의미의 취소청구소송(무효선언적 의미의 취소소송)을 제기함에 있어서는 제소기간의 제한이 있다.03 ★★★

행정처분의 당연무효를 선언하는 의미에서 그 취소를 구하는 행정소송을 제기하는 경우에는 전치절차와 그 제소기간의 준수 등 취소소송의 제소요건을 갖추어야 한다(대판 1987. 6. 9, 87누219).

2. 부작위위법확인소송의 경우

행정심판을 거쳐 소송을 제기하는 경우에는 제소기간의 제한이 있고, 행정심판을 거치지 않고 소송을 제기하는 경우에는 제소기간의 제한이 없다는 것이 일반적 견해이며 판례의 입장이다(p.924 참조).

3. 당사자소송

당사자소송에는 취소소송의 제소기간에 관한 규정은 적용되지 않는다. 행정소송법에는 당사자소송의 제소기간에 대해 별도의 제한이 없으며, 다만 당사자소송에 관하여 개별법령에 제소기간이 정하여져 있는 때에는 그 기간은 불변기간으로 한다(동법 제41조).04

02 | 행정심판과 취소소송의 관계

❶ 행정심판임의주의 – 원칙

1. 행정심판임의주의

행정소송을 제기함에 있어 행정심판을 거치지 않고도 소송을 제기할 수 있는 제도를 말한다.

정답 01 × 02 ○ 03 × 04 ○

2. 행정소송법의 채택

우리 행정소송법도 임의주의를 채택하고 있으므로 처분에 대해 행정심판을 거쳐 취소소송을 제기할 수도 있고, 곧바로 취소소송을 제기할 수도 있다.01 행정심판의 임의적 전치에 관한 행정소송법 제18조상의 행정심판은 행정심판법상의 행정심판에 한정되지 않는다(예「공익사업을 위한 토지 등의 취득 및 보상에 관한 법률」상의 행정심판인 이의재결).

❷ 필요적(예외적) 행정심판전치주의 – 예외

1. 의 의

행정소송법은 제18조 제1항에서 임의주의를 원칙으로 하면서도, "다만, 다른 법률에 당해 처분에 대한 행정심판의 재결을 거치지 아니하면 취소소송을 제기할 수 없다는 규정이 있는 때에는 그러하지 아니하다." 라고 하여 임의주의에 대한 예외를 인정하고 있다.02ⓐ 한편 여기서 규정이란 명문의 규정을 말하며, 재결을 거치는 것이 필수적이라는 점을 해석을 통해서 주장할 수는 없다.

2. 다른 법률의 예

현재 국가공무원법, 지방공무원법, 교육공무원법, 관세법, 국세기본법,03ⓑ 지방세기본법, 도로교통법,04 특허법 등에 필요적 전치주의가 규정되어 있다. 따라서 과세관청의 압류처분에 대해서는 심사청구 또는 심판청구 중 하나에 대한 결정을 거친 후 행정소송을 제기하여야 한다.05

3. 심판청구의 적법성

행정심판전치주의의 요건을 충족하기 위하여는 행정심판이 적법하여야 한다.

(1) 부적법한 심판청구를 각하하지 않고 본안에 대한 재결을 한 경우

행정심판전치주의에 있어 행정심판이란 적법한 심판청구를 의미하므로 기간경과 등의 부적법한 심판청구에 대해 행정심판위원회가 본안재결을 하였다 하더라도 행정심판전치의 요건을 충족하지 않았다는 것이 판례의 입장이다.

관련판례

제기기간을 도과한 행정심판청구의 부적법을 간과한 채 행정청이 실질적 재결을 한 경우, 행정소송의 전치요건은 충족된 것으로 볼 수 없다(대판 1990. 10. 12, 90누2383).06 ★★★

(2) 적법한 심판청구를 부적법한 것으로 각하한 경우

행정심판전치주의의 취지가 자율적 통제의 기회를 제공하는 점에 있으므로 이러한 경우는 행정심판전치의 요건을 충족하였다고 봄이 판례의 입장이다.

4. 전치요건 충족의 시기 및 판단

(1) 행정심판전치요건의 충족은 취소소송의 제기요건이므로 제기 당시에 충족되어야 하나, 우리 판례는 행정소송의 제기 후에도 사실심변론종결시까지 행정심판절차를 거친 경우에는 이 요건의 흠결은 치유된 것으로 보고 있다.07

(2) 한편 행정심판을 거친 것인지의 여부는 소송요건으로서 직권조사사항이다.08

관련판례

행정심판전치주의가 적용되는 경우에 행정심판을 거치지 않고 소제기를 하였더라도 사실심변론종결 전까지 행정심판을 거친 경우 하자는 치유된 것으로 볼 수 있다(대판 1987. 4. 28, 86누29).09 ★★★

기출 체크

□□□□□ 01 원칙적으로 임의적 행정심판전치주의를 취하고 있다. (○, ×) ★★★ 2016 교육행정직 9급

□□□□□ 02 취소소송은 법령의 규정에 의하여 당해 처분에 대한 행정심판을 제기할 수 있는 경우에도 이를 거치지 아니하고 제기할 수 있다. 다만, 다른 법률에 당해 처분에 대한 행정심판의 재결을 거치지 아니하면 취소소송을 제기할 수 없다는 규정이 있는 때에는 그러하지 아니하다. (○, ×) ★★★ 2016 경행경채

□□□□□ 03 국세부과처분 취소소송에는 임의적 행정심판전치주의가 적용된다. (○, ×) ★★★ 2017 교육행정직 9급

□□□□□ 04 도로교통법에 따른 처분에 대해서는 행정심판의 재결을 거치지 아니하면 취소소송을 제기할 수 없다. (○, ×) ★★★ 2013 국가직 7급

□□□□□ 05 과세관청의 압류처분에 대해서는 심사청구 또는 심판청구 중 하나에 대한 결정을 거친 후 행정소송을 제기하여야 한다. (○, ×) ★★★ 2015 국가직 9급

□□□□□ 06 기간경과 등의 부적법한 심판제기가 있었고, 행정심판위원회가 각하하지 않고 기각재결을 한 경우는 심판전치의 요건이 구비된 것으로 볼 수 있다. (○, ×) ★★★ 2015 국회직 8급

□□□□□ 07 행정심판전치주의의 요건을 충족하였는지의 여부는 사실심변론종결시를 기준으로 한다. (○, ×) ★★★ 2018 경행경채

□□□□□ 08 필요적 행정심판전치주의가 적용되는 경우 그 요건을 구비하였는지 여부는 법원의 직권조사사항이다. (○, ×) ★★★ 2015 국회직 8급

□□□□□ 09 행정심판전치주의가 적용되는 경우에 행정심판을 거치지 않고 소제기를 하였더라도 사실심변론종결 전까지 행정심판을 거친 경우 하자는 치유된 것으로 볼 수 있다. (○, ×) ★★★ 2015 국회직 8급

ⓐ 이 규정은 행정의 자율적 통제기회를 제공하고 행정의 전문지식을 활용하며 법원의 부담을 경감함에 그 취지가 있다.

ⓑ 국세의 경우

국세기본법에서는 행정심판의 일종으로 국세청장에 대한 심사청구 또는 조세심판원장에 대한 심판청구를 규정하고 있는데 국세에 관한 처분은 예외적 행정심판전치주의가 적용되는 경우이므로 행정심판을 거쳐 소송을 제기하여야 하나, 행정심판 모두를 거칠 수는 없고 둘 중 하나를 거치면 족하다.

정답 01 ○ 02 ○ 03 × 04 ○ 05 ○ 06 × 07 ○ 08 ○ 09 ○

5. 예외적 전치제도의 완화

행정소송법은 예외적 행정심판전치주의를 규정하면서도 그것을 일률적으로 적용하는 데에서 오는 폐단을 없애기 위하여 두 가지 유형의 예외를 인정하고 있다.

행정심판제기는 하되 재결을 거칠 필요가 없는 경우01	행정심판을 제기함이 없이 취소소송을 제기할 수 있는 경우02
① 행정심판청구가 있은 날로부터 60일이 지나도 재결이 없는 때 ② 처분의 집행 또는 절차의 속행으로 생길 중대한 손해를 예방하여야 할 긴급한 필요가 있는 때 ③ 법령의 규정에 의한 행정심판기관이 의결 또는 재결을 하지 못할 사유가 있는 때 ④ 그 밖의 정당한 사유가 있는 때	① 동종사건에 관하여 이미 행정심판의 기각재결이 있은 때(예 동일한 행정처분에 의하여 여러 사람이 동일한 의무를 부담하는 경우 그중 한 사람이 행정심판을 제기하여 기각판결을 받은 때) ② 서로 내용상 관련되는 처분 또는 같은 목적을 위하여 단계적으로 진행되는 처분 중 어느 하나가 이미 행정심판의 재결을 거친 때(납세고지처분에 대해 행정심판을 거친 이상 가산금 및 중가산금징수처분에 대한 행정소송을 제기함에 있어서 별도로 전심절차를 거칠 필요가 없다(대판 1986. 7. 22, 85누297)) ③ 행정청이 사실심의 변론종결 후 소송의 대상인 처분을 변경하여 당해 변경된 처분에 관하여 소를 제기하는 때 ④ 처분을 행한 행정청이 행정심판을 거칠 필요가 없다고 잘못 알린 때(처분청이 아닌 행정심판업무담당 공무원이 잘못 알린 경우도 포함)판

6. 예외적 행정심판전치주의의 적용범위

예외적 행정심판전치주의는 취소소송의 경우와 부작위위법확인소송을 제기하는 경우에만 적용이 되고 무효확인소송에는 적용되지 아니한다.03 다만 무효선언을 구하는 의미의 취소소송에는 예외적 행정심판전치주의가 적용된다.

7. 처분의 상대방이 아닌 제3자가 제소하는 경우

처분의 상대방이 아닌 제3자가 제소하는 경우에도 행정심판전치주의가 적용된다는 것이 판례의 입장이다.04

관련판례

행정처분의 상대방이 아닌 제3자가 제기하는 경우에도 행정심판을 거쳐야 한다(대판 1989. 5. 9, 88누5150).

❸ 심판과 소송에서 공격 · 방어방법의 동일성 여부

처분에 내용상 위법이 있다는 이유로 심판청구를 하였는데 기각재결을 받자 소송을 제기한 경우, 판례는 심판절차에서 절차상 위법이 있다는 것을 주장하지 아니하였더라도 소송절차에서 이를 주장할 수 있다고 한다.

관련판례

항고소송에 있어서 원고는 전심절차(행정심판)에서 주장하지 아니한 공격 · 방어방법을 소송절차에서 주장할 수 있고 법원은 이를 심리하여 행정처분의 적법 여부를 판단할 수 있는 것이므로, 원고가 전심절차에서 주장하지 아니한 처분의 위법사유를 소송절차에서 새롭게 주장하였다고 하여 다시 그 처분에 대하여 별도의 전심절차를 거쳐야 하는 것은 아니다(대판 1996. 6. 14, 96누754).05 ★★

기출 체크

□□□□□ 01 행정심판전치주의가 적용되는 경우에 행정심판을 제기하고 행정심판의 재결을 거치지 않아도 되는 경우는 현행법상 규정되어 있지 않다. (○, ×) ★★ 2014 국회직 8급

□□□□□ 02 행정소송법 제18조 제3항에서 규정하고 있는 '행정심판을 거칠 필요가 없는 경우'가 아닌 것은? ★★★ 2016 서울시 9급

① 동종사건에 관하여 이미 행정심판의 기각재결이 있은 때
② 서로 내용상 관련되는 처분 또는 같은 목적을 위하여 단계적으로 진행되는 처분 중 어느 하나가 이미 행정심판의 재결을 거친 때
③ 행정청이 사실심의 변론종결 후 소송의 대상인 처분을 변경하여 당해 변경된 처분에 관하여 소를 제기하는 때
④ 법령의 규정에 의한 행정심판기관이 의결 또는 재결을 하지 못할 사유가 있는 때

□□□□□ 03 행정심판전치주의는 무효확인소송에는 적용되지만 취소소송에는 적용되지 않는다. (○, ×) ★★★ 2017 국회직 8급

□□□□□ 04 행정처분의 상대방에게 행정심판전치주의가 적용되는 경우라도, 제3자가 제기하는 행정소송의 경우 제3자는 행정처분의 존재를 알지 못하고 행정심판에 대한 고지도 받지 못하게 되므로 행정심판전치주의가 적용되지 않는다. (○, ×) 2014 국회직 8급

□□□□□ 05 원고가 전심절차에서 주장하지 아니한 처분의 위법사유를 소송절차에서 새로이 주장한 경우 다시 그 처분에 대하여 별도의 전심절차를 거쳐야 한다. (○, ×) ★★ 2013 국가직 9급

판례 | 판 처분청이 아닌 재결청(현행 행정심판위원회) 소속의 행정심판 업무 담당공무원이 행정심판을 거칠 필요가 없다고 잘못 알린 경우, 행정심판 제기 없이 그 취소소송을 제기할 수 있다(대판 1996. 8. 23, 96누4671).

정답 01 × 02 ④ 03 × 04 × 05 ×

제 2 절 소의 변경과 소제기의 효과

핵심집약 Topic 71

01 | 소의 변경

❶ 의 의

소의 변경이란 소송의 계속 중에 원고가 심판을 청구한 사항을 변경하는 것을 말하며, '청구의 변경'이라고도 한다. 소의 변경은 당초의 소에 의하여 개시된 소송절차가 유지되며, 소송자료가 승계된다는 점에 의의가 있다.

❷ 행정소송법에 의한 소의 변경

행정소송법은 소의 변경에 관하여 소의 종류의 변경(동법 제21조)과 처분변경으로 인한 소의 변경(동법 제22조) 두 가지를 규정하고 있다.

1. 소의 종류의 변경

(1) 의 의

① 법원은 취소소송을 당해 처분 등에 관계되는 사무가 귀속하는 국가 또는 공공단체에 대한 당사자소송 또는 취소소송 외의 항고소송으로 변경하는 것이 상당하다고 인정할 때에는 청구의 기초에 변경이 없는 한 사실심의 변론종결시까지 원고의 신청에 의하여 결정으로써 소의 변경을 허가할 수 있는바,**01** 이를 소의 종류의 변경이라고 한다.

② 행정소송의 종류가 다양하여 소의 종류를 잘못 선택할 가능성이 원고에게 있으므로 원고의 권리구제를 위해 소의 종류의 변경을 인정할 필요성이 있다. 이러한 소의 종류의 변경은 피고의 변경을 수반하는 경우에도 가능하다는 점에서 민사소송법과 구별된다.**02**

(2) 요건 및 절차

① 요 건

㉠ 취소소송이 계속되고 있을 것

㉡ '사실심'의 변론종결시까지 원고의 신청이 있을 것(따라서 항소심(2심)에서는 허용되지만 상고심에서는 소변경이 허용되지 않는다)**03 04**

㉢ 취소소송을 당해 처분 등에 관계되는 사무가 귀속하는 국가 또는 공공단체에 대한 당사자소송 또는 취소소송 외의 항고소송으로 변경하는 경우일 것

㉣ 청구의 기초에 변경이 없을 것

㉤ 법원이 상당하다고 인정하여 허가결정을 할 것

② 절 차

법원은 소변경을 허가함에 있어 피고를 변경하는 경우에는 새로이 피고로 될 자의 의견을 들어야 하며,**05** 허가결정이 있게 되면 결정의 정본은 새로운 피고에게 송달하여야 한다(동법 제21조).

기출 체크

□□□□□ **01** 법원은 취소소송을 당해 처분 등에 관계되는 사무가 귀속하는 국가 또는 공공단체에 대한 당사자소송 또는 취소소송 외의 항고소송으로 변경하는 것이 상당하다고 인정할 때에는 청구의 기초에 변경이 없는 한 사실심의 변론종결시까지 원고의 신청 또는 직권에 의하여 결정으로써 소의 변경을 허가할 수 있다. (○, ×) 2022 군무원 9급

□□□□□ **02** 행정소송법상 취소소송은 피고의 변경을 수반하는 다른 종류의 소송으로 변경할 수 없다. (○, ×) 2006 관세사

□□□□□ **03** 법원은 소의 변경의 필요가 있다고 판단될 때에는 원고의 신청이 없더라도 사실심의 변론종결시까지 직권으로 소를 변경할 수 있다. (○, ×) ★★★ 2008 선관위 9급

□□□□□ **04** 행정소송법상 취소소송의 변경에 관한 설명으로 옳지 않은 것은? ★★★ 2014 서울시 9급
① 취소소송이 계속되고 있을 것
② 1심 법원의 판결시까지 원고의 신청이 있을 것
③ 청구의 기초에 변경이 없을 것
④ 법원이 상당하다고 인정하여 허가결정을 할 것
⑤ 취소소송과 취소소송 외의 항고소송 간의 소의 변경은 물론, 취소소송과 당사자소송 간의 변경도 가능하다.

□□□□□ **05** 소의 변경에 따라 피고를 달리하게 될 때에는 새로운 피고의 의견을 청취하지 않아도 된다. (○, ×) 2009 세무사

정답 01 × 02 × 03 × 04 ② 05 ×

기출 체크

□□□□□ **01** 소변경의 허가결정이 있으면 신소는 구소가 제기된 때에 제기된 것으로 보며, 구소는 취하된 것으로 본다. (○, ×) ★★ 2009 국회직 8급

□□□□□ **02** 당사자소송 계속 중 법원의 허가를 얻어도 취소소송으로 변경할 수 없다. (○, ×) ★★★ 2017 교육행정직 9급

□□□□□ **03** 법원은 행정청이 소송의 대상인 처분을 소가 제기된 후 변경한 때에는 원고의 신청에 의하여 결정으로써 청구의 취지 또는 원인의 변경을 허가할 수 있다. (○, ×) 2014 국회직 8급

□□□□□ **04** (처분변경으로 인한 소변경의 경우) 원고가 당해 처분의 변경이 있음을 안 날로부터 60일 이내에 소변경 신청을 하여야 한다. (○, ×) ★★ 2006 세무사

□□□□□ **05** 법원은 행정청이 소송의 대상인 처분을 소가 제기된 후 변경한 때에는 원고의 신청이 없더라도 결정으로써 청구의 취지 또는 원인을 변경할 수 있다. (○, ×) ★★★ 2018 경행경채 3차

□□□□□ **06** 행정청의 처분의 변경으로 인한 소(訴)의 변경의 경우 변경된 처분이 필요적 행정심판전치의 대상이더라도 행정심판을 거칠 필요가 없다. (○, ×) ★★ 2008 국회직 8급

● 소종류의 변경
- 행정소송법상 소종류의 변경은 피고의 변경이 수반되는 경우에도 가능하다.
- 청구의 기초에 변경이 없는 한도에서 가능하다.
- 사실심변론종결시까지 허용된다.
- 원고의 신청이 있어야 하며 법원의 직권으로는 불가능하다.
- 법원은 소변경을 허가함에 있어 피고를 변경하는 경우에는 새로이 피고로 될 자의 의견을 들어야 한다.
- 변경이 있는 경우 새로운 소는 처음에 소를 제기한 때에 제기된 것으로 보며 구소는 취하된 것으로 본다.

판례 | ㉠ 행정소송에서 민사소송법상 청구의 변경이 인정된다.
행정소송법 제21조와 제22조가 정하는 소의 변경은 그 법조에 의하여 특별히 인정되는 것으로서 민사소송법상 소의 변경을 배척하는 것이 아니므로, 행정소송의 원고는 행정소송법 제8조 제2항에 의하여 준용되는 민사소송법 제235조에 따라 청구의 기초에 변경이 없는 한도에서 청구의 취지 또는 원인을 변경할 수 있다(대판 1999. 11. 26, 99두9407).

정답 01 ○ 02 × 03 ○ 04 ○ 05 × 06 ○

(3) 효 과

소의 변경을 허가하는 결정이 있게 되면 **새로운 소는 변경시가 아닌 변경된 구소를 제기한 때에 제기된** 것으로 보며, 변경된 **구소는 취하된** 것으로 본다.**01**

(4) 다른 소송의 경우

소의 종류의 변경에 관한 규정은 **무효등확인소송, 부작위위법확인소송**을 다른 **항고소송이나 당사자소송으로 변경**하거나 **당사자소송을 항고소송으로 변경**하는 경우에도 **준용되고 있다.02**

2. 처분변경으로 인한 소의 변경

(1) 의 의

① **법원은 행정청이 소송의 대상인 처분을 소가 제기된 후 변경한 때에는 원고의 신청에 의하여 결정으로써 청구의 취지 또는 원인의 변경을 허가할 수 있는바,03** 이를 처분변경으로 인한 소의 변경이라고 한다.

② 예컨대, 영업허가철회처분 취소소송의 계속 중에 행정청이 허가철회처분을 허가정지처분으로 변경했을 때, 원고가 전자에 대한 소를 후자에 대한 소로 변경하는 것과 같은 경우를 들 수 있다.

(2) 요 건

① 처분의 변경이 있을 것

② **처분의 변경이 있음을 안 날로부터 60일 이내일 것04**

③ 원고의 신청이 있을 것**05**

④ 법원의 허가결정이 있을 것

⑤ 취소소송이 계속 중이고 사실심변론종결 전이어야 하며, 변경되는 새로운 소는 적법하여야 한다(동법 제22조).

⑥ **변경 전의 처분에 대하여 행정심판전치절차를 거쳤으면 새로운 처분에 대하여 별도의 행정심판을 거치지 않아도 된다.06**

(3) 효 과

소변경의 허가결정이 있으면 새로운 소는 구소가 제기된 때에 제기된 것으로 보며, 구소는 취하된 것으로 본다.

(4) 다른 소송의 경우

처분변경으로 인한 소의 변경에 관한 규정은 무효등확인소송과 당사자소송의 경우는 준용이 되나 **부작위위법확인소송의 경우에는 준용되지 않는다**. 왜냐하면 부작위위법확인소송의 경우에는 처분이 없으므로 개념상 적용될 수 없기 때문이다.

❸ 민사소송법에 의한 소의 변경

행정소송법 제8조 제2항의 규정에 의해 행정소송법에 규정이 없는 것(처분의 변경을 전제로 하지 않고 또한 소의 종류를 변경하지 않는 청구의 변경)은 민사소송법의 규정이 준용되므로 **행정소송에서 민사소송법에 의한 소변경도 가능하다.㉠** 예컨대, 일부취소를 구하다가 전부취소를 구하는 경우를 들 수 있다.

❹ 행정소송과 민사소송 간의 변경 여부

민사소송과 행정소송의 구별이 애매한 경우가 있으므로 행정소송과 민사소송 간의 변경도 가능하다고 할 것이다. 판례도 민사소송을 항고소송으로 바꾸는 소변경을 인정하며 또한 당사자소송을 민사소송으로 바꾸는 변경도 인정하고 있다.

관련판례

1. **고의 또는 중과실 없이 행정소송으로 제기하여야 할 사건을 민사소송으로 잘못 제기한 경우 수소법원이 그 행정소송에 대한 관할도 동시에 가지고 있다면 소변경이 가능하다**(대판 1999. 11. 26, 97다42250).
2. **공법상 당사자소송의 경우 그 청구의 기초가 바뀌지 아니하는 한도 안에서 민사소송으로 소변경이 가능하다.** ★★★
   (1) 행정소송법 제8조 제2항은 행정소송에 관하여 민사소송법을 준용하도록 하고 있으므로, 행정소송의 성질에 비추어 적절하지 않다고 인정되는 경우가 아닌 이상 공법상 당사자소송의 경우도 민사소송법 제262조에 따라 청구의 기초가 바뀌지 아니하는 한도 안에서 변론을 종결할 때까지 청구의 취지를 변경할 수 있다.
   (2) 한편 대법원은 여러 차례에 걸쳐 행정소송법상 항고소송으로 제기해야 할 사건을 민사소송으로 잘못 제기한 경우 수소법원으로서는 원고로 하여금 항고소송으로 소변경을 하도록 석명권을 행사하여 행정소송법이 정하는 절차에 따라 심리 · 판단하여야 한다고 판시해왔다(대판 2020. 1. 16, 2019다264700 참조). 이처럼 민사소송에서 항고소송으로의 소변경이 허용되는 이상, 공법상 당사자소송과 민사소송이 서로 다른 소송절차에 해당한다는 이유만으로 청구기초의 동일성이 없다고 해석하여 양자 간의 소변경을 허용하지 않을 이유가 없다. 일반국민으로서는 공법상 당사자소송의 대상과 민사소송의 대상을 구분하기가 쉽지 않고 소송진행 도중의 사정변경 등으로 인해 공법상 당사자소송으로 제기된 소를 민사소송으로 변경할 필요가 발생하는 경우도 있다. 소변경 필요성이 인정됨에도, 단지 소변경에 따라 소송절차가 달라진다는 이유만으로 이미 제기한 소를 취하하고 새로 민사상의 소를 제기하도록 하는 것은 당사자의 권리구제나 소송경제의 측면에서도 바람직하지 않다. 따라서 공법상 당사자소송에 대하여도 그 청구의 기초가 바뀌지 아니하는 한도 안에서 민사소송으로 소변경이 가능하다고 해석하는 것이 타당하다(대판 2023. 6. 29, 2022두44262).

02 | 소제기의 효과

❶ 중복제소금지, 집행부정지

소송이 제기되면 법원은 판결할 의무가 있고, 당사자는 소송참가의 기회가 생기게 되며, 제소된 사건에 대해 다시 소를 제기하지 못하고(중복제소금지), 관련청구의 이송 · 병합이 인정된다. 그리고 소송이 제기되더라도 처분의 효력은 정지되지 않는 것이 원칙인바, 특히 집행부정지에 대해서는 항을 바꾸어 살펴본다.

❷ 집행정지제도

취소소송을 제기하더라도 처분의 효력은 정지되지 않음이 원칙인데,01 이를 집행부정지원칙이라고 한다.02 그러나 소송은 시간이 오래 걸리는 경우가 많으므로 이를 관철하면 승소한 당사자에게 아무런 실익이 없는 경우가 있을 수 있다. 따라서 예외적으로 일정한 경우 임시적인(假) 조치로서 집행정지제도가 인정되고 있다.

기출 체크

□□□□□ **01** 취소소송이 제기되면 원칙적으로 대상처분의 효력은 판결의 확정시까지 정지된다. (○, ×) ★★★
2016 교육행정직 9급

□□□□□ **02** 현행 행정소송법은 취소소송을 제기하면 처분의 효력이 정지되는 집행정지를 원칙으로 한다. (○, ×) ★★★
2015 교육행정직 9급

정답 01 × 02 ×

1. 집행부정지원칙

(1) 의 의

행정소송이 제기되더라도 행정처분의 효력에는 아무 영향이 없으며 그 집행 또는 절차의 속행을 정지시키지 아니하는데, **01 02** 이를 집행부정지의 원칙이라 한다.

(2) 근 거

집행부정지의 이론적 근거에 대해 종래 집행부정지는 공정력의 필연적 귀결이라고 보는 견해가 있으나, 오늘날의 다수설은 행정의 원활한 운영과 행정소송제기의 남용을 막기 위한 입법정책적 고려에 의한 것으로 보고 있다(독일의 경우는 집행정지원칙을 채택하고 있다).

(3) 집행정지의 필요성

행정의 원활한 수행만을 강조하면 소송을 제기한 원고가 나중에 그 청구가 이유 있어 청구인용판결을 받더라도 이미 집행이 완료되어 회복할 수 없는 손해를 입게 될 우려가 있다. 따라서 행정소송법은 일정한 요건이 충족되는 경우 처분에 대한 집행정지를 인정하고 있다.**03**

2. 집행의 정지

취소소송이 제기된 경우에 처분 등이나 그 집행 또는 절차의 속행으로 인하여 생길 회복하기 어려운 손해를 예방하기 위하여 긴급한 필요가 있다고 인정할 때 법원은 당사자의 신청이나 직권에 의하여 집행정지결정을 할 수 있다(동법 제23조 제2항).

(1) 집행정지의 요건

① 적극적 요건

㉠ 적법한 본안소송의 계속

ⓐ 행정소송법상의 집행정지는 민사소송법상의 가구제와 달리 먼저 본안소송이 계속되어 있어야 한다. 처분의 적법 여부는 집행정지의 요건이 아닌 것이 원칙이지만 본안소송 그 자체는 적법한 것이어야 하므로**04** 제소기간을 경과하였거나 피고를 잘못 지정한 소송 등은 집행정지신청을 위법한 것으로 만든다. 다만, 본안소송의 제기와 동시에 집행정지를 신청하는 것은 허용된다.**05**

ⓑ 한편 본안소송이 계속되어야 하므로 본안소송과 별도로 집행정지만 신청할 수는 없으며,**06** 본안소송이 취하되면 집행정지결정은 당연히 소멸하며 별도 취소조치는 필요 없다.

관련판례

1. **행정처분의 효력정지나 집행정지를 구하는 신청사건에 있어서 본안청구가 적법한 것이어야 한다는 점이 집행정지의 요건이다.07 ★★★**

행정처분의 효력정지나 집행정지를 구하는 신청사건에 있어서는 행정처분 자체의 적법 여부는 궁극적으로 본안재판에서 심리를 거쳐 판단할 성질의 것이므로 원칙적으로 판단할 것이 아니고, 그 행정처분의 효력이나 집행을 정지할 것인가에 관한 행정소송법 제23조 제2항 소정의 요건의 존부만이 판단의 대상이 된다고 할 것이지만, 나아가 집행정지는 행정처분의 집행부정지원칙의 예외로서 인정되는 것이고 또 본안에서 원고가 승소할 수 있는 가능성을 전제로 한 권리보호수단이라는 점에 비추어 보면 집행정지사건 자체에 의하여도 신청인의 본안청구가 적법한 것이어야 한다는 것을 집행정지의 요건에 포함시켜야 한다(대결 1999. 11. 26, 99부3).

기출 체크

□□□□□ **01** 취소소송이 제기되면 처분의 효력이나 그 집행은 정지되지 않으나 절차의 속행은 정지된다. (○, ×) ★★★ 2019 사회복지직 9급

□□□□□ **02** 행정심판청구와 취소소송의 제기는 모두 처분의 효력이나 그 집행 또는 절차의 속행에 영향을 주지 아니한다. (○, ×) ★★★ 2017 국회직 8급

□□□□□ **03** 행정소송법은 집행부정지원칙을 택하면서도 집행정지의 길을 열어 개인(원고)의 권리보호를 목적으로 하고 있다. (○, ×) ★★★ 2011 국가직 9급

□□□□□ **04** 본안문제인 행정처분 자체의 적법 여부는 집행정지신청의 요건이 되지 아니하는 것이 원칙이지만, 본안소송의 제기 자체는 적법한 것이어야 한다. (○, ×) ★★★ 2014 국가직 9급

□□□□□ **05** 적법한 본안소송이 법원에 계속되어 있을 것을 요하지만, 본안소송의 제기와 집행정지신청이 동시에 행하여지는 경우도 허용된다. (○, ×) ★★★ 2015 사회복지직 9급

□□□□□ **06** 취소소송에 있어 집행정지신청은 민사소송상 가처분과 마찬가지로 본안소송과 별도로 독립하여 신청할 수 있다. (○, ×) ★★★ 2009 관세사

□□□□□ **07** 집행정지는 행정처분의 집행부정지원칙의 예외로 인정되는 것이므로 본안청구의 적법과는 상관이 없기 때문에 적법한 본안소송의 계속을 요건으로 하지 않는다. (○, ×) ★★★ 2018 경행경채

정답 01 ×
02 ○(심판에 대해서는 p.727 참조)
03 ○ 04 ○ 05 ○ 06 × 07 ×

2. **집행정지결정 후에라도 본안소송이 취하되어 소송의 계속이 인정되지 않으면 집행정지결정은 당연히 그 효력이 소멸한다.★★★**

행정처분의 집행정지는 행정처분집행부정지의 원칙에 대한 예외로서 인정되는 일시적인 응급처분이라 할 것이므로 집행정지결정을 하려면 이에 대한 본안소송이 법원에 제기되어 계속 중임을 요건으로 하는 것이므로 집행정지결정을 한 후에라도 본안소송이 취하되어 소송이 계속하지 아니한 것으로 되면 집행정지결정은 당연히 그 효력이 소멸되는 것이고 별도의 취소조치를 필요로 하는 것이 아니다(대판 1975. 11. 11, 75누97).**01 02**

ⓒ 처분 등의 존재

ⓐ 처분이 아니거나 부작위의 경우에는 집행정지가 허용되지 않으며, 또한 처분의 효력이 발생하기 전 또는 처분의 효력이 소멸된 후에는 원칙적으로 집행정지가 허용되지 않는다. 다만, 무효인 처분은 집행정지의 대상이 된다.

ⓑ 그러므로 집행정지는 본안소송이 **취소소송이나 무효등확인소송인 경우에만 허용되고,03 04** 부작위위법확인소송의 경우에는 허용되지 않는다.**05**

ⓒ 처분이 가분적인 경우에는 **처분의 일부에 대한 집행정지가 가능하다.06** 예컨대 압류재산의 일부에 대한 압류의 집행정지, 영업정지처분 중 일정기간에 대한 효력정지 등을 들 수 있다.

ⓒ 회복하기 어려운 손해예방의 필요

ⓐ 여기에서 '회복하기 어려운 손해'라고 함은 특별한 사정이 없는 한 금전으로 보상할 수 없는 손해를 의미한다는 것이 판례의 입장이다.**07**

ⓑ 이때 금전으로 보상할 수 없는 손해란 **금전보상이 불가능한 경우뿐만 아니라 금전보상으로는 사회관념상 행정처분을 받은 당사자가 참고 견딜 수 없거나 참고 견디기가 현저히 곤란한 경우의 유형 · 무형의 손해를 말한다고** 할 것이며, **다만 손해의 규모가 현저하게 클 필요는 없다.** 금전적 보상을 과도하게 요하는 경우는 포함되지 않는다.**08**

ⓒ 기업의 경우에는 **중대한 경영상 위기**를 기준의 하나로 보고 있다.

관련판례

1. **사건이 상고심에 계속 중인 형사피고인을 안양교도소로부터 진주교도소로 이송하는 경우 '회복하기 어려운 손해'가 발생할 염려가 있다.★**

행정처분의 집행정지나 효력정지결정을 하기 위하여는 행정소송법 제23조 제2항에 따라 회복하기 어려운 손해를 예방하기 위하여 긴급한 필요가 있어야 하고, 여기서 말하는 '회복하기 어려운 손해'라 함은 특별한 사정이 없는 한 금전으로 보상할 수 없는 손해라 할 것이며, 이는 금전보상이 불능한 경우뿐만 아니라 금전보상으로는 사회관념상 행정처분을 받은 당사자가 참고 견딜 수 없거나 또는 참고 견디기가 현저히 곤란한 경우의 유형 · 무형의 손해를 일컫는다(대결 1992. 8. 7, 92두30).

2. (항정신병 치료제의 요양급여 인정기준에 관한 보건복지부 고시의 효력이 계속 유지됨으로 인해 제약회사의 경제적 손실, 기업 이미지 및 신용이 훼손된 것은 행정소송법 제23조 제2항 소정의 집행정지의 요건인 '회복하기 어려운 손해'에 해당하지 않는다고 판시하면서) 처분으로 인해 사업 자체가 계속 **될 수 없거나 중대한 경영상의 위기를 맞게 될 것으로 보이는 등의 사정이 있으면 회복하기 어려운 손해가 인정될 수 있다**(대결 2003. 10. 9, 2003무23).

3. **유흥접객영업허가의 취소처분으로 5,000여 만원의 시설비를 회수하지 못하게 된다면 생계까지 위협받게 되는 결과가 초래될 수 있다는 등의 사정이 행정처분의 효력이나 집행을 정지하기 위한 요건인 '회복하기 어려운 손해'가 생길 우려가 있는 경우에 해당하지 않는다**(대판 1991. 3. 2, 91두1).**09** ★

기출 체크

□□□□□ **01** 집행정지결정을 한 후에라도 본안소송이 취하되어 소송이 계속하지 아니한 것으로 되면 집행정지결정은 당연히 그 효력이 소멸되고 별도의 취소조치를 필요로 하는 것은 아니다. (○, ×) ★★★ 2022 소방간부

□□□□□ **02** 처분의 효력정지결정을 하려면 그 효력정지를 구하는 당해 행정처분에 대한 본안소송이 법원에 제기되어 계속 중임을 요건으로 한다. (○, ×) ★★★ 2021 지방직 · 서울시 9급

□□□□□ **03** (행정소송법상) 본안소송이 무효확인소송인 경우에도 집행정지가 가능하다. (○, ×) ★★★ 2018 서울시 2회 7급

□□□□□ **04** 집행정지결정은 취소소송에서만 인정되는 것은 아니다. (○, ×) ★★★ 2010 서울시 9급

□□□□□ **05** (행정소송법상 가구제와 관련하여) 집행정지를 결정하기 위해서는 본안으로 취소소송 · 무효등확인소송 · 부작위위법확인소송이 계속 중이어야 한다. (○, ×) ★★★ 2019 경행경채 2차

□□□□□ **06** 행정소송법은 처분의 일부에 대한 집행정지도 가능하다고 규정하고 있다. (○, ×) 2012 국가직 9급

□□□□□ **07** 행정소송법이 집행정지의 요건 중 하나로 '중대한 손해'가 생기는 것을 예방할 필요성에 관하여 규정하고 있는 반면, 행정심판법은 집행정지의 요건 중 하나로 '회복하기 어려운 손해'를 예방할 필요성에 관하여 규정하고 있다. (○, ×) ★★★ 2017 국회직 8급

□□□□□ **08** (행정소송법상 집행정지와 관련하여) '회복하기 어려운 손해'란 금전보상이 불가능한 경우뿐만 아니라 금전보상으로는 사회관념상 행정처분을 받은 당사자가 참고 견딜 수 없거나 또는 참고 견디기가 현저히 곤란한 경우의 유형 · 무형의 손해를 말한다. (○, ×) 2015 사회복지직 9급

□□□□□ **09** 유흥접객영업허가의 취소처분으로 5,000여 만원의 시설비를 회수하지 못하게 된다면 생계까지 위협받을 수 있다는 등의 사정이 집행정지를 인정하기 위한 회복하기 어려운 손해가 생길 우려가 있는 경우에 해당하지 아니한다. (○, ×) ★ 2014 국가직 9급

정답 01 ○ 02 ○ 03 ○ 04 ○ 05 × 06 ○ 07 × 08 ○ 09 ○

기출 체크

□□□□□ **01** 과징금납부명령의 처분이 사업자의 자금사정이나 경영전반에 미치는 파급효과가 매우 중대하다는 이유로 인한 손해는 효력정지 내지 집행정지의 적극적 요건인 '회복하기 어려운 손해'에 해당한다. (○, ×) ★★ 2022 군무원 9급

□□□□□ **02** 과징금을 납부하기 위하여 무리하게 외부자금을 차입할 경우 자금사정이 악화되어 회사의 존립 자체가 위태롭게 될 정도의 중대한 경영상의 위기를 맞게 될 우려가 있다는 사정은 집행정지 요건인 회복하기 어려운 손해에 해당한다. (○, ×) ★★ 2022 소방간부

□□□□□ **03** 집행정지는 공공복리에 중대한 영향을 미칠 우려가 있을 때에는 허용되지 아니한다. (○, ×) ★★★ 2019 사회복지직 9급

□□□□□ **04** 공공복리에 중대한 영향을 미칠 우려가 있을 때에는 행정심판법 및 행정소송법상의 집행정지가 모두 허용되지 아니한다. (○, ×) ★★★ 2017 국회직 8급

판례 | ㉠ 행정소송법 제23조 제3항에서 집행정지의 요건으로 규정하고 있는 '공공복리에 중대한 영향을 미칠 우려'가 없을 것이라고 할 때의 '공공복리'는 그 처분의 집행과 관련된 구체적이고도 개별적인 공익을 말하는 것으로 …… (대결 1999. 12. 20, 99무42)

정답 01 ○ 02 ○ 03 ○
04 ○(행정심판에 대해서는 p.728 참조)

4. **과징금납부명령의 처분이 사업자의 자금사정이나 경영 전반에 미치는 파급효과가 매우 중대하다면 회복하기 어려운 손해에 해당한다.01 ★★**

   사업여건의 악화 및 막대한 부채비율로 인하여 외부자금의 신규차입이 사실상 중단된 상황에서 285억 원 규모의 과징금을 납부하기 위하여 무리하게 외부자금을 신규차입하게 되면 주거래은행에 대한 재무구조개선약정을 지키지 못하게 되어 사업자가 중대한 경영상의 위기를 맞게 될 것으로 보이는 경우, 그 과징금납부명령의 처분으로 인한 손해는 효력정지 내지 집행정지의 적극적 요건인 '회복하기 어려운 손해'에 해당한다(대결 2001. 10. 10, 2001무29).**02**

5. (병역특례보충역편입처분을 받아 수년간 방위산업체에 종사하던 자가 병역특례보충역편입처분이 취소되고 현역병입영통지를 받은 사안에서) **현역병입영처분의 효력이 정지되지 아니한 채 본안소송이 진행된다면 입영하여 다시 현역병으로 복무하게 되므로 병역의무를 중복하여 이행하는 셈이 되는바, 이는 금전보상으로는 회복하기 어려운 손해에 해당된다**(대결 1992. 4. 29, 92두7).

㉣ 긴급한 필요 : 여기에서 '긴급한 필요'라 함은, 집행정지의 필요성이 절박하다는 것, 다시 말하면 회복하기 어려운 손해의 발생이 절박하여 본안판결을 기다릴 여유가 없음을 의미한다.

관련판례

1. **'처분 등이나 그 집행 또는 절차의 속행으로 인하여 생길 회복하기 어려운 손해를 예방하기 위하여 긴급한 필요'가 있는지 여부는 처분의 성질과 태양 및 내용, 처분상대방이 입는 손해의 성질 · 내용 및 정도, 원상회복 · 금전배상의 방법 및 난이 등은 물론 본안청구의 승소가능성의 정도 등을 종합적으로 고려하여 구체적 · 개별적으로 판단하여야 한다**(대결 2010. 5. 14, 2010무48).

2. **과세처분에 의하여 입은 손해는 배상청구가 가능하므로 그 처분을 정지함에 회복할 수 없는 손해를 피하기 위하여 긴급한 사유가 있는 경우에 해당하지 아니한다.**

   과세처분에 의하여 입은 손해는 만일 본안소송에서 과세처분이 무효임이 확정되거나 또는 그 처분이 취소되었을 때에는 신청인이 이미 지급한 납세액의 배상을 청구할 수 있을 것이므로 이와 같은 경우에는 과세처분을 정지함에 회복할 수 없는 손해를 피하기 위하여 긴급한 사유가 있는 경우에 해당한다고 볼 수 없을 것이다(대결 1971. 1. 28, 70두7).

② 소극적 요건

㉠ 공공복리에 중대한 영향을 줄 우려가 없을 것 : 집행정지는 공공복리에 중대한 영향을 미칠 우려가 있는 경우에는 허용되지 아니하는바,**03 04** 여기서의 '공공복리'는 그 처분의 집행과 관련된 구체적이고도 개별적인 공익을 말하는 것이라고 봄이 판례의 입장이다.㉠

관련판례

(공설화장장 이전설치처분에 대한 집행정지가 공공의 복리에 중대한 영향을 미칠 우려가 있다고 하면서) **집행정지의 소극적 요건으로 그 집행의 정지가 공공의 복리에 중대한 영향을 미치게 할 우려가 없어야 한다.★★★**

행정처분의 집행을 정지하려면 소극적 요건으로서 그 집행의 정지가 공공의 복리에 중대한 영향을 미치게 할 우려가 없어야 한다(대결 1971. 3. 5, 71두2).

㉡ 본안의 이유 없음이 명백하지 아니할 것 : 본안청구가 이유 없음이 명백하지 아니할 것이 행정소송법상 명문으로 집행정지의 요건으로 규정되어 있지는 않지만 집행정지의 소극적 요건이 될 것인지에 관하여 견해의 대립이 있다. 통설 및 판례는 집행정지는 가구제이므로 본안문제인 행정처분 자체의 적법 여부는 그 판단대상이 되지 아니하는 것이 원칙이지만, 집행정

지는 인용판결의 실효성을 확보하기 위하여 인정되는 것이며 처분의 취소가능성이 없음에도 집행정지를 인정하는 것은 집행정지제도의 취지에 반하므로 본안청구가 이유 없음이 명백하지 아니할 것을 집행정지의 소극적 요건으로 하는 것이 타당하다는 입장이다.

관련판례

1. **행정처분의 효력 · 집행정지를 구하는 신청사건의 판단대상은 행정'처분 자체'의 적법 여부가 아니라 '집행정지요건'의 존부이다.**
   행정처분의 효력정지나 집행정지를 구하는 신청사건에서는 행정처분 자체의 적법 여부를 판단할 것이 아니고 그 행정처분의 효력이나 집행 등을 정지시킬 필요가 있는지 여부, 즉 행정소송법 제23조 제2항 요건의 존부만이 판단대상이 되는 것이므로, 이러한 요건을 결하였다는 이유로 효력정지신청을 기각한 결정에 대해 행정처분 자체의 적법 여부를 가지고 불복사유로 삼을 수는 없다(대결 1994. 9. 24, 94두42).
2. **신청인의 본안청구가 이유 없음이 명백하지 않아야 한다는 것이 집행정지의 요건에 포함된다**(대결 1997. 4. 28, 96두75).**01** ★★★

(2) 집행정지의 절차

① 집행정지는 당사자의 신청 또는 법원의 직권에 의해 행해진다.**02**

② 집행정지의 관할법원은 본안이 계속된 법원이며**03** 상고심도 포함된다.

③ 신청인은 그 신청이유에 대해 소명하여야 한다. 집행정지의 적극적 요건은 신청인에게 주장 · 소명책임이 있고(대결 1999. 12. 20, 99무42), 소극적 요건은 행정청에게 주장 · 소명책임이 있다.**04 05**

(3) 신청인적격

① 집행정지를 신청할 수 있는 자는 본안소송의 당사자로서 법률상 이익이 있는 자여야 한다. 집행정지신청의 요건인 법률상 이익은 항고소송의 요건인 법률상 이익과 동일하다.

② 행정소송법은 제3자효 행정행위에 있어서 제3자가 집행정지를 신청할 수 있는지에 대해서는 명문의 규정을 두고 있지는 않다. 이와 관련하여 제3자효 행정행위에 있어서 제3자에게 원고적격이 있는 한 소송을 제기하고 원고의 입장에서 집행정지를 신청할 수 있다고 봄이 일반적인 견해이다.**06**

관련판례

1. **경쟁 항공회사에 대한 국제항공노선면허처분으로 인하여 노선의 점유율이 감소됨으로써 경쟁력과 대내외적 신뢰도가 상대적으로 감소되고 연계노선망 개발이나 타항공사와의 전략적 제휴의 기회를 얻지 못하게 되는 손해는 면허처분의 효력정지를 구할 법률상 이익이 될 수 없다.**
2. **경쟁 항공회사에 대한 국제항공노선면허처분이 효력정지되면 행정청으로부터 항공법상의 전세운항계획에 관한 인가를 받아 취항할 수 있게 되는 지위를 가지게 된다는 점만으로는 위 면허처분의 효력정지를 구할 수 있는 법률상 이익이 없다**(대결 2000. 10. 10, 2000무17).ⓐ

(4) 거부처분의 경우

① 학 설

통설은 집행정지는 처분이 없었던 것과 같은 상태를 만드는 것을 의미할 뿐 그 이상으로 적극적 상태를 만드는 것은 아니므로 거부처분은 집행정지의 대상이 될 수 없다고 본다. 이에 대해 소수설은 허가사업을 영위하는 자가 허가기간 만료시 갱신허가를 신청하였음에도 행정청이 거부한 것과 같은 예외적인 경우에는 집행정지를 인정할 실익이 있다고 본다.

② 판 례

판례는 국립대학교 불합격처분(대판 1963. 6. 29, 62두9) 등의 거부처분에 대해서는 통설과 같은

기출 체크

□□□□□ **01** 행정처분의 집행정지를 구하는 신청사건에서는 행정처분 자체의 적법 여부는 원칙적으로 판단의 대상이 아니나, 집행정지사건 자체에 의하여도 신청인의 본안청구가 이유 없음이 명백할 때에는 행정처분의 집행정지를 명할 수 없다. (○, ×) ★★★ 2023 지방직 · 서울시 7급

□□□□□ **02** 법원은 당사자의 신청 또는 직권에 의하여 처분 등의 효력이나 그 집행 또는 절차의 속행의 전부 또는 일부의 정지를 결정하거나, 또는 집행정지의 취소를 결정할 수 있다. (○, ×) ★★★ 2022 군무원 9급

□□□□□ **03** (집행정지의) 관할법원은 본안소송이 계속되고 있는 법원이다. (○, ×) 2009 세무사

□□□□□ **04** 집행정지의 요건으로 규정하고 있는 '공공복리에 중대한 영향을 미칠 우려'가 없을 것이라고 할 때의 '공공복리'는 그 처분의 집행과 관련된 구체적이고도 개별적인 공익을 말하는 것으로서 이러한 집행정지의 소극적 요건에 대한 주장 · 소명책임은 행정청에게 있다. (○, ×) ★★ 2023 국가직 9급

□□□□□ **05** 회복하기 어려운 손해 예방의 필요 등 집행정지의 적극적 요건에 관한 주장 · 소명책임은 원칙적으로 신청인에게 있으나, 공공복리에 중대한 영향을 미칠 우려가 없을 것 등 집행정지의 소극적 요건에 대한 주장 · 소명책임은 행정청에 있다. (○, ×) ★★ 2022 소방간부

□□□□□ **06** 제3자효 행정행위에 의해 법률상 이익을 침해받은 제3자는 취소소송의 제기와 동시에 행정행위의 집행정지를 신청할 수 있다. (○, ×) 2014 국가직 7급

ⓐ 이 사건에서 신청인은 경원관계에 있지 않았다. 즉, 신청인은 노선면허신청을 경합한 자도 아니었고, 노선면허의 전제가 된 운수권배분을 신청한 자도 아니었다.

정답 01 ○ 02 ○ 03 ○ 04 ○ 05 ○ 06 ○

이유로 집행정지가 허용되지 않는다고 본다.01 02㉠

관련판례

1. **유효기간 만료 후 허가갱신신청을 거부한 투전기업소갱신허가불허처분에 대하여는 집행정지(효력정지)를 구할 이익이 없다.★★★**

   「사행행위 등 규제법」 제7조 제2항의 규정에 의하면 사행행위영업허가의 효력은 유효기간 만료 후에도 재허가신청에 대한 불허가처분을 받을 때까지 당초 허가의 효력이 지속된다고 볼 수 없으므로 허가갱신신청을 거부한 불허처분의 효력을 정지하더라도 이로 인하여 유효기간이 만료된 허가의 효력이 회복되거나 행정청에 허가를 갱신할 의무가 생기는 것도 아니라 할 것이니 투전기업소갱신허가불허처분의 효력을 정지하더라도 불허처분으로 입게 될 손해를 방지하는 데에 아무런 소용이 없고, 따라서 불허처분의 효력정지를 구하는 신청은 이익이 없어 부적법하다(대결 1993. 2. 10, 92두72).

2. **교도소장의 접견허가신청에 대한 거부처분은 집행정지의 대상이 아니다**(대결 1991. 5. 2, 91두15).★★★

(5) 집행정지결정의 내용

법원은 처분 등의 효력이나 그 집행 또는 절차의 속행의 전부 또는 일부의 정지를 결정할 수 있다.03

① 처분의 효력정지

이는 공정력, 존속력 등을 정지함으로써 당사자에 대해 당해 처분이 잠정적으로 존재하지 아니하는 상태로 두는 것을 의미한다.

② 처분의 집행정지

처분내용의 강제적 실현을 위한 공권력행사의 정지를 의미하는 것으로 강제퇴거명령서에 따른 강제퇴거의 집행정지가 이에 해당한다.

③ 절차의 속행정지

단계적 과정에 있는 행정처분 중 당해 처분의 효력은 유지하면서 후속절차를 잠정적으로 정지하는 것을 말한다. 예컨대, 대집행절차에서 계고처분의 효력은 유지하면서 통지절차의 속행이 정지되는 것이 이에 해당한다.

④ 처분의 효력정지와 집행정지, 속행정지의 관계

행정권의 존중이라는 측면에서 처분의 효력정지는 가급적 억제되어야 하므로 처분의 집행정지, 절차의 속행정지만으로 목적을 달성할 수 있는 경우에는 처분의 효력정지는 허용되지 않는다.04

(6) 집행정지결정의 효력

① 형성력

집행정지결정은 형성력이 있으므로 집행정지결정에 위반된 후속행위들은 무효가 된다. 처분 등의 효력정지는 행정처분이 없었던 것과 같은 상태를 실현하는 것이므로 그 범위 안에서 형성력을 가진다.

관련판례

일정한 납부기한을 정한 과징금 부과처분에 대한 집행정지결정이 내려진 경우 그 집행정지기간 동안 납부기간은 진행되지 않는다.

일정한 납부기한을 정한 과징금 부과처분에 대하여 '회복하기 어려운 손해'를 예방하기 위하여 긴급한 필요가 있고 달리 공공복리에 중대한 영향을 미치지 아니한다는 이유로 집행정지결정이 내려졌다면 그 집행정지기간 동안은 과징금 부과처분에서 정한 과징금의 납부기간은 더 이상 진행되지 아니하고 집행정지결정이 당해 결정의 주문에 표시된 시기의 도래로 인하여 실효되면 그 때부터 당초의 과징금 부과처분에서 정한 기간(집행정지결정 당시 이미 일부 진행되었다면 그 나머지 기간)이 다시 진행하는 것으로 보

기출 체크

□□□□□ **01** 거부처분에 대한 집행정지는 그 거부처분으로 인하여 신청인에게 생길 손해를 방지하는 데 아무런 보탬이 되지 아니하므로 허용되지 않는다. (○, ×) ★★★ 2023 국가직 9급

□□□□□ **02** 거부처분의 효력정지는 그 거부처분으로 인하여 신청인에게 생길 손해를 방지하는 데 필요하므로 신청인에게는 그 효력정지를 구할 이익이 있다. (○, ×) ★★★ 2021 지방직 · 서울시 9급

□□□□□ **03** 행정소송법상 집행정지가 인용될 경우 그 효력으로는 처분 등의 효력정지, 처분 등의 집행정지, 절차속행의 전부 또는 일부의 정지가 있다. (○, ×) ★ 2022 서울시 지적 7급

□□□□□ **04** 처분의 효력정지는 처분의 집행 또는 절차의 속행을 정지함으로써 목적을 달성할 수 있는 경우에는 허용되지 아니한다. (○, ×) ★★★ 2021 지방직 · 서울시 9급

● 거부처분과 관련된 쟁점

1. 거부가 처분이 되기 위해서는 법규상 조리상의 신청권(신청의 인용이라는 만족적 결과를 얻을 권리를 의미하는 것은 아님)이 있어야 한다.
2. 반복된 거부는 처분이다(반복된 독촉, 반복된 계고 등과 구별).
3. 거부처분은 행정절차법 제21조상의 사전통지 대상이 아니다.
4. 거부처분은 집행정지의 대상이 아니다.
5. 거부처분의 취소판결이 확정된 경우 행정청은 판결의 취지에 따른 처분을 할 의무가 존재한다(제39강 참조).

판례 | ㉠ 행정청의 거부처분의 효력정지를 구할 이익은 없다.
신청에 대한 거부처분의 효력을 정지하더라도 거부처분이 없었던 것과 같은 상태, 즉 거부처분이 있기 전의 신청시의 상태로 되돌아가는 데에 불과하고 행정청에 신청에 따른 처분을 하여야 할 의무가 생기는 것이 아니므로, 거부처분의 효력정지는 그 거부처분으로 인하여 신청인에게 생길 손해를 방지하는 데 아무런 보탬이 되지 아니하여 그 효력정지를 구할 이익이 없다(대결 1995. 6. 21, 95두26).

정답 01 ○ 02 × 03 ○ 04 ○

아야 한다.01 이 사건 과징금의 납부는 납부기한 내에 납부한 것이 되어 가산금이 발생하지 아니하였으므로 가산금이 발생하였음을 전제로 한 이 사건 징수처분은 그 하자가 중대하고도 명백한 것이어서 무효라 할 것이다(대판 2003. 7. 11, 2002다48023).

② 기속력

취소판결의 기속력에 관한 규정은 집행정지결정에도 준용되므로02 집행정지결정의 효력은 당사자인 행정청뿐만 아니라 그 밖의 관계행정청도 기속한다.03 집행정지결정을 위반한 처분은 무효라는 것이 판례의 입장이다. 다만, 재처분의무에 관한 규정은 성질상 준용되지 않는다.

관련판례

집행정지결정을 위배한 행정처분은 무효이다(대판 1961. 11. 23, 4294행상3).04 ★★

③ 시간적 효력

㉠ 집행정지결정의 효력은 결정주문에서 정한 기간까지 존속하다가 그 기간이 만료되면 장래에 향하여 당연히 소멸한다(대판 2020. 9. 3, 2020두34070).05 다만, 주문에 특별한 정함이 없는 때에는 본안판결이 확정될 때까지 그 효력이 존속한다. 또한 집행정지결정의 효력은 정지결정 대상인 처분의 발령시점에 소급하는 것이 아니라 원칙적으로 집행정지결정시점부터 장래에 향하여 효력을 발생한다.06 따라서 집행정지결정 전에 이미 집행된 부분에 대해서는 아무런 영향을 미치지 아니한다(대판 1957. 11. 4, 4290민상623).

관련판례

1. **보조금 교부결정의 일부를 취소한 행정청의 처분에 대한 효력정지결정의 효력이 소멸하여 보조금 교부결정 취소처분의 효력이 되살아난 경우, 원칙적으로 취소처분에 의하여 취소된 부분의 보조사업에 대하여 효력정지기간 동안 교부된 보조금의 반환을 명하여야 한다.** ★★

   행정소송법 제23조에 의한 효력정지결정의 효력은 결정주문에서 정한 시기까지 존속하고 그 시기의 도래와 동시에 효력이 당연히 소멸하므로, 보조금 교부결정의 일부를 취소한 행정청의 처분에 대하여 법원이 효력정지결정을 하면서 주문에서 그 법원에 계속 중인 본안소송의 판결선고시까지 처분의 효력을 정지한다고 선언하였을 경우, 본안소송의 판결선고에 의하여 그 정지결정의 효력은 소멸하고 이와 동시에 당초의 보조금 교부결정 취소처분의 효력이 당연히 되살아난다고 할 것이다.07
   따라서 효력정지결정의 효력이 소멸하여 보조금 교부결정 취소처분의 효력이 되살아난 경우, 특별한 사정이 없는 한 행정청으로서는 구 「보조금의 예산 및 관리에 관한 법률」(2011. 7. 25, 법률 제10898호 「보조금 관리에 관한 법률」로 개정되기 전의 것) 제31조 제1항에 따라 그 취소처분에 의하여 취소된 부분의 보조사업에 대하여 효력정지기간 동안 교부된 보조금의 반환을 명하여야 할 것이다(대판 2017. 7. 11, 2013두25498).

2. 행정소송법 제23조에 의한 집행정지결정의 효력은 결정주문에서 정한 시기까지 존속하며 그 시기의 도래와 동시에 효력이 당연히 소멸하는 것이므로, 일정기간 동안 영업을 정지할 것을 명한 행정청의 영업정지처분에 대하여 법원이 집행정지결정을 하면서 주문에서 당해 법원에 계속 중인 본안소송의 판결선고시까지 처분의 효력을 정지한다고 선언하였을 경우에는 처분에서 정한 영업정지기간의 진행은 그때까지 저지되는 것이고 본안소송의 판결선고에 의하여 당해 정지결정의 효력은 소멸하고 이와 동시에 당초의 영업정지처분의 효력이 당연히 부활되어 처분에서 정하였던 정지기간(정지결정 당시 이미 일부 진행되었다면 나머지 기간)은 이때부터 다시 진행한다(대판 1999. 2. 23, 98두14471).08

3-1. 제재처분에 대한 행정쟁송절차에서 처분에 대해 집행정지결정이 이루어졌더라도 본안에서 해당 처분이 최종적으로 적법한 것으로 확정되어 집행정지결정이 실효되고 제재처분을 다시 집행할 수 있게 되면, 처분청으로서는 당초 집행정지결정이 없었던 경우와 동등한 수준으로 해당 제재처분이 집행

기출 체크

□□□□□ 01 일정한 납부기한을 정한 과징금 부과처분에 대하여 집행정지결정이 내려졌다면 과징금 부과처분에서 정한 과징금의 납부기간은 더 이상 진행되지 아니하고 집행정지결정의 주문에 표시된 종기의 도래로 인하여 집행정지가 실효된 때부터 다시 진행된다. (○, ×) 2022 지방직·서울시 7급

□□□□□ 02 집행정지결정은 판결이 아니므로 기속력은 인정되지 않는다. (○, ×) ★★ 2016 국가직 9급

□□□□□ 03 집행정지결정이 있더라도 당사자인 행정청과 그 밖의 관계행정청에 대하여 법적 구속력은 발생하지 않는다. (○, ×) ★★ 2015 교육행정직 9급

□□□□□ 04 판례상 집행정지결정이 있게 되면 당해 처분이 효력 있음을 전제로 한 후속행위는 무효가 된다. (○, ×) ★★ 2008 세무사

□□□□□ 05 집행정지결정의 효력은 결정주문에서 정한 시기까지 존속하며 그 시기의 도래와 동시에 효력이 당연히 소멸한다. (○, ×) ★★ 2016 사회복지직 9급

□□□□□ 06 집행정지결정 중 효력정지결정은 효력 그 자체를 잠정적으로 정지시키는 것이므로 행정처분이 없었던 원래 상태와 같은 상태를 가져오지만 장래에 향하여 효력을 발생하는 것이 원칙이다. (○, ×) ★★ 2011 국가직 9급

□□□□□ 07 보조금 교부결정의 일부를 취소한 행정청의 처분에 대하여 법원이 효력정지결정을 하면서 주문에서 그 법원에 계속 중인 본안소송의 판결선고시까지 처분의 효력을 정지한다고 선언하였을 경우, 본안소송의 판결선고에 의하여 정지결정의 효력은 소멸하지만 당초의 보조금 교부결정 취소처분의 효력이 당연히 되살아나는 것은 아니다. (○, ×) ★★ 2022 소방간부

□□□□□ 08 효력기간이 정해져 있는 제재적 행정처분에 대한 취소소송에서 법원이 본안소송의 판결선고시까지 집행정지결정을 하면, 처분에서 정해둔 효력기간은 판결선고시까지 진행하지 않다가 판결이 선고되면 그때 집행정지결정의 효력이 소멸함과 동시에 처분의 효력이 당연히 부활하여 처분에서 정한 효력기간이 다시 진행한다. (○, ×) 2024 소방직 9급

정답 01 ○ 02 × 03 × 04 ○ 05 ○ 06 ○ 07 × 08 ○

기출 체크

□□□□□ 01 제재처분에 대한 행정쟁송절차에서 처분에 대해 집행정지결정이 이루어졌더라도 본안에서 해당 처분이 최종적으로 적법한 것으로 확정되어 집행정지결정이 실효된 경우, 처분청은 당초 집행정지결정이 없었던 경우와 동등한 수준으로 해당 제재처분이 집행되도록 하여서는 아니 된다. (○, ×) 2024 소방직 9급

□□□□□ 02 집행정지의 결정이 확정된 후 집행정지가 공공복리에 중대한 영향을 미치거나 그 정지사유가 없어진 때에는 당사자의 신청 또는 직권에 의하여 결정으로써 집행정지의 결정을 취소할 수 있다. (○, ×) ★★ 2018 국가직 7급

□□□□□ 03 집행정지의 결정에 대하여는 즉시항고할 수 있으며, 이 경우 집행정지의 결정에 대한 즉시항고에는 결정의 집행을 정지하는 효력이 없다. (○, ×) ★★ 2018 국가직 7급

ⓐ 집행정지결정에 대해 행정청이 즉시항고를 하더라도 행정처분에 대한 집행정지결정은 여전히 효력이 있다는 의미이다.

정답 01 × 02 ○ 03 ○

되도록 필요한 조치를 취하여야 한다.01 집행정지는 행정쟁송절차에서 실효적 권리구제를 확보하기 위한 잠정적 조치일 뿐이므로, 본안 확정판결로 해당 제재처분이 적법하다는 점이 확인되었다면 제재처분의 상대방이 잠정적 집행정지를 통해 집행정지가 이루어지지 않은 경우와 비교하여 제재를 덜 받게 되는 결과가 초래되도록 해서는 안 된다. 반대로, 처분 상대방이 집행정지결정을 받지 못했으나 본안소송에서 해당 제재처분이 위법하다는 것이 확인되어 취소하는 판결이 확정되면, 처분청은 그 제재처분으로 처분 상대방에게 초래된 불이익한 결과를 제거하기 위하여 필요한 조치를 취하여야 한다.

3-2. 「중소기업제품 구매촉진 및 판로지원에 관한 법률」에 따른 1차 직접생산확인 취소처분에 대한 선행소송에서 집행정지결정이 있은 후 최종적으로 청구기각 판결이 확정되어 1차 취소처분의 효력이 부활한 경우, 피고 행정청이 직접생산확인취소의 대상이 되는 제품목록을 현재 유효한 직접생산확인 제품목록으로 변경하는 내용의 2차 취소처분(변경처분)을 할 권한이 있다(대판 2020. 9. 3, 2020두34070).

㉡ 집행정지기간은 법원이 그 시기(始期)와 종기(終期)를 정한다. 법원이 행정소송법 제23조 제2항에 따른 집행정지를 결정하는 경우 그 종기는 본안판결 선고일부터 30일 이내의 범위에서 정한다. 다만, 법원은 당사자의 의사, 회복하기 어려운 손해의 내용 및 그 성질, 본안청구의 승소가능성 등을 고려하여 달리 정할 수 있다(행정소송규칙 제10조). 처분의 효력을 소급하여 정지하는 것은 허용되지 않는다.

(7) 집행정지결정의 취소

① 취소의 사유

집행정지결정이 확정된 후 집행정지가 공공복리에 중대한 영향을 미치거나 그 정지사유가 없어진 때에는, 당해 집행정지결정을 한 법원은 당사자의 신청 또는 직권에 의하여 결정으로써 집행정지의 결정을 취소할 수 있다.02

관련판례

행정소송법 제24조 제1항에서 규정하고 있는 집행정지결정의 취소사유는 특별한 사정이 없는 한 집행정지결정이 확정된 이후에 발생한 것이어야 하고, 그중 '집행정지가 공공복리에 중대한 영향을 미치는 때'라 함은 일반적 · 추상적인 공익에 대한 침해의 가능성이 아니라 당해 집행정지결정과 관련된 구체적 · 개별적인 공익에 중대한 해를 입힐 개연성을 말하는 것이다(대결 2005. 7. 15, 2005무16).

② 취소의 효과

정지결정이 취소되면 처분의 원래의 효과가 발생한다. 따라서 집행정지결정이 취소되면 그 정지기간은 특별한 사유가 없는 한 그때부터 다시 진행하게 된다.

(8) 집행정지결정에 대한 불복

법원의 집행정지결정이나 집행정지신청기각의 결정 또는 집행정지결정의 취소결정에 대해서는 즉시항고할 수 있다. 다만, 이 경우 집행정지의 결정에 대한 즉시항고는 그 즉시항고의 대상인 결정의 집행을 정지하는 효력이 없다(동법 제23조 제5항, 제24조 제2항).03ⓐ 한편 판례는 집행정지요건을 구비하지 못하였다는 이유로 집행정지신청을 기각한 결정에 대하여, 행정처분 자체의 적법 여부를 가지고 불복사유로 삼을 수는 없다고 한다.

관련판례

1. 행정소송법 제23조 제2항에서 정한 요건을 결여하였다는 이유로 효력정지 신청을 기각한 결정에 대하여, 행정처분 자체의 적법 여부를 가지고 불복사유로 삼을 수는 없다.

행정처분의 효력정지나 집행정지를 구하는 신청사건에서는 행정처분 자체의 적법 여부를 판단할 것이 아니고 행정처분의 효력이나 집행 등을 정지시킬 필요가 있는지 여부, 즉 행정소송법 제23조 제2항에서 정한 요건의 존부만이 판단대상이 된다. 나아가 '처분 등이나 그 집행 또는 절차의 속행으로 인한 손해발생의 우려' 등 적극적 요건에 관한 주장 · 소명책임은 원칙적으로 신청인 측에 있으며, 이러한 요건을 결여하였다는 이유로 효력정지신청을 기각한 결정에 대하여 행정처분 자체의 적법 여부를 가지고 불복사유로 삼을 수 없다(대결 2011. 4. 21, 2010무111 전합).01

2. 행정처분의 집행정지는 행정처분 집행부정지의 원칙에 대한 예외로서 인정되는 일시적인 응급처분이라 할 것이므로 집행정지결정을 하려면 이에 대한 본안소송이 법원에 제기되어 계속 중임을 요하고(대판 1975. 11. 11, 75누97 등 참조), 따라서 집행정지신청 기각결정 후 본안소송이 취하되었다면 위 기각결정에 대한 재항고는 그 실익이 없어 각하될 수밖에 없다(대결 2019. 6. 27, 2019무622).02

❸ 항고소송에서 민사집행법상 가처분(적극적 의미의 가구제)의 준용 여부

1. 개 념

가처분이라고 함은 금전 이외의 특정한 급부를 목적으로 하는 청구권의 집행보전을 도모하거나 다툼 있는 권리관계에 관하여 임시의 지위를 정함을 목적으로 하는 가구제제도를 말한다. 예컨대, 임용거부처분을 받은 자가 임시의 임용처분을 구하는 것을 들 수 있다.

2. 논의의 실익

집행정지는 처분이 행해진 것을 전제로 그 효력을 정지시키는 소극적 효력이 있을 뿐 적극적으로 수익적 처분을 행정청에 명할 수는 없다는 점에서 일정한 한계를 가진다. 따라서 가처분에 관한 논의의 실익이 있는데, 우리 행정소송법에서는 명문의 규정이 없어03 04 민사집행법상 가처분을 준용할 수 있는지가 문제된다.

3. 인정 여부

(1) 학 설

① 긍정설

이를 인정함으로써 법원에 의한 실효적 권리구제가 이루어질 수 있다는 점을 근거로 한다.

② 부정설(통설)

가처분이 인정되면 법원이 일정행위를 행정기관에 명령하게 되는데, 이는 권력분립의 원리에 따른 사법권의 범위를 벗어난다는 점을 근거로 한다.

(2) 판 례

대법원은 항고소송에서 민사집행법상의 가처분 규정이 준용되지 않는다고 본다.05 06

관련판례

민사소송법상의 가처분으로써 행정행위의 금지를 구할 수 없다.★★★

민사소송법상의 보전처분은 민사판결절차에 의하여 보호받을 수 있는 권리에 관한 것이므로, 민사소송법상의 가처분으로써 행정청의 어떠한 행정행위의 금지를 구하는 것은 허용될 수 없다 할 것이다(대결 1992. 7. 6, 92마54).

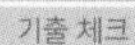

기출 체크

□□□□□ 01 '처분 등이나 그 집행 또는 절차의 속행으로 인한 손해발생의 우려' 등 적극적 요건에 관한 주장 · 소명책임은 원칙적으로 신청인 측에 있고, 이 요건을 결여하였다는 이유로 효력정지신청을 기각한 결정에 대하여 행정처분 자체의 적법 여부를 가지고 불복사유로 삼을 수 없다. (○, ×) 2024 소방직 9급

□□□□□ 02 집행정지결정을 하려면 이에 대한 본안소송이 법원에 제기되어 계속 중임을 요하고, 집행정지신청 기각결정 후 본안소송이 취하되었다면, 그 기각결정에 대한 재항고는 그 실익이 없어 각하될 수밖에 없다. (○, ×) 2024 소방직 9급

□□□□□ 03 가처분(은 현행 행정소송법이 규정하고 있다) (○, ×) 2024 소방간부

□□□□□ 04 행정소송법과 행정심판법은 처분 또는 부작위에 대하여 임시의 지위를 정하는 임시처분제도를 두고 있다. (○, ×)★★★ 2022 서울시 지적 7급

□□□□□ 05 항고소송의 대상이 되는 행정처분의 효력이나 집행 혹은 절차속행 등의 정지를 구하는 신청은 행정소송법상 집행정지신청의 방법으로서만 가능할 뿐이고 민사소송법상 가처분의 방법으로는 허용될 수 없다. (○, ×)★★★ 2022 소방간부

□□□□□ 06 민사집행법에 따른 가처분은 항고소송에서도 인정된다. (○, ×)★★★ 2016 국가직 9급

[유튜브] 38강 필수 개념 TEST
- QR코드를 스캔해 주세요.
- 필수 개념과 출제 포인트를 풀어 보세요.
- 틀린 문제는 기본서로 확인해 주세요.

정답 01 ○ 02 ○ 03 × 04 × 05 ○ 06 ×

제 39 강 항고소송 4 (취소소송의 심리 등)

취소소송의 심리 등

취소소송의 심리

개 설	• 당사자주의 – 처분권주의 : 소송의 개시 · 종료 · 범위의 결정을 당사자에게 맡기는 것 – 변론주의 : 재판의 기초가 되는 자료수집 · 제출을 당사자에게 맡기는 것 • **행정소송** : 당사자주의 원칙+직권주의의 예외적 가미
내 용	• 소송요건심리 – 직권조사사항이며 소송요건 결하면 각하 – 직권조사사항에 해당하는 사항을 상고심에서 비로소 주장하는 경우 상고심의 심판범위에 해당됨. – 당사자가 확정된 취소판결의 존재를 사실심변론종결시까지 주장하지 아니한 경우, 상고심에서 새로이 이를 주장 · 입증할 수 있음(판례). • **본안심리** : 인용할 것인지 또는 기각할 것인지를 판단하기 위하여 사건의 본안을 심리하는 과정
범 위	• 불고불리의 원칙 – 법원은 소제기가 없는 사건에 대하여 심리 · 재판 불가 – 소제기가 있는 사건에 대하여도 당사자의 청구범위를 넘어 심리 · 재판 불가 • 법률문제 · 사실문제에 대한 심사권을 가짐. • 재량의 당 · 부당은 심사 불가(단, 재량행위에 대해 취소소송이 제기된 경우 법원은 곧바로 각하할 것이 아니라 재량권의 일탈 · 남용 여부 검토해야 함)
심리원칙	• 처분권주의 – 소송의 개시, 심판대상의 결정, 소송의 종결 등을 당사자의 의사에 맡기는 것 – 처분권주의에 관한 민사소송법이 준용되는 행정소송에서 심판대상은 원고의 의사에 따라 특정되고, 법원은 당사자가 신청한 사항에 대하여 신청범위 내에서 판단하여야 함(판례). • 변론주의 : 당사자가 제출한 소송자료를 재판의 기초로 삼아야 한다는 원칙 • 구술심리주의 • 공개주의 • 직권심리 – 변론주의가 원칙 + 직권탐지를 예외적으로 가미 – 기록에 현출되어 있는 상황에 대해서만 조사 · 판단할 수 있음(직권심리를 할 수 있다 하더라도 법원이 무제한으로 당사자가 주장하지 않은 사실을 판단할 수 있는 것은 아님). – 취소소송의 직권심리 규정은 당사자소송에 준용 • 행정심판기록제출명령 : 당사자의 신청이 있는 경우
입증책임	• 법률요건분류설(각 당사자는 자기에게 유리한 법규의 요건사실의 존부에 대해 입증책임을 짐) • 판례 – 민사소송의 일반원칙에 따라 분배되고 항고소송의 경우 그 특성에 따라 처분의 적법성을 주장하는 피고가 적법사유에 대한 입증책임을 부담 – 처분사유에 관한 증명책임은 피고 행정청에 있음. 거부처분취소소송에서도 그 처분사유에 관한 증명책임은 피고 행정청에 있음. • 개별적 검토 – 소송요건의 입증책임 : 원고 – 취소의 필요성의 입증책임 : 행정청 – 재량의 일탈 · 남용 등 취소사유 존부의 입증책임 : 원고 – 과세처분에서 과세요건사실(과세소득의 존재 등)은 과세관청, 비과세 · 면제대상 여부는 납세의무자가 입증책임 부담
처분사유의 추가 · 변경	• 행정소송의 제기 이후부터 사실심변론종결시 이전 사이에 문제됨. • 단지 처분의 근거법령만 추가 · 변경하거나 처분사유를 구체적으로 밝히는 것은 새로운 처분사유의 추가 · 변경 아님(판례). • 소송에서 새로운 처분사유를 추가로 주장한 것이 아니라, 처분서에 다소 불명확하게 기재하였던 '당초 처분사유'를 좀더 구체적으로 설명한 것은 새로운 처분사유를 추가로 주장한 것이 아니므로 허용됨(판례). • 건축법 제11조를 위반하여 건축허가를 받지 않고 건축하였다는 처분사유와 동법 제20조를 위반하여 가설건축물에 해당함에도 건축신고를 하지 아니하였다는 처분사유는 그 기초인 사회적 사실관계가 동일하다고 볼 수 없어 처분사유의 추가 · 변경이 허용되지 않음(판례). • 허용 여부 : 기본적 사실관계의 동일성이 인정되는 한계 내 • 추가 · 변경된 사유가 당초의 처분시 이미 존재하고 있었고 당사자도 그 사실을 알고 있었다는 것만으로 동일성이 인정되지 않음. • 한계 : 사실심변론종결시까지 허용 – 처분 이후에 발생한 새로운 사실 · 법적 사유를 추가 · 변경할 수 없음.

위법판단의 기준시점

• **처분시**
– 법원은 행정처분 당시 행정청이 알고 있었던 자료뿐만 아니라 사실심변론종결 당시까지 제출된 모든 자료를 종합하여 처분 당시 존재하였던 객관적 사실을 확정하고 그 사실에 기초하여 처분의 위법 여부를 판단할 수 있음.
– 판례 : 행정처분의 위법 여부를 판단하는 기준시점이 처분시라는 의미는 행정처분이 있을 때의 법령과 사실상태를 기준으로 하여 위법 여부를 판단할 것이며 처분 후 법령의 개폐나 사실상태의 변동에 영향을 받지 않는다는 뜻임.

취소소송의 판결 등

취소소송의 판결

종국판결

• **소송판결** : 소송요건이 구비되지 않은 경우 소각하판결(소각하판결로 인하여 소송대상이 된 처분이 적법한 것으로 확정된 것은 아님)
– 소송판결의 기판력은 그 판결에서 확정한 소송요건의 흠결에 관하여 미치는 것이지만, 당사자가 소송요건의 흠결이 보완된 상태에서 다시 소를 제기한 경우에는 기판력의 제한을 받지 않음(판례).

• **본안판결** ┌ 기각판결
└ 인용판결

청구기각판결

• **사정판결** : 원고의 청구가 이유 있다고 인정하는 경우에도 처분 등을 취소하는 것이 현저히 공공복리에 적합하지 아니하다고 인정하는 때에 법원이 원고의 청구를 기각하는 것
– 처분의 위법성 판단의 기준시 : 처분시
– 사정판결의 필요성 판단시 : 판결시(변론종결시)(행정소송규칙 제14조)
– 판결의 주문에 처분이 위법함을 명시하여야 하며 처분이 위법하다는 점에 기판력 발생
– 소송비용 : 피고가 부담
– 법원이 사정판결을 하기 위해서는 원고가 그로 인하여 입게 될 손해의 정도와 배상방법, 그 밖의 사정을 미리 조사하여야 함.
– 행정청이 속하는 국가 또는 공공단체를 상대로 손해배상, 제해시설의 설치방법, 그 밖의 적당한 구제방법의 청구를 취소소송이 계속된 법원에 병합하여 제기 가능
– 법원이 직권으로 사정판결을 할 수 있음.
– 취소소송에서만 허용

청구인용판결

• **일부인용판결(일부취소)**

가능한 경우	불가능한 경우(전부취소)
• 조세부과처분과 같은 금전부과처분이 기속행위인 경우 법원이 정당한 부과금액을 산정할 수 있을 때 • 여러 개의 상이에 대한 국가유공자 요건 비해당처분에 대한 취소소송에서 그중 일부 상이가 국가유공자요건이 인정되는 상이에 해당하고 나머지 상이는 해당하지 않는 경우 • 행정청이 여러 개의 위반행위에 대하여 하나의 제재처분을 하였으나, 위반행위별로 제재처분의 내용을 구분하는 것이 가능하고 여러 개의 위반행위 중 일부의 위반행위에 대한 제재처분 부분만이 위법한 경우(판례)	• 금전부과처분이 기속행위라도 자료에 의해서 적법하게 부과될 부과금액을 산출할 수 없는 경우 • 재량행위인 과징금 부과처분이 법이 정한 한도액을 초과하여 위법할 경우 • 재량행위인 영업정지처분이 적정한 영업정지기간을 초과하여서 위법한 경우

• **적극적 형성판결(적극적 변경)의 문제** : 법원이 적극적 처분을 할 수는 없음(판례).

판결의 효력

자박력(불가변력)	판결이 일단 확정되면 법원 자신도 취소 · 변경할 수 없는 효력(선고법원과 관련된 효력)
불가쟁력 (형식적 확정력)	기간경과로 당사자가 다툴 수 없게 되는 효력
기판력 (실질적 확정력)	• **의의** : 법원의 판단내용이 확정되면 당사자, 법원 모두 구속 • **인정범위** : 소송판결, 인용판결, 청구기각판결 모두에 인정 – 과세처분취소소송에서, 청구가 기각된 확정판결의 기판력은 과세처분 무효확인소송에도 미침. • **범위** – 주관적 ‣ 당사자, 당사자와 동일시할 수 있는 승계인에게 미침, 제3자는 × ‣ 피고인 처분행정청이 속하는 국가나 공공단체에도 미침. – 객관적 : 판결의 주문에 대해서 미침. – 시간적 : 사실심변론종결시를 기준으로 하여 발생
형성력 (당사자와 제3자에 대한 효력)	• **의의** : 확정판결의 취지에 따라 법률관계의 발생 · 변경 · 소멸을 가져오는 효력 – 취소판결이 확정되면 처분 등의 효력은 처분청의 별도 행위를 기다릴 것 없이 처분시에 소급하여 효력이 소멸됨. – 청구인용판결의 경우에만 인정 • **내용** : ① 형성효, ② 소급효, ③ 제3자효(대세효) • 형성력으로 인한 제3자 보호를 위해 제3자의 소송참가 및 제3자의 재심청구에 관한 명문규정을 둠.
기속력 (행정기관에 대한 효력)	• **의의** : 확정판결의 취지에 따라야 하는 의무를 발생시키는 효력 – 기속력이 인정되는 판결 : 청구인용판결에만 인정(청구기각판결이 확정되어 처분의 적법성이 확정된 이후에도 처분청은 처분의 직권취소를 할 수 있음) • **성질** : 특수효력설(통설) • **내용** – 부작위의무(동일내용의 반복금지의무) ⇨ 이를 위반한 처분은 무효가 됨. – 재처분의무(적극적 처분의무) : 판결의 취지에 따른 처분을 할 의무(거부처분이 취소된 경우, 신청에 따른 처분이 절차상의 위법을 이유로 취소된 경우) – 결과제거의무 • **범위** – 주관적 : 처분청과 그 밖의 관계행정청을 구속 – 객관적 : 판결주문과 판결이유 중에 적시된 개개의 위법사유 • 기속력에 위반한 행정행위는 당연무효
간접강제	• **의의** : 행정청이 재처분의무에 따른 처분을 하지 않고 있는 경우, 법원이 일정한 배상을 할 것을 명하는 것 • **규정내용** – 부작위위법확인소송에도 준용함. – 법원은 상당한 기간을 정하여 기간에 따라 배상을 명할 수도 있고, 즉시 손해배상을 할 것을 명할 수도 있음. • 행정청이 재처분을 하였더라도 그 처분이 판결의 기속력에 위반되어 당연무효인 경우라면 아무런 재처분을 하지 아니한 때와 마찬가지가 되어 간접강제를 할 수 있음. • 심리적 강제수단 ⇨ 법원이 정한 기한이 경과한 후라도 행정청이 재처분의무를 이행한다면 더 이상 배상금추심은 허용되지 않음.

취소소송의 종료

• **종국판결의 확정**
• **당사자 행위에 의한 종료**
– 당사자 소멸 : 원고가 사망하고 소송물인 권리관계의 성질상 이를 승계할 자가 없으면 소송종료됨.

※ 피고인 행정청이 없게 된 때에는 그 처분 등에 관한 사무가 귀속되는 국가 또는 공공단체가 피고가 되므로 소송은 종료되지 않음.

상소 및 재심청구

상 소

• **항소** : 제1심 법원 판결에 대해 상급법원에 항소
• **상고** : 항소심의 판결에 대해 대법원에 상고

항고와 재항고 – 결정에 불복이 있을 때

재심청구

• 취소판결에 의하여 권리 또는 이익의 침해를 받는 제3자가 자기에게 책임 없는 사유로 소송에 참가하지 못함으로써 판결의 결과에 영향을 미칠 공격 또는 방어방법을 제출하지 못하는 때 이를 이유로 확정된 종국판결에 대하여 재심을 청구할 수 있음.
• 제3자에 의한 재심청구는 확정판결이 있음을 안 날로부터 30일 이내, 판결이 확정된 날로부터 1년 이내 가능

소송비용

• 패소자가 부담(원칙)
• 피고가 부담 : 사정판결, 행정청이 처분 등을 취소 또는 변경하여 청구가 각하 또는 기각된 경우

준 용

• 행정소송에 관하여 행정소송법에 특별한 규정이 없는 사항은 법원조직법과 민사소송법 및 민사집행법의 규정 준용(행정소송법 제8조)
• 행정소송절차에 관하여 행정소송법 및 행정소송규칙에 특별한 규정이 있는 경우를 제외하고는 그 성질에 반하지 않는 한 민사소송규칙 및 민사집행규칙의 규정을 준용(행정소송규칙 제4조)

제 1 절 취소소송의 심리 등

초대 Topic 42 핵심집약 Topic 72

기출 체크

□□□□□ 01 해당 처분을 다툴 법률상 이익이 있는지 여부는 직권조사사항으로 이에 관한 당사자의 주장은 직권발동을 촉구하는 의미밖에 없으므로, 원심법원이 이에 관하여 판단하지 않았다고 하여 판단유탈의 상고이유로 삼을 수 없다. (○, ×) 2024 지방직 · 서울시 9급

□□□□□ 02 요건심리는 피고의 항변을 기다릴 필요가 없는 법원의 직권조사사항이다. (○, ×) ★★★ 2007 세무사

□□□□□ 03 소송요건의 구비 여부는 법원에 의한 직권조사사항으로 당사자의 주장에 구속되지 않는다. (○, ×) ★★★ 2015 교육행정직 9급

□□□□□ 04 제기된 소가 소송요건을 갖추지 못한 경우에는 각하판결의 대상이 된다. (○, ×) ★★★ 2007 세무사

□□□□□ 05 소송요건의 존부는 사실심변론종결시를 기준으로 판단한다. (○, ×) ★★ 2014 국가직 9급

판례 | ㉠ 해당 처분을 다툴 법률상 이익이 있는지 여부는 직권조사사항으로 이에 관한 당사자의 주장은 직권발동을 촉구하는 의미밖에 없으므로, 원심법원이 이에 관하여 판단하지 않았다고 하여 판단유탈의 상고이유로 삼을 수 없다(대판 2017. 3. 9, 2013두16852). 01

정답 01 ○ 02 ○ 03 ○ 04 ○ 05 ○

01 | 취소소송의 심리

❶ 개 설

1. 소송의 심리에 관한 원칙

소송의 심리란 판결을 하기 위하여 그 기초가 되는 소송자료를 수집하는 절차를 말한다. 이러한 심리에 관한 원칙은 소송주도권을 당사자에게 부여하는 당사자주의와 법원에 부여하는 직권주의로 나눌 수 있다.

2. 당사자주의 – 처분권주의와 변론주의

당사자주의는 다시 내용적으로 소송의 개시, 종료 또는 그 범위의 결정을 소송당사자에게 맡기는 원칙인 처분권주의와, 재판의 기초가 되는 자료의 수집 · 제출을 당사자의 권능과 책임으로 하는 원칙인 변론주의로 나누어진다.

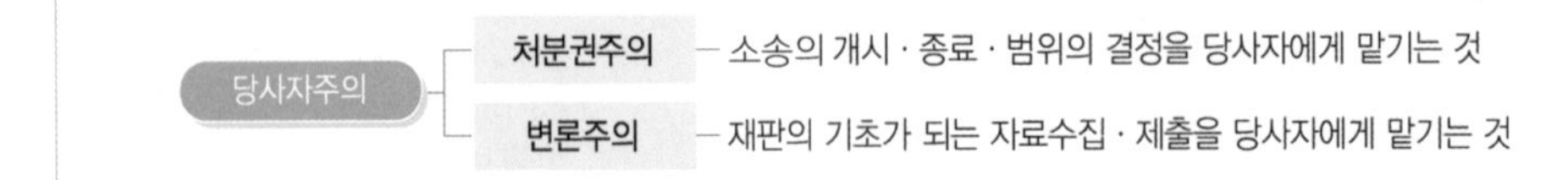

3. 당사자주의 원칙 + 직권심리주의 예외적 가미

행정소송은 원칙적으로 당사자주의를 취하고 있으나, 공익에 광범위한 영향을 미치는 것이므로 소송의 주도권을 전적으로 당사자에게 부여할 수 없다는 점 때문에 직권심리주의를 가미하고 있다.

❷ 심리의 내용

1. 소송요건심리㉠

(1) 의 의

소가 적법한 취급을 받기 위해 구비하지 않으면 안 되는 사항, 즉 소송요건에 대한 심리를 요건심리라고 한다. 소송요건의 구비 여부는 법원의 직권조사사항으로 당사자의 주장에 구애받지 않고 법원이 조사할 수 있으며,02 03 만약 이러한 소송요건을 결하고 그 보정이 불가능한 경우라면 법원은 소송을 부적법 각하판결을 한다.04

(2) 판정시기

① 소송요건은 제소시까지 구비되어야 함이 원칙이나 소송 중에라도 사실심변론종결시까지 소송요건을 구비하면 하자가 치유된다는 것이 일반적 견해이므로 실질적으로 소송요건의 구비 여부는 사실심변론종결시를 기준으로 판단한다.05 다만, 제소기간의 준수 여부는 사실심변론종결시가 아니라 제소시가 기준이 된다.

② 소송요건은 사실심변론종결시는 물론 상고심에서도 존속하여야 한다. 따라서 직권조사사항에 해당하는 사항을 상고심에서 주장하는 경우, 그 직권조사사항에 해당하는 사항은 상고심의 심판범위에 해당한다는 것이 판례의 입장이다.

관련판례

1-1. **행정소송에서 쟁송의 대상이 되는 행정처분의 존부는 소송요건으로서 직권조사사항이고, 자백의 대상이 될 수 없는 것이므로,01 설사 그 존재를 당사자들이 다투지 아니한다 하더라도 그 존부에 관하여 의심이 있는 경우에는 이를 직권으로 밝혀 보아야 한다.02 ★★**

1-2. **사실심에서 변론종결시까지 당사자가 주장하지 않던 직권조사사항에 해당하는 사항을 상고심에서 비로소 주장하는 경우 그 직권조사사항에 해당하는 사항은 상고심의 심판범위에 해당한다**(대판 2004. 12. 24, 2003두15195).**03 ★★**

2. 소송에서 다투어지고 있는 권리 또는 법률관계의 존부가 동일한 당사자 사이의 전소에서 이미 다루어져 이에 관한 확정판결이 있는 경우에 당사자는 이에 저촉되는 주장을 할 수 없고, 법원도 이에 저촉되는 판단을 할 수 없음은 물론, 위와 같은 확정판결의 존부는 당사자의 주장이 없더라도 법원이 이를 직권으로 조사하여 판단하지 않으면 안 되고, 더 나아가 당사자가 확정판결의 존재를 사실심변론종결시까지 주장하지 아니하였더라도 상고심에서 새로이 이를 주장 · 입증할 수 있는 것이다(대판 1989. 10. 10, 89누1308).

2. 본안심리

(1) 의 의

소송요건을 구비한 적법한 소가 제기되면 법원은 그 청구의 당부에 관하여 심판하지 않으면 안 되는데, 이와 같이 그 소에 의한 청구를 인용할 것인지 또는 기각할 것인지를 판단하기 위하여 사건의 본안을 심리하는 과정을 본안심리라고 한다. 즉, 처분의 위법성 여부는 처분성 여부와 달리 소송요건이 아니며 처분의 위법성 여부를 심리하는 것을 본안심리라고 한다. 따라서 처분청의 처분권한 유무는 '처분의 위법성'과 관련된 것으로 소송요건이 아니므로**04** 법원의 직권조사사항이 아니며,**05** 변론주의에 따라 당사자가 주장 · 입증하여야 한다.

관련판례

1. 어떠한 처분에 법령상 근거가 있는지, 행정절차법에서 정한 처분절차를 준수하였는지는 본안에서 당해 처분이 적법한가를 판단하는 단계에서 고려할 요소이지, 소송요건 심사단계에서 고려할 요소가 아니다(대판 2016. 8. 30, 2015두60617 ; 대판 2020. 1. 16, 2019다264700).**06 ★★★**
2. **행정소송에 있어서 처분청의 처분권한 유무는 직권조사사항이 아니다**(대판 1997. 6. 19, 95누8669 전합).**07 ★★**

(2) 판 결

본안심리를 통해서 법원은 청구인용판결을 내리거나 청구기각판결을 내리게 되며, 또한 청구기각판결의 일종으로 사정판결도 가능하다.

❸ 심리의 범위

1. 불고불리의 원칙

불고불리의 원칙이란 법원은 소송의 제기가 없으면 재판할 수 없고, 소송의 제기가 있는 경우에도 당사자가 신청한 사항에 대하여 신청의 범위 내에서 심리 · 판단하여야 함을 말한다(민사소송법 제203조). 취소소송의 경우에도 원칙적으로 불고불리의 원칙이 적용되어 법원은 소제기가 없는 사건에 대하여 심리 · 재판할 수 없으며,**08** 소제기가 있는 사건에 대하여도 당사자의 청구범위를 넘어서 심리 · 재판할 수 없다.**09**

기출 체크

□□□□□ **01** 취소소송에서 쟁송의 대상이 되는 행정처분의 존부는 소송요건으로서 법원의 직권조사사항이고 자백의 대상이 될 수 없다. (○, ×) ★★ 2023 국가직 7급

□□□□□ **02** 행정소송에서 쟁송의 대상이 되는 행정처분의 존재를 당사자들이 다투지 아니한다 하더라도 그 존부에 관하여 의심이 있는 경우에 법원은 이를 직권으로 밝혀야 한다. (○, ×) ★★ 2019 서울시 2회 7급

□□□□□ **03** 사실심에서 변론종결시까지 당사자가 주장하지 않던 직권조사사항에 해당하는 사항을 상고심에서 비로소 주장하는 경우 그 직권조사사항에 해당하는 사항은 상고심의 심판범위에 해당하지 않는다. (○, ×) ★★ 2023 국회직 8급

□□□□□ **04** 취소소송에서 처분의 위법성은 소송요건이 아니다. (○, ×) ★★ 2016 사회복지직 9급

□□□□□ **05** 행정소송의 제기요건은 법원의 직권조사사항이므로 행정소송에 있어서 처분청의 처분권한 유무는 직권조사사항이다. (○, ×) ★★ 2017 서울시 7급

□□□□□ **06** 어떠한 처분에 법령상 근거가 있는지, 행정절차법에서 정한 처분절차를 준수하였는지는 본안에서 당해 처분이 적법한가를 판단하는 단계에서 고려할 요소가 아니라, 소송요건심사단계에서 고려할 요소이다. (○, ×) ★★ 2023 군무원 7급

□□□□□ **07** 피고인 처분청의 처분권한 유무는 피고적격의 문제이므로 법원의 직권조사사항이다. (○, ×) ★★★ 2023 서울시 지적 7급

□□□□□ **08** 법원은 소송제기가 없는 사건에 대하여 심리 · 재판할 수 없다. (○, ×) ★★★ 2014 국가직 9급

□□□□□ **09** 취소소송의 직권심리주의를 규정하고 있는 행정소송법 제26조의 규정을 고려할 때, 행정소송에 있어서 법원은 원고의 청구범위를 초월하여 그 이상의 청구를 인용할 수 있다. (○, ×) ★★★ 2015 지방직 7급

정답 01 ○ 02 ○ 03 × 04 ○ 05 × 06 × 07 × 08 ○ 09 ×

관련판례

행정소송에 있어서도 원고의 청구취지, 즉 청구범위·액수 등은 모두 원고가 청구하는 한도를 초월하여 판결할 수 없다.★★★

행정소송에 있어서도 행정소송법 제14조에 의하여 민사소송법 제188조가 준용되어 법원은 당사자가 신청하지 아니한 사항에 대하여는 판결할 수 없는 것이고,**01** 행정소송법 제26조에서 직권심리주의를 채용하고 있으나 이는 행정소송에 있어서 원고의 청구범위를 초월하여 그 이상의 청구를 인용할 수 있다는 의미가 아니라 원고의 청구범위를 유지하면서 그 범위 내에서 필요에 따라 주장 외의 사실에 관하여도 판단할 수 있다는 뜻이다(대판 1987. 11. 10, 86누491).**02**

2. 법률문제와 사실문제ⓐ

법원은 행정사건의 심리에 있어 당해 소송의 대상이 된 처분에 관한 모든 **법률문제·사실문제에 대한 심사권**을 가진다.

3. 재량행위의 심리

(1) 재량의 당·부당 심사 불가

재량행위는 재량의 일탈·남용이 없는 한 부당함에 그칠 뿐 위법한 행위가 되는 것은 아니다. 법원은 처분의 위법 여부에 대해서 심사할 수 있을 뿐이므로 **재량의 당·부당에 대해서는 심사할 수 없다.**

(2) 재량권의 일탈·남용 여부의 검토

다만, 법원은 **재량행위에 대해 취소소송이 제기된 경우 곧바로 각하할 것이 아니라 본안심사**를 통해 재량권의 일탈·남용이 있었는지를 검토하여 **재량하자가 있으면 청구를 인용하고, 그렇지 아니한 경우 청구를 기각**하여야 한다는 것이 통설의 입장이다.**03**

❹ 심리에 관한 여러 원칙

1. 일반론

행정사건의 심리에서도 민사사건의 심리와 마찬가지로 심리에 관한 일반원칙으로서 처분권주의, 공개심리주의, 구술심리주의,**04** 변론주의 등이 적용된다. 한편, 행정소송법은 판결의 공정·타당성을 확보하기 위해 **직권증거조사**(행정소송법 제26조)와 **법원의 행정심판기록제출명령**(동법 제25조) 등 특칙들을 규정하고 있다.**05**

2. 처분권주의

처분권주의란 사적 자치의 원칙이 소송법에 적용된 것으로 **소송의 개시, 심판대상의 결정, 소송의 종결 등을 당사자의 의사에 맡기는 것**을 말한다. 행정소송에서도 처분권주의가 적용된다.**06 07** 다만, 소송종료와 관련하여 청구인낙과 포기가 허용되는지가 문제되는바, 이에 대해서는 후술한다.

관련판례

1. **처분권주의에 관한 민사소송법 제203조가 준용되는 행정소송에서 심판대상은 원고의 의사에 따라 특정되고, 법원은 당사자가 신청한 사항에 대하여 신청범위 내에서 판단하여야 한다**(대판 2022. 2. 10, 2019두50946).
2. **원고가 청구하지 아니한 개별토지가격결정처분에 대하여 판결한 것은 처분권주의에 반하여 위법하다**(대판 1993. 6. 8, 93누4526).★★★

기출 체크

□□□□□ **01** (행정소송법상 행정소송의 심리에는) 당사자가 신청하지 아니한 사항에 대하여는 판결하지 못한다는 의미의 처분권주의가 적용된다. (○, ×) ★★★ 2023 국회직 8급

□□□□□ **02** 취소소송의 직권심리주의를 규정하고 있는 행정소송법 제26조의 규정을 고려할 때, 행정소송에 있어서 법원은 원고의 청구범위를 초월하여 그 이상의 청구를 인용할 수 있다. (○, ×) ★★★ 2023 국회직 8급

□□□□□ **03** 재량행위의 경우는 재량권의 일탈 또는 남용에 이르지 아니한 때에는 소송의 대상이 되지 못하며, 소송이 제기된 경우 이를 각하하여야 한다. (○, ×) ★★★ 2009 관세사

□□□□□ **04** 취소소송의 특성상 구술심리주의는 적용되지 않는다. (○, ×) ★★★ 2010 세무사

□□□□□ **05** 현행 행정소송법은 행정심판기록제출명령제도를 채택하고 있다. (○, ×) 2009 세무사

□□□□□ **06** 행정소송에도 처분권주의가 적용되므로 법원은 당사자의 소제기가 있어야만 심리를 개시할 수 있고, 분쟁대상도 원칙적으로 당사자가 청구한 범위에 한정된다. (○, ×) ★★★ 2007 세무사

□□□□□ **07** 소송에 있어서 처분권주의는 사적 자치에 근거를 둔 법질서에 뿌리를 두고 있으므로 취소소송에는 적용되지 않는다. (○, ×) ★★★ 2018 지방직 9급

ⓐ 법률문제란 행정작용이 법률적합성원칙에 부합되게 행사되었는가의 문제를 의미하며, 사실문제란 어떤 사실이 법률요건에 해당하는지의 문제를 의미한다.

정답 01 ○ 02 × 03 × 04 × 05 ○ 06 ○ 07 ×

3. 변론주의

(1) 의 의

변론주의란 소송자료, 즉 사실과 증거의 수집 · 제출의 책임을 당사자에게 맡기고 당사자가 제출한 소송자료만을 재판의 기초로 삼아야 한다는 원칙을 말하는 것으로 직권탐지주의[a]에 대응하는 개념이다. 한편, 행정소송법은 행정소송의 공익성을 고려하여(행정부의 위법한 행위를 통제) 법원에 의한 직권심리도 규정하고 있다.

(2) 내 용

변론주의의 내용으로는 ① 원칙적으로 당사자가 주장하지 않은 사실을 판결의 기초로 삼아서는 안 되고(주장책임), ② 당사자 간에 다툼이 없는 사실은 그대로 판결의 기초로 하여야 한다(자백의 구속력)는 것을 들 수 있다.

4. 구술심리주의

당사자 및 법원의 소송행위, 특히 변론 및 증거조사를 모두 구술로 시행하고 구술에 의한 자료만을 판결의 기초로 하는 원칙을 말한다.

5. 공개주의

재판에 이해관계가 있는 자가 아닌 경우, 즉 일반인의 경우에도 변론의 시기 · 장소 등을 알 수 있고 방청할 수 있다는 원칙을 말한다. 다만, 국가의 안전보장, 안녕질서 또는 선량한 풍속을 해칠 우려가 있는 경우에는 결정으로 공개하지 아니할 수 있으며 이 경우에는 이유를 밝혀야 한다(법원조직법 제57조 제1 · 2항).

6. 직접심리주의 · 쌍방심리주의

구두변론과 증명은 진실발견의 관점에서 직접 법원의 면전에서 이루어져야 하며(직접심리주의), 소송은 원고와 피고의 대립하는 양 당사자를 중심으로 심리가 이루어져야 한다(쌍방심리주의).

7. 직권심리

(1) 직권탐지의 인정 여부

행정소송법 제26조는 **"법원은 필요하다고 인정할 때에는 직권으로 증거조사를 할 수 있고, 당사자가 주장하지 아니한 사실에 대하여도 판단할 수 있다."**라고 규정하여**01** 법원이 직권으로 증거조사를 할 수 있을 뿐만 아니라, 나아가 당사자가 주장하지 않은 사실에 대하여도 직권탐지를 인정하고 있다. 여기서 직권탐지는 직권으로 탐지, 즉 알아낸 사실을 판결의 기초로 삼을 수 있다는 것을 내용으로 하는 바, 직권탐지를 어느 정도까지 인정할 것인지가 문제된다.

(2) 학 설

직권탐지의 범위에 관하여 행정소송은 민사소송과 달리 직권탐지주의를 원칙이라고 보는 견해가 있으나 다수설은 **행정소송에서도 변론주의가 원칙이며 직권탐지는 변론주의에 대한 예외로서 보충적으로 인정된다**고 본다.

(3) 판 례

판례는 변론주의를 원칙으로 하되 직권탐지를 예외적으로 가미하는 입장이다. 즉, **행정소송에서는 당사자주의, 변론주의가 원칙이며 직권탐지주의는 소송기록에 나타난 사실에 한정하여 인정하고 있다.02** 또한

기출 체크

□□□□□ **01** 행정소송법에 따르면 법원은 필요하다고 인정할 때에는 직권으로 증거조사를 할 수 있으나, 당사자가 주장하지 아니한 사실에 대하여는 판단할 수 없다. (○, ×) ★★★
2023 지방직 · 서울시 9급

□□□□□ **02** 행정소송법 제26조는 행정소송에서 직권심리주의가 적용되도록 하고 있지만, 행정소송에서도 당사자주의나 변론주의의 기본구도는 여전히 유지된다. (○, ×) ★★★ 2017 국가직 9급

[a] 직권탐지주의라 함은 사실과 증거의 수집 · 제출의 책임을 법원에 맡기는 주의를 말한다.

정답 01 × 02 ○

기본적 사실관계의 동일성이 없는 사실을 직권으로 심사하는 것은 직권심사주의의 한계를 넘는 것으로 위법하다고 보고 있다.

관련판례

1. **법원이 아무런 제한 없이 당사자가 주장하지 아니한 사실을 판단할 수 있는 것은 아니고, 일건 기록에 현출되어 있는 사항에 관하여서만 직권으로 증거조사를 하고 이를 기초로 하여 판단할 수 있을 따름이다.★★★**
   행정소송법 제26조가 법원은 필요하다고 인정할 때에는 직권으로 증거조사를 할 수 있고, 당사자가 주장하지 아니한 사실에 대하여도 판단할 수 있다고 규정하고 있지만, 이는 행정소송의 특수성에 연유하는 당사자주의, 변론주의에 대한 일부 예외 규정일 뿐 법원이 아무런 제한 없이 당사자가 주장하지 아니한 사실을 판단할 수 있는 것은 아니고, 일건 기록에 현출되어 있는 사항에 관하여서만 직권으로 증거조사를 하고 이를 기초로 하여 판단할 수 있을 따름이고, 그것도 법원이 필요하다고 인정할 때에 한하여 청구의 범위 내에서 증거조사를 하고 판단할 수 있을 뿐이다(대판 1994. 10. 11, 94누4820).

2. **법원의 석명권 행사는 당사자의 주장에서 모순된 점, 불완전 · 불명료한 점을 지적하여 이를 정정 · 보충할 기회를 주고 증거제출을 촉구하는 것을 내용으로 하는 것으로 당사자가 주장하지도 않은 사실 또는 공격 · 방어방법의 제출을 권유하는 것은 변론주의원칙에 위배되는 것으로 석명권 행사의 한계를 일탈한 것이다**(대판 2001. 1. 16, 99두8107).

3. **행정소송에서 기록상 자료가 나타나 있다면 당사자가 주장하지 않더라도 판단할 수 있다.01 ★★★**
   행정소송에서 기록상 자료가 나타나 있다면 당사자가 주장하지 않았더라도 판단할 수 있고, 당사자가 제출한 소송자료에 의하여 법원이 처분의 적법 여부에 관한 합리적인 의심을 품을 수 있음에도 단지 구체적 사실에 관한 주장을 하지 아니하였다는 이유만으로 당사자에게 석명을 하거나 직권으로 심리 · 판단하지 아니함으로써 구체적 타당성이 없는 판결을 하는 것은 행정소송법 제26조의 규정과 행정소송의 특수성에 반하므로 허용될 수 없다(대판 2010. 2. 11, 2009두18035).

4-1. **행정청이 공무수행과 상이 사이에 인과관계가 없다는 이유로 국가유공자 비해당결정을 한 데 대하여 법원이 인과관계의 존재는 인정하면서 직권으로 본인 과실이 경합된 사유가 있다는 이유로 그 처분이 정당하다고 판단하는 것은 위법하다.**

4-2. **같은 국가유공자 비해당결정이라도 그 사유가 공무수행과 상이 사이에 인과관계가 없다는 것과 본인 과실이 경합되어 있어 지원대상자에 해당할 뿐이라는 것은 기본적 사실관계의 동일성이 없다**(대판 2013. 8. 22, 2011두26589).

5. 명의신탁등기 과징금과 장기미등기 과징금은 위반행위의 태양, 부과 요건, 근거조항을 달리하므로, 그 각 과징금 부과처분의 사유는 상호 간에 기본적 사실관계의 동일성이 있다고 할 수 없다. 그러므로 그 중 어느 하나의 처분사유에 의한 과징금 부과처분에 대하여 당해 처분사유가 아닌 다른 처분사유가 존재한다는 이유로 적법하다고 판단하는 것은 특별한 사정이 없는 한 행정소송법상 직권심사주의의 한계를 넘는 것으로 허용될 수 없다(대판 2017. 5. 17, 2016두53050).02

(4) 당사자소송에의 준용

취소소송의 직권심리("법원은 필요하다고 인정할 때에는 직권으로 증거조사를 할 수 있고, 당사자가 주장하지 아니한 사실에 대하여도 판단할 수 있다.")를 규정하는 행정소송법 제26조의 규정은 당사자소송에 준용된다(동법 제44조 제1항).03

8. 행정심판기록제출명령[a]

법원은 당사자의 신청이 있는 때에는 결정으로써 재결을 행한 행정청에 대하여 행정심판에 관한 기록의 제출을 명할 수 있고, 이러한 제출명령을 받은 행정청은 지체 없이 당해 행정심판에 관한 기록을 법원에 제출하여야 한다(동법 제25조).04 05

기출 체크

□□□□□ **01** 행정소송에서 기록상 자료가 나타나 있다 하더라도 당사자가 주장하지 않았다면 행정소송의 특수성에 비추어 법원은 이를 판단할 수 없다. (○, ×) ★★★ 2015 지방직 7급

□□□□□ **02** 법원이 어느 하나의 사유에 의한 과징금 부과처분에 대하여 그 사유와 기본적 사실관계의 동일성이 인정되지 아니하는 다른 처분사유가 존재한다는 이유로 적법하다고 판단하는 것은 특별한 사정이 없는 한 직권심사주의의 한계를 넘는 것이 아니다. (○, ×) 2022 지방직 · 서울시 7급

□□□□□ **03** "법원은 필요하다고 인정할 때에는 직권으로 증거조사를 할 수 있고, 당사자가 주장하지 아니한 사실에 대하여도 판단할 수 있다."라고 규정하고 있는 행정소송법 제26조는 당사자소송에도 준용된다. (○, ×) ★★★ 2015 지방직 7급

□□□□□ **04** 행정소송법에 따르면 법원은 당사자의 신청이 있는 때에는 결정으로써 재결을 행한 행정청에 대하여 행정심판에 관한 기록의 제출을 명할 수 있고, 제출명령을 받은 행정청은 지체 없이 당해 행정심판에 관한 기록을 법원에 제출하여야 한다. (○, ×) ★★★ 2023 지방직 · 서울시 9급

□□□□□ **05** 행정소송법은 법원이 직권으로 관계행정청에 자료제출을 요구할 수 있음을 규정하고 있다. (○, ×) ★★★ 2014 국가직 9급

[a] 행정심판기록제출명령의 대상이 되는 행정심판기록은 당해 행정심판에 관한 모든 기록을 가리킨다. 따라서 행정심판청구서와 그에 대한 답변서 및 재결서뿐만 아니라 행정심판위원회의 회의록, 기타 행정심판위원회의 심리를 위하여 제출된 모든 증거와 기타 자료를 포괄한다.

정답 01 × 02 × 03 ○ 04 ○ 05 ×

5 주장책임[01]

1. 의 의

변론주의하에서 당사자가 분쟁의 중요한 사실을 주장하지 않아, 법원이 그러한 사실이 없는 것으로 취급하여 재판함으로써 일방당사자가 받는 불이익을 주장책임이라고 한다.

2. 행정소송법 제26조와 주장책임의 관계

행정소송법 제26조는 앞서 본 바와 같이 변론주의를 배제하는 것이 아니라 변론주의를 원칙으로 취하면서 보충적으로 직권주의를 가미한 것으로 보는 것이 다수설의 입장이므로 행정소송에서도 주장책임이 의미가 있다.㉠ 다만, 행정소송법 제26조와 주장책임의 관계에서 주장책임의 의미가 어느 정도 완화될 수는 있다.02

6 입증책임

1. 입증책임의 의의

입증책임이란 소송심리의 최종단계에 이르러서도 소송상의 일정한 사실의 존부가 확정되지 않을 때 불리한 법적 판단을 받게 되는 일방당사자의 위험 또는 불이익을 말한다.03 이는 사실관계가 명확하지 않다는 이유로 재판이 불가능해지는 것을 방지하려는 법기술적 고려에 바탕을 두고 있다.

2. 입증책임분배의 기준

입증책임의 분배라 함은 어떤 사실의 존부가 확정되지 않은 경우에 당사자 중 누구에게 입증책임을 지게 할 것인가의 문제이다.04 소송상 증명이 필요한 사실이 입증되지 않은 경우 입증책임을 지는 자는 불이익을 받게 된다.

(1) 학 설

① 원고책임설

㉠ 행정처분의 취소소송에서는 입증책임이 원고에게 있다는 설을 말하며, 행정행위의 적법성 추정 또는 공정력에 관한 이론을 그 이론적 근거로 하고 있다.

㉡ 그러나 이 설은, 공정력은 절차상의 잠정적 통용력에 불과하다는 오늘날의 통설에 따르면 공정력과 입증책임은 아무런 관계가 없다는 점에서 비판을 받고 있다.

② 피고책임설

㉠ 법치행정의 원칙에 비추어 볼 때 피고행정청이 처분의 적법성을 뒷받침하는 구체적 사실에 대한 입증책임을 져야 한다는 설을 말한다.

㉡ 그러나 이 설은 입증책임을 피고에게만 지우고 있어 공평의 원칙에 반한다는 비판을 받고 있다.

③ 법률요건분류설

㉠ 의의 : 행정소송에서도 민사소송과 동일하게 각 당사자는 자기에게 유리한 법규범의 요건사실에 관하여 입증책임을 진다고 보는 설을 말한다.

㉡ 기준

ⓐ 이에 의하면 권한행사규정(……한 때에는 ~의 처분을 할 수 있다)의 요건사실의 존재는 그 권한행사의 정당성을 주장하는 자, 즉 적극적 처분에 대하여는 그 처분을 한 피고인

기출 체크

□□□□□ 01 변론주의 원칙상 당사자에게는 주장책임이 있다. (○, ×) ★ 2010 세무사

□□□□□ 02 취소소송의 심리에 있어서 주장책임은 직권탐지주의를 보충적으로 인정하고 있는 한도 내에서 그 의미가 완화된다. (○, ×) ★ 2018 지방직 9급

□□□□□ 03 입증책임은 소송상 일정한 사실의 존부가 확정되지 아니할 경우에 불리한 법적 판단을 받게 되는 일방당사자의 불이익 내지는 위험을 말한다. (○, ×) 2009 세무사

□□□□□ 04 입증책임의 중심적 문제는 어떤 사실에 대하여 어느 당사자가 입증책임을 질 것인가의 문제로서 이를 입증책임의 분배라고 한다. (○, ×) 2009 세무사

판례 | ㉠ 행정소송에서 직권주의가 가미되어 있다고 하여도 여전히 변론주의를 기본구조로 하는 이상 행정처분의 위법을 들어 그 취소를 청구함에 있어서는 직권조사사항을 제외하고는 그 취소를 구하는 자가 위법사유에 해당하는 구체적인 사실을 먼저 주장하여야 한다(대판 2000. 3. 23, 98두2768).

정답 01 ○ 02 ○ 03 ○ 04 ○

처분청이, 거부처분(소극적 처분)에 대하여는 원고가 각각 입증책임을 부담한다.

ⓑ 반대로 권한불행사규정(……한 때에는 ~의 처분을 할 수 없다)이나 권한장애규정의 요건사실의 존재는 처분권한의 불행사나 권한장애를 주장하는 자, 즉 적극적 처분에 대한 것은 원고, 거부처분(소극적 처분)에 대한 것은 피고가 각각 입증책임을 부담한다.

입증책임

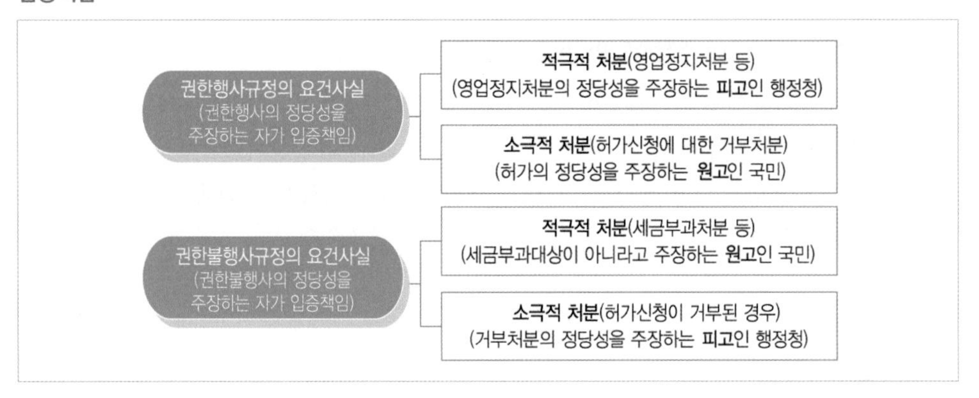

④ 독자분배설

행정소송에서의 입증책임의 분배는 행정소송과 민사소송의 목적과 성질의 차이, 행위규범과 재판규범의 차이 등에 비추어 독자적으로 정하여야 한다는 입장이다.

(2) 판 례

판례는 원칙적으로는 민사소송의 일반원칙에 따라 당사자 간에 분배되어야 한다고 하면서도 항고소송의 특수성도 고려하여야 하는 것으로 본다.㉠

관련판례

1. **항고소송에서 행정처분의 적법성에 관한 입증책임은 피고인 행정청에 있고, 이와 상반되는 주장과 입증은 그 상대방인 원고에게 책임이 있다.★★**
   민사소송법의 규정이 준용되는 행정소송에서 입증책임은 원칙적으로 민사소송의 일반원칙에 따라 당사자 간에 분배되고 항고소송의 경우에는 그 특성에 따라 당해 처분의 적법성을 주장하는 피고에게 그 적법사유에 대한 입증책임이 있다 할 것인바,01 피고가 주장하는 당해 처분의 적법성이 합리적으로 수긍할 수 있는 일응의 입증이 있는 경우에는 그 처분은 정당하다 할 것이며, 이와 상반되는 주장과 입증은 그 상대방인 원고에게 그 책임이 돌아간다고 할 것이다(대판 1984. 7. 24, 84누124).

2. **과세소득의 존재 및 그 귀속사업연도에 관한 증명책임은 과세관청에 있다.**
   과세처분의 적법성에 대한 증명책임은 과세관청에 있으므로 어느 사업연도의 소득에 대한 과세처분의 적법성이 다투어지는 경우 과세관청으로서는 과세소득이 있다는 사실 및 그 소득이 그 사업연도에 귀속된다는 사실을 증명하여야 하며, 그 소득이 어느 사업연도에 속한 것인지 확정하기 곤란하다 하여 과세대상 소득의 확정시기와 관계없이 과세관청이 그 과세소득을 조사·확인한 대상 사업연도에 소득이 귀속되었다고 할 수는 없다(대판 2020. 4. 9, 2018두57490).

3. **처분사유에 관한 증명책임은 피고 행정청에 있다. 거부처분취소소송에서도 그 처분사유에 관한 증명책임은 피고 행정청에 있다.★★★**
   결혼이민(F-6 다.목) 체류자격을 신청한 외국인에 대하여 행정청이 그 요건을 충족하지 못하였다는 이유로 거부처분을 하는 경우에는 '그 요건을 갖추지 못하였다는 판단' 다시 말해 '혼인파탄의 주된 귀책사유가 국민인 배우자에게 있지 않다는 판단' 자체가 처분사유가 된다. 부부가 혼인파탄에 이르게 된 여러 사정들은 그와 같은 판단의 근거가 되는 기초사실 내지 평가요소에 해당한다. 결혼이민(F-6 다.목) 체류자격 거부처분취소소송에서 원고와 피고 행정청은 각자 자신에게 유리한 평가요소

기출 체크

□□□□□ **01** 민사소송법 규정이 준용되는 행정소송에서 증명책임은 원칙적으로 민사소송 일반원칙에 따라 당사자 사이에 분배되고, 항고소송의 경우에는 그 특성에 따라 처분의 적법성을 주장하는 피고에게 그 적법사유에 대한 증명책임이 있다. (○, ×) ★★ 2018 지방직 7급

판례 | ㉠ 국가유공자 인정 요건, 즉 공무수행으로 상이를 입었다는 점이나 그로 인한 신체장애의 정도가 법령에 정한 등급 이상에 해당한다는 점은 국가유공자 등록신청인이 증명할 책임이 있지만, 그 상이가 '불가피한 사유 없이 본인의 과실이나 본인의 과실이 경합된 사유로 입은 것'이라는 사정, 즉 지원대상자 요건에 해당한다는 사정은 국가유공자 등록신청에 대하여 지원대상자로 등록하는 처분을 하는 처분청이 증명책임을 진다고 보아야 한다(대판 2013. 8. 22, 2011두26589).

정답 01 ○

들을 적극적으로 주장 · 증명하여야 하며, 수소법원은 증명된 평가요소들을 종합하여 혼인파탄의 주된 귀책사유가 누구에게 있는지를 판단하여야 한다. 수소법원이 "혼인파탄의 주된 귀책사유가 국민인 배우자에게 있다."고 판단하게 되는 경우에는, 해당 결혼이민(F-6 다.목) 체류자격 거부처분은 위법하여 취소되어야 할 것이므로, 이러한 의미에서 결혼이민(F-6 다.목) 체류자격 거부처분취소소송에서도 그 처분사유에 관한 증명책임은 피고 행정청에게 있다고 보아야 한다(대판 2019. 7. 4, 2018두66869).01

4. 성희롱을 사유로 한 징계처분의 당부를 다투는 행정소송에서 징계사유에 대한 증명책임은 그 처분의 적법성을 주장하는 피고에게 있다. 다만 민사소송이나 행정소송에서 사실의 증명은 추호의 의혹도 없어야 한다는 자연과학적 증명이 아니고, 특별한 사정이 없는 한 경험칙에 비추어 모든 증거를 종합적으로 검토하여 볼 때 어떤 사실이 있었다는 점을 시인할 수 있는 고도의 개연성을 증명하는 것이면 충분하다(대판 2018. 4. 12, 2017두74702).

3. 개별적 검토

통설 및 판례에 따라 입증책임을 검토하면 다음과 같다.

(1) 소송요건

소송요건은 직권조사사항이지만 법원이 직권으로 조사하더라도 그 요건사실의 존부가 불분명한 경우 입증책임의 문제가 생긴다. 이때 소송요건의 존부가 불분명한 경우에는 소송요건을 흠결한 부적법한 소로 취급되어 소송을 청구한 원고에게 불이익하게 판단될 것이므로 입증책임은 원고에게 있다는 것이 통설의 입장이다.02

(2) 처분근거의 존재

행정청은 처분의 근거로 삼은 법령의 요건사실의 존재에 대한 입증책임을 부담한다.

관련판례

국민에게 일정한 이득과 권리를 취득하게 한 종전 행정처분을 취소하는 경우 취소해야 할 필요성에 대한 증명책임은 행정청에게 있다.03 ★★

일정한 행정처분으로 국민이 일정한 이익과 권리를 취득하였을 경우에 종전 행정처분을 취소하는 행정처분은 이미 취득한 국민의 기존 이익과 권리를 박탈하는 별개의 행정처분으로 취소될 행정처분에 하자 또는 취소해야 할 공공의 필요가 있어야 하고, 나아가 행정처분에 하자 등이 있다고 하더라도 취소해야 할 공익상 필요와 취소로 당사자가 입게 될 기득권과 신뢰보호 및 법률생활안정의 침해 등 불이익을 비교 · 교량한 후 공익상 필요가 당사자가 입을 불이익을 정당화할 만큼 강한 경우에 한하여 취소할 수 있는 것이며, 하자나 취소해야 할 필요성에 관한 증명책임은 기존 이익과 권리를 침해하는 처분을 한 행정청에 있다(대판 2012. 3. 29, 2011두23375).04

(3) 재량처분의 일탈 · 남용 등 취소사유의 존부

재량처분의 근거규정은 원칙적 규정이고 재량의 한계 일탈은 예외적 사유로서 처분권한행사의 장애규정에 해당한다고 보아, 당해 재량처분이 재량권을 일탈 · 남용한 것을 주장하는 원고가 입증책임을 진다는 것이 통설 · 판례의 입장이다.05 06 즉, 처분의 취소사유의 존부는 원고가 입증책임을 부담한다.

관련판례

행정처분이 재량권을 일탈하였다는 것에 대한 입증책임은 처분의 효력을 다투는 원고에게 있다.★★

자유재량에 의한 행정처분이 그 재량권의 한계를 벗어난 것이어서 위법하다는 점은 그 행정처분의 효력을 다투는 자가 이를 주장 · 입증하여야 하고 처분청이 그 재량권의 행사가 정당한 것이었다는 점까지 주장 · 입증할 필요는 없다고 할 것인바, ······ (대판 1987. 12. 8, 87누861)

기출 체크

□□□□□ 01 결혼이민[F-6 (다)목] 체류자격을 신청한 외국인에 대하여 행정청이 그 요건을 충족하지 못하였다는 이유로 거부처분을 하는 경우 '그 요건을 갖추지 못하였다는 판단', 즉 '혼인파탄의 주된 귀책사유가 국민인 배우자에게 있지 않다는 판단' 자체가 처분사유가 되는바, 결혼이민[F-6 (다)목] 체류자격 거부처분 취소소송에서 그 처분사유에 관한 증명책임은 피고 행정청에 있다. (○, ×) ★★★ 2023 지방직 · 서울시 9급

□□□□□ 02 처분의 존재, 제소기간의 준수 등 소송요건은 취소소송에서의 직권조사사항이므로 원고가 입증책임을 지지 않는다. (○, ×) ★ 2006 국가직 9급

□□□□□ 03 수익적 행정처분의 경우 상대방의 신뢰보호와 관련하여 직권취소가 제한되나 그 필요성에 대한 입증책임은 기존 이익과 권리를 침해하는 처분을 한 행정청에 있다. (○, ×) ★★ 2018 서울시 1회 7급

□□□□□ 04 종전 행정처분에 하자가 있음을 전제로 직권으로 이를 취소하는 행정처분의 경우 하자나 취소해야 할 필요성에 관한 증명책임은 기존 이익과 권리를 침해하는 처분을 한 행정청에 있다. (○, ×) ★★ 2022 군무원 7급

□□□□□ 05 재량권의 일탈 · 남용에 관하여는 행정행위의 효력을 다투는 사람이 주장 · 증명책임을 부담한다. (○, ×) ★★ 2024 국가직 9급

□□□□□ 06 행정청의 재량에 속하는 처분이라도 재량권의 한계를 넘거나 그 남용이 있는 때에는 법원은 이를 취소할 수 있고, 재량권 일탈 · 남용에 관하여는 피고인 행정청이 증명책임을 부담한다. (○, ×) ★★ 2020 소방직 9급

정답 01 ○ 02 × 03 ○ 04 ○ 05 ○ 06 ×

기출 체크

□□□□□ **01** 과세처분의 적법성 및 과세요건사실의 존재에 관하여는 원칙적으로 과세관청인 피고가 그 입증책임을 부담한다. (○, ×) ★ 2006 국가직 9급

□□□□□ **02** 과세대상인 토지가 비과세대상이라는 주장은 원고인 납세의무자가 입증책임을 진다. (○, ×) 2006 세무사

□□□□□ **03** 행정심판절차에서 주장하지 아니한 사항에 대해서도 원고는 취소소송에서 주장할 수 있다. (○, ×) ★★★ 2013 국가직 7급

● 입증책임

- 공정력과 입증책임은 아무런 관련이 없다는 것이 통설적 견해이다.
- 소송요건과 같은 직권조사사항의 경우에도 입증책임이 문제되며, 이 경우 소송요건의 존재에 관한 입증책임은 원고에게 있다.
- 재량의 일탈 · 남용이 있다는 점은 이를 주장하는 원고에게 입증책임이 있다.
- 비과세 또는 면제대상이라는 점은 이를 주장하는 납세의무자에게 입증책임이 있다.

정답 01 ○ 02 ○ 03 ○

(4) 절차적 요건 등

권한행사규정의 일종으로 적극적 처분의 경우 **절차적 요건의 준수에 관해 행정청이 입증책임을 부담**한다는 것이 판례의 입장이다. 또한 **송달에 관한 입증책임도 행정청에게 있다**(p.306 참조).

관련판례

우편물이 등기취급의 방법으로 발송된 경우, 특별한 사정이 없는 한 그 무렵 수취인에게 배달되었다고 보아도 좋을 것이나, 수취인이나 그 가족이 주민등록지에 실제로 거주하고 있지 아니하면서 전입신고만을 해 둔 경우에는 그 사실만으로써 주민등록지 거주자에게 송달수령의 권한을 위임하였다고 보기는 어려울 뿐 아니라 수취인이 주민등록지에 실제로 거주하지 아니하는 경우에도 우편물이 수취인에게 도달하였다고 추정할 수는 없고, 따라서 이러한 경우에는 우편물의 도달사실을 과세관청이 입증해야 할 것이다(대판 1998. 2. 13, 97누8977).

(5) 과세처분에서 과세요건사실 등

권한행사규정의 요건사실로서 행정청이 입증책임을 진다는 것이 판례의 입장이다.

관련판례

과세처분취소소송에서 처분의 적법성 및 과세요건사실의 존재에 관하여는 과세관청이 입증책임을 부담한다.01 ★

과세처분의 위법을 이유로 그 취소를 구하는 행정소송에 있어 처분의 적법성 및 과세요건사실의 존재에 관하여는 원칙적으로 과세관청이 그 입증책임을 부담하나, 경험칙상 이례에 속하는 특별한 사정의 존재에 관하여는 납세의무자에게 입증책임 내지는 입증의 필요가 돌아가는 것이고, …… (대판 1996. 4. 26, 96누1627)

(6) 과세처분에서 비과세 · 면제대상 여부

권한장애규정의 요건사실로서 세금 부과처분에 대하여 취소소송을 제기한 원고가 입증책임을 진다. 대법원도 "**과세대상이 된 토지가 비과세 혹은 면제대상이라는 점은 이를 주장하는 납세의무자에게 입증책임이 있는 것이며**, ……"(대판 1996. 4. 26, 94누12708)라고 판시한 바 있다.**02**

(7) 형사사건의 판결

판례는 형사사건의 판결에서 인정된 사실은 그와 관련된 민사나 행정소송에서 유력한 증거자료가 되는 것이므로 특별한 사정이 없는 한 형사사건에서 인정된 것과 반대되는 사실을 인정하여서는 아니 된다고 한다. 한편 **법원은 검사의 처분에 구속되는 것은 아니다.**

관련판례

(범죄조직관계자로부터 금품을 받고 사건을 부당처리한 수사경찰관에 대한 파면처분이 재량권 일탈 · 남용이 아니라고 판시하면서) **검사의 무혐의불기소(공소제기, 형사재판청구를 하지 않겠다는 처분) 처분이 행정재판을 구속하는 것은 아니다.**

행정재판이나 민사재판은 반드시 검사의 무혐의불기소 처분사실에 대해 구속받는 것은 아니고 법원은 증거에 의한 자유심증으로써 그와 반대되는 사실을 인정할 수 있다(대판 1987. 10. 26, 87누493).

4. 증거제출시한

당사자는 사실심의 변론종결시까지 주장과 증거를 제출할 수 있다(대판 1989. 6. 27, 87누448). 따라서 항고소송에 있어서 **원고는 전심절차(행정심판절차)에서 주장하지 아니한 공격 · 방어방법을 소송절차에서 주장할 수 있는 것이므로03** 법원은 이를 심리하여 행정처분의 적법 여부를 판단할 수 있다는 것이 판례의 입장이다(대판 1996. 6. 14, 96누754 ; 대판 1999. 11. 26, 99두9407).

5. 관련 확정판결에서의 사실인정의 구속력

관련판례

행정소송의 수소법원이 관련 확정판결의 사실인정에 구속되는 것은 아니지만, 관련 확정판결에서 인정한 사실은 행정소송에서도 유력한 증거자료가 되므로, 행정소송에서 제출된 다른 증거들에 비추어 관련 확정판결의 사실판단을 채용하기 어렵다고 인정되는 특별한 사정이 없는 한, 이와 반대되는 사실은 인정할 수 없다(대판 2019. 7. 4, 2018두66869).

7 처분사유의 추가 · 변경

1. 의 의

(1) 개 념

① 처분사유라 함은 처분의 적법성을 유지하기 위하여 처분청에 의해 주장되는 처분의 사실적 · 법적 근거를 말한다. 이와 관련하여 행정청이 다툼의 대상이 되는 처분을 행하면서 처분사유를 밝힌 후 당해 처분에 대한 행정소송의 계속 중 당해 처분의 적법성을 유지하기 위하여 처분 당시 제시된 처분사유를 변경하거나 다른 사유를 추가할 수 있는지가 문제되는데 이를 처분사유의 추가 · 변경의 문제라고 한다. 이때 추가 · 변경의 대상이 되는 처분사유는 처분시에 존재하던 사유이어야 한다.ⓐ 따라서 처분사유의 추가 · 변경은 원칙적으로 행정소송의 제기 이후부터 사실심변론종결시 이전 사이에 문제된다.01ⓑ

② 한편, 판례는 단지 처분의 근거법령만을 추가 · 변경하거나 당초의 처분사유를 구체적으로 밝히는 것은 허용된다고 한다. 따라서 처분의 사실관계에 변동이 없는 한 적용법령(처분의 근거규정)만을 추가 · 변경하는 것은 가능하다. 다만, 처분의 법적 근거가 변경됨으로써 처분의 사실관계가 변경되고, 사실관계의 기본적 동일성이 인정되지 않는 경우에는 처분의 법적 근거의 변경이 인정될 수 없다.

관련판례

1. 행정처분의 취소를 구하는 항고소송에서 처분청이 처분 당시에 적시한 구체적 사실을 변경하지 아니하는 범위 내에서 단지 그 처분의 근거법령만을 추가 · 변경하거나 당초의 처분사유를 구체적으로 표시하는 것에 불과한 경우, 새로운 처분사유의 추가 · 변경이 아니다(허용된다는 의미)(대판 2007. 2. 8, 2006두4899).02 ★★★

2. 「국가를 당사자로 하는 계약에 관한 법률 시행령」 제76조 제1항 제12호 소정의 "담합을 주도하거나 담합하여 입찰을 방해하였다."는 것으로부터 같은 항 제7호 소정의 '특정인의 낙찰을 위하여 담합한 자'로 이 사건 처분의 사유를 변경한 것은, 그 변경 전후에 있어서 같은 행위에 대한 법률적 평가만 달리하는 것일 뿐 기본적 사실관계를 같이하는 것이므로 허용된다(대판 2008. 2. 28, 2007두13791 · 13807).

3-1. 처분청이 처분 당시 적시한 구체적 사실을 변경하지 아니하는 범위 내에서 처분의 근거법령만을 추가 · 변경하는 것은 원칙적으로 허용된다.★★★

3-2. 그러나 처분의 근거법령을 변경하는 것이 종전 처분과 동일성을 인정할 수 없는 별개의 처분을 하는 것과 다름없는 경우에는 근거법령의 추가 · 변경은 허용될 수 없다.

3-3. 행정청이 점용허가를 받지 않고 도로를 점용한 사람에 대하여 도로법 제94조에 의한 변상금 부과처분을 하였다가, 처분에 대한 취소소송이 제기된 후 해당 도로가 도로법 적용을 받는 도로에 해당하지 않을 경우를 대비하여 처분의 근거법령을 구 국유재산법 제51조와 그 시행령 등으로 변경하여 주장하는 것은 허용될 수 없다(대판 2011. 5. 26, 2010두28106).

4. 처분청이 처분 당시에 적시한 구체적 사실을 변경하지 아니하는 범위 내에서 단지 그 처분의 근거법령만을 추가 · 변경하는 것에 불과한 경우에는 새로운 처분사유의 추가라고 볼 수 없으므로 행정청이 처

기출 체크

□□□□□ 01 처분사유의 추가 · 변경은 원칙적으로 행정소송의 제기 이후부터 사실심변론종결시 이전 사이에 문제된다. (○, ×) ★★★ 2013 국가직 7급

□□□□□ 02 처분청이 처분 당시에 적시한 구체적 사실을 변경하지 아니하는 범위 내에서 단지 그 처분의 근거법령만을 추가 · 변경하거나 당초의 처분사유를 구체적으로 표시하는 것에 불과한 경우에는 새로운 처분사유를 추가하거나 변경하는 것이라고 볼 수 없다. (○, ×) ★★★ 2020 군무원 9급

ⓐ 처분사유의 추가 · 변경의 예
공무원에 대한 징계처분의 근거로서 법령준수의무위반을 제시하였다가 소송 도중에 이러한 근거가 법원에 의해 받아들여질 것 같지 않자, 다시 성실의무위반으로 그 근거를 변경하려는 경우가 처분사유의 추가 · 변경에 해당한다.

ⓑ 처분사유의 추가 · 변경의 개념 자체가 소송제기 이후에 처분의 사유를 추가하는 것이므로 행정소송의 제기 이후에 문제되는 것이다.

정답 01 ○ 02 ○

기출 체크

□□□□□ **01** 처분청이 처분 당시에 적시한 구체적 사실을 변경하지 아니하는 범위 내에서 단지 그 처분의 근거법령만을 추가·변경하는 것에 불과한 경우에는 새로운 처분사유의 추가라고 볼 수 없으므로 행정청이 처분 당시에 적시한 구체적 사실에 대하여 처분 후에 추가·변경한 법령을 적용하여 그 처분의 적법 여부를 판단할 수 있다. (○, ×) 2024 소방직 9급

□□□□□ **02** (甲은 토지 위에 컨테이너를 설치하여 사무실로 사용하였다. 관할행정청인 乙은 甲에게 이 컨테이너는 건축법상 건축허가를 받아야 하는 건축물인데 건축허가를 받지 않고 건축하였다는 이유로 甲에게 원상복구명령을 하면서, 만약 기한 내에 원상복구를 하지 않을 경우에는 행정대집행을 통하여 컨테이너를 철거할 것임을 계고하였다. 이후 甲은 乙에게 이 컨테이너에 대하여 가설건축물 축조신고를 하였으나 乙은 이 컨테이너는 건축허가대상이라는 이유로 가설건축물 축조신고를 반려하였다) 甲이 제기한 원상복구명령 및 계고처분에 대한 취소소송에서, 乙은 처분시에 제시한 '甲의 건축물은 건축허가를 받지 않은 건축물'이라는 처분사유에 '甲의 건축물은 신고를 하지 않은 가설건축물'이라는 처분사유를 추가할 수 있다. (○, ×) 2023 국가직 7급

□□□□□ **03** 외국인 갑(甲)이 법무부장관에게 귀화신청을 하였으나 법무부장관이 '품행 미단정'을 불허사유로 국적법상의 요건을 갖추지 못하였다며 신청을 받아들이지 않는 처분을 하였는데, 법무부장관이 甲을 '품행 미단정'이라고 판단한 이유에 대하여 제1심 변론절차에서 자동차관리법위반죄로 기소유예를 받은 전력 등을 고려하였다고 주장한 후, 제2심 변론절차에서 불법체류전력 등의 제반 사정을 추가로 주장할 수 있다. (○, ×) 2019 서울시 2회 7급

정답 01 ○ 02 × 03 ○

분 당시에 적시한 구체적 사실에 대하여 처분 후에 추가·변경한 법령을 적용하여 그 처분의 적법 여부를 판단할 수 있다.**01** 그러나 처분의 근거법령을 변경하는 것이 종전처분과 동일성을 인정할 수 없는 별개의 처분을 하는 것과 다름없는 경우에는 허용될 수 없다(대판 2021. 7. 29, 2021두34756).

5. **폐기물 중간처분업체인 甲 주식회사가 소각시설을 허가받은 내용과 달리 설치하거나 증설한 후 허가받은 처분능력의 100분의 30을 초과하여 폐기물을 과다소각하였다는 이유로 한강유역환경청장으로부터 과징금 부과처분을 받았는데, 甲 회사가 이를 취소해 달라고 제기한 소송에서 한강유역환경청장이 "甲 회사는 변경허가를 받지 않은 채 소각시설을 무단 증설하여 과다소각하였으므로 구 폐기물관리법 시행규칙 제29조 제1항 제2호 (마)목 등 위반에 해당한다."고 주장하자 甲 회사가 이는 허용되지 않는 처분사유의 추가·변경에 해당한다고 주장한 사안에서, 한강유역환경청장의 위 주장은 소송에서 새로운 처분사유를 추가로 주장한 것이 아니라, 처분서에 다소 불명확하게 기재하였던 '당초 처분사유'를 좀 더 구체적으로 설명한 것이다(허용된다는 의미)**(대판 2020. 6. 11, 2019두49359).

6. 컨테이너를 설치하여 사무실 등으로 사용하는 甲 등에게 관할시장이 건축법 제2조 제1항 제2호의 건축물에 해당함에도 같은 법 제11조에 따른 건축허가를 받지 않고 건축하였다는 이유로 원상복구명령 및 계고처분을 하였다가 이에 대한 취소소송에서 같은 법 제20조 제3항 위반(편저자 주 : 컨테이너가 가설건축물에 해당함에도 건축신고를 하지 아니하고 건축하였다)을 처분사유로 추가한 사안에서, 당초 처분사유인 '건축법 제11조 위반'과 추가한 추가사유인 '건축법 제20조 제3항 위반'은 위반행위의 내용이 다르고 위법상태를 해소하기 위하여 거쳐야 하는 절차, 건축기준 및 허용가능성이 달라지므로 그 기초인 사회적 사실관계가 동일하다고 볼 수 없어 처분사유의 추가·변경이 허용되지 않는다(대판 2021. 7. 29, 2021두34756).**02**

③ 한편, 처분사유 자체가 아니라 처분사유의 근거가 되는 기초사실 내지 평가요소에 지나지 않는 사정은 추가로 주장할 수 있다는 것이 판례의 입장이다.

관련판례

구 국적법 제5조 각 호 사유 중 일부를 갖추지 못하였다는 이유로 행정청이 귀화신청을 받아들이지 않는 처분을 한 경우, '그 각 호 사유 중 일부를 갖추지 못하였다는 판단' 자체가 처분의 사유이다.

구 국적법 제5조 각 호와 같이 귀화는 요건이 항목별로 구분되어 구체적으로 규정되어 있다. 그리고 성질상 행정절차를 거치기 곤란하거나 거칠 필요가 없다고 인정되어 처분의 이유제시 등을 규정한 행정절차법이 적용되지 않는다(국적법 제3조 제2항 제9호). 귀화의 이러한 특수성을 고려하면, 귀화의 요건인 구 국적법 제5조 각 호 사유 중 일부를 갖추지 못하였다는 이유로 행정청이 귀화신청을 받아들이지 않는 처분을 한 경우에 '그 각 호 사유 중 일부를 갖추지 못하였다는 판단' 자체가 처분의 사유가 된다(대판 2018. 12. 13, 2016두31616).**03**

(2) 구별개념

① 처분이유의 사후제시

㉠ 이유제시의 하자의 치유란 이유제시가 아예 결여되어 있거나 이유제시가 행정절차법 제23조 제1항의 형식적·절차적 요건을 충족시키지 못하는 불충분한 이유제시가 있는 경우에 이를 사후적으로 추완하거나 보완함으로써 절차상의 하자를 제거하는 것을 의미한다.

㉡ 반면, 처분사유의 추가·변경은 처분의 실체법상의 적법성을 확보하기 위한 것으로, 이유제시가 행정절차법 제23조 제1항의 형식적 요건을 충족시켜 절차상의 하자는 없으나 그것이 잘못된 사실인정이나 또는 법적 견해에 기초하는 경우, 즉 내용상·실체상의 하자가 있는 경우에 이를 추가하거나 변경하는 것을 말한다.

② 무효행위의 전환

처분사유의 추가·변경은 처분 자체는 그대로 두고 처분의 이유만을 추가 또는 변경하는 것이

므로 하자 있는 행정행위를 새로운 행정행위로 대체하는 무효행위의 전환과는 구별되는 개념이다. 따라서 처분사유의 추가 · 변경이 있더라도 처분변경으로 인한 소변경을 신청할 필요는 없다.01

2. 허용 여부

행정소송 계속 중에 처분사유의 추가 · 변경을 허용할 것인지에 대해 행정소송법에서는 아무런 규정을 두고 있지 않다.

(1) 학 설

분쟁의 일회적 해결 및 소송경제의 요청과 원고의 방어권 보장을 조화하는 선에서 **제한적으로 인정되어야 한다는 견해가 다수설의 입장**이며, 다수설은 처분사유의 추가 · 변경을 널리 허용한다면 처분의 상대방에게 예기치 못한 불이익이 발생할 가능성이 있으므로 **기본적 사실관계의 동일성**이 인정되는 한계 내에서 처분사유의 추가 · 변경을 인정한다.ⓐ

(2) 판 례

① 대법원 판례 역시 **당초의 처분사유와** 기본적 사실관계에서 동일성**이 인정되는 한도 내에서만 새로운 처분사유의 추가나 변경을 허용한다.**02 **이때 '기본적인 사실관계의 동일성'은 처분사유를 법률적으로 평가하기 이전의 구체적인 사실에 착안하여 그 기초가 되는 사회적 사실관계가 기본적인 점에서 동일한지 여부에 따라 결정해야 한다는 것이 판례의 입장이다.03** 이러한 대법원 판례의 법리에 따른 요건을 최근 제정된 행정소송규칙에서 명문화함으로써 "행정청은 사실심변론을 종결할 때까지 당초의 처분사유와 기본적 사실관계가 동일한 범위 내에서 처분사유를 추가 또는 변경할 수 있다."라고 규정하고 있다(행정소송규칙 제9조).

② 한편, **판례는 추가 · 변경된 사유가 당초의 처분시 이미 존재하고 있었고 당사자도 그 사실을 알고 있었다는 것만으로는 당초의 처분사유와 동일성이 있는 것으로 볼 수는 없다**고 한다.

③ 처분사유의 추가 · 변경의 허용범위(허용의 기준)에 관하여, 판례는 **기속행위와 재량행위를 특별히 구분하지는 않는 입장이다.**

관련판례

1-1. **행정처분의 취소를 구하는 항고소송에 있어서 당초의 처분사유와 기본적 사실관계의 동일성이 없는 별개의 사실을 처분사유로 주장하는 것을 허용하지 아니하는 입법취지는 행정처분의 상대방의 방어권을 보장함으로써 실질적 법치주의를 구현하고 행정처분의 상대방에 대한 신뢰를 보호하고자 함에 있다.** ★★★

1-2. **추가 또는 변경된 사유가 당초의 처분시 그 사유를 명기하지 않았을 뿐 처분시에 이미 존재하고 있었고 당사자도 그 사실을 알고 있었다 하여 당초의 처분사유와 동일성이 있는 것으로 볼 수는 없다**(대판 2003. 12. 11, 2001두8827).04 ★★★

2. 피고가 당초처분의 근거로 제시한 사유가 실질적인 내용이 없다고 보는 이상, 위 추가사유는 그와 기본적 사실관계가 동일한지 여부를 판단할 대상조차 없는 것이므로, 결국 소송단계에서 처분사유를 추가하여 주장할 수 없다(대판 2017. 8. 29, 2016두44186).05 ★★

(3) 구체적 검토

판례에서 구체적으로 검토된 사안들을 살펴보면 다음과 같다.

관련판례

1. **당초의 처분사유와 기본적 사실관계의 동일성을 인정한 경우로서 처분사유의 추가 · 변경을 긍정한 판례**

① 주유소 영업허가의 불허가사유로 처음에 내세운 "행정청의 허가기준에 맞지 않는다."라는 사유를 후에 '이격거리에 관한 허가기준 위배'라는 사유로 변경한 경우(대판 1989. 7. 25, 88누11926)

기출 체크

□□□□□ **01** 다음 사례에 대한 설명으로 옳지 않은 것은? (다툼이 있는 경우 판례에 의함) ★★★ 2015 사회복지직 9급

> 관할행정청은 甲에게 A를 사유로 면허취소처분을 내렸다가 甲이 이를 다투자 소송계속 중에 당해 면허취소처분의 새로운 사유로 B를 주장하였다.

① 처분사유의 추가 · 변경을 널리 허용한다면 처분의 상대방에게 예기치 못한 불이익이 발생할 가능성이 있다.
② 처분사유를 B로 추가 · 변경한다는 관할행정청의 주장이 법원에서 받아들여진 경우, 甲은 처분변경으로 인한 소의 변경을 신청하여야 한다.
③ 위와 같은 처분사유의 추가 · 변경은 사실심변론종결시까지만 허용된다.
④ A사유와 기본적 사실관계가 동일성이 있다고 인정되는 한도 내에서만 B사유로의 추가 · 변경이 허용된다.

□□□□□ **02** 행정처분의 취소를 구하는 항고소송에서 처분청은 당초처분의 근거로 삼은 사유와 기본적 사실관계가 동일성이 있다고 인정되는 한도 내에서만 다른 사유를 추가하거나 변경할 수 있다. (○, ×) ★★★ 2017 국가직 7급

□□□□□ **03** 처분사유의 추가·변경이 인정되기 위한 요건으로서의 기본적 사실관계의 동일성 유무는, 처분사유를 법률적으로 평가하기 이전의 구체적인 사실에 착안하여 그 기초적인 사회적 사실관계가 기본적인 점에서 동일한지 여부에 따라 결정된다. (○, ×) ★★★ 2017 국가직 9급

□□□□□ **04** 추가 또는 변경된 사유가 처분 당시에 이미 존재하고 있었다거나 당사자가 그 사실을 알고 있었다면 당초의 처분사유와 동일성이 있다고 할 수 있다. (○, ×) ★★★ 2024 소방직 9급

□□□□□ **05** 당초 행정처분의 근거로 제시한 이유가 실질적인 내용이 없는 경우에도 행정소송의 단계에서 행정처분의 사유를 추가할 수 있다. (○, ×) ★★ 2018 지방직 9급

ⓐ 다수설의 취지
처분사유의 변경을 인정하지 않으면 처분의 취소판결이 내려진 경우에도 처분청은 다른 사유(처분사유의 사후변경에서 제시할 사유)로 동일한 내용의 처분을 하게 되어 소송경제에 반하고 분쟁이 반복되는 문제가 생기게 된다. 따라서 처분사유의 변경으로 인하여 소송물의 변경이 없는 한 이를 인정할 필요가 있다.
그러나 처분사유의 추가 · 변경을 너무 넓게 인정하면 원고의 공격 · 방어방법의 보장이라는 측면에서 문제가 있으므로 다수설은 제한적 긍정설을 취하고 있다.

정답 01 ② 02 ○ 03 ○ 04 × 05 ×

기출 체크

□□□□□ **01** 토지형질변경 불허가처분의 당초의 처분사유인 국립공원에 인접한 미개발지의 합리적인 이용대책 수립시까지 그 허가를 유보한다는 사유와 그 처분의 취소소송에서 추가하여 주장한 처분사유인 국립공원 주변의 환경 · 풍치 · 미관 등을 크게 손상시킬 우려가 있으므로 공공목적상 원형유지의 필요가 있는 곳으로서 형질변경허가 금지대상이라는 사유는 기본적 사실관계에 있어서 동일성이 인정된다. (○, ×) ★★ 2011 사회복지직 9급

□□□□□ **02** 주택신축을 위한 산림형질변경허가신청에 대한 거부처분의 근거로 제시된 준농림지역에서의 행위제한이라는 사유와 나중에 거부처분의 근거로 추가한 자연경관 및 생태계의 교란, 국토 및 자연의 유지와 환경보전 등 중대한 공익상의 필요라는 사유는 기본적 사실관계의 동일성이 없다. (○, ×) ★★ 2013 국가직 7급

□□□□□ **03** 주류면허 지정조건 중 제6호 무자료 주류판매 및 위장거래 항목을 근거로 한 면허취소처분에 대한 항고소송에서, 지정조건 제2호 무면허판매업자에 대한 주류판매를 새로이 그 취소사유로 주장하는 것은 기본적 사실관계의 동일성이 인정된다. (○, ×) ★★ 2017 서울시 9급

정답 01 ○ 02 × 03 ×

② 토지형질변경 불허가처분의 당초의 처분사유인 "국립공원에 인접한 미개발지의 합리적인 이용대책 수립시까지 그 허가를 유보한다."라는 사유를 그 처분의 취소소송에서 추가하여 '국립공원 주변의 환경 · 풍치 · 미관 등을 크게 손상시킬 우려가 있으므로 공공목적상 원형유지의 필요가 있는 곳으로서 형질변경허가 금지대상'이라고 주장한 경우(대판 2001. 9. 28, 2000두8684)**01**

③ 산림형질변경거부처분의 근거로 제시된 '준농림지역의 행위제한'이라는 사유와 나중에 거부처분의 근거로 추가한 '자연경관 및 생태계의 교란, 국토 및 자연의 유지와 환경보전 등 중대한 공익상의 필요'라는 사유(대판 2004. 11. 26, 2004두4482)**02**

④ 지입제 운영행위에 대하여 자동차운송사업면허를 취소한 행정처분에 있어서 당초의 취소근거로 삼은 자동차운수사업법 제26조(명의의 유용금지)를 위반하였다는 사유와 직영으로 운영하도록 한 면허조건을 위반하였다는 사유(대판 1992. 10. 9, 92누213)

⑤ 과세관청이 법인의 이익금이 임원 또는 주주들에게 사외유출된 것으로 보아 구 법인세법 시행령 제94조의2 규정에 의하여 소득처분한 후 그에 대한 과세처분취소소송의 사실심변론종결시까지 위 소득처분과는 별도로 같은 소득금액이 대표이사나 출자자에게 현실적 소득으로 귀속되었다고 주장하는 경우(대판 2000. 3. 28, 98두16682)

⑥ 구「정기간행물등록에 관한 법률」소정의 첨부서류가 제출되지 아니하였다는 처분사유와 발행주체가 불법단체라는 당초의 처분사유(대판 1998. 4. 24, 96누13286)

⑦ 당초의 정보공개거부처분사유인 검찰보존사무규칙 제20조 소정의 신청권자에 해당하지 아니한다는 사유와 새로이 추가된 거부처분사유인「공공기관의 정보공개에 관한 법률」제7조(현행 제9조) 제1항 제6호의 사유(대판 2003. 12. 11, 2003두8395)

⑧ 석유판매업허가신청에 대하여 "주유소 건축 예정 토지에 관하여 도시계획법 제4조 및 구「토지의 형질변경 등 행위허가기준 등에 관한 규칙」에 의거하여 행위제한을 추진하고 있다."는 당초의 불허가처분사유와 항고소송에서 주장한 위 신청이 토지형질변경허가의 요건을 갖추지 못하였다는 사유 및 도심의 환경보전의 공익상 필요라는 사유〔대판 1999. 4. 23, 97누14378 '석유판매업(주유소)불허가처분취소'〕

⑨ 행정청이 폐기물처리사업계획 부적정 통보처분을 하면서 그 처분사유로 사업예정지에 폐기물처리시설을 설치할 경우 인근 농지의 농업경영과 농어촌 생활유지에 피해를 줄 것이 예상되어 농지법에 의한 농지전용이 불가능하다는 사유와, 위 행정처분의 취소소송에서 사업예정지에 폐기물처리시설을 설치할 경우 인근주민의 생활이나 주변 농업활동에 피해를 줄 것이 예상되어 폐기물처리시설 부지로 적절하지 않다는 사유(대판 2006. 6. 30, 2005두364 '폐기물처리업사업계획부적정통보처분취소')

⑩ 甲이 '사실상의 도로'로서 인근주민들의 통행로로 이용되고 있는 토지를 매수한 다음 2층 규모의 주택을 신축하겠다는 내용으로 제출한 건축신고서에 대하여 구청장이 건축신고수리 거부처분을 하면서 들었던 "위 토지가 건축법상 도로에 해당하여 건축을 허용할 수 없다."라는 당초 처분사유와, 甲의 처분취소소송 인용판결에 대하여 구청장이 항소하면서 주장한 "위 토지가 인근주민들의 통행에 제공된 사실상의 도로인데, 주택을 건축하여 주민들의 통행을 막는 것은 사회공동체와 인근주민들의 이익에 반하므로 甲의 주택 건축을 허용할 수 없다."는 추가 처분사유(대판 2019. 10. 31, 2017두74320)

2. 당초의 처분사유와 기본적 사실관계의 동일성을 부정한 경우로서 처분사유의 추가 · 변경을 부정한 판례

① '인근주민의 동의서 미제출'을 이유로 토석채취허가신청을 반려한 후 '자연경관이 훼손'된다는 이유를 소송에서 주장한 경우(대판 1992. 8. 18, 91누3659)

② 광업권설정출원을 불허함에 있어 "당해 광구에는 소외인들에 의하여 이미 광업권등록이 필하여져 있다."라는 사유를 "위 광구가 도시계획지구에 해당하여 광물을 채굴함이 공익을 해한다."라는 사유로 변경한 경우(대판 1987. 7. 21, 85누694)

③ "무자료 주류판매 및 위장거래금액이 부가가치세 과세기간별 총주류판매액의 100분의 20 이상에 해당한다."라는 사유와 "무면허판매업자에게 주류를 판매하였다."라는 사유(대판 1996. 9. 6, 96누7427)**03**

④ 이주대책대상자 선정신청을 거부한 사유로서 "이주대책신청기간이나 소정의 이주대책실시(시행)기간을 모두 도과하여 실기한 이주대책신청을 하였으므로 원고에게는 이주대책을 신청할 권리가 없고, 사업시행자가 이를 받아들여 택지나 아파트공급을 해줄 법률상 의무를 부담한다고 볼 수 없다는 사유"와 "사업지구 내 가옥 소유자가 아니"라는 사유(대판 1999. 8. 20, 98두17043)

⑤ 당초 처분사유인 '기존 공동사업장의 거리제한규정에 저촉된다'는 사유와 '최소주차용지에 미달한다'는 사유(대판 1995. 11. 21, 95누10952)**01**

⑥ 주택건설사업계획승인신청반려처분을 하면서 당초 처분사유인 "46필지 전체를 개발하지 아니한 채 이 사건 토지만을 개발하는 것은 도시미관과 지역여건을 고려하지 아니한 불합리한 계획으로 지역의 균형개발을 저해한다."는 사유와 이 사건 처분 이후에 새로이 내세운 "이 사건 토지가 제1종 일반주거지역으로 지정되었다."는 사유(대판 2005. 4. 15, 2004두10883)

⑦ 의료보험요양기관 지정취소처분의 당초의 처분사유인 '구 의료보험법 제33조 제1항이 정하는 본인부담금 수납대장을 비치하지 아니한 사실'과 항고소송에서 새로 주장한 처분사유인 같은 '법 제33조 제2항이 정하는 보건복지부장관의 관계서류 제출명령에 위반'하였다는 사실(대판 2001. 3. 23, 99두6392)**02**

⑧ 온천으로서의 이용가치, 기존의 도시계획 및 공공사업에의 지장 여부 등을 고려하여 이 사건 온천발견신고수리를 거부한다는 사유와 규정온도가 미달되어 온천에 해당하지 않는다는 처분사유(대판 1992. 11. 24, 92누3052)**03**

⑨ 원고의 건축신고와 관련된 행정심판이 계속 중이므로 그 건축신고 건이 종결되지 않은 상황에서 이 사건 신청을 처리할 수 없다는 처분사유와 원고가 이 사건 건축물을 건축하면서 사전 허가 없이 「국토의 계획 및 이용에 관한 법률」상의 허가사항인 토지의 형질변경행위를 하였다거나 이 사건 토지가 경상남도의 화포천 유역 종합치수계획에 의하여 화포천 유역의 침수방지를 위한 저류지 부지에 포함되어 하천구역으로 지정 · 고시될 예정이어서 이 사건 신청을 받아들일 수 없다는 사유(대판 2009. 2. 12, 2007두17359)

⑩ 입찰참가자격을 제한시킨 당초의 처분사유인 정당한 이유 없이 계약을 이행하지 않은 사실과 항고소송에서 새로 주장한 계약의 이행과 관련하여 관계 공무원에게 뇌물을 준 사실(대판 1999. 3. 9, 98두18565)

⑪ 당초의 정보공개거부처분사유인 「공공기관의 정보공개에 관한 법률」 제7조(현행 제9조) 제1항 제4호 및 제6호의 사유와 새로이 추가된 같은 항 제5호의 사유(대판 2003. 12. 11, 2001두8827)**04**

「공공기관의 정보공개에 관한 법률」 제9조 【비공개대상정보】 ① 공공기관이 보유 · 관리하는 정보는 공개대상이 된다. 다만, 다음 각 호의 어느 하나에 해당하는 정보는 공개하지 아니할 수 있다.

4. 진행 중인 재판에 관련된 정보와 범죄의 예방, 수사, 공소의 제기 및 유지, 형의 집행, 교정(矯正), 보안처분에 관한 사항으로서 공개될 경우 그 직무수행을 현저히 곤란하게 하거나 형사피고인의 공정한 재판을 받을 권리를 침해한다고 인정할 만한 상당한 이유가 있는 정보
5. 감사 · 감독 · 검사 · 시험 · 규제 · 입찰계약 · 기술개발 · 인사관리에 관한 사항이나 의사결정과정 또는 내부검토과정에 있는 사항 등으로서 공개될 경우 업무의 공정한 수행이나 연구 · 개발에 현저한 지장을 초래한다고 인정할 만한 상당한 이유가 있는 정보 (단서 생략)
6. 해당 정보에 포함되어 있는 성명 · 주민등록번호 등 개인에 관한 사항으로서 공개될 경우 사생활의 비밀 또는 자유를 침해할 우려가 있다고 인정되는 정보. 다만, 다음 각 목에 열거한 개인에 관한 정보는 제외한다.

⑫ 석유판매업허가신청에 대하여 당초 사업장소인 토지가 군사보호시설구역 내에 위치하고 있는 관할 군부대장의 동의를 얻지 못하였다는 이유로 이를 불허가하였다가, 소송에서 위 토지는 탄약창에 근접한 지점에 위치하고 있어 공공의 안전과 군사시설의 보호라는 공익적인 측면에서 보아 허가신청을 불허한 것(대판 1991. 11. 8, 91누70 '석유판매업불허가처분취소')**05**

⑬ 구청위생과직원인 원고가 이 사건 당구장이 정화구역 외인 것처럼 허위표시를 함으로써 정화위원회의 심의를 면제하여 허가처분하였다는 당초의 징계사유와 정부문서규정에 위반하여 이미 결재된 당구장허가처분서류의 도면에 상사의 결재를 받음이 없이 거리표시를 기입하였다는 사유(대판 1983. 10. 25, 83누396 '감봉처분취소')

기출 체크

□□□□□ **01** 행정청의 당초 처분사유인 기존 공동사업장과의 거리제한규정에 저촉된다는 사실과 피고 주장의 최소주차용지에 미달한다는 사실은 기본적 사실관계에 있어서 동일성이 인정된다. (○, ×) ★ 2011 사회복지직 9급

□□□□□ **02** 의료보험요양기관 지정취소처분의 당초의 처분사유인 구 의료보험법 제33조 제1항이 정하는 본인부담금 수납대장을 비치하지 아니한 사실과 항고소송에서 새로 주장한 처분사유인 같은 법 제33조 제2항이 정하는 보건복지부장관의 관계서류 제출명령에 위반하였다는 사실은 기본적 사실관계에 있어서 동일성이 인정되지 않는다. (○, ×) ★ 2011 사회복지직 9급

□□□□□ **03** 온천으로서의 이용가치, 기존의 도시계획 및 공공사업에의 지장 여부 등을 고려하여 온천발견신고수리를 거부한 것은 적법하다는 사유와, 규정온도가 미달되어 온천에 해당하지 않는다는 사유(는 기본적 사실관계의 동일성이 인정된다) (○, ×) 2022 군무원 9급

□□□□□ **04** (甲은 행정청 A가 보유 · 관리하는 정보 중 乙과 관련이 있는 정보를 사본 교부의 방법으로 공개하여 줄 것을 청구하였다) A가 내부적인 의사결정과정임을 이유로 정보공개를 거부하였다가 정보공개거부처분 취소소송의 계속 중에 개인의 사생활침해 우려를 공개거부사유로 추가하는 것은 허용되지 않는다. (○, ×) 2017 국가직(하) 9급

□□□□□ **05** 석유판매업허가신청에 대하여, 관할 군부대장의 동의를 얻지 못하였다는 당초의 불허가사유와, 토지가 탄약창에 근접한 지점에 있어 공익적인 측면에서 보아 허가신청을 불허한 것은 적법하다는 사유(는 기본적 사실관계의 동일성이 인정된다) (○, ×) ★ 2022 군무원 9급

정답 01 × 02 ○ 03 × 04 ○ 05 ×

기출 체크

□□□□□ 01 당초의 처분사유인 중기취득세의 체납과 그 후 추가된 처분사유인 자동차세의 체납은 기본적 사실관계의 동일성이 부정된다. (○, ×) ★★
2017 서울시 9급

□□□□□ 02 취소소송에서 행정청의 처분사유의 추가 · 변경은 사실심변론종결시까지만 허용된다. (○, ×) ★★★
2017 서울시 9급

□□□□□ 03 처분청은 원고의 권리방어가 침해되지 않는 한도 내에서 당해 취소소송의 대법원 확정판결이 있기 전까지 처분사유의 추가 · 변경을 할 수 있다. (○, ×) ★★★
2017 국가직 9급

□□□□□ 04 위법판단의 기준시점을 처분시로 볼 경우, 처분 이후에 발생한 새로운 사실적 · 법적 사유를 추가 · 변경하고자 하는 것은 허용될 수 없고 이러한 경우에는 계쟁처분을 직권취소하고 이를 대체하는 새로운 처분을 할 수 있다. (○, ×) ★★
2017 국가직 7급

정답 01 ○ 02 ○ 03 × 04 ○

⑭ 전라남도 고시에 자연녹지의 경우 충전소의 외벽으로부터 100미터 내에 있는 건물주의 동의를 받도록 되어 있는데 그 설치예정지로부터 80미터에 위치한 전주이씨제각 소유주의 동의가 없다는 이유로 이를 반려한 것과 충전소설치예정지역 인근도로가 낭떠러지에 접한 S자 커브의 언덕길로 되어 있어서 교통사고로 인한 충전소폭발의 위험이 있다는 사유(대판 1992. 5. 8, 91누13274 '엘피지충전소허가처분취소')

⑮ 당초의 처분사유인 중기취득세의 체납과 그 후 추가된 처분사유인 자동차세의 체납(대판 1989. 6. 27, 88누6160)01

⑯ 피고(편저자 주 : 미래창조과학부장관)가 원고의 정보공개청구에 대하여 별다른 이유를 제시하지 않은 채 이동통신요금과 관련한 총괄원가액수만을 공개한 것과, 피고가 이 사건 정보공개거부처분 취소소송에서 원가 관련 정보가 법인의 영업상 비밀에 해당한다는 비공개사유를 주장하는 것(대판 2018. 4. 12, 2014두5477)

3. 한 계

(1) 사실심변론종결시

처분사유의 추가 · 변경은 사실심변론종결시까지 허용된다는 것이 판례의 태도이다.

관련판례

취소소송에서 행정청의 처분사유의 추가 · 변경은 사실심변론종결시까지 허용된다.02

행정청은 기본적 사실관계의 동일성이 있다고 인정되는 한도 내에서만 다른 처분사유를 추가 · 변경할 수 있다고 할 것이나, 이는 사실심변론종결시까지만 허용된다(대판 1999. 8. 20, 98두17043).03 ★★★

(2) 처분시에 존재하였던 사유일 것

위법판단의 기준시에 관하여 처분시설을 취하는 경우 위법성 판단은 처분시를 기준으로 하므로 추가사유나 변경사유는 처분시에 객관적으로 존재하던 사유이어야 한다. 따라서 처분 이후에 발생한 새로운 사실적 · 법적 사유를 추가 · 변경할 수는 없다. 따라서 이러한 경우에는 기존처분을 직권취소하고 새로운 사유를 들어 새로운 처분을 할 수 있을 뿐이다.04

(3) 소송물의 범위 내일 것(처분의 동일성이 유지될 것)

처분사유의 추가 · 변경은 취소소송의 소송물의 범위 내에서만 가능하다. 처분사유의 추가 · 변경으로 처분이 변경됨으로써 소송물이 변경된다면 청구가 변경되는 것이므로 이 경우에는 소의 변경을 하여야 한다.

4. 처분사유의 사후변경이 인정되지 않는 경우

기본적 사실관계의 동일성이 인정되지 않아서 처분사유의 사후변경이 인정되지 않는 경우에는 당초 처분사유만을 근거로 심리한 후 그러한 처분사유가 존재하지 않는다면 원고의 청구를 인용하여야 한다.

02 | 위법판단의 기준시점

❶ 학설 및 판례

처분 등이 이루어진 뒤에 당해 처분 등의 근거가 된 법령이 개정 · 폐지되거나 처분요건인 사실상태에 변동이 있는 경우, 어느 때를 위법판단의 기준시점으로 할 것인지가 문제된다.

판결시설	처분시설
처분 등의 위법 여부의 판단은 사실심구두변론종결 당시의 법령 및 사실상태를 기준으로 하여야 한다는 견해	처분 등의 위법 여부의 판단은 처분 당시의 법령 및 사실상태를 기준으로 하여야 한다는 견해(**통설** · **판례**의 입장)

관련판례

행정처분의 위법 여부 판단의 기준시점은 처분시이다.★★★

행정소송에서 행정처분의 위법 여부는 행정처분이 행하여졌을 때의 법령과 사실상태를 기준으로 하여 판단하여야 하고,**01 02** 처분 후 법령의 개폐나 사실상태의 변동에 의하여 영향을 받지는 않는다(대판 2007. 5. 11, 2007두1811).**03 04**

❷ 위법 여부를 판단하는 기준시점이 처분시라는 의미

'처분시'라는 의미는 행정처분이 있을 때의 법령과 사실상태를 기준으로 하여 위법 여부를 판단할 것이며, 처분 후 법령의 개폐나 사실상태의 변동에 영향을 받지 않는다는 뜻이라는 것이 일반적 견해이다. 다만, 처분의 위법판단의 기준시 문제와 법원이 사실심변론종결시의 소송자료를 기초로 판결을 내리는 문제는 별개의 것이다. 즉, 처분 당시의 사실상태 등에 관한 입증은 사실심변론종결 당시까지 할 수 있고 따라서 법원은 행정처분 당시 행정청이 알고 있었던 자료뿐만 아니라 사실심변론종결 당시까지 제출된 모든 자료를 종합하여 처분 당시 존재하였던 객관적 사실을 확정하고 그 사실에 기초하여 처분의 위법 여부를 판단할 수 있다(대판 2014. 10. 30, 2012두25125). 법령의 해석도 처분시의 법령해석에 구속되지 않고 언제든지 자유롭게 할 수 있다.

관련판례

1. **행정처분의 위법 여부를 판단하는 기준시점이 처분시라는 의미는 행정처분이 있을 때의 법령과 사실상태를 기준으로 하여 위법 여부를 판단할 것이며 처분 후 법령의 개폐나 사실상태의 변동에 영향을 받지 않는다는 뜻이다.★★★**

   항고소송에 있어서 행정처분의 위법 여부를 판단하는 기준시점에 대하여 판결시가 아니라 처분시라고 하는 의미는 행정처분이 있을 때의 법령과 사실상태를 기준으로 하여 위법 여부를 판단할 것이며 처분 후 법령의 개폐나 사실상태의 변동에 영향을 받지 않는다는 뜻이고 처분 당시 존재하였던 자료나 행정청에 제출되었던 자료만으로 위법 여부를 판단한다는 의미는 아니므로, 처분 당시의 사실상태 등에 대한 입증은 사실심변론종결 당시까지 할 수 있고, 법원은 행정처분 당시 행정청이 알고 있었던 자료뿐만 아니라 사실심변론종결 당시까지 제출된 모든 자료를 종합하여 처분 당시 존재하였던 객관적 사실을 확정하고 그 사실에 기초하여 처분의 위법 여부를 판단할 수 있다(대판 1993. 5. 27, 92누19033 ; 대판 2018. 6. 28, 2015두58195).**05**

2. 부당해고 구제신청에 관한 중앙노동위원회의 명령 또는 결정의 취소를 구하는 소송에서 그 명령 또는 결정이 적법한지는 그 명령 또는 결정이 이루어진 시점을 기준으로 판단하여야 하고, 그 명령 또는 결정 후에 생긴 사유를 들어 적법 여부를 판단할 수는 없으나,**06** 그 명령 또는 결정의 기초가 된 사실이 동일하다면 노동위원회에서 주장하지 아니한 사유도 행정소송에서 주장할 수 있다(대판 2021. 7. 29, 2016두64876).

기출 체크

□□□□□ **01** 취소소송에서 행정처분의 위법 여부는 판결선고 당시의 법령과 사실상태를 기준으로 판단한다. (○, ×) ★★★ 2017 교육행정직 9급

□□□□□ **02** 행정처분의 위법 여부는 행정처분이 행하여졌을 때의 법령과 사실상태를 기준으로 판단해야 한다. (○, ×) ★★★ 2019 사회복지직 9급

□□□□□ **03** 행정소송에서 행정처분의 위법 여부는 행정처분이 있을 때의 법령과 사실상태를 기준으로 하여 판단하여야 하고 처분 후 법령의 개폐나 사실상태의 변동이 있다면 그러한 법령의 개폐나 사실상태의 변동에 의하여 처분의 위법성이 치유될 수 있다. (○, ×) ★★★ 2020 소방직 9급

□□□□□ **04** 행정소송에서 행정처분의 위법 여부는 처분 후 법령의 개폐나 사실상태의 변동에 의하여 영향을 받는다. (○, ×) ★★★ 2013 경행특채

□□□□□ **05** 행정처분의 위법 여부는 행정처분이 있을 때의 법령과 사실상태를 기준으로 판단하여야 하며, 법원은 행정처분 당시 행정청이 알고 있었던 자료뿐만 아니라 사실심변론종결 당시까지 제출된 모든 자료를 종합하여 처분 당시 존재하였던 객관적 사실을 확정하고 그 사실에 기초하여 처분의 위법 여부를 판단할 수 있다. (○, ×) ★★★ 2023 군무원 7급

□□□□□ **06** 부당해고 구제신청에 관한 중앙노동위원회의 결정에 대하여 취소소송을 제기하는 경우, 법원은 중앙노동위원회의 결정 후에 생긴 사유를 들어 그 결정의 적법 여부를 판단할 수 있다. (○, ×) 2023 국가직 7급

정답 01 × 02 ○ 03 × 04 × 05 ○ 06 ×

기출 체크

□□□□□ **01** 산업재해보상보험법 시행령 [별표 3] '업무상 질병에 대한 구체적인 인정기준'은 예시적 규정에 불과한 이상 그 위임에 따른 고용노동부 고시가 대외적으로 국민과 법원을 구속하는 효력이 있는 규범이라고 볼 수 없다. (○, ×)
2022 경찰간부

정답 01 ○

3. 난민 인정 거부처분 후 국적국의 정치적 상황이 변화하였다고 하여 처분의 적법 여부가 달라지는 것은 아니다(대판 2008. 7. 24, 2007두3930).★

4. 행정청이 수익적 행정처분을 하면서 사전에 상대방과 체결한 협약상의 의무를 부담으로 부가하였는데 부담의 전제가 된 주된 행정처분의 근거법령이 개정되어 부관을 붙일 수 없게 된 경우, 위 협약의 효력이 소멸하는 것은 아니다(대판 2009. 2. 12, 2005다65500).★★★

5. 교원소청심사위원회가 한 결정의 취소를 구하는 소송에서 그 결정의 적부는 결정이 이루어진 시점을 기준으로 판단하여야 한다.

교원소청심사위원회가 한 결정의 취소를 구하는 소송에서 그 결정의 적부는 결정이 이루어진 시점을 기준으로 판단하여야 하지만, 그렇다고 하여 소청심사 단계에서 이미 주장된 사유만을 행정소송의 판단대상으로 삼을 것은 아니다. 따라서 소청심사 결정 후에 생긴 사유가 아닌 이상 소청심사 단계에서 주장하지 아니한 사유도 행정소송에서 주장할 수 있고, 법원도 이에 대하여 심리·판단할 수 있다(대판 2018. 7. 12, 2017두65821)(편저자 주 : 이 내용과 관련하여서는 p.878 ❻ 4. 참조).

6-1. 산업재해보상보험법 시행령 제34조 제3항 [별표 3] '업무상 질병에 대한 구체적인 인정기준'은 산업재해보상보험법 제37조 제1항 제2호에서 정한 '업무상 질병'에 해당하는 경우를 예시적으로 규정한 것이다.

6-2. 산업재해보상보험법 시행령 제34조 제3항 [별표 3] '인정기준'의 위임에 따른 「뇌혈관 질병 또는 심장 질병 및 근골격계 질병의 업무상 질병 인정 여부 결정에 필요한 사항」(고용노동부 고시)은 대외적으로 국민과 법원을 구속하는 효력이 있는 규범이라고 볼 수 없다.01

6-3. 근로복지공단이 처분 당시에 시행된 고용노동부 고시 「뇌혈관 질병 또는 심장 질병 및 근골격계 질병의 업무상 질병 인정 여부 결정에 필요한 사항」을 적용하여 한 산재요양 불승인처분에 대한 항고소송에서 법원이 해당 불승인처분 후 개정된 고용노동부 고시의 규정내용과 개정취지를 참작하여 상당인과관계 존부를 판단할 수 있다.

산업재해보상보험법(이하 '산재보험법'이라 한다) 제37조 제1항 제2호, 제5항, 산업재해보상보험법 시행령(이하 '산재보험법 시행령'이라 한다) 제34조 제3항 [별표 3]의 규정내용·형식·입법취지를 종합하면, 산재보험법 시행령 [별표 3] '업무상 질병에 대한 구체적인 인정기준(이하 '인정기준'이라 한다)'은 산재보험법 제37조 제1항 제2호에서 정한 '업무상 질병'에 해당하는 경우를 예시적으로 규정한 것이고, 그 기준에서 정한 것 외에는 업무와 관련하여 발생한 질병을 모두 업무상 질병에서 배제하는 규정으로 볼 수 없다. '인정기준'의 위임에 따른 「뇌혈관 질병 또는 심장 질병 및 근골격계 질병의 업무상 질병 인정 여부 결정에 필요한 사항」(2022. 4. 28. 고용노동부 고시 제2022-40호, 이하 '현행 고용노동부 고시'라 한다)은 대외적으로 국민과 법원을 구속하는 효력이 있는 규범이라고 볼 수 없고, 근로복지공단에 대한 내부적인 업무처리지침이나 법령의 해석·적용기준을 정해주는 '행정규칙'이라고 보아야 한다. 따라서 근로복지공단이 처분 당시에 시행된 '고용노동부 고시'를 적용하여 산재요양 불승인처분을 하였더라도, 법원은 해당 불승인처분에 대한 항고소송에서 해당 불승인처분이 있은 후 개정된 '현행 고용노동부 고시'의 규정내용과 개정취지를 참작하여 상당인과관계의 존부를 판단할 수 있다(대판 2023. 4. 13, 2022두47391).

비교판례

근로복지공단이 처분 당시 시행된 개정 전 고용노동부 고시 「뇌혈관 질병 또는 심장 질병 및 근골격계 질병의 업무상 질병 인정 여부 결정에 필요한 사항」을 적용하여 한 산업재해 요양 불승인처분에 대한 항고소송에서 법원이 해당 불승인처분이 있은 후 개정된 고시의 규정내용과 개정취지를 참작하여 상당인과관계의 존부를 판단할 수 있다.

항고소송에서 처분의 위법 여부는 특별한 사정이 없는 한 그 처분 당시의 법령을 기준으로 판단하여야 한다. 이는 신청에 따른 처분의 경우에도 마찬가지이다(대판 2020. 1. 16, 2019다264700 등 참조). 그러나 「뇌혈관 질병 또는 심장 질병 및 근골격계 질병의 업무상 질병 인정 여부 결정에 필요한 사항」(2013. 6. 28. 고용노동부 고시 제2013-32호, 이하 '개정 전 고시'라고 한다)은 대외적으로 국민과 법원을 구속하는 효력은 없으므로, 근로복지공단이 처분 당시에 시행된 '개정 전 고시'를 적용하여 산재요양 불승인처분을 한 경우라고 하더라도 해당 불승인처분에 대한 항고소송에서 법원은 '개정 전 고시'를 적용할 의무는 없고, 해당 불승인처분이 있은 후 개정된 「뇌혈관 질병 또는 심장 질병 및 근골격계 질병의 업무상 질병 인정 여부 결정에 필요한 사항」(2017. 12. 29, 고용노동부 고시 제2017-117호, 이하 '개정된 고시'라고 한다)의 규정내용과 개정취지를 참작하여 상당인과관계의 존부를 판단할 수 있다. 그 구체적인 이유는 다음과 같다.
산업재해보상보험법 제37조 제1항 제2호, 제5항, 같은 법 시행령 제34조 제3항 [별표 3]의 규정내용과 형식, 입법취지를 종합하면, 같은 법 시행령 [별표 3] '업무상 질병에 대한 구체적인 인정기준'은 같은 법 제37조 제1항 제2호에서 규정하고 있는 '업무상 질병'에 해당하는 경우를 예시적으로 규정한 것이라고 보아야 하고, 그 기준에서 정한 것 외에 업무와 관련하여 발생한 질병을 모두 업무상 질병에서 배제하는 규정으로 볼 수는 없다(대판 2020. 12. 24, 2020두39297).

③ 관련문제 – 처분사유 중 일부가 위법한 경우

행정처분에 있어 수개의 처분사유 중 일부가 적법하지 않다고 하더라도 다른 처분사유로써 그 처분의 정당성이 인정되는 경우에는 그 처분을 위법하다고 할 수 없다는 것이 판례의 입장이다(대판 2013. 10. 24, 2013두963). **01 02**

관련판례

1. 수개의 징계사유 중 일부가 인정되지 않더라도 인정되는 다른 징계사유만으로도 당해 징계처분의 타당성을 인정하기에 충분한 경우에는 그 징계처분을 유지하여도 위법하지 아니하다(대판 2002. 9. 24, 2002두6620). **03** ★
2. **여러 처분사유에 관하여 하나의 제재처분을 하였을 때 그중 일부가 인정되지 않는다고 하더라도 나머지 처분사유들만으로도 처분의 정당성이 인정되는 경우에는 그 처분을 위법하다고 보아 취소하여서는 아니 된다**(대판 2020. 5. 14, 2019두63515). **04**

3-1. **공정거래위원회가 과징금 산정시 위반횟수 가중의 근거로 삼은 위반행위에 대한 시정조치가 그 후 '위반행위 자체가 존재하지 않는다는 이유로 취소판결이 확정된 경우', 과징금 부과처분은 비례 · 평등원칙 및 책임주의원칙에 위배될 수 있다.**

3-2. **다만 위 시정조치를 위반횟수 가중을 위한 횟수 산정에서 제외하더라도, 그 사유가 과징금 부과처분에 영향을 미치지 아니하여 처분의 정당성이 인정되는 경우, 그 처분은 위법하지 아니하다.**

(1) '개정 전 과징금 고시' Ⅳ. 2. 나. (2)항은 과거 시정조치의 횟수 산정시 시정조치의 무효 또는 취소판결이 확정된 건을 제외하도록 규정하고 있다. 공정거래위원회가 과징금 산정시 위반횟수 가중의 근거로 삼은 위반행위에 대한 시정조치가 그 후 '위반행위 자체가 존재하지 않는다는 이유로 취소판결이 확정된 경우' 과징금 부과처분의 상대방은 결과적으로 처분 당시 객관적으로 존재하지 않는 위반행위로 인하여 과징금이 가중될 것이므로, 그 처분은 비례 · 평등원칙 및 책임주의원칙에 위배될 여지가 있다. 다만, 공정거래위원회는 공정거래법령상의 과징금 상한의 범위 내에서 과징금 부과 여부 및 과징금 액수를 정할 재량을 가지고 있다. 또한 재량준칙인 '개정 전 과징금 고시' Ⅳ. 2. 나. (1)항은 위반횟수와 벌점 누산점수에 따른 과징금 가중비율의 상한만을 규정하고 있다. 따라서 법 위반행위 자체가 존재하지 않아 위반행위에 대한 시정조치에 대하여 취소판결이 확정된 경우에 위반횟수 가중을 위한 횟수 산정에서 제외한다고 하더라도, 그 사유가 과징금 부과처분에 영향을 미치지 아니하여 처분의 정당성이 인정되는 경우에는 그 처분을 위법하다고 할 수 없다(대판 2010. 12. 9, 2010두15674 등 참조).

(2) 법 위반행위 자체가 존재하지 않는다는 이유로 선행조치(시정조치)의 취소판결이 확정되어 피고가 과징금 부과처분시 원고의 위반횟수 가중을 위한 횟수가 5회에서 4회로 감소하더라도, 피고가 과징금 고시에 따라 100분의 40 이내에서 산정기준을 가중할 수 있으므로 과징금 부과처분 당시 원고에 대하여 100분의 20 가중비율을 적용한 것이 현저히 과도한 가중비율을 적용하여 비례원칙에 위배된다고 보기 어렵고, 위반횟수가 감소하더라도 원고의 벌점은 여전히 100분의 15의 가중비율을 적용한 다른 담합 참여회사보다 높으므로 원고에게 100분의 20의 가중비율을 적용한 것이 합리적인 이유 없는 차별이라거나 현저히 과도한 가중비율이라고 볼 수 없다(대판 2019. 7. 25, 2017두55077).

기출 체크

□□□□□ **01** 행정처분에 있어 여러 개의 처분사유 중 일부가 적법하지 않으면 다른 처분사유로써 그 처분의 정당성이 인정된다고 하더라도, 그 처분은 위법하게 된다. (○, ×)★ 2020 국가직 9급

□□□□□ **02** 행정처분의 이유로 제시한 수개의 처분사유 중 일부가 위법하면, 다른 처분사유로써 그 처분의 정당성이 인정되더라도 그 처분은 위법하다. (○, ×)★ 2018 국가직 7급

□□□□□ **03** 수개의 징계사유 중 일부가 인정되지 않더라도 인정되는 다른 징계사유만으로도 당해 징계처분의 타당성을 인정하기에 충분한 경우에는 그 징계처분을 유지하여도 위법하지 아니하다. (○, ×)★ 2023 군무원 9급

□□□□□ **04** 여러 처분사유에 관하여 하나의 제재처분을 하였을 때 그중 일부가 인정되지 않는다고 하더라도 나머지 처분사유들만으로도 처분의 정당성이 인정되는 경우에는 그 처분을 위법하다고 보아 취소하여서는 아니 된다. (○, ×) 2024 소방직 9급

정답 01 × 02 × 03 ○ 04 ○

관련문제

다음 사례에 대한 판례의 입장으로 옳지 않은 것은? 2007 국가직 9급

> 甲고속국도 관리청이 고속도로 부지와 접도구역에 송유관 매설을 허가하면서 상대방인 甲과 체결한 협약에 따라 송유관 시설을 이전하게 될 경우 그 비용을 甲이 부담하도록 하였는데, 그 후 도로법 시행규칙이 개정되어 접도구역에는 관리청의 허가 없이도 송유관을 매설할 수 있게 되었다.

① 협약에 따라 송유관 시설을 이전하게 될 경우 그 비용을 甲이 부담하도록 한 것은 행정행위의 부관 중 부담에 해당한다.

② 甲과의 협약이 없더라도 고속국도 관리청은 송유관매설허가를 하면서 일방적으로 송유관 이전시 그 비용을 甲이 부담한다는 내용의 부관을 부가할 수 있다.

③ 도로법 시행규칙의 개정 이후에도 위 협약에 포함된 부관은 부당결부금지의 원칙에 반하지 않는다.

④ 도로법 시행규칙의 개정으로 접도구역에는 관리청의 허가 없이도 송유관을 매설할 수 있게 되었기 때문에 위 협약 중 접도구역에 대한 부분은 효력이 소멸된다.

정답 ④(①②는 제14강 p.288, ③은 제4강 p.80 참조)

제 2 절 취소소송의 판결 등

초대 Topic 43, 44 핵심집약 Topic 73

01 | 취소소송의 판결

❶ 판결의 의의

판결이란 법원이 원칙적으로 변론을 거쳐 구체적인 취소소송사건에 대한 법적 판단을 선언하는 행위를 말한다.

❷ 판결의 종류

1. 소송판결 · 본안판결

소송판결은 소송요건의 적부에 대한 판결로서 요건심리의 결과 당해 소송을 부적법한 것으로 각하하는 판결이고(각하판결), 본안판결은 소송에 의한 청구의 당부에 대한 판결로서 본안심리의 결과 청구의 전부 또는 일부를 인용하거나 기각함을 내용으로 하는 판결이다(인용판결 · 기각판결).

2. 기 타[a]

전부판결 · 일부판결, 중간판결 · 종국판결이 있다.

[a] 판결의 종류
1. 전부판결
동일소송절차로 심판되는 사건의 전부를 동시에 종료시키는 판결이다.
2. 일부판결
동일한 소송절차로 계속되어 있는 사건의 일부를 다른 부분으로부터 분리하여 종료시키는 종국판결이다. 일부판결도 종국판결이므로 독립하여 상소할 수 있다.
3. 중간판결
소송의 진행 중에 발생한 쟁점을 해결하기 위한 확인적 성질의 판결을 의미한다.
4. 종국판결
사건의 전부 또는 일부를 종료시키는 판결로서, 본안판결과 소각하판결이 있다.

02 | 종국판결의 내용

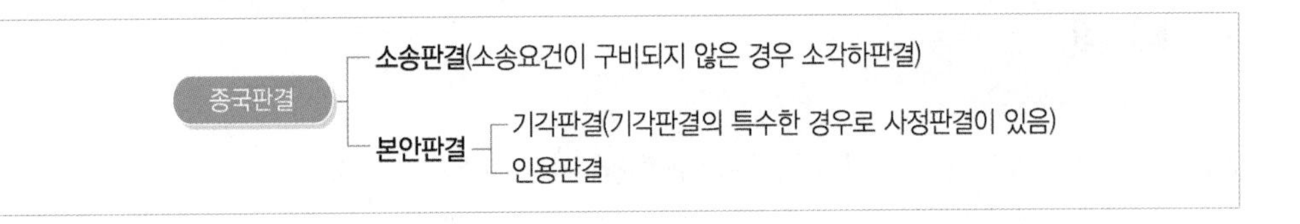

❶ 소각하판결

1. 의 의

소송요건을 갖추지 못한 부적법한 소에 대해서 본안심리를 거부하는 판결이다. 소송요건이 결여된 경우로는 당사자적격이 없는 경우, 제소기간 경과 후에 제기한 경우, 소송의 목적인 처분이 소멸된 경우 등을 들 수 있다. 소제기 후에 소의 대상이나 소의 이익이 소멸된 경우에도 각하판결을 하여야 한다는 것이 일반적 견해이자 판례의 태도이다.

2. 소각하판결 이후의 처리

소각하판결로 인하여 소송대상이 된 처분이 적법한 것으로 확정된 것은 아니므로 동일처분에 대해서 다시 소송요건을 갖춘 소가 제기되면 법원은 이를 심리 · 판결하여야 한다.

관련판례

소송판결의 기판력은 그 판결에서 확정한 소송요건의 흠결에 관하여 미치는 것이지만, 당사자가 그러한 소송요건의 흠결이 보완된 상태에서 다시 소를 제기한 경우에는 그 기판력의 제한을 받지 않는다(대판 2023. 2. 2, 2020다270633).

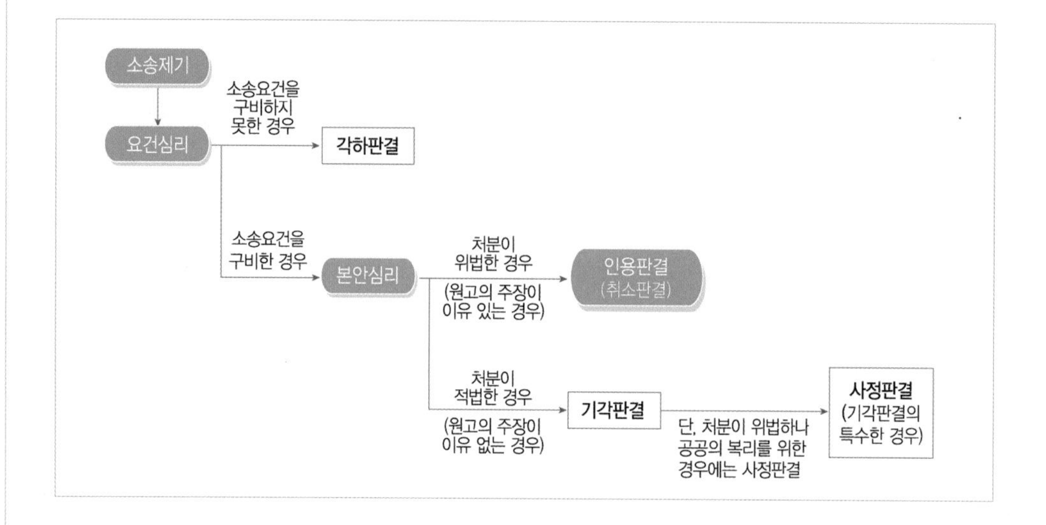

❷ 청구기각판결

1. (보통의) 기각판결

(1) 기각판결은 처분의 취소청구가 이유 없다고 하여 원고의 청구를 배척하는 판결을 말하는데, 처분에 원고가 주장하는 바와 같은 위법성이 없는 경우에 행해진다.

(2) 한편 행정의 법률적합성 원칙의 예외적 현상으로서,**01** 원고의 청구가 이유 있는 경우(즉, 위법함)에도 예외적으로 기각판결을 할 수 있는데, 이 경우의 기각판결을 사정판결이라 하는바, 이에 대해서는 항을 바꾸어 검토한다.

2. 사정판결

(1) 의 의

① 취소소송에 있어 심리의 결과 처분이 위법하면 이를 취소함이 원칙이다.

② 그러나 처분이 위법하여 원고의 청구가 이유 있다고 인정하는 경우에도**02** 처분 등을 취소하는 것이 현저히 공공복리에 적합하지 아니하다고 인정하는 때에는**03** 법원은 원고의 청구를 기각할 수 있는 바,**04** 이를 사정판결이라 한다.**05** 즉, 사정판결은 원고의 청구를 기각하는 것이지 각하하는 것은 아니다.**06 07**

③ 사정판결도 기각판결이므로 원고는 당연히 상소할 수 있다.**08**

(2) 사정판결의 요건

① 청구가 이유 있다고 인정될 것

원고의 청구가 이유 없는 경우(처분이 적법한 경우)에는 당연히 청구기각판결을 할 것이므로 사정판결의 문제가 일어나지 않는다.

② 처분 등의 취소가 현저히 공공복리에 적합하지 아니할 것

이 요건과 관련하여 공공복리를 강조하면 사인의 권리구제가 지나치게 제약된다는 문제점이 있으므로 이 요건은 엄격한 이익형량하에서만 적용되어야 한다(대판 2000. 2. 11, 99두7210).

기출 체크

□□□□□ **01** 사정판결은 행정의 법률적합성 원칙의 예외적 현상이다. (○, ×) ★★ 2013 지방직(하) 7급

□□□□□ **02** (사정판결은) 처분이 위법하여 청구가 이유 있는 경우이어야 한다. (○, ×) ★★★ 2015 국가직 9급

□□□□□ **03** (사정판결은) 청구의 인용판결이 현저히 공공복리에 적합하지 아니하여야 한다. (○, ×) ★★★ 2015 국가직 9급

□□□□□ **04** 법원은 원고의 청구가 이유 있다고 인정하는 경우에도 처분 등을 취소하는 것이 현저히 공공복리에 적합하지 아니하다고 인정하는 때에는 원고의 청구를 기각할 수 있다. (○, ×) 2023 지방직 · 서울시 9급

□□□□□ **05** 사정판결은 본안심리 결과 원고의 청구가 이유 있다고 인정됨에도 불구하고 처분을 취소하는 것이 현저히 공공복리에 적합하지 아니하다고 인정하는 때 원고의 청구를 기각하는 판결을 말한다. (○, ×) ★★★ 2021 지방직 · 서울시 9급

□□□□□ **06** (행정소송법상 사정판결에서) 원고의 청구가 이유가 있다고 인정하는 경우에도 처분 등을 취소하는 것이 현저히 공공복리에 적합하지 아니하다고 인정하는 때에는 법원은 원고의 청구를 각하할 수 있다. (○, ×) ★★★ 2017 경행경채

□□□□□ **07** 사정판결은 소송요건을 충족하지 못한 경우에 행하는 판결이다. (○, ×) ★★★ 2009 세무사

□□□□□ **08** 원고가 사정판결에 불복하면 상소할 수 있다. (○, ×) 2008 관세사

판례 | 1. 사정판결이 허용된 경우

① 법학전문대학원 설치예비인가 취소소송이 인용될 경우 이미 입학한 재학생의 불이익이 예상되고 총정원제로 운영되는 법학전문대학원의 시행에 중대한 지장을 초래할 우려가 있는 경우(대판 2009. 12. 10, 2009두8359)

② 도시재개발법(현 「도시 및 주거환경정비법」)에 따른 재개발조합설립 및 사업시행인가처분이 처분 당시 법정요건인 토지 및 건축물 소유자 총수의 각 3분의 2 이상의 동의를 얻지 못하여 위법하더라도 그 후 90% 이상의 소유자가 재개발사업의 속행을 바라고 있는 경우(대판 1995. 7. 28, 95누4629)

2. 사정판결이 허용되지 않은 경우

① 위법한 관리처분계획의 수정을 위한 조합원총회의 재결의를 위하여 시간과 비용이 많이 소요된다는 등의 사정이 있는 경우(대판 2001. 10. 12, 2000두4279)

② 재개발조합이 정관에 위배하여 건축물 소유 여부와 관계없이 모든 조합원들로 하여금 일률적으로 철거비용을 분담하도록 하는 내용의 위법한 관리처분계획을 정한 경우(대판 2007. 2. 8, 2004두7658)

정답 01 ○ 02 ○ 03 ○ 04 ○ 05 ○ 06 × 07 × 08 ○

관련판례

1. **사정판결을 하기 위한 요건인 '현저히 공공복리에 적합하지 아니한가' 여부는 위법·부당한 행정처분을 취소·변경하여야 할 필요와 그 취소·변경으로 발생할 수 있는 공공복리에 반하는 사태 등을 비교·교량하여 그 적용 여부를 판단하여야 하며 사정판결제도는 위헌이 아니다.**
   행정처분이 위법한 때에는 이를 취소함이 원칙이고 그 위법한 처분을 취소·변경하는 것이 도리어 현저히 공공의 복리에 적합하지 않은 경우에 극히 예외적으로 위법한 행정처분의 취소를 허용하지 않는다는 사정판결을 할 수 있으므로, 사정판결의 적용은 극히 엄격한 요건 아래 제한적으로 하여야 하고, 그 요건인 '현저히 공공복리에 적합하지 아니한가'의 여부를 판단할 때에는 위법·부당한 행정처분을 취소·변경하여야 할 필요와 그 취소·변경으로 발생할 수 있는 공공복리에 반하는 사태 등을 비교·교량하여 그 적용 여부를 판단하여야 한다. …… 사정판결제도가 위법한 처분으로 법률상 이익을 침해당한 자의 기본권을 침해하고, 법치행정에 반하는 위헌적인 제도라고 할 것은 아니다(대판 2009. 12. 10, 2009두8359).

2. **행정소송법 제28조에서 정한 사정판결의 요건에 해당하는지 판단하는 방법과 기준**
   행정소송법 제28조에서 정한 사정판결은 행정처분이 위법함에도 불구하고 이를 취소·변경하게 되면 그것이 도리어 현저히 공공의 복리에 적합하지 않은 경우에 극히 예외적으로 할 수 있으므로, 그 요건에 해당하는지는 위법·부당한 행정처분을 취소·변경하여야 할 필요와 취소·변경으로 발생할 수 있는 공공복리에 반하는 사태 등을 비교·교량하여 엄격하게 판단하되 …… (대판 2016. 7. 14, 2015두4167)**01**

(3) 사정판결의 위법성과 필요성 판단의 기준시

취소소송에서 위법성은 처분시를 기준으로 판단한다고 함이 통설·판례의 입장이므로, 사정판결에서도 **처분의 위법성 판단의 기준시는 처분시**가 된다. 그러나 사정판결의 필요성 판단은 사정판결제도의 취지에 비추어 처분의 위법성 판단과는 달리 판결시(변론종결시)를 기준으로 하여야 한다.**02** 왜냐하면 사정판결은 처분시에는 위법하였으나 사후의 변화된 사정을 고려하는 제도이기 때문이다.

> **행정소송규칙 제14조 【사정판결】** 법원이 법 제28조 제1항에 따른 판결을 할 때 그 처분 등을 취소하는 것이 현저히 공공복리에 적합하지 아니한지 여부는 사실심변론을 종결할 때를 기준으로 판단한다.

(4) 주장·입증의 책임

사정판결의 필요성에 대한 주장·입증의 책임은 사정판결의 예외성에 비추어 피고인 행정청이 부담하여야 한다.

(5) 사정판결의 효과

① 기각판결

사정판결은 청구기각판결이므로, 비록 당해 소송의 대상인 처분 등이 위법하여 원고의 청구가 이유 있다 하더라도 원고의 청구는 배척된다. 그러나 당해 처분 등은 그 위법성이 치유되어 적법하게 되는 것이 아니라 공공복리를 위하여 위법성을 가진 채로 그 효력을 지속하는 데 불과하다.**03**

② 위법함을 주문에 명시

사정판결을 하는 경우 법원은 **판결의 주문**에서 그 처분 등이 **위법함을 명시**하여야 하며(동법 제28조 제1항 후단),**04** **그 처분 등의 위법성에 대하여 기판력이 발생한다.05** 이는 후행의 손해배상청구소송 등에 있어서 행위의 위법성 입증에 대한 분쟁을 미연에 방지하는 의미를 갖는다.

③ 소송비용

사정판결의 소송비용은 일반적인 소송비용부담의 예외는 달리 **패소자인 원고가 아니라**, 피고가 부담한다(동법 제32조).**06**

기출 체크

□□□□□ **01** 사정판결은 극히 예외적인 제도이므로 위법한 행정처분을 취소하여야 할 필요와 그 취소로 발생할 수 있는 공공복리에 반하는 사태 등을 비교·교량하여 엄격하게 판단하여야 한다. (○, ×) 2022 서울시 지적 7급

□□□□□ **02** 사정판결의 요건인 처분의 위법성은 변론종결시를 기준으로 판단하고, 공공복리를 위한 사정판결의 필요성은 처분시를 기준으로 판단하여야 한다. (○, ×) ★★★ 2023 국가직 9급

□□□□□ **03** 사정판결은 처분이 위법함에도 청구가 기각되는 것으로, 이로 인하여 당해 처분은 위법성이 치유되어 적법하게 된다. (○, ×) ★★★ 2013 서울시 7급

□□□□□ **04** 사정판결을 하는 경우 법원은 처분의 위법함을 판결의 주문에 표기할 수 없으므로 판결의 내용에서 그 처분 등이 위법함을 명시함으로써 원고에 대한 실질적 구제가 이루어지도록 하여야 한다. (○, ×) ★★★ 2020 소방직 9급

□□□□□ **05** 사정판결의 경우에는 처분의 적법성이 아닌 처분의 위법성에 대하여 기판력이 발생한다. (○, ×) ★★ 2019 서울시 9급

□□□□□ **06** 사정판결에서의 소송비용은 패소한 원고가 부담한다. (○, ×) ★★★ 2013 서울시 7급

정답 01 ○ 02 × 03 × 04 × 05 ○ 06 ×

기출 체크

□□□□□ 01 법원이 사정판결을 함에 있어서 미리 원고가 그로 인하여 입게 될 손해의 정도와 배상방법, 그 밖의 사정을 조사하여야 한다. (○, ×) ★★★
2022 서울시 지적 7급

□□□□□ 02 원고는 피고인 행정청이 속하는 국가 또는 공공단체를 상대로 손해배상, 제해시설의 설치, 그 밖에 적당한 구제방법의 청구를 당해 취소소송 등이 계속된 법원에 병합하여 제기할 수 있다. (○, ×) ★★★ 2021 지방직 · 서울시 9급

□□□□□ 03 원고의 청구가 이유 있다고 인정하는 경우에도 이를 인용하는 것이 현저히 공공복리에 적합하지 않다고 판단되면 법원은 피고 행정청의 주장이나 신청이 없더라도 사정판결을 할 수 있다. (○, ×) ★★★ 2022 지방직 · 서울시 9급

□□□□□ 04 법원은 당사자의 명백한 주장이 없는 경우에도 일건 기록에 나타난 사실을 기초로 하여 직권으로 사정판결을 할 수 있다. (○, ×) ★★★
2017 경행경채

□□□□□ 05 취소소송은 물론 당연무효의 행정처분을 소송목적물로 하는 행정소송에서도 사정판결을 할 수 있다. (○, ×) ★★★ 2022 서울시 지적 7급

□□□□□ 06 사정판결은 항고소송 중 취소소송 및 무효등확인소송에서 인정되는 판결의 종류이다. (○, ×) ★★★
2021 지방직 · 서울시 9급

□□□□□ 07 무효인 행정행위에 대해서 사정판결을 할 수 있다. (○, ×) ★★★
2020 국가직 7급

□□□□□ 08 무효인 행정행위에 대하여는 사정판결이 인정되지 않는다. (○, ×) ★★★ 2015 국가직 7급

정답 01 ○ 02 ○ 03 ○ 04 ○ 05 × 06 × 07 × 08 ○

(6) 원고에 대한 대가적 조치

① 한편, 법원이 사정판결을 하기 위해서는 원고가 그로 인하여 입게 될 손해의 정도와 배상방법, 그 밖의 사정을 미리 조사하여야 한다.**01**

② 원고는 피고인 행정청이 속하는 국가 또는 공공단체를 상대로 손해배상, 제해시설의 설치 및 그 밖에 적당한 구제방법의 청구를 당해 취소소송이 계속된 법원에 병합하여 제기할 수 있다(동법 제28조 제3항).**02**

관련판례

사정판결은 처분이 위법하나 공익상 필요 등을 고려하여 취소하지 아니하는 것일 뿐 처분이 적법하다고 인정하는 것은 아니므로, 사정판결의 요건을 갖추었다고 판단되는 경우 법원으로서는 행정소송법 제28조 제2항에 따라 원고가 입게 될 손해의 정도와 배상방법, 그 밖의 사정에 관하여 심리하여야 하고, 이 경우 원고는 행정소송법 제28조 제3항에 따라 손해배상, 제해시설의 설치 그 밖에 적당한 구제방법의 청구를 병합하여 제기할 수 있으므로, 당사자가 이를 간과하였음이 분명하다면 적절하게 석명권을 행사하여 그에 관한 의견을 진술할 수 있는 기회를 주어야 한다(대판 2016. 7. 14, 2015두4167).

(7) 당사자의 신청 여부

명문의 규정은 없으나 피고인 행정청의 신청에 의해서 가능하다고 봄이 일반적 견해이다. 한편, 판례는 법원이 직권으로 사정판결을 할 수 있다고 한다.

관련판례

1. 법원은 직권으로 사정판결을 할 수 있다.**03** ★★★
   사정판결을 할 필요가 있다고 인정하는 때에는 당사자의 명백한 주장이 없는 경우에도 일건 기록에 나타난 사실을 기초로 하여 직권으로 사정판결을 할 수 있다(대판 1995. 7. 28, 95누4629).**04**

2. 행정처분이 위법한 경우에는 이를 취소하는 것이 원칙이나, 예외적으로 그 위법한 처분을 취소 · 변경하는 것이 도리어 현저히 공공복리에 적합하지 아니하는 경우에는 그 취소를 허용하지 아니하는 사정판결을 할 수 있다. 이러한 사정판결은 당사자의 명백한 주장이 없는 경우에도 기록에 나타난 여러 사정을 기초로 직권으로 할 수 있는 것이나, 그 요건인 현저히 공공복리에 적합하지 아니한지 여부는 위법한 행정처분을 취소 · 변경하여야 할 필요와 그 취소 · 변경으로 인하여 발생할 수 있는 공공복리에 반하는 사태 등을 비교 · 교량하여 판단하여야 한다(대판 2006. 9. 22, 2005두2506).

(8) 다른 행정소송과 사정판결

무효확인소송과 부작위위법확인소송에는 사정판결이 허용되지 않는다.**05 06 07 08** 또한 당사자소송에도 사정판결이 허용되지 않는다.

❸ 청구인용판결

1. 의 의

인용판결은 처분의 취소청구가 이유 있다고 인정하여 그 청구의 전부 또는 일부를 인용하는 형성판결이다.

2. 일부인용(일부취소)판결의 문제

(1) 개 념

원고의 청구 중 일부에 대해서만 이유가 있는 경우에 법원은 일부만을 취소할 수 있는바, 이를 일부인용판결이라고 한다.

(2) 요 건

일부인용판결이 가능하기 위해서는 일부를 특정할 수 있어야 하고, 일부인용되고 남은 부분만으로도 의미가 있어야 하며, 처분청의 의사에 반하지 않아야 한다. 따라서 불가분처분이나 행정청의 재량권을 존중해야 하는 재량행위에는 원칙적으로 인정되지 않는다.

① 일부취소가 가능한 경우

관련판례

1. **조세부과처분과 같은 금전부과처분이 기속행위인 경우 법원이 정당한 부과금액을 산정할 수 있다면 정당한 부과금액을 초과하는 부분만 일부취소해야 한다.★★**

   과세처분취소소송의 처분의 적법 여부는 과세액이 정당한 세액을 초과하느냐의 여부에 따라 판단되는 것으로서 당사자는 사실심변론종결시까지 객관적인 조세채무액을 뒷받침하는 주장과 자료를 제출할 수 있고 이러한 자료에 의하여 적법하게 부과될 정당한 세액이 산출되는 때에는 그 정당한 세액을 초과하는 부분만 취소하여야 할 것이고, 전부를 취소할 것이 아니다(대판 2000. 6. 13, 98두5811).

2. **행정청의 정보공개거부결정에 대해 비공개대상정보에 해당하는 부분과 공개가 가능한 부분이 구별되고 이를 분리할 수 있는 경우 일부취소한다**(대판 2003. 3. 11, 2001두6425).**01** ★★★

3. **공정거래위원회의 법위반사실공표명령이 하나의 조항으로 이루어졌으나 그 대상이 된 사업자의 광고행위와 표시행위로 인한 각 법위반사실이 별개로 특정될 수 있는 경우, 그중 하나의 법위반사실이 인정되지 않는다고 하여 법위반사실공표명령 전부를 취소할 수는 없다(일부취소를 하여야 한다).**

   외형상 하나의 행정처분이라 하더라도 가분성이 있거나 그 처분대상의 일부가 특정될 수 있다면 일부만의 취소도 가능하고 그 일부의 취소는 당해 취소부분에 관하여만 효력이 생기는 것인바, 공정거래위원회가 사업자에 대하여 행한 법위반사실공표명령은 비록 하나의 조항으로 이루어진 것이라고 하여도 그 대상이 된 사업자의 광고행위와 표시행위로 인한 각 법위반사실은 별개로 특정될 수 있어 위 각 법위반사실에 대한 독립적인 공표명령이 경합된 것으로 보아야 할 것이므로, 이 중 표시행위에 대한 법위반사실이 인정되지 아니하는 경우에 그 부분에 대한 공표명령의 효력만을 취소할 수 있을 뿐, 공표명령 전부를 취소할 수 있는 것은 아니다(대판 2000. 12. 12, 99두12243).**02 03** ★★

   비교판례

   공정거래위원회가 부당한 공동행위에 대한 과징금을 부과함에 있어 여러 개의 위반행위에 대하여 하나의 과징금납부명령을 하였으나 여러 개의 위반행위 중 일부의 위반행위에 대한 과징금부과만이 위법하고 소송상 그 일부의 위반행위를 기초로 한 과징금액을 산정할 수 있는 자료가 있는 경우에는, 하나의 과징금납부명령일지라도 그 일부의 위반행위에 대한 과징금액에 해당하는 부분만을 취소하여야 한다(대판 2009. 10. 29, 2009두11218 ; 대판 2019. 1. 31, 2013두14726).

4. **행정청이 여러 개의 위반행위에 대하여 하나의 제재처분을 하였으나, 위반행위별로 제재처분의 내용을 구분하는 것이 가능하고 여러 개의 위반행위 중 일부의 위반행위에 대한 제재처분 부분만이 위법하다면, 법원은 그 제재처분 중 위법성이 인정되는 부분만 취소하여야 하고 그 제재처분 전부를 취소하여서는 아니 된다**(대판 2020. 5. 14, 2019두63515).**04** ★★

② 일부취소가 불가능한 경우

관련판례

1. **자동차운수사업면허조건 등을 위반한 사업자에 대하여 행정청이 행정제재수단으로 사업정지를 명할 것인지, 과징금을 부과할 것인지, 과징금을 부과하기로 한다면 그 금액은 얼마로 할 것인지에 관하여 재량권이 부여되었다 할 것이므로 과징금 부과처분이 법이 정한 한도액을 초과하여 위법할 경우 법원으로서는 그 전부를 취소할 수밖에 없고, 그 한도액을 초과한 부분이나 법원이 적정하다고 인정되는 부분을 초과한 부분만을 취소할 수 없다**(대판 1998. 4. 10, 98두2270 ; 대판 2017. 1. 12, 2015두2352).**05** ★★★

2. **재량행위인 영업정지처분이 적정한 영업정지기간을 초과하여서 위법한 경우 그 초과부분만을 취소할 수는 없다.★★★**

기출 체크

□□□□□ **01** 공개를 거부한 정보에 비공개사유에 해당하는 부분과 그렇지 않은 부분이 혼합되어 있고, 공개청구의 취지에 어긋나지 않는 범위 안에서 두 부분을 분리할 수 있는 경우에는 법원은 공개가 가능한 정보에 한하여 일부취소를 명할 수 있다. (○, ×) ★★★ 2019 서울시 2회 7급

□□□□□ **02** 공정거래위원회가 위반행위에 대한 과징금을 부과하면서 여러 개의 위반행위에 대하여 외형상 하나의 과징금납부명령을 하였으나 여러 개의 위반행위 중 일부의 위반행위에 대한 과징금부과만이 위법하고 소송상 그 일부의 위반행위를 기초로 한 과징금액을 산정할 수 있는 자료가 있는 경우에는, 하나의 과징금납부명령일지라도 그 일부의 위반행위에 대한 과징금액에 해당하는 부분만을 취소하여야 한다. (○, ×) ★★ 2022 소방간부

□□□□□ **03** 「독점규제 및 공정거래에 관한 법률」을 위반한 광고행위와 표시행위를 하였다는 이유로 공정거래위원회가 사업자에 대하여 법위반사실공표명령을 행한 경우, 표시행위에 대한 법위반사실이 인정되지 아니한다면 법원으로서는 그 부분에 대한 공표명령의 효력만을 취소할 수 있을 뿐, 공표명령 전부를 취소할 수 있는 것은 아니다. (○, ×) ★★ 2019 서울시 9급

□□□□□ **04** 행정청이 여러 개의 위반행위에 대하여 하나의 제재처분을 하였으나, 위반행위별로 제재처분의 내용을 구분하는 것이 가능하고 여러 개의 위반행위 중 일부의 위반행위에 대한 제재처분 부분만이 위법하다면, 법원은 제재처분 전부를 취소하여서는 아니 된다. (○, ×) ★★ 2022 국가직 7급

□□□□□ **05** (여객자동차운송사업을 하는 甲이 관련법규 위반을 이유로 사업정지처분에 갈음하는 과징금 부과처분을 받았다) 甲에게 부과된 과징금이 법이 정한 한도액을 초과하여 위법한 경우, 법원은 그 초과부분에 대하여 일부취소할 수 없고 그 전부를 취소하여야 한다. (○, ×) ★★★ 2022 지방직 · 서울시 9급

정답 01 ○ 02 ○ 03 ○ 04 ○ 05 ○

기출 체크

□□□□□ **01** 개발부담금 부과처분 취소소송에 있어 당사자가 제출한 자료에 의하여 적법하게 부과될 정당한 부과금액을 산출할 수 없을 경우에는 부과처분 전부를 취소할 수밖에 없으나, 그렇지 않은 경우에는 그 정당한 금액을 초과하는 부분만 취소하여야 한다. (○, ×) ★
2023 군무원 7급

□□□□□ **02** 외형상 하나의 행정처분이라 하더라도 가분성이 있거나 그 처분대상의 일부가 특정될 수 있다면 그 일부만의 취소도 가능하고 그 일부의 취소는 당해 취소부분에 관하여 효력이 생긴다. (○, ×) ★★★ 2022 군무원 9급

□□□□□ **03** 「국가유공자 등 예우 및 지원에 관한 법률」에 따른 여러 개의 상이에 대한 국가유공자 요건 비해당처분에 대한 취소소송에서 그중 일부 상이만이 국가유공자요건이 인정되는 상이에 해당하는 경우, 국가유공자 요건 비해당처분 중 그 요건이 인정되는 상이에 대한 부분만을 취소하여야 한다. (○, ×) ★ 2018 지방직 9급

ⓐ 금전부과처분에서 당사자가 제출한 자료에 의해 적법하게 부과될 부과금액을 산출할 수 없는 경우에는 동 금전부과처분이 기속행위일지라도 법원이 처분청의 역할을 할 수는 없으므로 금전부과처분의 일부취소가 인정되지 않는다.

ⓑ 한편, 이 판례의 내용에 따르면 개발부담금 부과처분의 경우 자료에 의해 적법하게 부과될 부과금액을 산출할 수 있는 경우에는 그 정당한 금액을 초과하는 부분만 취소하여야 한다.

정답 01 ○ 02 ○ 03 ○

행정청이 영업정지처분을 함에 있어서 그 정지기간을 어느 정도로 할 것인지는 행정청의 재량권에 속하는 사항인 것이며, 다만 그것이 공익의 원칙이나 평등의 원칙 또는 비례의 원칙 등에 위반하여 재량권의 한계를 벗어난 재량권남용에 해당하는 경우에만 위법한 처분으로서 사법심사의 대상이 되는 것이나, 법원으로서는 영업정지처분이 재량권남용이라고 판단될 때에는 위법한 처분으로서 그 처분의 취소를 명할 수 있을 뿐이고, 재량권의 한계 내에서 어느 정도가 적정한 영업정지기간인지를 가리는 일은 사법심사의 범위를 벗어난다(대판 1982. 9. 28, 82누2).

3. 개발부담금 부과처분 취소소송에 있어 당사자가 제출한 자료에 의하여 적법하게 부과될 정당한 부과금액이 산출할 수 없을 경우에는 부과처분 전부를 취소할 수밖에 없으나, 그렇지 않은 경우에는 그 정당한 금액을 초과하는 부분만 취소하여야 한다(대판 2004. 7. 22, 2002두868). **01** ⓐ ⓑ ★

4. 수개의 위반행위에 대하여 하나의 과징금납부명령을 하였는데 수개의 위반행위 중 일부의 위반행위만이 위법하나 소송상 그 일부의 위반행위를 기초로 한 과징금액을 산정할 수 있는 자료가 없는 경우에는 하나의 과징금납부명령 전부를 취소할 수밖에 없다(대판 2004. 10. 14, 2001두2881).

5. 당사자가 사실심변론종결시까지 객관적인 과세표준과 세액을 뒷받침하는 주장과 자료를 제출하지 아니하여 적법하게 부과될 정당한 세액을 산출할 수 없는 경우에는 과세처분 전부를 취소할 수밖에 없고, 그 경우 법원이 직권에 의하여 적극적으로 납세의무자에게 귀속될 세액을 찾아내어 부과될 정당한 세액을 계산할 의무까지 지는 것은 아니다(대판 2020. 8. 20, 2017두44084).

(3) 일부취소의무

일부취소가 가능한 경우에는 원칙상 전부취소를 하여서는 안 되며 일부취소를 하여야 한다.

관련판례

1-1. 외형상 하나의 행정처분이라 하더라도 가분성이 있거나 그 처분대상의 일부가 특정될 수 있다면 그 일부만의 취소도 가능하고 그 일부의 취소는 당해 취소부분에 관하여 효력이 생긴다. **02** ★★★

1-2. 여러 개의 상이에 대한 국가유공자 요건 비해당처분에 대한 취소소송에서 그중 일부 상이가 국가유공자요건이 인정되는 상이에 해당하고 나머지 상이는 해당하지 않는 경우, 국가유공자 요건 비해당처분 중 위 요건이 인정되는 상이에 대한 부분만을 취소하여야 할 것이고, 그 비해당처분 전부를 취소할 수는 없다고 할 것이다(대판 2012. 3. 29, 2011두9263). **03** ★

2. 행정청이 여러 개의 위반행위에 대하여 하나의 제재처분을 하였으나, 위반행위별로 제재처분의 내용을 구분하는 것이 가능하고 여러 개의 위반행위 중 일부의 위반행위에 대한 제재처분 부분만이 위법한 경우, 제재처분 전부를 취소할 수는 없다.
① 폐기물처리업 변경허가를 받지 아니하고 폐기물 보관시설을 증설하여 구 폐기물관리법 제25조 제11항, 구 폐기물관리법 시행규칙(2019. 12. 31, 환경부령 제843호로 개정되기 전의 것, 이하 '구 폐기물관리법 시행규칙'이라 한다) 제29조 제1항 제3호 (아)목을 위반하였다는 이유로 구 폐기물관리법 제27조 제2항 제10호에 따라 영업정지 1개월의 처분을 하고, ② 구 비료관리법(2020. 2. 11, 법률 제16980호로 개정되기 전의 것, 이하 '구 비료관리법'이라 한다) 제11조 제1항에 따라 비료생산업 등록을 하지 아니한 채 2019. 1.경부터 2019. 12.경까지 음식물류 폐기물 처리 잔재물을 비료로 재활용하기 위한 시험 · 연구를 진행하면서 그 결과물을 농가에 비료 용도로 무상공급하여 구 폐기물관리법 제13조의2 제1항 제5호, 구 폐기물관리법 시행규칙 제14조의3 제1항 [별표 5의3] 제1호 (라)목을 위반하였다는 이유로 구 폐기물관리법 제27조 제2항 제2호에 따라 영업정지 1개월의 처분을 하고, ③ 폐기물분석전문기관의 사전 분석 · 확인을 받지 않고 액상 음식물류 폐기물 처리 잔재물을 비료로 재활용하여 구 폐기물관리법 제25조 제9항 제4호, 구 폐기물관리법 시행규칙 제32조 [별표 8] 제4호 (거)목, [별표 4의3] 비고 제3항을 위반하였다는 이유로 구 폐기물관리법 제27조 제2항 제8호에 따라 영업정지 1개월의 처분을 하면서(이하 위 순번에 따라 '이 사건 제1, 2, 3 영업정지처분'이라 한다), 위 처분 내용을 합산하여 하나의 처분서로 영업정지 3개월의 처분을 하였다. 따라서 그중 이 사건 제2 영업정지처분 부분을 따로 구분할 수 있으므로, 원심판결 중 이 사건 제2 영업정지처분 부분만 파기함이 타당하다(대판 2022. 1. 14, 2021두37373).

3. 적극적 형성판결(적극적 변경)의 문제

(1) 문제의 소재

행정소송법 제4조의 해석과 관련하여 적극적 형성판결이 인정되는지가 문제된다. 예컨대, 영업허가취소처분에 대해 취소소송이 제기된 경우 법원이 영업허가취소처분이 재량권을 남용하여 위법하다고 판단한 경우 6개월의 영업정지처분으로 변경할 수 있는지가 문제된다.

> **행정소송법 제4조【항고소송】** 항고소송은 다음과 같이 구분한다.
> 1. 취소소송 : 행정청의 위법한 처분 등을 취소 또는 변경하는 소송 (이하 생략)

(2) 판 례

판례는 행정소송법 제4조 제1호의 '변경'의 의미를 일부취소의 의미로 이해하여 적극적 형성판결은 허용되지 않는다는 입장이다. 다수설 역시 판례와 동일한 입장을 취하고 있다.

관련판례

> **법원이 적극적 처분을 할 수는 없다.**
> 법원이 새로운 내용의 행정처분을 직접 할 수는 없으나 조세부과처분의 일부를 취소하는 것은 법원의 정당한 권한행사라 할 것이다(대판 1964. 5. 19, 63누177).

03 | 판결의 방식과 절차

❶ 판결의 방식

1. 변론절차

판결은 변론을 거쳐 거기에 나타난 진술을 기초로 행하여야 하나, 부적법한 소를 각하하는 경우에는 반드시 변론을 거칠 필요가 없다.

2. 민사소송법상 규정의 준용

한편, 취소소송의 판결형식에 관하여 행정소송법에는 특별한 규정이 없으므로 민사소송법의 규정이 준용된다. 따라서 판결은 서면에 의하되, 당사자와 법정대리인, 주문, 이유(주문이 정당하다는 것을 인정할 수 있을 정도로 당사자의 주장, 그 밖의 공격 · 방어방법에 관한 판단을 표시함), 변론종결의 연 · 월 · 일 및 법원, 청구의 취지 등을 기재하고 판결한 법관이 서명 · 날인하여야 한다.

❷ 판결의 절차

판결의 절차에 관하여도 행정소송법에 특별한 규정이 없으므로 민사소송의 예에 따른다.

04 | 판결의 효력

취소소송의 판결이 확정되면 소송의 일반적 효력인 자박력(自縛力), 기판력(旣判力) 및 형성력(形成力) 등의 효력이 발생하게 된다. 한편, 행정소송법은 행정소송 특유의 효력으로서 취소판결의 제3자에 대한 효력과 기속력을 인정하고 이를 다른 행정소송에 준용하고 있다.

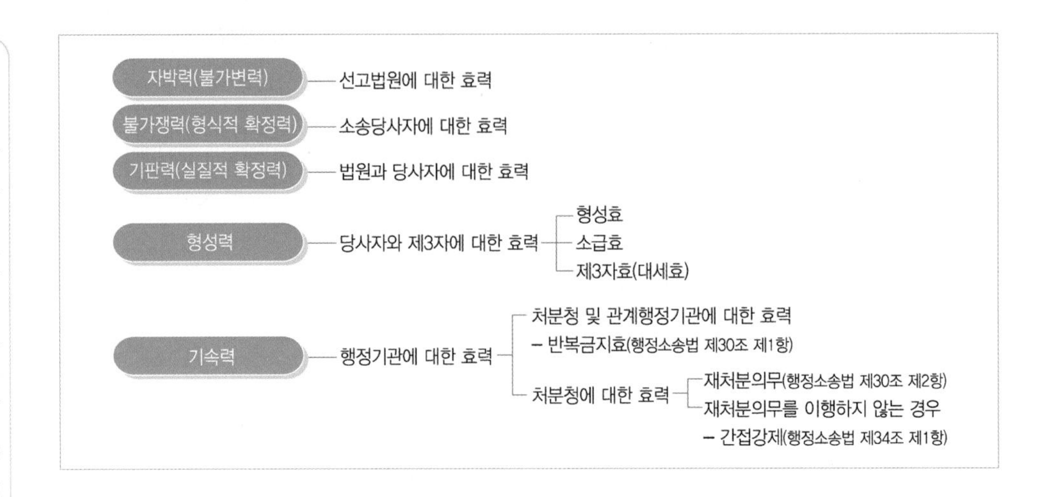

❶ 자박력(불가변력)

판결이 일단 확정되면 법원 자신도 이를 취소 · 변경할 수 없는 기속을 받게 되는바, 이를 판결의 자박력 또는 불가변력이라고 부른다.01 자박력은 선고법원과 관련된 효력이다.

❷ 불가쟁력(형식적 확정력)

불가쟁력(형식적 확정력)은 당사자가 상소를 포기하는 경우, 모든 심급을 거친 경우, 혹은 상소제기기간(통상 2주)의 경과 등으로 인해 판결에 불복하는 자가 더 이상 판결을 다툴 수 없게 되는 경우의 구속력을 말한다. 즉, 불가쟁력(형식적 확정력)은 법원의 판결에 불복할 수 있는 자에 대한 효력이다.

❸ 기판력(실질적 확정력)

1. 의 의

(1) 개 념

기판력이란 소송물에 관하여 법원이 행한 판단내용이 확정되면 이후 동일사항이 소송상 문제된 경우에 당사자(승계인 포함)는 그에 반하는 주장을 하여 다투는 것이 허용되지 않으며,02 법원도 일사부재리의 원칙에 따라 그와 모순 · 저촉되는 판단을 해서는 안 되는 구속력을 말한다(대판 1987. 6. 9, 86다카2756).03ⓐ 기판력은 전소에서 확정된 법적 문제가 후소에서 다시 문제되는 때에 작용ⓑ한다. 한편, 본안판결뿐만 아니라 소송판결(소송요건의 흠결로 소각하판결이 확정된 경우)에도 기판력이 발생하는바 소송판결의 기판력은 그 판결에서 확정한 소송요건의 흠결에 관하여 미친다(대판 1996. 4. 26, 95누5820).

(2) 명문규정의 부존재

기판력에 관해서는 행정소송법에 명문규정은 없으나,04 행정소송법 제8조 제2항에 따라 민사소송법상 기판력에 관한 규정이 행정소송에도 준용된다.

> **행정소송법 제8조 【법적용례】** ② 행정소송에 관하여 이 법에 특별한 규정이 없는 사항에 대하여는 법원조직법과 민사소송법 및 민사집행법의 규정을 준용한다.05

(3) 기각판결의 경우

기판력은 인용판결뿐만 아니라 청구기각의 판결에도 인정된다. 한편, 취소소송에서 기각판결이 확정

기출 체크

□□□□□ 01 판결이 확정되면 선고법원도 스스로 그 판결을 철회하거나 변경할 수 없다. (○, ×) 2010 세무사

□□□□□ 02 판결이 확정되면 당사자는 이후의 소송에서 동일한 사항에 대하여 판결의 내용과 모순되는 주장을 할 수 없다. (○, ×) ★★★ 2010 세무사

□□□□□ 03 기속력은 일단 판결이 확정된 때에는 동일한 사항이 다시 소송상 문제되었을 때 당사자와 법원은 이에 저촉되는 주장이나 판단을 할 수 없는 효력을 의미한다. (○, ×) ★★★ 2010 국가직 9급

□□□□□ 04 행정소송법은 기판력에 관한 명문의 규정을 두고 있다는 것이 통설 · 판례의 입장이다. (○, ×) ★★ 2011 지방직 9급

□□□□□ 05 행정소송에 관하여 행정소송법에 특별한 규정이 없는 사항에 대하여는 법원조직법과 민사소송법 및 민사집행법의 규정을 준용한다. (○, ×) ★★ 2021 국가직 9급

ⓐ 기판력
기판력은 확정판결의 주문에 포함된 법률적 판단의 내용은 이후 그 소송당사자의 관계를 규율하는 새로운 기준이 되는 것이므로 동일한 사항이 소송상 문제가 되었을 때 소송당사자는 이에 저촉되는 주장을 할 수 없고 법원도 이에 저촉되는 판단을 할 수 없는 구속력을 의미하는 것이다.

ⓑ 기판력의 작용
1. 동일한 처분에 대하여 절차의 하자를 이유로 취소소송을 제기하여 기각당한 후 내용상 위법을 이유로 다시 취소소송을 제기한 경우와 같이 후소의 소송물이 전소의 소송물과 동일한 경우
2. 후소가 기판력에 의하여 확정된 법률효과와 정면으로 모순되는 반대관계를 소송물로 하는 경우
3. 처분에 대한 취소판결 후 동 처분으로 인한 손해에 대해 국가배상청구소송을 제기한 경우와 같이 전소의 소송물이 후소의 선결문제로 되는 경우

정답 01 ○ 02 ○ 03 × 04 × 05 ○

되면 처분이 위법하지 않다는 것이 확정되므로 후에 무효확인소송에 있어서 법원은 취소소송의 기각판결의 기판력에 구속된다.01 따라서 법원은 무효확인판결을 내릴 수 없다.

관련판례

과세처분취소소송에서 청구가 기각된 확정판결의 기판력은 과세처분 무효확인소송에도 미친다.02 ★★★

과세처분취소청구를 기각하는 판결이 확정되면 그 처분이 적법하다는 점에 관하여 기판력이 생기고 그 후 원고가 다시 이를 무효라 하여 그 무효확인을 소구할 수는 없는 것이어서, 과세처분의 취소소송에서 청구가 기각된 확정판결의 기판력은 그 과세처분의 무효확인을 구하는 소송에도 미친다(대판 1996. 6. 25, 95누1880).

2. 취 지

기판력은 분쟁의 종국적인 해결을 위하여 확정판결에 의해 이미 해결된 법적 분쟁에 대하여 다시 소송으로 다투는 것을 막기 위하여 인정된 판결의 효력이다. 기판력은 확정판결이 가지는 효력이라는 점에서 **형식적 확정력의 존재를 전제**로 한다.

3. 내 용

일단 재판이 확정된 때에는 전소판결에서 청구의 대상이 된 동일한 소송물에 대하여 다시 소송을 제기할 수 없고(반복금지), 비록 소송이 제기되더라도 당사자는 기판력이 발생한 전소의 확정판결에 반하는 내용을 후소에서 주장할 수 없으며 법원 역시 전소판결에 반하는 판단을 할 수 없다(모순금지).

관련판례

행정청이 관련 법령에 근거하여 행한 공사중지명령의 상대방이 명령의 취소를 구한 소송에서 패소함으로써 그 명령이 적법한 것으로 이미 확정되었다면, 이후 이러한 공사중지명령의 상대방은 그 명령의 해제신청을 거부한 처분의 취소를 구하는 소송에서 그 명령의 적법성을 다툴 수 없다(대판 2014. 11. 27, 2014두37665).03

4. 범 위

(1) 주관적 범위

① 기판력은 당해 소송의 **당사자**(원고와 피고) **및 당사자와 동일시할 수 있는 승계인에게만 미치고, 제3자에게는 미치지 않는다.04ⓐ** 기판력의 주관적 범위가 무제한 넓어진다면 제3자의 재판청구권을 침해할 우려가 있으므로 제3자에게는 기판력이 미치지 않는 것이다.

② 한편, 취소소송에서는 소송수행의 편의상 권리주체인 국가 · 공공단체가 아닌 처분행정청을 피고로 하는 것에 불과하기 때문에 그 판결의 **기판력은 피고인 처분행정청이 속하는 국가나 공공단체에도 미친다.**

관련판례

처분청을 피고로 한 과세처분취소소송의 기판력은 당해 처분이 귀속하는 국가 또는 공공단체에 미친다.05 06 ★★★

과세처분취소소송의 피고는 처분청이므로 행정청을 피고로 하는 취소소송의 기판력은 당해 처분이 귀속하는 국가 또는 공공단체에 미친다(대판 1998. 7. 24, 98다10854).

(2) 객관적 범위

① 기판력은 민사소송과 동일하게 **판결의 주문에 나타난 판단에만 미치며, 판결이유에서 제시된 그 전제가 되는 법률관계, 즉 판결이유 중에 적시된 구체적인 위법사유에 관한 판단에는 미치지 않는다.07**

기출 체크

□□□□□ **01** 처분의 취소를 구하는 청구에 대한 기각판결은 기판력이 발생하지 않는다. (○, ×) 2022 군무원 9급

□□□□□ **02** 처분의 취소소송에서 청구를 기각하는 확정판결의 기판력은 다시 그 처분에 대해 무효확인을 구하는 소송에 대해서는 미치지 않는다. (○, ×) ★★★ 2021 국회직 8급

□□□□□ **03** 공사중지명령의 상대방이 제기한 공사중지명령 취소소송에서 기각판결이 확정된 경우 특별한 사정변경이 없더라도 그 후 상대방이 제기한 공사중지명령해제신청 거부처분취소소송에서는 그 공사중지명령의 적법성을 다시 다툴 수 있다. (○, ×) 2022 지방직 · 서울시 9급

□□□□□ **04** 기판력은 당해 소송의 당사자 및 당사자와 동일시할 수 있는 자에게만 미치고, 제3자에게는 미치지 않는다. (○, ×) ★★★ 2009 관세사

□□□□□ **05** 취소소송의 피고는 처분청이므로 행정청을 피고로 하는 취소소송에 있어서의 기판력은 당해 처분이 귀속하는 국가 또는 공공단체에 미친다. (○, ×) ★★★ 2010 국가직 9급

□□□□□ **06** 세무서장을 피고로 하는 과세처분취소소송에서 패소하여 그 판결이 확정된 자가 국가를 피고로 하여 과세처분의 무효를 주장하여 과오납금반환청구소송을 제기하더라도 취소소송의 기판력에 반하는 것은 아니다. (○, ×) ★★★ 2019 서울시 9급

□□□□□ **07** 판례는 기판력의 객관적 범위가 판결의 주문 이외에 판결이유에 설시된 그 전제가 되는 법률관계의 존부에도 미친다고 판시하고 있다. (○, ×) ★★★ 2011 지방직 9급

ⓐ **보조참가인의 경우**
보조참가인에게도 기판력이 미치는지에 대해서는 긍정하는 견해도 있으나 다수설은 기판력이 미치지 않는다고 본다.

정답 01 × 02 × 03 × 04 ○ 05 ○ 06 × 07 ×

기출 체크

□□□□□ **01** 취소소송의 소송물을 처분의 위법성 일반으로 보게 되면, 어떠한 처분에 대한 청구기각의 확정판결이 있는 경우에도 후에 제기되는 취소소송에서 그 처분의 위법성을 주장할 수 있다. (○, ×) ★★★ 2018 지방직 9급

□□□□□ **02** 취소소송에서 전소와 후소가 그 소송물을 달리하는 경우에는 전소 확정판결의 기판력이 후소에 미치지 아니한다. (○, ×) ★★ 2009 국회직 8급

□□□□□ **03** 전소와 후소의 소송물이 동일하지 않다고 하더라도 전소의 기판력 있는 법률관계가 후소의 선결적 법률관계가 되는 때에는 전소의 판결의 기판력이 후소에 미쳐 후소의 법원은 전에 한 판단과 모순되는 판단을 할 수 없다. (○, ×) 2015 경행특채 1차

□□□□□ **04** 취소판결의 기판력은 소송물로 된 행정처분의 위법성 존부에 관한 판단 그 자체에만 미친다. (○, ×) ★★★ 2016 국회직 8급

□□□□□ **05** 기판력은 사실심변론종결시를 기준으로 하여 발생한다. (○, ×) ★★★ 2008 세무사

□□□□□ **06** (甲이 관할행정청으로부터 영업허가취소처분을 받았고, 이에 대해 취소소송을 제기하여 취소판결이 확정된 경우) 위 취소판결에는 기판력은 발생하지만 형성력은 발생하지 않는다. (○, ×) ★★★ 2016 국회직 8급

□□□□□ **07** 형성력은 원고승소판결과 원고패소판결 모두에 인정된다. (○, ×) ★★★ 2008 세무사

□□□□□ **08** 확정된 청구기각판결의 형성력은 소송당사자인 원고와 피고행정청 사이에 발생할 뿐 아니라 제3자에게도 미친다. (○, ×) ★★★ 2008 국가직 9급

● 기판력
- 기판력은 청구인용판결과 청구기각판결 모두 인정된다.
- 기판력은 형식적 확정력의 존재를 전제로 한다.
- 기판력은 당사자 및 이와 동일시할 수 있는 승계인에게 미치며 제3자에게는 미치지 않는다.
- 기판력은 피고인 처분행정청이 속하는 국가나 공공단체에도 미친다.
- 기판력은 판결의 주문에 포함된 것에 미치며 판결이유에 나타난 법률관계의 존부에까지 미치는 것은 아니다.
- 기판력은 사실심변론종결시를 기준으로 하여 발생한다.

정답 01 × 02 ○ 03 ○ 04 ○ 05 ○ 06 × 07 × 08 ×

② 취소소송의 소송물을 위법성 일반이라고 보는 다수설과 판례에 따르면 **취소소송의 기판력은 인용판결의 경우에 당해 처분이 위법하다는 점에 미치며, 기각판결의 경우에 기판력은 당해 처분이 적법하다는 점에 미친다.** 따라서 어떠한 처분에 대한 청구기각의 확정판결이 있는 경우라면 **당사자는 후소에서 그 처분의 위법성을 주장할 수 없다.01** 한편, 사정판결은 청구기각판결의 일종이지만 기판력은 당해 처분이 위법하다는 점에 미친다(p.891 ❷ 2. (5) 참조).

③ 판례에 따르면, **취소판결의 기판력은 소송물로 된 행정처분의 위법성 존부에 관한 그 자체에만 미치는 것이므로 전소와 후소가 그 소송물을 달리하는 경우에는 전소확정판결의 기판력이 후소에 미치지 아니한다**(대판 1996. 4. 26, 95누5820).**02**

④ **그러나 전소와 후소의 소송물이 동일하지 아니하여도 전소의 주문에 포함된 법률관계가 후소의 선결적 법률관계가 되는 때에는 전소의 판결의 기판력이 후소에 미쳐 후소의 법원은 전에 한 판단과 모순되는 판단을 할 수 없다**(대판 2000. 2. 25, 99다55472 ; 대판 2001. 1. 16, 2000다41349).**03**

관련판례

기판력은 판결주문에 대해서 미친다.★★★

기판력의 객관적 범위는 그 판결의 주문에 포함된 것, 즉 소송물로 주장된 법률관계의 존부에, 즉 위법성 존부에 관한 판단 그 자체에만 미치는 것이고, 판결이유에 설시된 그 전제가 되는 법률관계의 존부에까지 미치는 것은 아니다(대판 1987. 6. 9, 86다카2756).**04**

(3) 시간적 범위

종국판결은 변론종결시까지 소송에 나타난 자료를 기초로 하여 행하여지며, 당사자도 변론종결시까지 소송자료를 제출할 수 있으므로 기판력은 **사실심변론종결시를 기준으로 하여 발생한다.05** 따라서 처분청은 당해 사건의 사실심변론종결 이전에 주장할 수 있었던 사유를 내세워 확정판결과 저촉되는 처분을 할 수 없다.

5. 기판력(실질적 확정력)의 주장

확정판결이 이미 있었다는 사실의 주장은 직권조사사항이며, 상고심에서도 이를 주장할 수 있다는 것이 판례의 입장이다.

6. 기판력(실질적 확정력)과 처분청의 직권취소

기판력(실질적 확정력)은 전소의 판결이 후소의 관할법원에 대해 가지는 구속력의 문제이기 때문에 행정행위의 직권취소와는 직접 관련성이 없다. 따라서 **원고의 청구가 기각되는 경우에도 처분청은 직권취소를 할 수도 있다.**

❹ 형성력(제3자에 대한 효력)

1. 의 의

판결의 형성력이란 일반적으로 판결의 취지에 따라 법률관계의 발생 · 변경 · 소멸을 가져오는 효력을 말한다. 형성력은 기판력과 달리 기각판결에는 인정되지 않고, **청구인용판결의 경우에만 인정된다.06 07 08**

2. 근 거

행정소송법은 취소판결의 형성력에 관해 명시적으로 규정하는 바가 없다. 그러나 행정의 법률적합성의 원칙과 행정소송법 제29조 제1항의 규정내용에 비추어 취소판결의 형성력을 인정할 수 있다는

것이 일반적 견해이다.

3. 효 과

(1) 형성효

취소소송의 성질에 관해 통설인 형성소송설에 따르면 처분의 취소판결이 확정되면 처분 등의 효력은 **처분청의 별도 행위를 기다릴 것 없이 소멸되어 처분이 없었던 것과 같은 상태로 된다.** 따라서 취소판결 후에 취소된 처분을 대상으로 하는 처분, 예컨대 과세처분취소판결의 확정 후에 한 당초처분의 경정처분은 존재하지 않는 처분을 경정한 것으로 **당연무효**라는 것이 판례의 입장이다.

관련판례

1. **행정처분취소 확정판결은 형성력이 있으므로 행정청의 별도 취소절차 없이도 처분의 효력은 소멸한다.01 02 ★★★**

   행정처분을 취소한다는 확정판결이 있으면 그 취소판결의 형성력에 의하여 당해 행정처분의 취소나 취소통지 등의 별도의 절차를 요하지 아니하고 당연히 취소의 효과가 발생한다고 할 것이고 별도로 취소의 절차를 취할 필요는 없을 것이다(대판 1991. 10. 11, 90누5443).

2. **과세처분취소 판결의 확정 후에 한 당초 과세처분의 경정처분은 무효이다.03 04 ★★★**

   과세처분을 취소하는 판결이 확정되면 그 과세처분은 처분시에 소급하여 소멸하므로 그 뒤에 과세관청에서 그 과세처분을 경정하는 경정처분을 하였다면 이는 존재하지 않는 과세처분을 경정한 것으로서 그 하자가 중대하고 명백한 당연무효의 처분이다(대판 1989. 5. 9, 88다카16096).

(2) 소급효

취소판결의 취소의 효과는 판결시가 아닌 처분시로 소급하는데 이를 취소판결의 소급효라고 한다. 소급효가 미치는 결과, 취소된 처분을 전제로 형성된 법률관계는 원칙적으로 모두 효력을 상실한다.

관련판례

「도시 및 주거환경정비법」상 주택재개발사업조합의 조합설립인가처분이 법원의 재판에 의하여 취소된 경우, 주택재개발사업조합이 조합설립인가처분 취소 전에 「도시 및 주거환경정비법」상 적법한 행정주체 또는 사업시행자로서 한 결의 등 처분은 소급하여 효력을 상실한다(대판 2012. 3. 29, 2008다95885).**05 ★★★**

(3) 취소판결의 제3자효(대세효)

① 개 념

취소판결의 형성력과 소급효는 소송에 관여하지 않은 제3자에 대하여도 미치는데 이를 취소판결의 제3자효(대세효)라고 한다. 행정소송법은 **처분 등을 취소하는 확정판결이 제3자에 대하여도 효력이 있다고** 하여 처분취소판결의 제3자에 대한 구속력을 명문화하고 있다.06 07 제3자에 대하여도 효력이 있다는 것은 취소판결의 존재와 그 판결에 의해 형성되는 법률관계를 제3자도 용인하여야 함을 의미한다.❶

② 제3자효의 확장

제3자효에 대한 효력은 **집행정지의 결정이나 집행정지의 취소의 결정의 경우에 준용된다**(동법 제29조 제2항). 또한 **무효등확인소송 · 부작위위법확인소송의 경우에도 준용된다**(동법 제38조 제1 · 2항).

관련판례

행정처분의 무효확인판결은 비록 형식상은 확인판결이라 하여도 그 효력은 취소판결의 경우와 같이 소송의 당사자는 물론 제3자에게도 미친다(대판 1982. 7. 27, 82다173).**09**

기출 체크

□□□□□ **01** 영업정지처분에 대한 취소소송에서 취소판결이 확정되면 처분청은 영업정지처분의 효력을 소멸시키기 위하여 영업정지처분을 취소하는 처분을 하여야 할 의무를 진다. (○, ×) ★★★ 2022 지방직 · 서울시 9급

□□□□□ **02** 행정처분을 취소한다는 확정판결이 있으면 그 취소판결의 형성력에 의하여 당해 행정처분의 취소나 취소통지 등의 별도의 절차를 요하지 아니하고 당연히 취소의 효과가 발생한다. (○, ×) ★★★ 2015 경행특채 1차

□□□□□ **03** 취소판결이 확정된 과세처분을 과세관청이 경정하는 처분을 하였다면 당연무효의 처분이라고 할 수 없고 단순위법인 취소사유를 가진 처분이 될 뿐이다. (○, ×) ★★★ 2021 군무원 7급

□□□□□ **04** 취소판결 후에 취소된 처분을 대상으로 하는 처분은 당연히 무효이다. (○, ×) ★★★ 2012 지방직 7급

□□□□□ **05** 「도시 및 주거환경정비법」상 주택재개발사업조합의 조합설립인가처분이 법원의 재판에 의하여 취소된 경우 그 조합설립인가처분은 소급하여 효력을 상실한다. (○, ×) ★★★ 2015 국회직 8급

□□□□□ **06** 처분 등을 취소하는 확정판결은 제3자에 대하여도 효력이 있다. (○, ×) ★★★ 2023 지방직 · 서울시 9급

□□□□□ **07** 제3자효 행정행위를 취소하거나 무효를 확인하는 확정판결은 제3자에 대해서 효력을 미치지 않는다. (○, ×) ★★★ 2014 국가직 7급

□□□□□ **08** 행정처분을 취소하는 확정판결이 있으면 그 취소판결 자체의 효력에 의해 그 행정처분을 기초로 하여 새로 형성된 제3자의 권리는 당연히 그 행정처분 전의 상태로 환원된다. (○, ×) 2023 국가직 7급

□□□□□ **09** 행정처분의 무효확인판결은 확인판결이라고 하여도 행정처분의 취소판결과 같이 소송당사자는 물론 제3자에게도 미치는 것이다. (○, ×) 2021 군무원 7급

판례 | ❶ 취소판결 자체의 효력으로써 그 행정처분을 기초로 하여 새로 형성된 제3자의 권리까지 당연히 그 행정처분 전의 상태로 환원되는 것이라고는 할 수 없고,08 단지 취소판결의 존재와 취소판결에 의하여 형성되는 법률관계를 소송당사자가 아니었던 제3자라 할지라도 이를 용인하지 않으면 아니 된다는 것을 의미하는 것에 불과하다 할 것이며, …… (대판 1986. 8. 19, 83다카2022)

정답 01 × 02 ○ 03 × 04 ○ 05 ○ 06 ○ 07 × 08 × 09 ○

기출 체크

□□□□□ 01 처분을 취소하는 판결은 그 사건에 관하여 당사자인 행정청과 그 밖의 관계행정청을 기속한다. (○, ×) ★★★ 2015 서울시 7급

□□□□□ 02 현행 행정소송법은 취소판결에 대하여 기속력 있음을 규정하고 무효등확인소송과 부작위위법확인소송 및 당사자소송에 이를 준용하고 있다. (○, ×) ★ 2010 국가직 9급

□□□□□ 03 기속력은 청구인용판결뿐만 아니라 청구기각판결에도 미친다. (○, ×) ★★★ 2019 서울시 9급

□□□□□ 04 취소소송의 기각판결이 확정되면 기판력은 발생하나 기속력은 발생하지 않는다. (○, ×) ★★★ 2016 국가직 9급

□□□□□ 05 취소소송이 기각되어 처분의 적법성이 확정된 이후에도 처분청은 당해 처분이 위법함을 이유로 직권취소할 수 있다. (○, ×) ★★★ 2015 국가직 7급

● 기속력

- 기속력은 청구인용판결의 경우에만 인정된다.
- 기속력의 성질에 대해 기판력설과 특수효력설이 대립하는데 다수설은 특수효력설을 취하고 있다.
- 신청에 따른 처분이 절차상의 위법을 이유로 취소된 경우 그 처분을 한 행정청은 판결의 취지에 따라 적법한 절차에 의해 이전 신청에 대한 처분을 하여야 한다.
- 기속력을 위반한 행정처분은 당연무효이다.

정답 01 ○ 02 ○ 03 × 04 ○ 05 ○

4. 제3자 보호의 문제

(1) 소송에 참가하여 자기의 이익을 방어하거나 주장할 기회를 가지지 아니한 제3자에 대하여 판결의 효력을 미치게 한다는 것은 소송법의 원칙에 어긋나며, 자칫 국민의 재판청구권을 침해할 우려도 없지 않다.

(2) 이러한 문제를 고려하여 행정소송법은 **제3자의 소송참가 및 제3자의 재심청구**에 관해 명문규정을 두고 있다(동법 제16 · 31조).

5 기속력(행정기관에 대한 효력)

1. 의 의

(1) 개 념

취소판결의 기속력이란 처분 등을 취소하는 확정판결이 그 사건에 관하여 **당사자인 행정청과 그 밖의 관계행정청을 기속하는 효력**을 말한다.**01** 기속력은 당사자인 행정청과 그 밖의 관계행정청이 확정판결의 취지에 따라야 하는 의무를 발생시키는 효력(구속력)이다.

(2) 소송법의 태도

행정소송법은 처분 등을 취소하는 확정판결은 그 사건에 관하여 당사자인 행정청과 그 밖의 관계행정청을 기속한다고 하여 이를 **명시**하고, **이 규정을 그 밖의 항고소송과 당사자소송에도 준용**하고 있다(동법 제30조 제1항, 제38조).**02**

(3) 기속력이 인정되는 판결

기속력은 형성력과 동일하게 **청구인용판결의 경우에만 인정**되며 청구기각판결에는 인정되지 않는다.**03 04** 따라서 **청구기각판결이 확정되어 처분의 적법성이 확정된 이후**에도 **처분청**은 당해 처분이 위법함을 이유로 **처분을 직권취소할 수 있다**.**05**

2. 기속력의 성질(기판력과 기속력의 관계)

(1) 학 설

① **기판력설**

기속력은 기판력과 동일하다는 견해로서 취소판결의 기판력이 행정청에 미치는 것에 불과하다고 한다.

② **특수효력설**

기속력은 취소판결의 실효성을 확보하기 위해 행정소송법이 특별히 부여한 효력으로서 기판력과는 그 본질을 달리한다고 보는 견해로서 **통설의 입장**이다. 즉, 기속력은 판결 그 자체의 효력이 아니라 취소판결 효과의 실질적인 보장을 위해 행정소송법이 특별히 인정한 효력이라는 견해이다.

(2) 판 례

판례는 종래 기속력과 기판력이라는 용어를 혼용하고 있으며 **최근에는 명확히 구별하는 판례도 있다**. 한편, 이러한 판례의 입장에 대해서는 특수효력설을 취하고 있는 것으로 보는 견해가 있고, 판례의 입장은 불분명하다고 보는 견해도 있다.

관련판례

취소 확정판결의 '기속력'은 취소청구가 인용된 판결에서 인정되는 것으로서 당사자인 행정청과 그 밖의 관계행정청에게 확정판결의 취지에 따라 행동하여야 할 의무를 지우는 작용을 한다.
이에 비하여 행정소송법 제8조 제2항에 의하여 행정소송에 준용되는 민사소송법 제216 · 218조가 규정하고 있는 '기판력'이란 기판력 있는 전소 판결의 소송물과 동일한 후소를 허용하지 않음과 동시에, 후소의 소송물이 전소의 소송물과 동일하지는 않더라도 전소의 소송물에 관한 판단이 후소의 선결문제가 되거나 모순관계에 있을 때에는 후소에서 전소 판결의 판단과 다른 주장을 하는 것을 허용하지 않는 작용을 한다(대판 2016. 3. 24, 2015두48235).**01**

기판력과 기속력

구 분	기판력	기속력
적용 판결	인용판결과 기각판결 모두에 발생	인용판결에만 발생**02**
인적 범위	당사자와 후소법원을 구속	관계행정청을 구속
시간적 범위	사실심변론종결시	처분시
객관적 범위	판결주문에 표시된 계쟁처분의 위법 또는 적법성 일반	판결주문과 판결이유 중에 설시된 개개의 위법사유

3. 기속력의 내용

(1) 부작위의무(동일내용의 반복금지의무)

① 의 의

취소판결이 확정되면 행정청은 확정판결에 저촉되는 행위를 하여서는 안 될 의무를 진다. 즉, 행정청은 동일한 사실관계 아래에서 동일한 당사자에 대하여 동일한 내용의 처분 등을 반복해서는 안 된다.**03**

② 위반의 효과

반복금지의무를 위반한 처분은 그 하자가 중대 · 명백하여 무효라는 것이 판례의 입장이다.**04**

관련판례

확정판결을 받은 처분행정청이 사실심변론종결 이전의 사유를 내세워 다시 확정판결과 저촉되는 행정처분을 하는 것은 무효이다. ★★★

확정판결의 당사자인 처분행정청이 그 행정소송의 사실심변론종결 이전의 사유를 내세워 다시 확정판결과 저촉되는 행정처분을 하는 것은 허용되지 않는 것으로서 이러한 행정처분은 그 하자가 중대하고도 명백한 것이어서 당연무효라 할 것이다(대판 1990. 12. 11, 90누3560).

✚ 대법원이 단순히 사실심변론종결 이전의 사유라고 판시하고 있지만 이는 사실심변론종결 이전의 사유로서 기본적 사실관계가 동일한 사유를 내세워 다시 동일한 행정처분을 할 수 없다는 의미로 해석하는 것이 일반적 견해이다[p.903(대판 2001. 3. 23, 99두5238)도 동일함].

③ 반복금지의무의 범위ⓐ

㉠ 기속력은 판결의 주문과 이유에서 적시된 개개의 위법사유에만 미치므로 처분시에 존재한 원래의 처분과 기본적 사실관계에 동일성이 없는 다른 사유를 들어 동일한 처분을 하더라도 반복금지의무에 위반되지 않는다. 따라서 처분청은 종전 처분 후 발생한 새로운 사유가 기본적 사실관계의 동일성이 없는 사유인 경우 그 새로운 사유를 내세워 재처분으로 다시 거부처분을 할 수 있다.

관련판례

종전 처분 후 발생한 새로운 사유를 내세워 다시 거부처분을 하는 것은 처분 등을 취소하는 확정판결의 기속력에 위배되지 않는다(대판 2011. 10. 27, 2011두14401).

기출 체크

□□□□□ **01** 전소의 판결이 확정된 경우 후소의 소송물이 전소의 소송물과 동일하지 않더라도 전소의 소송물에 관한 판단이 후소의 선결문제가 되는 경우에 후소에서 전소 판결의 판단과 다른 주장을 하는 것은 기판력에 반한다. (○, ×) 2023 국가직 7급

□□□□□ **02** 취소판결의 기속력은 그 사건의 당사자인 행정청과 그 밖의 관계행정청에게 확정판결의 취지에 따라 행동하여야 할 의무를 지우는 것으로 이는 인용판결에 한하여 인정된다. (○, ×) 2018 국회직 8급

□□□□□ **03** 청구인용판결이 확정되면 행정청은 동일한 사실관계 아래서 동일 당사자에 대하여 동일한 내용의 처분을 반복할 수 없다. (○, ×) 2004 입법고시

□□□□□ **04** 기속력을 위반한 행정청의 행위는 당연무효이다. (○, ×) ★★★ 2020 국회직 8급

□□□□□ **05** 법규위반을 이유로 내린 영업허가취소처분이 비례의 원칙 위반으로 취소된 경우에 동일한 법규위반을 이유로 영업정지처분을 내리는 것은 기속력에 반하지 않는다. (○, ×) 2017 서울시 9급

ⓐ 반복금지의무에 위반되지 않는 경우

1. 기본적 사실관계가 다른 경우
   미성년자를 고용했다는 이유로 2개월의 영업정지처분을 받은 후 영업정지처분취소소송을 제기하여 승소하였으나 행정청이 무자료거래를 이유로 2개월의 영업정지처분을 하더라도 반복금지의무를 위반한 처분이 아니다.
2. 위법사유를 보완한 후 동일내용의 처분을 하는 경우
   법규위반을 이유로 내린 '영업허가취소처분'이 비례원칙 위반으로 취소된 경우에 동일한 법규위반을 이유로 '영업정지처분'을 내리는 것은 기속력에 반하지 않는다.**05** 그러나 법규위반을 이유로 내린 영업허가취소처분이 법규위반사실이 없음을 이유로 취소된 경우에 동일한 법규위반을 이유로 영업정지처분을 내리는 것은 당연히 기속력에 위반된다.

정답 01 ○ 02 ○ 03 ○ 04 ○ 05 ○

ⓛ 처분이 절차나 형식의 하자를 이유로 취소된 경우에 처분청 스스로 판결에 의하여 적시된 위법사유를 보완한 후 동일내용의 처분을 하는 것은 기속력에 반하지 않는다. 왜냐하면 위법사유를 보완한 처분은 원래의 처분과는 별개의 처분이기 때문이다.

관련판례

과세처분시 납세고지서에 절차 내지 형식의 위법을 이유로 과세처분을 취소하는 판결이 확정된 경우에 그 확정판결의 기판력(편저자 주 : 기속력)은 확정판결에 적시된 절차 내지 형식의 위법사유에 한하여 미친다고 할 것이므로 과세처분취소소송의 확정판결에 적시된 위법사유를 보완하여 새로이 행한 과세처분은 종전의 과세처분과는 별개의 처분으로서 확정판결의 기판력(편저자 주 : 기속력)에 저촉되지 않는다(대판 1986. 11. 11, 85누231). **01 02** ⓐ ★★★

(2) 재처분의무(적극적 처분의무)

행정소송법 제30조【취소판결 등의 기속력】 ② 판결에 의하여 취소되는 처분이 당사자의 신청을 거부하는 것을 내용으로 하는 경우에는 그 처분을 행한 행정청은 판결의 취지에 따라 다시 이전의 신청에 대한 처분을 하여야 한다.
③ 제2항의 규정은 신청에 따른 처분이 절차의 위법을 이유로 취소되는 경우에 준용한다.

재처분의무란 행정청이 판결의 취지에 따른 처분을 하여야 함을 의미하는 것으로 적극적 처분의무라 부르기도 한다. 재처분의무는 행정청에 대하여 판결의 취지에 따라 신청에 대한 새로운 처분을 하여야 할 의무를 부과함으로써 신청인에게 실질적인 권리구제를 확보해 주기 위한 것이다.

① 거부처분취소의 경우

㉠ **소송법규정의 내용** : 판결에 의하여 취소되는 처분이 당사자의 신청을 거부하는 것을 내용으로 하는 경우에는 그 처분을 행한 행정청은 판결의 취지에 따라 다시 이전의 신청에 대한 처분을 하여야 한다. 이러한 재처분의무는 당사자의 새로운 신청이 없더라도 당연히 하여야 하는 의무이다.

㉡ **판결의 취지에 따른 재처분** : 한편, 판결의 취지에 따른다는 의미는 반드시 원고가 신청한 대로 재처분을 하여야 하는 것을 의미하는 것은 아니다. **03** 행정청은 반드시 원고의 신청대로 재처분할 것은 아니고 처분 후 발생한 새로운 사유를 이유로 거부처분을 할 수도 있다. **04**

관련판례

1. 거부처분취소의 확정판결을 받은 행정청이 사실심변론종결 이후 발생한 새로운 사유를 내세워 다시 이전의 신청에 대하여 거부처분을 한 경우 이러한 처분은 행정소송법 제30조 제2항에 규정된 재처분에 해당한다(기속력에 반하는 처분이 아니라는 의미)(대판 1999. 12. 28, 98두1895). ★★

2. 취소 확정판결의 기속력의 범위에 관한 법리 및 도시관리계획의 입안 결정에 관하여 행정청에게 부여된 재량을 고려하면, 주민 등의 도시관리계획입안 제안을 거부한 처분을 이익형량에 하자가 있어 위법하다고 판단하여 취소하는 판결이 확정되었더라도 행정청에게 그 입안 제안을 그대로 수용하는 내용의 도시관리계획을 수립할 의무가 있다고는 볼 수 없고, 행정청이 다시 새로운 이익형량을 하여 적극적으로 도시관리계획을 수립하였다면 취소판결의 기속력에 따른 재처분의무를 이행한 것이라고 보아야 한다 **05** (편저자 주 : 원고가 학교시설로 도시계획시설이 결정되어 있는 부지를 취득한 후 그 지상에 가설건축물 건축허가를 받고 옥외골프연습장을 축조하여 이를 운영하여 오고 있던 중, 피고에게 위 부지에 관하여 도시계획시설(학교)결정을 폐지하고 가설건축물의 건축용도를 유지하는 내용의 지구단위계획안을 입안 제안하였는데, 피고가 이를 거부하는 처분을 하였고 이에 원고가 항고소송을 제기하여 위 거부처분에 대한 취소확정판결을 받았다. 이후 피고가 새로운 재량고려사유를 들어 도시계획시설(학교)결정을 폐지하고, 위 부지를 특별계획구역으로 지정하는 내용의 도시관리계획결정을 하였는바, 이러한 새로운 내용의 도시관리계획결정이 피고가 원고의 입안 제안을 그대로 수용하지 않은 것이더라도 기존 취소판결의 기속력에 반하지 않는다고 본 사례이다)(대판 2020. 6. 25, 2019두56135).

기출 체크

□□□□□ **01** 절차상의 하자를 이유로 행정처분을 취소하는 판결이 선고되어 확정된 경우, 그 확정판결의 기속력은 취소사유로 된 절차의 위법에 한하여 미치는 것이므로 행정청은 적법한 절차를 갖추어 동일한 내용의 처분을 다시 할 수 있다. (○, ×) ★★★ 2022 지방직 · 서울시 9급

□□□□□ **02** 행정절차의 하자를 이유로 한 취소판결이 확정된 경우, 판결의 취지에 따라 절차를 보완한 후 종전의 처분과 동일한 내용의 처분을 다시 하더라도 기속력에 위반되지 아니한다. (○, ×) ★★★ 2021 국회직 8급

□□□□□ **03** (거부처분취소판결에 따른 행정청의 재처분의무와 관련하여) 행정청의 재처분내용은 판결의 취지를 존중하는 것이면 되고 반드시 원고가 신청한 내용대로 처분해야 하는 것은 아니다. (○, ×) ★★★ 2019 사회복지직 9급

□□□□□ **04** 거부처분의 취소판결이 확정된 경우에 그 처분을 행한 행정청은 종전 처분 후에 발생한 새로운 사유를 내세워 다시 거부처분을 할 수 있다. (○, ×) ★★ 2016 국가직 7급

□□□□□ **05** 주민 등의 도시관리계획의 입안제안을 거부하는 처분에 대하여 이익형량의 하자를 이유로 취소판결이 확정된 후에 행정청이 다시 이익형량을 하여 주민 등이 제안한 것과는 다른 내용의 계획을 수립한다면 이는 재처분의무를 이행한 것으로 볼 수 없다. (○, ×) 2023 국가직 7급

ⓐ 앞서 본 바와 같이 많은 판례는 기속력이라는 용어와 기판력이라는 용어를 혼용하여 사용하고 있다. 이 판례에서 기판력이라는 용어를 사용하였지만 이는 기속력의 의미로 이해해야 한다. 또한 대법원이 단순히 사실심변론종결 이전의 사유라고 판시하고 있지만 이는 사실심변론종결 이전의 사유로서 기본적 사실관계가 동일한 사유를 내세워 다시 동일한 행정처분을 할 수 없다는 의미로 해석하는 것이 일반적 견해라는 점도 앞서 살펴본 바와 같다. 수험생으로서는 판례의 표현을 물을 때에는 기속력 또는 기판력이라는 용어에 너무 구애받지 말고 이런 판례가 있다는 점을 기억하기 바란다.

정답 01 ○ 02 ○ 03 ○ 04 ○ 05 ×

ⓒ 구체적 내용

ⓐ **거부처분이 형식상(절차상)의 위법을 이유로 취소된 경우** : 행정청은 동일한 형식상(절차상)의 위법을 반복하지 않고 다시 재처분을 하면 된다. 따라서 행정청은 실체적 요건을 심사하여 신청된 대로 처분을 할 수도 있고 다시 거부처분을 할 수도 있다.

ⓑ **거부처분이 실체상의 위법을 이유로 취소된 경우** : 위법판단의 기준시에 관해 통설 및 판례의 입장인 처분시설에 따르면 거부처분 이후의 새로운 사유(예 법령의 변경 또는 사실상황의 변경)를 이유로 다시 거부처분을 하는 것은 가능하다.01 다만, 새로운 사유가 없다면 실체법상의 위법사유에 기하여 취소하는 판결이 확정된 경우에는 당해 거부처분을 한 행정청은 원칙적으로 신청을 인용하는 처분을 하여야 할 것이다.

관련판례

거부처분에 대한 취소판결이 확정된 경우 행정청이 사실심변론종결 이전의(동일한) 사유를 내세워 다시 거부처분을 할 수 없다.★★

취소소송에서 소송의 대상이 된 거부처분을 실체법상의 위법사유에 기하여 취소하는 판결이 확정된 경우에는 당해 거부처분을 한 행정청은 원칙적으로 신청을 인용하는 처분을 하여야 하고, 사실심변론종결 이전의 사유를 내세워 다시 거부처분을 하는 것은 확정판결의 기속력에 저촉되어 허용되지 아니한다(대판 2001. 3. 23, 99두5238).

ⓓ **거부처분시 이전에 존재하던 다른 사유를 근거로 다시 거부처분이 가능한지의 문제** : 소송계속 중 처분사유의 추가 · 변경은 기본적 사실관계의 동일성이 인정되는 한도 내에서만 인정된다는 판례의 입장에 따르면, 거부처분 이전에 존재하였으나 처분시에 제시하지 않았던 사유가 처음에 제시한 사유와 기본적 사실관계의 동일성이 없어 법원이 판단대상에서 제외된 경우라면 행정청이 다시 처분을 하면서 처분의 이유로 법원의 판단대상에서 제외된 사유를 주장할 수 있다는 것이 판례의 입장이다.

관련판례

종전 확정판결의 행정소송 과정에서 한 주장 중 처분사유가 되지 아니하여 판결의 판단대상에서 제외된 부분을 행정청이 그 후 새로이 행한 처분의 적법성과 관련하여 새로운 소송에서 다시 주장하는 것은 위 확정판결의 기판력(편저자 주 : 기속력을 의미)에 저촉되지 않는다.02

이미 원고의 승소로 확정된 판결은 원고 출원의 광구 내에서의 불석채굴이 공익을 해한다는 이유로 한 피고의 불허가처분에 대하여 그것이 공익을 해한다고는 보기 어렵다는 이유로 이를 취소한 내용으로서 이 소송과정에서 피고가 원고 출원의 위 불석광은 광업권이 기히 설정된 고령토광과 동일광상에 부존하고 있어 불허가대상이라는 주장도 하였으나 이 주장 부분은 처분사유로 볼 수 없다는 점이 확정되어 판결의 판단대상에서 제외되었다면, 피고가 그 후 새로이 행한 처분의 적법성과 관련하여 다시 위 주장을 하더라도 위 확정판결의 기판력에 저촉된다고 할 수 없다(대판 1991. 8. 9, 90누7326).

② 신청에 따른 처분이 절차상 위법을 이유로 취소된 경우

신청에 따른 처분이 절차상의 위법을 이유로 취소된 경우라 함은, 제3자효 행정행위에서 수익적 처분, 즉 처분 상대방에게는 신청에 따른 처분이 행해진 경우, 처분의 상대방이 아닌 제3자가 취소소송을 제기하여 처분이 절차상의 하자를 이유로 취소된 경우를 말한다. 그 처분을 한 행정청은 판결의 취지에 따라 적법한 절차에 의하여 다시 이전의 신청에 대한 처분을 하여야 한다.03ⓐ

기출 체크

□□□□□ **01** (甲은 개발제한구역 내의 토지에 건축물을 건축하기 위하여 건축허가를 신청하였다) 허가가 거부되자 甲이 이에 대해 취소소송을 제기하여 승소하였고 판결이 확정되었다면, 관할행정청은 甲에게 허가를 하여야 하며 이전 처분사유와 다른 사유를 들어 다시 허가를 거부할 수 없다. (○, ×) ★★★ 2019 국가직 7급

□□□□□ **02** 종전 확정판결의 행정소송과정에서 한 주장 중 처분사유가 되지 아니하여 판결의 판단대상에서 제외된 부분을 행정청이 그 후 새로이 행한 처분의 적법성과 관련하여 새로운 소송에서 다시 주장하는 것은 확정판결의 기판력에 저촉된다. (○, ×) 2017 서울시 9급

□□□□□ **03** 신청에 따른 처분이 절차의 위법을 이유로 취소되는 경우에는 판결의 취지에 따라 다시 이전의 신청에 대한 처분을 하여야 한다. (○, ×) ★★ 2015 서울시 7급

ⓐ **신청에 따른 처분이 취소된 경우**

1. 실체적 위법을 이유로 취소된 경우
   인용처분이 실체적 위법을 이유로 취소되었다면 행정청은 그 판결의 취지에 기속되므로 다시 인용처분을 할 수는 없는 것이고, 이러한 경우 재처분의무를 인정한다는 것은 생각하기 어렵다.
2. 절차상 위법을 이유로 취소된 경우
   인용처분이 절차상의 위법사유로 인하여 취소된 경우에는 적법한 절차에 따라 처분을 한다면 원래의 신청이 인용될 가능성이 있으므로 신청인의 이익을 위하여 이전의 신청에 대한 처분을 다시 하여야 한다고 규정한 것이다.
   예컨대, 乙의 신청에 따라 행정청이 乙에게 유해 공장허가를 한 경우 이로 인해 피해를 받게 될 인근주민 甲이 행정청의 허가에 절차상 하자(공청회를 생략한 하자 등)가 있다는 이유로 취소소송을 제기한 데 대하여 법원이 인용판결을 내리는 경우를 들 수 있다. 이 경우 행정청이 다시 적법한 공청회를 거쳐 乙에게 허가를 내줄 수도 있으므로 재처분의무를 인정할 필요가 있다.

정답 01 × 02 × 03 ○

③ 법령 등의 개정이 있는 경우

㉠ 재처분도 하나의 처분으로서 재처분시의 법령 및 사실상태를 기준으로 행해져야 하며, 원거부처분 이후 법령개정이 있어서 개정법을 근거로 거부한 경우에는 기속력에 반하지 않는 처분, 즉 행정소송법 제30조 제2항에 따른 재처분에 해당한다.

㉡ 다만, 이 경우라도 개정법령에서 종전법령에 따른다는 경과규정을 둔 경우에는 종전법령에 따라 처분을 하여야 하고 개정법령에 따라 거부처분을 하는 것은 무효라는 것이 판례의 입장이다.

관련판례

1. **거부처분취소의 확정판결을 받은 행정청이 거부처분 후에 법령이 개정 · 시행된 경우 이를 새로운 사유로 내세워 다시 거부처분을 한 것은 기속력에 반하는 처분이 아니다.01 ★★**

   행정처분의 적법 여부는 그 행정처분이 행하여진 때의 법령과 사실을 기준으로 하여 판단하는 것이므로 거부처분 후에 법령이 개정 · 시행된 경우에는 개정된 법령 및 허가기준을 새로운 사유로 들어 다시 이전의 신청에 대한 거부처분을 할 수 있으며 그러한 처분도 행정소송법 제30조 제2항에 규정된 재처분에 해당된다(대결 1998. 1. 7, 97두22).

2. **거부처분 이후 변경된 법령에 따라 새로운 사유를 들어 다시 거부처분을 하는 경우에도 개정법령에서 종전 규정에 따른다는 경과규정을 두었다면 이를 간과하고 개정법령에 따라 한 거부처분은 기속력에 위반되어 무효이다.**

   주택건설사업승인신청 거부처분의 취소를 명하는 판결이 확정되었음에도 행정청이 그에 따른 재처분을 하지 않은 채 위 취소소송계속 중에 도시계획법령이 개정되었다는 이유를 들어 다시 거부처분을 한 사안에서, 개정된 도시계획법령에 그 시행 당시 이미 개발행위허가를 신청 중인 경우에는 종전 규정에 따른다는 경과규정을 두고 있으므로 위 사업승인신청에 대하여는 종전 규정에 따른 재처분을 하여야 함에도 불구하고 개정법령을 적용하여 새로운 거부처분을 한 것은 확정된 종전 거부처분 취소판결의 기속력에 저촉되어 당연무효이다(대결 2002. 12. 11, 2002무22).**02**

(3) 결과제거의무

① 기속력의 내용으로서 행정청은 결과제거의무를 부담하기도 한다. 예컨대, 압류처분이 취소되면 행정청은 압류재산을 반환하여야 하는 경우와 같이, 처분의 취소판결이 확정되면 행정청은 위법한 처분에 의해 초래된 상태를 제거할 의무를 진다.**03**

② 이 점에서 결과제거청구권의 근거조항으로 기속력에 관한 행정소송법 제30조 제1항을 들기도 한다.

관련판례

1. **어떤 행정처분을 위법하다고 판단하여 취소하는 판결이 확정되면 행정청은 취소판결의 기속력에 따라 그 판결에서 확인된 위법사유를 배제한 상태에서 다시 처분을 하거나 그 밖에 위법한 결과를 제거하는 조치를 할 의무가 있다**(대판 2020. 4. 9, 2019두49953).**04 ★★**

2. 병무청장이 인터넷 홈페이지 등에 게시하는 사실행위를 함으로써 공개대상자의 인적사항 등이 이미 공개되었더라도, 재판에서 병무청장의 공개결정이 위법함이 확인되어 취소판결이 선고되는 경우, 병무청장은 취소판결의 기속력에 따라 위법한 결과를 제거하는 조치를 할 의무가 있으므로 공개대상자의 실효적 권리구제를 위해 병무청장의 공개결정을 행정처분으로 인정할 필요성이 있다. 만약 병무청장의 공개결정을 항고소송의 대상이 되는 처분으로 보지 않는다면 국가배상청구 외에는 침해된 권리 또는 법률상 이익을 구제받을 적절한 방법이 없다(대판 2019. 6. 27, 2018두49130).

기출 체크

□□□□□ **01** 거부처분에 대한 취소판결이 확정된 후 법령이 개정된 경우 개정된 법령에 따라 다시 거부처분을 하여도 기속력에 반하지 아니하다. (○, ×) ★★ 2022 군무원 9급

□□□□□ **02** 주택건설사업승인신청 거부처분의 취소를 명하는 판결이 확정되었음에도 행정청이 그에 따른 재처분을 하지 않은 채 위 취소소송계속 중에 도시계획법령이 개정되었다는 이유를 들어 다시 거부처분을 한 사안에서, 개정된 법령에 종전 규정에 따른다는 경과규정이 있더라도 개정된 법령을 적용하여 다시 거부처분을 할 수 있고 그 거부처분은 종전 거부처분 취소판결의 기속력에 저촉되지 않으므로 간접강제가 허용되지 않는다. (○, ×) 2023 서울시 지적 7급

□□□□□ **03** 자동차의 압류처분이 취소되면 행정청은 그 자동차를 원고에게 반환해야 한다. (○, ×) ★★ 2012 국회직 8급

□□□□□ **04** 행정처분의 취소판결이 확정되면 그 판결에서 확인된 위법사유를 배제한 상태에서 다시 처분을 하거나 그 밖에 위법한 결과를 제거하는 조치를 할 의무가 있다. (○, ×) ★★ 2021 군무원 7급

정답 01 ○ 02 ×(간접강제에 대해서는 p.906 참조) 03 ○ 04 ○

4. 기속력의 범위

(1) 주관적 범위

기속력은 당사자인 행정청뿐만 아니라, 그 밖의 모든 관계행정청에도 미친다.01

(2) 객관적 범위㉠

판결의 기속력은 판결주문 및 이유에서 판단된 처분 등의 구체적 위법사유에 미친다.02

관련판례

1. **취소소송에서 처분 등을 취소하는 확정판결의 기속력은 판결의 주문뿐만 아니라 그 전제가 되는 처분 등의 구체적 위법사유에 관한 이유 중의 판단에 대하여도 인정된다**(대판 2001. 3. 23, 99두5238).03 ★★★

2. **처분청이 재조사결정의 주문 및 그 전제가 된 요건사실의 인정과 판단, 즉 처분의 구체적 위법사유에 관한 판단에 반하여 당초처분을 그대로 유지하는 것은 재조사결정의 기속력에 저촉된다.**04 ★
   심판청구 등에 대한 결정의 한 유형으로 실무상 행해지고 있는 재조사결정은 재결청의 결정에서 지적된 사항에 관하여 처분청의 재조사결과를 기다려 그에 따른 후속 처분의 내용을 심판청구 등에 대한 결정의 일부분으로 삼겠다는 의사가 내포된 변형결정에 해당하므로, 처분청은 재조사결정의 취지에 따라 재조사를 한 후 그 내용을 보완하는 후속 처분만을 할 수 있다. 따라서 처분청이 재조사결정의 주문 및 그 전제가 된 요건사실의 인정과 판단, 즉 처분의 구체적 위법사유에 관한 판단에 반하여 당초처분을 그대로 유지하는 것은 재조사결정의 기속력에 저촉된다(대판 2017. 5. 11, 2015두37549).

3. **종전 확정판결의 행정소송과정에서 한 주장 중 처분사유가 되지 아니하여 판결의 판단대상에서 제외된 부분을 행정청이 그 후 새로이 행한 처분의 적법성과 관련하여 새로운 소송에서 다시 주장하는 것이 위 확정판결의 기판력(편저자 주 : 기속력)에 저촉되지 않는다**(대판 1991. 8. 9, 90누7326).★★

4. **징계처분의 취소를 구하는 소에서 징계사유가 될 수 없다고 판결한 사유와 동일한 사유를 내세워 다시 징계처분할 수 없다**(대판 1992. 7. 14, 92누2912).05 ★★★

5. **새로운 처분의 처분사유와 종전 처분에 관하여 위법한 것으로 판결에서 판단된 사유가 기본적 사실관계에 있어 동일성이 없는 경우 새로운 처분은 종전 처분에 대한 판결의 기속력에 저촉되지 않는다.**
   종전 처분이 판결에 의하여 취소되었더라도 종전 처분과 다른 사유를 들어서 새로이 처분을 하는 것은 기속력에 저촉되지 않는다. 여기에서 동일 사유인지 다른 사유인지는 확정판결에서 위법한 것으로 판단된 종전 처분사유와 기본적 사실관계에서 동일성이 인정되는지 여부에 따라 판단되어야 하고, 기본적 사실관계의 동일성 유무는 처분사유를 법률적으로 평가하기 이전의 구체적인 사실에 착안하여 그 기초인 사회적 사실관계가 기본적인 점에서 동일한지에 따라 결정된다. 또한 행정처분의 위법 여부는 행정처분이 행하여진 때의 법령과 사실을 기준으로 판단하므로, 확정판결의 당사자인 처분행정청은 종전 처분 후에 발생한 새로운 사유를 내세워 다시 처분을 할 수 있고, 새로운 처분의 처분사유가 종전 처분의 처분사유와 기본적 사실관계에서 동일하지 않은 다른 사유에 해당하는 이상, 처분사유가 종전 처분 당시 이미 존재하고 있었고 당사자가 이를 알고 있었더라도 이를 내세워 새로이 처분을 하는 것은 확정판결의 기속력에 저촉되지 않는다(대판 2016. 3. 24, 2015두48235).06

6. 어떤 처분내용의 적법성을 뒷받침하기 위하여 당초 처분사유와 기본적 사실관계의 동일성이 인정되는 다른 사유가 있다면 처분청은 그 처분에 대한 취소소송의 사실심변론종결시까지 그 사유를 적극적으로 주장·증명하여 법원으로부터 그 처분이 적법하다는 판단을 받아야 한다. 만약 소송에서 추가·변경할 수 있는 다른 사유가 있었음에도 처분청이 이를 적절하게 주장·증명하지 못하여 법원이 그 처분을 위법하다고 판단하여 취소하는 판결이 확정되면, 처분청이 그 다른 사유를 근거로 다시 종전과 같은 내용의 처분을 하는 것은 허용되지 않는다. 어떤 처분의 당초 처분사유와 기본적 사실관계의

기출 체크

□□□□□ **01** 기속력의 주관적 범위는 그 사건에 관하여 당사자인 행정청과 그 밖의 관계행정청에 미친다. (○, ×) ★★★
2020 국회직 8급

□□□□□ **02** 기속력은 판결의 취지에 따라 행정청을 구속하는바, 여기에는 판결의 주문과 판결이유 중에 설시된 개개의 위법사유가 포함된다. (○, ×) ★★★
2017 서울시 7급

□□□□□ **03** 취소 확정판결의 기속력은 판결의 주문(主文)에 대해서만 발생하며, 처분의 구체적 위법사유에 대해서는 발생하지 않는다. (○, ×) ★★★
2021 국가직 7급

□□□□□ **04** 처분청이 재조사결정의 주문 및 그 전제가 된 요건사실의 인정과 판단, 즉 처분의 구체적 위법사유에 관한 판단에 반하여 당초처분을 그대로 유지하는 것은 재조사결정의 기속력에 저촉되지 않는다. (○, ×) ★
2018 경행경채 3차

□□□□□ **05** 징계처분의 취소를 구하는 소에서 징계사유가 될 수 없다고 취소확정판결을 한 사유와 동일한 사유를 내세워 다시 징계처분을 하는 것은 확정판결에 저촉되는 행정처분으로 허용될 수 없다. (○, ×) ★★★
2017 국회직 8급

□□□□□ **06** 처분의 취소판결이 확정된 후 새로운 처분을 하는 경우, 새로운 처분의 사유가 취소된 처분의 사유와 기본적 사실관계에서 동일하지 않다면 취소된 처분과 같은 내용의 처분을 하는 것은 기속력에 반하지 않는다. (○, ×)
2023 국가직 7급

판례 | ㉠ **압류처분이 재결의 기속력에 반하는 처분이라 하여 그 무효확인을 구하는 사건**
토지에 관한 종전 압류처분이 학교법인 재산대장 등에 사립학교 교육용 기본재산으로 등재된 압류금지재산에 대한 것이라는 이유로 재결에 의해 취소된 이후 과세관청이 위 토지는 학교 교육에 직접 사용되지 않고 있어 압류금지재산인 교육용 기본재산이 아니라는 이유로 후행 압류처분을 한 경우, 후행 압류처분은 종전 재결의 사실인정 및 판단과 기본적인 사실관계가 동일하지 아니한 사유를 바탕으로 이루어진 것이므로 재결의 기속력에 저촉되지 않는다(대판 2017. 2. 9, 2014두40029).

정답 01 ○ 02 ○ 03 × 04 × 05 ○ 06 ○

동일성이 인정되지 않는 다른 사유가 있다면, 그 처분에 대한 취소소송에서 처분사유 추가 · 변경은 허용되지 않지만, 처분청이 그 처분에 대한 취소판결확정 후 그 다른 사유를 근거로 별도의 처분을 하는 것은 허용된다(대판 2020. 12. 24, 2019두55675).01

(3) 시간적 범위

기속력은 위법판단의 기준에 관한 통설 및 판례의 견해인 처분시설에 따라 처분시까지의 위법사유에 대해서만 미친다. 따라서 처분 이후에 발생한 새로운 법령 및 사실상태의 변동을 이유로 동일한 내용의 처분을 하는 것은 기속력에 반하지 않는다.02 ⓐ ⓑ

5. 위반의 효과

앞서 본 바와 같이 기속력에 위반하여 한 행정청의 행위는 당연무효가 된다.

6 간접강제

1. 의 의

(1) 개 념

행정청이 거부처분의 취소판결의 취지에 따라 처분을 하지 아니하는 때(재처분의무를 이행하지 않는 때)에는 1심 수소법원은 당사자의 신청에 의하여 결정으로써 상당한 기간을 정하고 행정청이 그 기간 내에 이행하지 아니하는 때에는 그 지연기간에 따라 일정한 배상을 할 것을 명하거나 즉시 손해배상할 것을 명할 수 있는바(행정소송법 제34조 제1항), 이를 간접강제결정이라고 한다.

(2) 취 지

거부처분에 대한 취소판결 및 부작위위법확인판결이 확정되면 행정청은 판결의 기속력에 의해 당해 판결의 취지에 따른 처분을 행할 의무(재처분의무)가 있는데, 행정청이 이를 이행하지 않을 경우 판결의 실효성을 확보하기 위해 간접강제가 필요하다.

2. 규정내용

(1) 행정소송법은 제34조에서 간접강제에 관한 규정을 두고, 이 규정을 부작위위법확인소송에도 준용하고 있다.03

행정소송법 제34조【거부처분취소판결의 간접강제】 ① 행정청이 제30조 제2항의 규정에 의한 처분을 하지 아니하는 때에는 제1심 수소법원은 당사자의 신청에 의하여 결정으로써 상당한 기간을 정하고 행정청이 그 기간 내에 이행하지 아니하는 때에는 그 지연기간에 따라 일정한 배상을 할 것을 명하거나 즉시 손해배상을 할 것을 명할 수 있다.
② 제33조와 민사집행법 제262조의 규정은 제1항의 경우에 준용한다.

(2) 행정소송법에 따르면 법원은 상당한 기간을 정하여 기간에 따라 배상을 명할 수도 있고, 즉시 손해배상을 할 것을 명할 수도 있다.

3. 간접강제의 행사요건

(1) 간접강제는 거부처분취소판결(인용판결)이 확정된 후 상당한 기간 내에 행정청이 재처분의무를 이행하지 아니하였을 때 허용된다.

(2) 한편, 이와 관련하여 판례는 행정청이 재처분을 하였더라도 그 처분이 판결의 기속력에 위반되어 당연무효인 경우라면 아무런 재처분을 하지 아니한 때와 마찬가지가 되어 간접강제를 할 수 있다고 한다.

기출 체크

□□□□□ 01 어떤 처분의 당초 처분사유와 기본적 사실관계의 동일성이 인정되지 않는 다른 사유가 있다면, 그 처분에 대한 취소소송에서 처분사유 추가 · 변경은 허용되지 않지만, 처분청이 그 처분에 대한 취소판결확정 후 그 다른 사유를 근거로 별도의 처분을 하는 것은 허용된다. (○, ×) 2024 소방직 9급

□□□□□ 02 (취소소송에서) 위법성 판단 기준시점인 처분시 이후에 생긴 새로운 사실관계나 개정된 법령과 같이 새로운 처분사유를 들어 동일한 내용의 처분을 하는 것은 가능하다. (○, ×) ★★★ 2014 국회직 8급

□□□□□ 03 거부처분취소소송에서 재처분의무의 실효성을 확보하기 위한 간접강제제도는 부작위위법확인소송에도 준용된다. (○, ×) ★★ 2020 국회직 8급

ⓐ 기속력에 위반되지 않는 경우
1. 처분사유가 다른 경우
다른 사유를 들어 처분을 하는 것은 기속력에 위반되지 않는다.
2. 처분시 이후의 새로운 사유를 내세우는 경우
거부처분에 대해 이를 취소하는 확정판결이 있은 후에도 처분 당시 이후 발생한 새로운 사유를 이유로 처분청이 다시 거부하는 것은 기속력에 위반되지 않는다. 왜냐하면 기속력의 시간적 범위는 처분시를 기준으로 하기 때문이다. 이러한 사정변경에는 법령변경 등이 포함된다.
3. 처분청 스스로가 위법사유를 시정 · 보완한 경우
처분이 청문 등을 실시하지 않았다는 절차상의 하자, 비례의 원칙 위반이라는 내용상의 하자로 취소된 경우 처분을 취소한 확정판결 이후 처분청 스스로가 청문 등을 거쳤거나 비례원칙에 맞게 내용을 보완하여 내린 처분은 기속력에 위반되지 않는다.

ⓑ 한편 위법판단의 기준시에 관해 판결시설을 따르는 견해에 따르면, 당연히 판결시(사실심변론종결시) 이전의 사유를 내세워 다시 거부처분을 할 수는 없게 된다.

정답 01 ○ 02 ○ 03 ○

관련판례

거부처분에 대한 취소의 확정판결이 있음에도 행정청이 아무런 재처분을 하지 아니하거나, 재처분을 하였다 하더라도 그것이 종전 거부처분에 대한 취소의 확정판결의 기속력에 반하는 등 당연무효라면 이는 아무런 재처분을 하지 아니한 때와 마찬가지이므로, 이러한 경우에는 행정소송법 제30조 제2항, 제34조 제1항 등에 의한 간접강제신청에 필요한 요건을 갖춘 것으로 보아야 한다(대결 2002. 12. 11, 2002무22).01 ★★★

4. 배상금추심의 한계

배상금은 확정판결의 취지에 따른 재처분의 지연에 대한 제재나 손해배상이 아니고 재처분의무의 이행을 확보하기 위한 심리적 강제수단이므로 법원에서 정한 기한이 경과한 후에라도 행정청이 재처분의무를 이행하면 심리적 강제를 꾀할 목적이 소멸되기 때문에 배상금추심은 허용되지 않는다는 것이 판례의 입장이다.

관련판례

1. 행정소송법 제34조 소정의 간접강제결정에 기한 배상금의 성질은 확정판결의 취지에 따른 재처분의 지연에 대한 제재나 손해배상이 아니고02 재처분의 이행에 관한 심리적 강제수단에 불과한 것으로 보아야 한다.★★★
2. 확정판결의 취지에 따른 재처분이 간접강제결정에서 정한 의무이행기한이 경과한 후에 이루어진 경우, 간접강제결정에 기한 배상금의 추심은 허용되지 않는다(대판 2004. 1. 15, 2002두2444).03 ★★★

기출 체크

□□□□□ 01 거부처분을 취소하는 판결이 확정된 후 행정청이 일단 재처분을 하였다면 설령 그 재처분이 기속력에 위반되는 내용일지라도 재처분을 이행한 것이므로 간접강제의 대상이 되지는 않는다. (○, ×) ★★★ 2023 서울시 지적 7급

□□□□□ 02 간접강제결정에 기한 배상금은 확정판결에 따른 재처분의 지연에 대한 제재 또는 손해배상이라는 것이 판례의 입장이다. (○, ×) ★★★ 2013 국가직 7급

□□□□□ 03 법원이 간접강제결정에서 정한 의무이행기한이 경과한 후에라도 확정판결의 취지에 따른 재처분이 행하여지면, 처분상대방이 더 이상 배상금을 추심하는 것은 허용되지 않는다. (○, ×) ★★★ 2023 국가직 7급

□□□□□ 04 항고소송에서의 화해권고결정(은 현행 행정소송법이 규정하고 있다) (○, ×) 2024 소방간부

05 | 취소소송의 종료

❶ 종국판결의 확정

취소소송은 보통 법원의 심리가 종료하여 종국판결을 내림으로써 종료하는 것이 일반적이다. 종국판결은 상고권의 포기, 상소기간의 경과, 상소기각, 상고법원(대판)의 종국판결에 의해 확정된다.

❷ 당사자의 행위에 의한 종료

1. 소의 취하

소의 취하란 원고가 법원에 대해 소에 의한 심판청구의 전부 또는 일부를 철회하는 일방적 의사표시를 말한다. 취소소송에서 소의 취하가 가능한지 논란이 있으나, 취소소송에도 처분권주의가 지배하는 이상 허용된다는 것이 일반적 견해이다.

2. 화해 · 조정

행정소송법에는 '화해'나 '조정'에 관한 규정이 없다.04 항고소송에서는 항고소송의 공익성에 비추어 민사소송법상 화해나 민사조정법상 조정을 준용할 수 없지만, 실무상으로는 제재적 행정처분사건 등에서 사실상의 조정이 행해지고 있다.

최근 제정된 행정소송규칙에서는 법원이 '조정권고'를 할 수 있는 근거 규정을 명시하고 있다.

3. 당사자의 소멸

원고가 사망하고 소송물인 권리관계의 성질상 이를 승계할 자가 없을 때에는 소송은 종료된다. 그러나 피고인 행정청이 없게 된 때에는 그 처분 등에 관한 사무가 귀속되는 국가 또는 공공단체가 피고가 되므로 소송은 종료되지 않는다.

정답 01 × 02 × 03 ○ 04 ×

기출 체크

□□□□□ **01** 처분 등을 취소하는 판결에 의하여 권리 또는 이익의 침해를 받은 제3자는 자기에게 책임 없는 사유로 소송에 참가하지 못함으로써 판결의 결과에 영향을 미칠 공격 또는 방어방법을 제출하지 못한 때에는 이를 이유로 확정된 종국판결에 대하여 재심의 청구를 할 수 있다. (○, ×) ★★★ 2024 소방간부

□□□□□ **02** 제3자에 의한 재심청구는 제3자가 항고소송의 확정판결이 있음을 안 날로부터 90일 이내, 판결이 확정된 날로부터 1년 이내에 제기하여야 한다. (○, ×) ★★★ 2024 소방간부

□□□□□ **03** 행정청이 처분 등을 취소 또는 변경함으로 인하여 취소청구가 각하 또는 기각된 경우, 소송비용은 피고의 부담이 된다. (○, ×) ★★★ 2013 국가직 7급

□□□□□ **04** 행정처분에 대한 취소청구가 사정판결에 의하여 기각된 경우에 소송비용은 피고가 부담한다. (○, ×) ★★★ 2008 지방직 9급

ⓐ 의의 및 취지

1. 재심은 확정된 종국판결에 재심사유에 해당하는 하자가 있는 경우 판결을 한 법원에 대하여 그 판결의 취소와 사건의 재심사를 구하는 비상(非常)의 불복신청방법을 말한다.
2. 이 제도는 판결이 확정된 경우라도 그러한 판결에 중대한 잘못이 있는 경우 법적 안정성의 요청이 다소 희생되더라도 당사자의 권리구제를 위해 특별히 인정하고 있는 것이다.
3. 이는 당사자가 제기하는 일반적인 재심(동법 제8조 제2항, 민사소송법 제451조 이하)과 제3자가 제기하는 재심으로 구분할 수 있는데, 여기에서는 행정소송법에서 특별히 규정하고 있는 제3자가 제기하는 재심에 관해 살펴본다.

정답 01 ○ 02 × 03 ○ 04 ○

06 | 상소 및 재심청구

❶ 상소(항소와 상고)

제1심 법원(행정법원 또는 지방법원본원)의 **판결**에 대해서는 상급법원에 항소할 수 있으며, 항소심의 종국판결에 대하여는 대법원에 상고할 수 있다.

❷ 항고와 재항고

행정소송에서도 소송절차에 관한 신청을 기각한 **결정**이나 **명령**에 대하여 불복이 있으면 항고할 수 있고, 항고법원 또는 항소법원의 결정 및 명령에 대하여 재판에 영향을 미친 헌법 · 법률 · 명령 또는 규칙의 위반이 있음을 이유로 재항고할 수 있다.

❸ 재심청구

1. 행정소송법의 규정 – 제3자의 재심청구ⓐ

(1) 행정소송법은 취소판결에 대한 '제3자의 재심청구'에 관하여 특별히 규정하고 있는데, "**처분 등을 취소하는 판결에 의하여 권리 또는 이익의 침해를 받은 제3자는 자기에게 책임 없는 사유로 소송에 참가하지 못함으로써 판결의 결과에 영향을 미칠 공격 또는 방어방법을 제출하지 못한 때에는** 이를 이유로 확정된 종국판결에 대하여 **재심의 청구를 할 수 있다**(동법 제31조 제1항)."라는 규정이 그에 해당한다.**01**

(2) 행정소송법 제31조의 해석상 소송참가를 한 제3자는 판결확정 후 행정소송법 제31조에 의한 재심의 소를 제기할 수 없다.

(3) 한편 행정청은 소송에 참가할 수는 있으나(p.810 참조) 소송에 참가할 수 있는 행정청이 소송에 참가하지 못한 경우, 재심청구에 관한 규정은 적용되지 않는다.

2. 재심사유

자기에게 책임 없는 사유로 소송에 참가하지 못하였어야 하며, 소송에 참가하지 못함으로써 판결의 결과에 영향을 미칠 공격 또는 방어방법을 제출하지 못하였어야 한다.

3. 재심청구기간

제3자에 의한 재심의 청구는 확정판결이 있음을 안 날로부터 **30일 이내**, 판결이 확정된 날로부터 **1년** 이내에 제기하여야 하는데,**02** 이 기간은 **불변기간**이다.

07 | 소송비용

소송비용은 패소자가 부담함이 원칙이다. 다만, 취소청구가 **사정판결**에 의하여 기각되거나 **행정청이 처분 등을 취소 또는 변경함으로 인하여 청구가 각하 또는 기각된 경우**에는 **소송비용은 피고가 부담한다**(동법 제32조).**03 04**

08 | 준 용

행정소송법 제8조에 따르면 "행정소송에 관하여 이 법에 특별한 규정이 없는 사항에 대하여는 법원조직법과 민사소송법 및 민사집행법의 규정을 준용한다."라고 규정하고 있다.01 또한, 행정소송절차에 관하여는 행정소송법 및 행정소송규칙에 특별한 규정이 있는 경우를 제외하고는 그 성질에 반하지 않는 한 민사소송규칙 및 민사집행규칙의 규정을 준용한다(행정소송규칙 제4조).

기출 체크

□□□□□ **01** 행정소송에 관하여 행정소송법에 특별한 규정이 없는 사항에 대하여는 법원조직법과 민사소송법 및 민사집행법의 규정을 준용한다. (○, ×)

2019 소방직 9급

관련문제

01 다음 사례에 대한 설명으로 옳지 않은 것은? 2017 국가직 9급

> 유흥주점영업허가를 받아 주점을 운영하는 甲은 A시장으로부터 연령을 확인하지 않고 청소년을 주점에 출입시켜 청소년보호법을 위반하였다는 사실을 이유로 한 영업허가취소처분을 받았다. 甲은 이에 불복하여 취소소송을 제기하였고 취소확정판결을 받았다.

① A시장은 甲이 청소년을 유흥접객원으로 고용하여 유흥행위를 하게 하였다는 이유로 다시 영업허가취소처분을 할 수는 있다.
② 영업허가취소처분은 지나치게 가혹하다는 이유로 취소확정판결이 내려졌다면, A시장은 甲에게 연령을 확인하지 않고 청소년을 출입시켰다는 이유로 영업허가정지처분을 할 수는 있다.
③ 청소년들을 주점에 출입시킨 사실이 없다는 이유로 취소확정판결이 내려졌다면, A시장은 甲에게 연령을 확인하지 않고 청소년을 출입시켰다는 이유로 영업허가취소처분을 할 수는 없다.
④ 청문절차를 거치지 않았다는 이유로 취소확정판결이 내려졌다면, A시장은 적법한 청문절차를 거치더라도 甲에게 연령을 확인하지 않고 청소년을 출입시켰다는 이유로 영업허가취소처분을 할 수는 없다.

정답 ④

02 甲은 관할 A행정청에 토지형질변경허가를 신청하였으나 A행정청은 허가를 거부하였다. 이에 甲은 거부처분 취소소송을 제기하여 재량의 일탈 · 남용을 이유로 취소판결을 받았고, 그 판결은 확정되었다. 이에 대한 설명으로 옳은 것은? (다툼이 있는 경우 판례에 의함) 2019 국가직 9급

① A행정청이 거부처분 이전에 이미 존재하였던 사유 중 거부처분 사유와 기본적 사실관계의 동일성이 없는 사유를 근거로 다시 거부처분을 하는 것은 허용되지 않는다.
② A행정청이 재처분을 하였더라도 취소판결의 기속력에 저촉되는 경우에는 甲은 간접강제를 신청할 수 있다.
③ A행정청의 재처분이 취소판결의 기속력에 저촉되더라도 당연무효는 아니고 취소사유가 될 뿐이다.
④ A행정청이 간접강제결정에서 정한 의무이행기한 내에 재처분을 이행하지 않아 배상금이 이미 발생한 경우에는 그 이후에 재처분을 이행하더라도 甲은 배상금을 추심할 수 있다.

정답 ②(① p.903, ②③ p.906 ④ p.907 참조)

[유튜브] 39강 필수 개념 TEST
- QR코드를 스캔해 주세요.
- 필수 개념과 출제 포인트를 풀어 보세요.
- 틀린 문제는 기본서로 확인해 주세요.

정답 01 ○

제 40 강 항고소송 5 (무효등확인소송, 부작위위법확인소송)

무효등확인소송

개 념

- 행정청의 처분 등의 효력 유무 또는 존재 여부 확인
- 무효확인소송 외에도 처분 등의 존재확인소송, 부존재확인소송, 유효확인소송, 실효확인소송 포함

적용법규

- 취소소송의 규정 중 예외적 행정심판전치주의, 제소기간, 사정판결에 관한 규정은 준용 ×

소송요건

소송의 대상	법규범의 무효확인, 문서진위 등 사실관계의 확인은 무효등확인소송의 대상이 아님.
소의 이익	**보충성** : 무효확인소송의 경우 보충성이 요구되는 것은 아니라는 것이 판례의 입장임.
제소기간	제소기간 제한이 없음. ※무효선언적 의미의 취소소송에는 제소기간이 적용됨.
예외적 행정심판 전치주의	적용 × ※무효선언적 의미의 취소소송에는 예외적 행정심판전치주의 적용

소의 변경과 소제기의 효과 등

집행부정지 원칙

적용, 예외적으로 집행정지도 허용

입증책임

무효를 주장하는 자가 처분에 존재하는 하자가 무효사유임을 주장 · 입증해야 하고(원고책임설), 무효확인을 구하는 뜻에서 행정처분의 취소를 구하는 소송에서도 마찬가지임(판례).

위법판단의 기준시점

처분시

판결 및 소송종료

일반론

제3자효, 기속력, 재처분의무, 제3자의 재심청구 인정

사정판결 허용 여부

불가능

기속력의 실효성 확보

간접강제는 허용되지 않음.

취소소송과 무효등확인소송의 관계

무효사유에 해당하는 처분에 대해 취소소송을 제기한 경우	• **무효선언적 의미의 취소소송** – 통설 · 판례는 무효선언적 취소판결을 할 수 있다는 입장 – 무효사유에 해당하는 처분에 대해 취소소송을 제기하는 경우에도 제소기간의 준수 등 취소소송의 제소요건을 갖추어야 함(판례).
취소사유에 해당하는 처분에 대해 무효확인소송을 제기한 경우	• **취소소송의 제기요건을 갖춘 경우** – 무효확인을 구하는 소송에는 원고의 반대의사가 없는 한, 만약 그 처분이 당연무효가 아니라면 취소를 구하는 취지도 포함된다고 보아 취소판결 가능(판례) – 동일한 행정처분에 대하여 무효확인의 소를 제기하였다가 그 후 그 처분의 취소를 구하는 소를 추가적으로 병합한 경우, 주된 청구인 무효확인의 소가 적법한 제소기간 내에 제기되었다면 추가로 병합된 취소청구의 소도 적법하게 제기된 것으로 볼 수 있음(판례). • **취소소송의 제기요건을 갖추지 못한 경우** – 청구기각판결을 하여야 함(통설 및 판례). – 취소소송의 불복기간이 지난 후 그 행정처분의 근거가 된 법률이 위헌이라는 이유로 무효확인청구의 소가 제기된 경우, 다른 특별한 사정이 없는 한 법원으로서는 그 법률이 위헌인지 여부에 대하여는 판단할 필요 없이 위 무효확인청구를 기각하여야 함.

부작위위법확인소송

적용법규

취소소송에 관한 규정 중 처분변경으로 인한 소의 변경, 집행정지, 사정판결에 관한 규정 등은 부작위위법확인소송에 준용되지 않음.

소송요건

소송의 대상	• **부작위의 의의** : 행정청이 당사자의 신청에 대하여 상당한 기간 내에 일정한 처분을 하여야 할 법률상 의무가 있음에도 불구하고 이를 하지 아니하는 것 • **위법한 부작위의 성립요건** – 당사자의 신청(법규상 또는 조리상 신청권 전제) – 상당한 기간의 경과 – 처분을 할 법률상 의무의 존재 – 처분의 부존재 : 거부처분이 있는 경우 부작위위법확인소송을 제기할 수 없음. ▸ 간주거부 : 거부처분취소소송 제기 ▸ 행정입법부작위는 부작위위법확인소송의 대상이 아님.
원고적격	• **처분의 신청을 한 자** : 법규상, 조리상 신청권이 있어야 함. • **제3자** : 부작위위법확인을 받을 법률상 이익 있으면 인정
소의 이익	적극 · 소극처분(거부처분)을 하게 되어 부작위상태가 해소되면 소의 이익 상실로 각하
제소기간	• **행정심판을 거친 경우** : 취소소송의 제소기간 준용, 재결서의 정본을 송달받은 날부터 90일 • **행정심판을 거치지 않은 경우** : 제소기간 제한 ×
예외적 행정심판 전치주의	• 행정심판전치에 관한 규정 준용됨. • 의무이행심판을 거쳐야 함.

소제기의 효과

집행정지는 적용 안 됨.

소송의 심리

심 리

소극설(절차적 심리설) : 행정청이 행할 처분의 구체적 내용까지는 심리 · 판단 ×(판례)

위법판단의 기준시점

판결시(변론종결시)설이 통설

소의 변경

• 부작위위법확인소송을 취소소송으로 소변경하거나 당사자소송으로 변경 가능
• 처분변경으로 인한 소변경 ×

입증책임

• **원고** : 처분의 신청사실, 신청권의 존재, 상당한 기간이 경과하였다는 사실
• **행정청** : 상당한 기간이 경과하였음에도 신청에 따른 처분을 하지 못한 것을 정당화하는 사유

법원의 판결

• 기속력, 간접강제에 관한 규정이 준용
• 판결의 취지에 따른 처분을 하면 족하고, 반드시 원고의 신청내용대로 처분할 필요는 없으므로 거부처분도 가능함.
• 사정판결 불가

제 1 절 무효등확인소송

핵심집약 Topic 74

기출 체크

□□□□□ 01 행정청의 처분 등의 효력 유무 또는 존재 여부를 확인하는 소송은 무효등확인소송이다. (○, ×) ★★★ 2019 소방직 9급

□□□□□ 02 무효등확인소송에는 취소소송의 제소기간에 관한 규정이 준용되지 않는다. (○, ×) ★★★ 2013 국가직 7급

□□□□□ 03 사정판결에 관한 행정소송법 규정은 무효등확인소송에는 준용되지 않는다. (○, ×) ★★★ 2010 국가직 7급

01 | 무효등확인소송의 의의

❶ 의 의

1. 개 념

무효등확인소송이란 행정청의 처분 등의 효력 유무 또는 존재 여부를 확인하는 소송을 말한다.01 행정처분의 무효확인소송이 이에 관한 전형적 형태라고 할 수 있다. 한편, 무효등확인소송에는 무효확인소송 외에도 처분 등의 존재확인소송, 부존재확인소송, 유효확인소송, 실효확인소송이 포함된다.

2. 필요성

처분이 무효인 경우에도 그 외관은 존재하고 처분의 무효원인과 취소원인의 구별은 절대적인 것이 아니어서 행정청에 의하여 집행될 우려가 있으므로 무효인 처분의 상대방은 무효임을 공적으로 확인받을 필요가 있는바, 이에 무효확인소송을 인정할 실익이 있다.

3. 성 질

취소소송은 일단 발생한 처분의 효력을 소멸시키는 형성소송인 데 반해, 무효등확인소송은 당해 처분 등이 처음부터 무효임을 확인선언하는 데 불과하므로 확인소송의 성질을 가진다. 한편 처분의 효력을 다툰다는 점에서 항고소송의 성질도 가진다.

❷ 적용법규

1. 원 칙

무효등확인소송은 행정청의 공권력행사에 불복하여 제기하는 소송이라는 점에서 취소소송과 공통성이 있다. 따라서 취소소송에 대한 행정소송법상의 규정은 거의 대부분 무효등확인소송에도 준용된다.

2. 예 외

다만, 처분이 처음부터 무효라는 점에서 일부 규정은 적용되지 않는바, 취소소송의 규정 중 ① 예외적 행정심판전치주의, ② 제소기간,02 ③ 사정판결, ④ 간접강제에 관한 규정은 무효등확인소송에 준용되지 않는다.03

정답 01 ○ 02 ○ 03 ○

02 | 소송요건

❶ 재판관할

1. 피고행정청 소재지 관할 행정법원

무효등확인소송의 재판관할에는 취소소송의 규정이 준용되므로 피고행정청의 소재지를 관할하는 행정법원이 제1심 법원이 된다. 다만, 중앙행정기관, 중앙행정기관의 부속기관과 합의제 행정기관 또는 그 장이 피고인 경우 또는 국가의 사무를 위임 또는 위탁받은 공공단체 또는 그 장이 피고인 경우에는 대법원소재지를 관할하는 행정법원에 제기할 수도 있다(동법 제9 · 38조).

2. 관할법원에 대한 이송

무효등확인소송이 관할권 없는 법원에 잘못 제기된 경우에는 그것이 원고의 고의나 과실로 인한 경우가 아니면 결정으로써 정당한 관할법원에 이송하여야 한다(동법 제7조).

❷ 관련청구소송의 이송과 병합

무효등확인소송과 관련청구소송이 각각 다른 법원에 계속되고 있는 경우에 관련청구소송이 계속된 법원은 관련청구소송을 무효등확인소송이 계속된 법원에 이송할 수 있으며, 무효등확인소송이 계속된 법원은 관련청구소송을 병합하여 심리할 수 있다.

❸ 소송의 대상

무효등확인소송도 취소소송과 마찬가지로 처분 등을 소송의 대상으로 한다. 한편 재결등무효확인소송의 경우에는 원처분주의 원칙상 재결 자체에 고유한 위법이 있음을 이유로 하는 경우에만 가능하다. 그리고 행정소송의 대상은 구체적인 권리 · 의무에 관한 분쟁이어야 하므로 구체적인 권리 · 의무에 관한 분쟁이 아닌 **법규범의 무효확인 또는 문서의 진위 등 사실관계의 확인을 무효등확인소송으로 청구하는 것은 부적법하다**(대판 1991. 12. 24, 91누1974).01

❹ 소의 이익(원고적격 및 협의의 소익)

1. 보충성의 문제

(1) 행정소송법 제35조는 "무효등확인소송은 처분 등의 효력 유무 또는 존재 여부의 확인을 구할 법률상 이익이 있는 자가 제기할 수 있다."라고 규정하고 있다.02

(2) 이때 확인을 구할 법률상 이익과 관련하여 행정소송인 무효확인소송에서도 민사소송상의 확인의 이익이 요구되는지, 또한 무효확인소송은 보충성을 가지는지가 문제된다.ⓐ

① 학 설

㉠ **법적 보호이익설** : 이 설은 무효확인소송의 확인을 구할 법률상 이익을 취소소송의 법률상 이익과 같은 관념으로서 민사소송상의 확인의 이익보다는 넓은 개념으로 본다.

㉡ **즉시확정이익설 – 확인의 소의 보충성**

ⓐ 이 설은 무효확인소송의 확인을 구할 법률상 이익을 민사소송상의 확인의 이익, 즉 즉시확정의 이익과 동일하게 보아 현존하는 불안 · 위험을 제거하기 위해 확인판결을 받

기출 체크

□□□□□ 01 행정소송의 대상은 구체적인 권리 · 의무에 관한 분쟁이어야 하므로 구체적인 권리 · 의무에 관한 분쟁을 떠나서 법령 자체의 무효확인을 구하는 청구는 행정소송의 대상이 아닌 사항에 대한 것으로서 부적법하다. (○, ×) ★★
2012 사회복지직 9급

□□□□□ 02 무효등확인소송은 처분 등의 효력 유무 또는 존재 여부의 확인을 구할 법률상 이익이 있는 자가 제기할 수 있다. (○, ×) ★★ 2014 경행특채 2차

ⓐ 민사소송상의 확인의 이익(보충성)
확인의 이익이란 현재의 법률관계에 위험이 존재하고 이를 해결하기 위해 다른 유효적절한 수단이 없어서 확인의 소송을 제기하는 것이 가장 실효적인 구제수단이 될 때의 이익을 말한다. 예컨대 甲이 乙에 대해 3,000만원의 채권이 있는데 乙이 돈을 안 갚는 경우, 甲이 乙에게 돈을 갚을 것을 요구하는 소송(이행소송)을 제기하는 것이 甲이 자신에게 채권이 있다는 채권존재확인의 소송을 제기하는 경우보다 더 실효적이므로 채권존재확인의 소송은 확인의 이익이 없다.

정답 01 ○ 02 ○

는 것이 가장 유효적절한 수단인 경우 확인의 이익을 긍정하는 견해이다.

ⓑ 이 견해에 따르면 다른 적절한 수단이 있는 경우 확인소송이 아닌 그 수단에 의해야 하는바, 이를 '확인의 소의 보충성'이라고 한다.

② 판 례

㉠ 종전 판례는 무효등확인소송에서 확인의 소의 보충성을 요구하고 있었으나 2008년 3월 20일 전원합의체 판결로 기존의 판결을 변경하였다.01 즉, 기존 판례에 따르면 행정처분의 무효를 전제로 한 다른 직접적인 구제수단이 있는지를 살펴 무효등확인소송의 소의 이익 여부를 검토하여 왔다. 그런데 변경된 판례에 따르면 더 이상 확인의 소의 보충성을 요구하지 않고02 취소소송과 동일하게 법률상 이익이 침해된 경우 무효확인소송을 청구할 수 있다.

㉡ 따라서 무효인 조세부과처분에 대하여 세금을 납부한 자가 부당이득반환청구소송 등 실질적으로 권익을 구제받고자 하는 다른 소송을 제기하여 그 소송에서 처분의 무효를 주장하여 구제받을 수 있다 하더라도 조세부과처분의 무효확인소송을 독립된 소로서 제기할 수 있다고 한다.03 04

관련판례

1. **항고소송으로 무효확인소송을 제기하는 경우 무효확인소송의 '보충성'이 요구되는 것은 아니다.★★★**
2. **행정소송법 제35조에 규정된 '무효확인을 구할 법률상 이익'이 있는지를 판단할 때 행정처분의 무효를 전제로 한 이행소송 등과 같은 직접적인 구제수단이 있는지를 따져볼 필요가 없다.05 ★★★**
   행정소송법 제4조에서는 무효확인소송을 항고소송의 일종으로 규정하고 있고, 행정소송법 제38조 제1항에서는 처분 등을 취소하는 확정판결의 기속력 및 행정청의 재처분의무에 관한 행정소송법 제30조를 무효확인소송에도 준용하고 있으므로 무효확인판결 자체만으로도 실효성을 확보할 수 있다. 그리고 무효확인소송의 보충성을 규정하고 있는 외국의 일부 입법례와는 달리 우리나라 행정소송법에는 명문의 규정이 없어 이로 인한 명시적 제한이 존재하지 않는다. 이와 같은 사정을 비롯하여 행정에 대한 사법통제, 권익구제의 확대와 같은 행정소송의 기능 등을 종합하여 보면, 행정처분의 근거법률에 의하여 보호되는 직접적이고 구체적인 이익이 있는 경우에는 행정소송법 제35조에 규정된 '무효확인을 구할 법률상 이익'이 있다고 보아야 하고, 이와 별도로 무효확인소송의 보충성이 요구되는 것은 아니므로 행정처분의 무효를 전제로 한 이행소송 등과 같은 직접적인 구제수단이 있는지 여부를 따질 필요가 없다고 해석함이 상당하다. …… 이와 다른 취지로 판시한 종전 대법원판결들, 즉 대판 1963. 10. 22, 63누122 ; 대판 1976. 2. 10, 74누159 전합 ; 대판 1988. 3. 8, 87누133 ; 대판 1989. 10. 10, 89누3397 ; 대판 1993. 12. 28, 93누4519 ; 대판 1998. 9. 22, 98두4375 ; 대판 2001. 9. 18, 99두11752 ; 대판 2006. 5. 12, 2004두14717 등은 이 판결의 견해에 배치되는 범위 내에서 이를 변경하기로 한다(대판 2008. 3. 20, 2007두6342 전합).㉠

2. 기 타

관련판례

1. **사업의 양도행위가 무효라고 주장하는 양도자가 양도 · 양수행위의 무효를 구함이 없이 사업양도 · 양수에 따른 허가관청의 지위승계신고수리처분의 무효확인을 구할 법률상 이익이 있다**(대판 2005. 12. 23, 2005두3554).06 07 ⓐ ★★★

2. 체납처분에 기한 압류처분은 행정처분으로서 이에 기하여 이루어진 집행방법인 압류등기와는 구별되므로 압류등기의 말소를 구하는 것을 압류처분 자체의 무효를 구하는 것으로 볼 수 없고, 또한 압류등기가 말소된다고 하여도 압류처분이 외형적으로 효력이 있는 것처럼 존재하는 이상 그 불안과 위험

기출 체크

□□□□□ 01 대법원은 종래 무효확인소송에서 요구해 왔던 보충성을 더 이상 요구하지 않는 것으로 판례태도를 변경하였다. (○, ×) ★★★ 2018 교육행정직 9급

□□□□□ 02 무효확인소송은 즉시확정의 이익이 있는 경우에만 보충적으로 허용된다는 것이 판례의 입장이다. (○, ×) ★★★ 2015 교육행정직 9급

□□□□□ 03 무효인 과세처분에 근거하여 세금을 납부한 경우 부당이득반환청구의 소로써 직접 위법상태의 제거를 구할 수 있는지 여부와 관계없이 행정소송법 제35조에 규정된 '무효확인을 구할 법률상 이익'을 가진다. (○, ×) ★★★ 2020 지방직 · 서울시 9급

□□□□□ 04 무효인 과세처분에 의하여 세금을 납부한 자는 납부한 금액을 반환받기 위하여 부당이득반환청구소송을 제기하지 않고 곧바로 과세처분무효확인소송을 제기할 수 있다. (○, ×) ★★★ 2019 서울시 9급

□□□□□ 05 무효확인소송에서 '무효확인을 구할 법률상 이익'을 판단함에 있어 행정처분의 무효를 전제로 한 이행소송 등과 같은 직접적인 구제수단이 있는지 여부를 따질 필요가 없다. (○, ×) ★★★ 2023 국가직 7급

□□□□□ 06 사업양도 · 양수에 따른 허가관청의 지위승계신고의 수리에서 수리대상인 사업양도 · 양수가 존재하지 않거나 무효라 하더라도 수리행위가 당연무효는 아니라 할 것이므로 양도자는 허가관청을 상대로 위 신고수리처분의 무효확인소송을 제기할 수 없다. (○, ×) ★★★ 2023 소방간부

□□□□□ 07 영업양도행위가 무효임에도 행정청이 승계신고를 수리하였다면 양도자는 민사쟁송이 아닌 행정소송으로 신고수리처분의 무효확인을 구할 수 있다. (○, ×) ★★★ 2022 지방직 · 서울시 9급

판례 | ㉠ 보충성 문제 관련 종전 판례는 다음과 같다.

1. 직접 민사소송으로 부당이득의 반환 또는 행정처분에 의해 경료된 소유권이전등기의 말소를 구할 수 있는 경우, 행정처분의 무효확인을 구할 소의 이익이 없다(대판 1998. 9. 22, 98두4375).
2. 부과세액이 납부된 것과 같은 효과가 생긴 경우 그 과세처분의 무효확인을 구할 법률상 이익이 없다(대판 1988. 3. 8, 87누133).

ⓐ 판례는 수리와 인가를 이처럼 다르게 보고 있다. 즉, 인가의 경우 기본행위가 무효라면 기본행위가 무효임을 이유로 인가처분에 대한 무효확인을 구하는 것은 소의 이익이 없다고 보았으나 위의 판례에서 보는 것처럼 수리처분의 경우 수리처분의 무효확인을 구할 이익이 있다고 보고 있다.

정답 01 ○ 02 × 03 ○ 04 ○ 05 ○ 06 × 07 ○

을 제거할 필요가 있다고 할 것이므로, 압류처분에 기한 압류등기가 경료되어 있는 경우에도 압류처분의 무효확인을 구할 이익이 있다(대판 2003. 5. 16, 2002두3669).01

❺ 피고적격

취소소송의 피고적격에 관한 규정은 무효등확인소송에도 준용되어 처분 등을 행한 행정청이 피고로 된다.02 또한 처분 등이 있은 후에 그 권한이 다른 행정청에 승계된 때에는 이를 승계한 행정청이 피고로 된다. 기타 피고의 경정에 관한 취소소송의 규정도 무효등확인소송에 준용된다.

❻ 제소기간

무효등확인소송에는 제소기간의 제한이 없다.03 다만, 무효선언적 의미의 취소소송에는 제소기간이 적용된다.

❼ 예외적 행정심판전치주의

무효등확인소송은 개별법에서 예외적 행정심판전치주의를 규정하고 있는 경우에도 그 적용을 받지 아니한다. 따라서 행정심판전치주의가 적용되는 경우에도 무효등확인소송을 제기함에 있어서는 행정심판을 거치지 않아도 된다.04 05 다만, 무효선언적 의미의 취소소송에는 예외적 행정심판전치주의가 적용되므로 행정심판을 필요적으로 거치도록 하고 있는 개별법 규정이 있는 경우에, 무효사유의 하자가 있는 처분에 대해 취소소송을 제기하여 다투는 경우에는 행정심판을 거쳐야 한다.06

03 | 소의 변경과 소제기의 효과

❶ 소의 변경

취소소송의 소변경에 관한 규정은 무효등확인소송을 취소소송 또는 당사자소송으로 변경하는 경우에도 준용된다. 또한 처분변경으로 인한 소변경 역시 무효등확인소송에 준용된다.

❷ 집행부정지원칙 및 가구제(집행정지)

1. 행정소송법은 취소소송이 제기되어도 원칙적으로 처분의 효력이 정지되지 않는 집행부정지원칙을 규정하고 있는바, 이러한 집행부정지의 원칙은 무효등확인소송에도 준용된다. 따라서 무효등확인소송의 제기는 처분 등의 효력이나 그 집행 또는 절차의 속행에 영향을 주지 아니한다.07

2. 한편 일정한 요건을 갖춘 경우 예외적으로 집행정지제도가 인정되는바, 무효등확인소송의 경우에도 취소소송의 집행정지에 관한 규정이 준용된다.08

기출 체크

□□□□□ **01** 압류등기가 말소된다고 하여도 압류처분이 외형적으로 효력이 있는 것처럼 존재하는 이상, 압류처분에 기한 압류등기가 경료되어 있는 경우에도 압류처분의 무효확인을 구할 이익이 있다. (○, ×) 2017 국회직 8급

□□□□□ **02** 무효등확인소송은 다른 법률에 특별한 규정이 없는 한 그 처분 등을 행한 행정청을 피고로 한다. (○, ×) ★★ 2014 경행특채 2차

□□□□□ **03** 무효등확인소송의 경우에도 취소소송과 같이 제소기간에 제한이 있다. (○, ×) ★★★ 2020 경행경채

□□□□□ **04** 처분의 상대방이 압류처분에 대해 무효확인소송을 제기하려면 무효확인심판을 거쳐야 한다. (○, ×) ★★ 2019 국가직 7급

□□□□□ **05** 무효확인소송은 행정심판을 거치지 아니하고 제기할 수 있다. (○, ×) ★★★ 2010 세무사

□□□□□ **06** 행정심판전치주의가 적용되도록 하는 규정이 있는 경우일지라도 처분의 무효를 구하는 소송에는 행정심판전치주의가 적용되지 않으므로 무효사유의 하자를 취소소송으로 다투는 경우에도 행정심판을 거칠 필요가 없다. (○, ×) ★★★ 2014 국회직 8급

□□□□□ **07** 무효확인소송의 제기는 처분의 효력이나 그 집행 또는 절차의 속행에 영향을 주지 아니한다. (○, ×) ★ 2017 지방직 7급

□□□□□ **08** 행정처분의 무효란 행정처분이 처음부터 아무런 효력도 발생하지 아니한다는 의미이므로 무효등확인소송에 대해서는 집행정지가 인정되지 아니한다. (○, ×) ★★ 2024 지방직 · 서울시 9급

정답 01 ○ 02 ○ 03 × 04 × 05 ○ 06 × 07 ○ 08 ×

기출 체크

□□□□□ 01 행정처분의 당연무효를 주장하여 그 무효확인을 구하는 행정소송에 있어서는 원고에게 그 행정처분이 무효인 사유를 주장 · 입증할 책임이 있다. (○, ×) ★★★ 2017 지방직 7급

□□□□□ 02 행정처분의 당연무효를 주장하여 그 무효확인을 구하는 행정소송에 있어서는 피고 행정청이 그 행정처분에 중대 · 명백한 하자가 없음을 주장 · 입증할 책임이 있다. (○, ×) ★★★ 2016 지방직 9급

□□□□□ 03 행정처분의 당연무효를 주장하여 그 무효확인을 구하는 행정소송에 있어서는 원고에게 그 행정처분이 무효인 사유를 주장 · 입증할 책임이 있다. (○, ×) 2024 지방직 · 서울시 9급

정답 01 ○ 02 × 03 ○

04 | 소송의 심리

❶ 직권심리주의

무효등확인소송의 심리에 있어서도 법원이 필요하다고 인정될 때에는 직권으로 증거조사를 할 수 있으며 당사자가 주장하지 않은 사실에 대해서도 심판할 수 있다.

❷ 행정심판기록의 제출명령

행정심판절차를 거친 경우에 법원은 당사자의 신청이 있는 때에는 결정으로써 재결을 행한 행정청에 대하여 행정심판에 대한 기록의 제출을 명할 수 있으며 행정청은 지체 없이 이에 응해야 한다.

❸ 주장책임과 입증책임

무효등확인소송에서도 주요 사실은 당사자가 주장하여야 한다. 무효등확인소송의 입증책임에 대해 취소소송의 경우와 동일하게 법률요건분류설을 취하는 견해와 처분이 무효라는 사실은 예외적 사실이므로 원고가 증명해야 한다는 견해가 대립한다. 판례는 무효를 주장하는 자가 하자가 무효사유라는 것을 주장 · 입증해야 한다고 판시하여 원고책임설을 취하고 있다.

관련판례

1. **무효확인소송에서는 원고가 처분이 무효라는 것을 입증해야 한다.01 02 ★★★**
   행정처분의 당연무효를 구하는 소송에 있어서는 그 무효를 구하는 사람(원고)에게 그 행정처분에 존재하는 하자가 중대하고 명백하다는 것을 주장 · 입증할 책임이 있다(대판 1984. 2. 28, 82누154).

2. **무효확인을 구하는 행정소송에서는 원고에게 행정처분이 무효인 사유를 주장 · 증명할 책임이 있고, 이는 무효확인을 구하는 뜻에서 행정처분의 취소를 구하는 소송에 있어서도 마찬가지이다.**
   민사소송법이 준용되는 행정소송에서 증명책임은 원칙적으로 민사소송의 일반원칙에 따라 당사자 간에 분배되고, 항고소송은 그 특성에 따라 해당 처분의 적법성을 주장하는 피고에게 적법사유에 대한 증명책임이 있으나(대판 2017. 6. 19, 2013두17435 등 참조), 예외적으로 행정처분의 당연무효를 주장하여 무효확인을 구하는 행정소송에서는 원고에게 행정처분이 무효인 사유를 주장 · 증명할 책임이 있고**03**(대판 2010. 5. 13, 2009두3460 등 참조), 이는 무효확인을 구하는 뜻에서 행정처분의 취소를 구하는 소송에 있어서도 마찬가지이다(대판 1976. 1. 13, 75누175 등 참조)(대판 2023. 6. 29, 2020두46073).

❹ 위법판단의 기준시

취소소송의 경우와 동일하게 처분시를 기준으로 처분의 무효 등을 판단하여야 한다.

❺ 기 타

그 밖에 구술심리주의, 공개심리주의 등 심리에 대한 여러 원칙은 무효등확인소송에도 적용된다.

05 | 판결 및 소송의 종료

❶ 일반론

처분의 무효 등을 확인하는 판결은 제3자에 대해서도 효력이 있으며01 집행정지결정 역시 제3자효를 가진다. 또한 판결의 기속력에 의해, 처분의 무효 등을 확인하는 판결은 당사자인 행정청과 그 밖의 행정청을 기속하며, 확정판결에 대한 제3자의 재심청구도 허용된다.

❷ 사정판결

취소소송에는 사정판결이 허용되나, 무효등확인소송은 처분의 효력이 처음부터 발생하지 않기 때문에 처분의 효력을 존속시키는 사정판결은 불가능하다는 것이 통설 · 판례의 입장이다.

관련판례

무효확인소송에서는 사정판결을 할 수 없다.02 03 ★★★
당연무효의 행정처분을 소송목적물로 하는 행정소송에서는 존치시킬 효력이 있는 행정행위가 없기 때문에 행정소송법 제28조 소정의 사정판결을 할 수 없다(대판 1996. 3. 22, 95누5509).

❸ 기속력의 실효성 확보

무효등확인소송의 경우 취소소송의 기속력(동법 제30조 제1항), 재처분의무(동법 제30조 제2항)가 준용되므로(동법 제38조 제1항), 무효확인판결 자체만으로도 그 실효성이 확보될 수 있다. 그러나 간접강제에 관한 행정소송법 제34조는 무효등확인판결에 준용되는 규정이 아니므로 거부처분에 대해 무효확인판결이 내려진 경우 간접강제는 허용되지 않는다04는 것이 판례의 입장이다.

관련판례

1. 행정소송법 제4조에서는 무효확인소송을 항고소송의 일종으로 규정하고 있고, 행정소송법 제38조 제1항에서는 처분 등을 취소하는 확정판결의 기속력 및 행정청의 재처분의무에 관한 행정소송법 제30조를 무효확인소송에도 준용하고 있으므로 무효확인판결 자체만으로도 실효성을 확보할 수 있다(대판 2008. 3. 20, 2007두6342 전합).05 ★★

2. **행정소송법에는 간접강제를 준용한다는 규정이 없으므로 무효확인소송에는 간접강제가 인정되지 않는다.★★★**
행정소송법 제38조 제1항이 무효확인판결에 관해 취소판결에 관한 규정을 준용함에 있어서 같은 법 제30조 제2항을 준용한다고 규정하면서도 같은 법 제34조는 이를 준용한다는 규정을 두지 않고 있으므로, 행정처분에 대하여 무효확인판결이 내려진 경우에는 그 행정처분이 거부처분인 경우에도 행정청에 판결의 취지에 따른 재처분의무가 인정될 뿐 그에 대하여 간접강제까지 허용되는 것은 아니다(대결 1998. 12. 24, 98무37).06 07

기출 체크

□□□□□ **01** 처분 등의 무효를 확인하는 확정판결은 소송당사자 이외의 제3자에 대하여는 효력이 미치지 않는다. (○, ×) 2019 서울시 9급

□□□□□ **02** 원고의 청구가 이유 있다고 인정하는 경우에도 처분의 무효를 확인하는 것이 현저히 공공복리에 적합하지 아니하다고 인정하는 때에는 법원은 청구를 기각할 수 있다. (○, ×) ★★★ 2017 지방직 7급

□□□□□ **03** 당연무효의 행정처분을 대상으로 하는 행정소송에서도 사정판결을 할 수 있다. (○, ×) ★★★ 2015 국가직 9급

□□□□□ **04** 거부처분에 대한 무효확인판결에는 간접강제가 인정된다. (○, ×) ★★ 2020 국가직 7급

□□□□□ **05** 무효확인판결에는 취소판결의 기속력에 관한 규정이 준용되지 않는다. (○, ×) ★★ 2024 지방직 · 서울시 9급

□□□□□ **06** 거부처분에 대해 무효확인소송을 제기하여 무효확인판결이 확정된 경우, 행정청에 판결의 취지에 따른 재처분의무가 인정될 뿐 간접강제는 허용되지 않는다. (○, ×) ★★★ 2023 서울시 지적 7급

□□□□□ **07** 취소 확정판결의 기속력에 대한 규정은 무효확인판결에도 준용되므로, 무효확인판결의 취지에 따른 처분을 하지 아니할 때에는 1심 수소법원은 간접강제결정을 할 수 있다. (○, ×) ★★★ 2021 국가직 7급

정답 01 × 02 × 03 × 04 × 05 × 06 ○ 07 ×

06 | 취소소송과 무효등확인소송의 관계

❶ 문제의 소재

행정소송법은 취소소송과 무효등확인소송을 별개의 제도로 구분하고 있으나, 취소사유와 무효사유의 구별은 절대적인 것이 아닌 상대적인 것이므로 실제 위법사유와 소송의 형식이 불일치하는 경우가 발생하는데, 이때 법원은 어떠한 판결을 해야 하는지가 문제된다.

❷ 구체적 검토

1. 무효사유에 해당하는 처분에 대해 취소소송을 제기한 경우(무효선언적 의미의 취소소송)

(1) 당사자가 취소소송을 제기하였으나 법원의 심리결과 그 처분이 중대 · 명백한 하자가 있어 무효사유에 해당하는 경우 법원은 어떠한 판결을 해야 하는지가 문제된다. 이 경우 통설과 판례는 이른바 무효선언적 의미의 취소판결을 할 수 있다는 입장이다. **01 02 03 04**

(2) 다만, 이러한 경우는 형식적으로는 취소소송으로 제기되었으므로 취소소송의 소송요건, 예컨대 예외적 행정심판전치주의, 제소기간 등의 요건을 준수해야만 한다는 것이 통설 · 판례의 입장이다. 따라서 과세처분에 대해 무효확인소송을 제기하는 경우에는 전심절차를 거칠 필요가 없으나, 과세처분에 대해 무효선언을 구하는 의미에서 취소소송을 제기하는 경우에는 전심절차를 거쳐야 한다.**05**

관련판례

무효사유에 해당하는 처분에 대해 취소소송을 제기하는 경우에도 제소기간의 준수 등 취소소송의 제소요건을 갖추어야 한다(대판 1984. 5. 29, 84누175).**06 ★★★**

2. 취소사유에 해당하는 처분에 대해 무효확인소송을 제기한 경우

무효확인소송의 대상이 된 행위의 위법이 심리의 결과 무효라고 판정되는 경우에는 인용판결(무효확인판결)을 내린다. 그런데 당해 위법이 취소사유에 불과한 경우, 법원은 어떠한 판결을 내려야 하는지가 문제된다.

(1) 취소소송의 제기요건을 갖춘 경우

① 학 설

무효확인소송이 취소소송요건을 갖춘 경우에 어떠한 판결을 내려야 할 것인지에 대해서는 견해의 대립이 있다.

㉠ **청구기각판결설** : 무효확인청구에 취소청구가 당연히 포함되어 있다고 볼 수는 없다는 것을 근거로 원고의 청구를 기각하여야 한다고 보는 견해이다.

㉡ **소변경필요설** : 판결은 소송상 청구에 대해 내려지는 것이므로 법원은 석명권을 행사하여 무효확인소송을 취소소송으로 변경하도록 한 후 취소소송요건을 충족한 경우 취소판결을 하여야 한다는 견해이다.

㉢ **취소판결설(취소소송포함설)** : 전체는 부분을 포함한다는 원칙에 비추어 무효확인청구에는 원고의 명시적인 반대의사표시가 없는 한 취소청구도 당연히 포함된다고 보아 법원은 취소판결을 할 수 있다는 입장이다.

기출 체크

□□□□□ **01** (甲은 중대 · 명백한 하자가 있어 무효인 A처분에 대해 소송을 제기하려고 한다) 甲이 취소소송을 제기하였더라도 A처분에 중대 · 명백한 하자가 있다면 법원은 무효확인판결을 하여야 한다. (○, ×) ★★ 2021 국회직 8급

□□□□□ **02** 판례는 무효를 선언하는 의미의 취소판결을 인정하고 있다. (○, ×) ★★★ 2013 국가직 7급

□□□□□ **03** 무효인 행정행위는 당연무효를 선언하는 의미에서 그 취소를 구하는 형식의 소를 제기할 수 없다. (○, ×) ★★★ 2018 교육행정직 9급

□□□□□ **04** 무효인 처분에 대하여 취소소송이 제기된 경우 소송제기요건이 구비되었다면 법원은 당해 소를 각하하여서는 아니 되며, 무효를 선언하는 의미의 취소판결을 하여야 한다. (○, ×) ★★★ 2014 지방직 9급

□□□□□ **05** 부가가치세법상 과세처분의 무효선언을 구하는 의미에서 그 취소를 구하는 소송은 전심절차를 거칠 필요가 없다. (○, ×) ★★★ 2014 사회복지직 9급

□□□□□ **06** 행정처분의 당연무효를 선언하는 의미에서 취소를 구하는 행정소송을 제기한 경우에는 취소소송의 제소요건을 갖추어야 한다. (○, ×) ★★★ 2022 국가직 7급

정답 01 × 02 ○ 03 × 04 ○ 05 × 06 ○

② 판 례

취소판결설의 입장을 따르고 있는 것으로 보인다.01 한편 판례는 무효확인소송이 제소기간 내에 제기되었다면 동일 처분에 대한 취소소송을 제소기간이 경과한 후에 추가적으로 병합하였더라도 취소소송은 적법하게 제기된 것으로 보아야 한다는 입장이다.

관련판례

1. **행정처분의 무효확인을 구하는 소에는 원고가 그 처분의 취소를 구하지 아니한다고 밝히지 아니한 이상 그 처분이 만약 당연무효가 아니라면 그 취소를 구하는 취지도 포함되어 있는 것으로 보아야 한다**(대판 1994. 12. 23, 94누477).**02** ★★★
2. 행정처분의 무효확인을 구하는 청구에는 특별한 사정이 없는 한 그 처분의 취소를 구하는 취지까지도 포함되어 있다고 볼 수는 있으나 위와 같은 경우에 취소청구를 인용하려면 먼저 취소를 구하는 항고소송으로서의 제소요건을 구비한 경우에 한한다(대판 1986. 9. 23, 85누838).**03**
3. **동일한 행정처분에 대하여 무효확인의 소를 제기하였다가 그 후 그 처분의 취소를 구하는 소를 추가적으로 병합한 경우, 주된 청구인 무효확인의 소가 적법한 제소기간 내에 제기되었다면 추가로 병합된 취소청구의 소도 적법하게 제기된 것으로 볼 수 있다(편저자 주 : 한편 이러한 병합은 예비적 병합으로만 가능하다. 병합 부분 참조)**(대판 2005. 12. 23, 2005두3554).**04** ★★

(2) 취소소송의 제기요건을 갖추지 못한 경우

취소소송의 제소기간이 경과한 후에 취소사유에 해당하는 처분에 대해 무효확인소송을 제기한 경우 이를 어떻게 처리할 것인지가 문제되는데, 이에 대해 통설 및 판례는 청구기각판결을 하여야 한다고 본다.

(3) 무효확인소송에서 석명권의 행사

재판장은 무효확인소송이 행정소송법 제20조(취소소송의 제소기간 제한규정)에 따른 기간 내에 제기된 경우에는 원고에게 처분 등의 취소를 구하지 아니하는 취지인지를 명확히 하도록 촉구할 수 있다. 다만, 원고가 처분 등의 취소를 구하지 아니함을 밝힌 경우에는 그러하지 아니하다(행정소송규칙 제16조).

(4) 관련문제

행정처분에 대하여 취소소송의 불복기간이 지난 후 그 행정처분의 근거가 된 법률이 위헌이라는 이유로 무효확인청구의 소가 제기된 경우 이를 어떻게 처리할 것인지가 문제된다. 이에 대해 통설 및 판례는 다른 특별한 사정이 없는 한 법원으로서는 그 법률이 위헌인지 여부에 대하여는 판단할 필요 없이 위 무효확인청구를 기각하여야 한다고 본다.

관련판례

(교통안전공단의 분담금 납부통지의 제소기간 경과 후 헌법재판소가 교통안전공단법 제17조를 위헌결정한 경우, 납부통지가 무효가 아니므로 납부받은 분담금은 부당이득이 아니라고 판시하면서) **쟁송기간이 경과하여 확정력이 발생한 행정처분에 대한 무효확인청구는 기각하여야 한다.05** ★★
이미 취소소송의 제기기간을 경과하여 확정력이 발생한 행정처분에는 위헌결정의 소급효가 미치지 않는다고 보아야 할 것이므로 어느 행정처분에 대하여 그 행정처분의 근거가 된 법률이 위헌이라는 이유로 무효확인청구의 소가 제기된 경우에는 다른 특별한 사정이 없는 한 법원으로서는 그 법률이 위헌인지 여부에 대하여는 판단할 필요 없이 위 무효확인청구를 기각하여야 할 것이다(대판 2000. 11. 14, 2000다20144).

기출 체크

□□□□□ **01** 무효확인소송을 제기하였는데 해당 사건에서의 위법이 취소사유에 불과한 때, 법원은 취소소송의 요건을 충족한 경우 취소판결을 내린다. (○, ×) ★★★ 2017 국가직(하) 7급

□□□□□ **02** 행정처분의 무효확인을 구하는 소에는 원고가 그 처분의 취소를 구하지 아니한다고 밝히지 아니한 이상 그 처분이 만약 당연무효가 아니라면 그 취소를 구하는 취지도 포함되어 있는 것으로 보아야 한다. (○, ×) ★★★ 2023 소방간부

□□□□□ **03** 행정처분의 무효확인을 구하는 소에는 원고가 그 처분의 취소를 구하지 아니한다고 밝히지 아니한 이상 그 처분이 당연무효가 아니라면 그 취소를 구하는 취지도 포함되어 있는 것으로 보아야 하고, 그와 같은 경우에 취소청구를 인용하려면 먼저 취소를 구하는 항고소송으로서의 제소요건을 구비하여야 한다. (○, ×) 2023 국회직 8급

□□□□□ **04** 동일한 처분에 대하여 무효확인의 소를 제기하였다가 그 처분의 취소를 구하는 소를 추가적으로 병합한 경우, 주된 청구인 무효확인의 소가 적법한 제소기간 내에 제기되었다면 추가로 병합된 취소청구의 소도 적법하게 제기된 것으로 볼 수 있다. (○, ×) ★★ 2021 국가직 9급

□□□□□ **05** 행정행위가 있은 후 그 근거가 된 법률이 헌법재판소에 의해 위헌으로 결정된 경우, ㉠ 당해 행정행위의 하자의 유형과 ㉡ 취소소송의 제소기간이 도과한 후 원고가 무효확인소송으로 이 사안을 다툰다고 할 때 법원은 어떻게 판단해야 하는지 바르게 연결한 것은? (다툼이 있는 경우 대법원 판례에 의함) ★★ 2013 지방직 9급

	㉠	㉡		㉠	㉡
①	무효	각하	②	무효	기각
③	취소	각하	④	취소	기각

● 취소소송과 무효등확인소송의 관계
- 무효등확인소송에는 취소소송에 관한 규정 중 예외적 행정심판전치주의, 제소기간, 사정판결, 간접강제에 관한 규정이 적용되지 않는다.
- 집행부정지의 원칙 및 예외적 집행정지에 관한 규정은 무효등확인소송에도 적용된다.
- 무효선언을 구하는 의미의 취소소송(무효선언적 의미의 취소소송)에는 제소기간 및 예외적 행정심판전치주의에 관한 규정이 적용된다.

정답 01 ○ 02 ○ 03 ○ 04 ○ 05 ④

제 2 절 부작위위법확인소송

핵심집약 Topic 75

기출 체크

□□□□□ 01 집행정지결정은 부작위위법확인소송에 준용되지 않는다.
(○, ×) ★★★ 2016 서울시 7급

□□□□□ 02 부작위위법확인소송에 있어서는 사정판결이 적용되지 아니한다.
(○, ×) ★★★ 2005 국회직 8급

□□□□□ 03 행정소송법상 취소소송에 관한 규정 중 부작위위법확인소송에 준용되는 것을 모두 옳게 고른 것은? ★★ 2013 국가직 9급

㉠ 행정심판과의 관계
㉡ 제소기간
㉢ 집행정지
㉣ 사정판결
㉤ 거부처분취소판결의 간접강제

① ㉠, ㉣
② ㉠, ㉡, ㉤
③ ㉠, ㉡, ㉢, ㉣
④ ㉠, ㉡, ㉢, ㉤

정답 01 ○ 02 ○ 03 ②

01 | 부작위위법확인소송의 의의

❶ 의 의

1. 부작위위법확인소송은 행정청의 부작위가 위법하다는 것을 확인하는 소송을 말한다. 즉, 행정청이 상대방의 신청에 대하여 상당한 기간 내에 일정한 처분을 해야 할 의무가 있음에도 불구하고 이를 방치하고 있는 경우에 이러한 부작위가 위법한 것임을 확인하는 소송이다.

2. 부작위위법확인소송은 법률관계를 변동하는 것이 아니라 부작위에 의해 초래된 법상태가 위법임을 확인하는 것으로 확인소송의 성질을 가진다. 한편 부작위위법확인소송은 '공권력행사로서의 행정청의 처분'의 부작위를 대상으로 하는 것이므로, 다른 항고소송과 동일하게 공권력에 대한 소송이라는 점에서 항고소송에 해당한다.

❷ 적용법규

부작위위법확인소송은 항고소송의 일종으로 취소소송과 기본적인 성격이 동일하므로 취소소송에 관한 대부분의 규정이 부작위위법확인소송에도 준용된다. 다만, ① 처분변경으로 인한 소변경, ② 집행정지결정,01 ③ 사정판결에 관한 규정 등은 그 성질상 부작위위법확인소송에 준용되지 않는다.02 03

02 | 소송요건

❶ 관 할

부작위위법확인소송의 재판관할도 취소소송의 경우와 동일하며, 관련청구의 이송에 관한 취소소송의 규정 역시 부작위위법확인소송에 준용된다.

❷ 소송의 대상

1. 부작위의 의의

부작위란 행정청이 당사자의 신청에 대하여 상당한 기간 내에 일정한 '처분'을 하여야 할 법률상 의무가 있음에도 불구하고 이를 하지 아니하는 것을 말한다. 따라서 '처분'의 부작위가 아닌 사법(私法)상 청구의 부작위 등은 부작위위법확인소송의 대상이 아니며, 비권력적 사실행위의 요구와 같이 법적인 의미를 가지지 않는 부작위도 부작위위법확인소송의 대상이 되지 않는다.

관련판례

1. 〔폐지된 개간촉진법 제17조의 규정에 의한 국유개간토지의 매각행위가 사법(私法)상 법률행위에 불과하므로 항고소송의 대상이 되는 처분이 아니라고 하면서〕 **부작위위법확인소송의 대상이 되는 행정청의 부작위라 함은 상당한 기간 내에 일정한 '처분'을 할 법률상의 의무가 있음에도 불구하고 이를 하지 아니하는 것을 말한다**(대판 1991. 11. 8, 90누9391).

2. **검사가 압수해제된 것으로 간주된 압수물의 환부신청에 대하여 아무런 결정 · 통지도 하지 아니한 경우, 부작위위법확인소송의 대상이 되지 않는다.01**
형사본안사건에서 무죄가 선고되어 확정되었다면 형사소송법 제332조 규정에 따라 검사가 압수물을 제출자나 소유자, 기타 권리자에게 환부하여야 할 의무가 당연히 발생한 것이고, 권리자의 환부신청에 대한 검사의 환부결정 등 어떤 처분에 의하여 비로소 환부의무가 발생하는 것은 아니므로 압수가 해제된 것으로 간주된 압수물에 대하여 피압수자나 기타 권리자가 민사소송으로 그 반환을 구함은 별론으로 하고 검사가 피압수자의 압수물 환부신청에 대하여 아무런 결정이나 통지도 하지 아니하고 있다고 하더라도 그와 같은 부작위는 현행 행정소송법상의 부작위위법확인소송의 대상이 되지 아니한다(대판 1995. 3. 10, 94누14018).

2. 위법한 부작위의 성립요건

(1) 당사자의 신청

부작위가 성립하기 위하여는 당사자의 신청이 있어야 하며, 여기서 신청이라 함은 법규상 또는 조리상 신청권이 있음을 전제로 한다.**02 03**

관련판례

1. **당사자에게 법규상 · 조리상 신청권이 없는 경우 부작위위법확인의 소는 부적법하다**(대판 1995. 9. 15, 95누7345).★★★

2. **부작위위법확인의 소에 있어 당사자가 행정청에 대하여 어떠한 행정행위를 하여 줄 것을 요구할 수 있는 법규상 또는 조리상 권리를 갖고 있지 아니한 경우에는 원고적격이 없거나 항고소송의 대상인 위법한 부작위가 있다고 볼 수 없어 그 부작위위법확인의 소는 부적법하다**(대판 1999. 12. 7, 97누17568).**04** ★★★

3. **제자리 환지처분(원래 주민들이 본인 소유의 땅과 같은 장소에서 환지를 받는 것)을 받은 토지소유자가 사업시행자를 상대로 종전 토지 위의 건축물 등에 대한 이전 또는 철거를 요구하면서 제기한 부작위위법확인소송은 이전 또는 철거를 요구할 신청권이 있다고 볼 수 없으므로 허용되지 않는다.**
토지구획정리사업법 제40조 제1항은 사업시행자에게 필요한 경우 건축물 등을 이전하거나 제거할 수 있는 권능을 부여한 규정에 지나지 아니할 뿐, 사업시행자에게 그러한 의무가 있음을 규정한 것은 아니므로 이 규정을 들어 제자리 환지처분을 받은 토지소유자에게 사업시행자로 하여금 종전 토지 위의 건축물 등에 대한 이전 또는 철거를 이행하도록 요구할 수 있는 신청권이 있다고 볼 수 없고, 따라서 사업시행자가 토지소유자의 위와 같은 신청을 받아들이지 아니하였다고 하여 항고소송의 대상인 위법한 부작위에 해당한다고 할 수 없는 것이므로 그 부작위위법확인의 소는 부적법하다(대판 1990. 5. 25, 89누5768).

4-1. **행정청이 행한 공사중지명령의 상대방은 그 명령 이후에 그 원인사유가 소멸하였음을 들어 행정청에 대하여 공사중지명령의 철회를 요구할 수 있는 조리상의 신청권이 있다.05** ★★

4-2. **행정청이 행한 공사중지명령의 상대방이 그 명령 이후에 그 원인사유가 소멸하였음을 들어 행정청에 대하여 공사중지명령의 철회를 신청하였으나 행정청이 이에 대하여 아무런 응답을 하지 않고 있는 경우, 그러한 행정청의 부작위는 그 자체로 위법하다**(대판 2005. 4. 14, 2003두7590).**06** ★★

5. **4급 공무원이 당해 지방자치단체 인사위원회의 심의를 거쳐 3급 승진대상자로 결정되고 임용권자가 그 사실을 대내외에 공표한 경우, 그 공무원에게 승진임용신청권이 있다.07** ★★
지방공무원법 제8조, 제38조 제1항, 지방공무원임용령 제38조의3의 각 규정을 종합하면, 2급 내지 4급

기출 체크

□□□□□ **01** 압수가 해제된 것으로 간주된 물건에 대한 피압수자의 환부신청에 대하여 검사가 아무런 결정이나 통지를 하지 않았다고 하더라도 그와 같은 부작위는 부작위위법확인소송의 대상이 되지 않는다. (○, ×) 2010 국회속기직 9급

□□□□□ **02** 부작위가 성립하기 위해서는 당사자의 신청이 있어야 하며, 여기서 신청이란 법규상 또는 조리상 신청권의 행사로서의 신청을 말한다. (○, ×) ★★★ 2013 국회직 8급

□□□□□ **03** 부작위위법확인소송의 대상이 되는 부작위는 당사자의 신청이 없더라도 성립할 수 있다. (○, ×) ★★★ 2015 교육행정직 9급

□□□□□ **04** 부작위위법확인의 소에 있어 당사자가 행정청에 대하여 어떠한 행정행위를 하여 줄 것을 요구할 수 있는 법규상 또는 조리상 권리를 갖고 있지 아니한 경우에는 원고적격이 없거나 항고소송의 대상인 위법한 부작위가 있다고 볼 수 없어 그 부작위위법확인의 소는 부적법하다. (○, ×) ★★★ 2024 지방직 · 서울시 9급

□□□□□ **05** 행정청이 행한 공사중지명령의 상대방은 그 명령 이후에 그 원인사유가 소멸하였음을 들어 행정청에게 공사중지명령의 철회를 요구할 수 있는 조리상의 신청권이 없다. (○, ×) ★★ 2018 국회직 8급

□□□□□ **06** 행정청이 행한 공사중지명령의 상대방이 그 명령 이후에 그 원인사유가 소멸하였음을 들어 공사중지명령의 철회를 신청하였으나 행정청이 아무런 응답을 하지 않고 있는 경우 행정청의 부작위는 그 자체로 위법하다. (○, ×) ★★ 2013 국회직 8급

□□□□□ **07** 4급 공무원이 당해 지방자치단체 인사위원회의 심의를 거쳐 3급 승진대상자로 결정되고 임용권자가 그 사실을 대내외에 공표한 경우 그 공무원에게 승진임용신청권이 있다. (○, ×) ★★ 2014 서울시 7급

정답 01 ○ 02 ○ 03 × 04 ○ 05 × 06 ○ 07 ○

공무원의 승진임용은 임용권자가 행정실적 · 능력 · 경력 · 전공분야 · 인품 및 적성 등을 고려하여 하되 인사위원회의 사전심의를 거치도록 하고 있는바, 4급 공무원이 당해 지방자치단체 인사위원회의 심의를 거쳐 3급 승진대상자로 결정되고 임용권자가 그 사실을 대내외에 공표까지 하였다면, 그 공무원은 승진임용에 관한 법률상 이익을 가진 자로서 임용권자에 대하여 3급 승진임용신청을 할 조리상의 권리가 있다(대판 2008. 4. 10, 2007두18611).

(2) 상당한 기간의 경과

위법한 부작위가 성립하기 위해서는 당사자의 신청 후 상당한 기간이 경과했는데도 행정청이 아무런 처분을 하지 않아야 한다.01 상당한 기간이란 사회통념상 그 신청에 따르는 처분을 하는 데 필요할 것으로 인정되는 기간이다.

(3) 처분을 할 법률상 의무의 존재

부작위란 행정청이 어떤 행위를 해야 할 법률상 의무가 있음에도 불구하고 아무런 처분을 하지 않은 경우에 성립한다.02 한편, 법률상 의무에는 명문규정에 의해 인정되는 경우뿐만 아니라 조리상 인정되는 경우도 포함된다.

(4) 처분의 부존재

처분이 존재하는 경우 부작위의 문제가 생기지 않으므로 부작위위법확인소송을 제기할 것이 아니라 취소소송을 제기하여야 한다.ⓐ

관련판례

거부처분이 있는 경우 부작위위법확인소송을 제기할 수는 없다.03 ★★
행정청이 당사자의 신청에 대하여 거부처분을 한 경우에는 항고소송의 대상인 위법한 부작위가 있다고 볼 수 없어 그 부작위위법확인의 소는 부적법하다(대판 1998. 1. 23, 96누12641).

① 간주거부

법령이 일정한 상태에서 부작위를 거부처분으로 간주하는 규정을 둔 경우에는 부작위위법확인소송의 대상이 되지 않고, 거부처분취소소송을 제기할 수 있을 뿐이다.04

② 묵시적 거부

판례는 검사임용신청과 관련하여 신청자 중 일부에 대해서만 임용발령을 하고 나머지 신청자에 대해서는 형식상 별다른 의사표시를 하지 않았다 하더라도 검사지원자 중 한정된 수의 임용대상자에 대한 임용결정은 한편으로는 임용대상에서 제외한 자에 대한 임용거부결정이라는 양면성을 지니는 것이라고 판시한 바 있다. 따라서 이러한 경우 거부처분취소소송을 제기할 수 있다.

③ 처분의 부존재

부작위위법확인소송의 대상은 처분, 즉 구체적 권리 · 의무에 관한 부작위이어야 하므로 추상적인 행정입법에 관한 부작위는 부작위위법확인소송의 대상이 되지 않는다는 것이 판례의 입장이다.

관련판례

추상적인 법령에 관한 제정 여부 등은 그 자체로서 국민의 구체적 권리 · 의무에 관한 분쟁이 아니어서 부작위위법확인소송의 대상이 될 수 없다(대판 1992. 5. 8, 91누11261).05 06 07 ★★★

기출 체크

□□□□□ 01 (위법한 부작위가 성립하려면) 처분을 함에 있어 통상 요구되는 상당한 기간이 경과하여야 한다. (○, ×) ★ 2010 세무사

□□□□□ 02 (위법한 부작위가 성립하려면) 행정청의 일정한 처분의무가 있어야 한다. (○, ×) ★ 2005 경기도 9급

□□□□□ 03 당사자의 신청에 대한 행정청의 거부처분이 있는 경우에는 행정청이 당사자의 신청에 대하여 상당한 기간 내에 일정한 처분을 하여야 할 법률상 응답의무를 이행하지 아니함으로써 야기된 부작위라는 위법상태를 제거하기 위하여 제기하는 부작위위법확인소송은 허용되지 아니한다. (○, ×) ★★ 2023 소방간부

□□□□□ 04 행정청의 아무런 처분이 없는 경우에도 이를 거부처분으로 간주하는 법규정이 있는 때에는 부작위에 해당하지 않는다. (○, ×) ★ 2010 세무사

□□□□□ 05 부작위위법확인소송의 대상이 될 수 있는 것은 구체적 권리 · 의무에 관한 분쟁이어야 하고, 추상적인 법령에 관하여 제정의 여부 등은 그 자체로서 국민의 구체적인 권리 · 의무에 직접적 변동을 초래하는 것이 아니어서 행정소송의 대상이 될 수 없다. (○, ×) ★★★ 2022 군무원 9급

□□□□□ 06 행정입법부작위는 행정소송법상 부작위위법확인소송의 대상이 되지 않는다. (○, ×) ★★★ 2018 지방직 7급

□□□□□ 07 법률의 집행을 위해 시행규칙을 제정할 의무가 있음에도 불구하고 행정청이 시행규칙을 제정하지 않고 있는 경우, 부작위위법확인소송을 통하여 다툴 수 있다. (○, ×) ★★★ 2016 국가직 7급

● '처분'의 '부존재'
- 간주거부의 경우에는 거부처분취소소송을 제기하여야 한다.
- 행정입법에 관한 부작위는 부작위위법확인소송의 대상이 되지 않는다.
- 사법(私法)상 청구의 부작위는 부작위위법확인소송의 대상이 되지 않는다.

ⓐ 거부처분이 있었는지 아니면 부작위인지 애매한 경우가 있다. 이 경우에는 거부처분취소소송과 부작위위법확인소송 중 한 소송을 주위적 청구로 하고 다른 소송을 예비적 청구로 제기할 수 있다.

정답 01 ○ 02 ○ 03 ○ 04 ○ 05 ○ 06 ○ 07 ×

③ 원고적격의 문제

1. 법령규정

행정소송법은 "부작위위법확인소송은 처분의 신청을 한 자로서 부작위의 위법의 확인을 구할 법률상 이익이 있는 자만이 제기할 수 있다."01라고 규정하고 있다. 이때 처분의 신청을 한 자의 의미가 무엇인지가 문제된다.

2. 처분의 신청을 한 자

(1) 원고적격이 인정되기 위해서는 처분을 신청한 것으로 족하다는 견해와 법규상 또는 조리상 신청권이 있어야 한다는 견해가 대립한다.

(2) 판례 및 다수설은 부작위의 성립요소로 신청권을 요구하고 있는바, 이러한 입장에 따르면 부작위가 있으면 신청권이 있는 자에게 원고적격이 인정된다.02 왜냐하면 신청권을 가지는 자는 법률상 이익을 당연히 가지게 되고 부작위로 인해 그러한 법률상 이익이 침해되었기 때문이다.

관련판례

국회의원이 대통령 및 외교통상부(현 외교부)장관의 특임공관장에 대한 인사권행사 등과 관련하여 그 임면과정이나 지위변경 등에 관한 요구를 할 수 있는 법규상 또는 조리상 신청권은 없다(대판 2000. 2. 25, 99두11455).**03**

3. 제3자의 경우

부작위의 직접 상대방이 아닌 제3자라도 법률상 이익이 있는 한 부작위위법확인소송을 제기할 원고적격이 있다.

관련판례

제3자라 하더라도 그 처분의 취소 또는 부작위위법확인을 받을 법률상의 이익이 있는 경우에는 원고적격이 인정된다(대판 1989. 5. 23, 88누8135).**04** ★★

④ 소의 이익

1. 부작위가 위법하다는 것을 구할 확인의 이익이 있어야 하므로 부작위위법확인판결을 받는다 하더라도 원고의 권리와 이익을 보호받는 것이 불가능하게 되었다면 소의 이익이 없다.

2. 부작위위법확인소송의 계속 중 행정청이 신청에 대해서 적극 또는 소극의 처분을 하게 되어 부작위 상태가 해소되면 소의 이익을 상실하게 되어 각하된다는 것이 판례의 입장이다.05 06 한편 법원은 부작위위법확인소송 계속 중 행정청이 당사자의 신청에 대하여 상당한 기간이 지난 후 처분 등을 함에 따라 소를 각하하는 경우에는 소송비용의 전부 또는 일부를 피고가 부담하게 할 수 있다(행정소송규칙 제17조).

관련판례

1. (지방자치단체가 노동운동이 허용되는 사실상의 노무에 종사하는 공무원의 구체적 범위를 조례를 통해 규정하지 않고 있는 것에 대해 버스전용차로 통행위반 단속업무에 종사하는 자가 부작위위법확인의 소를 제기하였으나 상고심 계속 중에 정년퇴직한 경우, 위 조례를 제정하지 아니한 부작위가 위법하다는 확인을 구할 소의 이익이 상실되었다고 판단하면서) **당사자의 신청이 있은 이후 당사자에게 생긴 사정의 변화로 인하여 부작위가 위법하다는 확인을 받는다고 하더라도 종국적으로 침해되거나 방해받은 권리와 이익을 보호 · 구제받는 것이 불가능하게 된 경우, 그 부작위가 위법하다는 확인을 구할 이익은 없다**(대판 2002. 6. 28, 2000두4750).**07 08** ★★★

기출 체크

□□□□□ **01** 부작위위법확인소송은 처분의 신청을 한 자로서 부작위의 위법의 확인을 구할 법률상의 이익이 있는 자만이 제기할 수 있다. (○, ×) ★★
2022 국가직 7급

□□□□□ **02** 당사자가 행정청에 대하여 어떠한 행정처분을 하여 줄 것을 요청할 수 있는 법규상 또는 조리상의 권리를 갖고 있지 아니한 경우에 제기한 부작위위법확인의 소는 부적법하다. (○, ×)
2022 국가직 7급

□□□□□ **03** 국회의원에게는 대통령 및 외교통상부장관의 특임공관장에 대한 인사권행사 등과 관련하여 대사의 직을 계속 보유하게 하여서는 아니 된다는 요구를 할 수 있는 법규상 또는 조리상 신청권이 인정되지 않는다. (○, ×) 2022 소방간부

□□□□□ **04** 부작위의 직접 상대방이 아닌 제3자라도 당해 행정처분의 부작위위법확인을 구할 법률상의 이익이 있는 경우 원고적격이 인정된다. (○, ×) ★★
2013 국회직 8급

□□□□□ **05** 허가처분 신청에 대한 부작위를 다투는 부작위위법확인소송을 제기하여 제1심에서 승소판결을 받았는데 제2심 단계에서 피고 행정청이 허가처분을 한 경우, 제2심 수소법원은 각하판결을 하여야 한다. (○, ×) ★★★
2019 국가직 9급

□□□□□ **06** 소제기의 전후를 통하여 판결시까지 행정청이 그 신청에 대하여 적극 또는 소극의 처분을 함으로써 부작위 상태가 해소된 때에는 소의 이익을 상실하게 되어 당해 소는 각하를 면할 수가 없다. (○, ×) ★★★ 2018 국회직 8급

□□□□□ **07** 조례를 통하여 노동운동이 허용되는 사실상의 노무에 종사하는 공무원의 구체적 범위를 규정하지 않고 있는 것에 대하여 부작위위법확인의 소를 제기하였으나 상고심 계속 중에 정년퇴직한 경우에 소의 이익은 인정되지 않는다. (○, ×) ★★★ 2022 소방간부

□□□□□ **08** 처분의 신청 후에 원고에게 생긴 사정의 변화로 인하여, 그 처분에 대한 부작위가 위법하다는 확인을 받아도 종국적으로 침해되거나 방해받은 원고의 권리 · 이익을 보호 · 구제받는 것이 불가능하게 되었다면, 법원은 각하판결을 내려야 한다. (○, ×) ★★★
2020 국가직 9급

정답 01 ○ 02 ○ 03 ○ 04 ○ 05 ○ 06 ○ 07 ○ 08 ○

2-1. 소제기 후라도 행정청이 처분을 함으로써 부작위상태가 해소된 경우 부작위위법확인소송은 소의 이익이 상실되어 각하된다.★★

2-2. 대학의 상근강사로서 근무를 마친 자가 정규교원에 임용하여 줄 것을 요청하는 내용의 탄원서에 대하여 교장이 민원서류 처리결과통보의 형식으로 인사위원회에서 임용동의가 부결되어 임용하지 못한다는 설명을 담은 서신을 보낸 경우를 임용거부처분으로 볼 수 있다(대판 1990. 9. 25, 89누4758).

❺ 피고적격

취소소송의 피고적격에 관한 규정이 준용되어 부작위행정청이 피고가 된다. 또한 피고의 경정에 관한 규정도 준용된다.

❻ 제소기간

취소소송의 제소기간에 관한 규정은 부작위위법확인소송에도 준용된다.01 그런데 이 규정의 의미와 관련하여 판례는 부작위위법확인의 소는 원칙적으로 제소기간의 제한을 받지 않으나 행정심판 등 전심절차를 거친 경우에는 행정소송법 제20조가 정한 제소기간 내에 부작위위법확인의 소를 제기하여야 한다고 본다.

관련판례

1. 행정심판 등 전심절차를 거친 경우에는 행정소송법 제20조가 정한 제소기간 내에 부작위위법확인의 소를 제기하여야 한다.★★★
2. 당사자가 적법한 제소기간 내에 부작위위법확인의 소를 제기한 후, 동일한 신청에 대하여 소극적 처분이 있다고 보아 처분취소소송으로 소를 교환적으로 변경한 후 부작위위법확인의 소를 추가적으로 병합한 경우, 제소기간을 준수한 것으로 볼 수 있다.㉠
   부작위위법확인의 소는 부작위상태가 계속되는 한 그 위법의 확인을 구할 이익이 있다고 보아야 하므로 원칙적으로 제소기간의 제한을 받지 않는다.02 그러나 행정소송법 제38조 제2항이 제소기간을 규정한 같은 법 제20조를 부작위위법확인소송에 준용하고 있는 점에 비추어 보면, 행정심판 등 전심절차를 거친 경우에는 행정소송법 제20조가 정한 제소기간 내에 부작위위법확인의 소를 제기하여야 한다(대판 2009. 7. 23, 2008두10560).03

❼ 예외적 행정심판전치주의

부작위위법확인소송에 대해서도 행정심판과 취소소송의 관계를 준용하여 임의적 전치가 원칙이며,04 다른 법률이 정한 경우에만 예외적으로 행정심판전치주의가 적용된다.05 이때의 행정심판은 행정심판법상 부작위위법확인심판을 규정하지 않고 있으므로 의무이행심판을 거쳐야 할 것이다.06

03 | 소제기의 효과

일반적으로 취소소송의 경우와 동일하나 부작위에 대한 정지는 성질상 생각하기 곤란하므로 집행정지의 문제는 발생하지 않는다.

기출 체크

□□□□□ 01 취소소송의 제소기간에 관한 규정은 무효등확인소송과 부작위위법확인소송에서는 준용되지 않는다. (○, ×) ★★★ 2013 서울시 9급

□□□□□ 02 행정청의 부작위에 대하여 행정심판을 거치지 않고 부작위위법확인소송을 제기하는 경우에는 제소기간의 제한을 받지 않는다. (○, ×) ★★★ 2019 지방직 · 교육행정직 9급

□□□□□ 03 부작위위법확인소송에서 부작위상태가 계속되는 한 그 위법의 확인을 구할 이익이 있다고 보아야 하므로 행정심판 등 전심절차를 거친 경우에도 제소기간에 관한 규정은 적용되지 않는다. (○, ×) 2023 국가직 7급

□□□□□ 04 부작위위법확인소송에 대해서는 행정심판전치에 관한 규정이 준용되지 않는다. (○, ×) ★★ 2010 세무사

□□□□□ 05 부작위위법확인소송에 대해서도 행정심판과 취소소송의 관계를 준용하여 임의적 전치가 원칙이며, 다른 법률이 정한 경우에만 예외적으로 행정심판전치주의가 적용된다. (○, ×) ★★ 2022 소방간부

□□□□□ 06 부작위위법확인소송에서 예외적으로 행정심판전치가 인정될 경우 그 전치되는 행정심판은 의무이행심판이다. (○, ×) ★★ 2016 서울시 7급

판례 | ㉠ 당사자가 동일한 신청에 대하여 부작위위법확인의 소를 제기하였으나 그 후 소극적 처분이 있다고 보아 처분취소소송으로 소를 교환적으로 변경한 후 여기에 부작위위법확인의 소를 추가적으로 병합한 경우, 최초의 부작위위법확인의 소가 적법한 제소기간 내에 제기된 이상 그 후 처분취소소송으로의 교환적 변경과 처분취소소송에의 추가적 변경 등의 과정을 거쳤다고 하더라도 여전히 제소기간을 준수한 것으로 봄이 상당하다(대판 2009. 7. 23, 2008두10560).

정답 01 × 02 ○ 03 × 04 × 05 ○ 06 ○

04 | 소송의 심리

❶ 심리의 범위

부작위위법확인소송의 심리권이 신청의 실체적 내용에까지 미치는지에 관해서는 학설이 대립하고 있다.

1. 학 설

(1) **소극설**(절차적 심리설)

① 이 설은 부작위위법확인소송에서는 그 심리범위가 부작위의 위법 여부에만 국한된다고 본다.
② 부작위위법확인소송은 의무이행소송과는 달리 행정청의 부작위가 위법한 것임을 확인하는 소송으로서 법원의 심판대상은 부작위의 위법성에 불과하므로 법원은 부작위의 위법 여부를 확인하는 데 그칠 뿐, 행정청이 행할 처분의 구체적 내용까지는 심리 · 판단할 수 없다고 한다.

(2) **적극설**(실체적 심리설)

적극설은 부작위위법확인소송의 심리범위는 실체적 심리에까지 미쳐 부작위의 위법 여부뿐만 아니라 신청에 따른 특정 처분의무가 있는지도 심리 · 판단할 수 있다는 견해이다.

2. 판 례

판례는 부작위위법확인소송은 부작위의 위법성을 확인하는 데 그치고 실체적 내용까지는 심리할 수 없다고 함으로써 소극설(절차적 심리설)을 취하고 있다.01 02

관련판례

부작위위법확인의 소는 부작위 내지 무응답이라고 하는 소극적인 위법상태를 제거하는 것을 목적으로 하는 것이다.03 ★★

부작위위법확인의 소는 행정청이 당사자의 법규상 또는 조리상의 권리에 기한 신청에 대하여 상당한 기간 내에 그 신청을 인용하는 적극적 처분을 하거나 각하 또는 기각하는 등의 소극적 처분을 하여야 할 법률상의 응답의무가 있음에도 불구하고 이를 하지 아니하는 경우, 그 부작위의 위법을 확인함으로써 행정청의 응답을 신속하게 하여 부작위 내지 무응답이라고 하는 소극적인 위법상태를 제거하는 것을 목적으로 하는 것이고, 나아가 그 인용판결의 기속력에 의하여 행정청으로 하여금 적극적이든 소극적이든 어떤 처분을 하도록 강제한 다음, 그에 대하여 불복이 있을 경우 그 처분을 다투게 함으로써 최종적으로는 당사자의 권리와 이익을 보호하려는 제도이므로 ...... (대판 2002. 6. 28, 2000두4750)

❷ 직권심리주의, 행정심판기록제출명령

취소소송의 직권심리주의 및 행정심판기록제출명령에 관한 규정은 부작위위법확인소송에도 준용된다.

❸ 입증책임

일정한 처분을 신청한 사실, 신청권의 존재, 상당한 기간이 경과하였다는 사실은 원고에게 입증책임이 있다. 그러나 상당한 기간이 경과하였음에도 신청에 따른 처분을 하지 못한 것을 정당화하는 사유에 대해서는 행정청이 입증책임을 진다.

기출 체크

□□□□□ **01** (부작위위법확인소송에서) 본안심리의 범위와 관련하여 판례는 실체적 심리설의 입장이다. (○, ×)
2006 세무사

□□□□□ **02** 법원은 (부작위위법확인의 소에서) 단순히 행정청의 방치행위의 적부에 관한 절차적 심리만 하는 게 아니라, 신청의 실체적 내용이 이유 있는지도 심리하며 그에 대한 적정한 처리방향에 관한 법률적 판단을 해야 한다. (○, ×) ★★
2018 국회직 8급

□□□□□ **03** 부작위위법확인소송은 부작위의 위법함을 확인함으로써 행정청의 응답을 신속하게 하여 부작위 내지 무응답이라고 하는 소극적인 위법상태를 제거하는 것을 목적으로 한다. (○, ×) ★★
2016 서울시 7급

정답 01 × 02 × 03 ○

기출 체크

□□□□□ **01** 부작위위법확인소송의 경우 사실심의 구두변론종결시점의 법적·사실적 상황을 근거로 행정청의 부작위의 위법성을 판단하여야 한다. (○, ×) ★★
2022 국가직 7급

□□□□□ **02** (부작위위법확인소송에서) 위법판단의 기준시점은 처분시가 아니라 사실심변론종결시로 보아야 한다. (○, ×) ★★
2013 국회직 8급

□□□□□ **03** 판례상 부작위위법확인소송(A)과 거부처분취소소송(B)에 있어서 부작위 또는 거부처분의 위법성 판단의 기준시점을 각각 올바르게 나열한 것은? ★★
2008 세무사

	(A)	(B)
①	사실심변론종결시	사실심변론종결시
②	사실심변론종결시	처분시
③	처분시	사실심변론종결시
④	처분시	처분시
⑤	처분시	소제기시

□□□□□ **04** 부작위위법확인소송에 대해서는 행정소송법상 처분변경으로 인한 소의 변경에 관한 규정이 준용된다. (○, ×) ★★
2013 국회직 8급

□□□□□ **05** (부작위위법확인소송은) 거부처분취소소송에서의 간접강제에 관한 규정이 준용된다. (○, ×) ★★
2006 세무사

정답 01 ○ 02 ○ 03 ② 04 × 05 ○

❹ 위법판단의 기준시

취소소송에서 위법판단의 기준시에 대해서는 처분시설이 통설이나, 부작위위법확인소송에서는 처분이라는 것이 존재하지 않으므로 위법판단의 기준시에 대해서 **판결시(사실심의 변론종결시)설**이 통설이다.**01 02 03**

❺ 소의 변경

1. 취소소송의 소변경에 관한 규정은 부작위위법확인소송에도 준용된다. 따라서 부작위위법확인소송이 법원에 계속 중 행정청이 거부처분 등 일정한 처분을 한 경우에는 그 거부처분 등에 대한 **취소소송으로 소변경이 가능**하다 할 것이다. 또한 부작위위법확인소송을 **당사자소송으로 변경하는 것도 가능**하다.

2. 그러나 부작위위법확인소송의 경우에는 처분이라는 것이 없으므로 **처분변경으로 인한 소변경에 관한 규정은 준용되지 아니한다**.**04**

05 | 법원의 판결

❶ 판결의 종류

1. 각하판결

부작위위법확인소송의 소송요건을 결여한 부적법한 소에 대하여는 본안심리를 거절하는 각하판결을 내린다. 거부처분이 행해졌음에도 부작위로 알고 소송을 제기한 경우와 같이 부작위 자체가 성립하지 않는 경우 및 부작위가 성립하였으나 소송계속 중 처분이 내려져 소의 이익이 상실된 경우 각하판결을 내린다.

2. 기각판결

본안심리의 결과 원고의 부작위위법확인청구가 이유 없다고 판단되는 경우 기각판결을 내린다.

❷ 판결의 제3자효, 판결의 기속력, 간접강제

1. 부작위위법확인소송의 인용확정판결은 제3자에게 효력이 있다.

2. 부작위위법확인소송의 확정판결에도 취소소송의 행정청에 대한 **기속력과 간접강제에 관한 규정이 준용된다**.**05**

3. 부작위위법확인판결의 기속력은 행정청의 판결의 취지에 따른 처분의무인데, 이러한 처분의무는 행정청의 응답의무인지 아니면 신청에 따른 특정한 내용의 처분의무인지에 관해 견해가 대립한다.

(1) **응답의무설**(p.925 판례 참조)

① **내 용**

부작위위법확인판결의 기속력으로서의 (재)처분의무는 행정청의 응답의무라고 보는 견해로서, 이 견해에 따르면 행정청은 **재량행위**는 물론이고 신청의 대상이 **기속행위**인 경우에 **거부처분**을 하여도 판결의 기속력의 내용인 처분의무를 이행한 것이 된다. **01 02** 이 설이 판례의 입장인바, 이 설에 따르면 **부작위위법확인소송의 인용판결에 실질적 기속력이 부인**된다.

② 논 거

㉠ 부작위위법확인판결은 부작위가 위법하다는 것을 확인하는 것에 불과하므로 처분의무의 내용은 신청에 대한 가부(可否), 즉 신청에 따른 처분이든 거부처분이든 응답을 해야 하는 의무에 불과하며 신청에 따른 처분을 하여야 할 의무는 아니라는 점을 논거로 한다.

㉡ 그리고 행정소송법 제2조 제1항 제2호는 부작위의 성립요건으로 '일정한 처분을 하여야 할 법률상 의무'를 요구하고 있는데, 여기에서 일정한 처분이란 특정내용의 처분을 말하는 것은 아니며 신청에 대한 가부의 응답을 말한다고 본다.

㉢ 또한 특정처분의무설을 취하는 경우 부작위위법확인소송은 실질적으로 의무이행소송과 같은 것이 되는데, 이는 부작위위법확인소송만 인정하고 의무이행소송을 인정하지 않은 현행 행정소송법의 입법취지에 반한다는 점을 논거로 든다.

(2) 특정처분의무설

① 내 용

부작위위법확인판결의 기속력으로서의 (재)처분의무는 당초 신청된 특정한 처분의무라고 보는 견해로서, 이 견해에 따르면 행정청은 신청의 대상이 **기속행위**인 경우에 **거부처분**을 할 수는 없게 된다. 이 설에 따르면 **부작위위법확인소송의 인용판결에 실질적 기속력이 인정**된다.

② 논 거

행정소송법 제2조 제1항 제2호는 부작위의 성립요건으로 '일정한 처분을 하여야 할 법률상 의무'를 요구하고 있는데, 여기에서 일정한 처분이란 신청에 따른 처분을 하여 줄 의무라고 본다. 또한 부작위위법확인판결의 기속력을 응답의무로 이해하면 행정청이 다시 거부처분을 하는 것도 가능하게 되는데, 이 경우 원고는 권리구제를 위해 또다시 거부처분에 대해 취소소송을 제기할 수밖에 없게 된다. 이는 비효율적 · 비경제적이므로 무용한 소송의 제기를 막기 위해 부작위위법확인판결에 실질적 기속력을 인정하는 것이 타당하다.

기출 체크

□□□□□ **01** 판례의 태도에 비추어 볼 때, 부작위위법확인소송에서 인용판결(확인판결)이 확정되면 행정청은 이전의 신청에 대한 처분을 하여야 하고 거부처분을 할 수는 없다. (○, ×) ★★★ 2008 세무사

□□□□□ **02** 도로법 제61조에서 "공작물 · 물건, 그 밖의 시설을 신설 · 개축 · 변경 또는 제거하거나 그 밖의 사유로 도로를 점용하려는 자는 도로관리청의 허가를 받아야 한다."고 규정하고 있다. 甲은 도로관리청 乙에게 도로점용허가를 신청하였으나, 상당한 기간이 지났음에도 아무런 응답이 없어 행정쟁송을 제기하여 권리구제를 강구하려고 한다. 다음 설명으로 옳은 것은? (다툼이 있는 경우 판례에 의함) ★★★ 2016 지방직 9급

① 甲이 의무이행심판을 제기한 경우, 도로점용허가는 기속행위이므로 의무이행심판의 인용재결이 있으면 乙은 甲에 대하여 도로점용허가를 발급해 주어야 한다.
② 甲이 부작위위법확인소송을 제기한 경우, 법원은 乙이 도로점용허가를 발급해 주어야 하는지의 여부를 심리할 수 있다.
③ 甲이 제기한 부작위위법확인소송에서 법원의 인용판결이 있는 경우, 乙은 甲에 대하여 도로점용허가신청을 거부하는 처분을 할 수 있다.
④ 甲은 의무이행소송을 제기하여 권리구제가 가능하다.

[유튜브] 40강 필수 개념 TEST
- QR코드를 스캔해 주세요.
- 필수 개념과 출제 포인트를 풀어 보세요.
- 틀린 문제는 기본서로 확인해 주세요.

정답 01 × 02 ③

INDEX 찾아보기

ㅅ

ㅇ

판례 찾아보기

헌법재판소

대법원(판결)

대법원(결정)

고등법원

지방법원

참고 1 소장

소 장

【원고】 ○○○ (주민등록번호)

소 가	
첩부할인지액	
송 달 료	

【피고】 동작세무서장

세금부과처분취소 청구의 소

청 구 취 지

1. 피고가 2024. 5. 11. 원고에 대하여 한 세금 1억 부과처분을 취소한다.
2. 소송비용은 피고의 부담으로 한다.

라는 판결을 구합니다.

청 구 원 인

(청구취지와 같은 청구를 하게 된 원인을 구체적으로 기재)

2024. 6. 1.

위 원고 ○○○ (서명 또는 날인)

○○법원 귀중

참고 2 판결문(사정판결문)

판결문(사정판결문)

【원고】 학교법인 A대학교

【피고】 교육부장관

【변론종결】 2024. 11. 11.

【주 문】

1. 원고의 주위적 청구 및 예비적 청구를 모두 기각한다.
2. 다만, 피고가 2022. 11. 2. A대학교에 대하여 한 인가처분은 위법하다.
3. 소송비용은 피고가 부담한다.

【이 유】

행정소송 ……

주위적 청구는 이유 없어 이를 기각하고, 예비적 청구는 이유 있으나 이를 인용하여 처분을 취소하는 것은 현저히 공공복리에 적합하지 아니하므로 이 부분 예비적 청구도 기각하기로 하되, 다만 그 부분이 위법함을 명시하기로 하여 주문과 같이 판결한다.

판사 김○○(재판장) 박○○ 이○○

참고 3 판결문

판 결 문

【원고】 김○○

【피고】 청도군수

【변론종결】 2024. 5. 11.

【주 문】

1. 피고가 2022. 5. 9. 원고에 대하여 한 파면처분은 이를 취소한다.
2. 소송비용은 피고의 부담으로 한다.

【이 유】

건축법은 ……

그러므로 원고의 주위적 청구는 이유 있으므로 청구를 인용하기로 하여 주문과 같이 판결한다.

판사 박○○(재판장) 최○○ 송○○

참고 4 행정처분 집행정지신청

행정처분 집행정지신청

【신청인】 박 선 희 (주민등록번호)
서울 동작구 노량진동 1-2번지

【피신청인】 서울특별시 지방경찰청장(현 서울경찰청장)

【신 청 취 지】

피신청인이 2024. ○. ○○. 신청인에 대하여 한 영업정지처분은 이 법원 2024 구 합 호 영업정지처분취소 청구사건의 판결 선고 시까지 그 집행을 정지한다.

【신 청 이 유】

생략(신청취지와 같은 신청을 하는 이유를 구체적으로 기재)

【소명방법 및 첨부서류】

1. 소갑 제1호증 자동차운전면허취소통지서

2024. . .

위 신청인 박 선 희 (서명 또는 날인)

○○법원 귀중

참고문헌

- 고영훈 <알기 쉬운 행정법총론(3판)>, 2013, 법문사
- 권영성 <헌법학 원론>, 2010, 법문사
- 길준규 <행정법 입문(6판)>, 2014, (주)박영사
- 김남진 · 김연태 <행정법 Ⅰ(19판)>, 2015, 법문사 / <행정법 Ⅱ(19판)>, 2015, 법문사
- 김남진 · 이일세 <객관식 행정법>, 2006, 경세원
- 김동희 <행정법 Ⅰ(21판)>, 2015, (주)박영사, <행정법 Ⅱ(21판)>, 2015, (주)박영사
- 김동희 <행정법연습>, 2009, (주)박영사
- 김동희 <행정작용법>, 2005, (주)박영사
- 김성수 <일반행정법>, 2014, 홍문사
- 김성수 <행정법판례평론>, 2006, 홍문사
- 김연태 <행정법사례연습>, 2012, 홍문사
- 김중권 <행정법기본연구 1>, 2008, 법문사 / <행정법기본연구 2>, 2009, 법문사 / <행정법기본연구 3>, 2010, 법문사 / <행정법기본연구 4>, 2013, 법문사
- 김철용 <행정법>, 2015, 고시계사
- 김철용 · 최광률 <주석행정소송법>, 2004, (주)박영사
- 류지태 · 박종수 <행정법신론>, 2011, (주)박영사
- 박균성 <행정법강의>, 2024, (주)박영사
- 박균성 <행정법기본강의>, 2015, (주)박영사
- 박윤흔 · 정형근 <최신 행정법 강의(상)>, 2009, (주)박영사 / <최신 행정법 강의(하)>, 2009, (주)박영사
- 박정훈 <행정법의 체계와 방법론>, 2005, (주)박영사
- 송동수 · 석종현 <일반행정법(상)(15판)>, 2015, 삼영사
- 송희성 <객관식 행정법총정리>, 2003, 화산미디어
- 신봉기 <행정법의 주요판례>, 2009, 대명출판사
- 유상현 <행정법 Ⅰ>, 2003, 형설출판사
- 이광윤 <신행정법론>, 2007, 법문사
- 이동식 외 <행정법총론>, 2012, 준커뮤니케이션즈
- 이병철 <행정법강의>, 2008, 유스티아누스
- 이일세 <행정법총론(제2판)>, 2022, 법문사
- 이한태 <행정법입문>, 2012, 이화
- 이호용 <행정법강의>, 2009, 청목출판사
- 장태주 <행정법개론>, 2011, 법문사
- 정하중 <행정법개론>, 2015, 법문사
- 정형근 <행정법>, 2015, 피앤씨미디어
- 천병태 · 김명길 <행정법총론 Ⅰ>, 2011, 삼영사
- 최정일 <행정법의 정석 Ⅰ>, 2010, (주)박영사 / <행정법의 정석 Ⅱ>, 2010, (주)박영사
- 하명호 <행정법>, 2020, 박영사
- 한견우 · 최진수 <현대행정법>, 2011, 세창출판사
- 홍성방 <헌법학 상>, 2013, (주)박영사 / <헌법학 중>, 2010, (주)박영사 / <헌법학 하>, 2014, (주)박영사
- 홍정선 <新행정법특강>, 2024, (주)박영사
- 홍정선 <행정기본법 해설>, 2022, (주)박영사
- 홍정선 <행정법원론(상)>, 2015, (주)박영사 / <행정법원론(하)>, 2015, (주)박영사
- 홍정선 <신행정법연습>, 2011, 신조사
- 홍정선 <최신행정법판례특강>, 2012, (주)박영사
- 홍정선 · 김기홍 <CASE 행정법특강>, 2013, (주)박영사
- 홍정선 등 <로스쿨 객관식 행정법특강>, 2012, (주)박영사
- 홍정선 <신 지방자치법>, 2009, (주)박영사
- 홍정선 <경찰행정법>, 2013, (주)박영사
- 홍준형 <행정구제법>, 2012, 도서출판 오래

<행정법연구 12~30>, 2011, 행정법이론실무학회
<행정소송법 개정자료집 Ⅰ>, 2007, 법원행정처
<행정소송법 개정자료집 Ⅱ>, 2007, 법원행정처
<행정판례연구 1~6>, 1996~2001, 서울대학교출판부
<행정판례연구 8~11>, 2003~2006, (주)박영사
<행정판례연구 13~17-1>, 2008~2012, (주)박영사

박준철 교수

약 력

고려대학교 법과대학 법학과 졸업
고려대학교 법과대학원 행정법 전공
現. 공단기 행정법 대표 강사
소방단기 행정법 대표 강사
前. 남부고시학원 7·9급 행정법 대표 강사
KG패스원(웅진패스원) 7·9급 행정법 대표 강사

주요 저서

써니 행정법총론
7급 써니 행정법각론
써니 행정법총론 기출문제집
7급 써니 행정법각론 기출문제집
써니 행정법총론 행정법으로의 초대
써니 행정법총론 핵심집약
7·9급 써니 행정법총론 단원별 모의고사
써니 행정법총론 소방 단원별 모의고사
7·9급 써니 행정법총론 실전동형 모의고사
써니 행정법총론 소방 실전동형 모의고사
써니 행정법총론 오답노트
7·9급 써니 행정법총론 SOS
코드에 맞는 행정법총론
7·9급 써니 행정법총론 판례집
7·9급 써니 행정법총론 판례특강
써니 행정법총론 오답노트 하프모의고사

2025
써니 행정법총론 2권

13판 1쇄 발행 2024년 7월 15일
13판 8쇄 발행 2024년 10월 1일

편저자 박준철
발행인 김지연

등 록 제319-2011-41호
발행처 (주)도서출판 지금(http://www.papergold.net)
주 소 06924 서울특별시 동작구 장승배기로 128, 305호(노량진동, 동창빌딩)
교재공급처 (02)814-0022 FAX (02)872-1656
유튜브 SunnyLawTV_써니로
학습문의처 cafe.naver.com/sunnylaw(써니 행정법)
ISBN 979-11-6018-394-8 14360(세트)

정가 42,000원(전 2권)